# 名医推荐家庭必备验方

【珍藏本】

MINGYI DAOWOJIA

Mingyi Tuijian Jiating Bibei Yanfang

周德生 刘利娟 ◎主编

## 《名医推荐家庭必备验方》编委会名单

主　编：周德生　刘利娟

副主编：陈　瑶　童东昌　李　珊　袁英媚

# 前　言

中医验方是指经过临床实践检验、反复使用而确有疗效、流传于民间的固定方法或固定方剂。验方有多种称谓，如经验方、效验方、秘方、偏方、土方、单方、专方、妙方等，其实这些概念是有区别的。在实际应用中我们认为所有临床有效的方剂都是验方；验方中最有效、最有名的方剂就是名方，所以名方是验方的精粹部分；秘方是验方中流传范围有限的私密部分；偏方是验方中流传范围更加有限的外围部分；土方又是偏方中的地域色彩浓厚的部分；单方是验方中的单味药物方；专方是验方中的针对专门病种或者某类疾病的治疗方剂。一般而言，中医验方具有以下特点：其一，验方者简、便、廉、验、巧。“简”是指组成药味少，使用方法简单，易于掌握，语言浅显，易于普及；“便”是指易找易买，取才方便，某些药味不见得载于本草书籍，或为地方草药，或为民族药物，或为鲜药，或为食物；“廉”是指经济实惠，价廉物美；“验”是指有意想不到的疗效，千锤百炼，久负盛名；“巧”是指立意奇巧，组方精巧，用法巧妙。其二，验方者非正规系统处方。对病治疗，或对证治疗，或对症治疗，不一定辨病、辨证、辨症，不一定讲究原则，不一定遵循用量、用法、规范，对常见疾病及疑难疾病应用广泛。中医验方流传于民间，大多为人们亲自体验或口耳相传，甚则成为一地风俗，某些中医验方制方者无从查考，亦未见载籍，但处方及使用方法固定，加减应用亦有规律可循。其三，验方者一般无副作用。中医验方亦有适应证及禁忌证。正确使用验方一般安全可靠，无不良反应，否则方有效而无用矣。但是，某些中医验方仍使用了或超量使用了有毒中草药，对其毒副作用研究尚欠缺，临床使用时切忌对号入座或以病试方，更不可替代正规的医学治疗，即使经过医师勘定的验方亦不可长期使用，当心验方中毒，或引起其他不良反应。因此，临床使用验方必须注意坚持辨病、辨证、辨症原则，注意患者的个体差异和疾病的多样性，因人、因病、因时、因地制宜，考证验方药物的功效和毒副作用，考究所选用的验方与所治疗疾病的医学逻辑关系，必须非常谨慎使用。然而，由于治疗各疾病的实用验方众多，每个验方的临床应用广泛，加之同病异治和异病同治的特点，造成普通患者陷入选择的困惑。如今人们对医学专业知识的渴求，越来越多地依赖网络媒体，但对患者来说这种方法不是最佳的途径。因为患者不仅需要合理膳食、适量运用、戒烟限酒、心理平衡等健康生

活方式，更需要专业的医学指导和临床治疗。因此，必须由医学专业人才来担当患者的有关疾病的诊断、治疗、预防工作，同时也必须由医学专业人才来担当健康生活方式的倡导者和实施者，让人们掌握医学科学技术、防病治病的方法、医学保健的措施，用在自我保健上，从而达到防病的目的。

为此，我们组织资深中医专家共同编写了这本《名医推荐家庭必备验方（珍藏本）》。本书包括内科、外科、妇科、儿科、传染科、眼耳鼻咽喉科等56种常见症状，457种疾病，15种有滋补美容效用的名医推荐家庭必备验方。为方便读者，我们博览众方，对比筛选，系统整理，每种疾病推荐3～5首中医验方，然后针对具体疾病详细地做出了专业的医学指导和健康生活方式建议，以期每个普通患者不至于被江湖骗子打着各种幌子、各种手段、各种迷信所欺骗愚弄，引导人们了解正确的中医药卫生保健知识，在获得科技助力的同时克服其社会局限性。

在本书编写过程中，我们坚持科学性、实用性、创新性的原则，内容详实，涵盖面广，言简意赅，重点突出，条理清楚。另本书参阅了大量的文献资料，在此谨向有关文献的作者及出版社表示感谢，向每一个验方的原创者及加减药物的原创者表示致敬。由于学识水平、个人见解有限，书中缺点、错误有所难免，希望广大读者批评指正。

本书主要适合普通患者、患者家属、养生大众和中医爱好者阅读，同时也可供中医及中西医临床工作者、中医及中西医院校师生、中医方剂研究者参考。

湖南中医药大学第一附属医院
周德生　刘利娟

# 目　录

## 第一篇　常见症状



## 第二篇　内科疾病

## 第三篇 外科疾病

## 第四篇 妇科疾病

## 第五篇　儿科疾病



## 第六篇　传染性疾病

## 第七篇 眼耳鼻咽喉口腔科疾病

## 第八篇 滋补美容

# 第一篇　常见症状

## 咳　嗽

咳嗽是人体的一种保护性反射动作，多由呼吸道疾病、胸膜疾病等因素引起。呼吸道内的病理性分泌物以及从外界进入呼吸道内的异物可借咳嗽排出体外。

中医学认为，其病位主要在肺，且与胃、肾、肝、脾、心等脏腑功能失调密切相关。《素问·咳论》谓："五脏六腑皆令人咳，非独肺也。"咳嗽分风寒咳嗽、风热咳嗽和阴虚咳嗽，治疗宜温肺散寒、止咳化痰；宣肺清热、止咳化痰；益气养阴、润肺止咳。

**【必备验方】**

1. 百合25克，雪梨1个（去皮，切块），冰糖20克。将百合用清水浸泡1夜，次日（连同清水）再加清水半碗多，煮1.5小时，加入雪梨和冰糖再煮30分钟即可。适用于肺虚久咳者，常人食用亦有益肺之功。

2. 鲜柚肉500克，蜂蜜250克，白酒适量。将柚肉去核、切块，放在瓶中，倒入白酒，封严浸闷1夜，再倒入铝锅中煮至余液将干时加入蜂蜜，拌匀，待冷装瓶。适用于咳嗽痰盛或老年咳喘者。

3. 燕窝10克，银耳15克，冰糖适量。将燕窝先用清水洗1遍，放入热水中浸泡3～4小时后择去毛绒，再放入热水中泡1小时，放入瓷罐或盖碗，加入银耳、冰糖，隔水炖熟服食。适用于干咳者。

4. 川贝母5克，甲鱼1只（约500克），鸡汤1千克，葱、生姜、花椒、料酒、食盐各适量。将甲鱼去头及内脏，切块，加入鸡汤、川贝母、食盐、料酒、花椒、葱、生姜，上笼蒸1小时，趁热服食。适用于阴虚咳喘者。

5. 五味子20克，鸡蛋10个。将五味子放入瓦器内水煎半小时，待药汁凉透后放入鸡蛋，放阴湿处浸泡7日，每日早晨食鸡蛋1个。适用于肺肾虚咳嗽，亦治支气管炎（入冬遇冷风即发的，伏天在未发病时用之更好）。

**【名医指导】**

1. 注意气候变化，做好防寒保暖，特别是足部的保暖，避免受凉，尤其在气候反常时更要注意调摄。在感冒流行季节，尽量少去人群拥挤、空气污浊的公共场所。家人患感冒或流行性感冒要隔离，主动戴口罩以免被传染。夏季开始用凉水洗脸和冲鼻腔，以减低对寒冷的敏感性。居室多开窗，保持空气新鲜和流通。

2. 饮食宜清淡，以新鲜蔬菜为主，适当吃豆制品，荤菜量应减少，可食少量瘦肉或禽、蛋类食品。食物以蒸、煮为主；水果可给予梨、苹果、柑橘等，量不必多。忌食肥甘厚味、辛辣香燥之品，忌烟、酒，以免蕴湿生痰或伤阴化燥助热。

3. 咳嗽痰多者应尽量将痰排出。鼓励多饮水，除满足身体对水分的需要外，充足的水分可帮助稀释痰液，使痰易于咳出，并可增加尿量，促进有害物质的排泄。

4. 适当参加体育锻炼，以增强体质，提高抗病能力。体育锻炼尽量选择不太激烈的项目，最好能结合运动需要，配合运气，如太极拳、气功、慢跑等，在练体力的同时又可锻炼呼吸功能，增加肺活量。

5. 保持情绪稳定，保精养神，有利于咳嗽的康复。精神情志的激烈变化，可以引发咳嗽，中医有“木火刑金”的咳嗽，指的就是肝郁化火，上刑肺金所致咳嗽的病证。所以久患咳嗽，特别是素体阴虚、肺结核病者，病后切忌暴怒忧郁，免动肝火，引起咯血之变。

## 发　热

发热为临床最常见症状之一，是指体温因某种原因超过正常范围。腋下温度超过37 ℃，口腔温度超过37.3 ℃，直肠温度超过37.6 ℃或1日内体温变异超过1 ℃，即为发热。其原因大多为感染或传染病及非感染性疾病，如细菌、病毒、真菌、支原体等感染，无菌性组织损伤，中枢性发热，癌热，变态反应引起发热，产生散热异常等。

中医学认为，其病因有外感和内伤之分。外感发热多以高热为主，有风热证、风寒证、暑湿证、肺热证、胃热证；内伤发热多以低热为主，可见肝郁发热、瘀血发热、气虚发

热、血虚阴虚发热。治疗宜疏邪清解、益气除热、滋阴清热。

**【必备验方】**

1. 乌梅12克，苦瓜15克，薄荷10克，梨1个。每日1剂，加水500毫升，煮沸15分钟左右，去渣，加少许白糖调匀，分3～5次服，连服2～3日。适用于小儿夏季发热。

2. 炒白术50克，山药30克，粳米500克。共研细末，每取10～30克，加水煮成糊服食，连服7日。适用于食欲不振型低热。

3. 天麻、罗面各10克，京墨、百草霜各20克。用凉开水和为丸（每丸15克），每次服1丸，每日2次。适用于产后无名发热。

4. 鲜地龙10余条，75%乙醇适量，白矾粉少许。将鲜地龙入乙醇浸泡3分钟，取出，撒上白矾粉，敷于肚脐上，外以塑料薄膜覆盖并用绷带包扎，2小时左右取下。

5. 生石膏18克，薄荷4克（后下），鲜芦根20克，金银花15克。加水浸泡后浓煎10分钟，入薄荷再煮5分钟，去渣，每日分2～3次服。适用于外感发热。

**【名医指导】**

1. 室内温度适宜，最好保持在18℃～25℃。为保持室内空气新鲜，可在中午天气暖和时，开窗通风5分钟；如果是冬天，可在火炉上放一壶水，以使空气新鲜湿润。另外，患者的衣服不要穿得太多，被褥不要盖得太厚，出汗后要及时更换衣服及内衣、内裤。

2. 饮食应清淡易消化，发热患者应选用流质或半流质饮食，如小米粥、面片汤、鸡蛋汤、蛋羹等；还要注意多吃青菜和水果，以便及时补充维生素；并给患者喝白糖水，各种果汁、豆浆、米汤等，以便及时补充体内失去的水分。

3. 注意口腔清洁卫生，每次饭后或睡觉醒来时要用清水或淡盐水漱口。对婴幼儿家长可用棉花蘸上水，清洗口腔。

4. 对患者进行降温时，可采用乙醇擦浴、温水擦浴及冷敷等物理降温法。也可给患者服用退热止痛药，但要遵医嘱，做到按时、按量，以免引起不良反应。另外，对发热的患者不要滥用抗生素，以免引起不良后果。要随时注意观察病情，按时给患者测量体温，发现异常要及时送医院检查，以免耽误治疗。

## 心　悸

心悸是指患者自觉心中悸动甚则不能自主的一类症状。患者自觉心跳或心慌，伴有心前区不适感，当心率缓慢时常感到心脏搏动强烈，心率加快时可感到心脏跳动，甚至可感到心前区振动。心悸与患者的精神因素有关。身心健康者在安静状态并不感到自己的心脏在跳动，情绪激动或强烈体力活动后常感到心悸，但为时短暂，静息片刻便消失；神经过敏者则不然，一般的心率突然加快或偶发的期前收缩也可感到心悸。心悸的感觉常与患者的注意力有关，也与心律失常存在时间的长短有关。当患者注意力集中时（如夜间卧床入睡前或在阴森的环境中），心悸较易出现且明显。而许多慢性心律失常者，由于逐渐适应而常不会感到明显的心悸，若得不到及时恰当的控制，则可发生各种心脏病甚至死亡。

本病中医学属“惊悸”、“怔忡”等范畴。与平素体质虚弱、情志所伤、劳倦、汗出受邪等有关，多因气血虚弱、痰饮内停、气滞血瘀等所致。其治疗应本着“虚则补之，实则泻之”的治则。

**【必备验方】**

1. 猪心350克，高丽参、当归各10克（洗净，切细）。将猪心洗净、剖开，纳入当归、高丽参，放入炖盅内加适量开水（炖盅加盖），以文火隔水炖3小时，调味后服食。

2. 兔肉250克，龙眼肉30克，桑椹15克，枸杞子20克，食盐适量。将龙眼肉、枸杞子、桑椹洗净；兔肉洗净、切块，用开水氽去血水；同入锅内加适量清水，以武火煮沸后改用文火煮2小时，调味后食用。

3. 瘦猪肉500克，玉竹30克，莲子50克，百合10克，大枣20克（干）。将玉竹、莲子、百合、大枣洗净，瘦猪肉洗净、切块；同入锅内，加适量清水，以武火煮沸后改用文火煮3小时，调味后服食。

4. 灵芝50克，大枣30克（干），生姜5克，食盐3克。将灵芝去杂质、洗净、切块；大枣洗净；同入锅内，加适量清水，以武火煮沸后改用文火煮3小时，调味后服食。

5. 面粉3000克，羊舌300克，羊腰子400克，鲜蘑菇500克。将羊舌、羊腰子、蘑菇洗净，同煮熟，加入面粉煮熟服，每日1次，可常服。适用于心肾不足型心悸。

**【名医指导】**

1. 调畅情志，防止喜怒等七情过极。患者应保持精神乐观，情绪稳定，坚持治疗，坚定信心；应避免惊恐刺激及忧思恼怒等。

2. 起居有常，生活规律，饮食有节。宜进食营养丰富而易消化吸收的食物，宜低脂、低盐饮食，少食酒、烟、浓茶、咖啡等，忌过饥、过饱。

3. 注意休息，少房事。轻症者可从事适当体力活动，以不觉劳累、不加重症状为度，避免剧烈活动，如可适当散步、打太极拳、气功等，以增强免疫力；重症者应卧床休息，应及早发现变证、坏病先兆症状，做好急救准备。

4. 积极治疗引起心悸的基础疾病，如积极治疗冠心病、肺源性心脏病；对于原发性高血压患者应控制好血压；积极预防感冒，防治心肌炎。

## 咯　血

咯血是指不嗽而喉中咯出小血块或血点。多因肾虚阴火旺血随之上行，或心经火旺血热妄行所致。《张氏医通·诸血门》谓："咯血者，不嗽而喉中咯出小块，或血点是也。其证最重，而势甚微，常咯两三口即止。盖缘房劳伤肾，血随阴火而上。亦有兼痰而出者，肾虚水泛为痰也。"亦有心经火旺，痰中带血丝。治疗宜滋阴降火，清心退火。

**【必备验方】**

1. 熟地黄12克，麦冬15克，知母10克，龟甲（先煎）、侧柏叶各30克，墨旱莲40克。水煎服，每日1剂。适用于肺结核咯血。

2. 桑白皮15～20克，地骨皮20克，甘草5克，花蕊石15克，三七粉3克（冲服），血余炭10克。加水浸泡30分钟后水煎2次，每次30分钟，将两次煎液混匀服。适用于支气管扩张伴咯血。

3. 鲜鸡冠花25克，猪肺1具，食盐、料酒、生姜片各适量。将猪肺洗净，与鸡冠花、料酒、生姜片同加水煮沸，撇去浮沫，改用文火煮1小时，去鸡冠花，调入食盐，捞出猪肺切块，分3～5次服食。

4. 银耳20克，大枣10枚，白糖15克。将银耳用清水泡发、洗净、撕碎，与洗净的大枣及白糖同放碗内，隔水蒸30分钟即可，每晚1剂，连服7～10剂。适用于痰热咳嗽、咯血者。

5. 柿饼1枚，青黛3克。将柿饼蒸熟、切开，掺入青黛，临卧时以薄荷汤送服。

**【名医指导】**

1. 预防感冒，根据天气变化增添衣服，防止受寒感冒；房间要经常通风，保持适宜温度（18℃～25℃）和湿度（40%～70%）。

2. 稳定情绪，安静休养。中医学认为情志变化与心情有一定关系，如"喜伤心"、"忧伤肺"，所以预防咯血要注意修心养性。

3. 避免不必要的交谈，一般静卧休息能使小量咯血自行停止。大咯血患者应绝对卧床休息，减少翻动。协助患者取患侧卧位，有利于健侧通气，对肺结核患者还可防止病灶扩散。

4. 饮食调理：大咯血者暂禁食；小量咯血者宜进少量凉或温的流质饮食。避免饮用浓茶、咖啡、酒等刺激性饮料；多饮水及多食富含纤维素的食物，以保持大便通畅。

5. 出血的患者要密观患者病情变化，保持呼吸道通畅，慎防窒息；大出血者，尽快送往医院。

## 胸　痛

胸痛是由胸部疾病（包括胸壁疾病）所引起，是临床上常见症状。可见于呼吸系统疾病，也可见于心血管系统、消化系统、神经系统以及胸壁组织的病变。不同部位、器官以及不同疾病引起的胸痛的性质及伴随症

状和发生的时间不尽相同。

胸痛属患者的一种自觉症状，多由胸阳不足、阴乘阳位、气机不畅所致。胸痛可概括为虚、实两类。实证可分为气滞、血瘀、风热壅肺、肝胆湿热等型；虚证有阴虚、阳虚，临床以实者为多见，可由感受外邪、七情劳倦、饮食起居不当，跌仆损伤所致。治疗实证用理气、活血、宣肺、清热、化湿等法；治疗虚证用通阳宣痹、回阳救逆、滋养肝阴等法。

**【必备验方】**

1. 白侧耳根 50 克（鲜品 100 克），粳米 60 克。将白侧耳根洗净，切成长 2 厘米的节，待用；粳米洗净，放入陶瓷锅内，加水适量，置武火上烧沸，再用文火熬至半熟后，加入白侧耳根熬至粥熟即成。适用于胸痛、腹胀、咳嗽者。

2. 薤白 30 克，生姜 1 克，大葱 10 克，粳米 150 克，食盐少许。将薤白去皮、洗净，生姜洗净，分别切薄片；葱洗净、切成短节，将粳米洗净。同入沙锅内，加适量水置武火上烧沸，再用文火熬熟，放入大葱短节和食盐搅匀即可。适用于胸阳不振、寒湿痰阻所致胸痛。

3. 瓜蒌 15 克，薤白 10 克，枳壳 12 克，白酒适量（为引）。每日 1 剂，水煎，分 2 次服。适用于胸痹胸阳闭塞、肺气上逆型胸痛。

4. 桃仁、粳米各 60 克。将桃仁煮熟，去皮、尖，取汁与粳米同煮粥食，每日 1 剂。适用于胸痛如刺、痛处不移者。

5. 硫黄 30 克，红皮葱 1 根。共捣为泥，用净白布包好扎住，敷痛处。痛止后揭起布（时不可过久），如起葡萄状之水疱，用消毒钢针将水疱刺破，撒上消炎粉即愈。

**【名医指导】**

1. 注意休息，调整情绪。转移注意力，如听轻音乐、看书等，尽量使自己的情绪稳定下来，可减轻疼痛。

2. 居室空气宜新鲜，阳光充足，温暖和安静；保持大便通畅，切忌努责。

3. 饮食宜清淡，忌烟、酒及辛辣刺激性食物；可选择易消化食物，如稀粥、麦片等。

4. 采取舒适的体位，如半坐位、坐位，以防止疼痛加重。胸膜炎患者取患侧卧位，减少局部胸壁与肺的活动，以缓解疼痛。

5. 止痛：如因胸部活动引起剧烈疼痛者，可在呼气末用 15 厘米宽胶布固定患侧胸廓（胶布长度超过前后正中线），以降低呼吸幅度，达到缓解疼痛的目的。亦可采用局部热湿敷、冷湿敷或肋间神经封闭疗法止痛。

6. 疼痛剧烈影响休息时，应及时就医治疗。

## 半身出汗

半身出汗即身体左右一侧（或上下一半）汗出，现代医学认为其病因病机多为自主神经紊乱所致，而导致自主神经紊乱的疾病，如急性脑血管疾病、脊髓疾病、交感神经和副交感神经系统的受损均可导致半身出汗。

本病中医学称“偏汗”。中医学认为，是气血偏衰、阴阳不相接洽之候，可见于左侧或右侧，上半身或下半身；皆为风痰或风湿之邪阻滞经脉，或营卫不调，或气血不和所致。多见于风湿或偏瘫患者。若老人半身出汗可能为中风先兆，多为邪侵经络或营卫俱虚所致。《素问·生气通天论》谓：“汗出偏沮，使人偏枯。”

**【必备验方】**

1. 韭菜 30 克，瘦猪肉 50 克，油、食盐各适量。将韭菜洗净，与猪肉共剁碎，加入少许油、食盐拌匀，隔水蒸熟，分 2 次服食，7 日为 1 个疗程。

2. 浮小麦 50 克，五味子 10 克，冰糖适量。用凉水淘净后浸泡半日，加水 500 毫升烧开，以慢火煮半小时以上，最后浓煎至 100 毫升，加冰糖调服，每日 2 次，每次 50 毫升。

3. 泥鳅 120 克。用热水洗去黏液，去内脏，再用油煎至金黄色，加水 2 碗煮至半碗，入少许食盐调服，每日 1 次（小儿则分次饮汤，不吃鱼），连服 3～5 日。

4. 白矾 30 克，干姜 5～7 片。水煎半小时，去渣，取汁温浸手足（药液要浸没手足背至腕、踝关节，在浸泡过程中，可在药液

中不断加入温开水，以保持药液的温度)。每晚睡前 1 次，每次 20 分钟左右，连用 4～8 次。

5. 五倍子 20 克。为末，人乳调匀，蒸熟为丸（如龙眼大)，每用 1 丸置脐中，外以核桃壳盖、绢缚定。

**【名医指导】**

1. 及时治疗可能引起神经系统疾病的病变，如动脉硬化、糖尿病、冠心病、高脂血症、高黏滞血症、肥胖病、颈椎病等。

2. 及时治疗引起半身汗出的神经系统疾病，如脊髓空洞症等。

3. 重视中风的先兆征象，如头晕、头痛、肢体麻木、昏沉嗜睡、性格反常。一旦小中风发作，应及时到医院诊治。

4. 消除中风的诱发因素，如情绪波动、过度疲劳、用力过猛等；要注意心理预防，保持精神愉快，情绪稳定。

5. 饮食要有合理结构，以低盐、低脂、低胆固醇为宜，适当多食豆制品、蔬菜和水果，戒烟、酒。

## 胃　痛

本病中医学称“胃脘痛”（俗称心口痛、胃气痛），以上腹部近心窝处疼痛为特征。引起胃痛的原因有恣食生冷、外感寒邪，肝气不疏横逆犯胃，火郁犯胃，脾胃虚寒，血络痹滞等；治疗宜消食导滞，温中散寒止痛，疏肝理气止痛，活血化瘀理气止痛，养阴益胃，温中健脾。

**【必备验方】**

1. 生姜 2 片，葱白 3 段，吴茱萸 2 克（研细末)，粳米 30～60 克。将粳米煮成粥，入葱白、生姜、吴茱萸粉同煮沸服，每日 1～2 次。适用于寒凝气滞型胃痛、呕吐吞酸、泄泻。

2. 干姜 1～3 克，葱白 15 克，制附子 3～5 克，粳米 50 克，红糖少许。将制附子、干姜研末，粳米加水煮沸，加入葱白、制附子、干姜末及红糖同煮为稀粥。适用于脘腹冷痛、大便溏泄者。

3. 芫花 5 克，延胡索 15 克，米醋适量。将芫花入米醋中浸泡，煎煮 3～5 沸，取出烘干；延胡索用醋炒，共研细末，每服 3 克，以香附 10 克煎汤送服，每日 1～2 次。适用于胃脘痛。

4. 鸡内金 10 克，肉桂、荜茇各 6 克，苏打粉 30 克。将前 3 味共研细末，加入苏打粉调匀，开水冲服，每次 5 克，每日 3 次。适用于胃脘疼痛。

5. 生姜 15 克，连须葱头 30 克。同捣烂，炒热（布包)，热敷胃部（药冷即更换)，每次 30 分钟，每日 2 次。适用于胃寒疼痛。

**【名医指导】**

1. 注意气候变化，尤其突然转寒时，注意增减衣服，预防胃痉挛。

2. 饮食有节，防止暴饮暴食；饮食宜清淡、半流质、易消化、不凉不热及不要过饱，少食肥甘厚腻及各种刺激性食物，如含酒精及香料的食物。谨防食物中过酸、过甜、过咸、过苦、过辛，不可使五味有所偏嗜。戒烟。

3. 注意营养平衡：平素的饮食应供给富含维生素的食物，以利于保护胃黏膜和提高其防御能力，并促进局部病变的修复。

4. 调畅情志，尽量保持情绪稳定和乐观，避免烦恼、忧虑。情绪激动，七情过激会引起机体气机畅达失调，从而容易引发胃痛。

5. 平常尽量穿舒适宽松的衣服，以避免腹部受压；腹部受压，气血运行不畅，胃肠蠕动减慢，消化不良，食物积滞也容易引发该疾病。

6. 适当体育锻炼，增强抗病能力；但不要在激烈运动之前或之后马上进餐，以免加重胃部负荷。

## 吐酸和嘈杂

吐酸又称反酸、泛酸，是指胃中酸水上泛的症状，若随即咽下称吞酸，若随即吐出称吐酸。常与胃痛兼见，也可单独出现。《素问·至真要大论》谓：“诸呕吐酸，暴注下迫，皆属于热。”

嘈杂是指胃中空虚，似饥非饥，似辣非

辣，似痛非痛，莫可名状，时作时止的病症，可单独出现，又常与胃痛、吐酸兼见。《景岳全书·嘈杂》谓："嘈杂一证，或作或止，其为病也，则腹中空空，若无一物，似饥非饥，似辣非辣，似痛非痛，莫可名状，或得食而暂止，或食已而复嘈，或兼恶心，而渐见胃脘作痛。"

吐酸和嘈杂为临床常见症状，主要见于消化系统疾病，临床治疗主要从调理脾胃入手。

**【必备验方】**

1. 黑鲤鱼1尾，白酒、冰糖各适量。将鱼去内脏（不去鳞）、切块，用白酒浸泡，加盖焖数小时，过滤，取汁500克，加冰糖50克即可。饭后2小时服，每次100克，每日2～3次。

2. 金橘200克，豆蔻20克，白糖适量。将金橘水煎5分钟，入豆蔻、白糖，以小火略煮片刻，随意温服。适用于吐酸。

3. 田七末3克，莲藕1段，鸡蛋1个。将莲藕洗净、削皮、榨汁50毫升（1/5碗量），置碗中，鸡蛋去壳后与田七末搅拌，隔水炖1小时食。

4. 鲜姜50克。洗净、去皮，切细、捣烂，绞汁，再用消毒棉花团扎于竹筷上（须固定，以防气管吸入），饱吸姜汁；然后令患者取半仰卧位，张开口腔。术者左手用压舌板压住其舌体（暴露其咽后壁），右手持竹筷与舌根成45°角，将姜汁棉团轻轻送入咽部，反复轻按咽后壁左右两侧，并嘱患者大口呼吸30～60秒即可。抽出竹筷，静卧30分钟（不可饮水进食）。

5. 乳香、硫黄、陈艾各6克。共为细末，以好酒1杯煎数沸，乘热熏鼻，同时用生姜搽胸前。

**【名医指导】**

1. 保暖护养：注意气候变化，特别是秋凉之后，昼夜温差变化大，要注意胃部保暖，适时增添衣服，夜晚睡觉盖好被褥，以防腹部着凉而引发胃痛、吐酸、嘈杂或加重旧病。

2. 饮食调养：饮食有节，并应以温、软、淡、素、鲜为宜，不吃过冷、过烫、过硬、过辣、过黏的食物，忌暴饮暴食；戒烟禁酒；做到定时定量，少食多餐，使胃中经常有食物和胃酸进行中和。

3. 平心静养：吐酸和嘈杂等症的发生与发展，与人的情绪、心态密切相关。因此，要讲究心理卫生，保持精神愉快和情绪稳定，避免紧张、焦虑、恼怒等不良情绪的刺激。同时，注意劳逸结合，防止过度疲劳而延缓胃病的康复。

## 恶心与呕吐

恶心与呕吐都是一种反射动作，通过这种反射动作将胃内容物吐出。有胃内容物排出称呕吐，无胃内容物排出称恶心，可单独或同时发生，两者多相伴发生。以呕吐为主要症状的疾病，除习惯性（或称神经性）呕吐外，其他并不多见。呕吐物开始为胃内容物，如持续不止，可吐出胆汁或肠液。恶心与呕吐有中枢性、反射性之分，可见于多种疾病，如急性肝、胆、胰炎症以及急性胃肠炎、食物中毒、肠梗阻、急性阑尾炎、各种颅内压增高性疾病（如脑震荡、脑膜炎、脑肿瘤等）、药物中毒、晕动病、妊娠、尿毒症等。

**【必备验方】**

1. 薏苡仁、粳米各30克。将薏苡仁洗净，加水煮烂，再加粳米煮粥食，每日1次，连服2～3日。适用于湿热犯胃型恶心、呕吐。

2. 生姜汁1盏（煎滚收储），蜂蜜250克（炼熟收储）。每次取姜汁1匙，蜂蜜2匙，沸汤调服，每日5～7次。适用于胃寒型恶心、呕吐。

3. 绿豆1把，伏龙肝1块（如枣大）。共研细末，加冷开水1碗搅匀，静置，取澄清液服。适用于夏季受暑呕吐者。

4. 苍术30克，麦麸250克，酒适量。将苍术研末，拌麦麸炒黄，趁热以酒淬，令患者吸其热气，另取一部分布包，在前胸温拭。

5. 针刺呕吐穴。呕吐穴位于手掌面，腕横纹正中直下0.5寸处（同身寸），左右共2穴。用1～1.5寸毫针斜刺，针体呈15°～30°

角，针尖刺向中指端，即透向手针疗法穴位“胃肠点”，大幅度捻转强刺激，留针10分钟左右（小儿可不留针）。重者，刺两侧。适用于呕吐。

**【名医指导】**

1. 注意室内通风，空气新鲜，居室宜温暖向阳，安静舒适。

2. 呕吐时，应予以安慰患者。因肝阳偏盛、肝火旺者，性多急躁易怒，而情绪郁怒更使病情加重，故应了解患者郁闷恼怒原因，尽量安抚患者，使患者情绪稳定。

3. 协助患者吐出，必要时可用探吐法：即用硬羽毛、压舌板、匙柄、筷子、手指等碰触咽弓和咽后壁使之呕吐。可嘱患者先喝适当的温清水或盐水，然后再促使呕吐，如此反复行之，直至吐出液体变清为止。

4. 及时清除呕吐物和更换被污染之衣被，注意观察呕吐物的性质、颜色、气味、数量及呕吐的频率。若呕吐物为大量鲜血或咖啡样物，应注意患者是否出冷汗、面色苍白等，要及时送医院急救治疗。

5. 呕吐时注意体位：病情轻、体力尚可者，可取坐位；病情重、体力差及昏迷者，身体稍向前倾或侧位，防止呕吐物呛入气管，保持呼吸道通畅。

6. 呕吐后需协助患者清洁口鼻，给予温热水洗脸、漱口。小儿和昏迷患者要注意检查耳内，清洁耳内残留物。

7. 鼓励患者尽量将胃中积食吐出，吐后不应立即进食。待胃中感觉恢复正常后，先进少量流食；食后不吐，再逐渐改为半流食和软食，禁忌硬固不易消化之品和油煎厚味，以免助热生火，损伤阴津；应限制食量，不宜暴饮暴食，以免引起食积。可指导患者食用番茄、茭白、苦瓜、冬瓜、萝卜、雪梨、苹果、西瓜、金橘等有疏利行气作用的食物，以及山楂、麦芽、粳米等消食化滞作用的食品。

8. 穴位按压：患者呕吐时，家人可通过揉按压中脘、内关、足三里等穴位及在脊柱两侧刮痧，可缓解症状。

（1）中脘穴的定位：一般在肚脐上4个横指。也就是肚脐和剑突连线的中点。

（2）内关穴的定位：位于人体的前臂掌侧，从近手腕之横纹的中央，往上约两指宽的中央。

（3）足三里定位：左右腿都有，位置位于外膝眼下3寸（除大拇指外的四指并拢，以其中指中节横纹为准，其4指的宽度为3寸），胫骨外侧约1横指处。更简单的办法有：把手掌平置于膝盖，无名指指尖即为足三里。

9. 保持大便通畅：可用蜂蜜、麻仁润肠丸等润肠通便，使腑气通顺，浊气下降，呕吐可止。若暮食朝吐，朝食暮吐，或呕吐见粪臭样物，并伴腹痛拒按，无大便、矢气者，为腑气不通，应及早送往医院救治。

10. 若妇女妊娠呕吐，多为食后即吐，甚至不能见饮食，喜酸食、神疲倦怠、胸膈满闷，症状轻者可无需治疗；呕吐重者，为妊娠恶阻，可静脉输液。

11. 养成良好的饮食习惯，注意饮食卫生。病愈后仍需注意饮食调摄，避免饥饱无度，生冷不忌，恣食厚味。

12. 掌握常诱发呕吐的原因和发病规律，尽量避免一切致病原因。

## 呃　逆

呃逆是指胃气上逆动膈，以气逆上冲，喉间呃呃连声，声短而频，难以自制为主要表现的病症。呃逆是不自主而且强有力的一侧或者两侧膈肌的阵发性痉挛，伴有吸气期声门突然关闭，发出短促而且特别的声音。呃逆由迷走、膈神经、交感神经、膈肌与呼吸辅助肌等共同参与的神经肌肉反射动作，与暴饮暴食、酗酒、冷空气刺激、精神神经因素、传入神经被吞入过热或刺激性物质所刺激等有关。

本病中医学称“哕逆”。《内经》首先提出病位在胃，《素问·宣明五气》谓：“胃为气逆。”并认识到与中上二焦及寒气有关，《灵枢·口问》谓：“谷入于胃，胃气上注于肺，今有故寒气与新谷气，俱还入于胃，新故相乱，真邪相攻，气并相逆，复出于胃，故为哕。”《素问·宝命全形论》谓：“病深者，其

声哕。”尚提出了简易疗法，有一定实用价值。如《灵枢·杂病》记载了古人治疗呃逆的简便方法：“哕，以草刺鼻，嚏，嚏而已。无息，而疾迎引之，立已；大惊之，亦可已。”

**【必备验方】**

1. 生姜 8 克（洗净，切薄片或细粒），粳米（或糯米）100 克（洗净），大枣 2 枚。同煮成粥，温热服食，每日 2 次，每次半剂。适用于脾胃虚寒型反胃呕逆、呕吐清水、腹痛泄泻；对风寒感冒患者亦适用。胃热者忌用。

2. 粳米 50 克，柿蒂 3 个，白梅花 3 克，生姜 3 片。将粳米洗净、煮粥，水沸后加入柿蒂、生姜，煮至粥快熟时，加入白梅花再煮片刻，捞出柿蒂、生姜，即可温热服食，早、晚各 1 次。适用于呃逆、胸胁胀闷、头昏目眩、恶心不食等症。

3. 乳香、硫黄、陈艾各 6 克。共为细末，以好酒 1 杯煎数沸，熏鼻，同时用生姜擦胸前。适用于阴寒型呃逆。

4. 麝香、冰片各 3 克。共研细末，混匀后敷于脐周，2～3 日为 1 个疗程，连用 1～3 个疗程。适用于闭证兼见顽固性呃逆。临床上对神经内、外科急危重症患者兼见顽固性呃逆者效果尤佳。

5. 选取耳穴神门、膈、脑点、皮质下、脾、胃诸穴。用胶布把王不留行固定于上述诸穴后进行压迫刺激，每次用手指按压 1～3 分钟，每日 5～7 次，2 日为 1 个疗程，连用 1～3个疗程。

**【名医指导】**

1. 保持精神舒畅，避免暴怒、过喜等不良情志刺激。情志不和，容易引起机体气机不顺，易引起胃气上逆动膈，气逆上冲，从而诱发呃逆。

2. 适当体育锻炼，可增强机体免疫力，提高机体对抗外邪入侵的能力；同时注意寒温适宜，避免因为过寒引起膈肌痉挛导致呃逆。

3. 养成良好的生活习惯。如吃饭不要过快，要充分咀嚼，每顿饭最好有汤或稀粥搭配食用，以防一时性呃逆的发生。饮食宜清淡，忌生冷、辛辣、肥腻之品，避免饥饱无常，发作时应进食易消化食物。

4. 防止精神性呃逆：15～20 岁的女性癔症患者常可出现频繁呃逆，所以需防止癔症发作。

5. 患者病情危重时突然打嗝连续不断，可能提示有疾病或病情恶化，需引起注意。

## 泄　　泻

泄泻是以排便次数增多、粪质稀薄甚至泻出如水样为特征的病症。中医学将大便稀薄、时作时止、病势缓者称“泄”；大便清稀、如水直下、病势急者称“泻”。临床统称泄泻。西医学将病程在 4 周以内称急性腹泻，4 周以上称慢性腹泻。急性腹泻以各种病原微生物及寄生虫引起的急性肠道感染为主要病因，慢性腹泻则以慢性肠道感染、肠道肿瘤、吸收不良性腹泻、非感染性炎性病变（溃疡性结肠炎、克罗恩病）等为主要病因。

中医学认为，凡外感寒湿暑热，或饮食所伤，情志失调，或久病脾胃虚弱，导致脾胃运化功能失常，清浊不分，皆可发生泄泻。本病病位在肠，但关键病变脏腑在脾胃，与肝、肾密切相关。脾虚湿甚是发病的关键，故以运脾化湿为其治疗原则。

**【必备验方】**

1. 大米 30 克，茶叶 10 克。将大米炒黄，再与茶叶同炒至黄黑色，加水 250 毫升煮沸 5 分钟，过滤并煎液，顿服（婴幼儿用量酌减）。

2. 芡实 200 克，老鸭 1 只，姜、葱、食盐、味精各适量。将老鸭去内脏并洗净血水，纳入芡实，炖熟烂，加姜、葱、食盐、味精调味，佐餐食用。适用于脾虚泄泻。

3. 大蒜 2～3 瓣。捣烂，敷于双足心，2～4 小时后揭去（以不起疱为度），每日 1 次。适用于久泻。

4. 车前子 4 份，茯苓 1 份，豆蔻 1 份。共研细末，温开水送服，每日 2 次。1 岁以内每服 1.5 克，1～3 岁每服 2.5 克，3 岁以上酌情加大剂量。适用于婴儿泄泻。

5. 山楂片 20 克，大枣 10 枚，鸡内金 2

个，白糖少许。将山楂片及大枣烤焦至黄黑色，加入鸡内金、白糖后煮水服，每日2～3次，连服2日。

**【名医指导】**

1. 加强锻炼，增强体质，使脾气旺盛，则不易受邪。

2. 加强食品卫生及饮用水的管理，防止污染。饮食有节，不暴饮暴食，不吃腐败变质的食物，不喝生水，生吃瓜果要洗干净，养成饭前便后洗手的习惯。

3. 生活起居有规律，防止外邪侵袭。夏季切勿因热贪凉，尤其应注意腹部保暖，避免感邪。

4. 宜流质或半流质饮食，饮食宜新鲜、清淡，易于消化而富有营养，忌食辛辣、肥甘、厚味之品。急性爆泄易伤津耗气，可予淡盐汤、米粥等以养胃生津。

5. 注意调畅情志，尽量消除紧张情绪，尤忌怒时进食。

## 便　血

便血又称血便、下血、结阴，是指血从大便而下，或血便夹杂而下，或单纯下血，或大便前后下血。可见于胃肠道炎症、溃疡、息肉、肿瘤以及某些血液病、急性传染病、肠道寄生虫病等引起的大便下血。凡见大便中有血，如大便前、后下血，或血便夹杂，或单纯下血者，均可从便血论治。注意应与痢疾、痔疮相鉴别。

中医学认为，其病因病机为湿热之邪侵及肠道，由饮食不节、过食辛辣、嗜酒等均可导致湿热内蕴、下注肠道，损伤肠道络脉，迫血下溢而致便血；中焦虚寒，脾阳虚亏，统血无力，血溢肠中，发生便血。便血有远血、近血之分，便血色鲜红者，其来较近；便血色紫者，其来较远。下血鲜红，其来如溅者，又称肠风下血；浊而色暗者，又称脏毒。

**【必备验方】**

1. 黄泥土（或墙土）30克，焦地榆15克，红糖50克。水煎焦地榆，去渣，滤药汁半碗，将黄土研末过筛，与红糖入药中调匀温服。适用于便血不止者。

2. 豆腐末入袋滤出浆者，取渣炒黄燥，研末。下紫血者，清晨以白糖水调服9克；红血块者，以砂糖调服。每日3次。

3. 熏洗法：阿胶加醋浸没软化后蒸烊成膏。每取30克加醋500克，加热烧沸后熏洗肛门，每日2次，原液可洗多次。适用于肛裂、痔疮出血。

4. 苍术、黄柏、连翘各10克，槐角20克，陈皮、黄芩各15克。共为细末，以鲜地黄80克同捣为丸（如梧桐子大）。饭前白开水送服，每次30～50丸，每日2次。适用于积热便血。

5. 五味子适量。打碎，蜜拌蒸晒干，研为细末，炼蜜丸（如梧桐子大），清晨以温开水送服9克，连服半年。适用于因饮酒过多所致便血者。

**【名医指导】**

1. 注意饮食有节、起居有常。宜进食清淡、易消化、富有营养的食物，如新鲜蔬菜、水果、瘦肉、蛋等；忌食辛辣香燥、油腻黏滞之品；戒烟、酒。莲藕、空心菜、苋菜、茄子、香椿、石榴、苹果等具有良好的止血功效；西瓜、香蕉、番茄等有润肠作用；可选择性食用。夏季多饮水，每日定时排便。

2. 劳逸结合：在便血期间注意休息，减少活动，忌久坐、久站，以卧床休息为宜；但适当的运动可以减低静脉压，加强心脑血管系统的功能，消除便秘，增强肌肉的力量。

3. 避免情志过极，对血证患者要注意精神调摄，消除其紧张、恐惧、忧虑等不良情绪。

4. 严密观察病情的发展和变化。若出现头昏、心慌、汗出、面色苍白、四肢湿冷、脉芤或细数等，应及时救治，以防产生厥脱之证；便血量大或频频便血者，应暂予禁食，并积极治疗引起血证的原发疾病。

## 尿频、尿急和尿痛

尿频、尿急、尿痛是患者排尿时自觉不舒服的感觉，是泌尿系统发炎时的常见症状。这3种症状多同时出现，统称尿路刺激征或

膀胱刺激征。如急性肾盂肾炎、尿道炎、膀胱炎等，常可出现此类症状。在一定时间内，排尿次数明显超过正常范围，即称尿频。正常成人，白天平均小便4～6次，夜间（睡觉后至天亮起床前）平均为0～2次。尿频有生理性与病理性之分，前者多由饮水过多、寒冷、精神紧张等引起；后者可由泌尿系统疾病和神经源性疾病引起（如膀胱疾病、前列腺炎、糖尿病、尿崩症等），常同时伴有尿急、尿痛。尿急是指尿意一来就迫不及待立即排尿的症状，常同时伴有尿频；多见于急性膀胱炎、膀胱内异物、前列腺增生等。尿痛是指排尿时，体内某个部位发生疼痛的感觉。排尿开始尿痛，多由前尿道炎引起；排尿后期尿痛，常为后尿道、膀胱、前列腺炎引起。尿痛伴有尿急、尿频者，病变多在膀胱；尿痛合并排尿困难、甚至排不出尿者，多为尿道疾病。

本病中医学属于“淋证”范畴。其病机主要为湿热蕴结下焦，膀胱气化不利。若二便灼热刺痛，为热淋；若湿热蕴结，尿液煎熬成石，则为石淋；若湿热下注，气化不利，无以分清泌浊，脂液随小便而去，小便如脂如膏，则为膏淋；若膀胱湿热，灼热血络，迫血妄行，小便涩痛有血，则为血淋。临床辨证治疗时需辨明证候之虚实，标本之缓急，实则清利，虚则补益。同时结合病程的长短辨证论治。

**【必备验方】**

1. 丹参24克，赤芍、白芍各12克，炒川楝子、延胡索、芒硝（分次冲服）、生大黄各9克，海金沙15克，金钱草100克，木通9克。每日1剂，水煎，早、晚分服。适用于石淋。

2. 玉米须30克，灯心草、车前子各10克，猪肚1个，食盐适量。将玉米须、灯心草、车前子水煎，取汁煮猪肚（切块），加少许食盐调味服食，连服3～5日。适用于热淋。

3. 荠菜250克，瘦猪肉、大米各100克，黄酒、酱油、食盐、淀粉、味精各适量。将猪肉剁成泥，加黄酒、酱油、淀粉搅成肉糜，以油烧热炒熟；荠菜洗净、切碎；大米煮成粥，加入荠菜末煮5分钟，再调入肉糜煮沸，调味即可。适用于老年肾亏型肾结石、血淋。

4. 大蒜适量。捣烂，用纱布置于两足心涌泉穴12小时后除去。适用于热淋。

5. 大黄、黄柏、黄连各30克，野菊花20克，血竭、苏木各10克，赤芍、芒硝（后下）各25克，前7味药加水2500毫升煮沸后再煎20分钟，倒入芒硝溶解。取液先熏蒸会阴部后坐浴，每日1剂，每剂可用2～3次（加热后再用），连用20日（不加用其他疗法）。适用于热淋。

**【名医指导】**

1. 控制饮食结构：避免酸性物质摄入过量加剧酸性体质；平时要多吃富含植物有机活性碱的食品，如新鲜蔬菜等；不要食用被污染的食物，如被污染的水农作物，要吃一些绿色有机食品。

2. 远离烟、酒：烟、酒都是典型的酸性食品，抽烟、喝酒极易导致人体的酸化。

3. 多饮水：饮水能补充人体必需的水分，有利于稀释血液调节机体的酸碱平衡、有益于机体的新陈代谢，促使机体多余的尿酸排出。

4. 经常进行户外运动：在阳光下多做运动多出汗，可帮助排除体内多余的酸性物质，多呼吸新鲜空气可减少发病的概率。

5. 保持良好的心情，不要有过大的心理压力。压力过重会导致酸性物质的沉积影响代谢的正常进行；适当的调节心情和缓解自身压力可以保持弱碱性体质，能进一步改善尿频等症状。

6. 生活规律：生活习惯不规律，如彻夜唱卡拉OK、打麻将等均会加重体质酸化，病毒容易入侵。

## 腹　　痛

腹痛是指由于各种原因引起的腹腔内外脏器的病变而表现为腹部的疼痛，可分为急性和慢性两类。其病因十分复杂，多由腹腔内脏器疾病引起，某些全身性疾病，如中毒、过敏等也可引起腹痛。按疼痛的部位可分为

上腹痛、脐周或全腰痛、下腹痛、侧腹痛。

中医学认为，腹痛是指胃脘以下、耻骨毛际以上部位发生疼痛为主要表现的一种脾胃肠病症。多种原因导致脏腑气机不利，经脉气血阻滞，脏腑经络失养，皆可引起腹痛。文献中的“脐腹痛”、“小腹痛”、“少腹痛”、“环脐而痛”、“绕脐痛”等均属本病范畴。凡外邪入侵、饮食所伤、情志失调、跌仆损伤以及气血不足、阳气虚弱等原因，引起腹部脏腑气机不利、经脉气血阻滞、脏腑经络失养，均可导致腹痛。常见有寒邪内阻、湿热积滞、饮食停滞、气机郁滞、瘀血阻滞和中虚脏寒等证型。

**【必备验方】**

1. 生姜 6 克，葱白 30 克，吴茱萸 2 克，粳米适量。将生姜、葱白切碎，吴茱萸研细末；先用粳米煮成粥，加入吴茱萸末及生姜、葱白，再煮 3～5 分钟，温热服食。适用于虚寒腹痛。

2. 带鱼 500 克，淡豆豉 6 克，陈皮 3 克，胡椒 1.5 克，生姜 3 片，料酒、食盐各适量。将带鱼去鳞及内脏、洗净、切块；将淡豆豉、生姜片、陈皮、胡椒加适量清水烧沸，入带鱼、料酒、食盐，煮熟。每日 1 剂，分 2～3 次服。适用于脾胃虚寒型腹痛、饮食减少、消化不良者。

3. 香附 40 克，莱菔子 50 克，生姜 30 克，葱白头 15 个。共打碎后炒热，加米酒稍炒，装进透气布包内，于脐腹部热熨。适用于急性腹痛。

4. 手蘸温水，于患者膝、腕处用力拍打至有紫黑斑点出现，以针刺去恶血即愈。

5. 小茴香根 9 克。水煎服。或鸡蛋黄 2 个，放小勺内炼油服。或乌药 3～6 克，水煎顿服。或小茴香、老姜、艾叶各 9 克，葱头 1 个；同捣烂，炒热，敷脐（或布包熨脐或茶油少许点在脐上），外以火罐拔之。适用于小儿腹痛。

**【名医指导】**

1. 注意寒温调摄，避免外邪入侵。

2. 合理、科学地安排膳食，饮食有节，防止暴饮暴食，避免损伤脾胃元气。注意饮食卫生。带有有害菌的不洁食物进入肠道后，打破了肠道菌群平衡，引起肠胃不适和腹痛。夏季脾胃功能弱，如果入秋就吃很油腻的食品会加重肠胃负担，不妨服用一些益气健脾、理气和胃的保健品，帮助肠胃调整适应。

3. 保持心情愉快，避免忧思郁怒等不良精神因素的刺激。如忧思过度易损伤脾胃影响脾气不舒；郁怒容易伤肝，肝郁横逆犯脾，也容易引起脾胃的功能调节受损。

4. 运动前要做好充分的准备活动，使机体内的各个内脏器官适应运动的需要。训练或比赛前要特别注意饮食的内容、饮食的时间和饮食的量，以防止运动性腹痛的发生。

5. 发生腹痛时应密切关注病情，不适及时就诊。

## 水　肿

水肿是指血管外组织间隙中有过多体液积聚，为临床常见症状之一。水肿表现为手指按压皮下组织少的部位（如小腿前侧）时，有明显的凹陷。本病中医学称“水气”，是一个常见的病理过程。其积聚的体液来自血浆，钠与水的比例与血浆大致相同。过多的体液在体腔中积聚称积水或积液，如胸腔积液、腹水、心包积液等。

中医学认为，水肿是全身气化功能障碍的一种表现，与肺、脾、肾、三焦各脏腑密切相关。根据症状表现不同分为阳水、阴水两类，其病机为：风湿外袭，内舍于肺，肺失宣降，则水道不通，水液溢于肌肤，发为水肿；饮食劳倦，伤及脾胃，运化失司，水湿停聚，横溢肌肤，发为水肿；房劳过度，内伤肾元，不能化气行水，水湿内停，溢于肌肤而水肿。实证多为外邪侵袭、气化失常，治疗以祛邪为主，用疏风、宣肺、利湿、逐水等法，用麻黄连翘赤小豆汤、越婢加术汤、五苓散等。虚证多为脾肾阳虚、不能运化水湿，治疗以扶正为主，用温肾、健脾、益气、通阳等法，用真武汤合理中汤等。

**【必备验方】**

1. 丝瓜络 2 条（去仁），巴豆 50 粒（去壳）。同炒至巴豆呈深黄色，去巴豆，入粳米 250 克同炒至米黄，取米研粉，每服 10～15

克，每日2次，以薏苡仁煎汤送服。适用于早期肝硬化腹水、慢性肾炎水肿反复发作者。

2. 鲫鱼1大条，甜杏仁7粒（去皮、尖）。以竹筷子在鱼脊背上穿7个孔，纳入杏仁，加清水煮熟食。鱼头、鱼刺用瓦焙黄、研末，黄酒冲服。

3. 鸡蛋150克，黄花菜50克（干）。将黄花菜洗净，加水250毫升煮沸，打入鸡蛋搅匀服食，每日1次，连服1周。适用于孕妇下肢水肿。

4. 鲤鱼1000克，冬瓜1500克，小白菜100克，粉条300克。将鲤鱼及冬瓜加水炖汤，将熟时加入小白菜及粉条，即可服食。适用于水肿、黄疸、脚气、尿频，以及心、肾性水肿，腹水，急、慢性肝炎等。

5. 大豆90克。以水360毫升煮熟，去豆澄清取汁，入酒30毫升微火煎汤，服60毫升，渐增之，令小便下。适用于水肿兼小便不利者。

**【名医指导】**

1. 有明显水肿、原发性高血压或少尿的患者，应严格限制水、钠的摄入。如水肿主要因低蛋白血症引起，在无氮质潴留时，可给予正常量的优质蛋白饮食，每日1.0克/千克体重；有氮质血症的水肿患者，应同时限制食物中蛋白质的摄入。慢性肾衰竭的患者，可根据肾小球滤过率（GFR）来调节蛋白质的摄入量。低蛋白饮食的患者需注意提供足够的热量，以免引起负氮平衡。同时注意补充各种维生素。

2. 水肿较严重的患者应避免着紧身衣服；卧床休息时宜抬高下肢，增加静脉回流，以减轻水肿。嘱患者经常变换体位，对年老体弱者可协助翻身，用软垫支撑受压部位，并适当予以按摩。对阴囊水肿者，可用吊带托起。协助患者做好全身皮肤黏膜的清洁，嘱患者注意保护好水肿的皮肤，如整理清洗时勿过分用力，避免损伤皮肤，避免撞伤、跌伤等。气温低需使用热水袋时，嘱患者应特别小心，避免烫伤皮肤。

3. 生活有规律，早睡早起；加强营养，防止伤食。尤其大病愈后切忌暴饮暴食，不能过食肥甘之品。

4. 水肿消退后需动静结合，如散步、打太极拳等；要防止过度疲劳，尤应节制房事。

5. 鼓励患者树立战胜疾病的信心，使正气强盛，免受外邪的侵袭，预防感冒。

## 腰　痛

腰痛是以腰部一侧或两侧疼痛为主要症状的一种病症，常可放射到腿部，并伴有外感或内伤症状。引起腰痛的原因很多，如腰部骨质增生、骨刺、椎间盘突出症、腰椎肥大、椎管狭窄、腰椎骨折、椎管肿瘤、腰部急慢性外伤（或劳损）、腰肌劳损、强直性脊柱炎、肾脏疾病、风湿病、脊椎及脊髓疾病等均可导致腰痛。

中医学认为，腰痛多因感受寒湿、湿热，或跌仆外伤、气滞血瘀，或肾亏体虚所致。其病理变化常以肾虚为本，感受外邪、跌仆闪挫为标。临证首先宜分辨表里虚实寒热。大抵感受外邪所致者，其证多属表、属实，发病骤急，治宜祛邪通络，根据寒湿、湿热不同，分别施治；由肾精亏损所致者，其证多属里、属虚，常见慢性反复发作，治疗以补肾益气为主。

**【必备验方】**

1. 麋茸10克（或以鹿茸代），小茴香5克（炒香），菟丝子15克（酒浸、晒干、研末）。共为末。以羊肾2对，加酒煮烂，去膜，研如泥入上药末为丸（如梧桐子大），阴干，少入酒糊佐之。空腹以温酒、盐汤送服，每次30～50丸。适用于肾虚型腰痛。

2. 黑丑15克（炒），延胡索10克（炒），当归9克（去芦），补骨脂20克（酒浸1夜，瓦上炒熟）。共为细末，以独头蒜湿纸裹煨熟，研成膏为丸（如梧桐子大）。饭前以温酒送服，每次10～15丸，每日2次。

3. 当归、川芎、乳香、没药各30克，醋300毫升。加醋浸泡4小时后煎数十沸，用纱布浸透，热敷痛处（冷则更换），每次4～6小时，每日1次。适用于瘀血腰痛。

4. 取肾俞、委中、局部腧穴或阿是穴。寒湿者，加风府、腰阳关；劳损者，加膈俞、次髎；肾虚者，加命门、志室、太溪。并根据证候虚实，酌用补泻或平补平泻，或针灸并用。剧烈腰痛者，可于委中穴放血、腰部穴拔火罐。

5. 推拿疗法：先在腰痛处及其周围应用滚法或推法，配合按肾俞、大肠俞、居髎及压痛点，根据辨证加用穴位，或适当配合相应的动作运动，并用按、揉、擦等法。

**【名医指导】**

1. 采用正确姿势：正确的姿势不仅能够减少人体骨关节、肌肉、韧带的磨损，又可避免不良姿势造成的各种损伤。

2. 使用硬板软垫床：睡眠是人们生活的重要部分之一，人生将近有1/3时间是在床上度过的，睡床的合适与否直接影响人的健康。硬板床睡上去不舒适，软床睡上去又易引起脊柱的变形，时间长了就会出现腰酸痛。研究表明：在木板床上加一个5～10厘米厚的床垫最为适宜。

3. 防止风寒、潮湿的侵袭：人类生活在大自然中，经常受到风、寒、暑、湿、燥、火六邪的侵袭。中医认为："寒胜则痛，寒主凝滞，气血不通，经脉不畅，不通则痛。"为此，生活起居，工作学习的环境要干燥、温暖，特别不要睡卧在寒冷潮湿的地上，淋雨后要及时更换衣服。剧烈活动和出汗后不要立即冲冷水澡；冬季的睡床要温暖，这些都可以起到防治腰痛的作用。

4. 饮食有节：肥胖者往往易于发生腰背痛，不言而喻，是其过分的体重增加了相应肌肉、韧带和骨关节的负担而致。故其治疗措施之一就是要节制饮食，减轻体重。

## 便　　秘

便秘是指排便次数明显减少，常伴有排便困难的病理现象。有些人数日才排便1次，但无不适感，这种情况不属于便秘。便秘主要表现为大便次数减少，间隔时间延长或正常，但粪质干燥，排出困难；或粪质不干，排出不畅，可伴腹胀、腹痛、食欲减退、嗳气反胃等症，常可在左下腹扪及粪块（或痉挛之肠型）。引起便秘的原因很多也很复杂，因此，便秘患者应及时就医。

中医学认为，本病多由燥热内结、气机郁滞、津液不足及脾肾虚寒所致。

**【必备验方】**

1. 黑芝麻60克，黄芪20克，蜂蜜适量。将黑芝麻捣烂，煮熟后调蜂蜜以黄芪煎水（去渣）冲服。适用于气虚型老年慢性便秘。

2. 红薯50～100克，海参20克，黑木耳30克，白糖24克。将海参、木耳分别用温开水泡软，红薯去皮、洗净、切块，共煮熟，入白糖调化，顿服，每日1～2次，连服数日（2岁以下分量减半）。适用于小儿虚弱便秘。

3. 摩腹法：仰卧于床上，用右手或双手叠加按于腹部，按顺时针做环形而有节律的抚摸（力量适度，动作流畅）3～5分钟。

4. 按揉足三里穴：坐于床上，两膝关节自然伸直，用拇指指腹按同侧的足三里穴上，适当用力按揉1分钟，以感觉酸胀为度。

5. 生大黄、焦山楂各等份。共研细末，每取10克，以米醋（或清水）调敷于双足涌泉穴及肚脐孔处，外以敷料包扎、胶布固定，每日1换，连用3～5日。

**【名医指导】**

1. 饮食方面：

(1) 多食高纤维饮食：如多吃新鲜蔬菜，每日加食糠皮、麦麸等，可增加饮食中纤维的摄取量，以扩充粪便体积，促进肠蠕动，减少便秘的发生。

(2) 适量食用产气蔬菜：如马铃薯、萝卜、洋葱、黄豆、生黄瓜等，气体在肠内膨胀能增加肠蠕动，可下气利便。

(3) 食用果胶含量多的食品：如苹果、香蕉、胡萝卜、甜菜、卷心菜、柑橘等可软化大便，减轻症状。

(4) 大量饮水：尤其在食用高纤维食品时，每日至少要喝8杯水。特别是晨起喝1杯淡盐开水，对保持肠道清洁通畅、软化粪便大有益处。

(5) 常食蜂蜜、淀粉；增加B族维生素食品的供给，尽量选用天然、未经加工的食品，如粗粮、豆类、酵母等，以增强肠道的紧张力。

2. 避免久坐少动，宜多活动，以疏通气血；养成定时大便的习惯，避免过度七情刺激，保持精神舒畅。

3. 不可滥用泻药，使用不当，反使便秘加重。热病之后，由于进食甚少而不大便者，不必急以通便，只须扶养胃气，待饮食渐增，大便自然正常。

4. 身体极度虚弱、无力排出者，可选择用黄芪、党参、枸杞、当归等补气活血之品以防虚脱。

5. 长期便秘、年老体弱者，尤其要注意细心护理，防止过度用力努责引起虚脱。

## 胁　痛

胁痛是以胁肋部一侧或两侧疼痛为主要表现的病症，多与肝胆疾病有关。其病因有外感、内伤之分，以内伤胁痛较常见。凡情志抑郁，肝气郁结，或过食肥甘，嗜酒无度，或久病体虚，忧思劳倦，或跌仆外伤等皆可导致胁痛。辨证时应先分气血虚实，气郁者，多为胀痛，痛处游走不定；血瘀者，多为刺痛，痛有定处。虚证胁痛多隐隐作痛，实证胁痛多疼痛突发，痛势较剧。临床常见有：①肝气郁结型。症见胁部胀痛，走窜不定，胸闷纳呆，苔薄脉弦。治宜疏肝理气，方用柴胡疏肝散。②气滞血瘀型。症见胁部刺痛，固定不移，胁肋下或可触及结块，舌紫暗，脉沉涩。治宜祛瘀通络，方用旋覆花汤加味。③肝胆湿热型。症见胁痛胸闷，口苦纳呆，或尿黄身热，苔黄腻，脉弦数。治宜清利湿热，方用龙胆泻肝汤加减。④肝阴不足型。症见胁痛隐隐，口干心烦，头晕目眩，舌红少苔，脉弦细或数。治宜养阴柔肝，方用一贯煎加减。

**【必备验方】**

1. 葱白 120 克，生姜 60 克，白萝卜 500 克。共捣烂炒热（分作 2 包），热敷于痛处（冷则更换）。适用于胁痛、胸痛。

2. 柴胡 12 克，川楝子 10 克，木香 6 克（后下）。每日 1 剂，水煎，早、晚分服。适用于肝胆湿热型胁痛。若砂石阻滞胆道，加金钱草 30 克，郁金 12 克。

3. 半夏、粳米各 9 克，甘草 3 克，大枣 3 枚。加水 1600 毫升，煮至米熟汤成，去渣，温服，每日 3 次。

4. 生芡实 180 克，生鸡内金 90 克，白面 250 克，白砂糖适量。将芡实用水淘去浮皮，晒干，研细过箩；再将鸡内金研细过箩，置盆内以滚水浸半日许，再入芡实、白糖、白面，做极薄小饼，烙至焦黄色，随意服食。适用于老年气虚痰结型胁痛。

5. 用双手指尖分别左右顺胸胁间，由慢到快，由轻到重地推揉至皮肤发红，以大头针点刺红点出血。

**【名医指导】**

根据胁痛病因、病情的不同，因时、因人制宜，要采取相应的对症护理措施。

1. 肝气郁结患者多有胸胁或小腹胀闷窜痛，胸闷，喜欢叹气，或者抑郁易怒；妇女可见乳房胀痛，痛经，月经不调，甚至闭经，舌质暗红，脉弦。多安慰患者，解除其忧虑，保持思想安定，使肝气条达。饮食宜清淡，忌辛辣、肥腻等食物；中药汤剂宜热服；避免剧烈活动，注意休息。

2. 瘀血停滞患者多有胁痛如刺，痛处不移，入夜更甚，胁肋下或见痞块，舌质紫黯，脉沉弦。平时忌食生冷蔬菜瓜果、肥腻黏滞（如年糕、肥肉等）食物，以防其滞气碍血。

3. 肝阴不足患者多有胁肋隐痛，其痛绵绵不休，口干咽燥，心中烦热，头晕目眩，舌红苔少，脉细弦而数。饮食宜软、易消化，生活起居要有规律，养成早起早睡的习惯，避免熬夜伤阴。

4. 外邪侵袭患者多有胁肋胀痛，触痛明显而拒按，或引及肩背，伴有脘闷纳呆、恶心呕吐、厌食油腻、口干口苦、腹胀尿少，或有黄疸，舌苔黄腻，脉弦滑。应绝对卧床休息，注意保暖，以免复感外邪；密切观察病情变化，注意生命体征，如体温、呼吸、脉搏、血压及伴随症状的变化；忌辛辣（如咖喱、辣椒）、肥腻食物，戒烟、酒；严重者可暂停饮食。

## 黄　疸

黄疸又称黄胆（俗称黄病），是由于血清

中胆红素升高致使皮肤黏膜及巩膜发黄的一种症状和体征。其病因为：①由于红细胞破坏增加、胆红素生成过多而引起溶血性黄疸；②由于肝细胞病变，以致胆红素代谢失常而引起肝细胞性黄疸；③由于肝内或肝外胆管系统发生机械性梗阻，影响胆红素排泄而导致梗阻性（阻塞性）黄疸；④由于肝细胞有某些先天性缺陷，不能完成胆红素的正常代谢而引发先天性非溶血性黄疸。

中医学认为，黄疸以身黄、目黄、尿黄为主要症状，多由时邪、湿热外袭或饮食不节，脾运失调，湿浊内生，或胎禀湿滞，水湿停聚，湿多寒甚所致。因寒湿发黄为阴，蕴湿化热、湿热发黄为阳黄；治疗以利湿退黄为法。

**【必备验方】**

1. 鲜车前草 15 克，红花 6 克，葱白 1 茎，粳米 30 克。将车前草、葱白洗净后切碎，与红花同水煎，去渣，入粳米煮成粥，分 2 次服。适用于瘀积发黄。

2. 茵陈 18 克，栀子 14 枚，大黄 6 克。以水 2000 毫升煎茵陈至 800 毫升，纳入后 2 味，煮取 600 毫升，去渣，分 3 次温服。适用于阴黄脾虚证。

3. 绿茶 0.5～1 克，鲜白茅根 50～100 克（干品 25～50 克），鲜车前草 150 克（干品 75 克）。每日 1 剂，将白茅根、车前草水煎 10 分钟，冲绿茶，分 2 次服。适用于湿热黄疸。

4. 鸡蛋 1 个，米醋 60 毫升。将鸡蛋（连壳）烧炭（存性），研末，以米醋调匀，顿服，每日 1 次。

5. 茵陈 1 把，生姜 1 块。捣烂，擦于胸前、四肢。

**【名医指导】**

1. 饮食有节，勿嗜酒，勿进食不洁之品及恣食辛热肥甘之物。

2. 注意休息，不可劳累过度，须劳逸结合。重症患者应卧床休息。

3. 保持心情舒畅，勿气恼忧思。

4. 新生儿黄疸预防与保健：孕母期间注意饮食卫生，忌酒及辛热之品，不可滥用药物。如孕母有黄疸病史可口服黄疸茵陈冲剂，自确诊开始服至分娩，服药时间以两个月以上为宜；婴儿出生后宜密切观察皮肤黄疸情况，注意过早出现或过迟消退，或黄疸逐渐加深或退而复现等情况，以便及时诊断和治疗。

5. 发现新生儿出现黄疸时，父母要注意：

（1）判断黄疸的程度：家长可以在自然光线下观察新生儿皮肤黄染的程度，如果仅仅是面部黄染，为轻度黄疸；躯干部皮肤黄染，为中度黄疸；如果四肢和手足心也出现黄染，为重度黄疸。

（2）观察大便颜色：如果大便成陶土色，应考虑病理性黄疸，多由先天性胆道畸形所致；如果黄疸程度较重、出现伴随症状或大便颜色异常应及时就诊。

（3）尽早使胎便排出：胎便里含有很多胆红素，如果胎便不排干净胆红素就会经过新生儿特殊的肝肠循环重新吸收到血液里使黄疸增高。

（4）给新生儿充足的水分，小便过少不利于胆红素的排泄。

## 头　痛

头痛是指局限于头颅上半部包括眉弓、耳轮上缘和枕外隆突连线以上部位的疼痛。头痛是临床上最为常见的临床症状之一，是人体对各种致痛因素所产生的主观感觉，属于疼痛范畴。致痛因素可以是物理的、化学的、生物化学（或机械性）的，这些因素刺激了位于颅内外组织结构中的感觉神经末梢，通过相应的传导通路传到大脑而感知。

按国际头痛学会的分类，头痛分类如下：偏头痛、紧张性头痛、丛集性头痛和慢性阵发性半边头痛、非器质性病变头痛、颅外伤头痛、血管疾病性头痛、血管性颅内疾病引起的头痛、其他物品的应用和机械引起的头痛、非颅脑感染引起的头痛、代谢性疾病引起的头痛，颅、颈、眼、耳、鼻、鼻旁窦、牙齿、口腔、颜面或头颅其他结构疾病引起的头痛，或面部痛、颅神经痛、神经干痛传入性头痛及颈源性头痛等。

中医学认为，头部经络为诸阳经交会之

处，凡五脏精华之血，六腑清阳之气，都上会于此。若六淫外侵，七情内伤，升降失调，郁于清窍，清阳不运，均可导致。新感为头痛，久病为头风。

**【必备验方】**

1. 鹌鹑蛋 5 个，胡萝卜 30 克，荷叶 20 克，菊花、山药各 15 克，大枣 10 个，红糖适量。同煎至蛋熟，吃蛋喝汤，连服 6 剂。适用于血虚头痛。

2. 地肤子 30 克，红花、荆芥穗 10 克，僵蚕 6 克，红糖、茶叶各适量。将前 4 味水煎 20 分钟，入茶叶再煎 10 分钟，去渣，加红糖溶化，早、晚分服。适用于外伤性头痛。

3. 食盐 1 匙。放手心用力搓动（注意要用力让盐均匀在手心各处摩擦，盐失掉后应不断地添加）5～10 分钟，然后立马用热水泡手 5 分钟（水温以烫手但可以忍耐为宜，水温不热时应不断地添加热水），用毛巾擦干即可。适用于头痛、咽喉痛，对风火牙痛及鼻子不畅（鼻塞）也有一定的疗效。

4. 人中白、地龙（炒）各等份。共为末，加羊胆汁调成丸（如芥子大），每取 1 丸，加水化匀，滴鼻。适用于偏、正头痛。

5. 麝香 5 分、大皂角末 10 克。包薄纸中，置于痛处，外用布包炒盐趁热熨帖，盐冷则换。适用于瘀血头痛。

**【名医指导】**

1. 注意气候的影响，风、燥、湿、热、暴风雨、阳光、寒冷、雷声等气候变化均可诱发偏头痛发作。注意避风寒、保暖，不要暴晒、淋雨。

2. 注意休息，避免运动或过劳影响。注意规律的睡眠，运动；加强工作的计划性和条理性；注意劳逸结合；注意眼睛调节，保护；对敏感患者来说是重要的预防措施。

3. 调畅情志，避免情志过激。

4. 注意室内通风，环境安静。避免嘈杂，过多噪音是引发紧张性头痛的常见原因。

5. 注意药物影响：可诱发偏头痛的药物有避孕药、硝酸甘油、组胺、利舍平、肼苯达嗪、雌激素、过量维生素 A 等。

6. 禁食火腿、干奶酪、巧克力、保存过久的野味等食物，少喝牛奶、乳酪、啤酒、咖啡、茶水等；应禁烟、酒，禁浓茶，饮食方面注意晚饭可进食早一点或适当减少晚餐的量。

7. 深呼吸：深呼吸是缓解紧张性头痛的有效方法。深呼吸即腹式呼吸，即吸气时鼓起肚子，呼气时充分将腹部排空。做深呼吸运动，切忌不要形成“憋气”。所谓“憋气”指呼吸及调息的时间过长，伤害了呼吸器官及其他神经系统。深呼吸运动可以站着或坐着时有意识地做，也可以在做其他运动时配合着一起做。

## 抽　搐

抽搐俗称抽筋，是大脑功能暂时紊乱的一种表现。人体肌肉的运动受大脑控制，当管理肌肉运动的有关细胞暂时过度兴奋时，就会发生不能自控的肌肉运动，可局限于某群肌肉或身体一侧，或波及全身，即为抽筋。高热、癫痫、破伤风、狂犬病、缺钙等均可引起，局部性的如腓肠肌（俗称小腿肚子）痉挛，常由于急剧运动或工作疲劳或胫部剧烈扭拧引起，往往在躺下或睡觉时出现。临床表现：①全身强直性抽风。全身肌肉强直，一阵阵抽动，呈角弓反张（头后仰，全身向后弯呈弓形），双眼上翻或凝视，神志不清。②局限性抽风。仅局部肌肉抽动，如仅一侧肢体抽动，或面肌抽动，或手指、脚趾抽动，或眼球转动、眼球震颤、眨眼动作、凝视等。大多神志不清。抽风时间可为几秒或数分钟，重者达数分钟或反复发作，抽风发作持续 30 分钟以上，称惊厥持续状态。③高热惊厥。主要见于 6 个月到 4 岁小儿，其发作为时短暂，抽后神志恢复快，多发生在发热早期，在 1 次患病发热中，常只发作 1 次抽风，可以排除脑内疾病及其他严重疾病，热退后 1 周作脑电图正常。

**【必备验方】**

1. 油松节 15 克（锉细），乳香 5 克。慢火炒焦（出火毒），研末，每服 1～2 克，以热木瓜酒调服。适用于转筋挛急。

2. 腊月乌鸦 1 只。盐泥封固，于瓶中煅过，研为末，入朱砂末 15 克调匀，每服 3

克，酒送服，每日 3 次，连用 10 日。适用于风痰痫。

3. 猪心 1 枚（切细），枸杞菜 250 克（切），葱白 5 根（切），淡豆豉 10 克（用水 300 毫升，煎取汁 150 毫升，去豆豉），入猪心等，并五味料物做羹食。适用于四肢抽搐。

4. 胆矾适量。煅（存性）为末，每发时用 3 克，吹鼻内，涎出即愈。适用于身体抽搐。

5. 辣椒酒涂穴位。干红辣椒约 7 个（以朝天椒为佳），二锅头酒 60 克。将辣椒洗净晾干，入酒内浸泡 7～10 日，即可使用。取一次性卫生棉签蘸辣椒酒涂抹跳动处及四白穴、地仓穴、颊车穴、下关穴、厉兑穴，从上到下进行按摩，先按摩跳动部位，每次每个穴位按摩 40～50 下，每日 3 次。此外，在易跳动的患处，随跳动随涂辣椒酒，随按摩。用辣椒泡酒，涂擦面部穴位，然后再进行穴位局部的按摩。适用于面神经痉挛。

**【名医指导】**

1. 预防：

（1）针对病因积极治疗原发病以预防抽搐发作。癫痫患者需按医嘱服药，如果突然停药，即使是 1～2 日，都会导致癫痫发作；小儿高热易致高热惊厥，此时应及时退热，预防抽搐；破伤风病可引起抽筋，所以要打破伤风疫苗；狂犬病会引起抽筋，万一被狗咬伤要立即到医院诊治；对患狂犬病的家畜应立即杀死；缺钙会引起抽筋，所以小孩要补足钙（多吃含钙食物，必要时服葡萄糖酸钙、钙片等），同时要多晒太阳，服食鱼肝油等。

（2）预防腓肠肌抽筋：要在剧烈运动前或游泳前做足热身运动。为防止晚上睡觉时该处抽筋，白天勿过度疲劳，晚上勿使腿部受凉。

2. 抽搐的救护：一旦发生全身性突然抽搐，应镇静止痉，尽快就诊。一般抽搐不会立即危害生命，所以不必过分惊慌。

（1）立即将患者平放于床上，头偏向一侧并略向后仰，颈部稍抬高，将患者领带、皮带、腰带等松解，注意不要让患者跌落地上。

（2）迅速清除口鼻咽分泌物与呕吐物，以保证呼吸道通畅与防止舌根后坠，为防止牙齿咬伤舌，应以纱布或布条包绕压舌板或筷子放于上下牙齿之间；并以手指掐压人中穴位及合谷穴位，以上要求必须在几秒钟内迅速完成。

（3）防止患者在剧烈抽搐时与周围硬物碰撞致伤，但绝不可用强力把抽搐的肢体压住，以免引起骨折。

（4）腓肠肌抽筋的处理：

1）急剧运动时腓肠肌突然觉得疼痛、抽筋时，要马上抓紧拇趾，慢慢地伸直腿部，待疼痛消失时进行按摩。

2）如果半夜出现腓肠肌抽筋时，可以利用墙壁压挡脚趾，将腿部用力伸直，直到疼痛、抽筋缓解，然后进行按摩。

（5）游泳时抽筋的处理：

1）手指、手掌抽筋：将手握成拳头，然后用力张开，又迅速握拳，如此反复进行，并用力向手背侧摆动手掌。

2）上臂抽筋：将手握成拳头并尽量屈肘，然后再用力伸开，如此反复进行。

3）小腿或脚趾抽筋：用抽筋小腿对侧的手，握住抽筋腿的脚趾，用力向上拉，同时用同侧的手掌压在抽筋小腿的膝盖上，帮助小腿伸直。

4）大腿抽筋：弯曲抽筋的大腿与身体成直角，并弯曲膝关节；然后用两手抱着小腿，用力使它贴在大腿上，并做震荡动作，随即向前伸直，如此反复进行。

## 眩　晕

眩晕是目眩和头晕的总称，以眼花、视物不清和昏暗发黑为眩；以视物旋转，或如天旋地转不能站立为晕。两者常同时并见，故称眩晕。引起眩晕的疾病种类有上百种。按照病变部位的不同分为周围性眩晕和中枢性眩晕两大类。中枢性眩晕是由脑组织、脑神经疾病引起（如听神经瘤、脑血管病变等），约占眩晕患者总数的 30%；周围性眩晕约占 70%，多数与耳朵疾病有关。周围性眩晕多伴有耳蜗症状（听力的改变、耳鸣）和

恶心、呕吐、出冷汗等自主神经系统症状。常见疾病有原发性高血压、动脉硬化症、脑血栓、内耳疾病。

中医学认为，眩是眼目昏花，晕是头脑旋转，两者同时并现，统称眩晕。其病因病机颇为复杂，如心脾气血不足，不能上荣于脑；肝肾阴精亏乏，肝阳上亢，上扰清空，跌仆所致头部损伤，瘀血阻滞等。这里仅选择几种常见的痰浊中阻型眩晕加以论述，该证多因恣食肥甘或劳倦太过，七情过极等损及脾胃，健运失司，中阻气机，清阳不升，浊阴不降，发为眩晕。

**【必备验方】**

1. 芹菜500克，苦瓜60克。同煮汤服。或芹菜250克，苦瓜30克，用沸水烫2分钟，切碎、绞汁，加适量砂糖，开水冲服，每日1剂，连服数日。适用于原发性高血压、阴虚阳亢型眩晕。

2. 乌鸡1只（剖洗干净，浓煎鸡汁），黄芪15克（煎汁），粳米100克。共煮粥，早、晚分服。适用于气血两亏型眩晕。

3. 鲜益母草5000克（须于每年五月中旬采）。摘下嫩头，洗净晒干，碾粉（约有500克），待冬至后，用炒糯米粉2500克和匀，入瓷罐储存。每取1小碗，加白糖少许，以开水调服，连用40～50日。适用于妇女头晕。

4. 煅石决明30克，粳米100克。将煅石决明打碎，加水200毫升，以武火煎1小时，去渣，加入粳米及600毫升水煮为稀粥，每日早、晚温热分服，连服5～7日为1个疗程。脾胃虚寒者不宜用。适用于高血压眩晕以及目赤翳障、青盲雀目、视物模糊。

5. 体针：肝阳眩晕急性发作，可针刺太冲穴，泻法；气血虚眩晕，可选脾俞、肾俞、关元、足三里等穴，取补法或灸之；肝阳上亢者，可选用风池、行间、侠溪等穴，取泻法；兼肝肾阴亏者，加刺肝俞、肾俞，用补法；痰浊中阻者，可选内关、丰隆、解溪等穴，用泻法；虚证眩晕急性发作，可艾灸百会穴。

**【名医指导】**

1. 室内保持安静、舒适，避免噪音；室内光线以柔和为宜，不宜太强。

2. 患者保证充足的睡眠，注意劳逸结合。眩晕发作时应卧床休息，闭目养神，少作或不做旋转、弯腰等动作，以免诱发或加重病情。发作间歇期不宜单独外出，以防事故。

3. 保持心情愉快，增强战胜疾病的信心。适当参加体育锻炼。

4. 饮食以清淡易消化为宜，多吃蔬菜、水果，忌烟、酒及油腻、辛辣之品，少食海腥发物。虚证眩晕者应适当增加营养。

5. 根据病因调理生活方式：

（1）由颈椎病引起者：睡眠时要选用合适枕头，如需注意高度、软硬和弹性，一般来说枕高以10～15厘米较为合适（具体尺寸还要因每个人的生理弧度而定）；枕头软硬适度，既感觉舒服，又不使头限期间，影响血液循环；枕头还应有一定的弹性。同时需要注意避免长期低头工作，颈部注意保暖。

（2）由原发性高血压、动脉硬化引起者：要经常测量血压，保持血压稳定，控制饮食及血脂，饮食宜清淡，情绪要稳定。

（3）由贫血引起者，应适当增加营养，必要时辅助药物治疗。

## 四肢麻木

四肢麻木是指四肢肌肤不仁、不知痛痒的病症，但不包括半身麻木。如果原发性高血压患者出现四肢麻木，常视作中风预兆。

引起四肢麻木的原因主要有风寒入络、气血失荣、气虚血瘢、肝风内动、风痰阻络及湿热郁阻等。证属风寒入络者，宜黄芪桂枝五物汤益气活血；气血失荣者，宜八珍汤；气虚血瘀者，宜补阳还五汤；湿热痹阻者，宜加味二妙散。

**【必备验方】**

1. 金毛狗脊、牛膝（酒炒）、海风藤、杜仲（盐炒）、当归身各20克。每日1剂，水煎（或泡酒服），早、晚分服。适用于手足麻木及老年肢体僵硬。

2. 天冬60克（洗净，装入纱布袋内扎紧口），白酒500毫升。同密封浸泡30日，即可饮服，每日1次，每次20～30毫升。适

用于四肢麻木、疼痛。

3. 苍术5000克。洗净，先以米泔浸3宿，用蜜酒浸1宿，去皮，用黑豆1层，拌苍术1层，蒸2次，再用蜜酒蒸1次，用河水熬浓汁，去渣，隔汤煮至滴水成珠。每取500克，和炼蜜500克，白汤调服。

4. 尖嘴鳝、鳅鱼各数尾。和白糖捣烂，敷于患处，连用3～4次。适用于风寒型四肢麻木。

5. 生姜、香葱各120克，米醋120克。将生姜、香葱分别洗净后切块，与米醋同煎，熏洗患处，每日1次，连用5～7日。适用于气滞血瘀型四肢麻木。

**【名医指导】**

1. 患者应首先到医院神经内科进行检查，判断神经有无损害，受过何种刺激。若是神经方面的问题，还需要作肌电图检查，进一步确认神经受损程度、范围、性质等。如果是其他原因引起的四肢麻木，则再转到其他相关科室治疗。神经损伤引起的四肢麻木，要根据神经损伤的程度、范围、性质来选择是采用药物治疗还是手术治疗。药物治疗通常配合针灸、理疗同时进行，促使其快速恢复。手术治疗则是通过手术引开受压迫神经以达到解除神经受压迫、刺激的目的。病情治愈程度，主要取决于神经病变原因和性质。如果是周围神经（除脑、脊髓以外的神经）损伤，一般恢复的时间比较长。

2. 根据不同病因采取不同的预防措施：

（1）颈椎的骨质增生引起者：应适当活动颈部，避免长期保持一个姿势，可采用适当的牵引及药物治疗。

（2）糖尿病性周围神经性病变引起者：要定时检测血糖，控制饮食，必要时服用降血糖药，使血糖控制在较好水平。

（3）脑血管疾病引起者：及时到神经内科就诊。

3. 适当的锻炼，使四肢末梢循环得到改善，以更好的营养末梢神经；同时注意保暖，避免受潮、受寒。

4. 保持情绪平稳，克服焦虑紧张。

5. 中年以上尤其是体型肥胖者，如见食指、中指或舌根麻木，应积极采取措施，预防中风的发生。

## 半身不遂

半身不遂又称偏瘫，是急性脑血管疾病的一个常见症状，是指一侧上下肢、面肌和舌肌下部的运动障碍。轻度偏瘫患者尚能活动，但往往上肢屈曲、下肢伸直，瘫痪的下肢走一步划半个圈，这种特殊的走路姿势称偏瘫步态。重者常卧床不起、丧失生活能力。偏瘫多因脑血管病变所致，如脑血管破裂、栓塞、痉挛等造成中枢神经系统病变而发生头晕、头痛、呕吐、肢体麻木、抽搐、瘫痪、意识不清及昏迷等症状，重者甚至立即死亡。本症可见于脑血管意外、脑肿瘤、脑外伤以及脑炎等疾病。

中医学认为偏瘫多由于湿痰内盛，气虚风盛，以致肝阳上亢、肝风内动而导致机体的气血阴阳失调。凡是偏瘫又见昏迷者称中脏腑；颜面局部（或颜面）与肢体偏瘫但无昏迷者称中经络。推拿治疗多适用于后者。其临床常见症状为：半身肢体不遂、口眼喎斜、言语障碍、口角流涎、吞咽困难，并伴有颜面、手足麻木，肢体沉重或手指震颤等。半身不遂多系中风后遗症，多与风中经络、肝阳化风、痰湿内闭以及气虚血滞、脉络痰阻有关。治疗时可根据不同证情，分别采用祛风通络，养血和营；平肝潜阳，涤痰通络；涤痰熄风，芳香开窍；以及益气活血，化痰通络等方法。若配合针灸和按摩治疗，则效果更佳。当肢体出现自主运动后，应使患者逐渐锻炼活动；言语不利者，应进行语言训练，以期早日康复。

**【必备验方】**

1. 木瓜、麻黄、川牛膝各12克。布包，放入掏空的鸡肚（男性用大母鸡，女性用大公鸡）内，加水（没过鸡）煮熟，吃肉喝汤（不吃药）。然后把鸡骨头炒黄，研细末，白酒冲服（取汗）。适用于中风后遗症引起的半身不遂或兼有言语障碍者。

2. 天冬、龟甲、枸杞子各20克，蕲蛇、益智各10克。每日1剂，水煎服，30日为1个疗程。在原方基础上加黄芪适量，共研细

末，水泛为丸，温开水送服，每日3次，每次9克，继续服1个疗程。

3. 炒全蝎、炒僵蚕、甘草、炒麻黄、炒牛膝各36克，制马钱子10克，绿豆60克。将绿豆与马钱子水煎至绿豆开花，取马钱子去皮，切片，炒至黄色，与余药共研细粉，每晚睡前开水冲服，每日1次，每次0.6克。

4. 制草乌1个，绿豆250克，白酒适量，将前2味药共煎至绿豆开花为度，取出草乌刮去皮，切片。晒干后研为细末，每次0.1～0.3克，每日1～2次，用白酒冲服。适用于半身不遂、中风不语者。

5. 川乌（去皮脐）、五灵脂各15克（研为末），入龙脑、乳香，研细，滴水丸（如子弹大）。每服1丸，先以生姜汁研化，次以暖酒调服，每日2次，空腹晚饭前服。

**【名医指导】**

1. 做好心理护理：因瘫痪会给患者带来沉重的思想负担，因此要重视和做好患者的思想工作，鼓励患者树立战胜疾病的信心，坚持进行瘫痪肢体的锻炼，防止关节畸形和肌肉萎缩。

2. 保持肢体功能位置：瘫痪肢体的手指关节应伸展、稍屈曲，为达到效果，患者手中可放一块海绵团。肘关节微曲，上肢肩关节稍外展，避免关节内收，伸髋、伸膝关节。为防止足部下垂，使踝关节稍背曲。为防止下肢外旋，在外侧部可放沙袋或其他自制支撑物。

3. 加强瘫痪肢体活动：包括肢体按摩、被动活动及坐起、站立、步行锻炼，以防止肢体畸形、挛缩。动作应该由轻到重、再轻。被动活动不要用力过度。每次全身锻炼15～30分钟。每日数次。瘫痪好转时，患者要积极主动地锻炼日常生活技能，尽量鼓励患者尽可能完成自己力所能及的事情，如脱穿衣服、洗脸、用餐等。

4. 预防并发症：由于瘫痪肢体的运动和感觉神经发生障碍，局部血管神经营养差，若压迫时间较长，易发生褥疮。通常每2个小时翻身1次，并用50%乙醇或跌打油进行按摩。床铺应保持干燥、松软，并保持患者身体卫生，擦浴过程中要注意保暖、水温适当，既防止受凉，又要防止被烫伤。患者翻身时，应叩击其背部，鼓励咳痰，以防止坠积性肺炎。多吃水果、蔬菜，以保证足够营养摄入量，尤其是水、维生素和纤维素。

5. 养成定时排便习惯：早餐前先给1杯热饮料（如热开水、茶水、牛奶等），以促进胃肠蠕动。为促进排便，还可以按摩腹部，由右下向右上，转向左上，再转向左下，每次按摩5～10次。便秘时可遵医嘱用药。

## 耳鸣和耳聋

耳鸣是指患者耳内或头内有声音的主观感觉，多因听觉功能紊乱所致。由耳部病变引起者，常与耳聋（或眩晕）同时存在。由其他因素引起者，可不伴有耳聋（或眩晕）。患者自觉耳内鸣响如闻蝉声或潮声。听觉系统的传音、感音功能异常所致听觉障碍或听力减退，统称耳聋。轻者为“重听”，在一般情况下，能听到对方提高的讲话声；重者为耳聋，听不清或听不到外界声音。因耳部病变部位及性质不同，耳聋的程度也有所差异。耳鸣、耳聋往往同时存在，其病因病理基本相同，故将两者合在一起讨论。

耳鸣、耳聋是耳科疾病的两个症状，往往同时存在，病因基本一致。外因风热侵袭，暴震外伤；内因肝火上扰清窍、痰热蕴结耳窍，或脾肾虚弱、气血乏源、耳窍失养所致。耳鸣除出现于耳科疾病外，亦可出现于内、外、神经、精神科疾病中，但不伴耳聋。治疗可分别施以疏风散邪、清热泻火、化痰通窍，或健脾益气、补肾益精等法，同时可配合针灸。

**【必备验方】**

1. 磁石30克，木通、石菖蒲各80克，白酒1700克。将磁石捣碎，用纱布包裹；石菖蒲用米泔水浸2日后切碎，微火烤干。把3味药装入纱布袋内，与白酒同置入容器中，密封浸泡7日后即可服用，每日早、晚各服20～30毫升。适用于肝肾阴虚型耳鸣、耳聋。

2. 甘菊花500克，地黄、当归、枸杞子各200克，米1000克，六神曲适量。将菊花、地黄、当归、枸杞子煎汁，滤渣；米煮

半熟沥干；六神曲压成粉。再将米、六神曲入汁内搅匀，装坛内，周围保温（令发酵），7日后即可服用。每次20～30毫升，每日2次。适用于耳鸣、耳聋。

3. 巴豆仁、花椒、石菖蒲、全蝎、松香各等份，黄蜡适量。共研细末，将黄蜡熔化，和药末做成药条，放入耳内，每日换药1次，7日为一个疗程，间隔3～5日再行第二个疗程。适用于肾虚型耳鸣、耳聋。

4. 苍术、艾炷各适量。用小刀将苍术削成圆柱形，底面用针刺数个小孔，然后底朝外塞进外耳道，将艾炷置于苍术上点燃施灸，每次5～7壮，隔日1次，10次为1个疗程，每疗程间隔5日。适用于耳鸣。

5. 枸杞子、山茱萸、山药各90克（布包），猪腰500克（剔去筋膜、腮腺，洗净）。水煎熟，取出猪腰切成花块，炒锅内置素油烧热，爆炒猪腰，加葱、姜、蒜、食盐即可食用，可常食。适用于肾虚性耳鸣。

**【名医指导】**

1. 饮食宜清淡，禁食辛辣、香燥之物，如韭菜、葱、蒜、花椒、咖喱等，避免耗散精血，损伤肝肾；又避免助热化火，加剧阳亢之耳鸣。禁食咸寒、甜腻之物，如海鲜、肥肉、甜点等，避免酿湿化痰，上扰清窍，加重耳鸣。

2. 生活习惯的调节：咖啡因、烟、酒常可使耳鸣症状加重。如吸烟可以使血氧下降，对毛细胞造成损害，因此要注意改变不良习惯。

3. 减少暴震声和长时间的噪声接触，均能导致听力下降和耳鸣产生。对高危人群（工作在高强度噪声环境中）要注意噪声防护，如噪声源或佩戴防护耳罩、耳塞等。此外，要注意不要长时间、大音量在有噪声的环境中使用随身听耳机。

4. 当长期处于精神高度紧张和在身体疲劳状态时，均易使耳鸣加重。因此适当调整工作节奏，放松耳鸣患者的情绪，转移对耳鸣的注意力都是有益的。

5. 耳鸣患者由于其他疾病就诊时，请不要忘记告诉医师自己患有耳鸣。因为有些药物会使您已有的耳鸣症状加剧，典型药物，如氨基糖苷类抗生素、红霉素、万古霉素等。

## 遗　精

遗精是指不因性交而精液自行泄出的现象，有生理性和病理性的不同。有梦遗和滑精之分。梦遗是指睡眠过程中，有梦时遗精，醒后方知的病症。梦遗可以是性梦引发的结果，也可以是由被褥过暖，内裤过紧，衣被对阴茎刺激或阴茎受压的结果。滑精又称滑泄，指夜间无梦而遗，甚至清醒时精液自动滑出的病症。滑精是遗精的一种，是遗精发展到了较重的阶段。生理性遗精是指未婚青年或婚后分居，无性交的射精。一般2周或更长时间遗精1次，不引起身体任何不适。阴茎勃起功能正常，可以无梦而遗，也可有梦而遗。病理性遗精比较复杂，诸多病因均可引起。性神经过敏会引起遗精。西医可见于包茎、包皮过长，尿道炎，前列腺疾病等。有梦而遗往往是清醒滑精的初起阶段，梦遗、滑精是遗精轻重不同的两种证候。

中医学将精液自遗现象称遗精或失精。有梦而遗者名为“梦遗”，无梦而遗，甚至清醒时精液自行滑出者为“滑精”。多由肾虚精关不固，或心肾不交，或湿热下注所致。中医学认为，遗精的主要病机有两条：第一条为肾虚封藏不固；另一条为精室受扰。一个为虚证，另一个为实证或虚实夹杂证。遗精的病因尽管有先天禀赋不足，也有后天恣情纵欲、劳心过度、妄想不遂、湿热下注（过食肥甘、饮酒过度），但究其病机不外以上两条（两个方面），造成封藏不固的原因以先天不足、禀赋素亏，或后天损伤过度，伤及元阴、元阳为主。精室受扰而遗精，多为湿热痰火下注而遗泄，也有阴虚内热，虚火（相火）扰动精室者。

**【必备验方】**

1. 羊腿肉250克，芡实50克。将羊腿肉洗净、切块，开水浸泡1小时后撇去浮沫；与芡实加清水500毫升及适量黄酒、葱、生姜、食盐、味精，急火煮开3分钟，改用文火煲30分钟，分次服食。适用于肾气虚损、精关不固、偏阳虚型遗精。

2. 枸杞子20克，乌梅10克，鸡肠30克。将鸡肠洗净，以食盐腌制10分钟后洗净、切段，加清水500毫升及枸杞子、乌梅，以急火煮开（去浮沫），加黄酒、葱、生姜、食盐，改用文火煲30分钟，即可食用。适用于肾气虚损、精关不固、偏阴虚型遗精。

3. 龟肉200克，益智50克。将龟肉洗净、切碎，与益智加清水500毫升及葱、生姜、黄酒、食盐，急火煮开（去浮沫），改用文火煲30分钟，分次服食。适用于肾气虚损、精关不固、偏阴虚型遗精。

4. 莲子300克，猪肚1个。将莲子酒浸2宿；把猪肚洗净，纳入莲子（缝紧），煮熟后取出晒干研末，酒煮米糊为丸（如梧桐子大），于饭前以温酒各送服50丸。适用于肾精不固型遗精。

5. 核桃仁20克，猪肾1只。将核桃仁洗净、剖碎；猪肾洗净、剖开，以开水浸泡2小时（去浮沫）；起油锅，同炒，加黄酒、姜、葱、食盐调味后食用。适用于肾气虚损、精关不固、偏阳虚型遗精。

**【名医指导】**

1. 成人未婚或婚后久别1～2周而出现一次遗精，遗精后并无不适，这属于生理现象。不要为此忧心忡忡，背上思想包袱。

2. 遗精时不要用手捏住阴茎不使精液涌出，以免败精储留精宫，变生他病。遗精后不要受凉，更不能马上用水洗涤，以防寒邪乘虚而入。

3. 消除杂念：不看色情书画、录像、电影、电视，戒除手淫。

4. 适当活动，增强体质，陶冶情操。

5. 慎起居。少进烟、酒、茶、咖啡，少食用葱、蒜等辛辣刺激性食品。

6. 不用烫水洗澡。睡时宜屈膝侧卧位，被褥不宜过厚，内裤不宜过紧。

7. 遗精频繁者，应及时就医，及时针对病因进行治疗。

8. 自身可配合以下运动疗法：

（1）半蹲站桩运动疗法：挺胸塌腰，屈膝半蹲，头部挺直，眼视前方，两臂前平举（意识中好像两手握重物，尽力前伸），两膝在保持姿势不变的情况下，尽力往内夹，使腿部、下腹部及臀部保持高度紧张，持续半分钟后复原。每日早、晚各做1次，次数自便。

（2）仰卧收腹运动疗法：仰卧位，两臂伸直在头后，然后上体和两腿同时迅速上举，使双手和两足尖在腹部上空相触，上举时吸气，还原时呼气。每日早晚各1次，每次可做24～32次，随着腹肌力量的增强，重复次数可逐步增加。

（3）提肛锻炼运动疗法：每晚临睡前坐在床上收缩肛门，其动作好像忍大便的样子，反复做20～30次；收缩时深吸气，放松时呼气，动作宜柔和缓慢而有节奏。

（4）按摩运动疗法：取手掌相对，摩擦发热后，在腰部至骶尾骨上下推擦100次。用手指按压前臂的神门穴和足部的太溪、足三里穴各1分钟。

（5）冷水洗浴运动疗法：每日洗冷水浴1次，或每晚临睡前用冷水冲洗阴囊2～3分钟，这样可降低性神经的兴奋度。

## 阳　痿

阳痿西医学称“勃起功能障碍”，是指在有性欲要求时，阴茎不能勃起或勃起不坚，或虽有勃起但性交时不能保持足够时间，而妨碍性交或不能完成性交。引起阳痿的原因有：①精神因素，如夫妻间感情冷漠，或因某些原因产生紧张心情，可导致阳痿；性交次数过多也可出现阳痿。②生理原因，如阴茎勃起中枢发生异常。器质性阳痿主要可以使用药物来进行治疗，心因性阳痿可以使用自我心理疗法，即可达到治疗的效果。阴茎完全不能勃起者称完全性阳痿，阴茎虽能勃起但不具有性交需要的足够硬度者称不完全性阳痿，从发育开始后就发生阳痿者称原发性阳痿。引起阳痿的原因很多，除少数生殖系统的器质性病变引起外，大多数是心理性和体质性的，50岁以上阳痿者，多为生理性退行性变化。

中医学将阴茎疲软不举或举而不坚，以致影响性生活，谓之阳痿，“阴痿”或“筋痿”其意即为阳痿。中医学认为，阳痿有虚

实之分，虚有阴虚、阳虚、心脾两虚、心肾不足之别；实有肝郁、湿热、血瘀之异。

**【必备验方】**

1. 鸡蛋2个，枸杞子15克，何首乌60克。水煮至蛋熟，去壳后再煮片刻，去药渣后吃蛋饮汤。每日1剂，连服10～15日。适用于肾精不足型阳痿。

2. 狗肉100克，八角茴香、小茴香、陈皮各5克（布包）。将狗肉洗净、切块；铁锅内放菜油烧热，入狗肉与葱、姜炸片刻，再放酱油、花椒水、食盐、料酒及适量水，然后放入后3味，用小火炖烂。适用于肾阳不足型阳痿。

3. 雄鸡肝、鲤鱼胆各4个，菟丝子粉30克，麻雀蛋1个。将鸡肝、鲤鱼胆风干百日后研细末，加菟丝子粉、麻雀蛋清拌匀，做成药丸（如黄豆大）烘干（或晒干），温开水送服，每日3次，每次1粒。

4. 冬虫夏草5枚，母鸡1只，食盐、味精各适量。将母鸡去毛及内脏后洗净与冬虫夏草同炖90分钟，放食盐和味精调匀后服食，每日2次，可连服5日。适用于肾虚型阳痿、遗精及腰痛、腿软。

5. 精羊肉100克，肉苁蓉15克，粳米30～60克，葱白2根，生姜3片。将前2味水煎，去渣，入后3味同熬成稀粥，加少许食盐调服，每晚1次，7日为1个疗程。适用于肾阳亏虚型阳痿。

**【名医指导】**

1. 消除心理因素：要对性知识有充分的了解，充分认识精神因素对性功能的影响；要正确对待“性欲”，不能看作是见不得人的事而厌恶和恐惧；不能因为一、两次性交失败而沮丧担忧，缺乏信心；夫妻双方要增加感情交流，消除不和谐因素，默契配合，女方应关怀、爱抚、鼓励丈夫，尽量避免不满情绪流露，避免给丈夫造成精神压力；性交时思想要集中，特别是在达到性快感高峰即将射精时更要思想集中。

2. 节房事：长期房事过度，沉浸于色情，是导致阳痿的原因之一。实践证明，夫妻分床，停止性生活一段时间，避免各种类型的性刺激，让中枢神经和性器官得到充分休息，是防治阳痿的有效措施。

3. 多吃壮阳食物：壮阳食物主要有狗肉、羊肉、麻雀、核桃、牛鞭、羊肾等；动物内脏因为含有大量的性激素和肾上腺皮质激素，能增强精子活力，提高性欲，也属壮阳之品；此外宜多食含锌食物，如牡蛎、牛肉、鸡肝、蛋、花生米、猪肉、鸡肉等，宜多食含精氨酸食物，如山药、银杏、冻豆腐、鳝鱼、海参、墨鱼、章鱼等，都有助于提高性功能。

4. 性交前饮少量酒，可解除心理抑制，提高大脑性中枢的兴奋，增强阴茎勃起功能。但须注意只能饮少量白酒。

5. 提高身体素质：身体虚弱，过度疲劳，睡眠不足，紧张持久的脑力劳动，都是发病因素。应当积极从事体育锻炼，增强体质，并且注意休息，防止过劳，调整中枢神经系统功能。

6. 利用膀胱的积存尿液可以刺激周围神经，提高性神经的兴奋性，增强阴茎的勃起能力。所以在性交前多少留些尿意，熟练控制掌握好这一点，可以收到一定效果（早泄患者不宜采用此法）；或利用清晨阴茎自然勃起的特点进行适当的训练，在清晨过性生活则容易成功。

7. 阴茎勃起不坚但能勃起时，可以采用适合于半勃起状态的性交体位进行性交；放松，使性生活轻松，阴茎可自然恢复勃起功能。

## 阳　　强

阳强是指阴茎异常勃起，阳事易举，甚至持续较久举而不衰之证。本病中医学称“强中”，又称阴茎异常勃起，多为阴虚火脏、肝郁不疏，或败精阻窍所致。其病机为情志抑郁，肝郁化热，肝火盛强而致；或恣食肥甘，或饮食失节，脾运失常，聚湿生热，湿热下注，或湿聚生痰化热，痰火内蕴而致；或同房不能排精，败精阻窍；或肝郁气滞血瘀，或相火邪热灼络，瘀血阻滞；或房事过度，肾阴亏耗，阴虚不能制阳，虚阳妄动；或肾水不能上济心火而心肾不交所致。

阴器乃肝脉所络，为宗筋所聚而成；肾主精，而司生殖，阴茎为肾之所系。阳强病理表现有虚实之分，虚证多见肾虚；实证常见肝病。其治疗以滋阴清热、潜阳软坚、清肝泻火、滋阴软坚为主。肝火强盛者，兼见头胀或痛，面红目赤，口苦咽干，烦躁易怒，或便秘尿赤，舌红、苔黄，脉弦数；湿热下注者，多兼见胁肋胀痛灼热，口苦泛恶，纳呆腹胀，大便不调，小便短赤，或见阴部潮湿（或有湿疹），舌质红、苔黄腻，脉弦数；痰火内蕴者，兼见纳差烦闷，舌苔厚腻，或咳吐黄痰，便秘尿赤，舌苔黄腻，脉滑数；败精阻窍者，欲念时起，阳强不倒，茎硬刺痒或胀痛，少腹拘急，苔薄腻，脉弦细；瘀血阻窍者，兼茎中疼痛，茎色或稍暗，小腹及睾丸胀痛或时有刺痛，舌质暗或有瘀点，脉涩；肾阴亏耗、心肾不交者，兼见口咽干燥，潮热盗汗，腰膝酸软，手足心热，不寐心烦，舌红、少苔，脉细数。

**【必备验方】**

1. 龙胆、当归各 10 克，泽泻、车前子、黄芩各 12 克，生地黄 20 克，白芍、川牛膝各 15 克，白茅根 30 克。每日 1 剂，水煎，分 2 次温服。适用于下焦湿热型阳强。

2. 淫羊藿、枸杞子、女贞子、蛇床子、菟丝子、覆盆子、桑椹子、五味子、金樱子各 100 克，紫河车 200 克。共研为细末，制为丸（约 100 粒），早、晚盐汤各送服 1 丸。适用于阳强伴精液稀薄量少。

3. 黄柏、玄参、生地黄各 15 克，知母、泽泻、白芍各 12 克，龙胆、甘草各 10 克，龟甲 20 克。每日 1 剂，水煎，分 2 次服。适用于相火炽盛型阳强。

4. 龟甲、牡蛎（先煎）各 24 克，昆布、海藻各 60 克。每日 1 剂，水煎，分 2 次服。同时服知柏地黄丸，每次 1 丸。适用于肝肾阴亏型阳强。

5. 芒硝 50～100 克。炒热后以棉布包好，热敷关元、中极穴，每次 30 分钟，每日 1～2 次。

6. 红花 50 克，水煎，取液温洗阴茎（洗前用无菌三棱针行阴茎海绵体直刺，每侧刺 3 针）。或用肝素盐水纱布湿敷。

**【名医指导】**

1. 注意节制房事，戒除手淫，以免损精伤肾。注意精神调节，不可郁怒伤肝。

2. 饮食不宜过饱；少食醇酒、厚味、辛辣刺激性食物，以免伤脾碍胃、助湿生痰。

## 神经衰弱

神经衰弱是一种常见的神经病症，患者常感脑力和体力不足，容易疲劳，工作效率低下，常有头痛和睡眠障碍，但无器质性病变。目前，大多数学者认为精神因素是造成神经衰弱的主因，凡是能引起持续的紧张心情和长期的内心矛盾的一些因素，使神经活动过程强烈而持久地处于紧张状态，超过神经系统张力的耐受限度，即可发生神经衰弱。其主要症状有容易疲劳、容易兴奋、睡眠障碍、情绪障碍、紧张性疼痛和自主神经功能紊乱。

本病中医学属“不寐”、“健忘”、“郁证”等范畴。“卫气不得入于阴，常留于阳。留于阳则阳气满，阳气满则阳跷盛；不得入于阴则阴气虚，故目不瞑矣。”有肝肾阴虚、心肾不交、心脾两虚、阴虚阳亢（内热）、肝气郁结、肾阴虚、肾阳虚等型。治疗时应按辨证施治原则，选择不同的处方。此外，针灸、气功、推拿、拔罐等传统中医疗法，对部分神经衰弱也有一定疗效。

**【必备验方】**

1. 首乌藤 60 克，炒酸枣仁、合欢皮、五味子、生地黄、茯神、龙骨各 30 克。水煎，取浓汁 1500 毫升，加防腐剂，每日早、晚各服 15 毫升。

2. 猪脑 100 克。泡入清水中，剔除血筋、洗净、沥水，加适量黄酒及葱、生姜，以旺火蒸 20 分钟左右，凉后加入适量香油、酱油、蒜泥拌匀即可。

3. 磁石 20 克（先煎 30 分钟），茯神 15 克，五味子 10 克，刺五加 25 克。磁石先煎 30 分钟，再加入余药煎 30 分钟，去渣，将净纱布浸药液热敷于前额及太阳穴，每晚睡前敷 20 分钟。

4. 蜘蛛香、黄茉莉花各 30 克，合欢花

50 克。共研细末，装入布袋内缝好，睡前垫在枕头上。

5. 洋金花、首乌藤、苦参各 200 克。装入布袋紧扎袋口，置不锈钢桶内加水 200 毫升，浸泡 2 小时，用蒸汽煮沸 10 分钟，取液 100 毫升放入浴盆中，加入自来水 100 毫升，待水温降至 40 ℃时，盆浴，每次 30 分钟，每日 1 次。10 次为 1 个疗程。

**【名医指导】**

1. 正确认识自己：尽量避免做一些力所不及的事情，或避免从事不适合自己的体力和精神的活动。培养豁达开朗的性格，不斤斤计较，保持情绪的稳定。

2. 多外出走动，呼吸新鲜空气。坚持做一些自己感兴趣的事情，如画画、游戏等，但要避免时间过长、劳累。

3. 善于自我调节，有张有弛。合理安排好工作、学习和生活的关系，做到劳逸结合，提高工作效率。

4. 散步和旅行：神经衰弱患者在进行较长距离（2～3 千米）的散步之后，大脑皮质的兴奋和抑制过程得到锻炼，减轻头痛、头晕症状，从而精神振奋、心情舒畅。另外，如果体力较好，神经衰弱患者还可以参加短距离的拉练或旅行，不仅可以增强抵抗力还可以转移注意力，改善情绪，缓解病情。

5. 如果体质允许可坚持冷水浴，不仅有利于增强体质，还有助于强壮神经系统，增强大脑皮层的兴奋和抑制过程。游泳运动也能起到冷水浴相似的效果，如能坚持到秋冬，效果更佳。

6. 求助于医务人员：如果自我调节效果不好，出现一些不能解决的心理问题或疾病先兆时，应立即就医，进行心理咨询、心理治疗或药物治疗；切莫讳疾忌医，但也不能有病乱投医。

7. 必要的药疗和食疗：注意日常饮食的科学合理，如饮食清淡；多吃一些健脑、改善神经功能的食品；不暴饮暴食；晚餐不宜过晚、过饱等。情况较重时可服用九味安神胶囊、谷维素、维生素 $B_1$ 等药物。

## 精神失常

精神失常是由多种原因引起的精神活动障碍的一类疾病，常因受过某种强烈刺激后发病，包括精神分裂症、躁狂症、抑郁症和焦虑症。临床以心情抑郁、情绪不宁、胸部满闷、胁肋胀痛，或易怒易哭、自言自语，或焦虑莫名或多思善疑；高歌狂笑，不认亲情，弃衣奔走，不知羞耻，拿刀弄杖，或咽中有异物梗阻，不思饮食，失眠少寐等为主要表现。

中医学认为，“重阳者狂，重阴者癫”。癫属阴，多偏于虚，表现为精神抑郁，沉默痴呆，喃喃自语。狂属阳，多偏于实，表现为喧扰打骂，狂躁不宁。癫病经久，痰郁化火，可以出现狂证；狂病延久，正气不足，亦可出现癫证。治疗以化痰、清火、活血、祛瘀、攻下、涌吐、补益、重镇、开窍、宁神等为法。

**【必备验方】**

1. 甘遂、荞面各 12 克。将甘遂用沸水浸泡 1 宿，晒干，研细末，与荞面以猪心血和为丸（分为 4 丸，朱砂为衣），每服 1 丸，每日 2 次。适用于精神失常、癫狂。

2. 狗肝 1 具，硝石、黄丹各 4.5 克。将狗肝切开，纳入药末，以麻线一缕缠缚，加水 2000 毫升煮熟，去麻线，将肝、药（研细末）。细嚼，用煮肝药汁送服，不拘时候。适用癫狂实证。

3. 鲜地龙适量。放冷水中泡 2 小时（排出腹中泥土），洗净后捞于盆中，每 500 克加白糖 90～120 克，24 小时后再加冷开水，过滤，得滤液 1000 毫升，放阴凉处备用（夏天可加防腐剂，放置在冰箱内）。每次服 100 毫升，每日 2 次，1 个月为 1 个疗程，连用 1～2 个疗程。

4. 醋芫花 10 克，胆南星、雄黄各 3 克，白胡椒挥发油 0.05 毫升。将前 3 味共研细末，加入白胡椒挥发油研匀。先用温开水将患者肚脐孔洗净，再取药末 1.5 克，填入脐孔，外盖棉球、胶布固定。适用于精神失常、癫狂。

4. 取穴：①人中、少商、隐白、大陵、丰隆；②风府、大椎、身柱；③鸠尾、上脘、中脘、丰隆；④人中、风府、劳宫、大陵。4组穴位可轮换使用，用泻法。适用于狂证。

**【名医指导】**

1. 对于精神分裂症患者的指导：

（1）家庭治疗必须在精神科医师的指导下进行，出院时一定要按出院时医师的嘱咐，按时按量地帮助患者服药，定期门诊复查。另外，精神科药物治疗技术性很强，每加减1片药物都是依据患者病情变化而决定的。家属决不能认为患者目前病情已好或担心服药后有副作用而自行停药。

（2）了解常用抗精神分裂症药物的一般常识：第二代药物相对来说副作用小，服药的耐受性和从依性好，对阴性症状有效，并且能改变认知功能。

（3）家属要为患者保管好药物，防止患者受精神症状支配而1次吞服大量药物而发生意外。每次服药时，家属都要督促，检查患者的服药情况，保证患者服药到胃。

（4）观察药物的治疗作用，必要时在医师的指导换药。

（5）出现以下情况需立即在医院复查：

1）病情波动：家属要密切注意病情复发的征兆，如出现失眠、注意力不集中、发呆等。

2）出现较重的药物副作用时，如急性肌张力障碍导致患者眼睛上翻，口颈㖞斜，严重的导致吞咽困难。

3）发现患者身上出现皮疹。

4）关于患者的家属弄不明白的问题，也应尽快到医院复诊。

2. 对躁狂症患者的指导：

（1）规律的作息时间，早睡早起；保持每日6～8小时。

（2）家人平时在生活中要多关心患者，帮助患者建立信心。

（3）保持环境安静：尤其当患者处在躁狂症时，尽量不要和患者进行有敌意的谈话，尽量避免刺激患者加重病情的因素。

（4）注意季节变化：夏季是躁狂症的高发期，作为家人应该要加强这方面关注。

（5）饮食方面：要注意营养的均衡摄入，尽量多吃一些清淡的食物，避免吃太多油腻食物。

3. 对抑郁症患者的指导：

（1）做最感兴趣的事，有计划地做些能够获得快乐和自信的活动（尤其在周末），如打球、写信、听音乐等。另外，保持生活正常规律化；尽量按时吃饭，起居有规律，每日安排一定时间进行体育锻炼。

（2）广交良友：经常和朋友保持交往的人，其精神状态远比孤僻独处的人好得多，尤其在境况不佳时。

（3）避免服用某些药物，如口服避孕药、巴比妥类、可的松、磺胺类药、利舍平可引起抑郁症，应尽量避免使用。

（4）多吃富含B族维生素和氨基酸的食物，如谷类、鱼类、绿色蔬菜、蛋类等。

4. 对焦虑症患者的指导：

（1）放松心情，保持情绪平稳，不要有任何精神压力和心理负担。

（2）树立战胜疾病的信心，患者应坚信自己所担心的事情是根本不存在的；经过适当的治疗，本病是完全可以治愈的。

（3）在医师的指导下学会调节情绪和自我控制，如心理松弛，转移注意力、排除杂念，以达到顺其自然、泰然处之的境界。

## 健忘症

健忘症是指遇事易忘而思维意识仍属正常的症状。其发病原因多样，最主要的原因是年龄。当前发病率有低龄化趋势，但相对年轻人而言，40岁以上中老年人更易患健忘症。此外，持续的压力和紧张会使脑细胞产生疲劳，而使健忘症恶化；过度吸烟、饮酒、缺乏维生素等，可以引起暂时性记忆力恶化。

本病中医学称“善忘”、“喜忘”、“好忘”。多因心气心血亏损所致。辨证可分为心脾气血两虚、阴虚火旺、肾精不足、瘀痰内阻等证。健忘以虚证为多，一般根据其症状，以补益心脾、滋填肾精为治疗大法。但虚中往往夹实，上述各证俱可夹痰、夹瘀，治宜补泻兼施。

**【必备验方】**

1. 阿胶10克，白酒10～15毫升。同隔水蒸至阿胶溶化，取出乘热打入1个鸡蛋搅匀，再蒸至蛋熟，顿服，每日2次。

2. 核桃仁、大枣各60克，苦杏仁30克（去皮、尖），酥油、蜂蜜各30毫升，白酒1500毫升。将蜂蜜、酥油溶化，倒入白酒和匀，随将其余3味药研碎后放入酒内，密封浸泡21日，即可饮用，每次15毫升，每日2次。阴虚火旺者忌服。

3. 丹参、远志、硫黄各20克。共研细末，每取适量，以白酒调贴于脐中，再以棉花覆盖，外以胶布固定，每晚换药1次。

4. 洋金花、首乌藤、苦参各200克。装入布袋并紧扎袋口，置不锈钢桶内加入自来水200升浸泡2小时，用蒸汽煮沸10分钟，将所得药液取100升放入浴盆中，加入自来水100升，待水温降至40℃时盆浴，每次30分钟，每日1次，10次为1个疗程。

5. 茯神15克，五味子10克，磁石（先煎30分钟）、刺五加各20克。煎30分钟，去渣，将干净纱布浸药液热敷前额及太阳穴，每晚睡前敷20分钟，敷后即睡。

**【名医指导】**

1. 勤于用脑：勤奋的工作和学习往往可以使人的记忆力保持良好的状态。对新事物要保持浓厚的兴趣，敢于挑战。中老年人经常看新闻、电视、电影、听音乐，特别是下象棋、围棋，可以使大脑精力集中，脑细胞会处于活跃状态，从而减缓衰老。此外，适当地有意识记一些东西，如喜欢的歌词，记日记等对记忆力也很有帮助。

2. 保持良好情绪：良好的情绪有利于神经系统与各器官、系统的协调统一，使机体的生理代谢处于最佳状态，从而反馈性地增强大脑细胞的活力，对提高记忆力颇有益处。

3. 经常参加体育锻炼：体育运动能调节和改善大脑的兴奋与抑制过程，能促进脑细胞代谢，使大脑功能得以充分发挥，延缓大脑细胞老化。

4. 养成良好的生活习惯：大脑中一贯存在着管理时间的神经中枢，即所谓的生物钟，工作、学习、活动、娱乐以及饮食要有一定的规律，以免造成生物钟紊乱、失调；尤其要保证睡眠的质量和时间，睡眠使脑细胞处于抑制状态，消耗的能量得到补充。

5. 注意饮食：应少食甜食和咸食，多吃维生素、矿物质、纤维素丰富的蔬菜水果。银杏叶提取物可以提高大脑活力、注意力，对记忆力也有一定帮助。咖啡可在短时间内使大脑兴奋，必要时先喝一杯咖啡。

6. 摸索一些适合自己的记忆方法：对一定要记住的事情写在笔记本上或写在便条上，外出购物或出差时列一个单子，将必须处理的事情写在日历上等，都是一些可取的记忆方法。另外，联想、归类也是一些良好的记忆习惯。

## 失　眠

失眠是指患者对睡眠时间或质量不满足并影响白天社会活动的一种主观体验。心理因素、环境因素、生理因素、药物及食物等均可引起失眠。按临床表现分为：①睡眠潜入期。入睡时间超过30分钟。②睡眠维持。夜间觉醒次数超过2次或凌晨早醒。③睡眠质量。多噩梦。④睡眠时间。少于6小时。⑤日间残留效应。次晨感到头昏、精神不振、嗜睡、乏力等。按病程分为：①一次性（或急性）失眠。病程小于4周。②短期（或亚急性）失眠。病程大于4周并小于6个月。③长期或慢性失眠。病程大于6个月。按严重程度分为：①轻度。偶发，对生活质量影响小。②中度。每晚发生，中度影响生活质量，伴一定症状（易怒、焦虑、疲乏等）。③重度。每晚发生，严重影响生活质量，临床症状表现突出。

本病中医学称“不寐”、“不得眠”、“不得卧”、“目不瞑”，是以经常不能获得正常睡眠为特征的一种病症。其中以七情内伤为主要病因，其涉及的脏腑不外心、脾、肝、胆、肾；其病机总属营卫失和，阴阳失调为病之本，或阴虚不能纳阳，或阳盛不得入阴。睡眠可看作是阴阳消长平衡的一个过程。人的正常睡眠是阴阳之气自然而有规律地转化的结果，而这种规律一旦被破坏可导

致不寐。这种规律被破坏的原因主要由于外邪，如火、热、气、血之壅塞，干扰卫气的正常运行，内伤情志使五脏气机失常、气血不和及阴阳失调而致失眠，病理因素多为气、血、痰、瘀、火、郁、湿、食等，故七情所伤之失眠尤为重要。失眠基本分为肝郁化火、痰热内扰、阴虚火旺、心脾两虚、心胆气虚等型。

**【必备验方】**

1. 乌龟1只（250克），百合、大枣各30克。将乌龟去甲及内脏，洗净、切块，加水煮沸，入百合、大枣，同煮熟，酌加冰糖调味，吃肉喝汤，当日吃完，可常食。适用于失眠、健忘。

2. 首乌藤60克，粳米50克，大枣2枚，白糖适量。将首乌藤用温水浸泡片刻，加水500毫升，煎至300毫升，去渣，入粳米、白糖、大枣及清水200毫升，同煎成粥，每晚睡前1小时热食，连服10日为1个疗程。

3. 琥珀末20克，朱砂10克。混合研匀，用凡士林调成膏状，每日取黄豆大置于鸡眼膏中央，贴于双侧内关穴和膻中穴，重者加贴双侧涌泉穴，1～2日换药1次，3次为1个疗程。

4. 生龙骨20克，琥珀末10克，珍珠粉5克。共研细末，每取3～4克，加牛黄蛇胆川贝液10毫升（即1只）调湿（分为2份），用双层纱布包好，于睡前分置于两手心，外用胶布固定，次晨取下，7次为1个疗程。邪热内扰者，加黄连粉5克；痰多者，加生半夏10克；阴虚火旺者，加龙胆6克；气血两虚者，加服归脾丸。

5. 睡前1小时，取第5胸椎棘突下神道穴，用拇指点、旋、揉、按20～30次（动作宜轻柔徐缓，忌用力过重）；或点按手腕部掌侧腕横纹尺侧端神门穴。

**【名医指导】**

1. 首先要有一个舒适、安静的睡眠环境。房间布局合理、清洁，光线柔和，温、湿度适宜，床铺舒适。

2. 养成良好的生活习惯和正常的睡眠习惯。制定适宜的作息时间，如中午安排2小时午休，晚上9～10时上床休息，早上6时左右按时起床，白天避免休息时间过长，以免影响夜间睡眠。可定时做适量运动，以助放松身心。

3. 睡前忌服兴奋性饮料（如酒、浓茶、咖啡等），尽量少抽烟；避免易引起兴奋的活动，避免过多的会客，晚餐不宜过饱；多吃清淡的食物，如新鲜蔬菜、水果，少吃刺激性食物。

4. 睡前用温水洗澡或喝1杯温鲜奶；也可以多吃一些诸如大枣、小米粥、莲子、藕粉、龙眼等有助于安眠的食物。

5. 放松心情，缓解压力。要控制情绪，使情绪平和，不让焦虑和恼怒等杂念烦扰，可以听一些轻柔的音乐。

6. 如有严重失眠，可给予适量抗焦虑或镇静催眠药，以加深睡眠。但建议在医师指导下服用。

## 吐　血

吐血即血从口中吐出，可以是上消化道出血，也可以是支气管扩张咯血。胃十二指肠溃疡、肝硬化导致的食管胃底静脉曲张破裂、大量喝酒或长期服用激素（如泼尼松）或解热镇痛药物（如阿司匹林、吲哚美辛）易引起上消化道出血，胃癌也是引起上消化道出血的常见疾病。有上消化道出血且年龄偏大的中老年人，特别是伴有慢性贫血的胃病患者应警惕胃癌发生的可能性。一般说来，青年人上消化道出血多为胃十二指肠溃疡出血，中老年人除了胃十二指肠溃疡外，还应考虑胃癌因素。临床表现为：患者多先有恶心，然后呕血，继而排出黑便。

中医学认为，吐血多因嗜食酒热辛肥、郁怒忧思、劳欲体虚等，致胃热壅盛、肝郁化火或心脾气虚、血失统御而成；亦有因外感引发者。吐血分为外感吐血、内伤吐血、阴虚吐血、劳心吐血、劳伤吐血、气郁吐血、虚热吐血、伤胃吐血、伤酒吐血等。临证需分辨虚实。实证多由于胃热及肝火，虚证多属于脾气虚弱。治疗以清热、泻火、降逆、凉血止血，或益气摄血为法，忌用升散燥热之品。

**【必备验方】**

1. 生大黄粉、生黄芪各15份，黄连9

份，生地黄30份，生甘草6份。共研细末，每取30克，加水200毫升，煮沸2分钟，去渣，凉服，每日分2次服；重症每日60克，分4次服。5日为1个疗程。

2. 老生姜21克，核桃仁100克（去皮）。捣烂，令患者静坐至深夜，待其睡熟后叫醒服药，服后仍睡，连服2～3次。

3. 蛋黄2个，阿胶40克，米酒500毫升，食盐适量。将米酒以文火煮沸，加入阿胶化开，再入蛋黄、食盐拌匀，每日早、晚各服1次。

4. 侧柏叶30克。加水500毫升，煎至150毫升，分2次送服云南白药（每次0.5克）。适用于实证吐血。

5. 大蒜适量。捣烂，贴于两足心，4小时1次。

**【名医指导】**

1. 吐血量较大者，应暂禁食，严格观察患者的病情变化与发展，并及时送医。吐血量较少者，进食清淡、易消化、富有营养的食物，如流质、米汤、藕粉较好，饮用牛奶要适量。要少量多餐，饮食温热。浓茶、咖啡均应避免。如食物清淡无味时，可加少许食盐。

2. 出血停止后，可逐步增加食物的品种与数量。同时还应注意以下几点：

(1) 生活规律，充分休息，避免熬夜，心情保持愉快，减少无谓的烦恼。

(2) 三餐定时定量，宜少量多餐；不可暴饮暴食；饮食以易消化的烹调方式为主（如蒸、煮、炖等），戒烟、酒、咖啡因（咖啡、浓茶、可乐）、辣椒、胡椒等刺激性食物，食物亦不宜过甜、过咸及过冷、过热。

(3) 进餐要细嚼慢咽，心情要放松；饭后略作休息再开始工作。

(4) 加强锻炼，增强体质，防止外邪侵袭人体，尤其在寒热交替季节，防止感寒诱发。

## 晕车和晕船

晕车和晕船又称晕动病，是指乘坐交通工具时，内耳前庭平衡感受器受到过度运动刺激，前庭器官产生过量生物电，影响神经中枢而出冷汗、恶心、呕吐、头晕等症候群。内耳前庭器是人体平衡感受器官，包括三对半规管和前庭的椭圆囊、球囊。半规管内有壶腹嵴，椭圆囊、球囊内有耳石器（又称囊斑），均可感受各种特定运动状态的刺激。半规管感受旋转加（减）速度运动刺激，而椭圆囊、球囊的囊斑感受水平或垂直的直线加（减）速度的变化。

本病中医学属“眩晕”范畴。其病位在清窍引起，由于脑髓空虚，清窍失养，或痰火上逆，扰动清窍引起，多与肝、脾、肾三脏关系密切。眩晕以虚者居多，如肝肾阴虚，肝风内动，气血亏虚，清窍失养，肾精亏虚，脑髓失充。眩晕实证多为痰浊阻遏，升降失常，或痰火气逆，上犯清窍。其病因病机可以互相影响、相互转化，形成虚实夹杂证：或阴损及阳、阴阳两虚，或肝风痰火、上蒙清窍，或突发气机逆乱、清窍暂闭或失养，而引发晕厥。

**【必备验方】**

1. 大朵玉兰花3～6克，开水泡，代茶饮。或鲜叶12～18克，水煎服。

2. 食醋100毫升，冰糖500克。同煎溶，每餐饭后饮1汤匙。胃溃疡及胃酸过多者不宜服。

3. 橘皮适量。乘车前1小时，将鲜橘皮（表面朝外）向内对折，然后对准鼻孔挤压，皮中便会喷射带芳香味的油雾，可吸入10余次。

4. 风油精适量。将风油精搽于太阳穴或风池穴。亦可滴2滴风油精于肚脐处，并用伤湿止痛膏敷盖。

5. 晕车时，用拇指掐内关穴（内关穴在腕关节掌侧，腕横纹上约两横指和两筋之间）3～5分钟，适当加压至有酸痛的感觉。

**【名医指导】**

1. 加强锻炼身体，提高前庭器官耐受性。晕动病多发生于前庭器官比较敏感的人，因此多注意锻炼身体，多做转头、弯腰转身及下蹲等动作，以增加前庭器官的耐受性。

2. 吃得过饱、疲劳、睡眠不足、空气污浊、情绪紧张及汽油和油烟等特殊气味，均

可能促使晕动病的发生和症状加重。因此，要避免这些不良因素。

3. 特殊的前庭训练：可通过康复训练预防晕动病，如反复多次乘船、乘车训练，以提高前庭器官对不规则运动的适应能力。此外，害怕晕车的人可以经常参加一些活动，特别是有助于调节人体位置平衡的体育项目，如秋千、滑梯、单双杠、垫上滚翻等运动项目，能提高前庭器官的适应能力。

4. 乘车、乘船时应尽量限制头部运动。可将头靠在背椅上固定不动，以减少加速度的刺激，特别是旋转性刺激；可能的话，尽量平卧。

5. 避免不良的视觉刺激：乘车时少往窗外观看，坐车、坐船时看书更容易诱发晕动病；因此闭目养神可减少晕动病的发生。

6. 乘车前可服用怡含宁含片等预防晕动病。抗胆碱药对大脑皮质有抑制作用，可阻止眩晕和呕吐。

7. 中医穴位调理法：鸠尾穴是对治疗晕车晕船能产生速效的穴位，它位于身体前中心线之上，在最底下肋骨稍下之处。只要一边吐气一边按压此处 6 秒，如此重复 10 次便能调整胃的功能，不再有欲吐的感觉。“第二历兑”穴位于脚的第 2 趾趾根外侧 2 厘米处。用拇指和食指，一边吐气一边揉约 6 秒，如此重复 10 次，连续 20 天不间断，就可根治晕车、晕船。

## 产后呕吐

产后呕吐是指产后出现食欲减退、挑食、清晨恶心及轻度呕吐等，一般在产后 4 周即自行消失，对生活和工作影响不大，不需特殊治疗。少数妇女反应严重，呈持续性呕吐，甚至不能进食、进水，并伴有上腹隐闷不适、头晕、乏力或喜食酸咸之物等。本病多见于精神过度紧张、神经系统功能不稳定的孕妇，与胃酸降低、胃肠道蠕动减弱、绒毛膜促性腺激素增多及肾上腺皮质激素减少等也有一定关系。

本病中医学称“恶阻”、“阻病”。多因产后恶露过少，积为败血散于脾胃；或因产后血去过多，脾虚气滞犯胃所致。败血散于脾胃者，脾受之则不能健运精微，胃受之则不能受纳水谷而出现呕吐，并伴有恶露滞涩。临床上分为脾胃虚弱与肝胃不和两型，前者可见恶心、呕吐清水、厌食、精神倦怠、嗜睡等症，治疗宜健脾和胃、降逆止呕；后者可见恶心、呕吐酸水（或苦水）、胸胁胀痛、精神抑郁、口苦、烦躁等症，治疗宜平肝和胃、降逆止呕。

**【必备验方】**

1. 朱砂（另研）、丁香各 1.8 克，五灵脂 3 克。将后 2 味研末，入朱砂调匀，以猪胆糊丸（如鸡头大）。以生姜、陈皮汤送服，每服 1 丸，连服 1 周。

2. 鲜柠檬 500 克，白糖 250 克。将柠檬去皮、核，切块，加白糖浸渍 24 小时，以小火煨至汁液耗尽，待冷拌入少许白糖，每日分 2 次服。

3. 按压内关穴（手臂内侧，腕上 2 寸，两筋之间）、足三里（外膝眼直下 3 寸，胫骨外缘一横指处），每次 3～5 分钟。

4. 艾叶 250 克，苍术 30 克。同揉碎后用细麻纸卷成条状（要卷紧），点燃后灸中脘穴（脐上 4 寸）、内关穴、足三里（灸时离皮肤 1 寸左右，至局部皮肤潮红为度）。

5. 广藿香、陈皮、紫苏叶、砂仁各 6 克，胡荽 1 把。同煮至香气冒出，吸鼻。适用于产后呕吐之轻症。

**【名医指导】**

1. 保持情绪稳定和心情舒畅。多和其他人交流，有助于缓解紧张情绪。

2. 居室尽量布置得清洁、安静、舒适，避免异味刺激。呕吐后应立即清除呕吐物，以避免恶性刺激，并用温开水漱口，保持口腔清洁。

3. 注意饮食卫生：饮食宜营养价值高且易消化为主，可采取少食多餐的方法。为防止脱水，应保持每日的液体摄入量，平时多吃西瓜、生梨、甘蔗等。

4. 保持大便通畅可以间接的放松患者的心情，情绪得到稳定。

5. 呕吐较剧者，须卧床休息。可在饭前口中含生姜 1 片，以达到暂时止呕的目的。

## 产后发热

产褥期内高热寒战或发热持续不退，并伴有其他症状者，称产后发热。临床表现为：分娩后持续发热，或突然高热，并伴有其他症状。常见有：①感冒发热。产后体虚，易感风寒，常伴有畏寒、头痛、肢体酸痛等症状。②乳胀发热。产后2～4日（在乳腺分泌之前），因静脉及淋巴管回流淤滞，使乳房过度膨胀，局部出现硬块，稍有触痛伴发热，一般1～2日后自然消退。乳腺开始分泌后，如有乳腺管阻塞而乳汁积聚可引起发热（可超过38℃）。这时可作乳房局部热敷，吸空乳汁后体温即下降。如局部有硬结且出现红肿、压痛并伴有发热，应考虑有乳腺炎的可能。③感染发热。产褥期由于体力的消耗较多，机体抵抗力降低，加之产道局部的创伤，病原体可经生殖道引起感染。体温可超过38℃，伴有畏寒、阴部疼痛，检查阴部有压痛、恶露增多并有臭味、白细胞增多，统称产褥感染。重症可危及产妇的生命。

产后发热多因分娩时失血耗气，正气亏损，或产时不洁感染邪毒；或产妇元气虚弱，卫外不固，感受风寒、风热之邪；或产后恶露不下，瘀血停滞，瘀久化热；或产后血虚，营阴不足，虚热内生等引起。常见有外感风寒、外感风热、血瘀发热、血虚内热、食滞发热、感染邪毒、邪在少阳等型。

**【必备验方】**

1. 荆芥30克，柴胡、黄芪各15克，党参12克。每日1剂，水煎服。瘀血发热者，加益母草15克；湿热发热者，加厚朴、法半夏各10克。

2. 人参、桂心各6克，当归、生地黄各9克，白芍10克。每日1剂，水煎服。产后发热、头痛者，加防风、荆芥、紫苏叶各10克；气阴两虚、口干咽燥、四肢乏力、午后热甚者，加南沙参、玄参各15克，女贞子12克；高热持续、恶露、白细胞增多者，加金银花、连翘、败酱草各30克；下腹疼痛、脉沉弦、苔黄质红者，加牡丹皮15克，炮姜炭、炒桃仁各10克。适用于产后发热邪毒证。

3. 当归、益母草各30克，甘草、牡丹皮各10克，炮姜5克，蜂蜜50毫升（后下）。加水500毫升煎至300毫升，去渣，以蜂蜜收膏。每次服30毫升，每日3次。适用于产后发热阴虚发热证。

4. 老鹅草20克，伸筋草、透骨草各30克。同捣烂，加食盐炒热，敷于双足涌泉穴、大椎穴及阿是穴，外以敷料覆盖、胶布固定，每日换药1次。

5. 老茅草叶、石菖蒲、艾叶各适量。将诸药洗净，放入药罐中，加清水浸泡5～10分钟后水煎，取汁待温度适宜时足浴，每日2～3次，每次10～30分钟。

**【名医指导】**

1. 做好产前检查及妊娠期卫生指导。产前患有贫血、营养不良、急性外阴炎、阴道炎和宫颈炎等疾病的，应及时治疗；妊娠2个月后禁止性生活和盆浴；尽量避免不必要的阴道检查。

2. 临产时应尽量进食和饮水，宫缩间隙抓紧时间休息，避免过度疲劳，接生者应严格执行无菌操作。对于有胎膜早破、产程延长、软产道损伤和产后出血者，除对症治疗外还应给予抗生素预防感染。

3. 产后要注意卫生，保持会阴清洁，尽可能早下床活动，尽量母乳喂养，以促进子宫收缩和恶露的排出。产褥期加强营养，以增强机体抵抗力。

4. 若产后出现高热，应立即降温：可采用物理降温，如温水擦浴，在擦浴降温的同时可清洁皮肤、排出汗液，使产妇舒适；去除过多的盖被，脱掉紧身衣服以助散热。必要时在医师的指导下服用退热药。

5. 发热期间应多饮水，宜流质、半流质清淡饮食。

## 小儿呕吐

呕吐是小儿常见症状之一，可由于消化系统疾病引起，也可见于全身各系统和器官的多种疾病；可以为单一的症状，也可以是多种危重疾病的复杂症状之一。因此对呕吐

必须认真分析，找出病因，及时处理。

中医学认为，呕吐是由于胃气上逆所致。有物有声者，谓之呕；有物无声者，谓之吐；有声无物者，谓之干呕。《圣济总录》谓："小儿呕吐者，脾胃不和也。或因啼呼未定而遽饮乳；或因乳食中伤冷，令儿饮之，皆致呕吐。"多因乳食过多，停滞中脘，损伤胃气，不能运化所致。亦有因感触惊异、蛔虫内扰和痰饮壅盛而成。临床分为伤乳吐、伤食吐、寒吐、热吐、积吐、虫吐、惊吐、痰湿吐等，治疗以和胃降逆为主。根据具体病因和临床表现的不同，可酌情采用温中散寒、疏肝和胃、泄热通腑等法。呕吐较多者，往往胃气受损，津液亏耗较重，必要时可减少乳食，代之以米汤、糖（或盐）水等，也可以配合输液疗法，以纠正体内电解质代谢的平衡。

**【必备验方】**

1. 鸡内金2个，面粉100克，食盐、芝麻各适量。将鸡内金洗净、晒干，用小火焙干，研细末，与面粉、芝麻、食盐和匀，制成薄饼，置烤箱内烤熟服食，每次2张，每日1次，连服3日。

2. 大米100克，鲜黄瓜50克，生姜10克，食盐2克。将黄瓜去皮、瓤，洗净、切片；大米洗净；生姜洗净、拍破；将大米加清水1000毫升，以大火烧开，改用小火慢煮至米烂时下黄瓜片、生姜，再煮至表面浮有粥油时加食盐调味，佐餐食。适用于暑热吐泻。

3. 六神曲、焦山楂各10克，炒莱菔子6克，炒鸡内金5克。共研细末，加少许淀粉，以白开水调敷于小儿脐上，外用绷带固定，次晨取下。适用于小儿伤食呕吐。

4. 茴香粉、生姜各15克，葱1根。将葱和生姜同捣烂，加入茴香粉调匀后炒热(用消毒纱布包好)，敷于脐部，每日1～2次。适用于胃寒型呕吐。

5. 鬼针草3～5棵。水煎浓汁，熏洗双足，连用3～4次，1～5岁熏洗足心，6～15岁熏洗到脚面，腹泻严重者熏洗部位可适当上升至小腿。适用于小儿消化不良引起的呕吐。

**【名医指导】**

1. 小儿饮食定时定量，食物宜新鲜、清洁，不要过食辛辣、炙烤和肥腻食物。

2. 呕吐时要让孩子坐起，把头侧向一边，以免呕吐物呛入气管。

3. 呕吐后要用温开水漱口，清洁口腔。婴儿可通过勤喂水，清洁口腔。

4. 勤喂水，少量多饮，保证水分供应，以防失水过多，发生脱水。水温应冬季偏热，夏季偏凉，温水易引起呕吐。

5. 吐后宜流质、半流质（如大米粥或面条）饮食，逐渐过渡到普通饮食。

6. 注意观察呕吐情况：呕吐与饮食及咳嗽的关系、呕吐次数、吐出的胃内容物等。

7. 尽量卧床休息，不要经常变动体位。否则容易再次引起呕吐。

8. 哺乳不宜过急，以防吞进空气。哺乳后可抱正小儿身体轻拍背部，使吸入空气得以排出。

9. 给药时药液不要太热，服药宜缓，可采用少量多次服法；必要时可服一口停一下再服。

## 小儿泄泻

小儿泄泻以大便次数增多、粪质稀薄或如水样为主症，以2岁以下小儿更为多见。夏、秋季节较多，且往往引起流行。临床表现轻重悬殊，轻者便次不多、便溏如糊状，或如蛋花、身热不甚或不发热、无呕吐、能进食、精神尚好。重者则便次较频，每日可达十多次或数十次，或伴呕吐，多伴身热、精神委靡，或烦躁不安、口渴不止，甚或目眶凹陷、尿量减少、四肢不温、腹胀、痉厥等。

中医学认为，脾胃为后天之本，主运化水谷和输布精微，为气血生化之源。小儿运化功能尚未健全，而生长发育所需水谷精气却较成人更为迫切，故易为饮食所伤；加之小儿对疾病的抵抗力较差，寒暖不能自调，乳食不知自节；一旦调护失宜，则外易为六淫所侵，内易为饮食所伤，故以脾胃病症较为多见。《育婴家秘》所说的小儿"脾常不足"，即古代医家对小儿多见脾胃疾病这一生理、病理特点的概括。一般分风寒泻、暑热泻、伤食泻、脾虚泻、脾肾阳虚泻。若病情

恶化，可致伤阴、伤阳或阴阳俱伤，治当敛阴、固阳。

**【必备验方】**

1. 苍术30克，吴茱萸20克，丁香2克，胡椒30粒。共研末，每次用药1.5克，以陈醋（或植物油）调敷于脐部，外以纱布固定，每日换药1次。适用于伤食泄泻。

2. 炒六神曲30克，陈皮、炒鸡内金各10克，胡椒1克。共研细末，用饭汤调成糊状，加白糖服（以甜为度），每次1汤匙，每日3次。适用于小儿伤食泄泻。

3. 五倍子15克，枯矾10克，蜂蜡30克。将五倍子、枯矾研极细末，蜂蜡加温熔化后加入五倍子、枯矾末搅匀，待凉备用。用温水将脐眼洗净，每用药膏约1克，置于胶布上（文火化开），贴于脐眼上，每日1贴，并热敷2次。适用于脾肾阳虚型小儿泄泻。

4. 山楂（去核）、山药、白糖各适量。将山楂、山药洗净后蒸熟，冷却后加入白糖搅匀，压成薄饼食。适用于小儿脾虚泄泻。

5. 白胡椒2粒。研细末，敷于肚脐处，外用纱布固定，再用手轻揉片刻。

**【名医指导】**

1. 注意饮食卫生：加强卫生宣教，对水源和食品卫生严格管理。食品应新鲜、清洁，凡变质的食物均不可喂养小儿，餐具也必须注意消毒。

2. 按时添加辅食：小儿在添加辅助食物时必须注意从少到多，逐渐增加，使婴儿逐渐适应；从稀到稠，先喝米汤，渐渐过渡到稀饭、软饭；从细到粗，如从开始喂果汁到吃果泥。5个月试加鸡蛋黄、鱼泥、嫩豆腐；7个月以后可添加富有营养、适合其消化吸收的食物，如鱼、肉末、青菜、饼干等，逐渐为断奶做准备，但应避免在夏天断奶。

3. 增强体质：平时应加强户外活动，提高对自然环境的适应能力，注意小儿体格锻炼，增强体质，提高机体抵抗力，避免感染各种疾病。

4. 避免不良刺激：小儿日常生活中应防止过度疲劳、惊吓或精神过度紧张。

5. 加强体弱婴幼儿护理：营养不良、佝偻病及病后体弱小儿应加强护理，注意饮食卫生，避免各种感染。对轻型腹泻应及时治疗，以免拖延成为重型腹泻。

6. 避免交叉感染：感染性腹泻易引起流行，对新生儿、托幼机构及医院应注意消毒隔离。发现腹泻患儿和带菌者要隔离治疗，并做消毒处理。

7. 合理应用抗生素：避免长期滥用广谱抗生素，以免引起肠道菌群失调。

## 小儿惊风

惊风俗称抽风，是小儿时期常见的一种急重病症，以临床出现抽搐、昏迷为主要特征。任何季节均可发生，以1～5岁小儿为多见，年龄越小，发病率越高。其中伴有发热者，多为感染性疾病所致。颅内感染性疾病常见有脑膜炎、脑脓肿、脑炎、脑寄生虫病等；颅外感染性疾病常见有高热惊厥、各种严重感染（如中毒性菌痢、中毒性肺炎、败血症等）。不伴有发热者，多为非感染性疾病所致。除常见的癫痫外，还有水及电解质紊乱、低血糖、药物中毒、食物中毒、遗传代谢性疾病、脑外伤、脑瘤等。

中医学认为，惊风是一种恶候。临床上可归纳为八候，即搐、搦、颤、掣、反、引、窜、视。八候的出现，表示惊风发作。但惊风发作时，八候不一定全部出现。由于发病有急有缓，证候表现有虚有实，有寒有热，临证常分为急惊风和慢惊风。凡起病急暴，属阳属实者，称急惊风；凡病势缓慢，属阴属虚者，称慢惊风。治疗以清热、豁痰、镇惊、熄风为原则。

**【必备验方】**

1. 远志、石菖蒲、薄荷、郁金各6克，蝉蜕5克，朱砂0.2克。共研细末，开水冲服，每次2克，每日早、晚各1次。

2. 全蝎3尾，僵蚕7个，朱砂1.5克。共研极细末，以母乳调服。不足周岁患儿每次服0.5克，超过周岁者加倍。

3. 胡椒、肉桂、炮姜各3克，丁香10粒，伏龙肝100克。将前4味研末；水煎伏龙肝20分钟，去渣，入药末煎15分钟，温

服，视患儿年龄适当增减用量。适用于小儿慢惊风。

4. 胡椒、生栀子各7粒，肉桂3克，葱白7枚，鸡蛋清适量。将前3味研末，与后2味捣成膏，贴敷神阙穴，每日1换，连用1～2日。

5. 针刺法：上肢取穴内关、曲池、合谷；下肢取穴承山、太冲；牙关紧闭取穴下关、颊车。

**【名医指导】**

1. 小儿惊风发作时不可搬移，应就地抢救，立即松解患儿衣服领口，去枕仰卧位，头偏向一侧，以防衣服对颈胸部的束缚，影响呼吸及呕吐物误吸发生窒息。

2. 将舌轻轻向外牵拉，防止舌后坠阻塞呼吸道引起呼吸不畅。

3. 对有可能发生皮肤损伤的患儿应将纱布置于其手中或腋下，防止皮肤摩擦受损；牙关紧闭者，用多层纱布包裹压舌板放在上下齿之间，防止咬伤唇舌。

4. 必要时按医嘱应用止惊药物，如地西泮、苯巴比妥等以解除肌肉痉挛，观察患儿用药后的反应并记录。

5. 床旁设置防护床挡，防止坠地摔伤；将床上硬物移开，以免造成损伤。对有可能发生惊风的患儿应有专人守护，以防发作时受伤。

6. 惊风较重或时间较长者应按医嘱给氧，密切观察血压、呼吸、脉搏、意识及瞳孔等变化。发现异常及时通知医师处理，发生脑水肿者按医嘱用脱水药。

7. 平时加强体育锻炼，提高抗病能力。

8. 避免时邪感染。注意饮食卫生，不吃腐败及变质食物。

9. 按时预防接种，避免跌仆惊骇。

10. 积极治疗原发疾病。

11. 对长期卧床的患儿，要经常改变体位，必要时可垫海绵垫褥或气垫褥等。经常用温水擦澡、擦背或用温热毛巾行局部按摩，避免发生褥疮。

## 小儿夜啼

夜啼是指小儿在夜间啼哭不止或时哭时止，多见于半岁以下婴儿。小儿夜啼多与饥饿、口渴、太热、太闷、尿布潮湿、白天过度兴奋等有关。经哺乳、饮水、按摩、抓痒、调节寒温、更换尿片夜啼可止者，可不药而愈。婴幼儿环境改变，或不见平素亲昵的人，或缺少喜欢的玩具，也会发生夜啼。至于疾病，则多见于发热、佝偻病、蛲虫病、骨和关节结核，或经常鼻塞，扁桃体过大妨碍呼吸等，与季节无明显关系。

中医学认为，本病病因多为脾寒、心热、惊骇、积滞所致。脾寒腹痛是导致夜啼的常见原因，常由孕母素体虚寒、素食生冷，胎禀不足，脾寒内生；或因护理不当腹部中寒，或用冷乳哺食，中阳不振，以致寒邪内侵，凝滞气机，不通则痛，因痛而啼。若孕母脾气急躁，或平素喜食香燥炙烤之物，或过服温热药物，蕴蓄之热遗于胎儿。出生后将其养护过温，受火热之气熏灼，心火上炎，积热上扰，则心神不安而啼哭不止。由于心火过亢，阴不能潜阳，故夜间不寐而啼哭不宁。彻夜啼哭之后，阳气耗损，无力抗争，故白天入寐；正气未复，入夜又啼。周而复始，循环不已。心主惊而藏神，小儿神气怯弱，智慧未充，若见异常之物，或闻特异声响，而致惊恐。惊则伤神，恐则伤志，致使心神不宁，神志不安，寐中惊惕，因惊而啼。脾寒气滞者，治以温脾行气；心经积热者，治以清心导赤；惊恐伤神者，治以镇惊安神。

**【必备验方】**

1. 竹叶卷心6克，灯心草1克，母乳100毫升。将前2味水煎2次，取汁50毫升，兑入乳汁调服，每次30毫升，每日1剂。适用于小儿心热夜啼。

2. 雪梨汁30毫升，灯心草2克，冰糖10克。将灯心草水煎，取汁与雪梨及冰糖混匀，隔水蒸化，顿服，每日1次，连服5～7日。适用于心热型夜啼。

3. 朱砂3克，僵蚕4克，淡竹叶6克，五倍子5克，首乌藤8克，糯米适量。将上药同研为细末，以米汤调成饼，每晚睡前3小时敷于脐部神阙穴（脐孔处），外以纱布、胶布固定，连敷3～4次。

4. 白菊花、钩藤各80克，白茯苓、淡

竹叶、灯心草各50克，琥珀20克，五味子10克。分别打碎后装入布袋中，夜间枕用（早晨将药袋装入塑料袋内密封，次夜继用），连用2～5日。

5. 酸枣仁、首乌藤各50克，钩藤、蝉蜕、法半夏、广藿香各15克。加水浸泡30分钟后以大火煮沸，转小火煮45分钟，将药汁倒入盆中（加适量冷水，将水温调至40℃左右），睡前帮患儿洗浴5～10分钟。

**【名医指导】**

1. 平时必须注意要让孩子养成日醒夜睡的习惯，临睡前排净小便。

2. 夜间少喂奶，3个月前，婴儿夜间只喂1次奶；3个月后，就要慢慢断掉夜间喂奶的习惯。

3. 夜间盖被不要过厚或过薄，大、小便后及时更换尿布。

4. 尽量保持居室安静，夜间拉上窗帘，不要让外界刺眼的光线透入卧室，调节室温，避免受凉。

5. 养成良好的睡眠习惯。不可将婴儿抱在怀中睡眠，不通宵开启灯具。

6. 乳母不可过食寒凉及辛辣热性食物；勿受惊吓。

7. 注意寻找原因，如饥饿、过饱、闷热、寒冷、虫咬、尿布浸渍、衣被异物刺激等。找出夜啼原因后，可针对病因给予中药食补，亦可配合推拿按摩。

## 小儿遗尿

小儿遗尿通常指小儿熟睡时不自主地排尿，俗称尿床。一般至4岁时20%有遗尿，10岁时5%有遗尿，有少数患者遗尿症状持续到成年期。没有明显尿路或神经系统器质性病变者称原发性遗尿，占70%～80%。继发于下尿路梗阻（如尿道瓣膜）、膀胱炎、神经源性膀胱（神经病变引起的排尿功能障碍）者称继发性遗尿。患儿除夜间尿床外，日间常有尿频、尿急或排尿困难、尿流细等症状。小儿遗尿多为功能性，与大脑皮质的功能发育不完善有关。

中医学认为，遗尿主要与肾及膀胱虚寒、不能固摄密切相关，还与肺、脾、肾等脏腑功能失调有关。下元虚寒，闭藏失职，肺脾气虚，水液不摄及肝经湿热、蕴结膀胱，均可导致本病，病位主要在肾与膀胱，同时涉及肺、脾、肝。以肾气不足、膀胱失约多见。小儿素体虚弱，肾气不足，下元虚寒，则闭藏失职，致使膀胱气化功能失调，不能制约水槽，而发生遗尿。自幼缺乏教育，没有养成良好的夜间排尿习惯，而任其自遗；心肾不交，水火不济，夜梦纷纭，梦中尿床；或欲醒而不能，小便自遗。

**【必备验方】**

1. 狗肉150克，黑豆20克。将狗肉洗净、切块，与黑豆同以文火煨熟，调味后分次服食（用于5岁以上儿童无虚寒者，宜在冬季服用），连服15日。

2. 大枣1000克。每晚8时生吃8枚（小者加倍）食后不准喝水，9时上床睡觉，连用1个月。服食期间不宜过度劳累、兴奋，避免感冒着凉，忌辛辣刺激性食物。适用于神经性遗尿。

3. 白果10～15克，羊肾1个，羊肉、粳米各50克，葱白3茎。将羊肾洗净，去腮腺脂膜，切丁；葱白洗净、切成节，羊肉洗净，白果、粳米淘净；同加水煮成粥，温热服食，每日2次。阴虚火旺者忌食。

4. 五倍子3克。研末，醋调敷脐部，10日为1个疗程。

5. 白芍、白及各10克，白术12克，白矾3克。共研细末，每晚以适量葱汁调敷涌泉、关元穴，外以塑料薄膜覆盖、胶布固定，翌晨除去，连用10日。

**【名医指导】**

1. 找出遗尿原因，再进行针对性治疗；必要时带孩子去医院做全面检查。

2. 鼓励患儿消除紧张怕羞情绪，建立战胜遗尿的信心，积极配合服药以及其他治疗。

3. 晚饭不要过咸，晚餐后少吃甜食和高蛋白饮料；晚饭后尽量少喝水和饮料、牛奶等，可吃少量水果。

4. 白天让孩子适当多喝水，以增加膀胱容量；如果孩子想小便，让他们尽量多憋一段时间，刚开始时时间可短一些，如1～2分

钟，以后慢慢延长。

5. 训练孩子排尿时有意识地时断时续，以锻炼膀胱括约肌的收缩。

6. 上床前敦促其排空小便，记录孩子尿床的时间规律，定时叫醒他们，待孩子完全醒后让他们下床排便。

7. 加强孩子个人卫生，注意清洗局部，内裤每日要换，尿湿后更要及时更换。

8. 保持孩子卧具干爽舒适，使他们有一个良好的入睡环境。注意腰、腿部不要受凉。

9. 可用体针、手针，疗效不显著者可配用耳针，亦可用激光按体针穴位治疗。

## 小儿厌食

小儿厌食是指小儿（主要是3～6岁）较长时间食欲减退或食欲缺乏的症状，并非一种独立的疾病。临床表现为：食欲减退或食量减少（重则拒食），可伴有脸色苍白（或萎黄）、消瘦、乏力、大便稀或大便干、腹部不适、多汗，或心烦易怒、手足心发热、睡觉时辗转不安等。某些慢性病，如消化性溃疡、慢性肝炎、结核病、消化不良及长期便秘等均可导致厌食（仅占9%）。小儿厌食多由于不良的饮食习惯、不合理的饮食制度、不佳的进食环境以及家长和孩子的心理因素所致。

本病中医学属“脾胃病”。小儿脏腑娇嫩，各系统功能发育不够完善，消化功能还很薄弱。本病无明显的季节性，但暑湿当令，因脾阳易受困遏可使症状加重。其发生以饮食不节、喂养不当为主要病因，还有少数患儿由于疾病耗伤脾气，或伤及脾阴所致。治疗原则应以调和脾胃，恢复运化功能为主。

**【必备验方】**

1. 莲子末18克，山药24克，柠檬1/3个，冰糖50克。每日1剂，将莲子、山药洗净，用温开水泡软，与柠檬捣成泥状，沸水冲泡15分钟，加入冰糖调匀，分2～3次服，连服3～5日（2岁以下小儿酌减）。

2. 雪梨汁100毫升，酸梅10个，白糖50克。将酸梅洗净，用温开水泡软，加白糖同捣烂，去核，冲入梨汁，用凉开水调至500毫升，置冰箱内保存备用。1～2岁小儿每次15毫升，3～5岁每次30毫升，6岁以上每次50毫升，每日3～5次，连服3～5日。

3. 针刺四缝穴。先将四缝穴局部消毒，然后用5号一次性注射器针头（或三棱针）在双手四缝穴快速点刺，用手挤压出血（或渗出黄白色液体），每周2～3次。

4. 淡全蝎8克，鸡内金10克。共研极细末，装瓶备用。2岁以下患儿每服0.3克，3岁以上患儿每服0.6克，每日2次，连服4日为1个疗程，每疗程间隔3日（服药期间禁食生冷油腻食物），连用1～2个疗程。

5. 鲫鱼100克，薏苡仁15克，羊肉50～100克。将鲫鱼如常法收拾干净，羊肉切片，与薏苡仁同煮汤，加作料调服，每日或隔日1次，连服7次。

**【名医指导】**

1. 饮食搭配要合理：小儿生长需要的各种营养，每日不仅要吃肉、乳、蛋、豆，还要吃五谷杂粮、蔬菜、水果。每餐要求荤素、粗细、干稀搭配，才能达到营养平衡。

2. 烹调方法要讲究：烹制食物，一定要适合孩子的年龄特点。如断奶后，孩子消化能力还比较弱，所以就要求饭菜做得细、软、烂；随着年龄的增长，咀嚼能力增强了，饭菜加工逐渐趋向于粗、整。所做的食物要颜色鲜艳，这样才能激发孩子的食欲和进食兴趣。

3. 进餐环境要改善：进餐时，应该排除各种干扰，让孩子专心吃饭。

4. 定时定量，控制零食。小儿正餐包括早餐、中餐、午后点心和晚餐，三餐一点形成规律，消化系统才能有劳有逸地工作。同时需节制冷饮、少吃甜食。

5. 帮助孩子克服心理障碍，引导孩子大胆品尝各种食物。

6. 有意强调吃某种食物的好处。家长以身作则，不偏食、不挑食。

7. 对孩子的食量，应灵活对待。总的以维持正常体重增长为标准，可适当采用“饥饿疗法”。

8. 适当运动，定时排便。

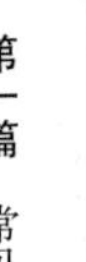





## 眼目昏花

眼目昏花是指外眼无异常而视力减退。临床表现为视物模糊不清，有如遮隔轻纱薄雾，或见眼前黑花飞舞，或有闪光幻觉，或见眼前有一团灰色（或黄褐色）阴影，视物变形。

本病中医学属“肝肾亏损”。《素问·金匮真言论》谓：“开窍于目，藏精于肝。”《灵枢·脉度篇》谓：“肝气通于目，肝和则目能辨五色矣。”肝脏的精气通于目窍，说明视力的强弱和肝有直接关系。

**【必备验方】**

1. 蜂蜜150克，芜菁菜菜子、烧酒各适量。将芜菁菜菜子用烧酒浸泡1宿，取出后蒸20分钟，晒干、研末，加蜂蜜混匀。用米汤送服，每日2次，每次10克。适用于眼目昏花、青盲眼障、夜盲。

2. 鹿茸（炙或酒炙）、鹿角胶（炒成珠）、鹿角霜、阳起石（煅红后酒淬）、肉苁蓉（酒浸）、酸枣仁、柏子仁、黄芪（蜜炙）各30克，当归、黑附子（炮）、地黄（九蒸九焙）各20克，朱砂2克。共研为末，酒泛为丸（如梧桐子大）。每服50丸，空腹以温酒送服。

3. 枸杞子20克，猪肝300克，食用油、葱、生姜、白糖、黄酒、淀粉各少许。将猪肝洗净，与枸杞子水煎1小时，捞出猪肝切片备用。油锅烧热，葱、姜炝锅后入猪肝片炒，烹白糖、黄酒，兑入少许原汤收汁，勾入淀粉至汤汁明透即可。

4. 野菊花500克，红花100克，薄荷200克，桑叶、辛夷、冰片各50克。共研粗末，装入布袋作枕芯用，3个月为1个疗程。

5. 黄芪、五味子各10克。共研细末，清水调敷于脐孔处，外以敷料包扎、胶布固定，每日换药1次，连用3～5日。适用于气血亏虚型眼目昏花。

**【名医指导】**

1. 光线要充足、舒适、柔和。光线太弱而因字体看不清就会越看越近。

2. 睡眠不可太少，作息有规律。睡眠不足身体容易疲劳，易造成假性近视。

3. 掌握正确的阅读方法：读书时要舒适地坐着，全身肌肉放松，读物距离眼睛30厘米以上，身体不要过分前倾，否则会引发背部肌肉的劳损；不要躺着看书，过度疲劳时不要强行读书。

4. 从暗处到阳光下要闭目，不要让太阳光直接照射到眼睛，看电视的时间不宜过久。

5. 注意锻炼，合理膳食。多做全身运动，促进全身血液循环。多吃富含维生素、优质蛋白的食物（如瘦肉、鱼、牛奶等），常吃黑豆和黑芝麻，可使视力减缓衰退。

## 倒　睫

倒睫是指睫毛转向眼睛内方的现象，多为沙眼引起结膜瘢痕收缩所致，睑缘炎、外伤等也可导致。倒睫摩擦结膜和角膜，可引起异物感、羞明、流泪、眼睑痉挛、结膜充血、角膜混浊或角膜溃疡。患者自觉磨痛、怕光、流泪，检查可见部分或大部分睫毛向内（贴近眼球）倾倒并接触角膜或结膜致眼睑痉挛（闭眼难睁）、结膜充血、角膜上皮剥脱（一般需在放大镜或裂隙灯显微镜下观察方可察觉），甚至出现角膜混浊、角膜溃疡、角膜上长有新生血管。引起倒睫的原因有先天和后天两类。先天性倒睫指出生后就有倒睫，通常在下眼皮。后天性倒睫常由沙眼引起。因为沙眼会造成眼睑板结膜结疤，进而导致眼睑内翻及倒睫。眼睛灼伤、眼皮外伤或眼皮手术后，也会引起眼睑结疤而使正常睫毛倒睫刺到眼球。此外，眼部的类天疱疮等病，也会因为眼睑结膜的结疤而造成倒睫。

本病中医学称“睫毛倒入”（简称倒睫），是以睫毛倒入目内，刺激眼珠为特征。多因脾虚湿盛，气血不足，胞脉失养，皮宽弦紧所致；或脾胃湿热上攻，或肝热上壅，胞脉阻滞，气血不和，内急外弛所致。或其他眼病，频加揉擦，伤及毛根等导致。睫毛倒入刺激眼珠，故觉目内不适，或频频眨目，涩痛流泪，或羞明难睁；日久伤及黑睛，可发生云翳等。脾虚湿盛、气血不足者，多伴纳差腹胀、大便溏泄、面色无华、倦怠乏力、

舌淡、苔白、脉搏细弱；脾胃湿热上攻者，则纳差腹胀、大便不爽、小便短赤、舌苔黄腻、脉滑数；肝火上壅者，则急躁易怒、头晕头痛、口苦咽干、舌红、苔黄、脉弦数。

**【必备验方】**

1. 穿山甲（炒）、地龙、蝉蜕、五倍子各等份。共研细末，先将倒睫拔出后用药0.2克搐鼻（右眼倒睫搐右鼻，左眼倒睫搐左鼻），每日2～3次。

2. 石燕1对（煅为末），石榴皮、五倍子各10克，铜绿1.5克。共研细末，加水3～5碗入大铜勺内，以文火煎熬，以槐柳枝不住手搅为浓糊，入冰片、麝香各1克（研细）搅匀，瓷器收储。每取少许，涂于上、下眼皮，每日3～5次（干而复涂），连用30～50日。

3. 黄芩3克，防风4.5克，当归身2克，细辛、蔓荆子各1克。上药锉，如麻豆大，加水800毫升煎至400毫升，去渣，温服。

4. 石灰风化者60克，白砒10克（煅烧过，研末），荞麦烧灰、青桑柴烧灰、白矾（煅烟尽为度并研末）各30克。将前2药灰各淋汁1碗，同风化石灰共熬干，研为细末。将后两药共研，以水10碗，熬至1碗，放入前石灰末，搅匀。用新毛笔蘸药涂倒睫处，数次，毛即落。

5. 水银、芒硝、白矾各30克。将芒硝、白矾研细置锅内，轻轻将水银放中央，净瓷碗覆盖，上镇以重器。用煅过石膏250克，研细过筛，醋调略湿，在碗口周槽略填实，勿令泄气。然后生炭火，安顿于炉子内，听火自红，稍尽加炭。觉锅与碗热甚，去上压之器，滴水于碗底，干后再滴，共2～3次，停火，其药上升成丹。涂眼睑弦上少许，每日2～3次。适用于倒睫、漏睛。

**【名医指导】**

1. 注意个人卫生，不与他人共用毛巾。

2. 积极防治沙眼、睑缘炎等眼部炎症。

3. 倒睫术后眼睛盖上眼垫，如两眼同时手术，均需包盖数日，眼不能见物，生活上会有很多不便。所以需家人细心照料。家中用物排列要有秩序，常用之物放在其顺手处，需摸索走的地方，应注意排除路障。

4. 饮食上注意给以易消化、富含维生素C的新鲜蔬菜和水果，以促进伤口早日愈合。

5. 倒睫是婴儿常见的一种眼病，需要及时纠正。妈妈每次给婴儿喂奶时，用大拇指从婴儿鼻根部向下向外轻轻按摩下眼皮，使下眼皮有轻度外翻，让睫毛离开眼珠，每次5～10分钟。

6. 切忌给宝宝剪睫毛或者拔睫毛。

7. 如果倒睫引起了角膜炎或角膜上皮受损，可遵医嘱用一些抗生素类或修复角膜的眼药。

## 声音沙哑

声音沙哑系指音嘶不清、发声不彰的病症。造成声音沙哑的原因很多，轻者为咽喉炎引起，重者可能为喉癌或癌前病变引起。

《诸病源候论》卷二谓：“中冷声音沙哑者，风冷伤于肺之所为也。肺主气，五脏同受气于肺，而五脏有五声，皆禀气而通之。气为阳，若温暖则阳气和宣，其声通畅。风冷为阴，阴邪搏于阳气，使气道不调流，所以声音沙哑也。”

**【必备验方】**

1. 生半夏8枚，食醋60毫升，鸡蛋清2个。将生半夏切片，用清水漂净，加水5000毫升，用文火煮1小时，滤汁，加入食醋，候温加入鸡蛋清搅拌，含服。适用于咽喉充血、水肿、糜烂引起的声音沙哑。

2. 百合20克，桔梗8克，五味子4克，鸡蛋清2个。将百合、桔梗、五味子加水4000毫升，用文火煎半小时，滤汁，加鸡蛋清搅匀，含服。适用于肺阴不足、虚火上炎引起的声音沙哑。

3. 白菜心250克（切段），萝卜60克（切片）。加水煮熟后加入红糖煮溶，分2次食菜喝汤。适用于声音沙哑、老年感冒、鼻塞流涕、咽痛咳嗽。

4. 紫金锭30克，人参10克，三七15克。共研极细末，分3次以醋调敷于颈前喉结上方凹陷处，外以纱布覆盖、胶布固定，隔日更换，连用3～6次（敷药期间常用醋湿润）。

5. 珍珠粉、朱砂各3克，麝香、地龙、手指甲各0.1克，土鳖虫0.3克（焙黄），琥珀、玛瑙、珊瑚各3克（同入沙锅内文火煅半小时），蚕茧2只（烧灰存性），冰片1.2克，马勃0.03克。共研极细末，吹喉。

**【名医指导】**

1. 要适当让声带休息，尽量少说话；多喝水，让声带发炎情况得到缓解。

2. 若工作时必须讲话，可使用麦克风；说话声音尽量减轻，放慢说话的速度。

3. 不要用力咳嗽或清喉咙；戒烟、酒；不食辛辣食物。

4. 声带受损时及时就诊。

5. 变声期、月经期、妊娠期要注意声带休息。

## 异物入目

异物入目多因在工作（或生活）过程中防护不慎（或回避不及）导致铁屑、沙粒、尘土、煤灰、玻璃碎渣、谷粒、麦芒等物进入眼内，黏附在结膜囊内或嵌于角膜表层。异物不断刺激结膜与角膜的三叉神经末梢，可引起异物感及疼痛、流泪、眼轮匝肌痉挛等症状。

本病是指沙尘、金属碎屑等细小物体进入眼内黏附（或嵌顿于）白睛、黑睛表层或胞睑内面的眼病，又称眯目飞扬、飞丝入目、物偶入睛、飞尘入目、眯目飞尘外障等。异物黏附于胞睑内面或白睛表面者，掺涩疼痛、流泪等症相对较轻；若黏附或嵌顿在黑睛表层，则掺涩疼痛、羞明流泪等症较重。若异物黏附于胞睑内面或白睛、黑睛表层，可见白睛红赤，检查在胞睑内面或白睛表层、黑睛表层可见异物；若异物嵌于黑睛，可见抱轮红赤或白睛混赤，时间较长则在黑睛异物周围有边缘不清的翳障，异物若为铁屑则其周围可见棕色锈环；若邪毒入侵，可变生凝脂障，出现神水混浊、黑睛后壁有沉着物、瞳神紧小等变症。

**【必备验方】**

1. 石菖蒲适量。捣碎，左眼入丝塞右鼻孔，右眼入丝塞左鼻孔。或取石菖蒲汁灌鼻中。适用于飞丝入目。

2. 大皂角末10克。每取少许吹鼻孔中，得嚏即出。适用于飞虫、沙粒、煤屑、粉尘、金属碎屑等异物入目。

3. 猪油1块。去筋膜，水煎，待水上浮起像油一样液体时用1小勺盛起来装于1小碗内，再煮再盛。用时令患者仰卧（去掉枕头），取油数滴滴鼻孔中，连用2～3次。适用于飞虫、沙粒、煤屑、粉尘、金属碎屑等异物入目。

4. 木芙蓉花1把，生地黄6克，人乳适量。同捣烂，敷眼，每日2～3次。

5. 生猪肉2片，夏枯草、香油各适量。将猪肉片盖眼上，再以夏枯草末调香油搽肉片上。适用于火炮伤目。

**【名医指导】**

1. 在异物入目机会较多的场地工作时，可戴防护眼镜。不方便工作的话，戴近视眼镜、墨镜甚至隐形眼镜，也能保护角膜。

2. 若有异物入目，需及时正确处理；切勿乱施揉擦或随意挑拨，以免加重病情或变生他症。

3. 若金属异物进入眼内，应及时到医院进行治疗。

4. 注意个人卫生，不随意用手或不洁之物揉眼睛。

## 外耳道异物

外耳道异物是指不应进入而进入外耳道的各种物体，可有动物性、植物性、合成材料和金属类等。常见于儿童嬉戏时，将玩物塞入耳内，或因耳痒难忍，而用火柴梗挖耳断入耳内，或劳动时谷物等弹飞入耳，偶有昆虫飞入或爬入耳内，形成异物；也有癫狂病患者（精神病）将异物塞入耳内者。另外，亦有行耳道治疗时，将纱条、棉条等遗留耳道内太久所致者。

本病中医学称“异物入耳”。多为异物入耳、扰及清窍。动物类异物骚动时，可有耳道奇痒、疼痛、咳嗽；若近及鼓膜，可有耳鸣、眩晕。其他类异物如体积大或遇水膨胀，阻塞、压迫耳道，可致耳内胀闭疼痛剧烈，

听力减退。

**【必备验方】**

1. 金银花20克，野菊花10克，蒲公英15克，赤芍18克，黄芩8克，柴胡12克，甘草6克。水煎服。适用于形大或遇水膨胀的异物入耳，外耳道红肿、糜烂者。肿甚者，加防风10克；热盛者，加龙胆草、紫花地丁各12克。

2. 羊肉60克（洗净，切块），巴戟天、肉苁蓉各15克，薏苡仁20克，生姜3片，大蒜30克。同以武火煮开，改文火煮3小时，调味后服用。

3. 猪肾1对，磁石500克。水煎磁石，入猪肾炖熟；以葱、淡豆豉、生姜、花椒作羹，空腹服食。适用于异物入耳导致化脓性中耳炎者。

4. 鲜地龙数条。先放清水内游15分钟，捞出，加少许食盐浸10分钟。取液滴耳，每日2～3次，连用1～2日。或鲜地龙30～40条（洗净），白糖30克。同搅拌30分钟后，取滤出液，滴耳，每次3～4滴，每日2～3次（滴药后在外耳道塞入棉球），连用4～5日。适用于异物入耳导致化脓性中耳炎者。

5. 青黛4克，黄连3克，冰片2克，蛔蛔5只。将蝈蝈、黄连烘干后捣碎，研细末，与青黛、冰片研细调匀，装瓶密封（置阴凉处备用）。每取少许吹耳内，每日2次，7日为1个疗程。适用于异物入耳导致化脓性中耳炎者。

**【名医指导】**

1. 不要养成随便挖耳垢的不良习惯。因耳垢能保持耳道的适宜温度，还可防止灰尘、小虫等直接接触鼓膜。

2. 教育儿童不要挖耳，不将小物件塞入耳内。玩具要坚固，以免小零件脱落入耳。

3. 遇小虫等入耳时，应用双手捂住耳朵、张口，以防鼓膜震伤。先滴入油剂、乙醇或者氯仿等将虫杀死，而后用冲洗法冲出或耳镊取出。

4. 游泳或洗澡时不慎耳道进水，应及时使耳道内水流出，以免引起中耳炎。

5. 耳道内滑进小圆珠、玻璃球时，不要用钳子取。

6. 对体积较小且活动性小而不膨胀的异物，可用生理盐水冲出；对遇水膨胀而能活动的异物，可用耳镊、耳钩取出。

7. 对不合作的小儿，必要时应在全身麻醉下取出异物；成人若异物阻塞很紧，取出困难，最好先给予局部麻醉药或止痛药，再取异物。

8. 外耳道发生继发性感染时，应首先予抗感染治疗；待感染消退后，再取异物。

## 鼻　塞

鼻塞是指鼻道因受到病毒感染血管肿胀而造成阻塞的情况，是上呼吸道感染最常见的症状。鼻塞亦可见于鼻炎、鼻息肉、鼻癌，可带来面部疼痛或头痛以及一定程度的不适。

本病中医学亦称“鼻塞”，主要见于肺系疾病中。如外感风寒和外感风热均可见鼻塞；如鼻渊、咳嗽、痰饮等证也可见鼻塞。

**【必备验方】**

1. 大枣250克（去核），白扁豆1000克，面粉1000克。将白扁豆水煎至软，加入大枣煮至豆能捣碎时离火，趁热捣成泥状作馅；将面粉和好发酵，发好后加适量苏打（或碱）揉匀、擀皮，包入馅，蒸熟食。适用于慢性鼻炎所致鼻塞。

2. 生黄芪120克，母鸡1只（750～1000克），胡荽20克，佐料适量。将母鸡去毛及内脏，洗净后纳入黄芪（缝合），加入佐料同炖熟，放入胡荽做正餐主菜食。适用于慢性鼻炎所致鼻塞。

3. 胖头鱼100克（洗净后用热油两面稍煎），大枣15克（去核，洗净），黄花30克，白术15克，苍耳子12克，白芷10克，生姜3片。同炖服。

4. 苍耳子10粒（砸裂），白芷、辛夷各3克，冰片、薄荷各0.2克，香油50毫升。将香油放于铁勺内烧热，入苍耳子、辛夷、白芷炸成黑黄色，去渣后入冰片、薄荷，凉后滴鼻，每日数次。

5. 狗头骨50克，乌梅25克，人指甲9克。置瓦上炭火焙烤，待分别呈白色、黑炭样和焦黄色时取出，待凉研极细末，与硼砂

末（6克）和匀。每取少许吹鼻中，1～2小时1次，10日为1个疗程。适用于各型鼻息肉所致鼻塞。

**【名医指导】**

1. 注意工作、生活环境的空气洁净，避免接触灰尘及化学气体等有害气体。

2. 加强营养，增强体质；加强锻炼，提高身体素质。

3. 及时矫正一切鼻腔的畸形，如鼻中隔偏曲等；彻底治疗扁桃体炎、鼻窦炎等慢性疾病。

4. 慎用鼻黏膜收缩剂，尤其不要长期不间断使用，如萘甲唑啉、麻黄碱、羟甲唑啉等。

5. 注意保暖，气候转变极易感冒引发鼻塞。季节转换注意观看天气预报及时进行适当添衣。

6. 睡前使用热水泡脚。

7. 若是婴儿鼻塞，可采用体位变位法，将婴儿竖直抱起，很快便能安然入睡。

## 骨　鲠

骨鲠是指鱼骨或其他骨类鲠于咽喉或食管，以致咽喉疼痛、吞咽不利，甚至感染邪毒而致咽喉肌膜腐烂化脓。重者有引起窒息的危险。患者一般都有骨鲠史，咽喉有异物感，或刺痛，或划痛，吞咽时尤甚，甚至痛及胸背。伤口染毒时，可有发热症状，检查可发现骨刺。若骨鲠位于食管，则应做X线钡餐食管检查。患者咽喉疼痛却找不到异物时，应注意与风热乳蛾、喉痈相鉴别：风热乳蛾检查可见喉核红肿，甚者喉核表面有白腐物，无误吞异物史；喉痈可见咽喉局部红肿高突，痈肿成脓则触之有波动感，穿刺可抽出脓液。

本病中医学亦称“骨鲠”。多由于饮食不慎所致。如小儿进食时哭时笑、老人牙齿缺如、咀嚼困难等原因而误将鱼刺或其他骨类鲠于咽喉、食管。若骨刺刺入过深、停留过久或取出方法不当，误损肌肉，感染邪毒，则气血凝滞、化热成腐，变成喉痈之症。治疗上，对能看到的异物应立即用钳取出；看不到者，可用内治法。

**【必备验方】**

1. 威灵仙30克。加水2碗煎至半碗，加白醋半碗徐徐咽下，每日1～2剂，连服4剂。无效者，应在喉镜或食管镜下取出骨刺。

2. 黄芩、黄连、黄柏各12克，金银花、赤芍、玄参、青皮、天花粉各10克，薄荷6克（后下），射干15克，甘草6克。水煎服。

3. 薤白适量。煨半熟，线缠其中央，嚼服，薤白下喉至鲠处，牵引即出。

4. 朱砂、丁香各9克，血竭、磁石、龙骨各15克。共为末，以蜂蜡9克炼为丸，朱砂为衣，每服1丸，香油煎，好醋吞服。如要吐，用矮荷煎，用茶服（如无矮荷，用桐油代之）。

5. 白砂糖1大匙，铜绿末半匙，香油少许。茶汤调服，即吐出。如不吐，用猪牙皂细末，吹鼻中取嚏。

**【名医指导】**

1. 进食时应细心咀嚼，不要谈笑；对有骨刺的食物要倍加注意。

2. 老人及小儿尽量不要进食坚硬多刺的食物；若进食有刺的食物，最好能剔除骨刺后再进食。

3. 骨鲠后切不可用吞饭团、馒头、韭菜等，企图把异物咽下。

4. 若咽喉被骨刺划伤者，最好进食冷流质1～2日；注意口腔清洁，以减轻疼痛及预防感染。

5. 如果是较小的鱼刺，感觉刺痛，可用手电筒照亮口咽部：用小勺将舌背压低，仔细检查喉咽的入口两边；如果发现扎得不深，可用长镊夹出。如果较大应及时就医。

6. 处理中老年食管异物时要仔细询问异物的种类、弄清楚异物的部位、异物对食管损伤的程度。

7. 对食管异物造成食管穿孔且停留时间过长，患者有难以忍受的颈部、胸骨后疼痛，发热，颈部或纵隔气肿，造影剂外泄者，尽快想办法取出异物，同时应禁食、置入胃管吸出胃液、抗感染、补液和肠外营养。

## 咽喉疼痛

咽喉疼痛是指由各种原因造成的咽喉局部炎症而出现疼痛的现象，是咽喉病常见的临床症状，常见于急、慢性扁桃体炎，急、慢性咽炎，急、慢性喉炎及咽部脓肿等。

本病中医又称“喉咙痛”、“咽嗌痛”。咽为饮食之道，喉为气息之道，由于两者部位靠近，常常互相影响，故合称为咽喉，发病时也往往同时出现疼痛。本病多见于喉痹、乳蛾、喉痈、急喉风等证，多因风热、风寒、湿热、郁火、阴虚等因素引起。

**【必备验方】**

1. 朱砂 5 克（研），桂枝 6 克（去粗皮），绛矾 3 克。共研为末（绵裹），用好酒少许浸（良久），含饮即瘥。

2. 黄柏 90 克，黄连 15 克，栀子 30 克，米酒 500 毫升。合煎数百沸，去渣，凉服，每日 100 毫升。

3. 升麻 10 克，通草 5 克，射干 12 克，羚羊角 3 克，芍药 15 克，生芦根 30 克。分别切碎，以水 7 升，煮取 2.5 升，去渣，分 3 次徐徐服下。

4. 哈蟆衣、凤尾草各适量。捣烂，入霜梅肉煮酒，绞汁，以鹅翎刷患处，吐痰即消。适用于喉蛾所致咽喉疼痛。

5. 独头蒜 10 克。捣泥如豌豆大，敷经渠穴（近手腕寸脉有窝处即是），男左女右，用瓦楞子或相类之物，盖上扎住，过 5～6 小时起一水疱，用银针挑破，去毒水即愈。

**【名医指导】**

1. 起居有常，生活规律，忌烟、酒。

2. 饮食宜清淡、易消化，忌过食辛辣醇酒及肥甘厚味；多食富含维生素 C 的水果、蔬菜以及富含胶原蛋白和弹性蛋白的食物，如猪蹄、鱼、牛奶、豆类、动物肝脏、瘦肉等。再辅助一些清爽去火、柔嫩多汁的食物。

3. 注意保暖防寒，改善环境，减少空气污染。经常开窗通风，保持室内合适的温度和湿度。

4. 积极治疗邻近器官的疾病以防诱发本病，如伤风鼻塞、鼻窒、鼻渊、龋齿等。

5. 不要乱用抗生素，以免导致咽喉部正常菌群失调，引起二重感染。

## 牙　　痛

牙痛是指因各种原因引起的牙齿疼痛，为口腔疾病的常见症状。可见于龋齿、牙髓炎、根尖周围炎和牙本质过敏等，遇冷、热、酸、甜等刺激时，牙痛发作或加重。

本病中医学属“牙宣”、“骨槽风”等范畴。手、足阳明经脉分别入下齿、上齿，大肠、胃腑积热，或风邪外袭经络，郁于阳明而化火，火邪循经上炎而发为牙痛。肾阴不足、虚火上炎亦可引起牙痛，亦有多食甘酸之物、口齿不洁、垢秽蚀齿而作痛者。

**【必备验方】**

1. 咸鸭蛋 2 个，干牡蛎 50 克，粳米 60 克。将咸鸭蛋和粳米煮成粥，捞起咸鸭蛋去壳后切碎，与干牡蛎放粥内再煮片刻，调味食用。适用于肝火犯胃牙痛。

2. 针刺耳穴：主穴三焦，辅以神门，均取患侧，用 5 分毫针快速刺入反应点，年老体弱者轻捻转，年轻体壮者强刺激，使针感达患处牙龈，留针 10～20 分钟，每日 1 次，4 次为 1 个疗程。

3. 大蒜 2 瓣，轻粉 5 克。同捣烂，贴经渠穴，用小蚌壳盖住（或以他物盖上），捆好，少时觉微辣揭下，内起 1 疱，用针挑破，流净黄水即愈。

4. 葱白 1 根，白矾 15 克。共捣烂，置于痛处，5 小时换 1 次。适用于牙痛，包括实火牙痛、虚火牙痛、龋齿牙痛等。

5. 花椒 15 克，食醋 100 毫升。合煎 10 分钟，凉后含漱。

**【名医指导】**

1. 注意口腔卫生：养成“早晚刷牙，饭后漱口”的良好习惯。睡前不宜吃东西。

2. 发现蛀牙，及时治疗。

3. 多吃清胃火及清肝火的食物，如南瓜、西瓜、荸荠、芹菜、萝卜等；勿吃过硬食物，少吃过酸、过冷、过热食物；忌酒及热性食物；保持大便通畅。

4. 保持心胸豁达。

5. 烤瓷牙初戴时应吃软的食物，适应后再吃正常食物；勿咬坚硬食物，咀嚼时最好缓慢进行，以免咬伤舌头或者口腔黏膜。

6. 定期到医院检查牙齿，以便及时发现虫牙、龋齿等，及时治疗。

## 牙龈出血

牙龈出血为牙周病或全身疾病在牙龈组织上出现的一种症状，是口腔疾病的常见症状。近年来，牙周病与糖尿病的关系也越来越被医学界所认识。

本病中医学称“牙衄”。多由胃热或阴虚引起。由胃热引起者：轻者无明显不适，牙龈轻度红肿，仅在刷牙时容易出血，色鲜红，量不多；重者牙龈渗血量多，牙龈红肿疼痛，伴有口苦而渴、大便结、小便黄等。由阴虚引起者，牙龈渗血时发时止，牙龈微微红肿，伴有心烦、手足心热、咽干舌燥、腰酸胀等，宜用滋阴泻火的方药。

**【必备验方】**

1. 蜂蜜 15 克，西红柿 2 个（洗净，榨汁），生大黄 5 克（用开水泡 10 分钟）。混匀，顿服，每日 1～2 次。适用于胃热牙衄伴大便干结。

2. 绿茶 1 克，鲜芒果 50 克（去核），白糖 25 克。每日 1 剂，将芒果加水 400 毫升煮沸 3 分钟，加入绿茶和白糖，分 2 次温服。

3. 盐末适量。每夜用盐末厚封齿根肉上，等液汁流尽后再睡觉（流汁时，不断敲叩牙齿），连用 10 宿（忌食荤腥）。

4. 白矾（研碎）、白萝卜（洗净，去皮）各适量。同捣烂，每取适量加麝香（0.1 克）和匀，涂于患处，每日 3 次，连用 1 周。适用于牙龈出血伴牙痛。

5. 大枣 3 个，雄黄 2 克。将大枣去核，纳入雄黄，置瓦上焙焦、研细末，每取少许搽患处，每日 2～3 次。

**【名医指导】**

1. 注意口腔卫生：若为大量牙垢、牙石导致的出血，可到口腔科去除牙垢、牙石，并口服抗生素 1 周。一般来讲，半年到一年应洗牙 1 次。

2. 如果是由于残根、残冠引起的牙龈出血，应将其拔除，以后镶假牙；如果是制作不良的牙套或不良修复体导致的牙龈出血，应重新制作牙套或重新补牙。

3. 女性月经期、妊娠期要注意口腔卫生，保持口腔清洁。

4. 最好选用新型保健软毛牙刷；采用竖刷法，避免横向用力刷牙。

5. 经常吃鲜枣，喝绿豆汤。在暑天用西瓜皮煎汤代茶饮，都有助于减轻出血。

6. 遇有原因不明的大范围自发性牙龈出血时，应及早到医院检查，以便确定其是否存在血液系统疾病，尤其是隐蔽的血液病要高度注意，多方面查找原因并及时处理。

7. 平时多用茶水漱口。因为茶叶中的儿茶素可杀灭口腔中的细菌，从而减轻牙龈炎症，减少牙龈出血。

## 口　臭

口臭又称口气，是指口腔散发出的令别人厌烦的难闻的气味。口臭多为吃冷饮过多以致胃的功能受损所致。牙龈炎、牙周炎、龋齿等都可导致口臭，而口臭的最常见病因是牙周炎。居高不下的牙周炎发病率，使口臭患者也变成一个庞大的群体。口臭主要分为两大类型：①脏腑功能失调所致口臭；②单纯性口臭。

中医学认为，体质强壮、神清气爽、口舌生香是人体正常脏腑功能活动的外在表现。口臭的产生源于人体的各种急、慢性疾病，即胸腹不畅，浊气上逆，胃阴耗伤，虚热内生，胃阴受损，津液不足，虚火上蒸；肺阴受损则气逆上冲；精气血受损则虚火郁热内结，阴虚津亏，胃肠肝胆虚火郁热上蒸，肝火犯胃，火气上炎，脾虚气滞，寒热互结，升降失司所致。导致口臭有五大原因：①肝火亢盛，耗神伤精，火气上炎所致。②胃肠蕴积湿邪热毒，心火亢盛，而上攻头、目、口、喉，浊气下行，邪结肠胃所致。③胃阴受损则津液不足，虚火上蒸；肺阴受损则气逆上冲；精气血受损则虚火郁热内结，阴虚

津亏所致。④脾虚气滞，寒热互结，升降失司所致。⑤气候、精神、饮食等因素造成脾胃失节，而气滞、食积；心情不舒致肝火犯胃，气郁不舒所致。

**【必备验方】**

1. 咸鱼头1个，豆腐数块，生姜1片。将咸鱼头斩块稍煎，与生姜同以武火煲约半小时，入豆腐再煎20分钟即可。每日1次，连服1周。适用于口臭兼口腔溃烂、牙龈肿痛、便秘者。

2. 芦根30克，大米50克。将芦根洗净后以大火煮15分钟，去渣，入大米煮成粥，每早空腹顿服，连用5剂。适用于舌干或牙龈肿烂所致口臭者。

3. 甘草10克，茶叶5克，食盐8克，水1000毫升。将水烧开，入甘草、茶叶、食盐煮沸10分钟左右，即可饮用。适用于风火牙痛、口臭、火眼、感冒咳嗽。

4. 广藿香适量，粳米250克。同放入铝锅内（一定要用铝锅）水煎5分钟，取汁待用；将粳米煮成粥，加入广藿香汁煮沸即可。适用于口臭兼有脾胃虚弱、吐逆者。

5. 吴茱萸适量。研细末，清水调敷肚脐或双足涌泉穴，外以伤湿止痛膏固定，每日换药1次，连用5～7日。

**【名医指导】**

1. 养成饭后漱口的习惯。注意剔除残留在牙缝中的肉屑，这类蛋白质较高的食物易引起口臭。

2. 平时注意保持口腔湿润、勤喝水。

3. 有顽固性口臭的患者，坚持饭后刷牙。

4. 积极治疗引起口臭的疾病，如牙周炎、肝炎、胃病等。

5. 不要吃得过饱、空腹时间不宜过长、睡眠时间不宜过长。

6. 因食用刺激性食物（如大蒜）引起者，可通过嚼茶叶、口香糖或吃大枣的方法消除。

7. 每次就餐前，做十余次深呼吸；在两餐之前可吃些水果，有助于避免产生口臭。

8. 少饮酒，过量酒易生胃火致口臭。

9. 睡前不吃零食。

10. 多吃谷类、蔬菜和水果，多喝水，保持大便通畅。

11. 适量进食生姜、肉桂、芥末和辣椒，以防鼻窦炎。

12. 适量进食胡萝卜、花茎甘蓝、菠菜和柑橘类水果，以摄取β胡萝卜素和维生素C。

13. 口臭者应少吃糖、甜食、甜饮料、蛋糕和饼干。

14. 患者若伴有口苦、口干、口舌生疮、牙龈肿痛、便秘等一种或多种炎热之象，应及时就医。

## 皮肤瘙痒

皮肤瘙痒是临床上常见的皮肤病之一，多见于老年人。瘙痒是发生于皮肤并引起搔抓的一种自觉症状，无原发性损害。其发生原因比较复杂，致病因素包括内因或外因，或两者兼有。内因多导致全身性瘙痒，外因可引起泛发性或局限性瘙痒。皮肤瘙痒是因皮脂腺萎缩使皮脂分泌减少、皮肤干燥所致。尤其在干燥的冬季，皮脂流失加重，极易发病。患者瘙痒部位多有明显的抓痕、血痂等，严重者可并发感染，出现渗液、脓痂等，但不伴有红斑、丘疹、水疱、脓疱等继发性皮肤瘙痒。瘙痒可发生在身体任何部位，以胫前（小腿前侧）、背部最为多见。

本病中医学称“痒风”、“风瘙痒”。急性瘙痒多由于风、湿、热所致，故以清热祛风为治疗原则。慢性患者，多由血虚生风，或血瘀气滞所致，故以养血祛风，或以养血祛风兼活血化瘀为治则。阴囊瘙痒症和女阴瘙痒症多由肝胆湿热引起，当清泻肝胆湿热为治则。

**【必备验方】**

1. 人参240克，白蒺藜、石楠藤各60克，苦参500克（以酒浆、生姜汁各浸泡1日，晾干），僵蚕45克，玳瑁120克，甘草15克。共研细末，炼蜜为丸（如绿豆大）。黄酒或温开水送服。每次30～60粒，每日1～2次。适用于皮肤瘙痒、慢性湿疹。注意：孕妇慎用。

2. 炉甘石80克，滑石50克，赤石脂90克，冰片9克，蒸馏水1000毫升，甘油150毫升。将前4味研末，加入蒸馏水及甘油，配制成药水。用时摇动，用毛刷涂搽患处。

3. 苦参100克，食用白醋适量。同浸泡3～5日即可，每取30～50毫升加入温水中洗浴（或用棉签蘸液搽患处），每日2～3次，连用5～7日。

4. 蒺藜、何首乌各等份。研细末，每晚洗浴后，取药末适量，以米醋调敷于双足涌泉穴，外以敷料包扎、胶布固定，次晨取下，连用7～10日。

5. 辽刁竹、麝香草（兰花草）、甘草各50克，50%乙醇500毫升，冰片0.5克，香精2滴。将前4味浸泡15日，加甘油及冷开水15毫升，再加冰片、香精混匀，搽患处，每日3次。

**【名医指导】**

1. 认真查找病因，积极治疗原发疾病。

2. 注意调节神经功能，避免紧张；保持情绪稳定、心情愉快，遇事豁达开朗。

3. 饮食宜清淡。多吃新鲜水果和蔬菜；避免饮酒、喝浓茶及食辛辣刺激性食物。

4. 保持室内空气新鲜，温度适宜。

5. 避免气候环境变化对皮肤的刺激。特别是寒风的侵袭、被褥太暖及汗液的刺激。

6. 保持皮肤卫生。但洗澡不要太勤，洗澡时要使用中性沐浴液；不要用力搓擦，不要用热水烫洗。

7. 衣服要宽松、舒适，贴身衣服最好是质地柔软的纯棉衣物。

8. 保持大便通畅，养成定时排便的习惯。

9. 保证皮肤屏障功能的完整，也就是要保证皮肤角质层及皮脂膜的完整。

10. 皮肤清洁方法应根据季节、气候及个人的皮肤状况随时调整。如夏季皮肤新陈代谢旺盛，皮脂及汗液分泌较多，可以适当增加洗浴次数，使用清洁作用较强的沐浴露。入秋以后，就要减少洗浴次数，每周1～2次即可，并且要随着环境干燥程度的加重而逐渐减少。冬季应该选用含有滋润成分的沐浴露，浴后全身涂抹有滋润保湿功能的润肤剂。

## 跌打损伤

跌打损伤是指扭、挫伤，金属利器割伤是临床较常见的损伤。扭伤是指间接暴力致使肢体和关节周围的筋膜、肌肉、韧带过度扭曲、牵拉，引起损伤或撕裂。挫伤是指直接暴力打击或冲撞肢体局部，引起该处皮下组织、肌肉、肌腱等损伤。跌打损伤主要是由于体外的物体或物质作用于形体导致组织器官的损伤而发病。如从高处跌下足部着地时，躯干因重力关系急剧向前屈曲，胸腰脊柱交界处椎体受折刀力的作用而发生压缩性损伤，或长期、反复、轻微的直接或间接损伤可致使肢体某一特定部位损伤。一般情况下，损伤多发生在关节及关节周围的组织，挫伤以直接受损部位为主。颈、肩、肘、腕、指间、膝、踝、腰等部位均可引起扭、挫伤，其中腰部是最常见的腰部伤筋疾患，多见于青壮年。轻者伤及肌肤，多于短期内痊愈，只用通常膳食治疗即可；重者伤筋动骨，创面污染，或出血过多，而致血虚气衰，甚至伤及内脏，生命垂危，病期较长，则需膳食治疗辅佐。

**【必备验方】**

1. 红尖椒1份（研细末），凡士林5份。将凡士林放锅中溶解，放入辣椒面拌匀（能嗅到辣椒味即止），迅速冷却成膏。每取适量，以棉花或纱布涂于患处，每日或隔日换药1次。

2. 海棠花50克，紫茄子3个，蒜蓉、食盐、味精、香油、食醋各适量。将海棠花处理干净，水煎，去渣；将紫茄子洗净（放碗中），倒入海棠汁，隔水蒸熟，备用；将蒜蓉、食盐、味精、香油、食醋调匀，倒茄子上拌匀，温热食用，每日1次。

3. 白莴苣子30克，粟米6克，乌梅、乳香、没药各5克，蜂蜜少许。把白莴苣子、粟米分别洗净后炒香，研细末，与乌梅、乳香和没药共研细末，加入少许蜂蜜做成丸（每丸6克），温酒送服，每日1丸。适用于急性腰扭伤。

4. 白芥子15克，栀子50克（研细末），

桃仁30克（研细末），鸡蛋清2个。将白芥子洗净，沥干水分后研末，备用；碗中放入少量面粉，加入栀子、桃仁和白芥子末拌匀，放入鸡蛋清调和成糊状，敷于患处，3日换1次。

5. 新摘老丝瓜1条。切片、晒干，置铁锅内用小火焙至棕黄色，研细末，入瓶备用。胸腹部跌打损伤者，用白酒冲服，每服3克，每日2次，连用3日；四肢跌打损伤者，以白酒调敷于患处，每日1次。

**【名医指导】**

1. 日常生活中遇到跌打损伤时，在排除骨折的情况下及时止血，并对症选用跌打损伤药。由于跌打损伤药多数为活血化瘀药，孕妇禁用。

2. 跌打损伤后，在皮肤无破损的情况下，立即冷敷或用冷水冲洗患处，可减轻肿胀疼痛现象；24小时后再贴伤湿止痛膏。

3. 局部有破损者，不可将膏药直接贴在破损处以免发生化脓感染。

4. 膏药不能乱贴。要用热毛巾或生姜片将患处皮肤擦净，拭干后再贴；一般1贴膏药不超过24小时，否则易引起皮肤过敏。

5. 贴膏药应避开毛发较多的地方。

6. 若贴膏药10分钟左右局部皮肤出现丘疹、水疱，自觉瘙痒剧烈，应立即停止贴敷，必要时口服抗过敏药。

7. 患者伤后宜食用营养丰富的食物，并主动进行功能锻炼。

## 刀　伤

刀伤是指被利器所割伤，通常可引起皮肤出血，重者可危及生命。

**【必备验方】**

1. 活甲鱼1只，干石灰粉适量。宰甲鱼取血，滴入干石灰粉内搅匀、捏成团，穿线其中，悬于通风处阴干，研末，撒于伤口，并包扎固定。

2. 苦杏仁5克，蝉蜕、栀子、红花各1克。共研极细末，撒敷于伤处（厚2～4毫米），外用纱布或绷带固定，隔日换药1次，连用2次。

3. 赤小豆100克（研极细末），冰片粉1.5克。调匀，密封装瓶。每取适量，清水调敷于患处（厚约0.5厘米），12～24小时换药1次。如出现张力性水疱，应妥善保护，防止继发感染。

4. 水杨木白皮适量。焙干、捣碎，研为细末，水送服，每次1匙，每日3次；同时取适量药末敷患处。适用于刀伤成疮者。

5. 马勃50克，蒲黄100克。共研末，酒送服，每次1小匙，每日4次（夜间1次）。适用于刀伤病麻木者。

**【名医指导】**

1. 一般处理：

(1) 将双手洗净，以凉开水清洁伤口。

(2) 擦消毒药水，如过氧化氢。尽量避免使用刺激的消毒液或消炎药。

(3) 盖上消毒纱布，包扎固定。

2. 严重刀伤的紧急处理：

(1) 压迫止血法：直接用纱布、手帕或毛巾按住伤口，再用力把伤口包扎起来。

(2) 止血点指压法：用力按住出血伤口附近靠近心脏的动脉点。

(3) 止血带止血法：血流不止时，用布条、三角巾或绳子绑在止血点上，扎紧；每15分钟略松开1次，并尽快送医急救。

3. 小伤口可以用清水或生理盐水稍微冲洗（以伤口为中心环形向四周冲洗），然后再用乙醇消毒后用干净纱布包扎（不可以用棉花）；当伤口结痂时就可以不用包了。如果伤口很大，千万不能冲洗，先止血再用干净纱布覆盖；不要用力清掉血块，避免二次伤口损伤。锐器伤伤口较深时一定要送医急诊；6小时内使用破伤风抗毒素；预防感染，保持创面干燥，别碰水。

4. 及时对患者进行心理安慰，助其消除恐惧不安的心理障碍。

5. 处理伤口后，多进食些营养品进补，加快伤口的恢复。

# 第二篇　内科疾病

# 第一章　呼吸系统疾病

## 急性上呼吸道感染

急性上呼吸道感染是鼻腔、咽或喉部急性炎症的概称，多由病毒引起。细菌感染可直接（或继发于病毒感染之后）发生，以乙型溶血性链球菌为多见，其次为流感嗜血杆菌、肺炎链球菌和葡萄球菌等。当受凉、淋雨、过度疲劳等使全身或呼吸道局部防御功能降低时，原已存在于上呼吸道或从外界侵入的病毒（或细菌）可迅速繁殖而发病，尤其是老幼体弱或有慢性呼吸道疾病（如鼻窦炎、扁桃体炎）者更易罹患。其临床表现不一，从单纯的鼻部症状到广泛的上呼吸道炎症均可出现。常以鼻塞、流涕、咳嗽、咳痰、咽喉不适、畏寒发热为主，可伴有头痛、疲乏无力、肌肉酸痛、腹痛、腹泻、目赤、畏光、流泪等症状，表现为普通感冒、病毒性咽炎和喉炎、细菌性扁桃体炎、疱疹性咽峡炎和咽结膜热。

本病中医学类似于“感冒”，又称“伤风”、“冒风”、“冒寒”、“重伤风”。以感受“外邪”为主，尤以风邪致病最为常见。多为卫外功能减弱，外邪乘虚而入，病邪犯肺，肺卫不和。临床分为风寒束表、风热犯表、暑湿伤表、气虚感冒、阴虚感冒等证型。

**【必备验方】**

1. 葡萄酒25毫升，白糖1匙，鸡蛋1个。将葡萄酒入锅煮（蒸发掉乙醇），再打入鸡蛋（搅散），加入白糖调匀，以开水冲服，然后盖被休息。适用于感冒。

2. 花生壳20个，大葱白（连须）3根。洗净，水煎15分钟，滤汁，热服（取微汗）。伴有呕吐、恶心者，加生姜4片；兼有咽痛、咳嗽者，加鸭梨数片。适用于感冒初起。

3. 芙蓉叶90克，厚朴9克。水煎1小时，过滤，加水再煎半小时，过滤，合并药液，浓缩至500毫升，每次服50毫升，每日4次（儿童酌减）。适用于流行性感冒发热、鼻塞、流清涕、头痛、喉痛、咳嗽或全身骨节酸痛者。

4. 白矾30克（研细末），面粉适量。以醋调敷于双足涌泉穴（干则易之，或不时以食醋洒之，使药膏保持湿润）。适用于风热感冒。

5. 鲜黄花蒿尖7个，生姜3片，食盐少许。将黄花蒿尖搓揉，与食盐、生姜片共同捣烂，布包，擦手心、脚心、印堂穴、太阳穴、脑后，盖被发汗。适用于风寒感冒。

**【名医指导】**

1. 注意居室的清洁卫生，经常开窗通气。

2. 根据气候变化而增减衣服；重点注意项背部、胸部、足部的保暖。身体素质较好者，可坚持冷水洗脸和冷水擦浴；睡前用热水洗脚并按摩足心。

3. 锻炼身体，增强体质，多参加户外活动，提高抗病能力。

4. 在感冒流行季节，不去人多、空气污浊的场所，可用食醋作家庭消毒：将食醋加热，熏蒸室内（关闭门窗），每次0.5～1小时，每日1次，可连续数日。

5. 患病期间应多饮水，每日早、晚服适量蜂蜜，进食易消化食物。

6. 晨起以凉水洗脸或敷鼻，盐水漱口，清除口腔余痰及微生物；两手伸开、对掌相搓不少于20次；两手拇指屈曲（用其第一指关节按摩迎香穴），不少于30次，达热感为

度。然后手掌伸开，分别用小指关节的侧面或小鱼际处推按同侧枕后风池穴（赶大筋）不少于30次，达酸感为度；两手伸开，交叉轮流拍胸，不少于20次；两臂伸直，向前向上逐渐高举过头，同时深吸气，然后两臂向两侧分开向下靠拢身旁，同时深吸气（尽量用腹式呼吸），不少于10次。

## 急性气管-支气管炎

急性气管-支气管炎是常见病和多发病，是由病毒（或细菌）等病原体感染所引起的气管-支气管的急性黏膜炎症。临床以咳嗽、咳痰为主要症状，常并发或继发于上、下呼吸道感染，并为麻疹、百日咳、伤寒及其他急性传染病的一种临床表现，小儿急性气管-支气管炎的病因分为感染性和非感染性因素。在感染性因素中，病原体主要为各种病毒（或细菌），多在病毒感染的基础上继发细菌性感染；以鼻病毒、流感病毒、副流感病毒及腺病毒为多见，以肺炎链球菌、A群乙型溶血性链球菌、流感嗜血杆菌、卡他布兰汉菌、葡萄球菌为多见，偶见革兰阴性杆菌感染。

本病中医学相当于“外感咳嗽”。主要为感受外邪所致。病位主要在肺、脾。小儿脾胃薄弱，易为乳食、生冷所伤，致脾失健运，水谷不能化生精微，痰浊内生，也是引起本病的重要环节。若日久不愈，可耗伤气阴，发展为内伤咳嗽，出现肺阴耗伤或肺脾气虚之证。治疗以疏散外邪、宣通肺气为基本原则，一般尽量避免使用西药镇咳剂和镇静剂。临床分为风寒袭肺、风热犯肺、燥热伤肺、凉燥伤肺等证型。

**【必备验方】**

1. 陈皮5克，法半夏20克，白矾15克，川贝母10克，薄荷1克。共研细末，开水送服，每次5～10克，每日2次。适用于支气管炎。

2. 淡竹液方：取较大之新淡竹，自离地面第3～第4节起，每节上端钻洞1个，抽取竹液，经灭菌处理后备用。每日2次。每服20毫升，5日为1个疗程。适用于咳痰不出者。

3. 红糖100克，艾叶50克，鸡蛋2个。将艾叶洗净，加水500毫升煎沸，入鸡蛋、红糖煮至蛋熟后敲碎蛋壳，再煎至200毫升，去艾叶，喝汤吃蛋，每日1剂，7日为1个疗程。适用于风寒咳嗽。

4. 山药200克（煮熟，捣成泥），粟米250克（炒熟，研粉），苦杏仁（去皮、尖）500克（炒熟，研粉）。每日早上用开水冲泡粟米、杏仁粉10克，再兑入适量山药泥，调入香油服。适用于小儿支气管炎。

5. 推拿疗法：两手拇指开天门20次，用拇指推脾经、肺经各100次。用拇指罗纹面在小儿掌心内做旋转按摩，左、右手各1分钟；用中指在天突和膻中穴上，做顺时针方向旋转揉动各1分钟；用拇指点压大椎、肺俞穴各2分钟。每次反复操作2遍，每日2次。

**【名医指导】**

1. 多饮水，也可饮用糖水、米汤、蛋汤等。饮食以营养丰富的半流质为主，如稀饭、煮透的面条、鸡蛋羹等，多食新鲜蔬菜、水果等，以满足机体需要。

2. 保暖：随气温变化及时增减衣物，尤其是睡眠时要盖好被子，加强胸部保暖，使体温保持在36.5℃以上。避免温度变化，寒冷刺激加重支气管炎病情。

3. 退热：发热时宜多卧床休息、多饮水。如体温在38.5℃以下，一般无须给予退热药，可采用物理降温，即用冷毛巾头部湿敷或用温水擦澡（幼儿不宜采用此方法，必要时应用药物降温）。

4. 翻身拍背：有痰较难咳出时，尤其是老人、婴儿、幼儿，应帮其翻身侧卧，空心掌由腰部向颈部方向拍背，1～2小时1次。

5. 保持良好的家庭环境：居室要温暖，通风采光良好，保持适宜的适度；家中不宜有吸烟者。

6. 平素加强体育锻炼，增强机体免疫力。

## 慢性支气管炎

慢性支气管炎是指气管、支气管黏膜及

其周围组织的慢性非特异性炎症，常在寒冷季节反复发作。临床上以长期咳嗽（晨起时多见）、咳痰（痰量一般不多，合并感染时增多）或伴有哮喘为其主要表现。在机体抵抗力降低的情况下，大气污染、吸烟、气候变化、过敏等因素常可诱发慢性支气管炎，严重时可并发慢性阻塞性肺气肿、慢性肺源性心脏病、急性肺部感染、自发性气胸等。

本病中医学属“咳嗽”范畴。根据病因分为外感咳嗽和内伤咳嗽。外感咳嗽日久必致肺气亏虚，肺气亏虚又易招致外感。本病主要与外邪侵袭和内脏亏损有关。脾为生痰之源，肺为储痰之器。脾失健运，不能化水谷为精微，反酿成痰，痰浊犯肺，壅塞肺气则咳，久咳由肺及肾；肾不纳气，则少气而喘，日久必致五脏亏虚，若患者体质娇弱，稍感即发。临床分为风寒犯肺、风热犯肺、痰热郁肺、寒饮伏肺、肺气虚、肺脾气虚、肺肾阴虚等证型。

**【必备验方】**

1. 白胡椒粉 2 克，鲜大梨 1 个。将梨洗净，用小刀深挖 1 个斜三角形的大洞（刀尖要挖及梨心），取出三角形梨块，纳入白胡椒粉，仍将挖出的梨块还原封口并用牙签插牢，隔水蒸熟（约蒸 2 小时，离火），分 2 次服（即每次半只，食时去皮；第二次宜在临睡前食用，食后漱口）。

2. 母鸡 2 只（重 1000 克以上），黄芪 50 克（蜜炙），防风、附子、麻黄（蜜炙）各 10 克。将母鸡去毛及内脏，洗净，滤干，纳入黄芪、防风、附子（分别洗净后滤干）。瓷盆中加水小半碗，将全鸡放入（背朝下、腹朝上），淋上 2 匙黄酒，隔水蒸 4 小时（瓷盆不加盖，让水蒸气进入，至鸡肉熟烂时离火）。去渣服食。也可将药物与鸡同炖 1 小时。服鸡汁，每日 2～3 次，每次 3～4 匙；鸡肉可蘸酱油，分 3～4 日服食。注意：宜于秋末至次年春初期间服用，每月 2 只。

3. 干银耳 50 克，冰糖 600 克，鸡蛋清 1 个。将银耳煮烂，放入冰糖溶化成汁；鸡蛋清加入少许清水搅匀后，冲入锅中搅拌，待泡沫浮面后，用勺打净；再将糖汁用纱布过滤后冲入银耳锅中，即可食用。

4. 推拿疗法：一指禅推天突、膻中各 2 分钟，分推膻中，即自膻中向两旁分推至乳头，时间 1 分钟；分别按揉脊柱双侧肺俞、脾俞、肾俞穴，各 2 分钟，分推肺俞，即用双拇指桡侧端分别沿肩胛骨内缘从上向下推动，时间 1 分钟；用双掌在两腋下胁肋处自上而下搓摩 5 遍，自下而上捏脊 5 遍。每日 1 次，10 日为 1 个疗程，连用 3 个疗程。适用于慢性喘息型支气管炎。

5. 细辛、白芥子、紫苏子、法半夏各 15 克，麻黄、黑丑、白丑各 12 克，葶苈子 10 克，延胡索 9 克。共研粗末，密封装瓶。每取适量，睡前以生姜汁调敷双足涌泉穴，外用纱布、胶布固定，4～6 小时去除，每日 1 次，7 日为 1 个疗程。发作时可治疗 2～3 个疗程，每个疗程间隔 3～5 日，次年秋冬之交再贴敷 1～2 个疗程，以防复发。

**【名医指导】**

1. 戒烟，加强个人卫生，改善环境卫生。

2. 随天气变化适当增减衣物，避免吹风着凉、汗出当风。

3. 积极治疗上呼吸道感染；及时治疗感冒、鼻炎、咽喉炎、扁桃体炎等。

4. 继续药物治疗：一部分慢性发作期患者经过短时间积极药物治疗，转入缓解期，咳、痰、喘、满等症状虽已明显减轻，但不等于相应的病理改变已经恢复正常，需继续服用一段时间药物以巩固疗效。

5. 缓解期：自汗、畏寒、怕冷者，可用玉屏风散（黄芪 10 克，防风 10 克，白术 10 克）；平时呼吸气短，活动后加重，腰酸、腿软，可用河车大造丸（紫河车、麦冬、杜仲、龟甲、熟地黄）或紫河车粉，以扶正培本防止病情复发。

6. 饮食宜清淡：给予营养丰富易消化吸收的食物，如软饭、稀粥、面条、鲜奶等。进食要有规律，有节制，宜少食多餐，忌暴饮暴食，避免进食生冷、寒冷、肥腻及辛辣燥热的食物。

7. 在病情稳定期，根据患者体力恢复情况制定适合自己的体育锻炼，包括体育、呼吸和耐寒锻炼。

8. 保持情绪平稳，心情舒畅，忌抑郁、

暴躁；积极配合治疗。

## 慢性阻塞性肺气肿

慢性阻塞性肺气肿是肺气肿最多见的一种类型。肺气肿是指终末细支气管远端（呼吸细支气管、肺泡管、肺泡囊和肺泡）的气道弹性减退，过度膨胀、充气和肺容积增大，或同时伴有呼吸道管壁破坏的病理状态。主要由于大气污染、吸烟和肺部慢性感染等诱发慢性支气管炎所致。本病为慢性病变，病程长，一般得不到根治，我国的发病率为0.6%～4.3%。

本病中医学属“肺胀”范畴。多因久病肺虚，痰浊潴留，复感外邪而诱发。病变首先在肺，继则影响脾、肾，后期病及心。其病理因素主要为痰浊、水饮与血瘀互为影响，兼见同病。一般早期以痰浊为主，渐而痰瘀并见，终至痰浊、血瘀、水饮错杂为患；治疗时须掌握好各个不同时期的用药尺度，兼顾标本，并配合呼吸吐纳等身体锻炼、注意饮食起居的调摄等，才能有较好的远期疗效。临床分为外寒内饮、痰热郁肺、痰浊壅肺、肺脾气虚、肺肾两虚等证型。

**【必备验方】**

1. 生石膏40克，鲜淡竹叶、苦杏仁各15克，绿豆50克，桔梗10克，陈皮20克，粳米150克。将生石膏水煎30分钟，加入鲜淡竹叶、苦杏仁、桔梗、陈皮煎沸，以小火煎30分钟，去渣，取汁备用；将粳米与绿豆同煮成粥，倒入煎汁，稍煮片刻，加入适量白糖调匀，温热服食。每日1剂，分3次食，连食3～5日。适用于痰热阻肺型肺胀。

2. 鲜桂花15克，核桃仁250克，奶油100克，白糖适量。将核桃仁水磨成汁；锅内加水烧沸，入白糖搅匀，与核桃仁汁混匀，放入奶油和匀，置武火上烧沸，出锅入盒中，冷后放入冰箱内冻结。食用时，用刀划成小块，撒上桂花即可。每日1剂，分2次食，连服3～5日。适用于痰瘀互结型肺胀。

3. 鱼腥草60克（干品30克），猪肺200克，食盐、味精各适量。将猪肺冲洗、沥水、切块，将鱼腥草水煎，去渣，入猪肺块炖熟，加入食盐、味精即可。每日1剂，佐餐食用。适用于肺热痰盛型肺胀。

4. 茄棵（用秋后不再结茄子的）、花生秧各适量。将茄棵晒干、打碎，水煎2次，浓缩成膏，放干燥箱内制成块状；花生秧水煎2次，浓缩成膏，放干燥箱内制成块状。两药制剂按1∶1混匀，加淀粉压片（每片含生药3.3克）。口服，每次10片，每日3次，10日为1个疗程。适用于肺脾气虚型肺胀。

5. 三伏天，穴位外贴中药“消喘膏”（选用白芥子、姜汁水等中药制成膏状）。选用督脉、足太阳膀胱经之背俞穴及经外奇穴，如大椎、定喘、肺俞、心俞、脾俞、膈俞、肾俞等穴位，根据患者病情选择2～3对穴位，敷于伤湿止痛膏上，再贴于患者背部之穴位上。贴“消喘膏”3次为1个疗程，每10日为1次，每次至皮肤出现局部反应（如发痒、灼热、小水疱等）时取下，忌抓破皮肤。少量水疱可自行吸收，大水疱可用消毒针刺破引流；若并发感染，按感染创口处理。

**【名医指导】**

1. 预防感染：从夏季开始进行耐寒锻炼以提高机体的防御能力，增强呼吸道免疫力，减少呼吸道感染，气候转冷亦要坚持；注意随气候变化及时增减衣服，防止感冒。

2. 加强营养，增加热量摄入量。每日膳食应含有丰富的蛋白质，如瘦肉、鱼类。有明显二氧化碳潴留者，应减少糖分的摄入。多进食新鲜蔬菜和水果，多饮水，必要时给予多种微量元素、维生素及氨基酸治疗。

3. 呼吸训练：患者宜作深而缓的腹式呼吸，使呼吸阻力减低，潮气量增大，经常练习，可使呼吸功能得到很好地改善；同时缩唇呼气增加呼吸道外口段阻力，可防止呼吸道过早闭合。

4. 在医师指导下合理使用抗生素，避免乱用抗生素，以免造成耐药或二重感染。

5. 保持良好的心态，积极配合治疗。

6. 长期坚持家庭氧疗，夜间持续低流量（1～3升/分钟）吸氧12小时以上，亦可根据患者具体情况确定吸氧时间和吸氧流量。

7. 戒烟。可定期注射流感疫苗、肺炎链球菌疫苗等。

8. 注意室内空气清新、流通；尽量减少

到公共场所，避免接触有害气体和颗粒。

9. 定期监测肺功能，以及时发现病情变化。

## 慢性肺源性心脏病

慢性肺源性心脏病（简称肺心病）是指由肺组织、肺动脉血管（或胸廓）的慢性病变引起肺组织结构和功能异常，以致肺血管阻力增加、肺动脉压力增高，使右心扩张、肥大，伴或不伴右心衰的心脏病。以慢性支气管炎、哮喘所致阻塞性肺气肿最为常见，临床上以慢性咳喘症状逐步加重，进而出现肺、心衰竭以及其他器官受累的征象。以气短、咳喘、心悸、水肿、不能平卧为特征，长期咳嗽、反复发作、胸闷、痰多或胸廓隆起如桶，动则气短、精神疲乏、面色晦暗、咳嗽、口唇发绀，常在冬季加重。本病的患病率为0.46%，多发于40岁以上，亦有少数少年患者，患病率随年龄增长而增长。从肺部基础疾病发展为肺心病，一般需要10～20年，亦有长达50年（或短至1年）。急性发作以冬、春季多见，急性呼吸道感染为导致肺、心功能衰竭的主要诱因。

本病中医学属“心悸”、“肺胀”、“喘证”、“水肿”等范畴。多因慢性喘咳反复发作、迁延不愈，渐发而成。多责之于脏腑虚衰、外感时邪，早期表现为肺、脾、肾三藏气虚，后期则心、肾阳虚，发作期以邪实为主，虚实错杂；缓解期以脏腑虚损为主。临床分为痰浊壅肺、痰热郁肺、痰蒙神窍、阳虚水泛、肺肾气虚、气虚血瘀等证型。

**【必备验方】**

1. 苦杏仁、核桃仁各60克。共研细末，以蜂蜜调服，每日3次，每次3克。适用于肺肾气虚型。

2. 紫河车1具。焙干、研末，每服3克，每日3次。适用于脾肾阳虚型。

3. 鲜葎草适量。捣烂，每晚敷于双足涌泉穴，次日去掉，以药膏再加食盐适量（纱布包裹），敷肚脐，外用胶布固定。7日为1个疗程，连用1～2个疗程。适用于水肿、小便短少者。

4. 白芥子30克，丁香、肉桂各10克，胡椒12～30克。共研细末，每取适量，用醋调敷于神阙穴，外用胶布固定，局部皮肤发赤和有刺痛烧灼感时去掉；每日1次，连敷数日。

5. 田螺4个，大蒜15克，车前子6克（炒香，研为细末）。同捣烂（纱布包裹），敷于神阙穴，外用胶布固定；局部发红，有刺痛感时去掉。

**【名医指导】**

1. 积极防治呼吸道疾病，如积极防治感冒、急性支气管炎、慢性支气管炎；积极防治重症肺结核、支气管哮喘等肺部疾病，以阻止其发生和发展为肺气肿、肺心病。

2. 缓解期，患者宜积极参加体育锻炼，如练太极拳、气功和保健操，以增强体质，减少感冒的发生。急性期，患者宜卧床休息，节省体力，以免增加心脏负荷。

3. 呼吸锻炼：主要为腹式呼吸：立位，一手放胸前，一手放腹部，做腹式呼吸。吸气时尽力挺腹，胸部不动，呼气时腹部凹陷；按节律进行呼吸，吸与呼的时间按1∶2或1∶3，进行用鼻吸气，用口呼气，呼气时口唇缩拢作吹口哨样动作。

4. 注意保暖，避免受寒；忌烟、酒及辛辣、生冷、肥甘、咸、甜之品，以免助湿生痰，加重病情。有水肿者，应低盐或无盐饮食。

5. 在缓解期应常服扶正固本的中药，如在医师指导下服用玉屏风散、六君子丸、金匮肾气丸、七味都气丸、金水宝、参蛤散等中成药；或在辨证指导下用汤药进行调理，以增强正气，提高抗病能力。

6. 改善环境和劳动卫生：在农村开展防烟、防尘工作；在工厂、矿山搞好通风和防尘措施，以减少支气管炎和肺尘埃沉着病的发生。

7. 冷水摩擦法锻炼耐寒能力：先用手摩擦头面及颈部，每日3次，每次约10分钟；1周后将冷水浸过的毛巾按上述方法摩擦头面及颈部；体质及耐寒能力较好者，摩擦四肢，甚至做全身冷水摩擦。锻炼从夏季开始，冬季仍坚持；不能坚持者，改为温水，避免使

用热水，次年春季恢复上述耐寒锻炼。

8. 发作期，患者宜卧床休息，呼吸困难时成半卧位，保持呼吸道通畅，并积极清除呼吸道的分泌物，鼓励患者咳嗽咳痰；无力排痰者应改变体位，使用空手掌或是机械辅助拍背帮助排痰。应经常鼻导管持续低流量吸氧，必要时通过面罩或呼吸机吸氧，浓度在24%～30%，流量在1～2升/分钟，湿化瓶温度应保持在30℃左右。

9. 鼓励患者进食高热量、高蛋白、易消化的食物，少食多餐。必要时记24小时出入量，避免心脏负荷过重。

## 支气管哮喘

支气管哮喘（简称哮喘）为一种常见而发作于肺部的过敏性疾病。起病有缓有急，病程长短不一，好发于秋、冬两季。鼻痒、喷嚏、流涕、咳嗽、胸闷往往是哮喘发作的前驱症状，可自行缓解。急性发作时可出现咳嗽、多痰、喘息、哮鸣，或呼吸困难、额前冷汗、不能平卧、端坐呼吸和颈静脉怒张。如果哮喘出现持续状态时，张口呼吸，两肩耸起，缺氧时口唇、指甲发绀；二氧化碳潴留、呼吸性酸中毒与代谢紊乱，还可并发肺不张、肺心病、气胸等。如果发生呼吸衰竭而得不到及时抢救，很可能会造成死亡。西医学认为，其病因是与遗传因素中的过敏、激发因素中的吸入物、呼吸道的感染以及寄生虫、气候、药物、饮食、精神因素等有关。

本病中医学属“哮”、“喘”的范畴。脾虚气衰，健运无权，饮食不化精微，反为痰浊，痰浊阻肺，气道受阻，故咳嗽多痰气促，痰气相搏，喉中有哮鸣声，肾阳虚则卫阳不固，所以汗出，肺主气，邪实气壅，肺之升降失常，因而不能平卧、端坐呼吸，肺为气之主，肾为气之根，肾虚根本不固，吸入之气不能归纳于肾，就会出现呼多吸少和吸气困难，气为血帅，气行则血运，气虚则血滞，阳气不充，血瘀续发，故口唇、指甲发绀，颈静脉怒张，秽浊之气充斥营血，正气溃败，精气内伤，则有发生呼吸性酸中毒、代谢紊乱和阳气闭脱的可能。临床分为发作期和缓解期，其中发作期分为寒哮证、热哮证；缓解期分为肺虚证、脾虚证、肾虚证。

**【必备验方】**

1. 牛胎盘1个，甜杏仁5克，苦杏仁2克，生姜3片，大枣3个，酒适量。将牛胎盘洗净、浸泡12小时，用开水焯透，切块，在炒锅熟油下翻炒，炝适量黄酒、生姜汁，加入甜杏仁、苦杏仁、生姜片、大枣及适量清水，煲熟食用。适用于哮喘、虚劳久咳、老年气管炎、慢性支气管炎。

2. 豆腐120克，苦杏仁15克，麻黄3克，食盐、味精、香油各适量。将苦杏仁、麻黄洗净，装入纱布袋将口扎紧；将豆腐切成块，与药袋加适量水，先用旺火烧开后改用文火煮1小时，捞出药袋，加入食盐、味精、香油调味，每日分2次食用，连服3日为1个疗程。适用于肾阳虚型哮喘，受凉发作者食用更佳。

3. 生姜50克，白芥子15克。将生姜捣烂、绞汁，同白芥子加烧酒研烂如糊，以棉球蘸药糊擦拭大椎、肺俞、膻中穴，每穴10分钟（以局部觉痛灼热为度）。或以纱布2层（剪成棋子般大小），浸液贴于穴位1小时左右，痛则取去（以不起疱为度）。适用于支气管哮喘，以病程较短者佳。

4. 指压疗法：点按中府、膻中、天突、太渊等各1～2分钟（以感到酸麻为度），按揉定喘、风门、肺俞、厥阴俞各1～2分钟（以感到酸麻为度），用掌拍法拍打胸、背部至背部发热、皮肤发红为度，推按膀胱经、胸背部经线（自上而下），反复10～20次。

5. 油敷：在背部、肺部附近及肾脏部位敷用蓖麻油包。将蓖麻油置于平底锅加热（但不要煮沸），将纱布或棉布浸油敷于患部，外盖塑胶袋，再将加热袋覆在塑胶袋上，持续30分钟至2小时。

**【名医指导】**

1. 多饮水，以稀释痰液使其易于咳出。

2. 饮食应以清淡流质食物为主，特别在哮喘发作期。

3. 婴、幼儿应警惕异性蛋白食物；老年人应避免吃生痰食物，如鸡蛋、花生、肥肉及油腻不易消化之物。若为热性哮喘，不宜食用热性食物，如羊肉、鹅肉、韭菜、生姜、肉桂、辣椒等；多吃偏凉的食物，如芹菜、生梨等。少吃胀气或难消化的食物，如豆类、芋头、山芋等，避免腹胀压迫胸腔而加重呼吸困难。注意避免食用麦类、蛋、牛奶、肉、番茄、巧克力、鲜海鱼、虾、蟹等可能引起哮喘的食物。

4. 居室要经常开窗，保持空气流通、干燥。屋内摆设要尽量简化，以减少积尘。室内不铺地毯，宜用吸尘器和湿布打扫室内，以免尘土飞扬。室内不要吸烟，不要养猫、狗、鸟等动物；不要养花，以免花粉诱发哮喘发作。床单、被褥、衣物要勤于更换、清洗，尽量把过敏原清洗除去。不用丝织品和毛皮作卧具。室内不可摆放皮毛做的玩具。

5. 内衣以纯棉织品为宜，要求光滑、柔软、平整。避免穿化学纤维或有深色染料衣服以及皮毛衣服。衣服不宜过紧，衣领应宽松。夏、秋季节，贴身衣裤不宜选择有毛料的中长纤维。

6. 保持心情舒畅，正确对待自己的疾病及生活中的挫折和不愉快。

7. 耐寒锻炼：用冷水洗手、洗脸和揉搓鼻部；身体状况允许时，夏天还可用冷水擦身。耐寒锻炼必须量力而行，循序渐进，持之以恒；宜劳逸结合；锻炼过程中避免感冒。

8. 坚决戒除烟、酒。

9. 支气管哮喘急性发作期，患者应会正确使用支气管扩张剂等应急药；并熟知药物的正确用量、用法、不良反应。

## 支气管扩张

支气管扩张是指直径大于 2 厘米中等大小的近端支气管，由于管壁肌肉和弹性组织的破坏引起的异常扩张。其主要症状有慢性咳嗽，咳大量脓痰或反复咯血。患者多在儿童时期患有麻疹、百日咳或支气管肺炎等疾病。

本病中医学属“咳嗽”、“咯血”等范畴，主要以肺脾两虚为本，外邪侵袭为标。临床分为痰热蕴肺、肝火犯肺、气阴两伤、肺脾气虚等证型。

**【必备验方】**

1. 三叶青（研粉）、益母草（炒炭，研粉）。两者按 3∶2 混匀，饭后开水送服，每日 3 次，每次 10 克。适用于支气管扩张咯血者。

2. 煅花蕊石、血余炭各 90 克，人中白 30 克，蒲黄炭 60 克。共研细末，加适量淀粉制成 0.3 克重的片剂。口服，每日 3 次，每次 5 片。

3. 虎杖 250 克，金荞麦 100 克，猪肺 1 具。炖后去药渣，服汤、食肺脏，每日 2～3 次，每剂服 3 日。如无猪肺可用猪五花肉代替。为巩固疗效，可将虎杖 200 克，金荞麦 900 克，水煎服，连用 2～4 周。适用于支气管扩张咯血者，一般服 2～3 剂可止血。急性发作时，宜配合抗生素抗感染。

4. 白及 30 克，五倍子 5 克。加水 200 毫升煎至 50 毫升，取汁备用；再加水 100 毫升煎煮，过滤，2 次滤液混合，煎至 20 毫升，过滤，即倒入雾化吸入器之盛杯内雾化吸入。适用于支气管扩张及其他肺部疾病造成的咯血。

5. 白矾 60 克，食醋 50 毫升。将白矾研末，加醋调敷于双足涌泉穴，晨起取下，每日或隔日 1 次，连用 1 个月以上。

**【名医指导】**

1. 积极治疗原发病，如支气管炎症、活动性肺结核等。

2. 应注意保暖，避免受凉感冒。

3. 戒烟、酒；避免接触烟雾及刺激性气体。

4. 痰量多时宜采取体位引流（如病变支气管在肺下叶的采取头低脚高位），每日 2～3 次，每次约 15 分钟。

5. 咯血时应轻轻将血咳出，切忌屏住咳嗽；同时避免使劲大咳，以免支气管破裂发生大出血。

6. 急性期应注意休息；缓解期可作呼吸操和适当的全身体育锻炼，以增强机体抵抗力和免疫力。

7. 饮食以平性为主，避免过于辛热和凉性食物；饮食温度适宜，避免过热或过寒；慎用禽类、蛋类、鲜奶、乳制品；忌食海马、

海龙、猪头肉、山楂、桃子、樱桃、洋葱、辣椒、花椒、小茴香、丁香、大蒜、韭菜、紫河车、芥菜等。

8. 在医师的指导下正确使用抗生素，避免乱用抗生素。

9. 及时清除呼吸道分泌物，改善通气。

10. 保持良好的心态，积极配合治疗，避免发展至肺损害及呼吸衰竭。

## 呼吸衰竭

呼吸衰竭是由各种原因引起的呼吸功能损害，使肺通气或换气功能严重障碍，以致在静息状态下不能维持足够的换气，导致缺氧或伴有高碳酸血症，从而引起的一系列生理功能和代谢紊乱的临床综合征。临床表现为呼吸困难、发绀等。确诊需做动脉血气分析，在海平面正常大气压、静息状态、呼吸空气、无异常血液分流的情况下，动脉血氧分压＜60毫米汞柱伴（或不伴）二氧化碳分压＞50毫米汞柱，并排除心内解剖分流和原发于心排血量降低等致低氧因素，即为呼吸衰竭，按病程可分为急性呼吸衰竭和慢性呼吸衰竭。

本病中医学属“喘证”、“喘脱”、“闭证”、“厥证”等范畴。本病为肺脾肾心亏虚，加上痰浊、瘀血、水饮，内伤久咳，迁延失治，或为劳累过度日久致虚；六淫邪气乘虚而入，诱发加重。临床分为痰浊阻肺、肺肾气虚、脾肾阳虚、痰蒙神窍、阳微欲脱等证型。

**【必备验方】**

1. 天诺水（在寒露时把丝瓜藤剪断，放入无菌瓶中收取渗出水）。口服，每次10～20毫升，每日3次。适用于肺肾气虚型呼吸衰竭。

2. 生晒参10克，核桃仁50克，生姜15克，大枣10枚。水煎服，每日1剂。或人参10克，水煎服，同时吃生姜、大枣、核桃仁，每日1剂。适用于肺气虚型。

3. 玉竹、南沙参各25克，鸭肉200克。加调料焖煮1小时后食用，每日1剂。适用于肺阴虚型。

4. 百合20克，花生米50克，梨100克，猪肺200克。加调料煮熟食用。适用于肺阴虚型。

5. 搐鼻法：用滑窍散（细辛、大皂角、法半夏）和通关散（猪牙皂、细辛、薄荷、麝香）吹鼻内，取嚏。适用风痰阻肺型呼吸衰竭。

**【名医指导】**

1. 积极治疗原发病，合并细菌等感染时应使用敏感抗生素，去除诱发因素。

2. 鼓励患者多进食高蛋白、高维生素食物（安置胃管患者应按胃管护理要求），如瘦肉、鸡蛋、牛奶、鱼、大豆及豆制品；可常食百合、木耳、丝瓜、蜂蜜、海带、莲子、藕、核桃、梨等食物。

3. 保持病室清洁、空气清新。

4. 鼓励患者做缩唇腹式呼吸。

5. 鼓励患者适当做家务活动，尽可能下床活动。

6. 在寒冷的冬季或气温突然降低时注意保暖，预防上呼吸道感染；季节交换或流感季节少去公共场所。

7. 持之以恒锻炼身体，适当提高居室内温度。

8. 保持呼吸道通畅，及时清除呼吸道分泌物。

9. 坚持家庭氧疗，以持续低浓度氧疗为主；必要时服用呼吸兴奋药，改善通气功能。

10. 保持良好心态，积极配合治疗，正确留取各项标本。

## 成人呼吸窘迫综合征

成人呼吸窘迫综合征是指患者原心肺功能正常，但由于肺外或肺内的严重疾病而继发的急性渗透性肺水肿和进行性缺氧性呼吸衰竭。临床表现均为急性呼吸窘迫、难治性低氧血症。由于多种肺内、肺外原因，引起空气不能进入肺内，使肺泡萎陷不张，呈无气状态，丧失气体交换的功能。起病初期感到胸闷、气促、呼吸浅速，每分钟频率可达30次以上，轻度发绀；病情加重时，呼吸极度困难、极度窘迫，最后导致心力与周围循环衰竭。如果不及时抢救，常可造成死亡。

本病中医学属“厥脱证”、“肺痨”、“喘证”、“肺痿”等范畴，多为外感六淫之邪稽留，或因内伤久病，缠绵日久，或因外损性跌仆挫伤，以致伤阴耗气，肺脏受损，导致虚损，故胸闷、气促，呼吸浅速，锁骨缺盆处凹陷，血运不畅，阳气不充营血，故发绀，肺气将绝，则呼吸极度困难。痰阻气道，血脉瘀阻，致成厥脱重证。临床分为热毒袭肺、痰热壅肺、气阴两伤、心肾阳虚等证型。

**【必备验方】**

1. 蟾酥粉适量。每次服 10 毫克，每日 3～6 次。

2. 鹿血 2 克。好酒调服。高血压病患者忌服。适用于心肾阳虚型厥证。

3. 鲜白毛夏枯草（捣汁）、蜂蜜各适量。调匀，开水冲服，每服 2 匙，每日 5～7 次。适用于血脉瘀阻型脱症。

4. 百里香栓（每支含百里香油 200 毫克）。每取 1 支置于肛门内 2 厘米处，嘱半小时不排便。适用于服药困难患者。

**【名医指导】**

1. 对高危患者，应加强监护。

2. 密切观察病情变化，及时纠正呼吸循环衰竭。纠正缺氧，一般需高浓度面罩给氧；必要时机械通气给氧。

3. 积极配合治疗原发病。

4. 改善机体的营养状况，提高糖分、蛋白质及各种维生素的摄入量；必要时可静脉滴注复合氨基酸、血浆、白蛋白。

5. 坚持每日做呼吸体操及坚持做腹式呼吸，增强呼吸肌的活动功能。

6. 多吃富含维生素 A、维生素 C 的食物，如动物肝脏、胡萝卜、南瓜、甜薯、番茄、柑橘类水果等。

7. 防范坠积性肺炎：积极运动，预防上呼吸道感染，戒烟，积极治疗糖尿病、心脑血管疾病、贫血病、肿瘤等原发慢性病。需要特别提醒的是，在肺炎的高发季节中要尽量避免长期卧床（尤其是老年人，易造成坠积性肺炎）。

## 肺　　炎

肺炎是指由多种病原体引起终末气道、肺泡、肺间质的炎症，理化损伤、免疫损伤、过敏、药物亦可导致。肺炎分为支原体肺炎、真菌性肺炎和细菌性肺炎。其中，细菌性肺炎最为常见，主要致病菌有肺炎链球菌、金黄色葡萄球菌、甲型溶血性链球菌等。临床表现为寒战、高热、咳嗽、咳痰、胸痛、呼吸困难等。

本病中医学属“咳嗽”、“喘证”、“肺炎喘嗽”，又称“肺闭喘咳”、“肺风痰喘”，以发热、咳嗽、痰多、喘憋为特征。其病位在肺，与心、肝、肾关系密切。外邪内侵，邪郁于肺，化热、生痰、酿毒，三者互结于肺，发为本病。治疗得当，邪退正复，可见热病恢复期阴虚内扰之低热、手足心热或口干舌燥之证候。若风温热邪，久羁不解，易深入下焦，下竭肝肾，导致真阴欲竭，气阴两伤。治疗宜疏风宣闭、祛痰平喘、清热解毒、生津止渴。临床分为邪犯肺卫、痰热壅肺、热闭心神、阴竭阳脱、正虚邪恋等证型。

**【必备验方】**

1. 蒲公英 30 克，芦根 45 克，苦杏仁 10 克，粳米 60 克。将 3 味药水煎，去渣，加入粳米煮成粥，调味后服食，每日 1 剂，连用 7 日。适用于细菌性肺炎、病毒性肺炎。病久体虚、小便清长者忌用。

2. 雪梨 2 个，川贝母 4 克，冰糖 70 克，湿豆粉 10 克。将梨洗净、削皮、去核，切成 12 瓣，装入蒸碗内，入川贝母、冰糖，加开水 50 毫升，用温棉纸封严碗口，上笼蒸 2 小时，取出梨块摆入盘内，原汁倒入锅中加凉开水少许，用湿豆粉勾芡，淋在梨上，随意服食。适用于风热闭肺型小儿肺炎。

3. 白芥子 3 份（炒黄、炒香后研细末）、面粉 1 份。开水调敷于双侧肺俞、阿是穴（胸前和背后啰音最明显部位）。敷药前局部用热水洗净，盖 1～2 层油纱布，待局部发红或有烧灼感时去掉（一般敷 2 小时以上）。每日 1～2 次，3～5 日为 1 个疗程。适用于寒痰犯肺型肺炎。

4. 刮痧疗法：先刮风门、肺俞，再刮膈俞、心俞。痰多者，加刮丰隆；喘甚者，加刮定喘；用泻法，以皮肤出现刮痧痕为止，每日 1 次。

5. 取大椎、身柱、肺俞穴及啰音明显的相应区，选用单纯罐法进行拔吸，亦可采用刺络罐、挑针罐、皮肤针罐法。首先在穴位上施针，然后以闪火法将罐拔吸在穴位上，留罐10～15分钟，每日1次。

**【名医指导】**

1. 经常开窗通风，保持室内空气新鲜和清洁，搞好个人卫生及环境卫生。

2. 冬、春季节年老体弱者应避免去公共场所，以防感染各种流行疾病。

3. 积极锻炼身体，提高机体免疫力。对年老体衰和免疫功能减退者，如糖尿病、慢性肝病、脾切除者，注射肺炎免疫疫苗；流感季节，可注射流感疫苗。

4. 流行季节可选用贯众、板蓝根、大青叶煎水服。

5. 避免淋雨、受寒、醉酒等诱发因素。

6. 适当多吃水果，以增加水分和维生素。维生素C能增强人体抵抗力，维生素A对保护呼吸道黏膜有利。

7. 尽量多饮水，多食高蛋白易消化的食物或半流质食物；忌烟、酒，慎食辛辣刺激性食物。

## 肺尘埃沉着病

肺尘埃沉着病又称尘肺，是由于在职业活动中长期吸入生产性粉尘并在肺内潴留而引起的以肺组织弥漫性纤维化为主要病变的各种疾病的总称。易并发尘埃性支气管炎、支气管扩张、肺结核、肺气肿、肺部感染及肺部肿瘤等疾病，晚期可由于呼吸循环系统衰竭而危及生命。目前尚无根治方法，死亡率高。许多工业生产均可以产生粉尘而引起肺尘埃沉着病，为我国危害最广泛而严重的职业病。在我国现行的职业病中，有12种法定肺尘埃沉着病：硅沉着病（矽肺）、煤工尘肺、石墨尘肺、炭黑尘肺、石棉尘肺、滑石尘肺、水泥尘肺、云母尘肺、陶工尘肺、铝尘肺、电焊尘肺和铸工尘肺。其中以硅沉着病最为严重，它是由于生产过程中长期吸入大量含游离二氧化硅的粉尘所引起的以肺纤维化改变为主的肺部疾病。以下验方主要以硅沉着病治疗为主，其他各种肺尘埃沉着病的治疗均可参考。

中医学认为，本病多因粉尘毒物（邪毒）侵犯人体，浊气壅塞胸中、肺气不宣、肺络阻塞，瘀滞凝积成结节。长期吸入毒物导致机体阴阳平衡失调，脏腑功能紊乱，气血不和。粉尘毒物的吸入导致肺失宣降，肝失疏泄，肾不纳气，脾失健运，聚湿生痰，心阳不振，气机不畅，而产生以咳嗽、胸闷、胸痛、气喘、吐痰或痰中带血、唇紫、乏力，并伴有头昏、失眠、心悸、纳差等为主要表现的内脏痹病类疾病。粉尘毒物多属金石燥烈之品，郁于肺内可灼液为痰，又可化热伤阴。肺为气之主，肾为气之根，喘咳迁延日久必损及于肾，肾精亏虚无以化出元气，气根不固则气难于归根，咳喘更甚，呼吸困难。肺尘埃沉着病可分虚实，肺尘埃沉着病属实者，是肺气不宣致肝郁气滞血瘀；肺尘埃沉着病属虚者，多由于心、肺、脾、肾气血不足。临床上实证日久气血耗伤可导致虚证，虚证中可夹杂实证，本虚标实。

**【必备验方】**

1. 鲜枇杷叶1000克（去毛），川贝母16克（研末），硼砂10克（研末）。将枇杷叶水煎浓汁，去渣，再浓缩成500克药汁，加入川贝、硼砂调匀，分5日服，每日早、晚各以开水冲服1次。适用于肺阴虚型肺尘埃沉着病。

2. 皂角（去皮后酥炙）、白及各30克，甘草9克，桔梗、川贝母各16克。共研细末，炼蜜为丸，温开水送下，每日2次，每服3克。适用于肺尘埃沉着病伴呼吸困难者。

3. 红甘蔗、萝卜各5000克，蜂蜜、饴糖、香油、鸡蛋各适量。将甘蔗、萝卜洗净，切碎，捣汁，入蜂蜜、饴糖、香油调匀，熬炼成膏备用。每日清晨取2匙，打入鸡蛋2个，拌匀，笼蒸熟食，可连服。适用于硅沉着病迁延不愈者。

4. 海参30克，温水泡数小时，去肠杂及腹内泥沙，用刀刮去泥沙，再换温水浸泡后煮沸，再换温水浸泡，鲜梨2个，黑豆30克。同炖服。适用于肺气虚型硅沉着病。

5. 曼陀罗花、白芥子、麻绒、生石膏、

冰片各等份。共研末，加甘油、乙醇调贴于双侧肺俞、定喘穴、中府等穴。适用于轻症硅沉着病。

**【名医指导】**

1. 宜常吃猪血，常饮茶。

2. 忌吸烟。

3. 适度性生活，以保养肾精。

4. 保证充足的营养，多吃高蛋白质、高维生素及含钙质丰富的食品；多吃新鲜瓜果、蔬菜。忌食辛辣刺激食品。

5. 宜长期坚持适当的锻炼，增强机体的免疫力，如练气功等；综合运用调身、调息、调心三类练功类型，以增强体质，达到防治疾病的目的。

6. 本病是一种常见的职业病，长期与硅、石棉、煤矿及含真菌孢子的植物粉尘接触的人员，应定期做胸部X线检查，并注意有无胸闷及咳嗽等症状，若有应及时更换工作，或是定期调换工作岗位。

## 肺不张

肺不张是指因休克、补液过量、肺循环栓塞、氧中毒、严重创伤、严重感染、败血症等肺外感染以及其他因素（如毒性刺激性气体吸入、吸入性肺炎、放射性肺炎等）使呼吸道通气阻塞，空气不能进入阻塞远端的肺脏，肺泡内的空气渐被吸收，所属肺段或肺叶不能膨胀者。临床以右中叶肺不张多见，临床以咳喘、咳血、咳痰、发热、胸闷、气短等为主要症状。

本病中医学属“短气”、“胸痹”、“咳嗽”、“喘证”等范畴。临床分为肺虚燥热、肺气虚寒、肺肾两虚等证型。

**【必备验方】**

1. 芦根、白茅根各30克，鸡蛋2个，香菇、蘑菇、食盐、味精、香油各适量。将前2味水煎15～20分钟，取汁加入香菇、蘑菇水煎片刻，入搅匀的鸡蛋煮沸，加食盐、味精调味，淋上香油，佐餐服食，每日1剂。适用于肺气虚型肺不张。

2. 南沙参30～50克，玉竹30～60克，老雄鸭1只（约2000克），葱、生姜、味精、食盐各少许。将鸭去毛及内脏、洗净，与前2味及生姜加适量清水煮沸，改用文火焖煮1小时以上，加食盐、味精及葱花调味，随量佐餐服用，每日2次，每剂可用2～3日。适用于肺虚燥热型肺不张。

3. 银耳10克，生梨1～2个，荸荠12只，糯米粉50克，桂花、白糖各少许。将银耳水发、洗净，加水炖半小时待用；糯米粉用水调和，搓成丸子，入沸水内煮熟，加白糖、桂花调匀，倒入梨、荸荠块及银耳稍煮即可，每日1剂，分数次服食。适用于虚寒肺痿。

4. 金针菇250克，海参50克（泡发，洗净），猪腰1对，食盐、味精、黄酒、食油各适量。将猪腰洗净、切成腰花块，金针菇洗净、切段，与海参同入油锅煸炒，加食盐、味精、黄酒调味，佐餐服食，每日1剂。适用于肺肾两虚型。

5. 取肺俞、心俞、膻中、足三里、丰隆穴待用。取白芥子、延胡索、细辛、甘遂各等份。共为末，以生姜汁调敷上穴（每穴6～8克），外用胶布固定，3日换药1次，3次为1个疗程。

**【名医指导】**

1. 积极预防本病的发生：需要进行肺部手术的患者，术前半个月应戒烟；若有呼吸道感染者术前应充分有效抗感染；并在术前指导患者进行肺功能锻炼。

2. 术中气管内插管不宜过深，以免插入单侧气管引起对侧肺不张，尽量减少对肺组织的挤压，术毕吸尽痰液。术中避免使用长效麻醉药。

3. 术后在病情允许下用止痛药物；并辅助患者坐起，帮其拍背协助排痰。每1～2小时指导患者间歇性正压呼吸以保证深呼吸。

4. 应摄入充足的营养，宜多吃提高免疫力的食物，如蘑菇、猴头菇、草菇、黑木耳、银耳、百合等；宜常食海松子、红枣、桃子、栗子、花生、蜂乳、党参、太子参、牛肉、牛奶、芝麻、燕窝、猪肺等。忌吃辛散耗气及性寒凉之品，如山楂、金橘、石榴、柿子、薄荷、胡椒、槟榔等。

5. 戒烟、酒。

6. 本病患者应采取患处最高位的体位，以利于引流。

## 肺脓肿

肺脓肿是由于多种病因所引起的肺组织化脓性病变，常由各种病原菌感染产生肺部化脓性炎症、组织坏死、破坏、液化而形成。临床主要表现为高热、畏寒、咳嗽，继而脓肿破溃入支气管咳出大量脓性臭痰。多发生于壮年，男性多于女性。本病早期为化脓性炎症，继而坏死形成脓肿。急性肺脓肿常为一般上呼吸道、口腔细菌的混合感染，由于呼吸道吸入致病菌阻塞小支气管而引起肺部感染和脓肿。施行口腔、咽部手术（如摘除扁桃体、拔牙等）、龋齿、齿槽溢脓，脓性分泌物等吸入呼吸道也可引起，出现畏寒、发热（可达 39 ℃～40 ℃）。出汗、全身无力、食欲减退，伴有胸痛、咳嗽，咳痰初期为白色泡沫状，以后变为黄绿色黏液脓样，有时痰中带血。如长期不愈，纤维组织增生，就形成慢性肺脓肿。

本病中医学称“肺痈”。多因热毒壅肺，使肺叶生疮，血败肉腐，形成痈脓，是以骤起发热、胸痛、咳吐腥臭脓血痰为主要表现的内脏痈病类疾病。其病位在肺，病理过程分为初期、成痈期、溃脓期、恢复期，以清热解毒，化瘀排脓为法。临床分为肺虚燥热、肺气虚寒、肺肾两虚等证型。

**【必备验方】**

1. 瓜蒌 1 个，苦杏仁 100 个（去皮、尖，炒），川贝母 30 克（研细末）。将瓜蒌开 1 个小孔（如小指头大），纳入苦杏仁，用纸糊口，再用盐水和泥将周围包好，用炭火烧焦（存性），去泥，研细末，加川贝母末和匀。空腹白开水送服，每日 3 次，每次 3 克，小儿酌减（忌辛、辣、酒等刺激性食物）。

2. 鲜公猪肚 1 具，杉木炭、（上等）肉桂各 0.3 克，糯米 7 粒，冰糖 1250 克，芥菜卤汁适量。将猪肚翻去肠垢，加适量干面粉揉捏数遍后洗净，纳入杉木炭、肉桂、糯米、冰糖（外口用线扎牢），加水煮沸后改用文火浓煎至干。每日晨起后用刀割取猪肚 1 块，黄酒送服；另于晨起尚未洗脸前取芥菜卤汁 1 酒杯，以白开水冲服。适用于肺脓肿恢复期。

3. 牛肉 250 克，南瓜 500 克，生姜 25 克，食盐、味精各适量。将牛肉、南瓜、生姜分别洗净后切块。锅内加水适量，放入牛肉、生姜煮至八成熟，放入南瓜煮至肉烂，加入食盐、味精，分次服食，隔日 1 剂。同时配服六味地黄丸。

4. 栀子、紫苏子、苦杏仁各等份（捣碎），冰片 2～5 克（研粉）。混匀，加入 3～5 个红皮鸡蛋（去蛋黄）调匀，敷于实变体征明显有湿啰音或 X 线征象病变部位的相应表面的前后部位（敷至药液干燥），每日 2 次。适用于肺脓肿，也可用于大叶性肺炎、支气管肺炎等。

5. 白及、虎耳草各 30 克，大蒜 500 克。加清水 3000 毫升煎沸，继用文火煎 20 分钟，倒入冲壶内（仍用文火煎之），取一条 2～3 尺长的硬橡皮管，一头接住壶嘴上，另一头对准患者口鼻，令其缓缓吮吸其蒸气。每次 1～2 小时（吮吸后去渣，食蒜），每日或隔日 1 剂，连用 3～4 剂。

**【名医指导】**

1. 饮食宜清淡，营养丰富；不宜过咸、油腻，多食蔬菜；高热者可予半流质，如将黄豆磨浆，兑入冷开水或豆汁，频频服之。多吃水果，如橘子、梨、枇杷等。恢复期可食用薏米粥、桔梗贝母粥。禁食一切辛辣刺激及海腥发物，如辣椒、葱、韭菜、黄鱼、鸭蛋、虾子、螃蟹等。

2. 忌烟、酒。

3. 注意保持适度室温和湿度；室内空气宜新鲜、流通。

4. 注意采取适当的体位，辅以局部轻轻拍打以利积痰排出。

5. 宜卧床休息，避免体力活动。每日注意监测体温变化，并记录痰的色、质、量、味，积极配合各种检查。

## 肺纤维化

由于各种原因引起肺泡壁炎症，由淋巴细胞、浆细胞或巨细胞浸润，间质中有蛋白

性渗出物，最后发展为肺间质纤维化。肺脏间质组织由胶原蛋白、弹性素及蛋白糖类构成，当纤维母细胞受到化学性或物理性伤害时，会分泌胶原蛋白进行肺间质组织的修补，进而造成肺纤维化。即肺脏受到伤害后，人体修复产生的结果。本病起病隐匿，进行性加重，表现为进行性气急，干咳少痰或少量白黏痰，晚期出现以低氧血症为主的呼吸衰竭。检查可见胸廓呼吸运动减弱，双肺可闻及细湿啰音或捻发音，有不同程度发绀和杵状指；晚期可出现右心衰体征。

本病中医学称“肺痿”。多因咳喘日久不愈、肺气受损、津液耗伤，致肺叶枯萎不荣或痿弱不用，是以气短、咳吐浊唾涎沫为主要表现的内脏痿病类疾病。津伤则燥，燥盛则干，肺叶弱而不用则痿。病理性质有肺燥津伤、肺气虚冷之分，病理表现有虚热和虚寒两类。临床分为肺气虚损、气阴两虚、痰瘀阻肺、脾肾阳虚、瘀血内阻等证型。

**【必备验方】**

1. 白鳝250克，黑豆30克，调料适量。将白鳝去肠杂、洗净、切段；将黑豆以文火炒香，加水煮至六成烂，投入鳝段，加黄酒、葱节、生姜片、食盐、酱油、白糖，用文火炖熟，调入味精，佐餐服食。适用于肺肾两虚型特发性肺纤维化。

2. 枸杞茶6克，冬笋、冬菇（水发）各50克（切丝），白糖6克，调料适量。炒锅置火上烧热，放猪油至七成热时下入冬笋、冬菇略炒，放入枸杞茶颠翻数下，加入食盐、味精、白糖，再炒几下即可，佐餐服食。适用于血虚有热型特发性肺纤维化。

3. 嫩公鸡1只，生姜、葱各10克，食盐5克，花椒2克，陈皮、冰糖各25克，香油3克，菜油1000克（实耗75克），卤汁适量。将陈皮洗净后切丝，分成2份待用；公鸡去毛及内脏、洗净；生姜、葱、花椒、食盐加水以中火烧沸，加入鸡及一半陈皮煮沸约20分钟后，捞出鸡晾凉（汤不用）；锅中倒入卤汁置中火上烧沸后，将鸡下入卤汁内卤熟捞出。另用炒锅加入少许卤汁，下入冰糖、食盐收浓成汁，调好味，抹在鸡的面上；炒锅再置中火上倒入菜油，烧至油泡散尽青烟后，离火，待油温略降后将余下的陈皮撒锅内炸酥并用油将鸡反复淋烫2遍，再抹层香油，放入盘后可将炸酥的陈皮丝撒在上面，随意食用。适用于特发性肺纤维化。

4. 南沙参、玉竹各30～50克，老雄鸭1只（重约2000克），葱、生姜、味精、食盐各适量。将鸭去毛及内脏、洗净，与南沙参、玉竹、葱、生姜及适量清水，用武火烧沸后转用文火焖煮1小时以上，放入食盐、味精搅匀即可，佐餐食，每周2次，5次为1个疗程。适用于肺热液干型肺纤维化。

5. 白芥子、细辛、甘遂、白芷、川乌、草乌各等份。共研细末，每取35克，以生姜汁调成膏状，分成7～8块（咳7喘8）摊于5厘米×5厘米方形牛皮纸之上。急性期，第1日贴双侧大杼、肺俞、心俞及膻中，喘明显者加气海；第2日，大杼、身柱、华盖、灵台及双侧中府；第3日贴双侧鱼际、涌泉。缓解期，贴双侧大杼、肺俞、心俞及膻中，喘者，加气海。第1次贴6～8小时，第2次贴4～6小时，第3次贴4小时，3次为1个疗程，每疗程间隔10～15日。适用于咳喘严重者。

**【名医指导】**

1. 及时补充水分、增加液体摄入量。不能饮食时，宜置胃管，定时定量补充液体及流质、半流质饮食；必要时静脉补液，以保证充足水分。

2. 严禁辛辣、肥甘厚腻食物，如虾、肥肉；忌酒、浓茶；饮食宜清淡。戒烟。

3. 加强锻炼，提高机体抗病能力。

4. 完全避免接触致病的环境。

5. 做好就业检查，包括X线胸片。

6. 对于早期病症需用激素者，应按医嘱坚持服用，定期减量；避免突然停药，或乱加量。

## 胸腔积液

胸腔积液是指胸膜毛细血管的液体渗出、胸膜小静脉与淋巴管在吸收三者之间的平衡失调而发生胸膜腔内液体潴留。正常人的胸膜腔内有少量浆液，在呼吸运动中起润滑作

用，以减少运动时两层胸膜之间的摩擦。任何原因造成的胸膜腔液体的渗出增加或再吸收减少都可形成胸腔积液。如充血性心力衰竭、缩窄性心包炎、肺循环的静脉压增加等导致的胸膜毛细血管内静水压增加，肾病综合征、肝硬化、慢性感染等导致的血浆胶体渗透压降低，结核性（或肺炎性）胸膜炎、胸膜肿瘤、膈下脓肿、肝脓肿、肺梗死、系统性红斑狼疮、类风湿关节炎等导致的胸膜毛细血管通透性增加，淋巴反流先天性异常或癌栓、寄生虫堵塞等壁层胸膜淋巴回流障碍，外伤或疾病等导致的损伤性胸腔积液。胸腔积液分为漏出性和渗出性两大类，临床主要表现为胸闷、气促、呼吸困难，可伴有发热、胸痛、心悸等。

本病中医学又称“胸痛”、“咳嗽”。主要因感受寒湿，饮食不当，或劳倦内伤，以致肺、脾、肾三脏的气化功能失调，水湿不化，精微输布失常，精液停积而形成痰饮，饮停于胸胁成悬饮。病性总属阳虚阴盛，本虚标实之证。临床分为邪犯胸肺、饮停胸胁、气滞阻络、阴虚内热等证型。

**【必备验方】**

1. 枳实（麸炒去瓤）、法半夏（汤洗）、陈皮（去白）各 60 克，黑丑 90 克（取头末）。共研细末，水煮面糊为丸（如梧桐子大），饭后生姜汁送服，每次 50 丸。适用于结核性胸膜炎导致的胸腔积液。

2. 川贝母 12 克，雪梨 6 个，糯米、冬瓜各 100 克，冰糖 180 克，白矾适量。将糯米煮成稀饭；将糯米稀饭、冬瓜条、冰糖屑、川贝母分成 6 等份，分别放入 6 个雪梨中，蒸熟食，每日早、晚各 1 个。适用于阴虚型胸痛。

3. 鲜芦根 100～150 克，竹茹 15～20 克，粳米 60 克，生姜 2 片。将芦根、竹茹水煎，去渣，入粳米煮成粥，加入生姜煮熟即食。适用于阴虚型胸痛。

4. 刮痧疗法：肺俞、脾俞、肩井、膻中、期门、尺泽、郄门、支沟、足三里、阳陵泉、外丘。用泻法刮肩井、肺俞、脾俞（至刮出痧为止）；平刮膻中、期门，各 30 次；刮上肢内侧尺泽、郄门及外侧支沟，各 30 次；刮足三里、阳陵泉、外丘，各 30 次。对症状有一定缓解作用。

5. 穴位埋植羊肠线法：取结核穴、厥阴俞、肺俞、膏肓、云门等穴，交替埋植羊肠线，间隔 20～30 日；痰多加丰隆，咳血加孔最，发热加曲池。

**【名医指导】**

1. 加强体质锻炼，吸烟者应戒烟。

2. 居住地要保持清洁和干燥，注意个人卫生，避免湿邪侵袭。

3. 注意饮食清洁，加强营养。以高蛋白、高钙、高维生素的饮食为主，多食蔬菜水果，不恣食生冷，不暴饮暴食。

4. 及时治疗，避风寒，慎起居，怡情志，以早日康复。

5. 严重者要卧床休息，防病情加重。

6. 积极查找病因，针对原发病因治疗。

7. 避免感染。

## 肺　　癌

肺癌是常见的恶性肿瘤之一，是指发生于支气管黏膜上皮、支气管黏膜腺体、细支气管上皮及肺泡上皮的恶性肿瘤。吸烟、化学物质的接触、放射线的接触、慢性肺脏疾病以及空气污染等因素是造成肺癌的主要原因。烟雾中有 22 种致癌物质，化学物质包括二氯甲醚、氯甲甲醚等与肺癌的发生有关，而肺结核、慢性支气管炎与肺癌常并存。另外，肺癌的发生也有种族和遗传的差异。根据肿瘤发生的部位不同，分为中央型、周围型、弥漫型；根据肿瘤的肉眼形态，分为管内型、管壁浸润型、结节型、块状型、弥漫浸润型；根据组织学分类，分为鳞状上皮细胞癌、小细胞未分化癌、大细胞未分化癌、腺癌。临床表现主要有咳嗽、咯血（或血痰）、胸痛、发热、气急、呼吸困难，伴有乏力、体重减轻、食欲不振等。

本病中医学属“肺积”、“痞癖”、“咳嗽”、“咯血”等范畴。主要是由于正气虚损、阴阳失调，邪毒乘虚入肺，导致肺脏功能失调，宣降失司，气机不利，血行受阻，津液失于输布所致。肺癌是本虚标实之证，本虚以阴虚、气阴两虚多见，实则不外乎气滞、

血瘀、痰凝、毒聚。临床分为气血瘀滞、痰湿蕴肺、阴虚毒热、气阴两虚等证型。

**【必备验方】**

1. 沙棘果膏、碱花、余甘子各20克。将碱花、余甘子共研细末，与沙棘果膏配研细末，炼蜜为丸（每丸5克），嚼服，每日1～2次，每次1丸。适用于肺癌咳嗽频作、咳痰不利、喑哑不扬、食后呕吐者。

2. 甜杏仁10枚，牛乳100毫升，大枣5枚，粳米50克，桑白皮10克，生姜3克。将杏仁用水浸泡，去皮、尖，加入牛乳绞汁；大枣去核，生姜切片；将桑白皮、生姜、大枣水煎，取液加粳米煮成粥，入杏仁汁煮沸即可。每日2次。适用于呼吸道癌症、肺气肿、肺心病。

3. 鲜鱼腥草100克，赤小豆50克。将鱼腥草洗净、切段，水煎2次，每次加水500毫升煎20分钟，去渣，混合药液，与赤小豆以小火煮熟，分2次服食。适用于肺癌伴胸腔积液者。

4. 白矾60克，珍珠4粒，轻粉3克。共研细末，分装入14枚去核大枣内（外用棉线扎紧），放入豆秸炭火内煨热，将煨热的7枚大枣放在一手心内握住（并不断转动），待有烫感后急转放入另一手心（仍不断转动），不热再换，每次45分钟（微微汗出为度），隔日1次，10日为1个疗程，连用2～3个疗程。

5. 天仙子、冰片各20克。共研末，每取适量，以温开水调敷于痛处，外用胶布固定，每日更换。适用于肺癌疼痛者。

**【名医指导】**

1. 积极、主动戒烟。

2. 在空气污染重的日子尽量不外出，不在交通高峰期上街；锻炼身体宜选择在空气相对较好的上午9时或下午5时。

3. 预防慢性支气管炎、肺结核、肺尘埃沉着病及硅沉着病等呼吸道疾病。

4. 保持居室空气流通；早起早睡，保证午睡1～2小时；康复期可进行力所能及的体育锻炼。

5. 宜食用高蛋白、高热量、高维生素、易消化食物，如蛋类、鱼类、瘦肉、豆制品、蔬菜等。

6. 保持良好的心态，乐观面对生活，建立战胜疾病的信心；提高对接受各种治疗的忍耐力。

7. 每日吃胡萝卜。

8. 定期体检，注意癌前病变。

9. 避免电离辐射及接触致癌物质，如石棉、砷、铬、镍、氯甲甲醚等。

# 第二章　循环系统疾病

## 急性心力衰竭

急性心力衰竭（简称急性心衰）是指短时间内心肌收缩力明显降低或心脏负荷明显增加，导致心排血量急剧下降、肺循环压力急剧上升而引起的临床综合征。临床表现为急性肺水肿、严重呼吸困难、发绀、咳粉红色泡沫痰，重者可发生心源性休克、昏迷而导致死亡。

本病中医学属“怔忡”、“惊悸”、“心悸”、“胸痹”、“水肿”等范畴。

### 左心衰

**【必备验方】**

1. 黄芪30～60克，粳米100克，红糖少量，陈皮末1克。将黄芪水浓煎，取汁与粳米、红糖同煮成粥，调入陈皮末稍沸，早、晚温热分服。适用于心气虚型心力衰竭。

2. 乌（母）鸡1只，陈醋1500～2000毫升。将母鸡去毛及内脏、切碎，以醋煮熟，分3～5次热服，重者连用2～3只。适用于左心衰咳嗽痰多者。

3. 海螵蛸适量。洗净，瓦上焙枯，研细粉。开水送服，成人每日15克，分2次服；患儿每日6克，加红糖调服。适用于急性左心衰喉中痰鸣者。

4. 老南瓜1个，麦芽糖1000克。将南瓜挖一小洞，去籽，纳入麦芽糖，蒸熟食，每日早、晚各1次，每次1汤匙。适用于急性左心衰呼吸困难者。

5. 茯苓粉90克，大枣10枚，粳米150克，食盐、味精、胡椒粉各适量。将粳米、大枣淘洗干净，与茯苓粉同加水烧沸，改用文火煮至粥熟，调入食盐、味精、胡椒粉即成，每日分2次服。适用于急性左心衰呼吸困难者。

**【名医指导】**

1. 家庭备用急救药物，必要时使用。

2. 尽力安慰患者，消除其紧张情绪。

3. 协助患者采取坐位或倚靠坐位、双腿下垂（急性心肌梗死、休克患者除外），以减少回心血量，增加肺活量以利呼吸，使痰较易咳出。家中如有吸氧条件，可立即给患者吸氧，氧气最好能经过湿化瓶再入鼻腔。若将湿化瓶中的水倒出30%～40%，加入等量的乙醇，效果更佳。

4. 止血带结扎四肢近端，轮流放松每一肢体，每次5分钟；旨在减少回心血量，减轻心脏负担，但需防止结扎过久而引起动脉供血障碍和坏疽。

5. 病情危重期间需禁食；病情稳定后宜给低热量、易消化饮食，少量多餐；注意晚餐不宜过饱，减少饮水量，避免夜间发生左心功能不全，严格限制钠盐摄入，控制在0.5～1克/日以下，适当限制水分。用利尿药者，应食用一些含钾高食物，如瘦肉、紫菜、新鲜蔬菜等。

6. 去医院途中要坚持端坐位、两腿下垂，绝不能让患者勉强步行去医院。

7. 患者起病急骤、病情严重，故必须迅速、积极抢救，同时尽快寻找原因，以利病因治疗。

### 全心衰

**【必备验方】**

1. 葶苈子、桑白皮、丹参各15克，红花、桃仁、赤芍各10克。水煎服，每日1

剂，每日 2 次。若阴（血）虚，可选加太子参、沙参、麦冬、生地黄、熟地黄、玄参、五味子、柏子仁、酸枣仁、珍珠母、阿胶、龟甲胶等；阳（气）虚者，可选加熟附子、桂枝、淫羊藿、巴戟天、菟丝子、党参、枸杞子等；水肿者，可选加茯苓、猪苓、泽泻、车前子、玉米须等；肾虚喘甚者，可选加五味子、紫河车、蛤蚧等；脉结代者，可选加苦参、炙甘草、磁石、珍珠母、琥珀、生龙骨、生牡蛎等。

2. 黄芪 10～15 克，党参、制半夏、泽泻各 10 克，益母草 10～12 克，炙附片 6～10 克，北五加皮 4～10 克。水煎服，每日 1 剂，每日 2 次。吐甚者，加竹茹、生姜；咳嗽、叹息不得卧者，加紫苏子、白果、炙麻黄等；水肿明显伴咳吐稀白泡沫痰者，加白术、茯苓、车前子、紫苏子、白芥子等；阳虚明显者，加菟丝子、补骨脂等；阴虚明显者，去附子，加麦冬、五味子。

3. 黄芪 40 克，当归、赤芍、川芎各 15 克，桃仁、红花各 12 克，地龙 10 克。水煎服，每日 1 剂，每日 2 次。阴虚血燥者，加女贞子、墨旱莲；热咳者，加车前子；亡阳欲脱者，加人参、附子；心功能改善后夜寐不宁者，去赤芍、地龙，加熟酸枣仁、知母。

4. 桑白皮、前胡、麦冬、黄芩、虎杖、浙贝母各 12 克，车前子、茯苓各 30 克，鱼腥草 20 克，黄精、金银花、葶苈子各 15 克。水煎服，每日 1 剂，每日 2 次。

5. 桃仁、红花、当归尾、牛膝各 3 克，三棱、莪术各 6 克，苏木、木通、官桂、青皮、穿山甲各等份。酒煎，空腹服。

**【名医指导】**

1. 宜进食清淡、易消化食物。

2. 避免大量饮水。

3. 半卧位或坐位休息。

4. 注意保暖，避免感冒；预防感染。

5. 避免过度劳累、情绪激动和精神紧张等应激状态及各种感染，不擅自加用非甾体消炎药、激素、抗心律失常药等。

6. 家中如有吸氧条件，可立即给患者吸氧，氧气最好能经过湿化瓶再入鼻腔。若将湿化瓶中的水倒出 30%～40%，加入等量的乙醇，效果更佳。

## 慢性心力衰竭

慢性心力衰竭（简称慢性心衰）是指慢性原发性心肌病变与心室因长期压力（或容量负荷过重），使心肌收缩力减弱，不能维持心排血量。一般分为左心衰、右心衰和全心衰，常见病因为风湿性心脏病、原发性高血压、缺血性心脏病、心肌炎、主动脉瓣狭窄（或关闭不全）、室间隔缺损、肺心病、肺动脉瓣狭窄等。任何年龄均可发病，常有反复发作，部分患者可获痊愈。

左心衰主要由于左心房或右心室衰竭，引起肺淤血、肺水肿；临床表现为呼吸困难、咳嗽、咳痰、咯血，可伴有疲乏无力、失眠、心悸、少尿及肾功能损害等症状。右心衰是由于右心房或右心室衰竭，引起体循环静脉淤血和水钠潴留；临床表现为上腹部胀满、颈静脉怒张、水肿、发绀，可伴有神经过敏、失眠、嗜睡等症状。

本病中医学属“怔忡”、“惊悸”、“心悸”、“胸痹”、“水肿”等范畴。

**【必备验方】**

1. 鲜卷柏 30～60 克。水煎 2 次（首煎加水 150 毫升煎取 60 毫升，二煎加水 120 毫升煎成 40 毫升），混合煎液，每日 3 次分服。心力衰竭控制后应即改用维持量。

2. 陈皮适量。洗净、切丝，放入铝锅内，加入陈皮质量一半的白糖（添水没过陈皮为度），以大火煮沸后改用小火煮至余液将干时，陈皮盛出放在盘内，待冷撒入大约陈皮质量一半的白糖，拌匀食。适用于慢性心衰咳嗽多痰者。

3. 燕窝 10 克，大米 100 克，冰糖 50 克。将燕窝放温水中浸软，摘去绒毛污物后放入开水中泡发；大米淘洗干净后加水 3 大碗，以旺火烧开，改用文火熬煮。入发好、洗净的燕窝同熬 1 小时，加入冰糖溶后即可。适用于慢性心衰咳嗽多痰者。

4. 罗汉果半个，柿饼 2～3 个，冰糖少许。将罗汉果洗净，与柿饼加水 2.5 碗煎至 1.5 碗，去渣，加冰糖调味，每日分 3 次饮

用。适用于慢性心衰咳嗽多痰者。

5. 龙眼肉 15 克，鸡蛋 1 个（去壳）。将龙眼肉水煎至出味，加入鸡蛋煮熟，加少许白糖服。适用于慢性心衰不寐者。

**【名医指导】**

1. 在感冒流行季节或气候骤变情况下，患者应减少外出；出门应戴口罩并适当增添衣服，并应少去人群密集的公共场所。避免发生呼吸道感染，使病情急剧恶化。

2. 适量活动，即做力所能及的体力活动；忌活动过多、过猛，更不能参加较剧烈的运动，以免增加心脏负荷，诱发心衰加重。

3. 饮食宜清淡，少盐、少油腻，多吃新鲜蔬菜、水果。对于已经出现心衰的患者，一定要控制盐的摄入量，以免加重水肿。

4. 应有健康的生活方式：戒烟、戒酒；保持心态平衡；保持情绪平稳，忌大怒、过于兴奋；应保证充足的睡眠。

5. 每日测体重并作记录，限盐、限水（每日液体＜2 升）。可适当运动，每日步行 30 分钟，每周坚持 5～6 日，并逐渐加量。

6. 禁止滥用药物，如非甾体消炎药、激素、抗心律失常药等。

## 快速性心律失常

快速性心律失常是常见的心血管急症，为突发性的心搏过速（每分钟达 100～250 次），发作时间可由数秒至数周。患者病发时会突然感到心脏急剧跳动、忐忑不安、胸闷、头晕、乏力、胸痛（或有压迫感）、面色苍白、四肢厥冷、血压降低，偶可晕厥，脉象多为数脉、疾脉、促脉及洪脉。

本病中医学属“心悸”、“怔忡”等范畴。为气血及阴阳亏虚，或邪毒、痰饮、瘀血阻滞心脉，致心失濡养、心脉不畅、心神不宁。

**【必备验方】**

1. 当归、生姜各 75 克，羊瘦肉 1000 克，八角茴香、桂皮各少许。同加水以文火焖熟，去药渣，食肉服汤，每次适量。适用于窦性心动过缓、病态窦房结综合征、房室阻滞者。

2. 龙眼肉 125 克（焙干，研细末，布包），白酒 500 克。同密封浸泡（每日晃动 1 次，7 日后改为每周晃动 1 次）100 日，即可饮服。适用于阳痿、心悸、夜寐不酣者。

3. 银耳 10 克，鸡蛋清 1 个，冰糖 60 克，猪油适量。将银耳水发，摘去蒂头，洗净，水煎至沸，改用文火煮熟（至银耳酥烂），加入冰糖搅拌至溶化，入鸡蛋清煮沸，加入熟猪油即可，每日早晨或睡前服食。适宜于肺虚咳嗽、心悸、失眠、久泄便溏者。

4. 三七 5 克，紫苏子、白芥子、莱菔子各 10 克，大米 100 克，白糖适量。将前 4 味加水浸泡 5～10 分钟后煎汁，去渣，入大米煮成粥，调入白糖煮 1～2 沸即可。每日 1 剂，7 日为 1 个疗程，连用 2～3 个疗程。适用于慢性心功能不全、心悸怔忡、胸闷心痛、头晕气短、唇甲青紫。

5. 党参、麦冬、五味子各 10 克，大米 50 克，冰糖适量。将前 3 味，水煎，取汁与大米加适量清水煮成粥，调入冰糖煮 1～2 沸即可（或将生脉口服液 1 支，调入粥中）。每日 2 剂，7 日为 1 个疗程，连用 2～3 个疗程。适用于慢性心功能不全、心悸怔忡、疲乏无力、失眠多梦、五心烦热、潮热盗汗、面色无华者。

**【名医指导】**

1. 戒烟、酒。

2. 注意调节情志，防止喜、怒、悲等七情过极；并应避免惊恐刺激。

3. 适当参加体育锻炼，如散步、太极拳、体操、气功等；注意休息，少房事；避免汗出当风，预防感冒等。

3. 保持精神乐观，情绪稳定，坚持治疗，坚定信心。

4. 生活作息要有规律，饮食有节，宜进食营养丰富而易消化吸收的食物，宜低脂、低盐饮食；少食含动物脂肪多及辛辣刺激性食物；忌浓茶、咖啡。避免乱服滋补之品。

5. 轻症者，可从事适当体力活动，以不觉劳累、不加重症状为度，避免剧烈活动；重症者，应卧床休息，并注意观察病情，及早发现变证、坏病先兆症状，随时准备住院治疗。

## 缓慢性心律失常

缓慢性心律失常是以心率缓慢、心室率低于60次/分钟为特征的一类心律失常。缓慢性心律失常是心血管疾病的常见病症之一，包括窦性心动过缓、房室阻滞、病态窦房结综合征，多发于冠心病、心肌炎、高血压心脏病、原发性心肌病等。缓慢性心律失常临床特点为心率缓慢和血流动力学改变而引起一系列临床症状，甚至出现阿-斯综合征、心脏性猝死；部分患者会有头晕、乏力、胸闷、胸痛等症状。

本病中医学属“心悸”、“胸痹”、“眩晕”、“迟脉症”等范畴，以持久的脉搏缓慢为主，伴有心悸、胸闷、气短乏力、面色㿠白、畏寒肢冷、腰膝酸软、头晕耳鸣甚至晕厥等为特征。由于上焦阳气不足，心阳不振，鼓动无力，下焦阳气亏虚，肾阳不足，温煦无权，不能蒸化水液，停聚而为饮，饮邪上犯，心阳被抑，因而引起心悸。本病的主要病因病机为心肾阳虚。

**【必备验方】**

1. 酸枣仁30～45克，粳米100克。将酸枣仁捣碎，浓煎取汁；将粳米加适量水同煮至半生半熟，兑入酸枣仁汁煮成粥，晚饭时温热服食。

2. 茴心草鲜者30克（干品6克），冰糖适量。水煎服，每日1剂，15日为1个疗程，每疗程间隔2～3日，连用2～3个疗程。适用于心悸。

3. 天麻15克，童雌鸡1只（处理干净）。纳入天麻，炖（或蒸）2小时，食肉饮汤。适用于缓慢性心律失常所致头晕者。

4. 青壳鸭蛋1个（去壳），大枣10枚。加少许水搅匀，蒸熟，早晨空腹服，连用5日（忌辣物）。适用于缓慢性心律失常引起头晕者。

5. 黄芪30克，山茱萸10克。水煎30分钟，去渣，入瘦猪肉片（100克）煮熟，调味后服食。适用于缓慢性心律失常所致乏力者。

**【名医指导】**

1. 宜进食高热量、高维生素而易消化的食物，避免食用过硬及带刺激的食物。

2. 戒烟、酒。

3. 保持心情舒畅，情绪平稳；避免忧思恼怒及惊吓。

4. 平时可服益气养心的药膳，如人参粥、大枣粥、莲子粥等。

5. 适当参加体育锻炼，如练气功、打太极拳、散步等；注意劳逸结合。

6. 生活规律，起居有常，慎房事。

7. 房室阻滞严重者，可在专业医师的指导下安装永久性心脏起搏器。术后注意定期体检。

## 休　克

休克是由于有效循环血量锐减、全身微循环障碍而引起重要生命器官（脑、心、肺、肾、肝）严重缺血、缺氧的综合征。其典型表现为面色苍白、四肢湿冷、血压降低、脉搏微弱、神志模糊，主要通过血量减少，心输出量减少及外周血管容量增加等途径引起有效循环血量剧减、微循环障碍，导致组织缺血、缺氧，致代谢紊乱及重要生命器官遭受严重的损害。

本病中医学属“厥症”、“脱证”等范畴（“厥”是急症，“脱”是危症）。

**【必备验方】**

1. 大枣、花生仁各100克，蜂蜜200克。将花生仁和大枣以温水泡后加适量水，以小火煮熟，加入蜂蜜煮至汁液黏稠即可。适用于气血不足者。

2. 鲜（连根）菠菜200～300克，猪肝150克。将菠菜洗净、切段，猪肝切片；将水烧开，加入少许生姜丝及食盐，再放入猪肝和菠菜煮至熟，佐餐食用。

3. 甘草20克，桂枝40克，肉桂50克。混匀，分3日水煎，代茶饮。适用于休克、低血压。有实热症（或血虚）、有热症者不宜用。

4. 鲫鱼2条，糯米50克。将鲫鱼去肚杂、洗净，与糯米同煮成粥，加入油、食盐、葱、生姜调服，每周2次，连服2个月。适用于休克、低血压。

5. 乌骨鸡1只，当归60克，黄芪50克，红糖150克，米酒50毫升。将鸡去毛及内脏，纳入后4味再将鸡肚皮缝紧，隔水蒸熟，吃肉喝汤，15日1次，连服2个月。适用于休克、低血压。

**【名医指导】**

1. 患者应采取中凹卧位：患者头胸部抬高20°～30°，下肢抬高15°～20°，使用抗休克裤。

2. 保暖。

3. 保持呼吸道通畅：一般用鼻导管吸氧，流量4～6升/分钟，严重缺氧或发绀时应增加至6～8升/分钟，或根据病情采用面罩或正压给氧。

4. 尽快医院就诊，建立静脉通路。

5. 镇静止痛；观察呼吸、脉搏、血压、心率、血氧饱和度等生命体征。

6. 积极治疗原发疾病。记录出量和入量。

## 原发性高血压

原发性高血压又称高血压病，其病因不明，占高血压的95%以上；不足5%的患者中，血压升高往往是某些疾病的临床表现，且有明确而独立的病因，称继发性高血压。原发性高血压除了可引起高血压本身的有关症状外，长时间还可成为多种心脑血管疾病的重要危险因素，并影响重要脏器（如心、脑、肾）的功能，最终可导致这些器官的功能衰竭。

本病中医学属"眩晕"、"头痛"、"心悸"、"胸痹"、"中风"、"水肿"等范畴。

**【必备验方】**

1. 菠菜根100克，海蜇皮50克，香油、食盐、味精各适量。将海蜇皮洗净、切丝，与菠菜根用开水烫过，加调料拌匀食用。适用于高血压面赤、头痛者。

2. 黄鳝120克，西瓜皮、芹菜各150克，生姜、葱、蒜各少许。将黄鳝去头、内脏及脊骨，用少许盐腌去黏液，入沸水中汆去血腥，切片；西瓜皮切条；芹菜去根叶、切段；均入沸水中焯一下捞起备用；炒锅内加香油，下生姜、蒜蓉、葱爆香，放入鳝片稍炒，再入西瓜皮、芹菜翻炒至熟，调味勾芡，即可佐餐食用。

3. 天麻末9克，鸭蛋2个。将鸭蛋放入盐水中浸7日，在顶端钻1小孔后倒出适量鸭蛋清，纳入天麻末（若鸭蛋不充盈，可将倒出的鸭蛋清重新装入，至充盈为度）。然后用麦面作饼将鸭蛋上的小孔封闭，随即将鸭蛋完全包裹，放火炭灰中煨熟，每日早晨空腹时用开水送服，每次2个，连服5～7日。

4. 黄瓜60克，芹菜、菠菜各150克，绿豆芽、海蜇各50克，大蒜20克，大葱1根，生姜、醋、香油各5克，酱油10克，食盐3克。将黄瓜洗净、去皮，切丝；芹菜、菠菜洗净后切段；绿豆芽洗净、去杂质；海蜇水发、切丝，放入沸水中煮熟，晾凉备用；大蒜去皮、洗净、切粒；葱洗净、切花；生姜洗净、切丝。将芹菜、菠菜、绿豆芽同放沸水中焯熟，晾凉备用。将芹菜、菠菜、绿豆芽、黄瓜丝、海蜇丝同放盆内，加入葱花、蒜粒、生姜丝、醋、食盐、酱油、香油等调匀，即可装盘食用，每日1次（现拌现食），每周5～6次，连服2～3周为1个疗程（正常人也可当菜不定期或长期食用）。适应于高血压头痛眩晕、失眠胸闷、肢体麻木、肌肉跳动、言语不利、视物不清等风痰上逆表现者。

5. 山查1500克，白糖适量。将山楂洗净、去籽，入不锈钢锅内煮烂，放入白糖，凉后放冰箱储藏，每日随意食用。

**【名医指导】**

1. 减少钠盐的摄入，增加食物中钾盐的摄入量（如常吃香蕉等）；保持大便的通畅。

2. 饮食以清淡为主，少吃油腻食物及甜食；多食新鲜蔬菜、水果，如芹菜、韭菜、白菜、菠菜、苦瓜等；忌暴饮暴食。

3. 控制体重，减少体内脂肪量，可显著降低血压。

4. 戒烟，适当饮酒；避免大量饮酒及喝烈性酒，以预防脑出血的发生。

5. 保持轻松愉快的情绪，避免过度紧张；忌情绪激动、暴怒，防止发生脑出血；避免看紧张、恐怖、血腥的小说、电影、电视等。

6. 在工作1小时后最好能休息5～10分钟，可做操、散步等来调节疲劳。心情郁怒时，应转移注意力，通过轻松愉快的方式来缓解情绪。

7. 坚持打太极拳、练气功等，每日早、晚各1次；避免负重、长跑、搬运重物等。

8. 洗澡以洗温水适宜，不应过热或过冷；睡前用温水浸泡双脚。

9. 中、晚期高血压患者，应坚持服药。如一种药物产生耐药性时，应在专业医师的指导下及时更换其他药物。不能随意停药；平时定期测量血压。

## 心绞痛

心绞痛是一种由于冠状动脉供血不足、心肌急剧、暂时缺血与缺氧而导致阵发性前胸疼痛为特点的临床证候，多在劳累、激动、受寒、饱食、吸烟时发作。检查可见心电图有心肌缺血等表现。

本病中医学属“胸痹”、“心痛”、“厥心痛”、“真心痛”等范畴。多因中老年脏腑功能渐衰，膏粱厚味损伤脾胃，或七情内伤所致气滞、血瘀、痰浊内生，使脉络不通，不通则痛而发病；心痛病位在心，其本在肾。肾为先天之本，心、肾二脏以经络相连；肾阴不足，不能上济于心，阴虚生内热，热结于里，熬煎血液而成瘀滞，阻于心脉，心失所养，而致心痛，肾阳不足，心失温煦，亦可致心阳不足，鼓动无力，而成瘀滞。血瘀痰阻，又以血瘀为多见，因寒凝、热结、痰阻、气滞、气虚等因素皆可致血脉瘀滞，而为瘀证，血瘀停着不散，心脉不通，故疼痛如刺如绞而痛处不移。

**【必备验方】**

1. 龙眼肉250克，麦冬150克，炒酸枣仁120克，西洋参30克，蜂蜜适量。将前4味水煎3次，合并煎液，以文火浓缩，入蜂蜜熬至膏状。每日早、晚各服15～30克。适用于阴虚阳闭型心绞痛。

2. 栀子、桃仁各12克，蜂蜜30克。将前2味研细末，以蜂蜜调敷于心前区，外以纱布敷盖，第1周3日换药1次，以后每周换药1次，6次为1个疗程。

3. 鸡蛋25个，朱砂、珍珠粉各3克。将鸡蛋煮熟，取蛋黄放锅内，用文火炒至出黑烟，然后放在双层纱布里榨取蛋黄油，榨后再炒（至第二次为止），加入朱砂、珍珠粉搅匀即可。每日1剂，连服10剂。

4. 青柿子（七成熟）1000克，蜂蜜2000克。将柿子洗净、去柿蒂，切碎、捣烂，用消毒纱布绞汁，以文火煎至浓稠，加入蜂蜜、熬至黏稠，冷后，装瓶。开水冲服，每次1汤匙，每日3次。

5. 干冬菇20个，大枣8枚，料酒、食盐、味精、生姜片、花生油各适量。将冬菇用冷水洗净，大枣洗净；用有盖炖盅1个，加入清水、冬菇、大枣、食盐、味精、料酒、生姜片、熟花生油，用牛皮纸封好，以急火炖1小时左右，即可服食。

**【名医指导】**

1. 饮食调理：低盐、低脂清淡饮食；避免食用动物内脏、肥肉类食物；多吃富含维生素和膳食纤维的食物，如红薯、山药、豆类及新鲜的蔬菜、水果，可坚持吃黑木耳、灵芝等；避免吃刺激性和胀气食物；注意少食多餐，切忌暴饮暴食。

2. 保持大便通畅，避免排便时过分用力；排便后起身宜慢。

3. 避免情绪过分激动。发怒、精神高度紧张、过分焦虑和应激，均可诱发心绞痛发作。

4. 戒烟。

5. 适当进行有氧运动锻炼，如打太极、练气功、慢跑等，每日1～2次，每次控制在50分钟内，每周3～5次，应长期坚持。避免过度劳累。

6. 避免汗出当风，预防感冒；避免过重体力劳动及剧烈咳嗽。

7. 随身携带应急药物，如硝酸甘油片、速效救心丸等。

## 心肌梗死

心肌梗死是指冠状动脉闭塞、血流中断致使部分心肌严重、持久性缺血而发生局部

坏死。临床表现为剧烈而较持久的胸骨后疼痛、发热、白细胞增多、红细胞沉降率加快、血清心肌酶活力增高及进行性心电图变化，可发生心律失常、休克或心力衰竭。按临床过程和心电图的表现，分为急性、亚急性和慢性3期。临床症状主要出现在急性期，部分患者还有先兆表现。

本病中医学属“真心痛”范畴。其病因病机属于本虚标实，本虚有气虚、阳虚、阴虚、血虚、脏腑阴阳失调等，标实有血瘀、寒凝、气滞、饮食、七情、劳倦、六淫等，以气虚血瘀为主要病机，以补气活血为主要治则。

**【必备验方】**

1. 鸡腿肉150克（去皮，洗净），人参15克，麦冬25克。将鸡腿肉水煎10分钟，入后2味煨至肉烂，加入适量食盐、味精调服。适用于心肌梗死所致休克。

2. 兔肉500克，山楂5枚，食盐8克，生姜、葱、料酒各10克，红糖5克，味精3克。将兔肉洗净、切块，与山楂同煮烂，入食盐、生姜、葱、料酒、糖、味精调匀服。适用于心血管疾病。

3. 黑木耳15克，猪腿肉50克，豆腐2块，植物油、食盐、黄酒、酱油、米醋、蒜泥、豆瓣酱、花椒粉、辣油、味精各适量。将黑木耳用温水浸泡1小时，去杂质、洗净，再入冷水中浸泡，备用；猪肉洗净、切碎，加细盐、黄酒、酱油拌匀，备用；豆腐切块；起油锅，放入植物油2匙，以中火烧热油，倒入碎肉、蒜泥炒香，再下木耳、豆瓣酱翻炒3分钟，加淡肉汤（或清汤）1碗，入豆腐、食盐煮10分钟，加入淀粉糊、米醋、花椒粉、辣油、味精拌和成羹，煮沸后装碗，佐膳食。适用于血管栓塞、心肌梗死。

4. 人参30克（研粗末），大枣5枚。水煎服。或共研粉，每服3克，温开水送服。亦有制成注射液和口服液。注射液行下鼻甲或静脉注射，口服液每次10毫升，日服1～2次。适用于元气欲脱、诸虚垂危之证。

5. 酸枣仁30～45克，粳米100克。将酸枣仁捣碎，水浓煎取汁；将粳米加水适量同煮至半熟时，兑入酸枣仁汁同煮为粥，晚饭时温热服食。适用于心肌梗死、心律失常。

**【名医指导】**

1. 饮食注意：

（1）限制总热量、控制液体量：急性心肌梗死2～3日，饮食以流质为主，液体量约1000毫升。可食用藕粉、米汤、蔬菜水、去油过筛肉汤、淡茶水、大枣泥汤等；忌胀气、刺激性流质食物，如豆浆、牛奶、浓茶、咖啡等。应注意电解质及病情变化，调整饮食中钾、钠的供给量。

（2）饮食宜清淡，不宜过冷过热。选择低脂肪、低胆固醇、高不饱和脂肪酸容易消化的食物，以少食多餐为主。病情好转后改为半流质饮食，可食用鱼类、鸡蛋清、瘦肉末、新鲜蔬菜及面条、面片、馄饨、米粉、粥等。

（3）补充矿物质，注意钾、钠平衡，适当增加镁的摄入量，根据临床变化，维持水、电解质的平衡。

2. 急性期患者应严格卧床休息，保持情绪平稳，避免大怒、大悲、情绪激动；避免暴躁。

3. 保持大便通畅，避免排便时用力。

4. 镇静止痛。

5. 禁止吸烟、喝酒。

6. 患者平时低盐、低脂饮食，注意避寒保暖，不超负荷运动；不在饱餐或饥饿时洗澡，洗澡水温最好与体温相当，时间不宜过长。若为冠心病患者，定期服用抗血小板聚集药物及降脂药物，适当运动。

## 风湿性心脏瓣膜病

风湿性心脏瓣膜病（简称风心病）是指风湿性心肌炎遗留下来的以心瓣膜病变为主的心脏病。患者一般先有风湿热病史，如风湿性咽喉炎、风湿性关节炎、风湿性心肌炎等，其致病微生物是甲型溶血性链球菌。临床表现最常见的症状为活动后心慌、气促、胸闷、反复咳嗽、头晕等。严重者有咯血、晕厥、心前区痛、水肿、腹水等；晚期患者可因左、右心功能衰竭或心搏骤停而猝死。

本病中医学属“心痹”、“心悸”、“水

肿”、“喘证”等范畴，以心悸、喘息、水肿、咯血、发绀为主要临床表现。病因多为外感风湿邪毒，内舍于心，或久病失治，邪毒入心所致；病机关键为气阴亏虚，湿饮瘀阻，心阳不振；病位在心，与肺、脾、肾关系密切。本病大都呈现本虚标实，且以标实为主。

**【必备验方】**

1. 老茶树根（10 年以上者）60 克（洗净，切片），枫荷梨 30 克，卷柏 6 克，糯米酒少许。水煎 30 分钟，取汁服，每日 1 剂。

2. 冬瓜 250 克，红参 5 克，酸枣仁 30 克，嫩母鸡、白鸽、麻雀各 1 只，玉竹 15 克，龙眼肉、远志各 10 克，朱砂 0.5 克，生姜丝、食盐、味精、黄酒、酱油各适量。将嫩母鸡、白鸽、麻雀分别去肠杂，洗净；将麻雀装入鸽腹，鸽装入鸡腹，装在大碗中，撒上生姜丝、黄酒、酱油、食盐和味精。冬瓜从顶部切下一块当盖，去瓜瓤，纳入红参、酸枣仁、玉竹、龙眼肉、远志、朱砂（装入纱布袋系口）及鸡、调料，把瓜盖盖好，用黄泥封严，于谷壳火堆中煨 24 小时后取出，每日 1 次，连服 39 次。

3. 桑椹 200 克（切碎），白糖 500 克。将白糖加少许水用小火煎至较稠时，加入桑椹碎末搅匀，熬至用铲挑起即成丝状而不粘手时停火，倒在表面涂过食用油的大搪瓷盘中，待稍冷时分割成小块，随量服食。适用于风心病肝肾阴虚、心悸怔忡、头晕目眩、视物模糊、便秘者。

4. 鲜泥鳅 100 克，党参 20 克。将泥鳅洗净，去头尾及内脏，入少许食盐及生姜腌制 15 分钟；锅内放油烧七成热，入泥鳅炒至半熟入清汤（或开水）及党参同炖熟，加入生姜末、食盐煮沸，起锅前加入葱花、味精，佐餐食用，每日 1 次。适用于风心病脾虚有湿、心悸气短、身体困重、大便不实者。

5. 猪腰 1 个，人参（人参食品）、当归各 10 克，山药 30 克。将猪腰对切，去筋膜，洗净，在背面用刀划作斜纹，切片备用；人参、当归水煎 10 分钟，入猪腰、山药略煮至熟，加入香油、葱、生姜。佐餐食用，每日 1 次，连服 7 日。适用于风心病气血两虚、心悸怔忡、气短懒言、自汗、腰痛者。

**【名医指导】**

1. 积极预防甲型溶血性链球菌感染，加强体育锻炼。积极有效治疗链球菌感染，如根治扁桃体炎、龋齿和鼻旁窦炎等慢性病。

2. 患者应住院治疗。若无风湿活动、心衰、亚急性心衰和亚急性细菌性心内膜炎的并发症，可以在医师指导下进行家庭养护。在此期间注意以下几点：

（1）休息：患者不宜参加重体力活动，在身体允许的情况下参加缓和的有氧运动（如散步、打太极等）。若伴有心功能不全或风湿活动时应绝对卧床休息，一切生活均应由家人协助。对患者态度要和蔼、避免不良精神刺激。

（2）保持情绪平稳，不宜大喜、大悲、大怒等。

（3）注意观察体温、呼吸、脉搏等。若有发热，说明有感染或是风湿活动；若有呼吸困难（或在夜间发生阵发性呼吸困难），说明有心功能不全，应取半卧位或两腿下垂（以减轻肺水肿）；若有水肿，应记录液体出入量，观察体重，并注意皮肤护理、勤翻身，预防褥疮；若发现脉率快慢不等，应预防房颤的发生。凡有以上情况，应积极返回医院治疗。

3. 营养和饮食：给予高热量易消化饮食，如鱼、肉、蛋、奶等，少量多餐，多食蔬菜和水果。心功能不全者宜低盐饮食，并限制水分摄入。不宜进食太多水及饮料，如茶、汤、果子汁、汽水等，最好一次不超过 500 毫升。需要多喝水时，应少量多次服用。

4. 病室要阳光充足、空气新鲜、温度适宜，预防呼吸道感染。

5. 保持大便通畅。

6. 在医师的指导下服用抗血小板聚集药，如阿司匹林。避免脑血管疾病的发生。

## 感染性心内膜炎

感染性心内膜炎是指因细菌、真菌和其他微生物（如病毒、立克次体、衣原体、螺旋体等）直接感染而产生心瓣膜或心室壁内膜的炎症，有别于由于风湿热、类风湿、系

统性红斑狼疮等所致的非感染性心内膜炎。其临床表现主要为发热、杂音、贫血、栓塞、皮肤病损、脾大和血培养阳性等，按其起病及病程分为急性与亚急性两型，两者之间无明显界限。急性型大多发生于正常心脏，亦易在原有心脏病基础上发生；病原菌多为毒力较大的化脓性细菌，全身感染中毒症状严重，如不及时治疗，多在6周内死亡。亚急性型多在心脏病基础上发生，且80%发生于风心病患者，常为草绿色链球菌所致，病程较长（均6周以上）。

本病中医学属“心瘅”范畴。心瘅又称心热病，多指因外感温热病邪，或因手术等创伤，温毒之邪乘虚侵入，内舍于心，损伤心之肌肉、内膜，并以发热、心悸、胸闷等为主要表现的内脏瘅（热）病类疾病。

**【必备验方】**

1. 风油精1毫升。加冷开水20～30毫升，擦浴（患儿上下肢两侧、背部、腋下、腹股沟及四肢关节屈侧），边擦边揉7～8分钟，15分钟后再擦。适用于感染性心内膜炎发热者。

2. 冰片适量。研细末，加3～4倍的蒸馏水，调匀，用消毒纱布蘸液擦浴（全身皮肤和颈部、腋部、腹股沟、腘窝、肘窝表浅大血管等处，以红为度）。适用于感染性心内膜炎发热者。

3. 银耳15克，大枣30克，大米100克。将银耳去蒂、洗净、浸泡，大枣去核，大米洗净，同煮食，每日早、晚各1次，每次150毫升。适用于感染性心内膜炎贫血者。

4. 三七适量。浸泡于清水中2日，取出、切薄片，风干（或晒干，或烘干），投入鸡油中以文火炸至微黄色，捞出、研细末。取童子鸡1只，去内脏，纳入三七粉15～20克，加入适量清水（或黄酒），以文火炖烂，分2～3次服食。适用于感染性心内膜炎贫血者。

5. 猪肝150克，菠菜适量。猪肝洗净、切片，与淀粉、食盐、酱油、味精调匀，放入油锅内与焯过的菠菜炒熟。或猪肝50克，洗净、切片，入沸水中煮至将熟，放入菠菜煮沸，调味后服食。适用于感染性心内膜炎贫血者。

**【名医指导】**

1. 患者必须戒烟，注意保暖，防止着凉，预防呼吸道感染。

2. 有心瓣膜病或心血管畸形及人造瓣膜的患者应增强体质，注意卫生，及时清除感染病灶。

3. 饮食上宜高蛋白、高热量饮食，如鸡蛋、瘦肉、鱼等；严格控制食盐量。

4. 做好口腔、皮肤护理工作，勤给患者翻身、活动、按摩肢体，防止褥疮。根据病情鼓励患者早下床活动，增加机体活动能力，促进血液循环及肠蠕动，防止腹胀。

5. 在做牙科和上呼吸道手术或机械操作，低位胃肠道、胆囊、泌尿生殖道的手术或操作，以及涉及感染性的其他外科手术，都应预防性应用抗生素。

6. 叮嘱患者按时服药，正确地服用地高辛、利尿药3～6个月；并定期到医院进行检查，调整药物用量，防止出血和血栓形成。

7. 保持大便通畅。

## 原发性心肌病

原发性心肌病是一组发病缓慢、病因未明、以心脏增大为特点、最后发展为心力衰竭的心脏病。最初可无自觉不适，以后可在劳累时或轻度劳动时出现气急、心悸、胸闷、呼吸困难等症状。心脏质量增加，各心腔扩大，心肌灰白而松弛，心室壁厚度近乎正常，心内膜也可增厚，可有心腔内附壁血栓，常有心肌纤维化，也可心壁成片受损，心脏起搏系统亦可受侵。心肌病可分为扩张型、肥厚型、限制型等。扩张型心肌病以充血性心力衰竭为主，其中以气急和水肿最为常见。最初在劳动或劳累后气急，以后在轻度活动或休息时也有气急，或有夜间阵发性气急，并常伴头晕、心前区疼痛等症状，少数患者有晕厥，各种心律失常均可见到，还可发生栓塞及猝死。肥厚型心肌病起病多缓慢，约1/3患者有家族史，症状大多开始于30岁以前，男女同样罹患。主要症状为：呼吸困难，多于劳累后出现；心前区疼痛，多在劳累后

出现，似心绞痛，但可不典型；乏力、头晕与昏厥，多在活动时发生；心悸；心力衰竭，多见于晚期，常合并有心房颤动。限制型心肌病较少见，多发生在南方，呈散发分布，起病比较缓慢。早期可有发热，逐渐出现乏力、头晕、气急，气急程度较扩张型心肌病为轻，以下肢水肿、腹水为突出表现。

本病中医学属“心动悸”、“怔忡”、“胸痹”等范畴。主要为先天禀赋特异体质，后天失调，反复感受“毒邪”，致使气滞血瘀、心脉痹阻，或伤及气阴致气阴两虚，日久及阳，心肾阳虚，水气凌心射肺，进一步发展则为阳虚欲脱之危象。本病以脾肾阳虚，心阳不振为本，毒邪、瘀血、水饮、痰浊为标，其病位在心，波及脾、肺、肾诸脏。

**【必备验方】**

1. 茴心草鲜者30克（干品6克），冰糖适量。水煎服，每日1剂，15日为1个疗程。每疗程间隔2～3日，连用2～3个疗程。适用于心肌病所致心悸者。

2. 酸枣仁30～45克，粳米100克。将酸枣仁捣碎，水浓煎，取汁；将粳米加水煮至半熟时，兑入酸枣仁汁同煮为粥，晚饭时温热服食。适用于心肌病所致心悸者。

3. 鸽蛋300克，泡红椒末1大匙，生菜叶1片，生姜末、蒜末、葱花各适量。将生菜叶洗净，垫入盘底；鸽蛋洗净，放碗内加清水和少许食盐，上笼用小火蒸熟，取出泡凉水中，去壳，加少许食盐拌匀，吸干水分，均匀黏豆面。锅内放油烧热，逐个放入鸽蛋炸至皮酥、色棕红，捞出控油；锅内留余油烧热，煸香泡红椒末，烹入调料烧开，用水淀粉勾薄芡汁，将鸽蛋倒入裹匀味汁，置于生菜叶上，撒入葱花即可。适用于心肌病所致心悸者。

4. 银耳10克，鸡蛋1个，冰糖60克，猪油适量。将银耳水发，摘去蒂头、拣去杂质，漂洗洁净，加水适量，急火煮沸后改用文火煮熟（至银耳酥烂），加入冰糖溶化；将鸡蛋取蛋清，加少许水搅匀，入锅中以文火令沸，出锅前加入熟猪油即可。早晨或睡前服食。适用于心肌病所致心悸者。

5. 赤茯苓、白茯苓各等份。共为末，以新汲水冲洗，澄去新沫，控干，另绞地黄汁，同好酒熬成膏，为丸（如弹子大），空腹以淡盐水嚼下。适用于心肌病所致心悸者。

**【名医指导】**

1. 调整情绪，促进身心休息，避免过度劳累。

2. 饮食以易消化、低盐、高维生素为主；少食多餐；并增加粗纤维食物。

3. 有心悸或呼吸困难时，应立即停止活动；应采取半卧位并氧气吸入；密切观察心率、心律、血压、呼吸的变化。

4. 预防并发症的发生，如心衰、心律失常、栓塞、晕厥等。

5. 保持大便通畅，严禁用力大便，避免增加心脏负荷。

6. 避免劳累、病毒感染、酒精中毒及其他毒素对心肌的损害。

7. 坚持药物治疗，定期复查，必要时在医师指导下调整药物剂量。

## 病毒性心肌炎

病毒性心肌炎是指由于病毒侵犯心脏引起心肌炎性病变的疾病，其中以肠道病毒（如柯萨奇B组病毒、流感病毒、风疹病毒、水痘病毒、腺病毒等）引起的心肌炎最为多见。本病以学龄前期及学龄儿童多见，预后大多良好，一般（6～12个月）均可恢复；少数患者可发生心力衰竭、心源性休克。病毒性心肌炎的临床症状具有轻重程度差异大、症状表现缺少特异典型性的特点。约有半数患者在发病前1～3周有上呼吸道感染和消化道感染史。

本病中医学属“风温”、“心悸”、“怔忡”等范畴。名为外感六淫，病毒侵犯心脏，耗伤气阴或以气阴两虚之体，复感六淫病毒外邪而发病。

**【必备验方】**

1. 绿茶0.5～1.5克，淡竹叶30～50克。每日1剂，将淡竹叶加水1000毫升煮沸5分钟，加入绿茶，分4次服（可加开水适量浸泡，再服）。适用于急性病毒性心肌炎初期发热者。

2. 苦瓜1只。去瓤，纳入茶叶后接合，挂于通风处阴干。每取5～10克，水煎或泡水，代茶饮。适用于急性病毒性心肌炎初期发热者。

3. 花椒50粒，侧柏叶15克。共捣碎，加入500毫升白酒中密封浸泡半个月，每日早晨空腹温饮5～10毫升。适用于急性病毒性心肌炎初期发热者。

4. 龙眼核（去黑皮后煮极烂）、大枣（去核）各500克。同捣烂，做成丸，每晨淡盐汤送下9克。适用于病毒性心肌炎、心律失常。

5. 黄芩适量。切碎，加4倍量水浸泡4小时，过滤残渣；再加2倍量水浸泡2次，合并滤液，用20%白矾液倒入浸液中，调节pH值为3.5（每100千克黄芩，需白矾6～8千克），静置4小时，弃去上层清液，将沉淀物装入布袋中加水过滤，烘干，粉碎，造粒打片。每次服2～3片。适用于病毒性心肌炎发热者。

**【名医指导】**

1. 饮食上宜高蛋白、高热量、高维生素、易消化为主。宜少食多餐；多食葡萄糖、蔬菜、水果。忌暴饮暴食、辛辣、熏烤、油炸之品；戒烟忌酒；可食用菊花粥、人参粥等，并适量服用生晒参、西洋参等。心力衰竭者给予低盐饮食。

2. 加强饮食卫生，注意保暖，防止呼吸道和肠道感染。

3. 劳逸结合，避免过度劳累，进行适量体格锻炼。

4. 急性期需完全卧床休息，一般常规全休3个月，半休3个月左右。重症心肌炎患者卧床休息至体温、心电图及胸片X线恢复正常；以后逐渐起床活动，病室内应保持新鲜空气。

5. 保持情绪平稳，心态乐观，积极配合治疗。

## 急性心包炎

急性心包炎是心包的脏层和壁层的急性炎症，可以同时合并心肌炎和心内膜炎。临床表现主要为胸痛、呼吸困难、心包摩擦音和心包积液等。国内急性心包炎常见的病因为结核性、化脓性、非特异性和肿瘤性，而心包渗液是急性心包炎引起的主要原因。心包渗液由于重力作用首先积聚于心脏的膈面，当渗液增加时充盈胸骨后心包间隙，除心房后面部分外，心脏两侧均可充满渗液。由于渗液的急速大量积蓄，使心包腔内压力上升，当达到一定程度时可限制心脏的扩张，心室舒张期充盈减少，心搏量降低；此时机体的代偿机制通过升高静脉压以增加心室的充盈，增强心肌收缩力以提高射血分数，加快心率使心排血量增加，升高周围小动脉阻力以维持动脉血压，如此保持相对正常的休息时心排血量。如心包渗液继续增加，心包腔内压力进一步增高，心搏量下降达临界水平时，代偿机制衰竭，于是升高的静脉压已不能增加心室的充盈，射血分数下降，过速的心率使心室舒张期缩短和充盈减少，不再增加每分钟心排血量，小动脉收缩达极限，动脉血压下降，导致心排血量显著下降，循环衰竭而产生休克，此即为心脏压塞（又称心包填塞）。

渗出性心包炎中医学称“支饮”。《金匮要略》谓：“咳逆倚息，短气不得卧，其形如肿，谓之支饮。”随着病情进展，出现厥脱证候时，则属“心厥”范畴。

**【必备验方】**

1. 冰片适量。研细末，加3～4倍的蒸馏水调匀，用消毒纱布蘸液擦浴（全身皮肤和颈部、腋部、腹股沟、髂窝、肘窝表浅大血管等处，以红为度）。适用于急性心包炎发热者。

2. 田七末适量。每次1.5～3克，每日3次，开水送下。适用于急性心包炎心前区锐痛、钝痛，可向左肩、颈、上肢、肩脚或上腹部放射者。

3. 猪心1枚。每岁入胡椒1粒（如20岁，入20粒），同盐、酒煮食。适用于急性心包炎心前区锐痛、钝痛，可向左肩、颈、上肢、肩脚或上腹部放射者。

4. 隔年老葱白3～5根。去皮、须、叶，擂烂为膏，用银铜匙送入患者咽喉中，以香油（120克）灌送。适用于急性心包炎心前区锐痛、钝痛，可向左肩、颈、上肢、肩脚或上腹部放射者。

5. 老南瓜1个，麦芽糖1000克。将南瓜挖一小洞，去瓜子，纳入麦芽糖蒸熟食，每日早、晚各1次，每次1汤匙。适用于急性心包炎呼吸困难者。

**【名医指导】**

1. 预防并积极治疗原发病，如结核病、风湿热、败血症等。

2. 卧床休息，取半卧位。

3. 给予高蛋白、多维生素及易消化等营养丰富的食物。

4. 高热时可采用物理降温或口服退热药。

5. 疼痛剧烈时可口服吲哚美辛25毫克，每日3次；必要时加服地西泮以镇静。及时住院治疗。

6. 加强锻炼，提高机体抵抗力；慎起居，节饮食、调理情志。

7. 坚持药物治疗，了解如何正确服药及观察疗效、副作用。

8. 保持积极乐观的心态，配合治疗，定期复查。

## 缩窄性心包炎

缩窄性心包炎是指心包炎症后心脏被坚厚、僵硬、纤维化的心包所包围，影响心室正常充盈，回心血量减少，引起心排血量降低和静脉压增高等一系列循环障碍的临床表现。其发病率约占心脏病总数的1.6%。部分由结核性、化脓性和非特异性心包炎引起，也可见于心包外伤后或类风湿关节炎。心包肿瘤和放射治疗也可引起。心包缩窄使心室舒张期扩张受阻、心室舒张期充盈减少、心搏量下降，为维持心排血量，心率必然增快，同时上、下腔静脉回流也因心包缩窄而受阻，出现静脉压升高、颈静脉怒张、肝大、腹水、下肢水肿等。吸气时周围静脉回流增多而已缩窄的心包使心室失去适应性扩张的能力，致静脉压增高，吸气时颈静脉更明显扩张，称Kussmaul征。

本病中医学属“心悸”、“胸痹”、“喘证”、“水肿”等范畴。

**【必备验方】**

1. 绿茶5～10克，沙梨200～250克。将沙梨洗净、切片（连皮），加水1000毫升煮沸，加入绿茶即可。每日1～2剂，分4次温饮。或沙梨500克。洗净榨汁，调茶汤饮。适用于缩窄性心包炎发热者。

2. 存放2～3年的老红萝卜籽1把，鲜猪肝1片。将鲜猪肝洗净、切薄片；萝卜籽淘净，炒焦，捣成粉状备用；锅内倒入适量的油烧热，放入猪肝片炒熟，放入老红萝卜粉及白糖搅匀，即可。连服1个月左右。

3. 鲜鸭肉500克（洗净，切碎），黄芪100克（布包）。炖熟服食（不放盐及其他调味品），每日2次，每次250毫升，连用10～14日。适用于缩窄性心包炎腹水者。

4. 鲜鲤鱼1条（约500克），冬瓜200克，赤小豆100克。将鲤鱼去鳞及内脏，与赤小豆加水煮至半熟，加入冬瓜再煮至肉烂汤白（不放盐及其他调味品），去渣服用，每日2次，每次250毫升，连用10～14日。适用于缩窄性心包炎腹水者。

5. 刺嫩芽籽500克，鸡蛋20个（1个疗程用量）。将刺嫩芽籽文火焙干、研细末，每取25克与2个鸡蛋（打入碗中）搅匀；炒锅内放入少许素油烧开，放入搅拌好的鸡蛋和刺嫩芽籽细末。炒熟，每日清晨空腹服，20日为1个疗程。适用于缩窄性心包炎腹水者。

**【名医指导】**

1. 针对病因进行预防，积极治疗原发疾病。

2. 确诊或怀疑由结核性感染而引起本病的患者，出院后应继续抗结核治疗，需按医嘱足量足时间服药。切不可随便停药。

3. 指导患者合理膳食，加强营养支持。

4. 注意休息，避免过劳及剧烈运动，或情绪激动，以免增加心脏负荷。

5. 病情症状严重时，应尽快住院治疗，必要时手术治疗。

## 心血管神经症

心血管神经症是以心血管疾病的有关症

状为主要表现的临床综合征，且由神经功能失调而引起心血管系统功能紊乱的一组精神神经症状。本病多发生于青、壮年，以20～40岁多见，尤其是围绝经期妇女更多见，患者多伴有身体其他部位神经症的症候群。病理上无器质性心脏病证据，心脏神经症的原因往往与不良的环境和躯体因素有关。由于内外因素的影响，使调节、支配心血管系统的自主神经的正常活动受到了干扰而使心脏出现一时性的功能紊乱。疑病心理也是发生心脏神经症的原因，患者常常对一时性的心前区不适感疑虑重重并对此长期放心不下，担心患了某种“心脏病”。

本病中医学属“惊悸”、“不寐”、“虚劳”等范畴。多因久病气血亏耗，失血之后阴血耗伤，使心失所养，神不潜藏；或过劳多思，用心过度，伤及心脾，心阴暗耗，心神失养或素体阴虚，热病之后阴津更伤，肾阴不足，水不济火等引致心悸、疲惫、眩晕、气短、胸痛。

**【必备验方】**

1. 茯神15克，鸡子黄1枚。将茯神水煎，入鸡子黄搅匀，睡前（先以温水洗10分钟）热服。适用于心血管神经症、失眠者。

2. 五味子60克，白酒500毫升。同浸泡，每日振摇1次，半个月后服，每日3次。适用于神经衰弱、失眠头晕、心悸者。

3. 黄花菜30克。水煎半小时，去渣，入冰糖煎2分钟，于睡前1小时顿服。适用于心血管神经症、失眠者。

4. 蒲葵叶20克。烧灰（存性），研细粉，分2次服（隔4小时1次）。适用于心血管神经症、心前区疼痛者。

5. 绿茶1克，莲子心3克。开水冲泡5分钟，饭后服。头汁饮之将尽，可略留余汁，再泡再饮至冲淡为止。

**【名医指导】**

1. 正确认识本病：心血管神经症不是真正的心脏病，消除顾虑，保持乐观的心态，树立战胜疾病的信心。

2. 适当参加一些体育活动或体力劳动，以便增强体质，改善大脑神经功能；同时调整支配心血管系统的神经功能。

3. 正确对待自己，合理安排生活、工作和学习，正确处理人际关系，提高抵御各种精神刺激的能力，避免紧张、忧伤等不良的情绪刺激。

4. 避免身心过度劳累。

5. 多种办法不能使症状缓解，或自觉症状很严重时可用一些药物治疗，如镇静药等。

## 直立性低血压

直立性低血压是内环境稳定受损的常见临床表现，见于15%～20%的老年人。其患病率随年龄、患心血管病和基础血压的增高而增多。许多老年人在其体位变化时血压有大范围的变化，并与其基础卧位收缩期血压的高低密切相关。即当基础卧位收缩期血压最高时，体位性的收缩期血压下降最大，直立性低血压立位时收缩期血压下降20毫米汞柱。直立性低血压是老年人晕厥和昏倒的重要危险因素，头晕、神志模糊是直立性低血压常见的临床表现。

本病中医学属“眩晕”、“厥证”等范畴。

**【必备验方】**

1. 莲子50粒（去心），猪肚1个。将猪肚洗净，纳入莲子缝合，加水炖熟，切丝，加入香油、食盐、蒜、生姜丝、味精调匀，佐餐食，连用1个月。适用于血压偏低者。

2. 鲜山药200克，太子参20克，薏苡仁50克，大枣15枚。将山药洗净、去皮、切块，薏苡仁淘洗干净，太子参用水冲洗后泡胀，大枣洗净。同加水1000毫升煮沸，改用小火煮熟，早、晚饭分服。

3. 党参、枸杞子各10克，黄芪30克，陈皮、阿胶各15克，生地黄20克，升麻3克，防风、炙甘草各6克，五味子12克。水煎服。适用于低血压，自觉劳累或登高时头晕、心慌气短者。

4. 鲫鱼2条，糯米50克。将鲫鱼去肚杂、洗净，与糯米共煮粥，加油、盐、葱、生姜调服，每周2次，连服2个月。

5. 乌骨鸡1只（去毛及内脏，洗净），当归60克，黄芪50克，红糖150克，米酒50毫升。纳后4味入鸡腹中（缝紧），隔水蒸

熟服食，半个月 1 次，连服 2 个月。

**【名医指导】**

1. 早期对身体姿势加以调整即有效，如平卧时适当抬高头部；穿弹力紧身衣裤和弹力长袜能减少患者直立时静脉回流的淤积。

2. 起床或下床时动作应缓慢，双下肢活动片刻后再缓慢起立，可减轻发作；必要时应在家属的陪同下进行上述动作。

3. 避免喝酒或室温过高，避免洗池浴、桑拿浴等，以免诱发本病；慎用影响血压的药物。

4. 适当高盐饮食；少食多餐。

5. 忌餐前服降血压药；餐后宜平卧。减少降压药物的剂量。

# 第三章 消化系统疾病

## 急性胃炎

急性胃炎是指胃黏膜的急性炎症，有充血、水肿、糜烂、出血等改变，甚至一过性浅表溃疡形成。其发病均急骤，临床表现常轻重不等。轻者仅有腹痛、恶心、呕吐、消化不良，重者可有呕血、黑粪，甚至脱水、中毒、休克等。其治疗可根据病因和临床表现做针对性处理。其中急性单纯性胃炎病程较短，具有自限性；其他各型急性胃炎经治疗后，不留下任何后遗病变。急性腐蚀性胃炎病程严重，后期可出现食管及胃幽门等部位狭窄。

本病中医学属“胃脘痛”、“胃痞”、“呕吐”等范畴。临床上分为食滞胃脘、暑湿犯胃、寒邪犯胃、胃热炽盛、肝郁气滞等证型。

**【必备验方】**

1. 橙子1个，蜂蜜50克。将橙子用水浸泡（去酸味），切成4瓣，与蜂蜜加适量清水，用武火烧沸后转用文火煮20～25分钟，去橙子，取汁代茶饮。

2. 生姜、紫菜叶各30克，红糖适量。将生姜和紫菜叶水煎，取汁冲红糖，代茶频饮，每日2剂。适用于辅助治疗急性胃肠炎寒湿困脾证。

3. 饴糖20毫升。加温开水100毫升，顿服，每日3次。适用于胃及十二指肠痉挛疼痛者。

4. 吴茱萸、丁香、干姜、苦参各等份。分别压粉，单独装瓶。每次各取0.5克，以凡士林调敷于脐孔，以软塑料布、纱布块覆盖，外以胶布固定，连敷2日。适用于急性胃肠炎。

5. 葱白适量（洗净，捣烂），米酒少许。同炒热（布包），热熨脐部，每次10分钟，每日2～3次，连用2～3日。适用于下腹冷痛。

**【名医指导】**

1. 生活有节，起居有常，调畅情志，保持心态乐观、心情愉快。

2. 饮食宜定时定量，避免暴饮暴食，尽量少喝茶；忌油腻、粗糙及刺激性食物。避免进食生冷食物。

3. 戒烟、酒。

4. 腹痛剧烈时，应禁食；待腹痛减轻时，再酌情饮食，禁生冷、刺激性、兴奋性食品。饮食以清淡为主，少用油脂或其他调料。

5. 严重呕吐、腹泻者，宜饮糖盐水；必要时静脉补充，以免发生脱水现象。

6. 急性发作时最好用清淡流质饮食，如米汤、杏仁茶、清汤、藕粉、去皮红枣汤等；待病情缓解后，可逐步过渡到少渣半流质饮食。

7. 忌辣椒、胡椒、咖喱、咖啡、醋、酸菜、浓茶、醋、蟹、蚌、豆类、甘薯、芋头、萝卜、酒、生葱、生蒜、芥末、猪油、肥肉及油炸食物。

8. 剧烈运动或劳动后不宜马上进食，进餐前不要大量喝水（或饮料）。

9. 注意观察呕吐物及大便的次数、形状、颜色、味道及是否伴有血液，有无发热、脱水等情况，必要时及时就诊。

## 慢性胃炎

慢性胃炎是指不同病因引起的胃黏膜慢

性炎症。临床十分常见，胃黏膜常有一定程度的萎缩（黏膜丧失功能）和化生，常累及贲门，伴有G细胞丧失和促胃液素分泌减少；也可累及胃体，伴有泌酸腺功能的丧失，导致胃酸、胃蛋白酶和内源性因子减少。长期服用对胃黏膜有刺激的食物或药物（如烈性酒、咖啡、辛辣和粗糙食物，以及水杨酸类药物等），过度吸烟、过度精神刺激等均可引起慢性胃炎，也可由急性胃炎转变而来。慢性胃炎缺乏特异性症状，症状的轻重与胃黏膜的病变程度并非一致。

多数患者常无症状，或有程度不同的消化不良症状（如上腹隐痛、食欲减退、饭后饱胀、反酸等），常为反复发作，无规律性腹痛，疼痛常出现于进食过程中（或饭后），多数位于上腹部、脐周，部分患儿部位不固定。轻者，间歇性隐痛或钝痛；重者，为剧烈绞痛，常伴有食欲不振、恶心、呕吐、腹胀，影响营养状况及生长发育；胃黏膜糜烂出血者，伴呕血、黑便。

本病中医学属“胃脘痛”、“痞满”、“吞酸”、“嘈杂”、“纳呆”等范畴。多因长期情志不遂，饮食不节，劳逸失常，导致肝气郁结，脾失健运，胃脘失和，日久中气亏虚而引发。临床主要分为肝胃不和、脾胃虚弱、脾胃湿热、胃阴不足、胃络瘀血等证型。

**【必备验方】**

1. 北沙参、山药各30克。每日1剂，分别洗净、切碎，同加水，浸渍2小时后煎煮40分钟，取汁；药渣加水再煎30分钟，去渣，合并2次煎汁，早、晚分2次温服。适用于脾胃虚者。

2. 梅干20个，粗茶叶3汤匙。使用平锅加水1500克，以小火煎30～60分钟，饭前、饭后当茶用。适用于胃弱、嗳气、食欲不振、消化不良等。喝不完时，装入瓶中放入冰箱保存，但不宜时间太久。

3. 白砂糖50克，生姜末30克，丁香粉5克，香油适量。将白砂糖加少许水，以文火熬化，加入生姜末、丁香粉调匀，继续熬至挑起不粘手为度，倒入涂有香油的搪瓷盆，摊平，稍冷趁软切作50块。适用于气郁、寒证。

4. 大枣30克，鸡内金、白术各10克，干姜1克，面粉500克，白糖300克。将鸡内金、大枣、白术、干姜同入锅内，加适量水以文火煮30分钟，去渣，取汁与面粉、白糖揉成面团，待发酵后，加适量碱做成饼，隔水蒸15分钟后即可。适用于脾虚型。

5. 红糖、菜油各500克，鲜姜250克（切碎，捣烂）。将铁锅烧热，入红糖、菜油，至油沸糖溶后，入姜糊搅匀，装瓶备用。每日早、晚空腹各服1汤匙。

**【名医指导】**

1. 每日三餐应定时定量，不宜过饱、过饥；饮食以少食多餐为佳。正餐之间可少量加餐，但不宜过多；细嚼慢咽可以减少粗糙食物对胃黏膜的刺激。饮食应有节律，切忌暴饮暴食及食无定时；注意饮食卫生，杜绝外界微生物对胃黏膜的侵害。尽量做到进食较精细、易消化、富有营养的食物。少食肥、甘、厚、腻、辛辣食物，少饮酒及浓茶。

2. 多食高蛋白、高纤维素性食物，保证体内营养充足，如瘦肉、鸡、蛋、鱼等及新鲜蔬菜，如茄子、番茄等。每餐最好吃2～3个新鲜山楂，以促进胃液分泌。不宜吃花生（包括新花生）。

3. 戒烟限酒（包括白酒、啤酒）。

4. 保持精神愉快，情绪稳定；避免紧张、焦虑、恼怒等不良情绪刺激。

5. 根据自己的工作性质、时间、生活规律等制定一份作息时间表，并尽可能遵守执行。

6. 进行适当的体育锻炼，劳逸结合。

7. 秋凉之后，应注意胃部及腹部的保暖，适时添加衣服，夜间睡觉盖好被褥。

## 消化性溃疡

消化性溃疡是指胃肠道黏膜被胃酸和胃蛋白酶消化而形成的慢性溃疡，包括胃溃疡、十二指肠溃疡、胃空肠吻合口附近和胃黏膜憩室的溃疡。一般将胃溃疡和十二指肠溃疡总称为消化性溃疡，简称溃疡。胃溃疡好发于中老年人，十二指肠溃疡则以中青年人为主，男性高于女性。近年来，城市中患十二

指肠溃疡的人数有所增加，约为胃溃疡的3倍。容易产生溃疡的部位主要为胃体部（上2/3）和幽门部（下1/3）两个部分，胃溃疡大多发生在幽门窦胃角部附近，十二指肠溃疡多半发生在靠近胃的十二指肠球部。多数消化性溃疡以上腹疼痛为主要表现，有以下特点：慢性反复发作，发作呈周期性，与缓解期相互交替，发作有季节性，在冬春和秋冬之交发病，病程长，几年到几十年不等，上腹痛有节律性，多于进食有关。主要并发症有上消化道出血、穿孔、幽门梗阻和癌变。

本病中医学属“胃脘痛”、“反酸”等范畴。主要由于七情刺激，特别是忧思恼怒，引起肝胃不和，土虚木横，气滞血瘀，以及长期饮食不节，劳倦内伤，病久不愈，导致脾胃虚弱，气血失调。

**【必备验方】**

1. 花生仁50克，牛奶200克，蜂蜜30克。将花生仁加水浸泡30分钟后取出捣烂；牛奶煮沸，加入捣烂的花生仁煮沸，取出、晾凉，调入蜂蜜，每日睡前顿食。适用于胃溃疡。

2. 鲜土豆1000克。洗净。切细丝、捣烂，绞汁，加热至黏稠时，加入等量蜂蜜煎至黏稠如蜜时停火，待凉装瓶。每次1匙，每日2次，空腹食用。适用于十二指肠溃疡、习惯性便秘。

3. 鲜干槟榔8克。加水150毫升浸泡1小时，再用温水煎煮2次，合并药液50～70毫升，每日上午空腹服1次，2周为1个疗程。适用于消化性溃疡。

4. 延胡索50克（研末后过100目筛），青石（研末后过120目筛）、红糖各500克。将红糖加水适量，以文火溶化，入青石粉、延胡索粉搅匀如饴糖状，倒在木板上（上、下撒青石粉），用擀面杖轧成薄片（厚0.5～0.7厘米），趁热用菜刀切成小方块（3平方厘米），待凉即可。饭前1小时服，每日3次，每次2～3块。适用于十二指肠球部溃疡。

5. 猪肚1个，炒小茴香30克，制何首乌60克。将猪肚洗净，小茴香与何首乌用纱布包好扎口，加水同煮熟，取出药袋，将猪肚连汤分为9份，每日3次，每次服1份，3日服完，12个猪肚为1个疗程。适用于十二指肠溃疡。

**【名医指导】**

1. 养成良好的生活习惯，早睡早起，保证充足的睡眠；避免熬夜；劳逸结合。

2. 戒烟、酒；忌饮咖啡。

3. 饮食合理，少量多餐。进食易消化而富有营养的食品，不吃油腻、生冷、辛辣食物；进食要定时定量，不可过饥、过饱；养成良好的饮食卫生习惯，进食时需细嚼慢咽。

4. 情绪平和，精神愉快，不生闷气，不过分激动，可以加速溃疡的愈合进程。

5. 平时参加适当的体育锻炼，改善胃肠道的消化功能，有助于溃疡的愈合。

6. 注意休息，急性发作期一般应休息4～6周；严重者应卧床休息1～2周。

## 肝硬化

肝硬化是一种常见的慢性肝病，可由一种或多种原因引起肝脏损害，肝脏呈进行性、弥漫性、纤维性病变。临床表现为肝细胞弥漫性变性坏死，继而出现纤维组织增生和肝细胞结节状再生，这3种改变反复交错进行，结果肝小叶结构和血液循环途径逐渐被改建，使肝变形、变硬而导致肝硬化。本病早期无明显症状，主要表现为乏力、易疲倦、体力减退；或者出现食欲减退、腹胀或伴便秘、腹泻或肝区隐痛，劳累后明显。后期则出现一系列不同程度的门静脉高压和肝功能障碍（出现黄疸、脾大、腹水，侧支循环开放如腹壁及食管下段，胃底静脉曲张，痔核等），直至出现上消化道出血、肝性脑病等并发症而死亡。

本病中医学属“痞满”、“臌胀”、“疳积”等范畴。其病因多为感染蛊毒，饮食不节，营养不济，以及黄疸日久迁延而来；病机为肝络壅阻，气滞血瘀，水湿停聚，病位在肝，与脾、肾密切相关。本病多为虚实夹杂，早期病在气分，后渐入血，产生积聚或癥瘕。在治疗时，首先要辨明本虚标实之症。本虚又分为气虚、血虚、阴虚、阳虚。临床上，

气虚以脾气虚最为常见。因此，健脾益气法，应贯彻治疗肝硬化的始终。标实有三大主要症状：腹胀、腹大和脾大（痞块）。腹胀为气滞所致，腹大为水停留腹腔所致，脾大为血瘀所致。腹水的形成病在水而根在血，是血瘀所致。治疗上以活血化瘀为法。

**【必备验方】**

1. 荷叶 50 克，鲜鸭肉 500 克（洗净，切块），薏苡仁 100 克。同炖熟服食（不放盐和其他调味品），每日 2 次，每次 250 毫升，连服 10～14 日。适用于水肿严重者。

2. 鲜李子 100～150 克，绿茶 2 克，蜂蜜 25 克。将李子切成瓣，加水 400 毫升。煮沸 3 分钟，加入绿茶和蜂蜜，分 3 次服，10 日为 1 个疗程。适用于肝硬化腹水者。

3. 鳖甲 20 克，大枣 10 枚，米醋 2 匙，冰糖适量。将鳖甲炒黄，倒入米醋迅速翻炒，然后倒入沙锅中，加入大枣及 1 大碗水烧开，以小火炖 1 小时，加入冰糖煮溶，弃鳖甲，吃枣饮汤，2 个月为 1 个疗程。适用于肝硬化早期。肝硬化腹水者，加赤小豆；服用后出现腹胀明显者，应立即停服。

4. 醋制香附 240 克，青矾 120 克，黄芪、大枣（去核）各 360 克。将香附、青矾、黄芪共研细末，分成 8 份，用草纸包好。用塘边泥包裹（泥二指厚），置于泥内为丸，放暗处 30 日左右，每隔 5～10 日翻 1 次（发现开裂，及时用泥添补）。破泥丸，将药取出，研为末，与大枣泥混匀压片。饭后服，每日 3 次，每次 2～4 片（小儿剂量酌减）。适用于早期肝硬化及各型肝炎。

5. 田七 12 克（捣碎），芡实 50 克，草龟 1 只（约 500 克），瘦猪肉 100 克，生姜、胡椒、食盐、味精各适量。将草龟去肠杂、斩碎，瘦猪肉切块，与田七、芡实加适量水、生姜、胡椒、食盐、味精炖熟，佐餐食。

**【名医指导】**

1. 重视病毒性肝炎的防治。

2. 饮食宜高糖类、高蛋白、高纤维素，并宜少盐、少渣、易消化，少量多餐。在失代偿期，以少量植物油为宜。忌辛辣食物。

3. 可食用香蕉等新鲜水果；保持大便通畅，及时清除肠道内所产生的氨。

4. 在食欲下降，或者呕吐、腹泻时，要及时补钾。如饮用鲜黄瓜汁、苹果汁等，避免发生低钾性碱中毒而导致肝性脑病。同时适当补充维生素和益生菌，如维生素 C、维生素 $B_2$、维生素 K 和嗜酸乳杆菌等，稳定机体内环境。除非有明显出血，否则不宜补充铁剂。

5. 已有食管静脉曲张者，平时食物应做得细烂，避免食用过于粗糙的食物，严禁食用坚硬带刺类的食物（如带刺的鱼肉、带骨的鸡肉以及坚果等），以防导致上消化道大出血。

6. 忌烟、酒。

7. 尽量避免使用镇静安眠类的药物，避免由此直接引发的肝性脑病。

8. 忌劳累，宜多卧床休息。慎房事。

9. 保持情绪稳定，心态积极乐观。

10. 避免各种慢性化学中毒。

11. 预防和治疗可能出现的并发症。

## 慢性胰腺炎

慢性胰腺炎是由于胆道疾病或过量饮酒等因素导致胰腺实质进行性损害和纤维化，常伴钙化、假性囊肿及胰岛细胞减少或萎缩。临床主要表现为腹痛、消瘦、营养不良、腹泻或脂肪痢，后期可出现腹部包块、黄疸和糖尿病等。

本病中医学属“腹痛”、“泄泻”等范畴。多由胆道疾病或胰管结石、长期酗酒、腹部手术、过食肥甘厚味等因素诱发所致。本病病变在脾胃，与肝胆密切相关。基本病机为气滞、湿热、血瘀阻滞，不通则痛，久则脾胃阳虚，脏腑经脉失于温养，不荣则痛。以脾虚为本，气机郁滞为标。临床分为脾胃湿热、肝郁脾虚、血瘀内停、脾胃虚寒等证型。

**【必备验方】**

1. 蒲公英 30 克（干品），柴胡 10 克，枳壳 15 克。每日 1 剂，水煎，分 3 次服，连服半个月以上。

2. 鲜土豆 250 克（无发芽、青皮者）。洗净后剁细，绞汁，加鲜柠檬汁 5 毫升，空腹顿服，每日 2 次，连服半个月以上。

3. 槟榔10克（先煎30分钟），砂仁5克。水煎5分钟，取汁服。

4. 白胡椒2克，鸡蛋1个。水煎5分钟，将鸡蛋去壳后再煮10分钟，吃蛋喝汤，每日2次。适用于慢性胰腺炎腹痛者。

5. 手蘸温水，于患者膝腕处用力拍打，以针刺紫黑处去恶血。适用于慢性胰腺炎腹痛者。

**【名医指导】**

1. 急性胰腺炎患者，急性期应完全禁食；待症状逐渐缓解后，可进食无脂蛋白流质饮食（如果汁、稀藕粉、米汤、菜汁、稀汤面等），以后逐渐改为低脂半流质。

2. 严禁饮酒，宜低脂清淡饮食。

3. 宜食富含营养的食物（如鱼、瘦肉、蛋白、豆腐等）及米、面和新鲜蔬菜，但不宜过饱。若合并有糖尿病者，则应适当控制糖类的摄入。

4. 多吃蒸炖、少吃煎炒食物，可多食菠菜、青花菜和花椰菜、萝卜，但需煮熟。调味品不宜太酸、太辣；水果宜吃没有酸味的桃子、香蕉等；不宜吃易产气致腹胀的食物，如炒黄豆、蚕豆、豌豆、红薯等。

5. 兼胆道疾病者，应同治。

6. 怡情节志、心情舒畅。老年人宜避免忧思郁怒等不良的精神刺激。

7. 禁用吗啡、可待因及麻醉止痛药。

## 慢性胆囊炎

慢性胆囊炎是胆囊的慢性炎症性病变，多为慢性结石性胆囊炎，多发生于中老年人，占85%～95%，少数为非胆石性慢性胆囊炎。本病多为慢性起病，亦可由急性胆囊炎反复发作而来。临床可无特殊症状，主要表现为上腹不适或钝痛，进食油腻食物后加剧，可有恶心、腹胀及嗳气。若胆囊管或胆总管被结石或浓稠胆汁所阻塞（或Oddi括约肌痉挛）时，常于饱餐后发作胆绞痛。体征有右上腹压痛、墨菲征阳性，有胆囊积水时，可扪及大的胆囊；一般不发热或仅有低热。绝大部分患者有胆绞痛病史，有厌油腻、腹胀、嗳气等消化道症状，有时右上腹和腰背部隐痛或不适，很少有畏寒、高热和黄疸。慢性胆囊炎如能积极治疗，大部分患者病情能够控制，少数患者因治疗不彻底或机体抵抗力降低可引起反复发作；少数长期慢性胆囊炎及合并胆道结石阻塞的患者，可引起急性胰腺炎或胆汁性肝硬化。

本病中医学属“胁痛”、“胃脘痛”等范畴。情志不畅，寒温不适，饮食不节，过食油腻或虫积等，导致肝胆气滞、脾失健运、湿热蕴结，影响肝脏疏泄和胆腑通降而发为本病。长期的湿热不化，胆汁凝结，可形成结石。临床上分为肝胆气郁、肝胆血瘀、肝胆湿热、肝胃不和等证型。

**【必备验方】**

1. 金钱草20克，茵陈、佛手各15克，栀子10克，甘草3克。水煎服，每日1剂，可长服。或连服3周停1周，连用2～3个月，停药观察。适用于湿热型。

2. 猪瘦肉120克，黄花菜30克，素馨花6克。将黄花菜浸软、切段，素馨花洗净，猪瘦肉洗净、切块；把猪瘦肉、黄花菜加水以武火煮沸，以文火煮1小时后下素馨花略煮片刻，调味后佐餐食。

3. 粳米100克，鸡内金5～6克，白糖适量。将鸡内金用文火炒至黄褐色，研细粉；将粳米、白糖加水800毫升，煮成粥，入鸡内金粉煮沸即可。每日早、晚温服。

4. 山楂、枸杞子各250克，丹参500克，蜂蜜1000克，冰糖60克。将前3味加水浸泡2小时后煎成药液，再将蜂蜜、冰糖兑入药液内以微火煮30分钟（待至蜜汁与药液融合而呈黏稠时离火），冷后盛入容器内密封保存。每日3次，每次1匙，开水冲服，连服2～3个月。适用于虚证者。

5. 牛肉1000克，陈皮30克，白萝卜500克。将牛肉切块，加水浸泡半小时捞出，控干水分；陈皮切丝，萝卜切滚刀块。锅内和清水烧开，入牛肉煮沸后去泡沫，待熟时加入陈皮、萝卜，改用小火炖至萝卜熟烂，下食盐、味精调味，即可服食。适用于气虚气滞者。

**【名医指导】**

1. 根据病情宜低脂肪、低胆固醇半流质

饮食或低脂肪、低胆固醇的软食。宜少量多餐。

2. 多食各种新鲜水果、蔬菜，及低脂肪、低胆固醇食品（如香菇、木耳、芹菜、豆芽、海带、藕、鱼肉、兔肉、鸡肉、鲜豆类等）；宜多食干豆类及其制品；宜选用植物油，不用动物油。不宜吃蛋黄、鱼子、动物肝、脑、肠等。

3. 少吃辣椒、生蒜等刺激性食物或辛辣食品。

4. 平时喝水时，捏少许山楂、沙棘、银杏、绞股蓝放入水杯中代茶饮用。

5. 大量饮水，保持每日 1500～2000 毫升的摄入；以利于胆汁的稀释，减少胆汁滞积。

6. 适当参加体育锻炼，增强体质，避免过度劳累。

7. 保持平和心态，避免烦躁易怒。避免经常熬夜。

8. 生活规律，争取做到定时定量进餐。

## 反流性食管炎

反流性食管炎是指由于胃或十二指肠内容物反流入食管，分为生理性和病理性两种。生理性反流性食管炎见于正常人，无临床意义。若反流较正常人发生频繁，不能及时清除酸性消化性胃液以及胃蛋白酶、胆汁、胰液，就会引起食管黏膜的炎症、糜烂、溃疡和纤维化等病变。反流性食管炎主要表现为剑突下或上腹部烧灼感，胃内容物反流及吞咽困难，重者可出现食管黏膜糜烂而致出血，多为慢性少量出血。长期或大量出血可导致缺铁性贫血。

本病中医学属“噎膈”、“胸痛”、“胃脘痛”等范畴，多因情志不畅、饮食失调、劳累过度而发病。本病多与情志不畅、饮食不节、劳累过度等有关。临床上分为肝胃不和、脾虚气滞、脾胃虚寒、肝郁化热、气滞血瘀等证型。

**【必备验方】**

1. 牛奶 250 克，山药、面粉各 30 克。将山药切丁，加水以文火炖煮至汤浓，加入牛奶，调入面粉糊煮沸（以上为 1 次量），空腹服用，每日 1～2 次，1 个月为 1 个疗程。

2. 云南白药 1 克，藕粉 2 匙。将藕粉加少许温水和匀，加冷开水调匀，以小火煮成糊，入云南白药及适量白糖拌匀，卧床吞咽（取仰、俯、右、左侧位，各含 1 口，使药充分作用于患处），1 小时内勿饮水。适用于食管炎、贲门炎。

3. 高粱酒 90 克，冰糖 45 克。将冰糖放碗内加高粱酒点燃至自熄，以开水冲服。适用于反流性食管炎剑突下或上腹部烧灼感、疼痛者。

4. 雄黄 60 克。研细，以好醋 2 升，慢火煎成膏，蒸饼为丸（如梧桐子大），姜汤送服，每次 7 丸。适用于反流性食管炎剑突下或上腹部烧灼感、疼痛者。

5. 威灵仙 30 克，鸡蛋 2 个（去壳），红糖 5 克。将威灵仙水煎，去渣，入鸡蛋、红糖服，每日 1 剂。适用于反流性食管炎剑突下或上腹部烧灼感、疼痛者。

**【名医指导】**

1. 餐后直立，避免负重和穿紧身衣。

2. 改变体位：睡眠时抬高床头 10～15 厘米或用楔状海绵垫肩背。

3. 减少进食量，饱食易导致食管下部括约肌松弛。进食应细嚼慢咽，少量多餐。晚餐尤其不宜饱食，睡前 4 小时不宜进食。

4. 少喝酸性饮料等；忌烟、酒。

5. 减少脂肪摄入，烹调以煮、炖、烩为主，不用油煎、炸。肥胖者应减肥；增加蛋白质摄入，如瘦肉、牛奶、豆制品、鸡蛋清等。

6. 饮食宜少刺激性。少吃巧克力，烹调少用香辛料，如辣椒、咖喱、胡椒粉、蒜、薄荷等。

## 功能性消化不良

功能性消化不良是一种临床上最常见的功能性胃肠病，是指具有上腹痛、上腹胀、早饱、嗳气、食欲不振、恶心、呕吐等不适症状，经检查排除引起这些症状的器质疾病的一组临床综合征。其症状可持续或反复发

作，一般规定为超过1个月或在12个月中累计超过12周，排除器质性疾病。本病并无特征性的临床表现，常以某一个或某一组症状为主，在病程中症状也可发生变化，起病多缓慢，经年累月，呈持续性或反复发作，可有饮食、精神等诱发因素，不少患者同时伴有失眠、焦虑、抑郁、头痛、注意力不集中等精神症状，这些症状在部分患者中与“恐癌”心理有关。

本病中医学属“脘痞”、“胃痛”、“嘈杂”等范畴。其病在胃，涉及肝脾；病机主要为脾胃虚弱、气机不利、胃失和降。长期情志失调，抑郁不舒，使肝气郁结，疏泄失司，肝木克土，脾胃失和，暴饮暴食，过食生冷，食谷不化，痰湿困阻，脾气不升，胃气不降，脾胃素虚或劳倦伤脾，脾胃气虚，中焦不运，水谷不化，聚成痰湿，进而使中焦气机升降失常，脾胃虚弱，健运失司，水反为湿，谷反为滞，湿滞久郁化热，寒热互结胃脘；终致胃肠运动功能紊乱，上则胸闷哽咽，中则胃脘胀痛，下则大便秘结。胃气不降反升，则嗳气反酸，呕吐、胃灼热等；脾气不升反降，则中气下陷，出现胃脘坠胀，纳呆早饱，大便自利不禁。治疗时，注意健脾和胃，疏肝理气。

**【必备验方】**

1. 大蒜7瓣，西瓜1个。将大蒜放西瓜内，纸包泥封，用木炭火烤干，研末，开水冲服，每次3克。适用于小儿消化不良。

2. 鲜鸭肫1～2个，谷芽15～20克，麦芽15～30克，食盐、味精各适量。将鸭肫去肫内脏物（但不要剥去鸭内金，即贴在肫内壁的金黄色厚膜）、洗净，与谷芽、麦芽同炖熟，加食盐、味精调服。适用于饮食积滞、消化不良。

3. 鲜火炭母60克，猪血150～200克，食盐、味精、香油各适量。将火炭母洗净，猪血用开水烫过、切块，同煮汤，加食盐、味精调服。老年肠炎腹泻者，只饮汤。适用于老年人肠炎、消化不良、饮食积滞等。

4. 鲜萝卜250克，酸梅2枚，食盐适量。将萝卜洗净、切薄片，与酸梅同放铝锅内，加清水3碗煎至1碗，去渣。加食盐调服。适用于饮食积滞，进食过饱引起的胸闷、胃灼热、腹胀、烦躁、气逆等症。

5. 鲜鲫鱼1条（约250克）。去内脏及鳞，洗净，纳入胡椒粉3克；铁锅内放入猪油（50克）烧热，放入鲫鱼两面煎黄，下葱、姜煎香，加水及枸杞子15克，以中火炖20分钟即可，加食盐调服。

**【名医指导】**

1. 养成良好的生活习惯，早睡早起；避免熬夜，保证充足的睡眠。

2. 戒烟、酒。

3. 饮食中应避免油腻及刺激性食物，避免暴饮暴食及睡前进食过量，可采用少食多餐的方法。不宜食用豆类，包括豆浆、豆奶；避免进食产气饮料和食物，如汽水、可乐、萝卜、洋葱、白薯、蜂蜜、蔗糖等；不宜食用香蕉。

4. 按摩疗法：推背部脊柱两侧，由上而下，从第7颈椎起，下达腰椎；或用捏脊法。

5. 减轻精神压力，保持心情愉悦，适当体育锻炼。

## 肠结核

肠结核是由于结核分枝杆菌侵犯肠道而引起的慢性特异性感染，多继发于肺结核（特别是开放性肺结核）。主要症状特征有腹痛、大便稀（或秘）、右下腹肿块、发热、盗汗等。按其病理改变可分为溃疡型、增生型和溃疡增生型3类。发病年龄多为青壮年，40岁以下占91.7%，多数起病缓慢，病程较长。典型临床表现为腹痛、腹泻、便秘、腹部肿块及全身结核毒血症（如午后低热、不规则热、弛张热或稽留热），伴有盗汗，可有乏力、消瘦、贫血、营养不良性水肿等症状和体征，并可有肠外结核（特别是结核性腹膜炎、肺结核等）。增殖型肠结核多无结核中毒症状，病程较长，全身情况较好。

本病中医学属“痢疾”、“腹痛”、“泄泻”等范畴。多由于正气亏虚，再感染“痨虫”所致。其病位在肠，与脾、肾等脏腑关系密切。如忽视消毒隔离，与肺痨患者共餐或肺痨患者经常吞咽含有痨虫的痰液，均可引起

痨虫侵犯肠道，从而导致脾肾亏虚、气滞血瘀等本虚标实之证。

**【必备验方】**

1. 西洋参 3 克，百部 10 克，冬笋片 30 克，熟火腿 3 片。同炖 2 小时后食用。

2. 鲜甲鱼 1 只（约 500 克）。加调料，蒸熟食。

3. 白矾 500 克（生用一半，煅枯一半）。共研末，以糯米 3 升（成粉），荷叶汁和丸（如黄豆大），每服 3 丸，无根水下。适用于肠结核腹泻者。

4. 鲜艾叶 300 克。加水 2000 毫升熬汤，去渣，趁热熏洗双足，每日 3～4 次。适用于肠结核腹泻者。

5. 山楂适量。炒焦，研末，白糖水冲服，成人 6～9 克（患儿酌减），每日 2～3 次。适用于肠结核腹泻者。

**【名医指导】**

1. 做好预防工作是防治结核病的根本办法。应注意对肠外结核的发现，特别是肺结核的早期诊断与积极的抗结核治疗，尽快使痰菌转阴，以免吞入含菌的痰液而造成肠感染。接种卡介苗可增强人体对结核分枝杆菌的抵抗力。

2. 加强结核病的卫生宣传教育，不吞咽痰液，保持排便通畅。提倡用公筷进餐，牛奶应经过灭菌消毒。

3. 合理选用抗结核药，保证充分剂量与足够疗程。

4. 保持情绪平和。进行适当锻炼，但病变活动期应卧床休息，注意居室及周围环境的清洁、安静。

5. 饮食宜易消化，富有营养。避免刺激性食物及含渣食物。多饮水，保持大便通畅。

6. 若出现肠梗阻、肠穿孔等现象，转外科手术治疗。

## 吸收不良综合征

吸收不良综合征是指各种原因引起的小肠消化、吸收功能减损，以致营养物质不能正常吸收而从粪便中排泄，引起营养缺乏的临床综合征。腹泻和腹痛为其最主要的症状，患者 80%～97%有腹泻，一般多为脂肪泻。脂肪泻的特点是大便量多，色淡棕或黄色、灰色，便不成形，味恶臭，表面有油腻状的光泽（或如泡沫状），大便次数从数次到 10 余次，有时呈间歇性腹泻，腹痛、腹胀少见，严重者伴有消瘦、乏力、手足搐搦、感觉异常、口炎、角膜干燥、夜盲、水肿等营养不良症状。患者可有消瘦、腹部轻压痛、四肢末梢感觉异常、口舌炎（或溃疡）、糙皮病样色素沉着、水肿、凹甲、肌肉压痛、杵状指（趾）等体征。

本病中医学属“虚劳”、“虚损”、“脾痿”等范畴。多因胃肠等消化系统慢性疾病导致长期厌食、久泻，而引起脾气痿弱、肾气受损、精气匮乏，机体失充的虚损病证，其病位在脾、胃、肾，病性以虚为主。临床上分为脾虚血亏、脾虚湿困、脾胃虚寒、脾肾阳虚等证型。

**【必备验方】**

1. 猪肝 300 克，蒜薹 50 克，红椒 1 个，大蒜 3 粒，生姜 5 克，孜然 10 克，食盐 4 克，味精、鸡精各 2 克。将蒜苔洗净、切末，红椒去蒂、去籽、切碎，大蒜去皮、切末，生姜去皮、切末，备用；将猪肝洗净、切片，放入油锅中滑散备用；锅上火，倒入适量油烧热，放入蒜薹末、红椒碎、大蒜末、生姜末炒香，入猪肝翻炒，调入孜然、食盐、味精、鸡精炒匀即可。

2. 白萝卜叶 100 克。放瓦屋上日晒夜露 1 个月，每取适量，煎水代茶饮。适用于吸收不良综合征腹泻者。

3. 大蒜适量。剥皮、洗净，削去头、尾（大便后温水坐浴），塞入直肠内（越深越好），每次 1～2 瓣，连用 2～3 日。适用于吸收不良综合征腹泻者。

4. 核桃叶 1 把（250 克左右）。以多半盆开水泡 10 多分钟，浸洗双足及小腿肚子（膝关节下部），直到水不热为止（最好用铝盆放在火上烧热后再洗第 2 次），每日 2 次，每日换新叶。适用于吸收不良综合征腹泻者。

5. 红糖、白糖各等份。混匀，放碟子里，用白水煮 3 个鸡蛋（不用凉水冰），趁热去皮蘸糖吃（蘸的越多越好）。适用于吸收不

良综合征腹泻者。

**【名医指导】**

1. 吸收不良综合征患者，尤其要重视饮食的调养，具体如下：

（1）提供充足的热量和蛋白质：可供给高蛋白、高热量、低脂、半流质饮食或软饭，蛋白质100克/日以上，脂肪40克/日，总热量为10455千焦/日（2500千卡/日），选择脂肪含量少且易消化的食物，如鱼、鸡肉、蛋清、豆腐、脱脂奶等。植物油不宜多，腹泻严重者可给予中链脂肪酸，严重者可采用静脉高营养及匀浆饮食，以保证热能及正氮平衡。

（2）补充足够维生素：除食物补充外，可补充维生素制剂，如维生素A、B族维生素、维生素C、维生素D、维生素K等。

（3）保持电解质平衡：严重腹泻时早期可静脉补充。饮食中给予鲜果汁、无油肉汤、蘑菇汤等。缺铁性贫血者可进食含铁丰富的食物，如动物肝脏等，必要时口服铁剂。

（4）少量多餐，选择细软易消化的食物。在烹调上尽量使食物细、碎、软、烂；以煮、烩、烧、蒸等方法为宜，避免油煎、油炸、爆炒等。应注意食物的色、香、味；每日以6～7餐为宜。

（5）乳糜泻者应严格长期地食用无麦胶饮食，并禁饮啤酒。通常用去麸质饮食治疗1～2周即可显效。

2. 积极查找原发性及继发性病因，针对病因进行治疗。

3. 保持情绪平稳，积极配合治疗。

## 肠易激综合征

肠易激综合征是指包括腹痛、腹胀、排便习惯改变以及大便性状异常、黏液便等表现的一组临床综合征，持续存在或反复发作，经检查排除可以引起这些症状的器质性疾病。临床表现主要为腹痛、排便习惯和粪便性状的改变，分为腹泻型、便秘型、腹泻便秘交替型和胀气型。大部分患者均有不同程度的腹痛，以下腹和左下腹多见，多于排便或排气后缓解。一般每日腹泻3～5次，少数严重发作期可达十多次，大便多呈稀糊状，也可为成形软便或稀水样，多带有黏液；部分患者粪质少而黏液量多，但无脓血，排便不干扰睡眠。部分患者腹泻与便秘交替发生。便秘者表现为排便困难，大便干结、量少，呈羊粪状或细杆状，表面可附黏液；其他消化道症状多伴腹痛或腹胀感，可有排便不尽感、排便窘迫感，可伴有失眠、焦虑、抑郁、头昏、头痛等精神症状。

本病中医学属“泄泻”、“便秘”、“腹痛”等范畴。外感、内伤均可致病，主要表现为脾虚气滞。其病因病机为情志不遂或饮食不节，肝气郁结，横逆犯脾，脾失健运，水湿内停，导致清浊不分，以致久泻；泄泻日久，水谷精微无以吸收利用，四肢肌肉皆无气以生，故神疲体瘦；肝郁气滞，气机不利而作腹痛；或因气机郁滞不能宣达，传导失职，以致糟粕内停不能下行而成便秘。从临床证候分析，本病便秘非热结，多为气虚推动无力；腹泻非虚寒，乃为脾气亏虚，运化失职；腹痛并非血瘀，乃是脾虚气滞，升降失调。

**【必备验方】**

1. 党参、莲子、大枣各10枚，粳米50克。将党参、莲子同研末，大枣加水略煮，取出后去皮、核，切碎。以煮枣水与枣肉、党参末、莲子末和粳米同煮为粥，早、晚温热服食。适用于肝郁气滞型肠易激综合征。

2. 胡萝卜250克（切丝），瘦羊肉100克（洗净，切丝），葱、生姜各适量（切丝）。炒锅内加油适量，上火烧热后投入葱丝、姜丝炝锅，加入羊肉丝煸炒至熟，加入胡萝卜丝及食盐、花椒粉、味精，翻炒均匀，出锅装盘即可。适用于肝气乘脾型肠易激综合征。

3. 荔枝10枚，白扁豆30克。将荔枝去壳，与白扁豆一起放入沙锅内加适量水，以文火煮熟，即可服食。适用于肝气乘脾型肠易激综合征。

4. 牵牛子适量（半生熟）。研末，每服6克，姜汤调下；再服，以热茶调下。适用于肠易激综合征便秘者。

5. 食醋1汤勺。加白开水1大杯每日清晨空腹服，之后再饮1杯白开水，然后室外散步30～60分钟，适用于肠易激综合征便

秘者。

**【名医指导】**

1. 饮食规律。以清淡、易消化、少油腻的食物为主。一日三餐定时定量。

2. 多食富含植物纤维的食物，如谷子、豆子、新鲜的蔬菜和水果等；不宜吃冰冷、油炸食物。

3. 限制产气食物的摄入，如咖啡、碳酸饮料、酒精等。

4. 养成每日按时排便习惯，多做提肛、摩腹运动，劳逸适度。

5. 保持心情愉快，避免情绪过度波动；避免紧张、焦虑。

6. 如伴有腹泻时，注意多补水。

## 慢性腹泻

腹泻是指排便次数明显超过平日习惯的频率，粪质稀薄，每日排粪量超过200克，或含未消化食物或脓血。慢性腹泻是指病程在2个月以上的腹泻或间歇期在2～4周内的复发性腹泻，临床表现为大便次数增多、便稀，甚至带黏冻、脓血，持续2个月以上。小肠病变引起腹泻的特点：腹部不适，多位于脐周，于饭后或便前加剧，量多、色浅，次数可多可少；结肠病变引起腹泻的特点：腹部不适，位于腹部两侧或下腹，常于便后缓解或减轻，排便次数多且急，量少，常含有血及黏液；直肠病变引起者，常伴有里急后重。

本病中医学属“久泄”、“久痢”、“休息痢”等范畴。

**【必备验方】**

1. 山药500克，白糖、醋、面粉各50克。将山药洗净、去皮，切块；炒锅烧热，加适量植物油烧至六成热，放入山药块炸至皮呈黄色，捞出、沥油。炒锅控净油，加醋及糖水烧开，倒入山药块，收浓汁、裹匀山药块，即可。佐餐食。适用于脾气虚弱型老年慢性腹泻。

2. 小麦300克。倒入铁锅中摊匀，微火烘烤至贴近锅底的下半部分小麦变成黑色时，加水800毫升煮沸，加入红糖（50克）搅匀，热服。适用于脾虚胃弱、寒邪所致之腹泻、腹痛。食物中毒等急性感染性腹泻忌用。

3. 陈皮10克，鲫鱼250克，调味品适量。将陈皮泡发、洗净、切丝，生姜切片，胡椒研细，葱切段；鲫鱼去鳞杂、洗净，纳入陈皮、生姜、胡椒、葱段，将鲫鱼放碗中，摆上姜片，加入黄酒、食醋、食盐、味精及适量清水，隔水炖熟服食。适用于慢性腹泻、腹痛、慢性痢疾。

4. 炒白术62克，莲子、炒薏苡仁各125克，锅焦、炒糯米、炒绿豆各1000克，陈皮50克，糖霜（或白糖）1250克。将白术、薏苡仁分别炒熟，与其余各药共研细末，加入糖霜（或白糖）混匀。每次6～10克，沸水调匀，空腹热服，每日2次。适用于脾胃虚弱型消化不良、腹胀、泄泻者。

5. 猪腰1个，骨碎补6克（研细末）。将猪腰洗净、切开，剔去筋膜，纳入骨碎补末（用线扎紧），加适量清水以文火炖熟，饮汤食肉，每日1次。适用于肾虚久泻伴腰痛者。

**【名医指导】**

1. 养成良好卫生习惯，不食不洁食物。

2. 多选用易消化的谷类食物，不宜食用粗粮。选用含蛋白质较高、脂肪较低的肉类食品，如鱼类、鸡、瘦肉、脱脂奶及豆腐等。

3. 宜选用易消化的植物油，不用动物油；采用煮、蒸、炖等方法以减少烹调用油量。

4. 限制膳食纤维量，应用质软易消化的菜果类，如嫩叶菜、冬瓜、胡萝卜、山药等含纤维较少的品种。

5. 忌浓茶、酒类及辛辣食物。对于乳糖酶缺乏或小肠疾病导致乳糖酶障碍者，应低乳糖饮食、控制牛奶；胆石症、消化不良的脂肪泻者，应低脂饮食；胃切除后出现倾倒综合征者，应给予低糖、干食为宜；克罗恩病和某些肠易激综合征患者，应进食少渣食品。

6. 坚持每日适量运动，消除对自身躯体症状的恐惧。

7. 注意保暖，避免受寒，慎起居，护腰腹。

8. 注意观察病情，寻找引起腹泻或加重病情的有关因素并注意调摄。

## 肝性脑病

肝性脑病是严重肝病引起的，以代谢紊乱为基础的中枢神经系统功能失调的综合病征。其临床表现主要为意识障碍、行为失常和昏迷。门体分流性脑病强调门静脉高压，门静脉与腔静脉间有侧支循环存在，从而使大量门静脉血绕过肝脏流入体循环，是脑病发生的主要机制。亚临床或隐性肝性脑病指无明显临床表现和生化异常，仅能用精细的智力试验或电生理检测，才可做出诊断。急性肝性脑病常见于暴发性肝炎，有大量肝细胞坏死和急性肝功能衰竭，诱因不明显，患者在起病数日内即进入昏迷（直至死亡），昏迷前可无前驱症状。慢性肝性脑病多为门体分流性脑病，由于大量门体侧支循环和慢性肝功能衰竭所致，多见于肝硬化患者或门腔分流手术后，以慢性反复发作性木僵与昏迷为突出表现，常由进大量蛋白食物、上消化道出血、感染、放腹水、大量排钾利尿等为诱因。在肝硬化终末期所见的肝性脑病起病缓慢，昏迷逐步加深，最后死亡。

本病中医学属“昏迷”、“急黄”、“肝厥”等范畴。本病病位在肝、脑，与肝、肾、脑、脾、胃等脏腑有关。本病病情危重，邪实正虚，肝肾阴竭。本病的发生是由于感受外邪、饮食所伤，导致脏腑功能失调而致。常因肝病迁延不愈，邪热疫毒，伤及阴液，以致虚风内动，或因木旺克土，肝气犯脾，脾胃虚弱，聚痰生湿，痰浊上蒙清窍，以致神昏不识。通腑泄热、凉血解毒为其主要治疗原则。其病初多为疫毒、湿热、痰浊、瘀血之邪内盛，瘀阻脉络，蒙蔽清窍，扰乱神明；后期往往出现脏腑虚损、阳虚阴竭，甚或阴阳离绝、阴微阳脱，其病机特点为本虚标实。

**【必备验方】**

1. 菖蒲9克，天麻6克，钩藤12克。水煎服，每日1剂。适用于眩晕、神昏者。

2. 龟甲、鳖甲、牡蛎各15克。水煎服，每日1剂。适用于夜间不寐、烦躁不安者。

3. 乌梅10～15克，生槐花15～30克，生大黄粉4～12克。水煎服，每日1剂。

4. 安宫牛黄丸1丸。研碎，以食醋50～100毫升调匀，抬高臀部15°～20°，保留灌肠，每日1～2次。适用于肝性脑病神经系统症状者。

5. 生大黄30克，芒硝、厚朴各10克，乌梅20克。煎水，保留灌肠。

**【名医指导】**

1. 坚持积极治疗，定期复查肝功能。

2. 限制蛋白质摄入；应首选植物蛋白，避免动物蛋白。避免食物过于粗糙、烫热。忌味精、醋等调味品。

3. 忌烟、酒。

4. 保持大便通畅；时刻避免诱发肝性脑病的因素。

5. 慎用镇静安眠药（如地西泮等）及麻醉药。

6. 注意防寒保暖，避免感冒。

7. 保持心态积极乐观。

## 食管癌

食管癌是发生在食管上皮组织的恶性肿瘤，占恶性肿瘤的2%。全世界每年约有22万人死于食管癌，我国因食管癌死亡者仅次于胃癌，居第二位，发病年龄多在40岁以上，男性多于女性，40岁以下发病者有增长趋势。本病的发生与亚硝胺慢性刺激、炎症、创伤、遗传因素以及饮水、粮食和蔬菜中的微量元素含量有关。吞咽困难为其早期症状，最初仅在吞咽食物后偶感胸骨后停滞或异物感，并不影响进食，有时呈间歇性（常不引起重视）。以后逐渐出现进行性咽下困难，进食时即感咽下困难，先对固体食物有哽噎感，而后发展为对半流质、流质饮食都有困难，过程一般为半年左右。多数患者可以明确指出咽下困难在胸骨后的部位，与梗阻部位一致。进食时除咽下困难外，常伴有胸骨后灼痛、钝痛，特别在摄入刺激性食物（如过热、过酸、过咸等食物）后疼痛明显，休息片刻可自行缓解；如果癌肿糜烂、溃疡或伴有食管炎者，常涉及胸骨上凹、肩胛、颈、背部；

晚期可有胸背部持续性疼痛。本病早期治疗应该采用手术、放疗、化疗、中医药相结合的综合治疗方式，中、晚期就要采用中医保守治疗。

本病中医学属“噎膈”、“噎”等范畴。其病位在食管，与脾肾亏虚、痰瘀交结有关。其病机根本为阳气虚弱，机体功能下降，宜温阳益气、扶助正气，提高机体功能；治宜疏肝理气、降逆化瘀、活血化瘀、软坚散结、扶正培本、生津润燥、清热解毒、抗癌止痛、温阳益气等。

**【必备验方】**

1. 大蒜100克，韭菜汁半杯，食醋200克。将大蒜去皮，与食醋同煮熟，喝汤食大蒜；呕吐出大量黏液时服韭菜汁。每日1剂，连服15～25日。

2. 蛤蚧1只。焙干，与大米同炒至焦黄，研细末，每日分2～3次以黄酒调服，连服15～25日。适用于食管癌、胃癌。

3. 鲜鲫鱼1尾。去肠留鳞，纳入大蒜（切细），纸包泥封，烧（存性）研细末，以米汤送服，每次3克，每日2～3次。适用于食管癌初期。

4. 蒲葵子30克，大枣6枚。每日1剂，水煎，分2次服，连服20日为1个疗程。适用于食管癌、白血病。

5. 龙眼肉30克，鲜芦根、甘蔗、雪梨（榨汁）各60克，生姜15克（榨汁），人参30克，牛奶300毫升。将人参、芦根、龙眼肉加水400毫升煮至50～80毫升，置瓦罐，加入诸汁，隔水炖成胶状，调入少许蜂蜜炼膏，随意吞服。适用于食管癌晚期。

**【名医指导】**

1. 出现哽噎感时，不要强行吞食，避免刺激局部癌组织出血、扩散、转移和疼痛。在哽噎严重时，应进流质或半流质食物。

2. 进食以温食为好。避免进食冷流质，如放置时间较长的偏冷的面条、牛奶、蛋汤等；避免引发食管痉挛而发生恶心、呕吐、疼痛和胀麻等感觉。

3. 不吃辛、辣、臭、腥等刺激性食物；对于完全不能进食者，应采取静脉高营养的方法输入营养素。

4. 忌酒、烟。

5. 治疗期间应给予清淡、营养丰富、易于消化食物，应注重食物的色、香、味、形以增进食欲；治疗间歇期宜给予补血、养血、补气的食品，以提高机体的抗病能力。

6. 中、早期患者应全面增加营养。给予高蛋白、高纤维素的软食或半流质食物；以富含膳食纤维的植物性饮食为主，如各种蔬菜、水果、豆类；蔬菜和水果的摄入量宜每日400～800克。选用富含淀粉及蛋白质的植物性食物应占总量的45%～60%，精制糖分提供的总能量应限制在10%以下。每日摄入的淀粉类食物应达到600～800克，还应尽量食用粗粮加工的食物。

7. 避免吃发霉的食物；避免使用含有亚硝酸盐的食物，如酸菜、咸菜等；避免吃煎炸、熏烤的食物。

8. 保持适宜的体重，成人期的体重增加限制在5千克之内。

9. 坚持体力活动。如果从事轻或中等体力活动的职业，每日应进行快步走（或类似的运动）1小时，每周至少安排1小时较剧烈的活动。

10. 加强情志锻炼，保持情绪平稳，避免紧张、恐惧、抑郁、颓丧等心理。

## 胃　癌

胃癌是我国常见的恶性肿瘤之一，其发病率居各类肿瘤之首，其中以西北最高，东北及内蒙古次之，华东及沿海又次之，中南及西南最低。我国每年约有17万人死于胃癌，几乎接近恶性肿瘤死亡的1/4，且每年有2万以上新的患者出现。可见，胃癌确实是一种严重威胁人身健康的疾病。本病可发生于任何年龄，以40～60岁多见，男女之比为2∶1。其病因不明，可能与生活习惯、饮食种类、环境因素、遗传因素、精神因素等有关，还与慢性胃炎、胃息肉、胃黏膜异型增生、肠上皮化生、术后残胃，以及长期幽门螺杆菌感染有关。本病可发生于胃的任何部位，多见于胃窦部（尤其是胃小弯侧）；根据癌组织浸润深度分为早期胃癌和进展期胃癌（中、

晚期胃癌）。胃癌早期症状常不明显，如捉摸不定的上腹部不适、隐痛、嗳气、泛酸、食欲减退、轻度贫血等，类似胃十二指肠溃疡（或慢性胃炎）症状；随着病情的进展，胃部症状渐转明显，出现上腹部疼痛、食欲不振、消瘦、体重减轻和贫血等；后期常有癌肿转移、出现腹部肿块、左锁骨上淋巴结肿大、黑便、腹水及严重营养不良等。

本病中医学属“噎膈”、“反胃”、“胃反”、“翻胃”、“伏梁”、“胃脘痛”、“积聚”等范畴。其病变重心在胃，与肝、脾有密切关系；发病因素与饮食、情绪、病毒感染或家族基因等有关。一方面由于人体正气虚，特别是脾胃功能虚弱造成；另一方面则由于长期饮食不节，情志不畅，逐渐形成痰火胶结，气滞血瘀而成。临床分为痰气凝滞、瘀毒内阻、脾胃虚寒等证型，治疗以疏肝理气为重，以化痰化瘀为原则，同时补益正气。

**【必备验方】**

1. 木棉树皮（连刺）960克，猪瘦肉500克。同炖至极烂，食后会大泻，继续服用到治愈为止。木棉树分为开白花与开红花两种，采用时，应以开白花者为最佳。适用于胃肠癌。

2. 大枣18枚（其中大者8枚，小者10枚），白花蛇舌草100克，铁树叶30克，半枝莲50克。每日1剂，水煎2次，第1次加水15碗煎2小时，第2次加水10碗煎2小时，然后将2次煎药液合并，日夜代茶饮。服后大、小便常有脓血排出，毒物清除后即止，勿惊疑。

3. 生黑丑20克，生五灵脂、生香附、生木香各10克。共研细粉，白醋调为丸（阴干），生姜汁送服，每次10克，每日3～4次（小儿药量减半）。适用于胃癌噎膈反胃，胸脘隐痛。注意：不得与人参同服。孕妇不可用。

4. 大活鲫鱼1尾。去肠留鳞，纳入大蒜（切细），纸包泥封，烧（存性），研细末（或为丸），每服3克，以米汤送下，每日2～3次。适用于胃癌初期嗝气呕吐者。

5. 白肉豆（白四季梅、白梅豆、白扁豆）籽5000克。磨粉，面粉半碗，配合白肉豆粉，加水1.5碗煮熟趁热吃（服用前3小时不可吃任何东西），每日早、晚8点左右分服（服后要躺在床上不可动）。适用于痰阻脾虚者。

**【名医指导】**

1. 多吃增强免疫力、抗胃癌作用的食物，如猕猴桃、无花果、沙丁鱼、蜂蜜、牛奶、猴头菌、鲍鱼、海参、牡蛎、鲨鱼、甲鱼、海马、乌龟、山药、扁豆、金针菜、香菇、蘑菇、淡菜、荠菜、莼菜、橘子、藕、白木耳、石耳、卷心菜、芦笋、鹅血、核桃、柿饼、橘饼、玫瑰花等；饮茶也可减轻阻塞的症状；宜多吃富含营养的食物，防治恶病质。

2. 饮食宜细嚼慢咽，少量多餐；食物宜精细、软滑、容易消化、少纤维素；蛋白、脂肪宜按常规补充。烹调方法应以炖、蒸、煮、烩为主，不宜用煎、炸、熏、腌及生拌凉食等方法。

3. 忌烟、酒；忌暴饮暴食。

4. 忌辛辣刺激性食物，如葱、蒜、姜、花椒、辣椒、桂皮等；忌霉变、污染、坚硬、粗糙、多纤维、油腻、黏滞不易消化食物。

5. 保持积极乐观的心态，增强战胜疾病的信心。

## 原发性肝癌

原发性肝癌是我国常见恶性肿瘤之一，死亡率高，在恶性肿瘤死亡数中位居第3位，在部分地区的农村中则占第2位，仅次于胃癌。我国每年死于肝癌约11万人，占全世界肝癌死亡人数的45%。由于依靠血清甲胎蛋白（AFP）检测结合超声显像对高危人群的监测，使肝癌在亚临床阶段即可诊断，早期切除的远期效果尤为显著。加之积极综合治疗，已使肝癌的5年生存率有了显著提高。本病临床症状极不典型，其症状一般多不明显，特别是在病程早期。通常5厘米以下小肝癌约70%无症状，无症状的亚临床肝癌亦有70%左右为小肝癌。症状一旦出现，其进展一般很迅速，通常在数周内即呈现恶病质，往往在几个月至1年内即衰竭死亡。临床症

状主要是两个方面的病变：①肝硬化的表现，如腹水、侧支循环的发生、呕血及肢体水肿等；②肿瘤本身所产生的症状，如体重减轻、周身乏力、肝区疼痛及肝大等。发展到一定阶段后，可能出现一些易与肝炎、肝硬化、胃肠道、胰腺和胆道系统疾病相混淆的临床症状。

本病中医学属“肝积”、“臌胀”、“癖黄”、“肝壅”、“癥瘕”、“黄疸”等范畴。肝癌属本虚标实之症，本虚即脾胃虚弱、气血不足，正气亏损；标实即邪气内蕴，血瘀火毒。发病之初多为肝郁脾虚、气血瘀滞；日久则气郁化火、湿热内生而致火毒内蕴，血瘀气壅，痹阻不通，故见积块、黄疸、鼓胀等症；晚期由于邪毒耗气伤血，正气大损，多见阴虚津亏、肝脾肾受损。其中“本”则以脾虚为主导作用。本病治疗则以扶正固本（即健脾理气、补养气血、滋养肝肾）为主，并根据其发展阶段及症状表现的不同，分别辅以疏肝理气、活血化瘀、清热解毒、清利湿热、软坚散结、消癥破积、滋补肝肾、平肝熄风等法。

**【必备验方】**

1. 鲜白花蛇舌草120克。涤净榨汁，约榨两次，去渣留汁。50岁以上患者，以蜂蜜30克调服；50岁以下患者，则以开水冲食盐少许调匀，隔水炖熟，温服。适用于肝硬化、肝癌。

2. 哈蟆皮连头及眼腺一起剥下。将皮表面的腺体颗粒挑破，有白浆溢出，立即敷于肿处（深部肿瘤按穴位外敷），外盖纱布，每日换1～2次。或将哈蟆皮晒干、炒脆，研粉，每日分3次服。或活哈蟆9只，黄酒1500克。同煎2小时，取汁服，每日15毫升。

3. 田七20克，芡实80克，陈皮10克，鲜金钱龟1只，瘦猪肉120克，食盐少许。将田七和芡实分别洗净，田七打碎，陈皮和瘦猪肉分别洗净，备用；将金钱龟放入盆中，加入热水（使其排尽尿液），洗净，去头、爪、内脏，备用。瓦煲内加入适量清水用猛火煲至水滚，放入以上全部材料煮沸，改用中火煲5小时左右，加入食盐调服。注意：孕妇忌用。

4. 斑蝥1～2只（去头、足、翅），鲜鸡蛋1个。将鸡蛋顶端开一小孔，纳入斑蝥，用纸封口，隔水蒸熟，去斑蝥。饭后服食，每日1个或隔日1个，连服5次后休息5日再服，3个月为1个疗程。适用于气滞血瘀型或湿热郁结型肝癌。注意：斑蝥有毒，服用时应严格控制剂量；同时应多饮绿茶，助其解毒。

5. 刀豆子、香菇各30克，猪肝、粳米各60克，葱末、生姜末、料酒、香油、食盐各适量，味精、胡椒粉各少许。用温水发香菇，与猪肝分别沥干，香菇浸出液沉淀、过滤，备用。香油下锅烧热，放入刀豆、猪肝、香菇煸炒，加入料酒、食盐、葱、生姜、味精炒拌入味，撒上胡椒粉，装入碗内备用。粳米淘净，煮成稀粥，拌入刀豆、猪肝稍煮片刻即可。每日1次，连服3～4周。适用于肝阴亏损、脾虚湿困型肝癌。

**【名医指导】**

1. 精神调理：家属要正视现实，在思想情绪方面对患者做工作，保持情绪稳定，医护人员应给予患者精神支持。

2. 生活调理：要合理安排日常生活起居，进行适当的体育锻炼，以增强体质，提高机体的抗癌能力和对各种感染的抵抗力。患者要胸怀开阔，避免悲伤忧郁，可常听节奏明快之乐曲，亦可通过琴棋书画陶冶情趣。要居处于环境清静、空气清新的居室，以利于病体之恢复。饮食要定时有序，吃高蛋白质和富含维生素的食物，严禁饮酒及嗜食刺激性饮食。

3. 气功疗法：可作为本病的辅助疗法，此疗法可以充分调动患者的主观能动性，进一步增强免疫功能，增强抗病能力。

4. 饮食调理：饮食上应先从调节口味，增进食欲入手，在患者平素喜好的饮食基础上美化食品的色香味；采用少食多餐的进餐方式。适当减少脂肪摄入量。

5. 术后宜健脾理气，进食牛奶、鸡蛋、猪肝、胡萝卜、蘑菇、鱼类、瘦肉、香蕉、西瓜、梨子等食物。放、化疗后宜选用益气健脾、养血解毒之品，如山药、薏苡仁、鸡

蛋、红枣、鲫鱼、甲鱼动物肝脏等。

6. 晚期患者饮食以适合患者的口味，增进食欲而又营养较为充足全面为重点，以清淡稀软、易于消化为宜，忌油腻；禁用一切毒物。忌酒及辣椒、狗肉、韭菜、煎烤、坚硬焦脆食品。

## 上消化道出血

上消化道出血是指 Treitz 韧带以上的消化道（包括食管、胃、十二指肠或胰、胆等病变）引起的出血，包括胃空肠吻合术后的空肠病变出血。大量出血是指在数小时内失血量超出 1000 毫升或循环血容量的 20%，其临床表现主要为呕血或黑粪，往往伴有血容量减少引起的急性周围循环衰竭。这是常见的急症，病死率高达 8%～13.7%。上消化道出血与出血病变的性质、部位、出血量、出血的速度以及机体反应能力有关，常表现为呕血或黑便，呈鲜红色或暗红色，有时呈咖啡色，大便常呈柏油样，短时间内大量出血症状较明显（如头晕、心悸、恶心、疲乏、嗜睡、脸色苍白、心率快、血压低等）。老年人由于反应迟钝，自身止血功能差、合并症多，常表现为大出血，或出血时无任何症状即突然进入休克状态，或仅表现为心功能不全或神经、精神症状而掩盖了消化道出血的真实病情。上消化道出血最常见的病因依次为消化性溃疡、食管胃底静脉曲张破裂、急性糜烂性出血性胃十二指肠炎和胃癌。

本病中医学属“吐血”、“便血”等范畴。胃中积热、热伤胃络，肝火亢盛、横逆犯胃，胃络损伤；或火热迫血妄行；均可导致呕血，脾气亏虚、统摄无权、血液外溢，可引起呕血；脾胃虚寒，中气不足，统血无力，血溢肠内，可引起便血。若出血过多，气随血脱，则元阳暴脱。

**【必备验方】**

1. 人参、淡附片、白及、地榆炭各 10 克，炮姜炭 5 克。水煎服。或急煎独参汤服。适用于大量呕血、面白神疲、四肢厥冷、脉细欲绝者。

2. 雪梨 60 个（去心、皮，取汁 1000 毫升，酸者不用），藕汁、白茅根汁、鲜地黄（捣汁）各 500 毫升，麦冬（捣烂后煎汁）、萝卜汁各 250 毫升。混匀，过滤，去渣，将清汁再入火熬炼，加蜂蜜 480 克、饴糖 240 克、姜汁半酒盏，熬成膏。如血不止、咳嗽，加侧柏叶（捣汁）50 毫升，薤白汁、茜草汁各 25 毫升。适用于咯血、吐血。

3. 白及粉 1.5～3 克，三七粉 1.5～2 克。每日分 3 次（或 6 小时 1 次）以温开水调服（按 1 克粉剂加水 8 毫升的比例），服后半小时内忌饮水。血止后续服 3 日，酌减量后再服 3 日。注意：治疗必先静卧。

4. 鲜藕 450 克，鸡蛋 1 个，三七粉 1.5 克。将藕洗净、切碎，榨汁 1 杯，加适量清水煮沸，入三七粉、鸡蛋调匀，加食盐调味，再以淀粉勾芡即可。

5. 鲈鱼 500 克，白术 50 克，陈皮 5 克，胡椒粉少许。将鲈鱼去鳞及肠杂、洗净。白术、陈皮洗净，加适量清水煮沸，放入鲈鱼以小火煲 2 小时，下胡椒粉、食盐调味即可。

**【名医指导】**

1. 生活规律，早睡早起，增强机体的抗病能力。

2. 饮食定量，忌饮食不节、饥饱失常、冷热不调或过食肥甘、辛辣及生冷食物。不酗酒及进食粗糙食物。大量呕血者应禁食，而黑粪的患者可适当吃易消化食物，如冷牛奶、藕粉、豆奶、米汤等；避免粗糙、硬质和刺激性食物，如油炸、辛辣食品和调味品。

3. 忌用损害胃黏膜的药物，如长期大剂量服用可的松、阿司匹林、吲哚美辛等。

4. 积极治疗原发病，保证治疗的连续性和长期性，如降低门静脉高压，抗溃疡治疗等。

5. 由消化道溃疡引起者，可在溃疡发病季节进行预防治疗。

## 下消化道出血

Treitz 韧带以下的肠道出血称下消化道出血，包括空肠、回肠、结肠以及直肠病变引起的出血（习惯上不包括痔、肛裂引起的出

血在内），其临床表现以便血为主，轻者仅呈粪便潜血或黑粪，出血量大则排出鲜血便，重者出现休克。下消化道出血量小者可无临床症状，或仅在检验大便隐血试验时才发现，小量而反复的出血可引起贫血。其病因常为息肉、炎性肠病、肿瘤（良性或恶性）、结肠憩室、血管畸形、内痔和肛周疾病所致，各种病因的预后有十分显著的差异，故不要满足于临床上便血症状的消失或缓解。更重要的是尽快找出出血的部位及病因。一般来说，出血部位越高，则便血的颜色越暗，出血部位越低，则便血的颜色越鲜红或表现为鲜血。这当然还取决于出血的速度和数量，如出血速度快和出血数量大，血液在消化道内停留的时间短，即使出血部位较高，便血也可能呈鲜红色。

本病中医学属“便血”、“下血”、“泻血”等范畴，以血便或便后下血为特征。多因脾胃虚弱，气不统血，或胃肠积热、湿热蕴结、气血瘀滞等所致。临床分为血热动血证、肝胃热盛证、瘀滞胃肠证、热毒蕴肠证、肠道湿热证、肠道瘀滞证、肠风络伤证、脾虚气陷证及脾胃虚寒证。

**【必备验方】**

1. 地榆炭15克，槐花炭、茜草炭各12克，赤小豆30克，防风炭、大黄炭、黄柏各10克。每日1剂，水煎，分2次服。适用于肠中积热夹湿、血色红而混浊、口苦、舌苔黄厚、大便不畅者。

2. 伏龙肝30克，党参、焦白术、姜炭、升麻炭各10克，炒黄芪12克，阿胶9克（另烊），甘草6克。每日1剂，水煎，分2次服。适用于脾气虚弱、面色苍白、疲倦无力者。

3. 白鸡冠花30克。加水750克煎至300克，去渣，打入1个鸡蛋煮熟，加适量白糖服，每日1次，连服1周。适用于便血。

4. 北五味子适量。打碎，蜜拌蒸，晒干，研细末，炼蜜为丸（如梧子大），每日清晨服9克，连服半年。适用于因饮酒过多下血。

5. 豆腐末适量。入袋滤出浆，取渣炒黄燥，研末，每日清晨服。下紫血者，白糖水清晨调服9克；下红血块者，砂糖调服。虽长年便血至面色黄瘦垂危者，服之神效。每日3次。或糯稻洗净代茶饮。

**【名医指导】**

1. 养成定时排便的习惯，大便以稀糊状为佳。

2. 减少增加腹压的姿态，如下蹲、屏气。忌久坐、久立、久行和过度劳累。

3. 宜多食具有清肠热、滋养黏膜、通便止血作用的食品，如生梨汁、藕汁、荸荠汁、芦根汁、芹菜汁、胡萝卜、白萝卜（熟食）、苦瓜、茄子、黄瓜、菠菜、金针菜、卷心菜、蛋黄、苹果、无花果、香蕉、黑芝麻、核桃仁、白木耳等。忌食辛热、油腻、粗糙、多渣的食品。忌烟、酒、咖啡等。

4. 保持情绪平和，心情开朗，勿郁怒动火。

5. 减少房事，避免加重出血。

6. 积极治疗各种原发性疾病。

# 第四章 泌尿系统疾病

## 急性肾小球肾炎

急性肾小球肾炎（简称急性肾炎）是指一组病因及发病机制不一，但临床上表现为急性起病，以血尿、蛋白尿、水肿、高血压和肾小球滤过率下降为特点的肾小球疾病，又称急性肾炎综合征。可发生于任何年龄，以儿童为多见，多数有溶血性链球菌感染史。其病理改变主要为弥漫性毛细血管内皮增生及系膜增殖性改变。轻者可见肾小球血管内皮细胞有轻中度增生，系膜细胞增多；重者增生更加明显并且有炎症细胞浸润等渗出性改变，可引起肾小球毛细血管腔狭窄，引起肾血流量及肾小球滤过率下降。患者一般在4～6周内逐渐恢复，少数呈进行性加重而演变成慢性肾小球肾炎。

本病中医学属“水肿”、“尿血”等范畴。初期以标实邪盛为主，以水肿为突出表现，病变主要在肺脾两脏；恢复期则虚实夹杂，病变主要在脾肾两脏，病久则正虚邪恋，水湿内聚，郁久化热，灼伤脉络，耗损肾阴。结合临床，本病急性期常证分为风寒束肺、风热犯肺、热毒浸淫、湿热内蕴、寒湿浸渍等证型；变证分为水气上凌心肺、邪犯厥阴、水毒内闭等证型。恢复期分为气虚邪恋型和肾阴不足型。

**【必备验方】**

1. 鲜荠菜100克（干品30克）。加水3碗煎至1碗，加1个鸡蛋（去壳，搅匀），煮沸，即可服食，每日1～2次。适用于小儿急性肾炎水肿、血尿者。或鲜荠菜250克，鸡蛋1个。将荠菜洗净，加水3大碗，煮至1碗时，加入鸡蛋煮沸，加食盐调服，每日1～2次。适用于急性肾炎水肿消退后。

2. 带骨仔鸡肉500克，火腿、鲜笋各50克，熟猪油30克，酱油25克，生姜10克，西瓜1个，鲜汤适量。用刀拍打（带骨）鸡肉（将鸡骨打碎），切块，鲜笋、火腿切片；猪油烧热，下鸡肉、火腿、笋片，加食盐、生姜、酱油及鲜汤（将鸡肉淹没）；以文火煨熟。西瓜洗净，用刀在上端片下一个盖，去瓜瓤，放开水中泡一下用布揩干；将鸡肉舀入西瓜内盖好，隔水蒸半小时，即可饮用。适用于急性肾炎恢复期。

3. 百合、丝瓜各20克，葱白、白糖各30克。将丝瓜洗净、去皮、切片，百合洗净杂质，葱白切段；将植物油30毫升烧热后加适量水，入百合煮30分钟，放入丝瓜、葱白、白糖，以小火煮15分钟即可。每日2次佐餐食。适用于急性肾炎水肿、小便不利、心烦不宁、口渴等。

4. 大黄、附子、细辛各30克。水煎至300毫升，每日2次采用点滴灌肠法，使药液于15～30分钟缓缓进入。适用于水毒内闭证。

5. 黑丑、白丑、猪牙皂（煅）各7.5克，木香、沉香、乳香、没药各9克，琥珀3克。以砂糖研细末，调和，贴于气海穴，2日换药1次。适用于急性肾炎水肿兼腹胀者。

**【名医指导】**

1. 合理饮食：若水肿明显，血压升高，应限制食盐摄入量。大量蛋白尿但肾功能正常，应给予高蛋白饮食。肾功能损害明显，有氮质血症时，根据病情给予适量高生物效价蛋白饮食（如鸡蛋、牛奶、瘦肉等），并保证充足的热量。

2. 注意个人卫生，防止因受凉感冒加重

病情。积极预防各种感染。

3. 水肿明显者，应加强皮肤护理，防止发生褥疮及皮肤损伤。

4. 保持大便通畅：大便秘结者，可服用麻仁丸等以润肠通便。

5. 女性患者不宜妊娠，以免病情加重、恶化。

6. 注意自我观察：定期监测血压，要经常观察心率、心律、呼吸状况。若发现脉快、不规则、呼吸困难、夜间不能平卧、烦躁不安等心衰的征象，及时到医院就诊；若出现血压高，并伴有剧烈头痛、呕吐、抽搐等，及时就医。

7. 定期复查：发病最初3个月，每周常规验尿2～3次，病情稳定后每周1次。

8. 保持情绪平稳，积极配合治疗。

## 急进性肾小球肾炎

急进性肾小球肾炎（简称急进性肾炎）起病急骤，可在数日、数周或数月内使肾功能急剧恶化，以少尿（无尿）性急性肾衰竭为多见。临床表现为肾功能急剧进行性恶化（3个月内肾小球滤过率下降50%以上）并伴有贫血、早期出现少尿（尿量≤400毫升/日）或无尿（尿量≤100毫升/日）。临床上分为Ⅰ型（抗肾小球基膜型）、Ⅱ型（免疫复合物型）、Ⅲ型（无免疫复合物型）。本病多见于青壮年男性，主要病理改变以广泛的肾小球新月体形成为特点。未经治疗者，常于数周或数月内发展至肾衰竭终末期；若缺乏积极有效的治疗措施，预后不良。

在中医文献中，无急进性肾炎的系统记载。本病全身症状较重，有食欲减退、心慌气促、头晕乏力、睡眠较差等，但以严重的少尿、无尿、水肿，迅速发展为尿毒症为突出表现。本病早期中医学属“肾风”范畴。随着本病迅速发展，肾功能毁损，又属“水肿”、“关格”、“癃闭”等范畴。其病机关键在于脾肾亏虚、湿热毒盛，病位在肾与三焦，与肺、脾关系密切。本病多属本虚标实之证，正虚为脾肾两虚，脏腑阴阳气血失调；邪实为水湿（湿浊内蕴）之邪郁中焦，气滞血瘀，以致浊阴上逆。临床分为肺热壅盛、移结下焦，湿热蕴阻、气阴两伤，脾肾阳虚、邪毒内盛，肝肾阴虚，肝阳上亢等证型。

**【必备验方】**

1. 鲤鱼1尾（约750克），赤小豆60克，葱白头5根。将鱼去鳞、腮及内脏、洗净，与赤小豆、葱白头同炖熟（不加盐），每日分服，连用1周。适用于急进性肾炎水肿者。

2. 黄母鸡1只，龙葵豆、火麻仁各7粒，黑豆50克。将母鸡去毛及内脏、洗净，纳入后3味，加适量红糖，同炖烂服（取汗，不要吹风，少盐7日），隔日1剂，10日为1个疗程。

3. 麻黄、桂枝、细辛、羌活、独活、苍术、白术、红花各30克。水煎20分钟，取液，洗浴，每日30分钟（为保持温度应不断增加热水），每日1次。适用于急进性肾炎肾功能不全者。

4. 大黄、蒲公英、槐花、益母草、芒硝、牡蛎、赤芍、红花、六月雪、厚朴各20～30克。水煎至250～300毫升，保留灌肠，每日1～2次。也可用复方大黄灌肠液（大黄、槐花、崩大碗）150毫升，加温开水至250毫升，保留灌肠。

5. 针肾俞、水分、复溜、三阴交、阴陵泉、关元等穴，分2组隔日轮流使用；或艾灸气海穴。

**【名医指导】**

1. 积极防治感冒，在冷暖交替的季节，要适当增减衣服；平时注意治疗咽炎及扁桃体炎。

2. 保持良好的心态，积极配合治疗。

3. 生活规律，避免过劳，保证充分的睡眠时间。

4. 饮食控制：限制蛋白质的摄取量，以减轻肾脏负担；选用优质生理效价高的动物性蛋白质食物，如鲜奶、蛋类、肉类。植物性蛋白在体内的生物利用度低，代谢后产生较多含氮废物，故不可随意食用。摄取足够的热量，多食热量高而蛋白质极低的食物，如植物油（大豆油、花生油）、低蛋白淀粉（藕粉）及糖分（冰糖、蜂蜜、姜糖、水果糖等）。

5. 控制水分与盐分（钠）的摄取，饮水量为前1日总尿量加上500～700毫升，包括开水、稀饭、牛奶、汤及饮料。每日食盐应不超过5克。

6. 保持大便通畅。

## 慢性肾小球肾炎

慢性肾小球肾炎（简称慢性肾炎）是指各种病因引起的不同病理类型的双侧肾小球弥漫性或局灶性炎症改变，临床起病隐匿、病程冗长、病情多发展缓慢的一组原发性肾小球疾病的总称。临床表现为病程长，病情缠绵难愈；逐渐发展，有不同程度的蛋白尿、血尿及管型尿，或伴水肿、高血压和不同程度的肾功能减退等特点。患者一般于2～3年或20～30年后出现肾衰竭。

本病中医学属“阴水”，又称“虚劳”、“腰痛”、“血尿”等。其病因主要与风、寒、湿有关。在五行中湿属土，寒属水，外湿侵袭多能伤脾，寒水外受多致伤肾；脾虚则易有湿邪为患，肾阳不足则可寒水泛滥。其病机则主要与肺、脾、肾及三焦对水液代谢功能失调有关。临床上分为风水相搏、脾虚湿困、脾肾阳虚、气滞水停、湿热蕴结、血瘀停滞、阴虚水肿、脾肾气虚、脾肾阳虚、肝肾阴虚、气阴两虚等证型。

**【必备验方】**

1. 羊肉、冬瓜各250克，胡荽20克。将冬瓜用水氽过，与羊肉片同入烧沸的羊肉汤内，加入少许食盐、花椒水、葱丝等烧片刻，捞出装碗，加入味精，淋少量猪油，撒上胡荽末，再浇适量羊肉汤服食。

2. 冰糖50克，莲米10克，蜈蚣1条（去头、足，焙干，研末），鸡蛋1个。将鸡蛋打1个小孔，纳入蜈蚣末搅匀，用湿纸或黄泥包封，放灶内煨熟，用冰糖、莲米煎汤送服，每日1次，7日为1个疗程，隔3日再行下1个疗程。适用于气阴两虚型慢性肾炎。

3. 猪肚500克（去净肥脂、切开，用盐、生粉拌擦，洗净，放沸水中煮15分钟，再用冷水冲净），白茅根、玉米须各50克，大枣10枚（去核）。同煮沸后改用文火煲3小时，调味服食。适用于妊娠水肿合并慢性肾炎。

4. 鲈鱼500克（去鳞、鳃、肠脏），糯米（水浸）、黄芪各30克，生姜6片。纳糯米入鲈鱼内，与后2味同入炖盅，加适量沸水（盖好盅盖），隔沸水以文火炖2～3小时，调味，分1～2次服食。适用于脾虚型妊娠水肿、肾炎水肿、营养性水肿。

5. 苦杏仁、生栀子各50克。共研细末，装纱布袋中。另用黄粘米1匙，加水煮开，打成糊状，兑入装有纱布袋的药末中，并用筷子搅匀，敷于肚脐处，每日1次。

**【名医指导】**

1. 注意休息，避免过于劳累；避免受冷、受湿；防止受凉感冒或上呼吸道感染等。

2. 预防感染，及时治疗扁桃体炎、中耳炎、鼻窦炎、龋齿等；注意个人卫生，保持皮肤清洁，防止皮肤感染。

3. 除非病情严重，一般可以适当活动。

4. 水肿明显、大量蛋白尿而肾功能正常者，可适量补充蛋白质。无水肿及低蛋白血症时，每日蛋白质摄入量应限制在每千克体重0.6克（每瓶牛奶约含6克蛋白质，每只蛋约含6克蛋白质，每50克米饭约含4克植物蛋白质）。

5. 有水肿、高血压和心功能不全者，应低盐饮食，每日摄盐量应少于5克。

6. 避免服用肾毒性或易诱发肾功能损伤的药物（如庆大霉素、磺胺类药及非甾体消炎药），及含非那西丁一类的解热镇痛药等。

7. 补充各种维生素及微量元素，如维生素A、B族维生素、维生素C、维生素D、维生素E、维生素P及微量元素铜、锌、铁等；可给予新鲜蔬菜和水果，以及仙人掌、牛肉、坚果等。

8. 选择适当的体育项目适当活动；劳逸结合。

9. 保持良好的心态，积极配合治疗；坚持服用药物，避免随便停用及加减量。

## 隐匿性肾小球肾炎

隐匿性肾小球肾炎（简称隐匿性肾炎）

是指症状及体征不明显、病程绵长、反复发作，由不同病因、不同发病机制所引起的，以无症状蛋白尿（尿蛋白量少于1.0克/日，以清蛋白为主）或单纯性血尿（持续或间断镜下血尿，并偶见肉眼血尿，血尿性质为肾小球源性）为临床表现的一组肾小球疾病，又称无症状性蛋白尿或血尿。患者无水肿、高血压及肾功能损害，临床表现可为无症状性血尿、无症状性蛋白尿，或两者均有，但可以一种表现更为突出。本病病因为一种慢性感染（上呼吸道或肠道感染）引起的免疫炎症反应，是我国最常见的原发性肾小球疾病，占原发性肾小球肾炎的50%以上，一般预后良好。

本病中医学属"尿浊"、"尿血"、"虚劳"等范畴。禀赋不足，脏腑柔弱；饮食不节，损伤脾胃；内伤七情，肝气郁滞；体劳伤脾，房劳伤肾，均为本病发生、发展的内在原因；外感热邪或温热之邪是本病发生的外因，是在内因的基础上起作用。本病主要由于脾失运化，肾失封藏，肝失疏泄，阴阳失调，导致精微物质下泄所致；主要与心、脾、肾、小肠、膀胱有关。临床分为湿热蕴结、阴虚火旺、心火内盛、脾肾气虚等证型。

**【必备验方】**

1. 苦竹叶10克，白茅根30克。水煎，代茶饮。适用于隐匿性肾炎反复出现镜下血尿者。

2. 母鸡肉500克（洗净），三七4克（磨粉）。将水烧开，加入鸡肉煮3～5分钟，取出放炖盅内，以小火炖至熟，加入三七粉及适量葱、食盐、味精调味，即可食用。适用于血尿为主的隐匿性肾炎。感冒发热或血虚无瘀者忌服用。

3. 芡实30克，白果10枚（去壳），猪肾1个。将猪肾去筋膜、洗净，与前2味同放瓦煲内，加水煮熟，加食盐调服。适用于蛋白尿为主的隐匿性肾炎。肾功能不全不可久用，有高尿酸血症或痛风者忌用。

4. 鲜车前草100克。水煎半小时，取汁，加入适量红糖，代茶饮（儿童剂量减半），10～15日为1个疗程。

5. 黄芪、山药、薏苡仁各15克，山茱萸、茯苓、石韦、蝉蜕、玄参各4克，玉米须30克，乌梅炭3克。每日1剂，水煎服。适用于隐匿性肾炎长期蛋白尿者。

**【名医指导】**

1. 保持乐观的心态，适当进行体育锻炼；随气候变化，随时增减衣服；避免过于疲劳。

2. 饮食原则：提供优质高蛋白饮食，如牛奶、鸡蛋、鱼类；肾功能不全时要控制植物蛋白的摄入。在平时膳食时要保证膳食中糖分的摄入，提供足够的热量以减少机体蛋白质的分解。限制钠的摄入，每日膳食中钠应低于3克；少尿时应控制钾的摄入，保证全面营养。

3. 坚持治疗，巩固疗效。对病情稳定的患者可用中成药长期治疗，定期复查。

4. 忌用肾毒性药物。

5. 定期复查。

## 肾病综合征

肾病综合征是以大量蛋白尿、水肿、低蛋白血症以及高脂血症为特点的临床综合征，分为原发性和继发性两种。继发性肾病综合征可由免疫性疾病（如系统性红斑狼疮等）、糖尿病、循环系统疾病、药物中毒以及继发感染（如细菌、乙型肝炎病毒等）引起。其诊断标准是：①尿蛋白大于3.5克/升；②血浆白蛋白低于30克/升；③水肿；④血脂升高。其中①、②两项为诊断所必需。

本病中医学属"水肿"、"虚劳"、"尿浊"、"腰痛"等范畴。其发生发展与烦劳过度、先天不足或久病失治误治、体虚感邪以及饮食不节、情志劳欲调节失常等诱因有关。水肿、蛋白尿等症为水精输布失调之故，而肺、脾、肾是水精输布过程中的主要脏器，其标在肺，其制在脾，其本在肾。肺主气，为水之上源，故有通调水道，散布精微的功能，如外邪侵袭，风水相搏，肺气壅滞，失去宣肃功能，则可导致水肿；脾为生化之源，主运化水谷，转输精微，上归于肺，下输膀胱，若脾不健运，水谷不归正化，水湿内停，泛滥肌肤；肾为水脏，司开合主二便，如肾气不足，则

开合不利，水液代谢障碍，便可出现小便异常和水肿。若脾气下陷，肾气不固，升运封藏失职，则水谷精微随尿外泄。水肿消退后，尚可见脾肾阳虚、阴阳两虚、阴虚阳亢等证型。若水病及血，久病入络，则又可见瘀血阻滞之证。

**【必备验方】**

1. 冬瓜250克，猪腰1副，薏苡仁、黄芪、山药各9克，香菇5个，鸡汤10杯。分别洗净，将冬瓜去皮、核，切块，香菇去蒂；猪腰对切两半，除去白色部分，切片，用热水烫过；将鸡汤加热，入姜、葱以及薏苡仁、黄芪和冬瓜，以中火煮40分钟，放入猪腰、香菇和山药煮熟，以慢火再煮片刻，调味即可。适用于湿热内困型肾病综合征。

2. 巴戟天、肉苁蓉各30克，鸡肠100克，生姜6片，食盐10克。将鸡肠搓洗干净、切段，巴戟天、肉苁蓉分别洗净后装纱布袋内（扎紧袋口），同加适量清水及生姜片、食盐，以武火煮沸后改用文火煮1小时，捞出药袋，调味后服用。适用于肾阳不足型肾病综合征或前列腺肥大者。

3. 鲤鱼1条（约500克），大蒜、赤小豆（泡发）各50克。将鲤鱼去鳞及内脏，纳入大蒜、赤小豆（不加水及调料），以文火蒸45分钟，即可服食，1～2日1剂，连用7剂为1个疗程，连用2～4个疗程。

4. 紫皮大蒜1枚，蓖麻子60粒。同捣糊状，分成2份，分别敷于腰部及双足心，并包扎固定，2日换药1次，7次为1个疗程。适用于肾病综合征阳水型。

5. 商陆100克。研极细末，每取3～5克，与葱白（1根）捣成糊；先取麝香粉（0.1克）放脐内，再敷上药糊，外以油纸、纱布、胶布固定，每日换药1次，7日为1个疗程，连用5～6个疗程。适用于肾病综合征腹水者。

**【名医指导】**

1. 适当运动：适当的体育运动对疾病的恢复有益。锻炼的时间，以早晨及傍晚为宜，切不可在中午或阳光强烈时锻炼。

2. 注意居室环境：居室宜宽敞、明亮、通风、通气，并保持适宜的温度。

3. 预防感冒：注意保暖，防止因冷热的急骤变化而发生感冒。

4. 调畅情志：如书法、阅读、下棋等均可愉悦心情，促进健康。避免恐惧、烦躁、忧愁、焦虑等。

5. 饮食控制应当注意水与钠的摄入量，水肿未消退，应严格予以控制。由于尿中大量排出蛋白，造成低蛋白血症，可给予优质蛋白质饮食，如牛奶、鸡蛋、瘦肉；一般以每日100克左右为宜。由于存在高脂血症，同时应限制富含油脂、胆固醇食物的摄取。

6. 适当补充钙、镁、铁、锌等元素，一般可进食富含维生素和微量元素的蔬菜和水果、杂粮和海产品等。

7. 加强口腔卫生的护理，可用淡盐水漱口，避免口腔溃疡。

8. 在使用激素治疗的过程中，避免突然停药及随便加减量。

9. 养成良好的生活习惯，早睡早起，保证充足的睡眠。每日中午宜安排半个小时或1小时的午休。

## 尿失禁

尿失禁是由于膀胱括约肌损伤或神经功能障碍而丧失排尿自控能力而使尿液流出，可发于任何年龄、任何季节，但以秋、冬季节表现严重，以老人和女性为多。一般认为，正常时女性膀胱颈和近尿道位置在盆腔内，盆底肌肉、膀胱颈后尿道周围筋膜及韧带的支持是维持膀胱颈后尿道于正常位置的关键所在，肥胖、生育以及年龄的增加使盆底肌肉松弛；或进入老年后，女性激素水平下降、黏膜萎缩、括约肌松弛，均可导致。其临床上分为充溢性尿失禁、无阻力性尿失禁、反射性尿失禁、急迫性尿失禁和压力性尿失禁。

本病中医学称“遗溺”、“遗尿”、“尿漏”等。主要由于脾肾两虚，中气下陷，膀胱不约所致。尿失禁是脏腑功能亏耗的一种表现，主要由于脾肾、膀胱等脏腑功能下降，脏腑相互之间功能不协调，致使膀胱失约而引起水液泛滥。其病机主要为膀胱气化失职导致。为先天体质虚弱，肺气不足；或生产时耗气

伤血而由气虚导致膀胱约束无力；或老年肾气虚衰，无力固摄而致；或外伤、术后损伤经脉，气滞血瘀而致。

【必备验方】

1. 白参10克（干品，切片），山药30克（干品，切片），羊肉200克。将羊肉洗净、切薄片，加水煮沸，入葱花、生姜末、料酒以及白参、山药片，改用小火煨熟，加少许食盐、味精、五香粉拌匀，淋上香麻油，即可佐餐服食。适用于肺脾气虚型老年性尿失禁及夜间多尿者。

2. 白果（去核）、核桃仁各120克，蜂蜜250克。将白果肉、核桃仁分别用温开水洗净后捣成糊状，加入蜂蜜，制成蜜糕，当茶点食用，每次15克，每日2次。适用于肾气不固型老年性尿失禁。

3. 益智20克，猪肾1只。将猪肾去臊腺、洗净、切片，与益智加水煮沸，烹入料酒及葱花、生姜末，改用小火煨熟，加入食盐、味精各少许，稍炖片刻，即可顿服。适用于肾阳虚弱型老年性尿失禁。

4. 吴茱萸、附片各等份。共研细末，水调敷于双足涌泉穴，外以敷料包扎、胶布固定，每晚1次，翌晨除去，连用5～7日。适用于虚证。

5. 银杏叶、枸杞叶、黄芪各30克。每日1剂，水煎，取汁熏洗双足，每日2～3次，每次10～30分钟，连用5～7日。适用于各种虚证。

【名医指导】

1. 保持情绪稳定，心态平和，积极面对生活中的各种压力，学会自我调节。

2. 防止尿道感染：养成便后由前往后擦手纸的习惯，避免尿道口感染。性生活前，夫妻双方先用温开水洗净外阴，性交后女方立即排空尿液，清洗外阴。若性交后发生尿痛、尿频，可服抗尿路感染药物3～5日。

3. 保持有规律的性生活，降低压力性尿失禁发生率。

4. 加强体育锻炼，提高抗病能力。同时进行适当的盆底肌群锻炼，最简便的方法是每日晨醒下床前和晚上就寝后平卧后，各做45～100次缩肛和上提肛门活动，可以明显改善尿失禁症状。

5. 积极治疗引起腹压增高的慢性疾病，如肺气肿、哮喘、支气管炎、肥胖、腹腔内巨大肿瘤等。改善全身营养状况。

6. 妇女生小孩后要注意休息，不要过早负重和劳累，每日应坚持做缩肛运动5～10分钟。忌憋尿。若有产伤及时修复。

7. 饮食要清淡，多食含纤维素丰富的食物，保持大便通畅。

## 神经源性膀胱

控制排尿功能的中枢神经系统或周围神经受到损害而引起的膀胱尿道功能障碍称神经源性膀胱，分为痉挛性和松弛性两大类。一种是痉挛性神经源性膀胱，由较高位（腰椎以上）中枢神经受到损伤造成，常有不自主排尿症状；膀胱处在痉挛性收缩状态，容量常小于300毫升，膀胱内的压力较高。松弛性神经源性膀胱，由较低位（腰椎以下）中枢神经或周边神经受到损伤，使膀胱肌肉失去收缩力，整个膀胱胀得很大，积了很多尿液后才会有部分尿液由尿道溢出。神经源性膀胱，主要原因为中枢神经对膀胱功能控制变差。临床表现为频尿、夜尿、尿急等主症，可伴有排尿困难、排尿中断和余尿增加等现象。

本病中医学属“癃闭”、“淋证”等范畴。过食肥甘厚味，肥者令人内热、甘者令人中满，日久湿热内生；或因肺脾肾功能失常，水液代谢失常，水湿内停，日久湿郁化热；或因先天肾脏亏虚，或房劳伤肾，或患病日久，病及肝肾，终致肾阳亏虚，膀胱气化不利；神经源性膀胱为本虚标实之证。发病之初为本虚标实并重，本虚虽与肺、脾、肾、三焦相关，然与肾和膀胱最为密切。标实以湿热瘀血为主，瘀血往往与水湿互结，日久酿毒生变。病至后期，瘀毒、湿毒、热毒互结，损伤正气。临床主要有肝气郁滞、膀胱湿热、下焦瘀热及肾阳不足等证型。

【必备验方】

1. 山药30克，猪排骨300克，薏苡仁、大枣各15克，生姜5克，花生油10克，食盐

4克，味精2克。将山药去皮、洗净，大枣、薏苡仁洗净，排骨洗净、切块；将姜放入热油中，接着放入排骨块略煸，入水700毫升及山药、薏苡仁、大枣，用大火煮沸后改用小火煨炖烂，加食盐、味精调服，每周2次，适用于神经源性膀胱所致小便不通者。

2. 广藿香30克，栗子70克，鲫鱼250克，生姜片3克，花生油5克，食盐2克，味精1克。将广藿香加水500毫升，以大火煎煮15分钟，取汁备用；将鲫鱼去鳞、鳃、内脏，加生姜片放热油中略煸，入栗子（洗净）及广藿香汁，以大火煮沸10分钟后用微火煨熟，加食盐、味精调服。每周2次。适用于神经源性膀胱所致小便不通者。

3. 嫩鸡1只，金针菜150克，生姜1块，酱油、花生油各20克，葱1根，白糖6克，黄酒3克，食盐5克，味精2克，湿淀粉1茶匙。将嫩鸡剁去爪，涂上酱油，用热油炸至金黄色；锅内加入花生油，放入葱段炝锅后，入清汤和各种调味品后放入嫩鸡，用小火炖烂，将嫩鸡捞出放盘子中间。锅置火上，用湿淀粉勾芡，浇在鸡上，即可服食，隔日1次。适用于神经源性膀胱所致小便不通者。

4. 桃枝40克，花椒（去目）、柳枝各30克，葱白3根，白矾（烧令汁尽）、木通（锉）各20克，灯心草3克，墨旱莲25克。共研细末，以水6000毫升煎至3000毫升，用瓷瓶1个热盛一半药汁熏肾外，周围以被围绕（不得吹外风，良久便通）；冷即换之。适用于神经源性膀胱遗尿症。

5. 生姜、葱白、樟树皮、艾叶各适量。同捣烂，炒热，敷于小腹上，外以纱布、胶布固定。适用于神经源性膀胱所致小便不通者。

**【名医指导】**

1. 进行体育锻炼和适当活动，提高机体抗病能力。

2. 积极治疗原发疾病，如脊髓或颅脑损伤，广泛盆腔手术如盆腔淋巴结清除术等，先天性疾病如骶骨发育不良等。

3. 正确使用或尽量少用可导致本病的药物，如普鲁本辛、阿托品、降血压药物、脱敏药及抗组胺药等。

4. 重视本病，积极治疗，以免发生肾盂肾炎、肾积水，最终导致慢性肾功能衰竭。

5. 戒烟、酒。

6. 定时进行排空膀胱、盆底肌肉训练，训练"扳机点"排尿，男性使用外部集尿装置等训练。

7. 经积极保守内科治疗，若效果不佳可转外科手术治疗。

## 糖尿病肾病

糖尿病肾病是糖尿病常见的并发症，是由不同病因与发病机制引起体内胰岛素绝对与相对不足致糖、蛋白质和脂肪代谢障碍，而以慢性高血糖为主要临床表现的全身性疾病。糖尿病可由不同途径损害肾脏，可累及肾脏所有的结构，从肾小球、肾血管直到间质都可有不同程度的病理改变。临床特征为蛋白尿、渐进性肾功能损害、高血压、水肿；晚期一旦发生肾脏损害而出现持续性蛋白尿，则往往发展至终末期肾衰竭。

本病中医学属“消渴病”、“水肿”、“尿浊”、“胀满”、“关格”等范畴。其病机以肾虚为主，初期精微外泄，久则气化不利，水湿内停；甚则浊毒内蕴，脏气虚衰，易生变证，总属本虚标实之病。临床上分为气阴两虚、肝肾不足型，肾虚血瘀、脉络瘀阻型，脾肾两虚、阳气虚衰型，阳虚血瘀、水气凌心型，湿浊潴留、上逆犯胃型等。

**【必备验方】**

1. 蜈蚣1条（去头、足，研细末），鸡蛋1个。将鸡蛋开1个小口，纳入蜈蚣粉搅匀，外用湿纸及黄土包裹，煨熟，去壳食，每日1次，1周为1个疗程，疗程间隔3日（吃蛋期间应将蛋计入每日摄入的总热量内）。高脂血症者忌用。

2. 绿豆芽250克，银鱼干25克，生姜丝1汤匙，猪瘦肉100克（切丝），韭黄50克（切段）。将银鱼干洗净、沥干，以沸油炸香捞起；绿豆芽炒熟铲起；肉丝加入生粉及少许油拌匀，下油爆姜丝，入肉丝炒至将熟时加入绿豆芽、韭黄炒匀，入调料、勾芡，下银鱼干炒匀上碟。

3. 板豆腐2块，冬菇5～6只，葱粒1汤匙，清水2～5杯，蒜蓉、豆瓣酱各1汤匙。将板豆腐冲净、打干，放滚油内炸至金黄色捞起，吸干油分，待用；将冬菇浸软、去蒂、洗净、沥干，待用。烧热油约1/2汤匙，爆香蒜蓉、豆瓣酱，注入清水煮滚，入冬菇煮至出味、汤浓，加入脆豆腐煮沸，以适量食盐及胡椒粉调味，撒上葱粒，趁热服食。

4. 冬瓜400克，冬菜2汤匙，猪瘦肉150克。将冬瓜去皮、瓤，洗净，切粒；冬菜洗净、沥干，猪瘦肉洗净，剁细，加调料腌10分钟。将适量水烧沸，放入冬瓜烧沸，下瘦肉煮熟，入冬菜煮沸，加食盐调服。

5. 生黄芪、鲜蛏肉各60克，玉米须30克，生姜少许，食盐1克。将生姜洗净、捣烂，黄芪、蛏肉、玉米须洗净，加适量清水，以武火煮沸后改用文火煮1小时，加食盐调味，即可食汤吃肉。适用于糖尿病肾病早期。

**【名医指导】**

1. 多饮水，保持每日饮水量和尿量在1500～2000毫升，以利于代谢废物的排出。

2. 严格控制血压，尽量使血压控制在130/80毫米汞柱以下。

3. 戒烟，禁止高蛋白饮食。

4. 适当运动可增强机体组织对胰岛素的敏感性，改善脂类代谢，增强体质，利于控制血糖。

5. 限制热量的摄入，坚持服用降血糖药，定期检测血糖，保持血糖的平稳。

6. 保持情绪平稳，避免激动、紧张等。

7. 避免受凉，预防感冒及上呼吸道感染等。同时避免皮肤划破、足部等部位的感染。

8. 饮食上宜清淡易消化，如鱼类、瘦肉；控制钾、钠的摄入；补充足量的维生素和微量元素，特别是维生素B、维生素C、维生素E及锌、钙、铁等。

## IgA肾病

IgA肾病是一种特殊类型的肾小球肾炎，多发于儿童和青年。发病前常有上呼吸道感染，病变特点是肾小球系膜增生，用免疫荧光法检查可见系膜区有IgA沉积。主要症状为镜下或肉眼复发性血尿，可伴有轻度蛋白尿。少数患者可出现肾病综合征，病变逐渐发展，可出现慢性肾功能不全。

中医学认为，本病多因先天不足或烦劳过度而致脏腑虚损、气血阴阳亏耗而引起本虚标实、虚实夹杂。本虚以阴虚和气阴两虚为主，本质是脏腑虚损，尤其是肾精肾阴不足，而过度劳累又可耗气伤津，使病情加重。标实以外感、湿热、瘀血为主，病位涉及肺、肾、脾、肝，肾是中心所在。本病急性期临床分为肺胃风热、毒邪壅盛、心火炽盛、肠胃湿热、膀胱湿热等证型，其中以肺胃风热、毒邪壅盛型最为常见；慢性期以阴虚内热、气阴两虚为主。

**【必备验方】**

1. 鲜藕片200克。清炒时放少许低钠盐调味，凉拌时可入沸水中氽一下藕片，加少量盐（或糖）拌匀。适用于IgA肾病血尿属血热或湿热者。

2. 鲜甲鱼500克左右。将甲鱼收拾好、切块，清蒸，放少量低钠盐调服。适用于慢性肾炎，尤其是IgA肾病高血压属阴虚阳亢证者。

3. 鲤鱼1条（约250克，去磷及内脏），冬瓜约500克。加少许油、食盐调服。

4. 芡实粉30克，核桃仁15克，大枣10枚（去核）。将芡实粉用凉开水调成糊，冲入开水搅拌，加入核桃仁，大枣肉煮成粥食，每日1次。适用于IgA肾病肾虚之蛋白尿、血尿者。

5. 将番薯煮熟、去皮，捣成泥；另取小麦淀粉放入适量冷开水拌成糊，与等量番薯泥混合，加入适量白砂糖制成饼状，慢火煎熟，早餐做点心食。适用于IgA肾病。对IgA肾病肾功能不全患者，仅限于血肌酐升高，但小于707微摩尔/升。患者肌酐超过707微摩尔/升，则需做透析治疗，在透析充分和其他药物治疗得当时，可以不用此食疗方。

**【名医指导】**

1. 劳逸结合：应做到起居有节，适度锻炼身体，避免熬夜，不过于劳累（包括体力劳动和脑力劳动）及剧烈运动。

2. 积极消除易感和诱发因素，如上呼吸道、皮肤、肠道、尿路感染，根治疮疖、真菌感染。对反复因扁桃体炎而诱发血尿发作者，可行扁桃体切除术；儿童包皮过长者，宜适时环切。一旦出现炎症感染，积极治疗。

3. 保持心情舒畅，避免紧张、焦虑。

4. 慎用有损肾脏的药物。尽量不用庆大霉素等氨基苷类药物及四环素、保泰松、非那西丁、对乙酰氨基酚等药。

5. 限酒。慎房事。

6. 饮食要清淡，不食辛辣、油腻、燥热之品；少食油煎之物。

## 狼疮性肾炎

狼疮性肾炎是系统性红斑狼疮性肾炎的简称，是以系统性红斑狼疮合并双肾不同病理类型的免疫性损害同时伴有明显肾脏损害为临床表现的一种疾病。多见于中、青年女性，轻者为无症状蛋白尿（<2.5 克/日）或血尿，无水肿、高血压；可有蛋白尿、红白细胞尿、管型尿或呈肾病综合征表现，伴有水肿、高血压或肾功能减退，夜尿增多较常见；少数病例起病急剧，肾功能迅速恶化；多数肾受累可发生发热、关节炎、皮疹等肾外表现，重型病例常迅速累及浆膜、心、肺、肝、造血器官及其他脏器组织，并伴相应的临床表现。

本病中医学属“发热”、“红蝴蝶”、“日晒疮”、“水肿”、“虚劳”、“关格”、“阴阳毒”等范畴。其内因多属素体虚弱，外因多与感受邪毒有关，其中正虚以阴虚最为重要，邪毒以热毒最为关键。阴虚和热毒是本病的关键病机，阴虚易火旺，热毒易炽盛。阴虚火旺与热毒炽盛，一为虚火，一为实热，两者同气相求，戕害脏腑，损伤气血，且随着病情的迁延，病机变化愈益复杂。在本病过程中，瘀血、痰浊、湿热、水湿等继发性病变亦属常见。临床分为热毒炽盛、肝肾阴虚、脾肾阳虚、气阴两虚等证型。

**【必备验方】**

1. 鸭 1 只（1000 克左右），冬虫夏草 15 克，紫苏叶、砂仁各 6 克，生姜 10 克。将鸭去毛及内脏，纳入后 4 味，煮熟，加食盐服食。适用于狼疮性肾炎低蛋白血症水肿、有肾功能损害者。

2. 白茅根、莲藕、粳米各 200 克。将白茅根切碎，水煎 10 分钟，去渣，放入粳米煮烂，放入莲藕（切丁）煮沸即可。适用于狼疮性肾炎热毒炽盛型急性发作期发热、红斑、尿少者。

3. 甲鱼 500 克，核桃仁、冰糖各适量。加调料清蒸。适用于肾虚型狼疮性肾炎蛋白尿者。

4. 薏苡仁 50 克，绿豆 25 克，鲜百合 100 克，白糖适量。将百合掰成瓣，去内膜、洗净，绿豆、薏苡仁加水煮至八成熟，入百合用文火煮烂，加糖调服。适用于系统性红斑狼疮及狼疮性肾炎急性期。

5. 鲜淡竹叶 200 克，生石膏、粳米各 100 克。将鲜淡竹叶洗净，与生石膏加水 1000 毫升煮开 10 分钟，去渣，入粳米煮粥，每日分 2～3 次服食。适用于狼疮性肾炎高热（39 ℃以上）者。

**【名医指导】**

1. 饮食：低盐、低脂饮食，限制蛋白摄入量，应给予瘦肉、牛奶等优质蛋白；忌食豆类及其他植物性蛋白。血糖升高者，给予低糖饮食；水分宜做适度限制。避免烟、酒及刺激性食物；忌鱼、虾、蟹等可能诱发过敏的食物。

2. 适度运动，不要过度劳累；伴有关节炎者，不宜活动。

3. 预防呼吸道、泌尿道、肠胃道及伤口的感染。

4. 避免诱发因素，如避免日光曝晒、紫外线照射等；应避免寒冷刺激，预防感冒。气候变化或季节转换时要随时加减衣服，冬季外出应戴帽子、手套；避免使用肼苯哒嗪、普鲁卡因酰胺、α-甲基多巴、异烟肼等药物。最好采用工具避孕，不服用避孕药。

5. 保持情绪平稳，心情愉快。建立战胜疾病的信心。

## 尿路感染

尿路感染由细菌（极少数可由真菌、原

虫、病毒）直接侵袭所致，分为上尿路感染和下尿路感染。上尿路感染是指肾盂肾炎，下尿路感染包括尿道炎和膀胱炎。肾盂肾炎分为急性和慢性两种，好发于女性。急性肾盂肾炎主要表现为起病急骤、寒战畏寒、尿频、尿急、尿痛、腰痛、肾区不适等症状。慢性肾盂肾炎急性发作时可与急性肾盂肾炎一样，但通常要轻许多，甚至无发热、全身不适、头痛等全身表现，尿频、尿急、尿痛等症状也不明显。

本病中医学属"淋证"范畴。急性尿路感染以实证为主，多因感染湿热之邪所致。湿热蕴结下焦，膀胱气化失司，甚至热伤血络，迫血下行，发病较急。湿热久稽，耗伤正气而出现脾肾损伤，或肾阴不足，或脾肾两虚，且常虚实夹杂，导致正虚邪恋。若肾与膀胱血络受损，则可导致血不循经而为血尿。脾肾气虚日久，损及脾肾之阳，阳不化气，气不化水，又可出现水肿。临床常为湿热下注、肾阴不足、脾肾两虚等证型。

**【必备验方】**

1. 鲜荠菜30克（干品15克），猪肉50克（切丝），味精、食盐各适量。每日1剂，煨汤，分2次服。重症每日2剂，分4次服，连服30日以上。适用于水肿、乳糜尿及尿路感染者。

2. 青嫩柳枝（或皮）、白糖各30克。将柳枝切段或片，水煎透，去柳枝，加白糖调味，代茶饮，连服8周。适用于尿路感染伴尿痛、尿频、小便淋沥或小便滴白者。

3. 鲜苦瓜1个，绿茶1撮。将苦瓜上端切开，去子、瓤，纳入绿茶，于阴凉通风处晾干，将外部洗净、擦干，切碎，同茶叶混匀。每取10克，沸水冲泡10分钟，当茶饮用。适用于急性尿路感染。

4. 葱白连根适量。洗净、捣烂，炒热（布包，分成2包），热熨脐孔（两包交替使用），每日2～3次，每次10～15分钟，连用2～3日。适用于尿路感染之小便不通者。

5. 金丝草1握，韭菜根头1撮。分别洗净后捣烂，加水煮汤，趁热洗熨小腹，每日2～3次，每次10～20分钟，连用3～5日为1个疗程。

**【名医指导】**

1. 平时多喝水，每日至少喝水1000毫升（约2大杯），保持每日尿量在1500～2000毫升，以加强尿流的冲洗作用。每3～4小时，须排空膀胱1次。勿憋尿，尤其是孕妇。

2. 洗澡应淋浴，或每晚坚持清洗会阴部，必要时用高锰酸钾清洗或坐浴（高锰酸钾俗称PP粉，根据盆内水的颜色变成粉红色为准）。每日更换内裤；毛巾及内裤最好用沸水蒸煮消毒。同房后应排尿，以排出尿道内的细菌。

3. 保持阴部清洁干燥，避免潮湿。男性包皮过长者，必须每日清洗，必要时行手术切除包皮。

4. 加强饮食调养。多摄取富含维生素C的水果，如橘子、柠檬、梅子汁等，以保持尿液酸性化。少食菠菜，以免与钙结合生成结石。忌酒戒烟，不食辛辣刺激之物，如辣椒、蒜、香料等。

5. 生活规律，保证充足的睡眠，避免熬夜；保持良好的心态。

6. 平时注意体育锻炼，增强体质，提高预防疾病的能力。

7. 老年患者睡觉前在床上做抬腿运动（仰卧、双腿同时上抬90°）和肛门会阴收缩运动（腹部、会阴、肛门同时在吸气时收缩）等，可预防尿失禁。

## 急性间质性肾炎

急性间质性肾炎又称急性肾小管-间质性肾炎，是一组以肾间质（炎细胞浸润）及小管（退行性变）急性病变为主要表现的疾病，也是急性肾衰竭的重要原因之一。临床表现复杂多样，常表现为不明的肾功能突然下降，肾小管功能损害和尿沉渣异常，甚至出现肾衰竭。根据病因可分为药物过敏性急性间质性肾炎、感染相关性急性间质性肾炎及原因不明的特发性急性间质性肾炎。

本病中医学属"淋证"、"腰痛"、"癃闭"、"水肿"、"血尿"等范畴。

**【必备验方】**

1. 青蛙（干品）2只，蝼蛄7个，陈葫

芦15克。微炒，研细末或作丸剂，以温酒送服，每次6克，每日3次。

2. 水牛角30克，生地黄、丹参、连翘各15克，玄参、麦冬、金银花、牛膝各10克，黄连12克，水煎服。尿色深、血尿者，加白茅根10克，小蓟15克。

3. 大鲤鱼1尾，赤小豆60克。煮食饮汁，顿服（注意不宜加盐）。适用于急、慢性肾炎水肿明显且小便赤涩患者。

4. 赤小豆120克，商陆9克。为1日量，加水，煮汤饮之，连服3～5日。适用于急性肾炎风热郁肺、湿毒蕴结型。

5. 白茅根250克，赤小豆120克。加水煮至水干，除去白茅根，将豆分数次嚼食。适用于急、慢性肾炎各型。

**【名医指导】**

1. 卧床休息，限制活动量。呼吸困难者，取半坐卧位，吸氧。吞咽能力下降者，应防呛咳。

2. 饮食以清淡、易消化的高热量、高蛋白流质或半流质为主；多饮水或饮料。限制盐的摄入量。

3. 出汗后及时更换衣被，注意保暖。预防感冒及上呼吸道感染。

4. 注意口腔卫生，多漱口。口唇干燥者，可涂护唇油。

5. 体温超过38.5℃时给予物理降温，慎用药物降温。

6. 中老年患者宜选食红豆、玉米，禁用胡椒、花椒、浓茶、浓咖啡等刺激性食物。

7. 尿量少或水肿时，可配合食有利水作用的食物如冬瓜、丝瓜等。

8. 保持情绪稳定，积极配合治疗。

## 慢性间质性肾炎

慢性间质性肾炎是以肾小管-间质慢性炎症过程为特征的一组疾病或临床综合征。其原发过程累及肾间质及有关结构，随着时间推移而引起一系列具有特征性的功能异常，并伴有间质炎症。本病可导致肾小管间质损伤，肾小管萎缩、间质纤维化、间质浸润及管周毛细血管病变均可导致球后毛细血管腔闭塞，致使继发性肾小球毛细血管压力升高，肾功能进行性丧失。临床以肾小管功能不全为主要表现（如肾浓缩功能差、多尿、低比重尿），并可出现肾小管性酸中毒和电解质紊乱。

本病中医学属“劳淋”、“虚劳”、“腰痛”、“关格”等范畴。多由五脏柔弱，肾亏精少，加之感受湿热、毒邪，以致肾失开合，气化失调，致水津与精微物质的输布、分泌清浊及水液出入不循常道；肾病及脾，水谷精微不能化生精血，升降输布失调，则精微物质外泄失度。本病病理总属本虚标实，主要有脾肾亏虚、肝肾阴虚、气血两虚、湿浊内阻等证型。

**【必备验方】**

1. 鲤鱼1000克，花椒15克，生姜、香菜、黄酒、荜茇、葱、味精、醋各适量。将鲤鱼去鳞、鳃及内脏，洗净、切块；葱切段，生姜切片；将鲤鱼、葱、生姜、荜茇同加适量水烧沸，以文火炖熟，加入香菜、黄酒、味精、醋调匀，即可随意服食。适用于脾虚型慢性间质性肾炎。

2. 鲜乌鱼250克，冬瓜500克，赤小豆100克，葱头3个。将乌鱼去内脏、洗净；赤小豆去杂质、洗净；冬瓜洗净、切块；葱头洗净、切段。炖熟，每日2次分服。适用于脾肾亏虚型慢性间质性肾炎。

3. 瓜蒌20克，大腹皮25克，猪肚1个，生姜15克，盐5克，葱、大蒜各10克。将猪肚洗净，入沸水中氽透，纳入大腹皮、瓜蒌，生姜切片，葱切段，大蒜去皮、切片，加水1500毫升烧沸，用文火炖1小时，即服食，每日1次。适用于脾肾亏虚型慢性间质性肾炎。

4. 五味子、生姜、大蒜各10克，鸡肉250克，西芹200克，蘑菇30克，绍酒15克，葱、食盐各5克，植物油50克。将五味子洗净、去杂质；鸡肉洗净、切块；西芹洗净、切段；蘑菇发透、去根蒂、撕成瓣状；生姜切片，葱切段，大蒜去皮、切片。炒锅置火上烧热，加入植物油烧至六成热，下姜、葱、蒜炒香，加入鸡肉滑透，加入蘑菇、西芹、五味子、食盐炒匀，加入清水或上汤50

毫升，用文火煲35分钟，即可服食。每日1次。适用于肝肾亏虚型慢性间质性肾炎。

5. 淡豆豉30克，蒜苗50克，豆腐500克，豆瓣酱15克，花生油100克，木耳5克，食盐10克。将豆腐切块，蒜苗切段，木耳用温水泡发、洗净。锅内加开水300毫升，放入食盐、豆腐，煮片刻后捞起豆腐滤干；锅内放油烧至六成热，入少许食盐，将豆腐平摊锅里，以小火煎黄，备用；锅内放花生油烧至七成热，下淡豆豉略煸炒，入豆腐、豆瓣酱同炒，起锅前下蒜苗、木耳翻炒片刻即可。每日1次，佐餐食用。适用于气血两虚型慢性间质性肾炎。

**【名医指导】**

1. 避风寒，防外感。注意休息，避免劳累；注意个人卫生。

2. 积极治疗原发病，避免诱发加重的诱因。

3. 适当进行太极拳、气功等柔和的健身运动，避免剧烈运动。

4. 肾病患者须忌盐。选食红豆、玉米等，禁用胡椒、花椒、浓茶、浓咖啡等刺激性食物。尿量少或水肿时，可选用具有利水作用的食物，如冬瓜、冬瓜皮、丝瓜、玉米须等。

5. 保持良好心态，积极配合治疗。

6. 饮食以清淡易消化、高热量、高蛋白流质或半流质饮食为主；多喝水。

7. 适当运用护肤品及唇膏，保持皮肤及嘴唇的湿润。

## 药物性肾损害

由各种中西药物引起的肾脏的损害称药物性肾损害。本病多有明确的服药史，根据服药的种类、剂量和疗程，可初步分析肾损害与药物毒性之间可能的因果关系。临床主要表现为过敏性急性间质性肾炎，常伴有发热、皮疹、关节痛、嗜酸性细胞增多等全身表现。不同类型的急性肾衰竭和慢性肾衰竭可出现乏力、厌食、恶心、呕吐、皮肤瘙痒、贫血、心慌、气短等症，此外，还有泌尿系统表现。

本病中医学一般参照“血证”、“淋证”、“腰痛”、“癃闭”、“关格”来认识，指导治疗。本病总属邪实所伤，正气受损，故当明辨药毒初袭或邪毒久入，以明邪实与正伤之主次。疾病初发，当以邪实内侵所致，宜辨火毒内生，瘀血痹阻。药邪久入或素体不足，则应辨证以内伤致虚为主。

**【必备验方】**

1. 杜仲、黄芪各15克，大黄12～15克，熟地黄、山药、泽泻、党参、茯苓、巴戟天、肉苁蓉、紫苏叶、泽兰、桃仁、红花、炙甘草各10克，黄连6克，水蛭5克。水煎服。

2. 党参、黄芪、猪苓各15克，杜仲、桑寄生、续断、当归各12克，红花、白术各10克。水煎服。伴恶心呕吐者，加姜半夏、陈皮；少尿湿重者，加茯苓、泽泻、车前子；畏寒、腰膝酸软、舌质淡胖者，加桂枝、附子；血尿者，加仙鹤草、大蓟、小蓟等。每日1剂，分2次服。

3. 黄芪、鸡血藤、泽兰各30克，党参、茯苓、巴戟天、淫羊藿、肉苁蓉、白花蛇舌草、当归各15克，黄连6克，大黄6～15克，紫苏叶、白术、泽泻、陈皮各10克，水蛭5克，炙甘草10克。每日1剂，水煎服，连服8周。便秘者配合中药保留灌肠：大黄15克，野菊花、煅牡蛎各30克，枳实10克；水煎至200毫升，每日1次。恶心、呕吐明显者，予以黄连6克，紫苏叶、陈皮、法半夏、竹茹各10克，砂仁6克，生姜3片等，水煎，取汁100～200毫升口服，每日1剂。

4. 大黄6～10克（后下），生甘草5克。每日1剂，水煎服。尿少肢肿者，加桂枝、泽泻各10克，茯苓15克；恶心、呕吐甚者，加黄连3克，姜竹茹6克，砂仁3克（后下）；面黑舌紫者，加川芎6克，牛膝10克；神疲乏力者，加太子参、炙黄芪各15克、枸杞子10克。适用于抗肿瘤药引起的肾损害。

5. 法半夏、枳壳、生黄芪、土茯苓、丹参、川芎、补骨脂、淫羊藿、仙茅、五灵脂、蒲黄炭、蒲公英、白术各10克，砂仁6克。每日1剂，水煎服。配合灌肠液（生黄芪、丹参、川芎、土茯苓、五灵脂、蒲黄炭、大黄炭、蒲公英、车前子各适量，煎水）灌肠。

【名医指导】

1. 一旦疑诊，应立即停药；积极清除体内药物残余量；同时避免应用其他有肾脏损害的药物。

2. 多饮水或使用利尿药；但肾衰竭患儿不宜大量饮水，以免增加容量负荷。

3. 可食用虫草制剂及大剂量的维生素E，以有利于保护细胞及促进细胞再生。

4. 急性肾衰竭时，采用血液净化或腹膜透析治疗。

5. 保持乐观心态，积极配合治疗。

## 急性肾衰竭

急性肾衰竭是肾脏本身或肾外原因引起肾功能急剧降低以致机体内环境出现严重紊乱的临床综合征，是由多种原因引起的肾功能迅速恶化、代谢产物潴留，以及水、电解质和酸碱平衡紊乱为主要特征的一组综合征。包括由肾前性氮质血症、肾源性和肾后性原因引起的急性肾衰竭。临床主要表现为少尿或无尿、氮质血症、高钾血症和代谢性酸中毒。

本病中医学属“癃闭”、“关格”等范畴。本病的形成多由外感六淫邪毒、内伤饮食七情，以及失血、失液、中毒虫咬等意外伤害，形成火热、湿毒、瘀浊之邪，壅塞三焦，决渎失司，而成癃闭。其病理性质总属标实本虚。初期多为火热湿毒瘀浊之邪壅塞三焦，影响其通调水道的功能，以实热为主；后期以脏腑虚损、气血亏虚为主。临床分为湿浊壅盛、阳衰湿泛、阴衰阳竭、肝肾阴虚和气阴两虚等证型。

【必备验方】

1. 羊肾（或猪肾）2个，杜仲15克，食盐、生姜、葱等调料各适量。将羊肾切开，去皮、膜，与杜仲加适量调料，炖熟，食腰花。适用于下元虚寒型急性肾衰竭。

2. 甲鱼1只，猪骨髓200克（洗净），葱、生姜、味精各适量。将甲鱼用开水烫死，去指甲、内脏及脑，放铝锅内，加调料及适量清水煮沸，以小火煮熟，入猪骨髓煮熟，加入味精，佐餐食用。

3. 燕窝3克，冰糖30克。将燕窝以温水泡发、去毛、切丝；冰糖加水250克，以小火烧开（溶化），去杂质，入燕窝烧沸即可。适用于急性肾衰竭虚损劳积者。

4. 大蒜240克，芒硝60克。同捣烂，敷两侧肾区2小时；继用大黄150克，以醋200毫升，调敷两侧肾区2小时。每日1～2次（为预防皮肤损害，先在肾区皮肤上涂安息香酸酊，并隔一层凡士林纱布）。

5. 大黄、红花、丹参、黄芪各20克。水浓煎至100毫升，加4%碳酸氢钠20毫升，保留灌肠，每次45～60分钟，每日6次（病情好转时酌情减量）。适用于急性肾衰竭尿毒症。

【名医指导】

1. 急性肾衰竭少尿期，热量供给应以易消化糖类为主，限制蛋白质和非必需氨基酸的摄入，宜以动物性蛋白为主。

2. 多卧床休息，注意口腔及皮肤卫生。

3. 限制水的摄入量。少尿期时，要严格限制水分摄入，以免体液过多引起急性肺水肿或稀释性低钠血症。

4. 低盐低钠饮食。根据血钠的测定分别采用低盐、无盐饮食。

5. 高血钾时要减少饮食中钾含量，避免含钾的食物如香蕉等。含钾高的食物可通过冷冻、加水浸泡或弃去汤汁减少钾含量。

6. 多尿期时适当增加营养，并应注意补充水和电解质。每日饮水1000毫升左右；注意给予维生素制剂。

7. 短期内可以好转者，应给予低蛋白饮食。胃肠道反应剧烈者，短期内可给以静脉补液（以葡萄糖为主）。

8. 恢复期时膳食中的蛋白质可逐步提高，必要时可给予氨基酸注射液。

9. 急性肾衰竭时忌用刺激性食品，如酒、咖啡、辣椒等。

10. 避免劳累过度及精神刺激。

11. 积极配合医师治疗，去除病因。

## 慢性肾衰竭

慢性肾衰竭又称慢性肾功能不全，是发生在各种慢性肾脏疾病晚期的一组临床综合征，是由各种原因所造成的肾单位严重破坏，肾实质不可逆转的损害。临床主要表现为蛋白质代谢产物潴留，水、电解质及酸碱平衡失调，体内毒物排泄障碍等全身一系列中毒症状。本病分为肾功能不全代偿期、肾功能不全失代偿期（又称氮质血症期）、肾衰竭期和终末期（又称尿毒症期）。

本病中医学属“虚劳”、“溺毒”、“关格”、“水肿”、“癃闭”、“腰痛”、“肾风”等范畴。其病机为本虚标实，本虚为气、血、阴、阳诸虚损，主要为脾肾亏损；标证为湿浊、水毒、瘀血。其病位主要在脾、肾，常可累及肺、肝、心诸脏，严重者甚至五脏俱损，其中脾肾衰败、湿浊水毒潴留为病机关键。临床分为脾肾气阳两虚、脾肾气阴两虚、肝肾阴虚、气血阴阳俱虚、瘀血内阻、阴阳两虚、瘀浊交阻等证型。

**【必备验方】**

1. 黑芝麻30克，兔1只（约1000克），葱、生姜各20克，香油、味精各3克，卤汁适量。将黑芝麻洗净、炒香；兔肉去皮、爪、内脏，洗净，加水煮熟香，捞出晾凉，放入卤汁锅内，用文火煮约1小时，捞出晾凉，剁成块，装盘。碗内放味精、香油调匀，放入黑芝麻，浇兔肉上即可。分次食用。

2. 鱼片、菜心各50克，虾仁30克，豆腐150克，胡椒粉适量。将豆腐爆炒后备用；将鱼片、虾仁放碗中，加生油、食盐、糖、味精、胡椒粉拌匀；煲适量汤至沸，下鱼片、虾仁、豆腐，煮数沸，下菜心成汤，加食盐调服。适用于慢性肾衰竭多尿期。

3. 莲子40克，龙须菜45克，腐竹、猪瘦肉各100克，味精少许。将腐竹、龙须菜水发后切细，猪瘦肉洗净、切片，同莲子加水煮汤，调入味精，每日分2次服，连用20～30日。适用于肾衰竭多尿期和肾病引起的高血压、动脉硬化及肾癌。

4. 生大黄15克，煅牡蛎、煅龙骨、蒲公英、大血藤、白芍、丹参各20克，附片10克。水煎，取汁400毫升，待温保留灌肠，每次30～45分钟，每日1～2次。

5. 生麻黄、浮萍、白鲜皮、苦参各30克。水煎2次，倒入浴缸加温水至45℃，坐浴（以全身微微汗出后拭干即可）。适用于肾病水肿严重者及尿毒症皮肤瘙痒严重者。

**【名医指导】**

1. 适度锻炼，每日坚持散步；避免剧烈活动和过度疲劳。

2. 预防感冒，避免受凉。

3. 树立信心，坚持治疗，调整情绪，保持心态乐观。

4. 保持大便通畅，每日排便2～3次。

5. 注意饮食：

（1）限制蛋白饮食：宜食富含必需氨基酸的高生物价优质蛋白，如鸡蛋、瘦肉、鱼肉、牛奶，尽可能减少植物蛋白，如花生、黄豆及其制品的摄入；应以麦淀粉、藕粉为主食。

（2）摄入足量的糖类和脂肪，多食植物油、人造黄油和食用糖。

（3）控制水和电解质的摄入：每日尿量超过1000毫升而又无水肿的患者，不宜限制水、钾、钠的摄入，但尿少、水肿、心力衰竭者，应严格控制摄入量。

（4）注意补充水溶性维生素尤其是B族维生素、维生素C和叶酸等，按病情适量补充钙、铁和锌等。

6. 禁用含有关木通、广防己、青木香、马兜铃等药的成药及汤剂。禁止使用对肾脏有损害的西药，如氨基苷类抗生素等。

## 膀胱癌

膀胱癌为泌尿系统中最常见的恶性肿瘤，多数为移行上皮细胞癌，可先后或同时伴有肾盂、输尿管、尿道肿瘤。在膀胱侧壁及后壁最多，其次为二角区和顶部，其发生多为中心。其早期症状主要为无痛性血尿，或伴有尿频、尿急、尿痛或排尿困难等症状。

本病中医学属“溺血”、“尿血”、“血淋”、“癃闭”等范畴。其病因多为肾虚气化不利所致，以尿血和癃闭为主症。其病机有实证和虚证之分。实证为心火下行移热于小肠，或温热湿毒下注于膀胱；虚证为肾气不足，或气血双亏，或气血亏虚瘀积成毒。临床上分为湿热下注、瘀血阻滞、阴虚火旺、脾肾亏虚等证型。

【必备验方】

1. 龙井茶8克，枸杞茶10克，鸡蛋清1个，食盐4克，淀粉35克，虾仁、猪油各250克。黄酒、味精各适量。将龙井茶、枸杞茶以沸水略泡（使其胀开），沥干；虾仁洗净，吸干水，加入鸡蛋清、食盐、淀粉拌匀上浆，放置冰箱中30分钟。将猪油烧至三成熟，投入虾仁划散，待一变色就盛起；原锅留少许油，放入茶叶，加黄酒、味精及虾仁拌匀，即可食用。适用于膀胱癌阴阳两虚、小便有血者。

2. 金银花60克，车前草50克。加水浸泡片刻后浓煎2次，每次30分钟，合并2次煎液，用净纱布过滤，去渣，取滤汁以小火浓缩至200毫升，温服，每日2次。适用于膀胱癌并发尿路感染者。

3. 薏苡仁100克，猪膀胱1具。将猪膀胱用温水漂洗30分钟，入沸水锅中氽透，捞出后用清水洗净，剖条，改刀成小方块或短条状，待用。烧锅置火上，加植物油烧至六成热，投入葱花、生姜末煸炒，出香，即投入猪膀胱条，急火翻炒，加入料酒及适量清水拌匀，转入沙锅，加入薏苡仁，酌加适量清水煮沸，改用小火煨煮1小时，加食盐、味精、五香粉煮沸即可。

4. 芦笋丝、黄豆芽各适量。将芦笋丝加少许食盐腌渍片刻，滤去腌渍水，待用；炒锅置火上，加植物油烧至八成热时，加入芦笋丝、黄豆芽急火翻炒，加酱油、青蒜末、生姜丝、红糖、食盐、味精等，熘炒均匀即成。适用于各型膀胱癌以及淋巴结癌。

5. 刺猬皮15克，血竭、红花、桃仁、生没药各30克，生乳香、阿魏各10克，冰片6克。共研细末，以酒、醋各半调敷于病变处，24小时换药1次，7日为1个疗程，可反复应用。

【名医指导】

1. 保持会阴区（特别是尿道口）清洁；多饮水；预防尿路感染。

2. 保持情绪平稳，心态乐观；解除紧张、恐惧、失望等不良心态。

3. 戒烟限酒。

4. 加强锻炼，增强体质；多在阳光下运动。

5. 养成良好的生活习惯；早睡早起，保证充足的睡眠；劳逸结合。

6. 宜食清淡、易消化、富有营养的食物，不吃咸、辣、过热、过冷、过期变质的食物。

7. 定期复查。

## 肾　癌

肾癌又称肾细胞癌、肾腺癌、肾上腺样瘤，是最常见的肾实质性肿瘤，可发生于任何部位，以上、下极为多见，少数侵及全肾，左、右肾发病机会均等，双侧病变占1%～2%。其病因未明，可能与吸烟、解热镇痛药物、激素等有关；除血尿、腰痛和肿块三大典型症状外，肾癌还存在不少非泌尿系统的肾外表现，如高热、肝功能异常、贫血、高血压、红细胞增多症、高钙血症等。

本病中医学属“血尿”、“腰痛”、“癥积”等范畴。多因肾气不足，水湿不化，湿毒内生，或湿热邪毒外侵，入里蓄毒，气滞血瘀，内外合邪阻结水道所致。肾虚不能摄血而为血尿，腰为肾之府，肾虚则腰背痛，湿热结毒，日久气滞血瘀形成肿块。临床分为湿热蕴结、阴虚火旺、气滞血瘀、气阴亏虚等证型。

【必备验方】

1. 香菇20克（去蒂），冬虫夏草15克，（未下蛋的）母鸡1只（约1千克）。将母鸡去毛及内脏，纳入香菇、冬虫夏草，以竹签缝口，加适量水慢火炖2小时，调味后分2～3次服。适用于肾癌化疗期间。

2. 乌龟1只（150～250克），猪蹄250克（切块），人参10克。将乌龟用沸水烫（使其排尽尿液），去头、爪及内脏，洗净，切块，与后2味同炖服。适用于肾癌术后。

3. 鲜鱼1条（约500克），香茶叶10克。将鱼去鳞及内脏，用盐酒腌10分钟，纳入泡开的香茶叶装盘（再在盘边摆放十几片茶叶），以武火蒸20分钟，淋上爆香的葱、生姜丝即可。适用于肾癌无痛性血尿者。

4. 取三阴交、昆仑、足三里等穴。并以复方丹参注射液2毫升稀释在5毫升生理盐水中，每次分别注射1毫升，每日或隔日1

次，连用10日为1个疗程，休息5日后再行下1个疗程。适用于肾癌疼痛和血尿有条索状血块、排尿困难者。

5. 山柰、乳香、没药、姜黄、栀子、白芷、黄芩各20克，小茴香、丁香、赤芍、木香、黄柏各15克，蓖麻籽20粒。共为细末，以鸡蛋清调敷肾俞穴，6～8小时更换1次。适用于肾癌疼痛者。

**【名医指导】**

1. 养成良好的生活习惯，戒烟、酒。

2. 每晚坚持温水泡脚，在泡脚的同时，可以按摩双耳、梳头发；做搓腰法、转腰操，以保护好肾脏。

3. 每日服用固元膏1勺。

4. 低盐饮食。忌食寒凉、冷饮，多喝温开水，多吃补血补肾的食物，如牛肉、猪肉等，多吃性平温的蔬菜，荤素比例最好是2∶3。

5. 每日早上醒来后将手臂内侧的肺经来回搓100下，再搓大腿上的胃经和脾经各50下；中午搓手臂内侧的心经，慢慢来回上下100次，再在腰部肾俞穴搓100下；晚上临睡前在手臂外侧中间的三焦经上下来回搓100下。

6. 平时注意保暖，不能着凉。

7. 保持积极乐观的心态。家属应帮助患者营造轻松的气氛。

8. 避免使用各种加重肾脏损害的药物。

## 肾小管性酸中毒

肾小管性酸中毒是指多种疾病损毁肾小管功能时引起的酸中毒，分为近曲小管型（又称Ⅱ型）和远曲小管型（又称Ⅰ型）。如将其较轻型（又称不完全型）与Ⅰ、Ⅱ型的混合型等亚型合计则可有5型。临床主要表现为慢性高氯性酸中毒，水、电解质平衡失调，多尿、烦渴、多饮等；若不及时治疗可出现肾性佝偻病（骨软化症）、骨钙化及肾结石等。

本病中医学属“消渴”、“呕吐”、“痿证”、“五迟五软”等范畴。多为脾肾不足、气血亏虚所致。肾乃先天之本，若先天不足，肾气亏损，下亢虚惫，约束无权，气化功能亦失常度，以致饮一溲一；而脾为后天之本，藏营主运化，脾失健运，水精输布无权，精微物质外泄失度，精虚则不能灌溉诸末，血虚则不能濡养筋骨，肢体萎软不用，骨节疼痛不支。临床分为肾精不足、脾气虚损、胃阴亏损和阴阳两虚等证型。

**【必备验方】**

1. 牛膝150克。研细末，浸入生地黄汁500毫升中日晒夜浸至汁尽，炼蜜为丸（如梧桐子大）。每服30丸，空腹以温酒送下，宜久服。适用于肾小管性酸中毒消渴不止者。

2. 生鸡蛋5个，醋150毫升，蜂蜜250毫升。将前2味同泡2日，加蜂蜜调服，每日早、晚1次，每次15毫升。

3. 大米100克，鲜黄瓜300克，生姜10克，食盐2克。将黄瓜去皮、瓤，洗净、切薄片，大米洗净，生姜洗净、拍破；将大米煮成粥，下黄瓜片和生姜煮至汤稠、表面浮有粥油时，加入食盐调服。适用于肾小管性酸中毒呕吐者。

4. 丁香15克，法半夏20克，生姜30克。将前2味研末，以生姜煎汁调敷脐部，每日1次，连用3～4日。适用于肾小管性酸中毒呕吐者。

5. 艾叶250克，苍术30克。同揉碎，用细麻纸卷成条状（要卷紧实），点燃后灸中脘穴（脐上4寸）、内关穴、足三里穴（灸时离皮肤1寸左右，至局部皮肤潮红为度）。适用于肾小管性酸中毒呕吐者。

**【名医指导】**

1. 规律生活：若无症状，可正常活动，但要避免过劳，防止感染；当严重发作出现多饮、多尿、肢体无力时，应卧床休息；定时复查血气分析。

2. 预防感染，避免精神创伤及过度劳累等诱发因素。

3. 宜多食用含钾、钙及维生素丰富的新鲜蔬菜，如地下块茎、土豆、地瓜、山药等；新鲜水果有橘子、香蕉等；若肾功能正常，应积极补钙。

4. 严禁饮酒，限制肥甘厚腻食物的摄入。

5. 积极治疗原发病和并发症，如发生骨病或钙严重缺乏时可给予钙剂和活性维生素D制剂。

# 第五章　血液系统疾病

## 缺铁性贫血

缺铁性贫血是指体内铁的储存不能满足正常红细胞生成的需要而发生的贫血，是由于铁摄入量不足、吸收量减少、需要量增加、铁利用障碍或丢失过多所至。其特点为骨髓、肝、脾及其他组织中缺乏可染色铁，血清铁浓度和血清转铁蛋白饱和度降低。临床表现为小细胞低色素性贫血，常见乏力、心悸、气短、头晕目眩、面色苍白等症状。部分出现嗜食泥土、石屑、煤屑、生米等异食癖，缺铁纠正后症状即可消失。多见于儿童。

本病中医学属“血虚”、“萎黄”、“虚劳”等范畴。与心、脾、肝、肾功能失调，脏腑虚损密切相关；多由先天禀赋不足、饮食不节、长期失血、病久虚损及虫积等所致。其病机主要是脾胃虚弱、气血两虚、肝肾亏虚等。临床分为肝血亏损、脾虚血亏（或心脾两虚）、气血两虚、肝肾阴虚、脾肾阳虚等证型（主要由寄生虫病所致者除外）。

**【必备验方】**

1. 黄芪 30 克，母鸡 1 只（约 1000 克），粳米 100 克。将母鸡去毛及内脏、切块，与黄芪同加水煮成浓汤，取汁与粳米煮成粥，调味后食用。适用于脾气虚弱型缺铁性贫血。

2. 鲜菠菜 500 克，猪血 250 克，食盐、味精各适量。将菠菜洗净，用开水氽后，切段；猪血洗净、切块，放铁锅内加水煮开，入菠菜煮熟调味后服食，每日（或隔日）1 次，连服 2～3 次。适用于气血不足型缺铁性贫血。

3. 阿胶 15 克（捣碎），大枣 10 枚，黑木耳 10 克，糯米 100 克。将黑木耳用温水泡发、洗净，大枣去核，与糯米煮至将熟时，加入阿胶煮熟，每日早、晚饭温热服食。适用于血虚型缺铁性贫血。

4. 鲜猪肝、鲜瘦猪肉、大米各 50 克，食用油 15 毫升，食盐少许。将猪肝、瘦肉洗净后剁碎，加食用油、食盐拌匀；将大米煮成粥，加入拌好的猪肝瘦肉煮熟即可。每日 1 剂（或隔日 1 剂），可长期食用。适用于缺铁性贫血、佝偻病及夜盲症。

5. 生五灵脂 24 克，大青盐 25 克，乳香、没药、干葱头各 3 克，夜明砂 6 克，木通 9 克，麝香少许。共研细末，每取 6 克放于脐内，用槐皮剪成钱状放在药上，以艾灸之，每岁 1 壮。

**【名医指导】**

1. 补充富含铁的食物，如各种肉类、禽蛋类、动物的肝、肾等及海带、紫菜、黑芝麻、芝麻酱、黑木耳、香菇、豆类及其制品等。每日可进食优质蛋白 80 克左右。

2. 提倡使用铁锅、铁铲炒菜；不使用铝制品，以免影响铁的吸收。

3. 膳食宜富含维生素特别是 B 族维生素和维生素 C。

4. 铁剂不宜与牛奶、茶、四环素药物同时服用，以免影响铁剂吸收。饭后不宜饮茶。

5. 铁剂药物宜在两餐之间服用，可减少对胃肠道的刺激。

6. 避免食物过冷、粗糙。

7. 纠正不良的饮食习惯，如偏食、素食主义等。

## 巨幼细胞贫血

巨幼细胞贫血是由于脱氧核糖核酸(DNA)合成障碍所引起的一种贫血，主要系体内缺乏维生素 $B_{12}$ 或叶酸所致，亦可因遗传性或药物等获得性DNA合成障碍引起。其特点是呈大红细胞性贫血，骨髓内出现巨幼红细胞系列，且细胞形态的巨型改变也见于粒细胞、巨核细胞系列，甚至见于某些增殖性体细胞。一般起病缓慢，叶酸缺乏与维生素 $B_{12}$ 缺乏共同的表现为巨幼细胞贫血和消化道症状，而维生素 $B_{12}$ 缺乏（尤其是恶性贫血）可出现神经系统症状。

本病中医学属“虚劳”、“血虚”等范畴。乃脾肾两虚、精血不足所致，与肾关系密切。肾藏精，主骨生髓，通于脑，为先天之根。若肾虚，精髓不充，则血液生化不足。临床分为心脾两虚、气血两虚、脾肾两虚等证型。

**【必备验方】**

1. 银耳15克，大枣30克，大米100克。将银耳泡发、去蒂、洗净，大枣去核，与大米（洗净）加水煮粥食，每日早、晚各1次，每次150毫升。适用于贫血、肝炎、血小板减少、消化不良等。

2. 黑豆200克，生姜2片，大枣10枚，鲤鱼1条，陈皮1小块，胡椒粉适量。将鲤鱼去鳞、鳃、鳍及内脏，洗净，加少许油在锅中，略煎至金黄色；将黑豆炒至裂开，再用清水洗干净，备用。大枣去核，生姜去皮，陈皮洗净，备用；水煮滚，放入黑豆、大枣、陈皮、生姜，以大火煮10分钟，转用文火煮90分钟，放入鲤鱼煮30分钟即可。适用于贫血兼有水肿者

3. 猪肝200克，芹菜300克（或菠菜200克），酱油25克，白糖20克，黄酒10克，湿淀粉30克。将猪肝去筋膜，切薄片，以适量淀粉、黄酒、食盐搅匀，待用；芹菜去叶、洗净、切段。将猪油烧至六成热，投入猪肝搅散，待变色后倒入漏勺沥油；锅中留油少许，以旺火投入芹菜煸炒，加入酱油、白糖、食盐，用湿淀粉勾芡，再倒入猪肝，翻炒几下，在锅边淋上少许香醋，即可出锅食用。适用于巨幼细胞贫血。

4. 黄芪、党参、当归、生姜片各25克，羊肉500克，食盐少许。将羊肉切块，前3味布包（用线捆扎好），加水以小火煨至羊肉将烂时，放入生姜片、食盐煮熟，即可服食。适用于气血两虚型巨幼细胞贫血。

5. 从耳朵上方起，沿着眼睛上方的额头一直按摩到太阳穴；用同样的方法，从眼睛的上方沿着额头一直按摩到太阳穴；从额头中心位置起，沿着头顶中心线一直到脑颅顶，再到后脖颈。每个小节各进行3分钟。

**【名医指导】**

1. 改变不良的饮食习惯，不偏食、不挑食、不长期吃素食；宜多食含叶酸丰富的蔬菜，如菠菜、油菜、小白菜、西红柿、花生仁、酵母发面食品、豆类及其制品以及动物的肝、肾等。多食含维生素 $B_{12}$ 丰富的食物，如动物的肝、肾和肉类、蛋黄、牛乳、面粉等。

2. 烹调时不宜高温和时间过长。若在食物中加入维生素C，可促进叶酸吸收；加入钙片，可促进维生素 $B_{12}$ 吸收。

3. 禁饮酒。

4. 保持心情愉快，树立战胜疾病的信心。

5. 积极治疗基础疾病，去除病因。

6. 治疗过程中须警惕低钾的发生，若出现肌无力等不适应及时到医院检查和治疗。

## 再生障碍性贫血

再生障碍性贫血（简称再障）是因骨髓造血干细胞及造血微环境损伤致使造血功能显著下降，以致全血细胞减少的难治性疾病。同时可伴有红细胞、白细胞和血小板的减少，故表现为较重的贫血、易感染（发热）和出血（皮下出血、齿龈出血、鼻出血、月经量多、伤后出血不止等）。

本病中医学属“血虚”、“虚劳”、“血证”等范畴。多为劳倦内伤，感受不正之气，或药物毒物伤及气血，日久未复，致脾肾亏虚，精血生化不足。精液亏损，脾胃失调，邪毒入里，禀赋不足，导致肾虚不能生髓与髓不

藏精化血。临床常见证型有：肝肾阴虚型、气血两虚型、脾肾阳虚型、阴阳两虚型、热毒营血型。

**【必备验方】**

1. 紫河车1个，瘦猪肉250克，大枣20枚，生姜数片。将紫河车漂洗净、切片，同生姜生炒，再加瘦猪肉、大枣炖熟，加食盐调味，分次食用。

2. 龟肉250克，核桃仁100克，杜仲20克。将龟肉切块、用沸水氽透，核桃仁用温水泡后去膜、切丁，下油锅炸至金黄色；杜仲洗净、去粗皮；将葱、生姜入油锅中煸炒，倒入龟肉炒干，加入食盐、料酒、核桃仁、杜仲，倒入鸡汤烧开，去浮沫，再以文火炖熟，入味精调服。

3. 山药150克，大枣泥60克，白糖90克，植物油500克，青梅丝、淀粉、香油各少许。将山药蒸烂、去皮，搓成泥，加少许干淀粉拌匀，按成小团饼，放入枣泥包起，做成金枣形，把细头插上一根青梅丝（枣把），再蘸上干淀粉，放盘内备用；植物油烧至七成热，把金枣放入油内炸至呈金黄色，捞出；把炒勺擦净，用清水化开白糖，再炒至能拔丝时，加入金枣，颠翻几下，倒在抹香油的盘内即可。

4. 莲子（去皮、心）、龙眼肉各30克，大枣20克。同煮熟，加冰糖调味，每晚睡前服用，每周1～2次。适用于贫血乏力、神经衰弱、心悸、健忘、睡眠不安等。

5. 猪皮100～150克，黄酒半碗，红糖50克。以黄酒与等量清水煮猪皮至熟，放入红糖，每日分2次服。

**【名医指导】**

1. 禁用抑制骨髓的药物及可致再生障碍性贫血的药物，如氯霉素、四环素、甲巯咪唑、吲哚美辛等。防止与物理及化学毒物接触，避免周围环境中有可能导致骨髓损害的因素。必须接触能致本病的化学、物理因素者，要严格执行劳动防护措施，定期作预防性检查。

2. 注意观察和预防各种感染。

3. 平时根据天气变化注意加减衣物；避免接触患有感冒、肝炎等传染性疾病的患者；尽量避免去人流量大的公共场所。

4. 日常饮食、起居要规律；保持口腔、阴部、肛门和全身的清洁；注意个人卫生；避免创伤感染。

5. 饮食宜高热量、高蛋白质、高维生素、易消化；注意饮食清洁。勿过滋腻、辛辣。避免食用发物，如羊肉、鱼等。

6. 定期复查和接受治疗，按医嘱定时用药。

7. 多饮水；保持大便通畅，必要时使用药物帮助排便。

8. 保持心态平和，积极配合治疗。

9. 保持居室内空气清新流通，多晒太阳；劳逸结合。

10. 忌烟酒，慎房事。避免划破出血及注意观察有无自发性出血，必要时及时就医。

## 浆细胞病

浆细胞病又称单克隆丙种球蛋白症，是由B淋巴细胞演变而来的、能分泌单克隆免疫球蛋白的、使单株（单克隆）浆细胞过度增殖并产生大量异常抗体的一组浆细胞恶性增生性疾病。临床表现为骨痛、贫血、发热等。其病因未明，多见于老年人，其中20%～30%的患者可发展为浆细胞恶性肿瘤，如多发性骨髓瘤。

本病中医学属"腰痛"、"骨痹"、"虚劳"等范畴。主要由于六淫、饮食、情志、房劳等，使阴阳气血失调、脏腑亏损，致气血失和，痰瘀互结，热毒内蕴而成。痰瘀搏结，痹阻经络，经脉筋骨失于濡养而致骨痹、周身痛；肾精亏虚，或病久气血不足，肝肾失调，脏虚毒瘀而致腰痛、贫血；热毒内蕴，耗伤气血可致发热、贫血。

**【必备验方】**

1. 猪肝、菠菜各50克，黑木耳10克，葱、味精、酱油、猪油、食盐各适量。将猪肝洗净、剔除筋膜、切片，黑木耳泡发、洗净，同加水煮熟，加入菠菜略煮片刻，入猪油、葱、味精、食盐调服，每日1剂，可常食。适用于浆细胞病贫血。

2. 牛蹄筋50克，鸡血藤30～50克，补骨脂10～12克。将牛蹄筋洗净、切片，与洗净的鸡血藤、补骨脂同加水适量，先用武火煮沸15分钟，再用文火煎熟，取汁服。适用于浆细胞病贫血。

3. 水发海参1000克，虾子20克，鲜汤500克，料酒、白糖、酱油、淀粉、味精、胡椒、葱段各适量。将水发海参洗净，入热油锅内稍炸捞出沥油，待用；将虾子、葱段入热油内煸炒片刻，烹入调料烧沸，投入海参烧10分钟，捞出海参，摆入盘内。锅内汤汁勾芡，淋上香油，浇在海参上，撒上胡椒粉即可。适用于浆细胞病贫血。

4. 乳香、没药各15克，生马钱子6克，花椒8克，生川乌12克，白花菜子20克。共研细末，用醋调匀（装布袋中），热敷骨质增生处，每日1次，连用5～7日（药干后可用醋再调）。适用于浆细胞病疼痛严重者。

5. 麻雀10只（去皮、毛，锉碎），枸杞子、覆盆子、五味子、菟丝子（酒浸3日，曝干，捣为末）各30克（同捣为末），粳米、酒各60克。将雀肉酒炒，加水3大盏煮沸，入粳米煮成粥，入药末15克及调味品调匀，煮沸，空腹服食。适用于浆细胞病阳气衰弱、筋骨不健者。

**【名医指导】**

1. 远离射线，避免电离辐射。对于接触射线的工作人员，应严格遵守劳动保护措施，避免不必要的照射。

2. 不接触石棉、苯及有毒、有害物质；采用机器喷洒农药；实验室操作人员应做好个人保护。

3. 劳逸结合，尤其是中老年人，避免过度劳累。

4. 宜多卧床休息，避免负重发生病理性骨折。

5. 注意保暖，避免着凉。室内保持空气新鲜，定期消毒。

6. 饮食宜清淡。宜多食能抑制骨髓过度增生的食品，如海带、紫菜、裙带菜、海蛤、杏仁等。戒烟、酒；忌食肥甘厚味及生冷、辛辣之品。可适当饮用牛奶。有肾功能损伤者，采用低盐饮食。

7. 保持情绪稳定，避免精神刺激。

## 溶血性贫血

溶血性贫血是由于红细胞破坏增多、增速，骨髓造血功能代偿不足时所引起的贫血。如果骨髓能够增加红细胞生成，足以代偿红细胞的生存期缩短，则不会发生贫血，这种状态称代偿性溶血性疾病。溶血性贫血常伴有黄疸，称溶血性黄疸。临床表现为面色苍白、寒战、高热、黄疸、血尿、腰背肢体酸痛；严重者可出现微循环障碍，少尿或无尿；慢性患者可有轻度或隐性黄疸，肝脾大及淋巴结肿大。

本病中医学属“黄疸”、“急黄”、“虚劳”、“积聚”等范畴。为先天不足、后天失养所致。急性溶血性贫血多因湿热内蕴，或热扰营血，湿热毒邪相搏结，交蒸于肝胆，肝失疏泄，胆汁外溢；或热毒内蕴化火，浸入血分，耗伤营血，导致贫血；慢性溶血性贫血多因阴血内虚，素体亏虚，复感湿热外邪，或水湿不化，郁而化热，湿热搏结于中焦，伤及脾肾，气血生化异常而发。其病位在肝、胆、脾、胃。临床分为脾胃阳虚、肝肾阴虚、气血两虚、湿热内蕴等证型。

**【必备验方】**

1. 牛乳250克，粳米100克，白糖适量。将粳米洗净，加水煮至半熟，加入牛乳煮至粥成，调以白糖食。适用于溶血性贫血虚弱劳损、形体羸瘦者。

2. 猪里脊肉、粳米各50克，花椒、食盐、小茴香、香油各适量。将里脊肉洗净、剁成末，入食盐、花椒、小茴香、香油调拌，待用；将粳米煮粥，粥将成时入里脊肉末煮熟食，每日2次。适用于溶血性贫血虚弱劳损、形体羸瘦者。

3. 制何首乌30～60克，粳米60克，大枣3～5枚，红糖适量。将制何首乌水煎浓汁，去渣，入粳米、大枣同煮成粥，入红糖调服。适用于肝肾阴虚、精血亏损型溶血性贫血。

4. 人参15克，冬虫夏草10克，乌鸡1只，白扁豆20克。加适量水及盐、油以文火炖2小时，饮汤食肉。适用于溶血性贫血间

歇期气血虚者。阴虚者慎用。

5. 取足三里、血海、三阴交、地机、膈俞、脾俞等穴，采用平补平泻法。有黄疸者，加胆俞、阳陵泉、阴陵泉、太冲等穴；肝脾大者，加肝俞、期门、支沟等穴。每日1次，10次为1个疗程。适用于慢性溶血性贫血。

**【名医指导】**

1. 积极寻找病因，并针对病因治疗。

2. 慢性溶血者宜补充叶酸。

3. 皮质类固醇对减轻自体免疫溶血性贫血有较好的疗效。

4. 起居有常，按时休息，保证充足的睡眠；并随气候的变化随时增减衣服，预防感冒。

5. 居室宜安静整洁，室温以18 ℃～20 ℃为宜，湿度为50%～60%；阳光充足，冬季每日通风30～60分钟，防止对流，每日紫外线空气消毒1～2小时。

6. 保持口腔清洁，勤洗澡及更换内衣，避免感染。

7. 饮食宜清淡、易消化、富有营养；避免进食酸性或过甜食物；禁食肥腻、生冷、辛辣、滋补之品。

8. 头晕、心悸、气短者应卧床休息，起、坐、立时动作宜缓慢。

9. 保持情绪平稳，心态乐观。避免精神紧张、焦虑。

10. 适当锻炼，避免重体力劳动。劳逸结合。

## 过敏性紫癜

过敏性紫癜又称亨-舒综合征，是一种较常见的微血管变态反应性出血性疾病，主要由感染、食物药物过敏、花粉、昆虫咬伤等所致。多见于儿童及青少年，起病前1～3周往往有上呼吸道感染史。临床主要表现为皮肤瘀点，多出现于下肢关节周围及臀部，紫癜呈对称分布、分批出现、大小不等、颜色深浅不一（可融合成片，一般在数日内逐渐消退，但可反复发作）；可有胃肠道症状，如腹部阵发性绞痛或持续性钝痛等；可有关节疼痛及肾脏症状，如蛋白尿、血尿等（多见于儿童）。

本病中医学属"血证"、"斑疹"、"肌衄"、"紫癜"、"葡萄疫"等范畴。多为血热炽盛兼感六淫之邪，邪热与血热相搏，迫血妄行；或为素体阴虚火旺，复因外邪；或某些食物、药物所伤，以致邪热壅遏脉络，迫血妄行所致。病理变化为血热之体，因风火湿毒之邪浸淫腠理，深入营血，邪热与血热相搏，热伤络脉，致血液不循常道而溢于脉外；或因食入不适之品，致脾胃运化失常，湿热内生，迫血外溢；或素体阴虚火旺，阴虚则络脉失养，火旺则脉络受伤，致血溢于脉外而发病。临床分为热伤血络、瘀血阻络、气虚血亏等证型，以热伤血络型最为常见。

**【必备验方】**

1. 连翘、天花粉各15克，大黄、焦栀子、黄芩、玄参、射干、牡丹皮、当归、红花、葛根、陈皮、桔梗各10克，甘草6克。水煎服，每日1剂。适用于热毒妄行型过敏性紫癜。

2. 柿叶20克，鲜猪皮、粳米各100克。水煎服，去柿叶，入粳米熬成粥，每日早、晚分服。适用于阴虚火旺型过敏性紫癜。

3. 兔肉150克，大枣15枚，食盐、味精各适量。将兔肉洗净、切块，与大枣同隔水炖熟，加入食盐、味精调服，每日1次。

4. 鲜羊骨500克，糯米50～100克，生姜3～5片，葱白2节，食盐适量。将羊骨洗净、打碎，煎汤，去渣，入糯米煮成粥，加入食盐、生姜、葱白稍煮即可。适用于阴虚火旺型过敏性紫癜。

5. 枸杞子10～15克，大枣10枚，党参15克，鸡蛋2个。同煮至蛋熟，去壳后，再煮片刻，食蛋饮汤，每日（或隔日）1次，连服1个星期。适用于气不摄血证。

**【名医指导】**

1. 注意休息，避免劳累；防止昆虫叮咬，去除可能的过敏原。

2. 适时增减衣服，防止感冒；控制和预防感染，在有明确的感染或感染灶时选用敏感的抗生素。应避免盲目地预防性使用抗生素。

3. 禁食生葱、生蒜、辣椒、酒类等刺激

性食品；对曾产生过敏而发病的食物，如鱼、虾、海产品、蛋等绝对禁食；不宜吃蚕豆、菠菜等。主食以大米、玉米面为主，多食瓜果蔬菜，忌食肥甘厚腻。

4. 保持皮肤清洁，预防擦伤；溃破时及时处理，以预防出血及感染。

5. 避免与花粉等过敏原相接触，远离过敏介质。

6. 避免情绪波动及精神刺激。

7. 可在医师生指导下行脱敏治疗。

## 血管性紫癜

血管性紫癜是血管壁或血管周围组织有缺陷引起皮肤和黏膜出血的一类疾病。多见于内皮细胞（或者内皮基底膜）及胶原纤维等内皮下组织的病变，一般无血小板缺陷及凝血功能障碍。其病因分为遗传性和获得性两类，前者常见有遗传性出血毛细管扩张症，表现为局限性血管扩张，常为同一部位反复性出血，扩张的小血管呈结节型、蜘蛛型或血管瘤型，加压后消失；后者常见于感染性紫癜，可因毛细管壁炎症受损或毛细血管栓塞所致，如天花、心内膜炎、脑膜炎奈瑟菌败血症以及药物性血管性紫癜等。

本病中医学属“血证”、“紫癜”等范畴。其发病主要与火、虚、瘀有关。火有虚实之分，虚有气虚、阴虚、阳虚之别，瘀血既是出血的病理产物，又可作为致病因素使血不循经而加重出血。其病位主要在肝、脾、肾三脏，急性血管性紫癜以实证、热证为主；慢性血管性紫癜多以虚证为主，或为气虚不摄血，或为阴虚内热，或为脾肾阳虚等。

**【必备验方】**

1. 赤小豆 50 克，大米 100 克，鸭肉 80 克，生姜 15 克，食盐 5 克，大蒜、葱各 10 克。将赤小豆洗净后浸泡 2 小时。鸭肉洗净、去骨、切粒。生姜、葱、大蒜切粒。大米洗净，与赤小豆加清水 600 毫升。以武火烧沸，加入鸭肉、生姜、葱、大蒜、食盐，用文火继续煮 45 分钟。每日 1 次，每次 100 克。

2. 鲜昆布（海带）200 克，黑豆 100 克，瘦猪肉 150 克，生姜 15 克，葱 10 克，食盐 5 克。将黑豆洗净，瘦猪肉洗净、切块，海带洗净、切丝，生姜切片，葱切段；同加水 600 毫升烧沸，去浮沫，以文火炖 1 小时，加入食盐拌匀。每日 1 次，每次 50 克。

3. 枳壳 9 克，砂仁 3 克，赤小豆 30 克，猪肚 1 只，绍酒、生姜各 10 克，葱 5 克，食盐、大蒜各 15 克。将枳壳润透、切丝，砂仁烘干、研粉，赤小豆洗净，生姜、大蒜切片，葱切段。将猪肚洗净，纳入赤小豆、枳壳、砂仁粉，加入清水 1500 毫升及葱、生姜、大蒜、食盐，以武火上烧沸后改用文火炖 1 小时，即可服食，每日 1 次，每次 50 克。

4. 大蒜 30 克，牛奶 200 毫升，白糖 20 克。将大蒜去皮、切片，加水 100 毫升，以文火隔水炖 1 小时，待用；把牛奶用中火烧沸，同熟大蒜混匀、烧沸，加入白糖调服，每日 1 次，每次 1 杯。

5. 鲤鱼 1 条（约 500 克），茶叶 30 克，陈皮 20 克，香橼 25 克。将鲤鱼去鳞及肠肚、洗净，纳入茶叶、陈皮、香橼（切片），将鲤鱼肚缝合，煮熟成汤，调和五味（少放盐，多放味精），空腹服食，每日 1～2 次。

**【名医指导】**

1. 宜进食清淡、易消化、富有营养的食物，如新鲜蔬菜、水果、瘦肉等；忌食辛辣香燥、油炸、煎炒刺激之物及鱼、虾、蟹、牛乳等腥味之品。忌酒。

2. 宜参加柔和的体育锻炼，如散步、快走等，但应避免劳累。

3. 保持情绪平稳，避免七情过极。

4. 预防细菌、病毒感染。

5. 避免各种外伤。血管性紫癜在外伤如挤、压、碰等情况下容易诱发或加重。

6. 忌用可引起血管性紫癜的药物，如青霉素、链霉素、氯霉素、红霉素、磺胺类药、解热镇痛类药、碘化物、异烟肼、苯巴比妥类、水合氯醛、乙内酰脲、硫氧嘧啶、奎宁、人工合成的雌激素、丙酸睾酮、胰岛素及金、汞、砷、铋制剂等。

## 特发性血小板减少性紫癜

特发性血小板减少性紫癜是一种外周

血中血小板减少导致的出血性疾病。其特点为自发性出血，血小板减少，出血时间延长和血块收缩不良。骨髓穿刺检查示骨髓中巨核细胞的发育受到抑制。其病因与免疫机制有关。临床分为急性型和慢性型，前者多见于儿童，后者好发于40岁以下女性。临床表现主要为皮肤瘀点、瘀斑、鼻衄、齿衄、血尿、月经过多等，皮肤、黏膜广泛出血，多为散在性针头大小的皮内或皮下出血点，形成瘀点或瘀斑，四肢较多。

本病中医学属“虚劳”、“血汗”、“肌衄”、“血证”、“发斑”等范畴。其病机可见于外感邪热，血热妄行；脾气虚损，气不摄血；脾肾阳虚，统摄无权；肝肾阴虚，虚火上炎；瘀血内阻，血不循经等。临床主要分为血热妄行、气血两虚、脾肾阳虚、肝肾阴虚、阴阳两虚等证型。

**【必备验方】**

1. 党参、黄芪各15～30克，炙甘草6克，犀角粉3克（或水牛角30克）（吞服），生地黄30～60克，牡丹皮、当归各9克，赤芍15克，仙鹤草、土大黄、猪殃殃各30克，大枣10克，三七粉4克（吞服）。每日1剂，水煎，分2次服。

2. 水牛角30～60克。每日1剂，削成薄片，水煎2小时，分2～3次服。

3. 阿胶30克，黄酒、砂糖各适量。将阿胶、黄酒加入少量水炖溶，调入砂糖，每日分2次服，连服7日。适用于阴虚内热型血小板减少性紫癜。

4. 黄花鱼鳔120克。加水后用文火炖12小时（经常搅拌，直至鱼鳔全部溶化即可），凉后分为8份，热服每日2次，每次1份。适用于血小板减少性紫癜气不摄血证。

5. 猪皮1000克，大枣500克（蒸熟，去皮、核）。将猪皮剔除白膘肉（皮下的脂肪）、切片，加水以小火煮至猪皮溶化（汤汁变黏稠时）去渣，加入大枣及适量蔗糖煮沸、调匀，然后置有盖器皿中冷却（冬月能自行凝成胶冻状，夏日可放冰箱中）。每日服食。每次1小碗。适用于血小板减少性紫癜气血亏虚证。

**【名医指导】**

1. 发病急、出血严重者需绝对卧床休息；缓解期应注意休息。避免过劳和外伤。

2. 慢性患者可根据体力情况适当进行锻炼，不宜劳累。

3. 注意饮食调理：

（1）食宜软而细。如有消化道出血，应给予半流质或流质饮食，宜凉不宜热。

（2）脾虚可稍多进肉、蛋、禽等滋补品，但要注意不要过于温补。

（3）不宜食用抗原性较强或被称为“发物”的食物，如虾、蟹、蛋、奶及酒、烟、辛辣之品；忌用头孢菌素、奎宁、对氨柳酸钠、利福平、阿司匹林等药物。

（4）饮食要有规律：主、副食应以高蛋白、维生素为主，如小麦、玉米、小米、糯米、豆类、瘦肉、蛋类等；多吃新鲜水果和蔬菜，如橘子、红枣、核桃、红皮花生、菠菜、白菜；忌食辛辣油腻及不易消化的食物。

4. 用药时注意避免使用致敏药物。紫斑多伴皮肤瘙痒者，可用炉甘石洗剂或九华粉洗剂涂擦。

5. 避免情绪波动或精神刺激。消除恐惧心理。

6. 注意清洁卫生；预防各种感染及感冒；防止外伤。

7. 学会自我保护。服药期间不与感染者接触，去公共场所须戴口罩。

## 血友病

血友病是指由于血液中某些凝血因子的缺乏以致凝血活酶生成障碍的一组遗传性出血性疾病，包括血友病甲（因子Ⅷ促凝成分缺乏）、血友病乙（因子Ⅸ缺乏）及血友病丙（因子Ⅺ缺乏）。其中血友病甲多见，约为血友病乙的7倍。临床主要表现为反复出血，终身不已；自发或轻微外伤即见渗血不止，甚至持续数日，多为瘀斑、血肿；膝、踝、肘、腕等关节易出血，反复出血可致关节畸形，口、鼻黏膜出血也多见。

本病中医学属“血证”、“痿症”等范畴。多因虚损或饮酒过度，或强食过饱，或饮食辛热，或忧思恚怒所致。其病机为“火盛”和“气伤”。血本阴精，不宜动也，而动则为病；血主营气，不宜损也，而损则为病。动者，多由于火，火盛则逼血妄行；损者，多由于气，气伤则血无以存。临床主要分为血热炽盛、肾精不足、气血亏虚和瘀血阻络等证型。

【必备验方】

1. 鲜鲫鱼1尾（长13～17厘米），当归9克，血竭、乳香各3克。将鲫鱼去肠脏、杂物，纳入后3味，以泥烧（存性），研细末，温黄酒送服，每次3克，每日2次。适用于血友病鼻出血、牙出血、咯血者。

2. 鲜甲鱼1只（500～1000克），生地黄9克，土茯苓4.5克，金银花3克。每日1剂，清水炖服，连服5～8剂。适用于血友病鼻出血、牙出血、咯血者。

3. 阿胶（米粉拌炒成珠）、全当归各30克，西红花24克，冬瓜子15克。用天泉水煎服，其渣再煎服。如仍发热加茶叶9克煎服1次，再用六君子汤加当归、白芍调理。适用于血友病出血者。

4. 嫩母鸡1只，黄芪、党参各15克，白术9克，三七、陈皮各6克。将母鸡去毛及内脏、洗净，纳入后5味（纱布袋盛好），加入适量水及生葱、生姜、食盐，以文火炖熟，取出药袋，食肉饮汤。适用于血友病出血证气虚者。

5. 马兰头250克，青壳鸭蛋10个。同煮至蛋熟，将蛋壳敲碎后继续煮至乌青色，每日吃蛋喝汤。适用于血友病鼻出血者。

【名医指导】

1. 注意休息，勿过劳。

2. 饮食有节，勿暴饮暴食；勿食辛辣刺激之品及粗糙、硬质食物。

3. 避风寒，防治感冒等。

4. 保持情绪平稳，避免七情过极，树立战胜疾病的信心。

5. 一旦由外伤或其他原因引起出血，要及时处理，避免造成大量出血引起严重并发症。

6. 禁服抗血小板聚集药，如阿司匹林、保泰松、双嘧达莫和前列腺素E等。

## 白细胞减少症和粒细胞缺乏症

白细胞减少症为常见血液病，是指外周血液中白细胞数持续低于$4\times10^9$/升。临床主要表现为乏力、头晕，常伴有食欲减退、四肢酸软、失眠多梦、低热、心悸、畏寒、腰酸等症状。白细胞总数明显减少至低于$2\times10^9$/升、中性粒细胞绝对值低于$0.5\times10^9$/升，甚至消失者，称粒细胞缺乏症。多以突然发病、畏寒高热、咽痛为主，为白细胞减少症发展至严重阶段的表现。

本病中医学属“气血虚”、“虚劳”、“温病”、“诸虚不足”等范畴。多由先天不足，后天失养，素体亏损，或外感病邪，或久病误治，或气滞血瘀，或药物所伤导致气血俱虚，阴阳失和，脏腑亏损。其病因有先天不足而致者，亦有起居、饮食失调所致者。本病初期以气血两虚、脾气亏损为主，日久伤及肝肾，导致肾阴虚、肾阳虚或肾阴阳两虚。临床上分为气阴两虚、心脾血虚、肝肾阴虚、脾肾阳虚等证型。

【必备验方】

1. 鲜紫河车半个，瘦猪肉250克，生姜10片，糯米100克。将紫河车的筋膜血管挑开后去淤血，与瘦猪肉（洗净，切块）、生姜（切丝）、粳米同煮为粥，加葱、食盐及少许调味品服食，每周2～3次，连服20次。

2. 黄牛肉100克（去筋、膜，切片后洗净），黄酒适量。同置高压锅内，以文火煮烂；山药（盐炒）、莲子（去心后盐炒）、大蓟、小茴香（炒）各250克，共研细末；大枣250克，煮熟，去皮、核。最后搅拌均匀，于饭锅上蒸服用，每日早晨、下午各1次，每次3～5匙。适用于脾气不足型白细胞减少症和粒细胞缺乏症。

3. 生黄芪、鸡血藤各30克，大母鸡1只（乌骨、乌肉、白毛者）。将母鸡杀死，去毛及鸡肋（留心、肝、肺及洗净的鸡内金）并取血，与黄芪、鸡血藤2药和匀，并将其塞入鸡腹内（缝合腹壁），以水（不加任何佐料）以文火煮熟，食肉喝汤，3～4日1剂。适用于气血两虚型白细胞减少症和粒细胞缺

乏症。

4. 针灸合谷、气海、足三里、关元、阳陵泉、三阴交、肾俞、脾俞、血海等穴，用平补平泻法。

5. 从脐下气海穴开始，作以脐为中心的摩腹（顺时针方向，由小到大，扩展至整个腹部），反复数次。

**【名医指导】**

1. 饮食宜清淡而富于营养，忌肥甘厚腻。感染期要慎食温补食物，如羊肉、虾、蟹等发物；慢性白细胞减少期应进食补益脾、肾、血、气、阴之品，忌食生冷。

2. 注意气候变化，及时增减衣被，以防止感受外邪而发病。

3. 避免服用造成骨髓损害或白细胞减少的药物。

4. 避免接触造成骨髓损害的化学物质及放射性物质。

(1) 接触放射线工作人员，注意安全防护，定期检查血常规。如发现白细胞减少，立即调离岗位。

(2) 对接触苯、二甲苯类有毒化学品的工作人员，要定期查血常规。

5. 对患传染病、血液病、免疫性疾病的患者，应积极治疗原发病。

6. 对营养障碍者，应有针对性检查及纠正。

7. 对曾有药物过敏史或曾发生过用药后粒细胞减少者，应避免服用同类药物。

## 弥散性血管内凝血

弥散性血管内凝血又称消耗性凝血病或去纤维蛋白综合征，是多种原因致弥散性微血管内血栓形成，继之因凝血因子及血小板被大量消耗及纤维蛋白溶解亢进而发生的出血综合征。早期可见凝血时间缩短而无出血倾向。到后期有凝血障碍时，出现出血症状，轻者皮肤见出血点，重者出现大片瘀斑，并有呕血、咯血、便血、血尿、少尿或无尿，以及寒战、惊厥、昏迷、呼吸困难、发绀、腹痛、黄疸等症状。

中医学认为本病主要因感受外邪，可因热邪温毒，亦可因感受寒邪；或久病体虚，气滞血瘀；或因于外伤，形成瘀血内阻。血瘀后，血运受阻，血不循经，溢于脉外，而为出血、瘀斑。此外，久病脏腑虚损，无力推动血液运行，血运不畅，可形成血瘀；严重外伤直接损伤血络，伤及脏腑，同样可发生血瘀。本病的发生原因虽多，但其基本病理机制主要是血瘀形成，血行瘀滞，相继发生出血，进而导致脏腑功能衰败。

**【必备验方】**

1. 生地黄 20 克，赤芍、丹参各 15 克，丹皮 12 克，茜根、白茅根、侧柏叶、半边莲、重楼、仙鹤草各 30 克，黄柏、黄连、大黄、甘草各 10 克。水煎服，每日 1 剂，分 2 次服。

2. 水牛角、生石膏（先煎）各 60 克，生地黄、玄参、黄芩、知母、赤芍各 15 克，栀子、牡丹皮、桔梗各 12 克，连翘、黄连、淡竹叶各 10 克，甘草 6 克。水煎服，每日 1 剂，分 2 次服。

3. 红花、炒桃仁、苏木各 15 克，艾叶 20 克，水蛭、甘草各 5 克。煎水洗浴。

4. 水牛角 60 克，虎杖、半边莲、白茅根各 30 克，牡丹皮、当归各 15 克，大黄 12 克，三七 6 克。水煎服，每日 1 剂。

5. 对于已休克患者，可针刺内关、素髎、足三里、人中、神阙（加灸）、涌泉（加灸）采用强刺激，使用泻法。

**【名医指导】**

1. 及时有效地控制感染、严重创伤、肿瘤等，及时去除原发病因。

2. 给予营养高、易消化食品，避免过热、过硬及化学刺激性食物。少食乳制品及豆制品。

3. 清洁口腔时，尽量使用软毛牙刷及非酒精类漱口液（如生理盐水、复方硼砂溶液）。

4. 避免各种可引起出血的活动，如用力擤鼻涕、使用剃刀、用牙签剔牙、挖鼻孔、屏气及剪指甲等。

5. 保持大便通畅，多饮水，多食香蕉、蜂蜜。必要时，遵医嘱给予粪便软化剂，避免灌肠及应用栓剂，以防损伤黏膜出血。

6. 在病情不允许活动时，应绝对卧床休息；病情好转后可适当活动，避免用力、过劳。

7. 保持呼吸道通畅，及时清除分泌物，避免用力咳嗽。

## 骨髓增生异常综合征

骨髓增生异常综合征是造血干细胞增殖分化异常所致的造血功能障碍。临床表现主要为贫血，可有感染发热或出血；血常规多数为外周血全血细胞减少，骨髓细胞增生，成熟和幼稚细胞有形态异常（即病态造血）。骨髓造血虽活跃，但三系细胞的增生异常，表现为细胞异型，原粒细胞及早幼粒细胞增多，有明显的病态造血。部分患者可转化为急性白血病；部分患者因感染、出血或其他原因死亡。

本病中医学属“虚劳”、“血证”、“内伤发热”、“瘀证”、“癥积”等范畴。其病因有内因、外因、不内外因。内因多由先天禀赋不足，后天失养，或劳倦内伤，正气亏虚，肝气郁结；外因为六淫之邪；不内外因为接触异常射线和药物，化学毒素。本病以肝郁、脾虚、肾亏为本，气血阴阳亏虚为先，肝郁气滞，继则邪毒内蕴，气血滞行，终致虚实夹杂。病初浅者为“气血两虚”，病情进一步发展可出现“气阴两虚”或“阴阳两虚”。临床上主要分为肾阴虚、脾肾阳虚、热毒炽盛、血瘀痰阻等证型。

**【必备验方】**

1. 生石膏100克（捣碎，布包），乌梅20枚，白糖30克，荷叶1张（洗净）。将生石膏、乌梅加水适量，以武火煎30分钟，入荷叶煎6分钟，取汁加入白糖服。

2. 西瓜皮200克（洗净，切碎），金银花9克（洗净），白糖30克。将西瓜皮、金银花加水适量，以武火煎30分钟，取汁加白糖服。

3. 带衣花生米100克，大枣50克。将花生米在温水中浸泡半小时，取花生衣与大枣水煎半小时，去花生衣，加适量红糖，每日分3次服食。适用于骨髓增生异常综合征所致鼻出血、皮下出血、牙龈渗血、月经过多等。

4. 白及30克，鲜藕300克。每日1剂，将白及和鲜藕片水煎2次，每次1小时，去渣后合并2次煎液，以文火浓缩至100毫升，每日分2次服。重证每日3～4剂。适用于骨髓增生异常综合征出血较剧者。胃出血时，宜凉服。

5. 冬虫夏草5克，鸭75克，生姜3片，黄酒5克。加水200毫升及适量盐、油，以文火炖2小时，饮汤食肉。适用于骨髓增生异常综合征气阴不足型，神疲乏力、舌淡红、脉细者。

**【名医指导】**

1. 生活规律：若无症状，可正常活动，注意避免过劳；当严重发作时，应卧床休息。

2. 预防感染：避免精神创伤及过度劳累，防止诱发本病加剧的因素。

3. 注意营养，合理饮食。宜进食高蛋白、高热量、高维生素易消化的清淡饮食；对肉类、蛋类、新鲜蔬菜的摄取要全面，不偏食。

4. 忌口：忌助火动风之品，特别是阴虚火旺、痰湿交阻者尤要注意。

5. 保持情绪平稳，心情舒畅，心态乐观，积极配合治疗。

6. 保持室内清洁、通风、空气新鲜，避免交叉感染。

7. 注意皮肤、口腔、前后二阴的清洁。

8. 不能自行乱用药物，尤其是抗生素，避免二重感染。

## 脾功能亢进症

脾功能亢进症（简称脾亢）是一种综合征，许多疾病均可引起，其中以肝硬化最为多见，如肝炎后肝硬化、血吸虫性肝硬化、门脉性肝硬化等；其次为慢性感染引起如疟疾等；血液系统中的遗传性球形红细胞增多症、自身免疫性贫血、原发性血小板减少性紫癜等疾病均可引起脾亢。临床表现为脾大，一种或多种血细胞减少而骨髓造血细胞相应增生，脾切除后血常规恢复，症状缓解。

本病中医学属“郁证”、“积证”等范畴。

多因情志抑郁，寒湿侵袭，病后体虚，或黄疸、疟疾经久不愈，使脏腑失和，阻滞气机，瘀血内停，或兼痰湿凝滞所致。本病发病主要责之于肝、脾二脏的功能失调，气机升降失度，以致血行滞涩，痰湿凝聚，而成为积。病机关键，为气滞血瘀，脉络阻塞，结而成块，则成积证。在病变过程中，气滞可使血瘀，血瘀亦可阻滞气机，使气滞愈甚，如此互为因果，相互为害，以致本病日益为甚。临床上主要分为气滞血阻、气结血瘀、正虚瘀结等证型。

**【必备验方】**

1. 土鳖虫9克，当归10克，鳖甲、黄芪各30克，党参18克，茯苓24克，炙甘草、桃仁、干姜各6克，甲鱼1只，酱油、食盐各5克，上汤300毫升。将土鳖虫洗净，鳖甲醋制，当归、黄芪润透切片，茯苓打成粉，党参、炙甘草、干姜分别切片，桃仁洗净；甲鱼去头、尾、内脏及爪，抹上酱油、食盐，放入姜、葱及余味，隔沸水以武火蒸35分钟，即可服食。适用于脾亢肝脾大、腹水者。

2. 赤小豆50克，绿豆100克，生鱼1尾（约500克），绍酒10克，生姜15克，大葱16克，大蒜20克。将赤小豆、绿豆洗净，用清水浸泡2小时；生鱼去鳃及内脏；生姜切片，大葱切段，大蒜去皮、切片。把生鱼抹上绍酒、食盐，注入清水600毫升，加入赤小豆、绿豆、大葱、生姜、大蒜、食盐，同炖1小时即可。每日服食1次。适用于脾亢伴有腹水者。

3. 白鸡冠花20克，猪肺100克，冰糖30克。将白鸡冠花洗净，用纱布袋装好（封口）；猪肺洗净、切粒，冰糖打碎；同加水200毫升，隔沸水以文火炖50分钟，顿服，每日1次。适用于脾亢伴有肝硬化、腹水、出血者。

4. 淡竹叶40克，生地黄30克，粳米60克。将前2味加水1000毫升用中等火煮30分钟至汤稠待用，随意饮用，每日1～2剂。

5. 黄豆150克，黑豆100克，鸡翅300克，生姜片8克，葱段20克，黄酒、白糖各10克，酱油50克，花生油60克。将黄豆、黑豆洗净，加水浸泡12小时后捞出、洗净；鸡翅洗净、剁块，锅内放油以旺火烧至七成热，入葱、姜炒香，加入鸡翅炒至深黄色，与黄豆、黑豆加水500毫升（没过鸡翅）及酱油、黄酒、白糖调味，以旺火烧开，撇去浮沫，改用小火煮1小时即可。每周2次，吃鸡翅喝汤。

**【名医指导】**

1. 慎起居，适寒温，注意预防外感；适当进行户外活动，呼吸新鲜空气；进行适宜的体育锻炼，如气功、打太极等。

2. 注意饮食调养：宜食营养丰富的食物，忌辛辣、生冷不洁之物；宜食鲤鱼、牛肉、猪肚、带鱼、黄花菜等；避免利气消食、油腻的食物，如鸭肉、螃蟹、牡蛎、海带、绿豆芽、黄豆芽、洋葱等。

3. 补充维生素和微量元素：多食新鲜蔬菜、水果，注意补充维生素 $B_1$、维生素 $B_2$、维生素C、维生素E、维生素K等及微量元素（如锌、硒）。

4. 伴有食管胃底静脉曲张者，禁食硬食、油炸、粗纤维食物。

5. 保持心情舒畅，乐观。

## 白血病

白血病又称血癌，是造血组织的恶性疾病，是指骨髓及其他造血组织中有大量无核细胞无限制地增生并进入外周血液而正常血细胞的内核被明显吸附。本病居年轻人恶性疾病中的首位，食物的矿物放射性化、毒化（苯等）或药物变异、遗传因素等可能是致病的辅助因子。本病分为急性和慢性两大类，发热、进行性贫血、显著的出血倾向或骨关节疼痛、体重减轻或不明原因发热等为首发症状。

本病中医学属“热劳”、“急劳”、“虚劳”、“癥积”、“血证”、“温病”等范畴。其病因比较复杂，内因为正气不足，而先天已有“胎毒”内伏，加之复感外邪瘟毒所致。其病位在血及骨髓，与肝、脾、肾关系密切。常常是因虚而得病，因虚而致实。其虚因温热毒邪易伤津耗气而以气阴两虚、肝肾阴虚多见，久病则以气血亏虚为主；其实不外乎

热毒、血瘀、痰浊为患。临床上常有毒邪内伏、脾肾阳虚、气血两虚等证型。

**【必备验方】**

1. 赤芍、牡丹皮各 9 克，红花 10 克，鳖甲、当归各 12 克，栀子 20 克，生地黄、川芎、桃仁各15 克，穿山甲 6 克，甘草 5 克。另取桃叶、甘草各适量，水煎浓汁，加上药共煎熬膏，敷于白血病骨髓穿刺处。

2. 口蘑 15 克，豆腐 1 小块，火腿末、豌豆各 10 克，调料适量。将口蘑泡开、洗净，泡蘑菇水澄清，待用；豆腐切条，用开水烫后捞出。锅内放鲜汤及泡蘑菇水烧开，入口蘑、豆腐、火腿末、豌豆，加少许食盐炖 10 分钟，勾芡，调入味精，淋上香油，佐餐食。

3. 大蒜 25 克，茄子 500 克，食盐 2 克，味精 1 克，生姜、白糖各 5 克，葱白、酱油、干淀粉各 10 克，菜油 50 克，清汤 200 克。将茄子去蒂、洗净，切成两半，在表面上划 1 厘米宽的十字花刀，然后切成长方块（深切不断为度）；蒜瓣切成两半。将菜油烧至油泡散尽、冒青烟时离火，待油温稍降放入茄子翻炒，入生姜末、酱油、食盐、大蒜片及清汤烧沸，文火焖 10 分钟，撒入葱花，用白糖与淀粉加水调成芡汁勾芡，调入味精即可。

4. 鲜蟾蜍 1 只，鸡蛋 1 个。将蟾蜍去内脏、洗净，纳入鸡蛋（缝合），加水煮 30～40 分钟，每日食蛋，7 日为 1 个疗程，观察症状和血常规，无不良反应者可再服。适用于急性白血病。

5. 昆布（水发海带）50 克，鸭血 500 毫升，鸡汤 1000 毫升。将水发海带洗净、切片；鸭血加少许食盐调匀，隔水蒸熟，用刀划成块，待用。将鸡汤煮沸，入海带及鸭血，烹入料酒，改用小火煨 10 分钟，加葱花、生姜末、食盐、味精、五香粉煮沸，调入青蒜末拌匀，淋入香油，佐餐服食。适用于急性白血病并发贫血者。

**【名医指导】**

1. 保持良好情绪，避免焦虑、紧张、急躁。

2. 生活规律，养成良好的生活习惯。避免剧烈活动，不要摔倒、碰撞头部、腹部等，以免引起颅内及内脏出血。

3. 白细胞减少患者饮食特别要注意卫生，所用碗筷等用具在使用前用开水冲烫，饭后要漱口，忌生冷凉菜、剩饭菜，水果不可多吃；不宜吃过硬食物；保持大便通畅，避免排便时用力，可服用润肠通便的药物。

4. 注意饮食起居卫生，避免出入人群密集的公共场所，防止感染；一旦出现感冒、腹泻时及时就医。

5. 每日应安排一定的时间进行锻炼。根据体力恢复情况、个人爱好和活动条件自行选择锻炼方法，如慢跑、太极拳、体操、气功等，但活动量不宜过大，要防止剧烈活动所造成的创伤。

6. 保持口腔清洁，进食前后用温开水或口泰液漱口。宜用软毛牙刷，以免损伤口腔黏膜引起出血和继发感染。

7. 避免接触有毒和有害的物质，如苯、放射线等。

8. 避免使用氯霉素、保泰松以及某些抗病毒药和某些抗肿瘤药以及免疫抑制药。

## 恶性淋巴瘤

恶性淋巴瘤是原发于淋巴结或其他淋巴组织的恶性肿瘤，多发于 5～12 岁儿童。病因未明，病毒感染、免疫缺陷及遗传学因素异常是发病的重要因素。接受肾移植并用免疫抑制药可诱发，或可因淋巴结长期反复发作非特异性反应增生而激发。临床以浅表淋巴结无痛性进行性肿大或伴发热、消瘦及肝脾大为特征。根据瘤组织细胞特点可分为霍奇金淋巴瘤和非霍奇金淋巴瘤两大类。

本病中医学属“石疽”、“阴疽”、“恶淋”、“恶核”、“失荣”、“痰核”等范畴。与外邪侵袭、七情内伤、正气内虚有关。其病因以正气内虚、脏腑功能失调为本，外感四时不正之气、六淫之邪为诱因。为寒痰凝滞，气郁痰结，肝肾阴虚所致。外感寒热邪毒，结滞体内，热与燥结，寒与痰凝；或因忧思悲怒，肝郁气结，生痰化火及气滞血瘀；或因饮食失节，损伤脾胃，蕴湿生痰，痰凝成积；日久可致气衰形损，脏腑内虚，肝肾亏

损，气血两亏。临床上分为阴寒凝滞、肝气郁结、肝肾阴虚、脾气虚弱等证型。

**【必备验方】**

1. 鲜羊骨1000克，粳米100克，食盐少许，葱白2根，生姜3片。将羊骨洗净、敲碎，水煎，同粳米煮成粥，加入食盐、生姜、葱白，煮2～3沸即可。适用于恶性淋巴瘤放疗后肝肾阴虚者。

2. 绿豆芽150克，细面条300克，瘦肉丝75克，鸡蛋1个，黄瓜1条，蒜末少许，酱油、香油各4～6毫升，食盐、葱花、芝麻酱、沙拉油、冰开水、冷水各适量。将面条煮熟后以冰开水淋滤2次，加香油拌匀，放冰箱中，备用；芝麻酱同醋、食盐、蒜末调匀，瘦肉丝用沙拉油、葱花炒香，加酱油和冷水，熬成肉汁；鸡蛋摊成薄皮，切丝；黄瓜切丝，绿豆芽去尾用开水略烫。同拌匀食用。喜食醋者，可加少许米醋。适用于淋巴瘤热毒盛者。

3. 核桃仁18克，雪耳9克，海参、猪瘦肉各60克。将核桃仁用开水烫后去皮，雪耳浸开、洗净，摘小朵；海参浸软、洗净，切丝；猪瘦肉洗净、切丝。同加适量开水，以文火隔沸水炖1小时，调味后服食。

4. 桑椹200克（研末），白糖500克。将白糖加少许水，以小火煎至较稠时加入桑椹末搅匀，继续熬至用铲挑起即成丝状而不粘手时停火，倒在表面涂过食用油的大搪瓷盘中，待冷分割成块，随量服食。适用于肝肾阴虚型风湿性心脏病、恶性淋巴瘤。

5. 独角莲30克。去粗皮，捣成泥，敷于肿瘤部位。或以干品磨细粉，用温开水（忌开水）调敷于肿瘤处。适用于恶性淋巴瘤及淋巴结肿大者。

**【名医指导】**

1. 早期患者可适当活动。有发热、明显浸润症状时，应卧床休息。

2. 给予高热量、高蛋白、富含纤维素、易消化的食物。多吃具有抗恶性淋巴瘤作用的食物，如穿山甲、蟾蜍、田鸡、芋头等；淋巴结肿大者，宜吃荸荠、芋头、核桃、荔枝、黄颡鱼（黄鸭叫）、田螺、羊肚、牡蛎等。多饮水；忌咖啡等兴奋性饮料，忌葱、蒜、姜、桂皮等辛辣刺激性食物，忌肥腻、油煎、霉变、腌制等食物。

3. 保持皮肤清洁。每日用温水擦洗，尤其要保护放疗照射区皮肤，避免一切刺激性因素，如日晒、冷热、各种消毒剂、肥皂、胶布等；内衣宜宽大，选用吸水性强的柔棉织品。

4. 注意适量的补充盐分。

5. 便秘者可多食粗纤维食物，如芹菜等，保持大便通畅。

6. 注意个人清洁卫生，做好保暖，预防各种感染。

7. 保持乐观心态，积极配合治疗；定期复查。

# 第六章 内分泌系统疾病

## 尿崩症

尿崩症是由于抗利尿激素（即精氨酸加压素，简称 AVP）缺乏、肾小管重吸收水功能障碍而引起以多尿、烦渴、多饮与低比重尿为主要表现的一种疾病。尿崩症可发生于任何年龄，但以青年为多见。本病是由于创伤、肿瘤、感染、血管病变、血液病及网状内皮系统疾病等使下丘脑-神经束受损所致，也与遗传因素有关。

本病中医学属“消渴病”范畴，属于下焦虚寒，膀胱不能制约，肾关门不利之症。故患者多神疲畏寒，主要为精血衰虚，阳气不得温养之故。肾阳虚弱，下焦虚惫，肾之摄纳不固，约束无权而见小便频繁，饮多溲多。形体衰弱、头晕腰酸、两足无力为肾气疲惫，外不能充盈肌肤，内不能输布气血，舌质多淡、脉沉细，尺脉尤甚，均为肾气虚弱之症。临床分为肺燥津伤、气阴两虚、阴虚火旺、肾阴亏虚、阴阳两虚等证型。

**【必备验方】**

1. 甘草30克。每日1剂，水煎，分3次送服六味地黄丸，每次 20 克。同时含服乌梅。适用于肾虚型尿崩症。

2. 蚕茧7个，茶叶适量。每日 1 剂，开水冲泡，代茶饮，长期服用。寒冷季节蚕茧可 7 日更换 1 次（一般 2～3 日更换 1 次）。

3. 制何首乌、黑芝麻、大枣各 120 克，山药、黑枣各 60 克，黑毛小母鸡 1 只（鸡去毛及内脏）。每周 1 剂，煲汤，分 2～3 日服。

4. 取耳穴肾、膀胱、内分泌、皮质下、尿道。每次取 2～3 穴，以王不留行贴于穴位上，胶布固定，每日按压 3～5 次，每次 2～3 分钟，3～5 日换药 1 次，5 次为 1 个疗程。

5. 白芥子 10 克，肉桂、细辛各 8 克，冰片 12 克，鲜葱、生姜、大蒜各适量。将前 4 味共研细末，与葱、生姜、大蒜同捣烂成膏，选肾俞、膀胱、三阴交、涌泉等穴（均双）。每次取 2 对穴位，将药膏贴穴位上，6～8 小时取下，隔日 1 次，1 周为 1 个疗程。

**【名医指导】**

1. 避免长期精神刺激，如恐吓、忧伤、焦虑或精神紧张等。

2. 合理饮食：以营养丰富、易于消化的食物为主；避免食用高蛋白、高脂肪、辛辣和含盐过高的食品；忌烟、酒；忌饮茶与咖啡。

3. 注意预防感染，尽量休息，适当活动。

4. 患者身边应备足温开水但不要过量，避免水中毒。

5. 注意适量补充盐分。避免脱水。

6. 保持大便通畅。

7. 保持皮肤及黏膜的清洁。

8. 准确按医嘱服用药物，避免突然停药，定期复查。

## 垂体瘤

垂体瘤是一组腺垂体和神经垂体及颅咽管上皮残余细胞发生的肿瘤。约占颅内肿瘤的 10%，以前叶的腺瘤为多，来自后叶者少见。临床表现为腺垂体本身受压综合征（多以各种腺体功能低下为表现，如继发性甲减、尿崩症等）、垂体周围组织压迫综合征（多有头痛及神经支配受损等表现，如视力视野改变、三叉神经痛、面部麻木等）、垂体功能亢

进综合征（多出现腺体过度分泌，如巨人症、肢端肥大症、溢乳-闭经等）。

本病中医学属“癥积”范畴。临床分为气阴两虚、痰瘀互结等证型。

**【必备验方】**

1. 黄芪30克。煎汤送服解毒消瘤丸（药用：麝香0.1克加米酒少许研匀，三七、白矾、苦参、鹅翎炭各30克，炼蜜为丸），每日30克；配以真武汤加味（白茯苓、泽泻各15克，白术、山茱萸、三七、熟地黄、制何首乌各10克，白芍、熟附子各7克，川芎、当归各6克，干姜3克。水煎服）。

2. 甘菊30克，石决明、青黛各18克，牡蛎15克，木贼12克，夜明砂、蜂房、全蝎、蛇蜕、山豆根各9克。共研细粉，水泛为丸（如绿豆大小），以黄花煎汤送服，每次3～6克，每日3次；同时，配服平消片。适用垂体瘤头痛甚，呕吐、抽搐及视力减退者。

3. 甲鱼1只（500克左右），猪瘦肉200克，白莲75克，香菇、米酒各10克，鸡蛋1个。将甲鱼在颈下开刀（但不割断头），入开水内泡洗干净，去壳及内脏，洗净，待用；猪肉剁碎，香菇切丁，加上蛋液、葱末、姜末、淀粉、米酒、食盐、酱油、味精等，拌匀，装入甲鱼腹内，将八成熟的莲子摆在肉馅上面，在甲鱼周围也摆上两圈莲子，隔水蒸1小时，勾芡后食用。

4. 重楼、浙贝母、黄药子、蒲公英、莪术各100克。共研末，布袋装，作枕芯用；另用冰片100克，麝香1克。共研末，装入布袋，放入枕头中。

5. 老姜、雄黄各100克。将老姜去泥沙（不洗），用小刀挖1个小洞，掏空中心，纳入雄黄粉，并以姜渣封口，置陈瓦上以木炭火焙烤7～8小时（至呈金黄色、脆而不焦为度），待冷研细末，取安庆膏药以微火烘干，撒上药末，可按肿瘤、痛点、穴位三结合原则选定敷贴部位，隔日换药1次。适用于寒虚型垂体瘤。

**【名医指导】**

1. 注意病情变化，若出现头痛、恶心、呕吐等症状时，应警惕颅内压增高，需及时对症处理。

2. 饮食以易消化的半流质为主，多吃蔬菜，保持大便通畅。宜常食黄绿色蔬菜、水果，如胡萝卜、南瓜、西红柿、油白菜、菠菜、大枣、香蕉、苹果、芒果等。忌膏粱厚味之品。

3. 注意饮食卫生，避免致癌物，如苯并蓖、亚硝胺进入体内。

4. 注意个人卫生，防止病毒感染。

5. 避免脑外伤。

6. 积极防治垂体瘤手术的并发症，如尿量增多乃至尿崩及下丘脑反应、视神经受损、脑脊液漏等。

7. 垂体瘤患者术后3日、1个月、3个月、半年、1年均需复查，观察手术区域的动态变化，评价手术疗效。

## 巨人症和肢端肥大症

巨人症和肢端肥大症系垂体生长激素细胞腺瘤或增生，分泌生长激素过多，引起软组织、骨骼和内脏的增生肥大及内分泌代谢紊乱。临床上以面貌粗陋、手足厚大、皮肤粗厚、头痛眩晕、显著乏力为特征。发病在青春期前，骺部未闭合者为巨人症；发病在青春期后，骺部已闭合者为肢端肥大症。本病占垂体瘤发病率第二位，男女发病之比为1.1∶1。

巨人症如得不到适当治疗，可使神经压迫症状和内分泌腺功能减退逐渐加重，足部易发生营养不良性溃疡及感染。患者往往在20～30岁时死于垂体肿瘤进行性恶病质并发感染等，部分可活到中年，少数有活到老年者。肢端肥大症慢性进行性发展，可使工作能力逐渐减退，偶可发生自发性缓解。疾病早期垂体分泌生长激素增多，机体的发育生长过速，内脏体积增大、功能增强以及有关内分泌腺的功能亢进；疾病后期全身情况渐衰，周围相应内分泌腺萎缩和功能低下，并产生心血管系统、骨关节及糖代谢异常等并发症。垂体病变经治疗后可延缓病情和缓解症状。单纯由于生长激素水平升高引起的高血压可以被纠正，但病程较长，已造成不可逆的动脉硬化病变或患者本身患原发性高血压，经治疗后高血压可继续存在。本病经有效治疗后，部分患者并发的心律失常可望消失，糖代谢异常大多能改善，但需较长时间才能完全恢复正常；骨关节病变在治疗后通常无明显改善。

【必备验方】

1. 生水蛭、三七、红参各等份。共研末，每日5克，分3次以药汁送服。适用于瘀血阻络型。

2. 红参6克（另煎），干姜、补骨脂各10克，熟附子9克，桂枝8克，吴茱萸6克，焦白术、炙甘草各12克。每日1剂，水煎服。适用于阳虚型。

3. 当归、五灵脂、茺蔚子各12克，黄芪20克，蒲黄、赤芍、延胡索、没药各10克，干姜8克，小茴香、升麻、甘草各6克。每日1剂，水煎服。适用于痰阻型。

4. 制附片、肉桂、泽泻、车前子、牡丹皮各6克，熟地黄、牛膝各15克，山茱萸、山药、茯苓各12克。每日1剂，水煎服。适用于肾阳虚型。

5. 川芎、炙蜈蚣各5克，枸杞子、丹参各15克，当归、枳实、炙远志、红花、桃仁、桔梗、浙贝母、法半夏、六神曲各9克，淫羊藿30克，太子参24克。每日1剂，水煎服。长期服药，随症加减。

【名医指导】

1. 对出现的早期症状，如头痛、内分泌改变等，应及时引起注意，尽早进行有关检查以明确诊断，及时治疗。根治术后应3～6个月复查1次。

2. 注意调畅情志，切忌暴怒，保持心情舒畅。

3. 避免过度劳累，体育锻炼或练功时间不宜过久，切忌用力过猛。

4. 节制饮食，应少食寒凉、肥腻之品，少食生蒜、生葱、芥菜等辛辣走窜之品。术后饮食以芳香化浊食品为宜，如苡米粥、山药粥、杏仁霜、冬瓜等；放疗后饮食以营养丰富、爽口为宜，如牛奶、鲫鱼、茭白、芹菜等；晚期可加用动物脑等。

5. 防止感冒。节欲保精，培固肾气。

6. 忌烟、酒。

## 生长激素缺乏性侏儒症

生长激素缺乏性侏儒症又称垂体性侏儒症，是指自出生后或儿童期起病的腺垂体生长激素缺乏而导致生长发育障碍的一种代谢性内分泌疾病，因下丘脑-垂体-胰岛素样生长因子，生长轴功能障碍而导致。按其病因可分为特发性和继发性两类；按病变部位分为垂体性和下丘脑性两种；可为单一性生长激素缺乏，也可伴有腺垂体其他激素缺乏。临床表现为身材矮小，身高年均增长小于4厘米，为同年龄同性别正常人均值－2SD（标准差）以下，性发育缺失等。本病多见于男性，男女发病之比为（3～4）：1。

本病经生长激素治疗后，可促进生长、纠正代谢紊乱，促进蛋白质合成，加强储脂能力，使糖代谢趋于正常。类固醇的应用可促进蛋白质的合成，促进生长。但应避免或减轻男性化和促进骨骼过快生长的不利作用；周围内分泌腺（甲状腺、肾上腺皮质、性腺）功能减退，经相应激素的补充替代和中药治疗，对促进生长发育和缓解有关症状起到一定作用。

中医学认为，本病可归咎于先天因素和后天因素两个方面。先天因素多由于父母精血亏虚而影响胎儿的生长发育；后天因素或因食物中毒，或因罹患温热疾病，或为高热灼伤津液，耗伤气血、精髓，致使脉络失养，影响生长发育；或因久病致脾肾亏虚，气血不足，不能滋养脑髓所致。

【必备验方】

1. 熟地黄24克，山药、山茱萸、当归、枸杞子、菟丝子、补骨脂各12克，茯苓、巴戟天、肉苁蓉各10克。水煎服。脾虚气弱型（以食少便溏、肢倦面黄为表现），加黄芪15克，党参、白术各12克，陈皮、升麻、柴胡、炙甘草各30克；心血不足型（以心悸多梦、眩晕、唇淡为表现），加川芎、白芍各12克，菖蒲6克，酸枣仁、丹参各15克；气血两虚型（以少气乏力、面白心悸为表现），加人参（另煎）、龟甲（先煎）各15克，白术、白芍各12克，肉桂6克，五味子、炙甘草各

10克，远志32克，鹿角胶（烊化）、黄芪各20克。适用于肝肾亏虚、先天不足型。

2. 肉苁蓉、山茱萸各3克，炒核桃仁20克（盐渍），粳米150克。将前2味水煎，去渣，入炒核桃仁、粳米煮成粥，每日早、晚空腹分服，连服3个月。适用于肾阳虚型。

3. 甲鱼400～500克，独头大蒜200克。将甲鱼去内脏，大蒜去皮，加水同煮（勿加盐）熟服食，1～2日1次。

4. 针灸疗法：采用补泻针法或加灸法。常用穴位有肾俞、命门、关元、肝俞、脾俞、三阴交、足三里等。每日1次，10日为1个疗程。

5. 耳针疗法：主穴：肾、内分泌、皮质下；配穴：肾上腺、甲状腺1、甲状腺2、甲状腺3、脑点、心、脾、胰、胆。每穴2分钟，每日3～5次，5次为1个疗程，3～5日换穴1次，每疗程间隔1～2周。

**【名医指导】**

1. 注意妊娠期保健，有利于产程顺利，可在一定程度上预防本病的发生。

2. 尽早发现，尽早诊断，尽量寻求病因和尽早治疗，患者身高有望长至正常水平。

3. 宜保持情绪平稳，积极乐观的心态；避免自卑心理的产生。

4. 密切观察小儿的生长发育情况，并做详细记录，3岁后每半年做1次生长激素的测定；14岁以后应注意观察睾丸、阴茎、腋毛、乳房发育等情况。

5. 饮食宜清淡、高热量、高蛋白、富有营养，多吃牛奶或酸奶、蜂蜜或蜂浆、鸡蛋、禽肉、鱼虾等。多吃新鲜水果、蔬菜。禁食芋头、土豆、薯等易产气食物。食物烹调方法以蒸、煮、钝、烩、熬为主；忌油炸、爆炒、煎炸等；不宜吃粗糙食物。

## 原发性醛固酮增多症

原发性醛固酮增多症是由于肾上腺的皮质肿瘤或增生、醛固酮分泌增多所致的一种内分泌疾病。临床表现为高血压、低血钾、碱中毒，儿童患者有生长发育障碍。本病是一种继发性高血压，占高血压的0.4%～2%。发病高峰为30～50岁，女性多于男性。以醛固酮瘤最为常见，占60%～80%；其次有双侧肾上腺皮质增生，又称特发性醛固酮增多症，占20%～30%；少见有地塞米松可抑制性醛固酮增多症、醛固酮癌、异位分泌醛固酮的肿瘤。

本病中医学属“肝风”、“痉证”、“痿痹”等范畴。其病初以标实为主，后以正虚为主。标实主要为肝气郁结、阳亢风动，或夹湿夹瘀；正虚方面，早期以阴精亏虚为主，病久易发展成为肾阴阳俱损的病证。临床分为肝气动风、肝肾不足、虚风内生、脾胃气虚、心肾阳虚等证型。本病病发早期以实为主，病位在肝，多属肝风、肝火为患；后期以虚为主，病位在肝、脾、肾，多属肝肾阴虚、脾虚、肾阴阳两虚等，但其总病机以虚为主，乃肝肾虚损所致，虚多实少。治疗上采取“虚者补之”和“平调阴阳”的原则，以平肝潜阳、健脾补肾为法。

**【必备验方】**

1. 鲜荠菜150克（洗净，剁碎），蒲黄末10克，薏苡仁、小米各50克。将薏苡仁、小米淘洗干净，加水煮沸后改用小火煨30分钟，调入荠菜泥及蒲黄末拌匀，继续以小火煨至烂成粥即可。

2. 芹菜200克。洗净、切碎；将粳米加水煮至半熟，加入芹菜，以文火煮成粥服食。每次200～250克，每日3次，隔日1剂，1个月为1个疗程。

3. 草鱼1条（200～250克），冬瓜250～500克。将草鱼去鳞、鳃和内脏，洗净；锅内放油烧熟，入鱼煎至两面金黄色，取出，与冬瓜（洗净，切块）共加水适量，以文火煮3～4小时，加少许食盐调服，每次200毫升，每日1～2次。适用于各种虚证。

4. 猪瘦肉500～1000克（洗净，切块），夏枯草30克（洗净，布包）。同炖熟，去夏枯草，加少许食盐调服，每次200～300毫升，每日1～2次。

5. 南布正、益母草各30克，马兰5克。每日1剂，水煎，分次服；同时将本方研末，调鸭蛋清，每晚睡前敷于双足心涌泉穴。

【名医指导】

1. 避免导致血钾降低的各种诱因，如劳累、服用失钾性利尿药（如氢氯噻嗪、呋塞米等）、受冷、紧张、腹泻、大汗等。对于并发的肾盂肾炎、心律失常等心血管症候群要积极治疗。

2. 工作量应减轻，半休或全休，避免体力劳动。

3. 进行力所能及的体育锻炼，以不觉疲劳为度。重症患者、肾功能不全或血压明显增高者，应限制运动。

4. 保证充足睡眠，避免熬夜，睡眠不佳时可选用安眠药，如地西泮等。

5. 戒烟、酒，避免喝浓茶。

6. 宜低盐、低脂、低糖、适量蛋白质与热量饮食。正常人每日大约进盐 10 克，肾性高血压患者应减少一半。若伴有明显血压增高、水肿或心功能不全时，每日食盐应控制在 3 克左右。同时忌食腌渍食品，少食味精及含小苏打的食物；以进食植物油为主，如菜油、花生油、豆油、香油等；如肾功能正常者，应给予足热量及营养丰富的食物，如蛋、奶、鱼、瘦肉等；已发生肾功能不全者，应酌情限制蛋白质摄入量，减轻氮质血症。

7. 保持情绪稳定，积极配合治疗。

## 甲状腺功能亢进症

甲状腺功能亢进症（简称甲亢）是由多种原因引起的甲状腺激素分泌过多所致的一组常见内分泌疾病。临床主要表现为多食、消瘦、畏热、多汗、心悸、激动等高代谢综合征，神经和血管兴奋增强以及不同程度的甲状腺肿大与眼突、手颤、颈部血管杂音等为特征；严重者可出现甲状腺危象、昏迷，甚至危及生命。最常见为弥漫性甲状腺肿伴甲亢，约占甲亢的 90%，男女均可发病，多见于中、青年女性，男女之比为（1∶4）～（1∶6）。

本病中医学可归属于“瘿瘤”范畴。其病因多为素体阴亏，肾阴不足，水不涵木，肝阴失敛。情志抑郁，肝失疏泄，气郁化火；若肝肾阴亏，则更易炼液成痰，壅滞经络，结于项下而成瘿。中医学认为，由于七情不遂，肝气郁结，气郁化火，炼液为痰，痰气交阻于颈前，则发于瘿肿；痰气凝聚于目，则眼球突出。

【必备验方】

1. 青柿子 1000 克，蜂蜜适量。将青柿子去柄、洗净，捣烂、绞汁，以文火煎煮浓缩至黏稠，加入蜂蜜（1 倍）煎至黏稠时离火，冷却、装瓶备用。每日 2 次，每次 1 汤匙，以沸水冲服，连服 10～15 日。适用于烦躁不安、性急易怒、面部烘热者。

2. 金荞麦 2000 克，家禽气管 10 克。水煎 2 次，第 1 次加水 8000 毫升煎至 2000 毫升，第 2 次加水 4000 毫升煎至 1000 毫升。将 2 次药液过滤后混合，静置 24 小时，取上清液，经离心后喷雾干燥成干粉，加适量淀粉和硬质酸镁，压成 1000 片（每片含干浸膏 0.25 克，包糖衣），每次服 4～5 片，每日 3～4 次，15 次为 1 个疗程，连服 3～4 个疗程。2 个疗程未效者应改用其他疗法。

3. 萝卜 250 克（切片），昆布 50 克，牡蛎 30 克，蛤壳、陈皮各 10 克，鸡油、味精、食盐各适量。将昆布、陈皮、生牡蛎、蛤壳分别洗净，同水煎 40 分钟，拣出昆布切丝，与萝卜片一同放入药液中，加少量鸡汤及食盐、味精，同煮熟服食。适用于气滞痰凝型甲亢。

4. 五十营针刺疗法：按照十二经循行规律，顺着经气流往的方向，按迎随补泻法依次进针，选穴中脘、关元、足三里、三阴交、大棱、太冲等。

5. 频谱疗法：WS 频谱治疗仪直接照射甲状腺组织及足三里穴。伴甲状腺肿大者，配天突穴；心动过速者，配内关穴；失眠者，配涌泉穴。

【名医指导】

1. 宜食用高热量、高蛋白、富含维生素的食物；多饮水。

2. 忌食含碘高的食物，特别是海带、海鱼、海产品等。

3. 戒烟；忌喝浓茶、咖啡、酒等；不吃辛辣食品，特别是辣椒、葱、姜、蒜等。

4. 平时注意休息，不要活动过量；积极

配合治疗。

5. 对患者要体贴，以解除患者的紧张情绪。

6. 患病后早日采取正确的治疗方法，避免突然停药、随意加减药量；定期复查肝、肾功能。

## 甲状腺功能减退症

甲状腺功能减退症（简称甲减）是由多种原因引起甲状腺激素合成或分泌不足导致机体代谢活动下降的一组临床综合征。临床主要表现以面色苍白或萎黄、神疲、嗜卧、表情淡漠、水肿、畏冷、纳差腹胀、便秘、基础代谢率减低为特征；严重者可发生黏液性水肿性昏迷，预后不良。根据起病年龄分为3型：功能减退始于胎儿期或出生不久的新生儿，称呆小病（克汀病）；功能减退始于发育前儿童期，称幼年型甲减；功能减退期始于成年期，称成年期型甲减（多见于中年女性）。

本病中医学属"虚劳"、"水肿"、"五迟"等范畴。多由于禀赋薄弱，先天不足，或多孕多产，久病伤肾，肾气虚衰；或思虑伤脾，饮食不节，损伤脾胃，中气不足，脾失健运，气血生化之源不足；或外感邪气，耗伤中气，累及脾阳，则阳虚气耗；或病程迁延日久，累及心肾之阳，损及宗气及元气，阳气无以生阴，气耗难以化血，以致阴伤血亏或饮停血瘀而起病。患者呈阳虚气耗之象，多有非凹陷性水肿之症，临床上要与"水肿"、"便秘"、"厥证"等鉴别。

**【必备验方】**

1. 鸡血藤25克，乌骨鸡250克（切块），葱、生姜、食盐、味精各适量。将鸡血藤水煎，去渣，入乌骨鸡块及适量清水，加入葱白、生姜片炖熟，加食盐调服。适用于气血亏损型甲减兼手足发麻或凉而刺痛者。

2. 石菖蒲10克，郁金8克，冰糖25克。将石菖蒲、郁金加水400毫升浸泡30分钟后煮沸，以文火煎15分钟，取汁；再加水300毫升同煎，取汁；2次汁液混匀，加冰糖略煮，即可饮用。适用于痰气郁结型甲减精神恍惚者。

3. 羊骨1副，陈皮、高良姜各6克，草果2枚，生姜30克，食盐少许。加水3升慢火熬成汁，滤出澄清，如常法煮粥，与早、晚饭服，1个月为1个疗程。适用于肾阳虚衰型甲减。

4. 黑芝麻、白糖各适量。将芝麻炒熟、研粉，加糖拌匀服，每次1匙，每日2次，可与牛奶、豆浆同食。适用于甲减面色苍白、神疲乏力、精神委靡、腹胀、便秘者。便溏者不宜多食。

5. 干紫河车70克，五味子60克，高丽参、蛤蚧各20克。共为细末，炼蜜为丸（每丸6克），温开水送服，每次1丸，每日2次。

**【名医指导】**

1. 注意预防由地方性缺碘，以及手术、放疗或服用药物不当引起本病。

2. 避免劳累过度，宜调畅情志；注意保暖，避免受凉；预防感冒及创伤感染。

3. 饮食以富含热量食物为主，如乳类、鱼类、蛋类及豆制品、瘦肉等；限制脂肪和富含胆固醇的饮食；可多食甜食；忌冰冷食物，如冰糕、冷饮、凉饭、凉菜等。

4. 饮食注意调味且易于消化吸收为主，如汤汁、半流质等为主；忌生硬、煎炸及过分油腻之品。

5. 阳虚明显者，可用龙眼肉、红枣、莲肉等煮汤。妇女可在冬令配合阿胶、核桃、黑芝麻等以气血双补。

6. 宜动、静结合，做适度的锻炼。

7. 养成每日大便的习惯。

8. 补充适量碘；避免食用卷心菜、白菜、油菜、木薯、核桃等。

9. 慎用胰岛素、镇静药、麻醉药等，这些药可诱发昏迷。

10. 适当参加各种体育运动。如在寒冷的地方运动，如冷水浴、滑冰等，也不宜过劳；适当进行日光浴、温泉浴。

## 甲状腺炎

甲状腺炎是由于细菌、病毒等侵入机体引起甲状腺的肿大、结节样变，可分为急性、

亚急性、慢性3种类型。按发病多少依次分为桥本甲状腺炎、亚急性甲状腺炎、无痛性甲状腺炎、感染性甲状腺炎及其他原因引起的甲状腺炎，最常见为亚急性甲状腺炎。亚急性甲状腺炎系由细菌或病毒引发的变态反应所致的甲状腺炎症，以急性上呼吸道感染症状伴甲状腺弥漫性肿大或仅有甲状腺部位出现结节硬块为主要临床特征。典型病程大致分为早期（伴甲亢）、中期（出现短暂甲减表现）以及恢复期。早期可有发热、恶寒、咽痛等症状，伴有倦怠乏力、食欲减退、自汗、盗汗，甲状腺肿，疼痛向额下、耳后、颈部放射，吞咽、转头时疼痛加重，腺体压痛，坚硬，起病初期可出现轻度甲亢症状，如手抖、心慌、多汗、精神紧张等，少数患者可有头痛、耳鸣、听力减退、恶心、呕吐，女性患者大多数伴有月经异常、经量稀少；在疾病恢复期伴有甲减症状，如发音低沉、怕冷、水肿等。本病多见于20～30岁女性，属自限性疾病，有复发倾向，大多预后良好。

本病中医学属"瘿肿"、"热病"等范畴。为外感风热、疫毒之邪，内伤七情所致。由于风热、疫毒之邪侵入肺卫，致卫表不和而见恶寒、发热、出汗、咽干而痛、周身酸楚、怠倦乏力等，风热夹痰结毒，用之于颈前，则见瘿肿而痛，结聚日久易致气血阻滞不畅，导致痰瘀毒邪互结，气郁化火，肝火上炎，扰乱心神（可见心悸、心烦），肝阳上亢，阳亢风动（可见双手颤抖、急躁易怒）等，肝失疏泄，冲任失调（女子可见月经不调、经量稀少等）。反复不愈、病程日久者，可出现阴盛阳衰之症（如怕冷、神疲懒动、乏力懒言、虚浮等）。

**【必备验方】**

1. 昆布（海带）500克。隔水蒸30分钟后洗净，切丝，晒干。沸水冲泡，代茶饮。每次5～10克，每日2次，适用于甲状腺炎。或海带100克，加水煮烂后切丝，加红糖腌拌2日。

2. 香附、木香、川芎、柴胡各10克，郁金15克。共研细末，口服，每次3克，每日3次，连服35日为1个疗程，休息1周后可行第2个疗程，最长连用4个疗程。甲亢患者，加黄精40克，生山药30克，茯苓、枸杞子各25克，泽泻、牡丹皮各15克；甲减患者，加服金匮肾气丸。每次6克，每日2次。

3. 黄药子250克。水煎2次，滤液混合，再加白酒450毫升（不加亦有效），饭后服，每次5毫升，每日2次，10日为1个疗程，每疗程间隔3～5日。或研粉，每日0.9克，分服或顿服。

4. 针灸疗法：选大椎、风地、外关、合谷、气舍、太冲等穴，用泻法；或取甲状腺处周围刺入。每日1次或隔日1次，留针30分钟，15次为1个疗程。

5. 华南胡椒全植株2份，野菊花叶1份。同捣烂，加少许食盐捣匀，隔水蒸热，敷患处，每日换药1次。

**【名医指导】**

1. 治疗期间应戒烟，少吃或不吃对病情恢复和药物治疗有不良影响的食物（如含酒精的饮料、烈性酒、辣椒、胡椒、花椒、卤料、动物的颈脖等）。水肿时，应限制钠盐。

2. 发病初应卧床休息，饮食清淡。高热者，甲状腺区置冰袋；合并甲亢者，应避免精神刺激，宜食富含营养的食物。

3. 慎防感冒，保持情绪稳定。

4. 建立战胜疾病的信心，积极配合治疗。

5. 避免日光及紫外线照射。

6. 应节育，活动期不能妊娠。

7. 饮食宜忌：

（1）饮食宜含丰富的蛋白质及维生素。

（2）宜食含B族维生素的食物或补充一定量的铁剂。

（3）多吃热性食物，如山羊肉、狗肉、鹿肉、姜、韭菜等。

（4）宜温热饮食，以助于祛寒助阳。

（5）食物要具备色、香、味，可提高食欲。

（6）食物要含有纤维，以预防便秘。

（7）宜吃含碘较高食物，如海带等，以防治甲状腺肿。

（8）多吃含钙食物。

8. 多听激情音乐，以提高机体的代谢水平。

## 慢性淋巴细胞性甲状腺炎

慢性淋巴细胞性甲状腺炎系自身免疫性疾病，包括两种临床类型，即甲状腺肿大的桥本甲状腺炎和甲状腺萎缩的萎缩性甲状腺炎。本病多见于中年女性，也是儿童散发性甲状腺肿的常见原因。起病初期甲状腺功能正常，有时可伴甲亢；当甲状腺破坏到一定程度，多数患者出现甲减症状。患者多为缓慢发病，无特殊感觉，常因甲状腺肿大而就诊。本病初期甲状腺常呈不同程度的弥漫性肿大，多右叶大于左叶，表面光滑，质地柔软，无结节；随病程延长甲状腺肿大明显，伴有结节、质地中等硬度或坚硬，无压痛，甲状腺功能正常。8%患者可引致甲亢，60%患者出现甲减症状，因滤泡上皮高度变性和纤维化而导致永久性甲减。

本病中医学属“气瘦”、“虚劳”等范畴。由于素体虚弱，正气亏虚，饮食不得正化，停聚而成痰；痰、气、瘀壅结于颈前而成瘿。因痰瘀结聚日久而成，故瘿肿坚硬；痰气互结，久则化火，痰火扰心则见心烦、心悸、失眠多梦等，火邪内盛，迫液外出则见身热、汗出等。病延日久，损伤脾肾之阳，则见畏寒怕冷、四肢不温、性欲减退、形体虚胖等，或瘿肿日久，坚硬如石，阻塞气道、声门，则见呼吸不畅、胸闷气短，声音嘶哑、吞咽困难等症。其病机为长期精神抑郁，情志失畅，肝失调和，导致肝气郁结，气滞痰阻，壅结颈前。气郁日久，化火伤阴，则致阴虚内热。若病情迁延不愈，阴损及阳，常见脾肾阳虚之证。临床分为肝郁痰阻、阴虚内热、脾肾阳虚等证型。

**【必备验方】**

1. 黄芪、海藻、昆布各 30 克，党参、白术、茯苓、熟地黄、山药、泽泻各 15 克，山茱萸 10 克，附片、桂枝各 9 克。腰膝酸软者，加杜仲、续断各 9 克；面色苍白贫血者，加当归 9 克，鸡血藤 30 克。适用于脾肾阳虚型。

2. 生牡蛎、夏枯草各 30 克，浙贝母、黄药子各 10 克，白芍、玄参、生地黄、麦冬各 15 克，地龙 9 克，甘草 5 克。水煎服。气郁明显者，加柴胡、郁金；心悸者加珍珠母、丹参；出汗者，加五味子；手震者，加钩藤；肝火亢盛者，加栀子、龙胆；甲状腺肿大者，加海浮石；质硬者，加穿山甲、三棱；突眼者，加重楼、白花蛇舌草。适用于甲状腺肿大、质地较硬者。

3. 香附、枳实、川芎各 22.5 克，厚朴、柴胡各 15 克，白芍 25 克。共研细末，口服，每次 2 克，每日 3 次。阴虚者，加服六味地黄丸，每次 1 丸，每日 3 次；阳虚者，加服金匮肾气丸，每次 1 丸，每日 3 次。

4. 针灸疗法。选穴气舍、水突、太冲、肝俞、合谷，适用于肝郁痰阻型；选穴肾俞、脾俞、足三里、关元、命门、阴陵泉等，以艾条温灸，适用于脾肾阳虚型。

5. 隔附子饼灸法：取穴。①大椎、肾俞、命门；②膻中、中脘、关元。两组穴位交替使用，每次 5 壮，每日 1 次，50 次为 1 个疗程。

**【名医指导】**

1. 甲减患者应行甲状腺激素替代治疗，选用甲状腺片或左旋甲状腺素片，直至维持量维持治疗。

2. 保持情绪稳定，忌发怒。

3. 生活作息时间规律，避免熬夜。

4. 预防感冒及外伤感染。

5. 戒烟、酒。

6. 慎食生冷、油腻、辛辣及煎炸食品。若出现甲亢表现时，宜清淡饮食，宜食富含维生素的新鲜蔬菜、水果及营养丰富的瘦肉、鸡肉、鸭肉、甲鱼、淡水鱼、香菇、银耳、百合、桑椹等；忌食碘、辣椒、羊肉、浓茶、咖啡等湿热或有刺激性食物。若出现甲减的表现时，忌碘；宜食富含维生素的新鲜蔬菜、水果及虾、海参、核桃仁、枸杞子、山药、芡实等。

## 腺垂体功能减退症

腺垂体功能减退症是由于腺垂体损害导致相应的腺垂体激素分泌不足并继发性腺、甲状腺、肾上腺皮质的功能不足而引起一系

列临床症状的内分泌疾病，任何引起腺垂体或下丘脑破坏的损伤均可引起。

本病中医学可归属于“产后虚劳”、“产后血晕”、“虚劳”、“闭经”、“血枯经闭”、“劳瘠”等范畴。多见于产后大量出血（或由于难产所下过多）以致损伤脉络、气血暴虚，未得平复；或因劳伤，惊恐致血暴崩；或因多产、失血过多而体质虚弱，以致脏腑俱伤，气不摄血，伤及冲任，冲任受损，引起月经久停，毛发脱落；失血也可伤及肝阴，波及肾阴，造成肾阴虚，阴病及阳、肾阳亦虚，则命门火衰；肾病及脾，则引起脾虚。其病因病机可分虚实两端，但绝大部分属虚。由精血耗失而得，脏腑虚弱，以虚为主，而实际上又虚中有实，血虚中有气虚，阴虚中有阳衰，阳虚中有阴失，互相掺杂，同时兼并。临床分为气血两虚、脾肾阳虚、肝肾阴虚、阳气暴脱等证型。

**【必备验方】**

1. 山茱萸、干姜、巴戟天、白芍、泽泻、细辛、菟丝子（酒浸）、远志、桂心、黄芪、石斛、熟地黄、附子、当归、牡蛎、蛇床子、甘草、肉苁蓉（酒浸）、党参各60克，石菖蒲30克，防风45克，茯苓15克。共为细末，以羊肾1对同捣，酒制为丸（如梧桐子大），淡盐汤或黄酒送服，每服30～50粒（相当于12克），每日3次。

2. 乌骨鸡1只（去毛及内脏，洗净），当归、鸡血藤各30克，黄精60克。加适量清水用武火烧沸，加入水发乌贼500克及适量葱白、生姜、料酒、食盐，以文火煨熟，分餐食。

3. 鹌鹑1只（去毛及内脏，沸水汆2分钟后取出，切块），枸杞子30克，党参、杜仲各15克。同炖熟，调入食盐、味精，佐餐服食。适用于脾肾阳虚型。

4. 生地黄90克。切碎，加水900毫升煮沸（不断搅拌）1小时，滤液约200毫升，顿服完，连服3日，然后分别隔3日、6日、14日连服3日，共35日12个服药日。此后每隔2个月视病情重复上述治疗1次。

5. 针灸疗法：取穴。①关元、中脘、足三里、三阴交；②肾俞、脾俞、胃俞、太溪。两组穴交替使用，三阴交、太溪穴用补法，余穴艾灸。每日1次，10次为1个疗程。闭经、性功能减退者，加中极、血海、子宫等穴。

**【名医指导】**

1. 患者应摄入含足够热量、高蛋白、多种维生素及适量钠、钾、氯的食物。

2. 注意劳逸结合，避免劳累、感染、情绪激动等应激状态。

3. 慎用或禁用巴比妥类安眠药、氯丙嗪等中枢神经抑制药及胰岛素、降血糖药、吗啡等药物。

4. 患者应坚持激素替代治疗。如遇感染等应激情况时应及时遵医嘱调整激素剂量，并有效控制感染，以防本病危象的发生。

5. 遇感染、危象、昏迷等时，及时到医院救治。出现危象的患者，应安排在有良好抢救条件的病房，及时进行抢救；注意保暖；保持安静；密切注意出入液量。

6. 做好围生期监护，避免发生产后大出血。产后大出血、休克者，应在2小时内进行输血。

7. 贫血严重者，可予输血或补充白蛋白等。

8. 遵医嘱合理用药，定期复查。

## 库欣综合征

库欣综合征又称皮质醇增多症，是由于肾上腺皮质瘤、垂体瘤或异位肿瘤等导致肾上腺皮质分泌糖皮质激素（主要是皮质醇）过多而形成的临床综合征。临床以向心性肥胖，满月脸，皮肤痤疮、紫纹、多毛，糖尿病倾向，高血压综合征，性功能障碍及女性男性化等为主要特征。本病多见于女性，男女发病之比为（1∶2）～（1∶3），以20～40岁居多。肾上腺癌（或异位肿瘤转移）以及合并心衰、脑血管意外、尿毒症或严重感染者，预后不良。

本病中医学属“肾亢”范畴。与肝、脾、肺、肾等脏器功能失调有关。常见病因为情志刺激和体质因素。一方面，情志活动以五脏精气为物质基础；另一方面，情志异常又

会影响五脏功能，尤其是人体的气机活动，造成阴阳失调，气血不和，脉络壅塞，脏腑功能失常以及相互间协调关系出现紊乱而导致。由于情志的刺激，肝气郁结，郁而化火，出现气火亢盛之征，如烦躁失眠、颜面潮红、皮肤痤疮、血压升高等症。若忧思伤脾，或肝气犯脾，脾失健运，蕴湿生痰，出现痰湿之征（如形体肥胖、面色垢浊、恶心、呕吐、倦怠乏力）。脾失健运，水湿内盛，气机郁滞，肺气郁闭，肺郁则实，功能亢进，因肺主皮毛，故毛发增长。由于素体阴虚，复加肝气郁结，易从火化，引动相火，暗耗阴精，煎熬血液，久则黏滞而成瘀，可出现皮下瘀斑或紫纹。病久迁延，阴损及阳，导致肾阴阳俱虚，可出现性欲减退、男子阳痿、女子闭经、骨质不坚、抗病能力下降。本病系肝失条达，气火内郁，湿浊蕴阻，不得宣越。肝肾二脏内寄相火，相火循冲任之脉上升而致本病。肥人多湿，因湿盛故发生肥胖，眉毛、阴毛粗黑，增多，女性生须多毛，为气火亢盛的表现。痤疮的发生为肝经气火夹湿内郁所致。精神症状是由于肝气抑郁，气火不得外达而内蕴。临床一般分为肝郁脾湿、肺气郁闭、阴虚火旺、阴阳两虚等证型。

**【必备验方】**

1. 大黄、芒硝（分次冲服）、厚朴、枳实各 6 克，何首乌、龙胆草、黄精各 15 克。每日 1 剂，水煎 2 次，滤汁 300～400 毫升，分 3 次空腹温服，连服 5 日，停服 2 日，连用 8 周（休息 2 周），为 1 个疗程。紫纹明显者，加当归、丹参；夜眠不实者，加炙远志、酸枣仁；心烦不宁者，加天竺黄、莲子心。适用于肾实精壅型。

2. 知母 10 克，黄柏 8 克，生地黄、丹参、黄精各 20 克，枸杞子、钩藤、牡丹皮各 12 克，山茱萸 6 克，龙胆、菊花、首乌藤各 9 克。每日 1 剂，水煎 2 次，分 2 次服。心烦不宁者，加炙远志、酸枣仁；头痛晕胀者，加石决明、罗布麻；大便干结者，加郁李仁、大黄；口苦咽干者，加黄芩、石斛；紫纹明显者，加桃仁、红花。适用于阴虚火旺型。

3. 柴胡、枳实、厚朴、白术、生山楂各 10 克，党参、茯苓、泽泻各 15 克，法半夏、陈皮各 8 克，丹参、生地黄各 20 克。每日 1 剂，水煎 2 次，分 2 次服。头痛头晕者，加川芎、菊花；口苦心烦者，加龙胆、磁石；大便干燥者，加郁李仁、大黄；紫纹明显者，加川芎、赤芍；胸闷气郁者，加香附、佛手片；肢软肉萎者，加当归、杜仲；湿郁化热、苔黄者，加竹茹、黄芩；兼肝肾阴虚者，加黄精、白芍。适用于肝郁痰浊型。

4. 紫草、土茯苓各 30 克，黄连 10 克。煎水，冷后用消毒纱布湿敷患处。

5. 耳穴埋针疗法：交替选用内分泌、胃、脾、肾点，埋针 3～5 日。

**【名医指导】**

1. 避免受寒，尽量保暖，防止感冒。

2. 不宜过于劳累。重者卧床休息，轻者可适当活动。

3. 宜低盐饮食，每日只可用 3～5 克食盐。日常饮食应选择含钠较低的食物，如豆类及豆制品、蔬菜类、果类等；宜低胆固醇食物，如米、麦、玉米、米粉、面包、蔬菜、水果、豆类、奶粉、花生等，少食肉类、蛋类、水产类、蛋类等含胆固醇高的食物；宜低糖饮食，远离甜食，避开各种糖分食物。多食五谷类、根茎类、新鲜蔬菜等；进食富含高钾的食物，如鲜香菇、黄瓜、柑橘、甜玉米、糯米、马铃薯、龙眼肉、葡萄、椰子、柿子、西瓜、芒果等；多食碱性食品，如豆类、蔬菜、水果、栗子、百合、奶类、藕、蛋清、海带、茶叶等；多食富含蛋白饮食，如黄豆、蚕豆、豌豆、花生、牛肉、猪肉、鸡肉、鸭肉、内脏、鸡蛋、奶粉等；多食富含维生素的食物，如葡萄、菠萝、芒果、香瓜、樱桃、绿豆芽、四季豆、青椒、花菜、芹菜、苦瓜、木耳、毛豆、南瓜等。

4. 遵医嘱服药，不擅自减药或停药。

5. 定期门诊随访。

6. 科学减肥，应在医师指导下选用减肥药。

## 原发性肾上腺皮质功能减退症

原发性肾上腺皮质功能减退症又称阿狄森病，是由于双侧肾上腺皮质破坏而呈衰弱无力、体重减轻、色素沉着、血压下降等一系列慢性肾上腺皮质功能减退综合征。其病因主要是结核、癌瘤及特发性萎缩。本病发病缓慢，早期表现为容易疲乏、衰弱无力、精神委靡、食欲不振、体重减轻。

本病中医学类似于“黑疸”、“黑瘅”、“女劳疸”、“虚劳”等，中医学属“内伤病”范畴。多因先天不足，肾气虚羸；或房事不节，劳倦过度；或久病、大病之后失于调理；或早婚多产，伤及冲任。肾为先天之本，水火之府，阴阳之宅，藏有真阴真阳，一旦命门火衰，温煦失职，气化乏力，即出现一系列阳虚证候，阳损及阴，肾中精血两亏，精枯不能上注，则面色黧黑；元阳不足，阴寒内盛，气血运行失畅，致瘀血内停，下焦元阳不足，中焦脾阳亦衰，生化乏力，气血皆虚。临床分为肾阳虚衰、脾肾阳虚、肝肾阴虚、气血两虚、气滞血瘀等证型。

**【必备验方】**

1. 甘草粉：每日3次，每次5克，以后增加至每次10克。10日为1个疗程，可连续服用。

2. 生地黄250克，母鸡1只，白糖150克，龙眼肉30克，大枣5枚。将生地黄、龙眼肉切碎，加白糖调匀，塞入（洗净，沸水烫过）的鸡腹内，灌入米汤（封口）隔水以旺火蒸2～3小时，即可服。

3. 附片、红花、当归、玄参、党参各9克，甘草、枳实各6克，黄芪、肉苁蓉各15克，龟甲胶、鹿角胶、太子参、生姜、木香各3克。将附片、鸡血藤加水1000毫升，煮沸2小时，加水至800毫升（除龟甲胶、鹿角胶外）及其余10味药，加热煮沸30分钟，再加入余味煮沸15分钟，过滤取液；药渣加水350毫升煮沸30分钟，过滤，合并2次滤液，分2～3次温服。每日1剂，连用6日停用1日，100剂为1个疗程。

4. 鹿角胶（烊化冲）、山茱萸肉、枸杞子、覆盆子各9克，沙苑子、茯神、熟地黄、紫河车、补骨脂各12克，龟甲30克（先煎），首乌藤、菟丝子各15克。每日1剂，水煎，分2次服。

5. 取穴：关元、气海、命门、肾俞。用补法，得气后在针上艾灸20分钟，每日1次，12次为1个疗程。

**【名医指导】**

1. 避免过度疲劳、感染、受伤，或呕吐、腹泻及大汗所引起的失水，或温度剧变等刺激。

2. 由卧位改为坐位或立位时，动作要缓慢。若仍感觉有头昏或直立时有头昏、眼前发黑等晕厥症状时，应立即坐下或平卧。

3. 三餐按时进行，不能饥饿，以免发生低血糖。饮食须富含糖分、蛋白质及维生素类，多钠盐、少钾盐饮食，如豆瓣酱、咸虾米、甜面酱等；多食富含维生素C的新鲜蔬菜和水果，如大白菜、小白菜、鲜柿子、辣椒、番茄、鲜藕、豆芽、新鲜豆类、沙棘、刺梨、猕猴桃、酸枣、山楂、杨梅、橙子、柚子、柠檬、草莓等；多食羊肾或猪肾、黑色食品等补肾食物，以及硒含量丰富的动物内脏、肉类及强化硒元素的面粉、大米等；忌酒精、咖啡因、烟草，忌油煎炸食品及高度加工的食物，如熏肉、火腿等。

4. 进行适当的体育锻炼。

5. 在发热、劳动强度增强时，适当增加糖皮质激素用量。

6. 患者皮肤黑是由于病变所致，只要坚持正确的治疗，会随着病情的控制而减退。外出时打伞或戴遮阳帽，科学使用增白的化妆品。

7. 肾上腺结核者，应积极抗结核治疗；肾上腺肿瘤者，可手术治疗。中药疗效不显著时，宜结合西医疗法，如替代疗法、应用醛固酮类激素等。

## 甲状腺癌

甲状腺肿瘤是常见的以颈前部肿块为主要症状的肿瘤，有良性与恶性之分。良性肿瘤主要是腺瘤，恶性肿瘤有癌和淋巴瘤等。此外，还有结节性甲状腺肿以及甲状腺囊肿也暂列入良性肿瘤。

中医学认为，本病与情志内伤、饮食和水土失宜以及体质因素密切相关。患者长期忿郁恼怒（或忧思郁虑），致肝气郁结，气滞

血瘀；肝旺侮土，脾失健运，湿痰内生；气滞血瘀与湿痰互结于颈部而成石瘿。或饮食失调，或居住高原山区，水土失宜，致脾失健运，水湿不化，聚而生痰，痰阻气机，痰气瘀结；或感山岚水气，不能濡养筋脉，致气血郁滞，津液内停，凝聚成痰，气血痰饮郁结，形成瘿肿，年深日久，遂生恶变。因气滞、痰凝、血瘀壅结颈前，是石瘿形成的基本病理，部分患者可表现为痰气郁结、郁而化火的病理变化。本病早期以实证者居多，但病久耗伤气血，阴精受损，病常由实转虚，其中尤以阴虚、气虚为多见，以致成为虚中有实，实中有虚之虚实夹杂证。

**【必备验方】**

1. 蜈蚣3条，全蝎6克，半枝莲60克，白茅根、白花蛇舌草、夏枯草、紫草根各30克，鸡内金、南沙参、旋覆花、法半夏各10克，大枣、山药各15克。每日1剂，水煎，去渣，加蜂蜜（120克）煮成膏，分3次服。

2. 昆布（海带）、薏苡仁各30克，鸡蛋3个，油、食盐、胡椒粉各适量。将海带用清水浸泡（洗去咸味）、切丝，薏苡仁洗净，同煮熟烂，打入鸡蛋，调以油、食盐、胡椒粉，即可食用。

3. 乌贼片100克，乌梅、淡豆豉、料酒、紫菜片、鱼酱（市售）、砂糖、酱油各适量。将乌梅去核、切碎，淡豆豉粉碎，混合后加入料酒、砂糖、酱油，以鱼酱作衣包裹；将鱼酱涂于乌贼片上，外用紫菜片包卷，即可食用，连服1周。适用于甲状腺癌吞咽困难者。

4. 蚌肉10个，猪肉馅100克，鸡蛋1个（取蛋清），黄菊花10克，黄酒15克，浙贝母粉3克，鲜淡竹叶数片，葱、生姜、食盐、味精各适量。将蚌肉用木槌捶松，煮熟，取出，置凉。将肉馅、浙贝母粉、葱、生姜、食盐、蛋清等搅匀，制成20个小丸子，入沸水中煮熟。将蚌肉一分为二，夹肉丸子2个，摆放在大碗中铺垫的淡竹叶上，倒入黄酒少许，隔水蒸5～10分钟；将少量肉汤烧沸，加入菊花、食盐、味精调匀，浇在蚌肉上，配胡椒粉一小碟，即可佐餐食用。适用于甲状腺癌、恶性淋巴瘤。

5. 鲜魔芋300克，海藻、蒲黄根各15克，贯众、苍耳草各30克（哈尼族方）。共研末，炒热（装入布袋），热敷双侧甲状腺周围，每日2次。

**【名医指导】**

1. 及早诊断，定期复查。

2. 行甲状腺癌手术后用甲状腺素替代治疗者，要注意补充钙剂。

3. 避免应用雌激素及其类似物。

4. 适当加强体育锻炼，可作一些力所能及的家务劳动。

5. 加强饮食营养，适当摄入高钙、低磷食品，每日宜食新鲜蔬菜、水果等；而牛奶、瘦肉、鱼类、牛肉、花生米、鸭、虾等含磷较高的食物不宜过量。忌辛辣刺激性食物，忌肥腻、黏滞食物，忌坚硬不易消化食物，忌油炸、烧烤等热性食物。行甲状腺癌手术后患者注意碘的补充，食用富含碘的食物，如海带、紫菜、发菜、淡菜、干贝、蛏、海蜇、海参、龙虾、带鱼、鱼肚、甲鱼等。

6. 注意精神调护，保持心情舒畅。

7. 忌烟、酒。

## 嗜铬细胞瘤

嗜铬细胞瘤来源于肾上腺髓质、交感神经或其他各部位的嗜铬细胞自主分泌大量儿茶酚胺而致的一种肿瘤。临床呈现阵发性或持续性高血压、头痛、出汗、心悸、多个器官功能障碍及代谢紊乱症候群，为一种或数种神经外胚层综合征，如多发性神经纤维瘤、神经多发性血管母细胞瘤病、三叉神经血管瘤病及结节硬化症等。另外，尚可合并其他神经系统疾病（如星形细胞瘤、脑膜瘤）和内分泌疾病（如皮质醇增多症等）。本病可有家族史，称家族性嗜铬细胞瘤，属多发性内分泌腺瘤（MEA）的Ⅱ、Ⅲ型，约80%的MEAⅢ型患者有类马方综合征体型。

本病中医学属“积聚”、“眩晕”、“头痛”等范畴。本病在稳定期主要表现为肝肾不足或阴虚火旺之证。肾藏精，为先天之本，肾左右各一，命门附焉，内藏元阴元阳，为阴阳之宅，水火之府。肾精宜藏而不宜泄，若禀赋羸弱，劳倦过度，或久病失养，或房劳不节，皆可导致肾精虚耗，肾阴亏损；而一旦受精神刺激，或体位改变的影响，或肿瘤受到挤压、触摸，症状骤然加重，脸色苍白，全身多汗，四肢厥冷。其病机基本为肝阳上亢、肝肾阴虚、阴阳两虚、痰浊内阻、气滞血瘀等，治疗以滋补肝肾、平肝潜阳、化痰泻浊、行气活血为基本大法。临床一般分为肝阳上亢、痰浊内阻、瘀血内结、肝肾阴虚、阴阳两虚等证型。

**【必备验方】**

1. 干柿叶 30～60 克。每日 1 剂，水煎 2 次，混合后分成 3 次温服（或研细末，温开水送服，每次 3 克，每日 3 次）。适用于嗜铬细胞瘤所致高血压者。

2. 芹菜 500 克，白糖 50 克。每日 1 剂，将芹菜连同根叶洗净，水煎 30 分钟，入白糖，分 2 次服。

3. 醋浸生花生仁。将生花生仁（不去红皮）浸泡于食醋中 1 周以上（浸泡时间越久越好），每日晚睡前嚼服 2～4 粒，连服 7 日为 1 个疗程。服完 1 个疗程后如血压明显下降，自觉症状消失，可每周服 1 次，每次 2 粒；若 1 个疗程后血压下降不明显，应继续服用。

4. 灸法治疗：一般采用无痕灸 3～5 次（以局部皮肤充血红晕为度），常以下半身穴位为主（涌泉、石门、肾俞、太溪、昆仑）。上述穴位每次可选灸1～2 个。气血两虚或阴阳两虚者，选用足三里、关元、气海、命门；血压波动较大者，灸涌泉或石门。

5. 耳针疗法：取肾、神门、降压沟、内耳、皮质下、肾上腺、内分泌、耳尖等穴，以 0.5 寸毫针，中强刺激，留针 20～30 分钟，每日 1 次，5～7 日为 1 个疗程。

**【名医指导】**

1. 健康检查，早期发现、及时治疗。

2. 注意监测血压，及时调整用药，避免突然停药。术后患者需注意观察血压，若出现血压异常应及时复查。注意测血压前 30 分钟不要吸烟，避免饮刺激性饮料，如浓茶、可乐、咖啡等；应在安静状态下休息 5 分钟后再测血压；应连续测 2 次血压取平均值。

3. 保持室内安静；卧床休息，抬高床头；避免和消除紧张情绪，避免过度的脑力和体力负荷。

4. 坚持体力劳动与脑力劳动相结合，劳逸结合，积极开展体育活动。肥胖者应减肥，加强体育锻炼；但对中、重度高血压患者，应避免竞技性运动，特别是长跑运动。

5. 保持积极乐观精神，保持情绪稳定。

6. 坚持低盐（<6 克/日）、低脂、低胆固醇饮食，保持脂肪酸的良好比例，以植物油为主，少食刺激性食物，少量多餐，避免过饱，适当控制总热量；多食富含维生素和优质蛋白质的食物，如动物蛋白和豆类蛋白；增加钾的摄入，多食绿叶菜、豆类、根茎类蔬菜、香蕉、杏、梅类水果；增加钙的摄入，多食牛奶、豆类、新鲜蔬菜。

7. 戒烟、限酒，可酌量饮用红葡萄酒。

# 第七章　代谢疾病与营养疾病

## 糖尿病

糖尿病是因胰岛素不足而引起的一种代谢性内分泌疾病。其发病率高，并发症多，已成为仅次于肿瘤和心血管疾病之后的第三大疾病。本病早期可无症状，随着病程延长，出现高血糖状态、尿糖阳性和糖耐量减低；典型者出现多饮、多食、多尿和体重减轻，并可导致眼、肾、神经、心、脑等组织器官慢性进行性病变。若得不到及时恰当的控制，则可发生双目失明、下肢坏疽、尿毒症、脑血管意外或心脏病变；少数患者，尚可发生糖尿病酮症酸中毒、高渗性昏迷、乳酸性酸中毒等并发症。

本病中医学大部分属“消渴”范畴。因其临床表现及并发症不同，亦有部分属“虚劳”、“肌痹”、“尿崩”、“内障”等范畴。传统的三消分证观点，从阴虚燥热论治。临床分为脾气虚弱、气阴两虚、肝郁气滞、瘀血阻滞等证型。

**【必备验方】**

1. 土炒黄芪、浮小麦各 15 克，土炒党参 12 克，伏龙肝 30 克。将伏龙肝水煎，去渣，入诸药慢火久煮 3 次，分 2 次于饭前服用。适用于各型糖尿病。

2. 葛粉、天花粉各 30 克，猪胰 1 具。每日 1 剂，将猪胰切片，水煎，入葛粉、天花粉，分 3 次服。适用于糖尿病多饮、多食者。

3. 鸡内金 10 克，鲜菠菜根、大米各 50 克。将菠菜根洗净、切碎，同鸡内金水煎煮 30～40 分钟，入大米煮粥，每日分 2 次服食。适用于各型糖尿病。

4. 生山药、粳米各 60 克，酥油适量。将粳米加水煮粥；山药去皮为糊后用酥油炒，令凝，用汤匙揉碎，放粥内拌匀，作早点食用。适用于气阴两虚或阴阳两虚型糖尿病。

5. 鲜地黄 150 克（洗净，捣烂，绞汁），粳米 50 克。将粳米加水 500 毫升煮成粥，加入地黄汁，以文火煮沸食，每日 1～2 次。适用于阴虚热盛型糖尿病。

**【名医指导】**

1. 一旦确诊为糖尿病，应采取运动疗法和饮食疗法；若血糖控制不理想，配合药物治疗。

2. 定期检测尿糖、血糖，不可自行调整用药及剂量；定期复查。

3. 积极开展适当的体育活动，肥胖者应减肥，加强体育锻炼，经过 30 分钟的活动，血糖即有明显降低。

4. 如有" 三多一少" 症状（即多饮、多食、多尿、体重减轻明显），应以休息为主，限制运动量。

5. 树立战胜疾病的信心，保持积极平和心态。

6. 注意饮食：按医嘱限制粮食和油脂的摄入；忌食糖类，提倡主食为粗纤维含量较多的食品，以糙米、麦、杂粮配以蔬菜、豆类、瘦肉、鸡蛋等，可定时定量进食，一日三餐热量分配为 1/5、2/5、2/5。肥胖患者应在医师指导下合理节食，逐步控制体重。

（1）适当控制主食量：在一般情况下，休息的患者每日吃主食 250～300 克，轻体力劳动者每日 350～400 克，重体力劳动者每日 450～550 克；待血糖下降或尿糖（＋）减少后，可适当增加主食 25～50 克。主食要轮换

食用或混合食用，要注意总结进餐与血糖、尿糖之间的变化规律。

（2）每日进餐时间、数量应保持稳定性，尽量不吃零食，适量吃水果。要根据血糖、尿糖的控制情况，灵活掌握。可吃少量水果，每日不宜超过 150～200 克。忌食甘蔗、葡萄等含糖量高的水果。

（3）糖类：一般每日 200～300 克，折合米面为 250～400 克，可产热 3444～5166 千焦。

（4）蛋白质：通常成人按每日每千克体重 1 克蛋白计算。稍瘦者可适当增加；青少年为 2 克。

（5）脂肪量：每日每千克体重 1 克以下，总量不超过 60 克；以植物脂肪为主。

（6）戒烟、酒、浓茶、咖啡等。

7. 经常梳头：尤其是女性患者，头部穴位丰富，梳齿可经常按压、刺激头部穴位，达到养生保健的目的。

8. 若出现心慌、头昏、出虚汗、四肢无力、面色苍白等症状，可能为低血糖反应，可口服糖水进行实验性治疗。

9. 糖尿病患者在患病过程中应密切注意病情变化，控制好血糖。如发现血压升高、视物不清、手足麻木、小便不利或反复出现皮肤化脓感染，应及时到医院处理。

## 糖尿病足

糖尿病足又称糖尿病肢端坏疽，是由于局部神经病变、下肢远端外周血管病变、皮肤病变和持续高血糖状态等导致的足部感染、溃疡或深层组织破坏，是糖尿病严重的并发症之一。糖尿病患者由于长期受到高血糖的影响，下肢血管硬化、血管壁增厚、弹性下降，血管容易形成血栓并集结成斑块，导致下肢血管闭塞、肢端神经损伤而造成下肢组织病变。而“足”离心脏最远，闭塞现象最严重，从而引发水肿、发黑、腐烂、坏死，形成脱疽。临床表现为足局部缺血、神经营养障碍，经久不愈且合并感染，致残率高，严重者可危及生命。

本病中医学属“消渴”、“脱疽”等范畴。《灵枢·痈疽篇》谓：“发于足指，名曰脱疽。其状赤黑，死不治；不赤黑，不死。不衰，急斩之，不则死矣。”唐·孙思邈《千金方》谓：“消渴之人，愈与未愈……所以戒亡在大痈也。”唐·王焘《外台秘要》谓：“消渴病多发痈疽。”明·陈实功《外科正宗》谓：“夫脱疽者，外腐而内坏也，此因平昔膏粱厚味熏蒸脏腑……未疮先渴，喜冷无度，昏睡舌干，小便频数……已为疮形枯瘪，内黑皮焦，痛如刀割，毒传足趾者。”清·魏之秀《续名医类案》谓：“一男，因服药后做渴，左足大趾患疽，色紫不痛，若黑若紫即不治。”说明古代医家已认识到糖尿病可以并发肢体坏疽。中医学认为，其病机多为“本虚标实”证。本虚多为阴、阳、气、血亏损；标实则可表现为瘀血内阻、寒凝经脉、湿热内生、热毒炽盛等证型。

**【必备验方】**

1. 丹参、红花各 12 克，桃仁 10 克，茶叶 4 克。将前 3 味水煎 30 分钟，冷却后与鸡蛋、茶叶同煮至蛋熟，打破蛋壳并在药液中浸泡至蛋清呈紫红色，即可服食，每日吃 1 个。

2. 血竭、龟甲、乳香各 30 克，白及 45 克，黄柏、生大黄各 60 克，全蝎 15 克，香油 2000 克。浸泡 3 日后以慢火煎，至药浮起，离火片刻，去渣，加入蜂蜡 200 克（随加随搅），滴油成珠即可，分装放冷，均匀涂于消毒纱布上（范围与创面大小相当，厚度 1～2 毫米），覆盖创面。适用于缺血性糖尿病足。

3. 黑木耳适量。去除杂物，炒后研末，盛于净容器内，加适量白糖，用冷开水调涂于创面上，每日 2 次（12 小时 1 次）。

4. 牡丹皮、黄柏各 15 克，蒲公英 50 克，白芷 10 克。上药装布袋内，加水 1000 毫升煎汤，适温时，浸泡患足，每日 2 次，每次 30 分钟。适用于糖尿病足已溃者。

5. 鲜鸡矢藤 200～250 克。洗净，加水 3000 毫升煮沸，改用文火煮 30 分钟，去渣，加少许食盐，适温时（37 ℃～40 ℃）浸泡患足 10～15 分钟，待其自然晾干后用无菌纱布覆盖溃疡面，每日 2 次。

**【名医指导】**

1. 积极有效地控制血糖，根据监测血糖的结果，调整胰岛素和降血糖药用量。糖尿病饮食，进行适当的体育锻炼。

2. 饮食宜富含充足的蛋白质和各种维生素，促进足部溃疡面的愈合。

3. 每日检查足部，注意足部皮肤是否有水疱、擦伤、裂口，有无红肿，皮肤色泽、温度及足背动脉搏动情况。如果足部皮温变凉，颜色变暗或暗红转为紫红色甚至黑色，足背动脉搏动减弱或消失，易出现溃疡坏疽，应加强足部护理。

4. 不穿高跟鞋、尖头鞋、拖鞋，防止碰伤足趾；要穿质地柔软、吸水性强、透气性良好的棉、麻袜子，袜口宜松；穿鞋前检查鞋内是否有小沙粒等异物或有不平的地方。

5. 每日用温水泡脚，水温 39 ℃～40 ℃，时间 10～15 分钟，用热水袋时要防烫伤，宜选洗脚后趾甲较软时修剪趾甲，宜平，不宜太短，以免损伤甲沟皮肤，造成感染。

6. 及时治疗足癣、甲沟炎，经常检查足部有无创伤、感染，及时发现并治疗足部感染防止扩散。

7. 注意足部保暖，坚持小腿及足部适当运动，改善下肢血液循环。

8. 戒烟。

9. 肥胖者要减轻体重，以减少对脚的压力，保证下肢、脚部血液供应充足。

10. 糖尿病是慢性病，宜保持情绪稳定，建立战胜疾病的信心。

## 糖尿病神经病变

糖尿病神经病变是糖尿病最常见的慢性并发症之一，可累及全身任何神经，导致感觉丧失及大脑、心血管、泌尿、胃肠道等功能障碍，是糖尿病致死和致残的主要原因。本病与代谢紊乱、非酶促糖基化、微小血管病变引起的神经缺血缺氧有关，最常见的是周围神经病变和自主神经病变。临床主要表现为疼痛、麻木及感觉减退。

本病中医学属“痹证”、“痿证”、“脉痹”、“血痹”、“不仁”、“麻木”等范畴。主要为消渴病日久，损及肝肾，导致肝肾气阴亏损，久病入络，络脉闭阻，则肌肤失荣，而出现肢体麻木、疼痛、局部发凉等症状，导致四肢萎废不用。其病机为本虚标实。本虚在于气阴不足，阴津耗损，兼内有虚热；标实在于痰浊闭阻、瘀血阻滞、痰瘀交阻、络脉不通。脉络瘀阻贯彻于本病始终，治疗上应攻补兼施、固本之外，化瘀通络乃治疗根本大法。

**【必备验方】**

1. 百合 30 克，龙眼肉 10 克，鸡蛋 2 个。将百合加水泡软、洗净，与龙眼肉分别切碎，放入碗中，打入鸡蛋调匀，加入（相当于鸡蛋液的 1 倍）温水，隔水蒸成羹，加入食盐调服。适用于心脾两虚型。

2. 韭菜 150 克，核桃仁 60 克。将韭菜洗净、切段，入沸水中焯熟后迅速捞出；核桃仁炒香、压成碎粒后放入韭菜中，加入食盐、味精、米醋、酱油、香油拌匀之后食用。适用于肾阳虚型。

3. 鲜花椒 300 克（干品 60 克）。加水 500 毫升煎至 200 毫升，置房上露 1 宿，用箩盖上，在太阳将出时取下，冷服（盖被出汗）。适用于手足麻木者。

4. 透骨草 600 克，丹参 400 克，桂枝 300 克，黄芪、当归各 200 克，川芎、制附片各 100 克，乳香、没药各 25 克。分别压碎，分为 10 份，分别装白色棉布缝袋内（将袋口缝好）备用。每取 1 份，加水 2000 毫升浸泡 120 分钟后以文火煮沸 30 分钟，待水温降至 38 ℃时，浸洗双足，每次 20 分钟，每日 1 次，15 日为 1 个疗程。2 日更换 1 次，连用 2 个疗程。

5. 桑叶适量。晒干，加水煮沸，去桑叶，取液趁热泡洗手脚，每次 15 分钟，每日 2 次，连用 3 日即可见效。适用于手足麻木者。

**【名医指导】**

1. 早诊断、早治疗糖尿病，将血糖、血压、血脂长期控制在正常水平，可防止或延缓并发症的发生和发展。

2. 感觉神经受损时注意：

（1）洗脚、洗澡前，请别人确定水温是

否合适，以免烫伤。

（2）由于对冷、疼痛的感觉减退，手脚易发生冻伤；寒冷季节，尤其外出应注意保温。

（3）从事易受伤害的职业，如冶炼、焊接、化工、木工等，要注意自我保护，避免受伤而无感知。

（4）糖尿病神经痛者，局部可涂辣椒素；脚痛发红者，浸入冰冷水中可缓解疼痛，但时间不宜过长；疼痛难忍者，可在医师的指导下选用卡马西平或阿米替林等。

（5）使用神经营养药，可选用维生素 $B_1$、维生素 $B_{12}$ 等。

3. 自主神经受损的防治：

（1）直立性低血压者，变动体位时宜缓慢；穿紧身衣裤有一定的预防作用，避免衣服摩擦皮肤引起疼痛。

（2）糖尿病胃轻瘫者可服用普瑞博思或吗丁啉等。

（3）神经源性膀胱，轻者应定时排尿，2～3 小时 1 次，以训练膀胱肌肉；排尿时以手压下腹部协助排空膀胱，尽量减少残留尿；顽固性尿潴留患者需留置导尿或膀胱造瘘。

（4）可适当使用神经营养药物。

## 低血糖症

低血糖症是指血浆葡萄糖（简称血糖）浓度低于 2.5 毫摩尔/升，出现交感神经兴奋增高和中枢神经系统功能障碍，从而引起饥饿、心慌、心悸、气短、盗汗、面色苍白、倦怠乏力、四肢怕冷、手抖、烦躁、抽搐等综合征。一般以血浆血糖浓度＜2.8 毫摩尔/升或全血葡萄糖＜2.5 毫摩尔/升为低血糖。按其病因和发病机制分为自发性低血糖症和外源性低血糖症。其中自发性低血糖症分为饥饿性（空腹）低血糖症和反应性（饭后）低血糖症，而外源性低血糖症见于口服降血糖药（或胰岛素）过量的糖尿病患者。低血糖症不是一个独立的疾病，而是由于某些病理和生理原因使血糖降至生理低限以下。长期的低血糖症严重者可致广泛的中枢神经损害，造成不可逆性神经病变甚至死亡。

本病中医学属“晕厥”、“虚风”等范畴，类似于中医学“汗症”、“脱症”、“闭症”及“虚劳”。主要由于饮食不节、劳欲过度，或外感六淫、内伤七情，日久导致脏腑功能长期失调，最终伤及气血阴阳。

**【必备验方】**

1. 莲子、山药各 100 克，葡萄干 50 克，白糖少许。将生山药切成细长条，莲子去芯，葡萄干洗净；同入铝锅加水以武火烧沸，改用文火熬熟，加入白糖调服。

2. 鲜三七 20 克（榨汁），母鸡 1500 克。将母鸡去毛、爪及内脏后洗净，纳入三七汁及生姜、葱、绍兴酒、少许食盐，加适量水，隔水蒸 2 小时，酌加食盐、味精调服。适用于气滞血虚型低血糖症。

3. 黄芪 50 克，鲈鱼 500 克。将鲈鱼去鳞、腮及内脏，洗净，黄芪切片（以纱布袋装），同放入铝锅，加生姜、葱、醋、食盐、绍兴酒及适量水，用武火烧沸后改用文火炖熟，酌加味精调服。适用于脾气不足型低血糖症。

4. 羊髓 100 克，羊肾 1 对，粳米 60 克。将羊肾去筋膜，切细；生姜、葱白切细，炒锅加油烧热，下羊肾、食盐、葱、生姜等，翻炒欲熟时加水大杯，入粳米煮成粥，入羊髓（剁细）煮熟食用。适用于脾阳不足型低血糖症。

5. 鳝丝 250 克，猪瘦肉 100 克，水发木耳 50 克，香菇 5 枚。将鳝鱼和猪瘦肉分别切丝，鳝丝加酒、食盐渍片刻；油烧至五成热时爆入蒜茸、姜末，入鳝丝、煸炒，加酒、肉丝及适量水煮沸，放入木耳、香菇丝爆炒 15 分钟，调味后勾芡，放上葱丝，淋上香油，即可食用。

**【名医指导】**

1. 随身携带糖块、饼干等含糖分食物，以备低血糖发作。

2. 患者最好少量多餐，每日吃 6～8 餐；睡前可食少量零食及点心，但要交替食物种类。

3. 饮食均衡，最少包含 50％～60％的糖分（和糖尿病患者同样的饮食原则），包括蔬菜、糙米、酪梨、魔芋、种子、核果、谷类、

瘦肉、鱼、酸乳、生乳酪等。

4. 多食高纤维食物；或吃新鲜苹果取代苹果酱，苹果中的纤维能抑制血糖的波动。须注意严格限制单糖类摄取量，要尽量少吃精制及加工产品，如速食米及马铃薯、白面粉等；避免糖分高的水果及果汁，如葡萄汁等。

5. 适当参加体育活动，锻炼身体，保持轻松愉悦的心态。

6. 改掉不良生活习惯，戒烟、酒。

7. 糖尿病以胰岛素、磺脲类药物治疗者（尤其是肝、肾功能不全者），在治疗过程中应逐渐加量，避免加量过快；注射胰岛素或口服降血糖药后应按时进餐，避免过强运动。

8. 怀疑B细胞瘤者应尽早进行饥饿实验和运动实验诱发，测定血浆胰岛素及血浆C肽浓度；进行B超、CT等影像学检查；以早发现、早诊断、早治疗。

## 高脂血症和高脂蛋白血症

由于脂肪代谢或运转异常使血浆一种或多种脂质高于正常称高脂血症，可表现为高胆固醇血症、高甘油三酯血症、混合型高脂血症（两者兼有）。高脂血症常为高脂蛋白血症的反映，临床分为原发性高脂血症和继发性高脂血症。其中，原发性高脂血症比较罕见，属遗传性脂代谢紊乱疾病；而继发性高脂血症常见于糖尿病、饮酒、甲状腺功能减退症、肾脏疾病、肝脏疾病、胆道阻塞、口服避孕药等。

本病中医学属“痰症”、“瘀症”、“湿阻”、“胸痹”、“眩晕”等范畴。膏脂（即油质、脂肪）源于水谷，能化入血中，为人体之营养物质。若摄入太多或转输、利用、排泄失常，均可使血脂升高而致病。

**【必备验方】**

1. 大当归1支（切片），大枣15枚，小米100克。将同煮粥，每日分2次服。适用于肝肾阴虚型高脂血症。

2. 炒决明子12克，白菊花9克，粳米100克。将炒决明子和白菊花水煎，去渣，入粳米煮成粥，加冰糖调服。适用于肝肾阴虚型高脂血症。

3. 干金丝瓜条100克，冬瓜150克。将干金丝瓜条泡发后沥干，冬瓜连皮切片，加水400毫升煮熟，加适量精盐、香油调服。适用于高脂血症。

4. 玉米粒150克，黑木耳10克。将玉米粒用压力锅加水800毫升煮至将熟时改用普通锅子，放入黑木耳同煮为粥，加食盐调匀，每晚空腹食用。适用于高脂血症、冠心病。

5. 鲜山楂50克，鲜荷叶15克，鲜槐花20克，决明子10克。将山楂洗净、切片，荷叶洗净、切块，槐花、决明子分别洗净后晒干；同水煎半小时后取液，再加水煎半小时，去渣，2次药液混合，加入少许白糖调匀，分3次服。适用于原发性高血压、高脂血症。

**【名医指导】**

1. 节制饮食，降低总热量的摄入，遵循所谓“量出而入”的原则。

2. 限制高脂肪饮食，减少饱和脂肪酸的摄入，如动物脂肪；适当增加不饱和脂肪酸的摄入，如植物油、鱼类。限制高胆固醇的食物，如动物内脏、蛋黄、奶油、肥肉等；摄入低胆固醇食物，如各种瘦肉、鱼肉、鸡、鸭、豆制品等；摄入充足蛋白质，如牛奶、鸡蛋、瘦肉类、去皮禽类、鱼虾类及大豆、豆制品等食品。

3. 适当减少糖类的摄入量：糖和甜食不宜多吃，多吃富含纤维素的粗粮，如小米、燕麦、豆类等；多食富含维生素的蔬菜、水果，如猕猴桃、西红柿、柠檬等；多食富含无机盐的食物；做菜少放油，尽量以蒸、煮、凉拌为主。

4. 养成每日清晨饮一杯凉白开水的好习惯。

5. 生活作息规律，早睡早起；加强体力活动和体育锻炼。

6. 戒烟、限酒；少饮白酒、啤酒，可以适当饮用果酒。

7. 控制影响血脂的其他疾病，如糖尿病、甲减、肾病综合征等。

8. 避免情绪紧张、过度兴奋，保持情绪稳定。

## 肥胖症

肥胖症是一组常见的、古老的代谢综合征，当人体进食热量多于消耗热量时，多余热量以脂肪形式储存于体内，其量超过正常生理需要量，导致体重超标、体态臃肿；当实际测量体重超过标准体重20%以上且脂肪百分比超过30%者称肥胖症，包括单纯性肥胖、体质性肥胖、过食性肥胖（获得性肥胖）、继发性肥胖、药物性肥胖等，其中以单纯性肥胖最为多见。肥胖症者除了体型肥胖、腹部膨隆、肌肉松软、皮下脂肪增多、活动时气短、容易疲劳等共同表现外，还可因性别、年龄、职业等不同而有错综复杂的临床表现（如高血压、冠心病、心绞痛、脑血管疾病、糖尿病、高脂血症、高尿酸血症、女性月经不调等），还能增加患恶性肿瘤的概率。

中医学对肥胖症的认识很早，历代医籍对其病因、病机、治疗方法均有所论述。肥胖的形成多由过食肥甘厚味之品，加之久坐、久卧而使脾气受损，痰湿内聚，从而使人肥胖。所以，后世又有“肥人多痰而经阻气不运也”，“谷气胜元气，其人脂而不寿，元气胜谷气，其人瘦而寿”，“大抵素禀之盛，从无所苦，唯是湿痰颇多”，以及“肥人多痰多湿，多气虚”之说。

**【必备验方】**

1. 山楂（打碎）、金银花、菊花各9克。水煎，取汁服，每日1剂。适用于单纯性肥胖症、原发性高血压、高脂血症。

2. 苦杏仁、老丝瓜皮各10克，白糖少许。将老丝瓜皮洗净，苦杏仁去皮，同加水烧沸，以文火煎煮20～30分钟，去渣，加入白糖拌匀，代茶饮。

3. 鲜荷叶1张（干品30克），薏苡仁50克，粳米30克，将荷叶切碎，水煎，去渣，入薏苡仁、粳米煮成粥，早餐食用，连用1个月以上。适用于肥胖症、血脂异常。

4. 紫苏28～32克，荆芥15～19克，白芷23～27克，牛蒡子3～7克，知母19～23克，虎杖17～21克，麦冬19～23克，罗布麻8～12克，夏枯草13～17克，红花18～22克。共研细末，制成粉剂，在皮肤外使用外熏热敷法。

5. 精油适量。将浴缸放入40 ℃左右的洗澡水，滴入8～10滴精油（可以为迷迭香、柠檬、橘子等精油），边泡澡边用力吸精油的香味，干性肌肤者可用浴球慢慢擦洗。

**【名医指导】**

1. 加强运动，坚持运动。最好是有氧运动和无氧运动相结合，每日至少1.5小时。如慢跑、快走、自行车、游泳、球类、体操、舞蹈、爬楼梯等。腹型肥胖症者，爬楼梯是最好的减肥方式。

2. 生活规律，养成良好的作息时间；保证充足睡眠，但不能贪睡。

3. 保持心情舒畅，忌沉默寡言、情绪抑郁。

4. 饮食清淡，做到定时定量。控制能量摄入总量；限制糖类摄入，尤其是单糖类中的蔗糖、果糖等。少食糖果、点心、麦乳精及甜饮料，多食高纤维膳食，如小米、麦食、芹菜、豆芽、小白菜、大白菜、韭菜等；控制食盐摄入量，每日保持在1～2克，体重降至正常后可给盐每日3～5克；烹饪采用蒸、煮、炖、熬的方法，忌油炸、油煎。

5. 健康饮水，每日饮水最低限量8～10杯。白开水、茶水和矿泉水是减肥者理想的饮料。

6. 忌咖啡、浓茶、肉汤；戒酒。

## 营养不良症

营养不良症是由于营养物质（如蛋白质、维生素等）摄入不足、吸收不良或不能充分利用，以致不能维持正常的生理代谢，使机体不停消耗自身成分而出现体重减轻、生长停滞、皮下脂肪大量消失、肌肉萎缩等现象。其早期症状不明显，较重者有消瘦、乏力、肌肉萎缩等症状，可出现贫血、水肿或发育障碍；严重者会引起全身各系统功能紊乱，免疫力低下，出现血浆清蛋白低、贫血等，进一步可限制身材发育，表现为消瘦矮小，甚至影响智力和运动素质的发育。临床分为

消瘦型和水肿型。消瘦型营养不良是由于总热量、蛋白质和各种营养素缺乏引起；水肿型则为热量接近需要量，但蛋白质严重缺乏，当血清白蛋白下降至25克/升以下时出现水肿，称营养不良性水肿。

本病中医学属“疳证”范畴。多为喂养不足、慢性消化不良和长期患病消耗过多所致。此外，婴儿先天畸形（如唇裂、腭裂）致喂哺困难；异常体质（如渗出性体质等）以及外界环境不佳（如日光不足及缺少运动等）均可引发。本病可分为疳气、疳积、干疳。疳气表现为形体消瘦，面色萎黄少华，毛发稍稀，厌食易怒，便秘或便溏，苔薄白，脉细滑，多见于疳积初起；疳积较疳气重，表现体瘦腹胀，面黄无华，毛发稀黄，神疲纳呆，或多吃多便，动作异常，苔白，舌质淡，脉濡，多见于疳积中期；干疳为疳气重候，表现为极度消瘦，皮肤干瘪起皱，大肉已脱，皮包骨头，精神委靡，毛发干枯，腹凹如舟，不思饮食，便秘或溏，时有低热，舌淡苔少，多见于疳积晚期。

**【必备验方】**

1. 决明子10～12克，鸡肝3副。将决明子放碟上加少许清水浸泡4～6小时，放入鸡肝及适量油、食盐调味，蒸熟食。适用于小儿营养不良症。

2. 使君子30克（去壳，黑油者不用），白雷丸25克，生甘草24克。同煮烂，焙干，研细末，用老鸡肝1个入药，于饭上蒸熟，用酒糟少许，同鸡肝共食。

3. 大黄9克，牵牛子2克，莱菔子10克。共研粗末（布包），握在手中（婴幼儿可用绷带固定），每日2次，每次30分钟，15日为1个疗程。适用于小儿营养不良症。

4. 鲜铁苋菜25克，生姜、葱各50克，鸭蛋白1个。捣匀，每晚敷于双足心，次晨去除，3日1次，连用5～7次。

5. 桃仁、苦杏仁、生栀子各20克（晒干研末），冰片、樟脑各1克。混匀，每取20克，以鸡蛋清调敷于两侧内关穴，外以纱布包扎（不宜太紧），24小时后除去，3日1次，连敷3次。

**【名医指导】**

1. 鼓励母乳喂养：尤其对早产和低体重儿更为必要。对母乳不足及无母乳者，应采取合理的喂养或人工喂养。随着年龄的增长，应及时添加各种辅食，如各种维生素及矿物质，尤其是应补充优良蛋白质；不能母乳喂养要尽量采用牛奶及乳制品，如牛乳或羊乳，以保证摄入足够的热能和优质蛋白质及脂肪。断奶一般在1岁左右，炎热夏天或寒冷冬天，或是患病初愈都不宜断奶。

2. 定期健康检查：定期带孩子到医院检查各项生长发育指标，如身高、体重、乳牙数目等，以早期发现小儿在生长发育上的偏离并尽早加以矫治。

3. 积极防治各种传染病及感染性疾病，特别是肺炎、腹泻，保证胃肠道正常消化吸收功能；腹泻时不应过分禁食或减少进食，腹泻好转即逐渐恢复正常饮食。

4. 矫正先天性畸形：患有先天性畸形如唇裂、腭裂及幽门狭窄等必须到医院及时治疗，以保证正常摄食和消化吸收。

5. 保证合理营养，合理安排膳食，实现营养素的平衡摄入。学龄期儿童和青春期少年处在旺盛的生长发育阶段，须供给营养丰富的食物，如牛奶、鸡蛋、豆浆、豆腐、鱼、肉类、蔬菜水果等。培养良好的饮食习惯，防止挑食、偏食，不要过多吃零食，定时、定量进餐。

6. 执行合理的生活制度，保证充足的睡眠和休息。

7. 常开展户外活动，呼吸新鲜空气，多晒太阳，多体育锻炼，增强体质。

## 维生素$B_1$缺乏病

维生素$B_1$缺乏病又称脚气病，是由于维生素$B_1$（硫胺素）缺乏引起的一系列神经系统和循环系统症状，临床可因营养不良、阻碍维生素$B_1$吸收的胃肠道疾病、影响维生素$B_1$储存的肝病、增加对维生素$B_1$需要量的体力劳动和妊娠等造成。当维生素$B_1$缺乏时，体内焦磷酸硫胺素（TPP）不足而使酮酸的氧化受阻，使神经组织的能量供给受影响并

伴有丙酮酸及乳酸等在神经组织中蓄积。临床症状主要为食欲不振、手足麻木感、衰弱、四肢运动障碍、膝反射消失、全身水肿等；重者可出现心脏症状（脚气病性心脏病），甚至危及生命，其病史中往往有维生素 $B_1$ 绝对或相对不足（如长期偏食、慢性腹泻、发热及其他慢性疾病）。其临床分型如下。①干型：以周围神经炎表现为主；②湿型：以水肿及浆液渗出为主；③暴发型：以急性心血管系统表现为主，可伴有膈神经和喉返神经麻痹；④混合型：同时有上述表现者。本病多见于以米为主食的地区。

本病中医学很早就有记载，隋·巢元方《诸病源候论·脚气病诸候》对本病做了详细论述"因其病从脚起，故名脚气"，首次提出脚气病病名；又"凡脚气病皆由感受风毒所致"，说明脚气病可由外邪引起。寒湿和湿热之邪侵袭下肢，筋脉弛纵而软弱无力，湿邪流溢于肌表则水肿。若湿毒上攻，心神受扰则心悸而烦，循经窜犯肺胃则喘满呕恶。根据其症状表现分为干脚气、湿脚气和脚气冲心三型，与现代分型相似；唐《千金方》谓"自永嘉南渡，晋朝士大夫不习水上，所患皆脚弱之疾"，认识到本病与地域和饮食有关。饮食失节，损伤脾胃，运化失司，湿热内蕴，流注足胫，筋脉纵缓，见下肢软细水肿。《肘后备急方》、《备急千金要方》等有用大豆、乌豆、赤小豆治脚气的记载，可用作辅助疗法。

**【必备验方】**

1. 茵芋叶（炒）、薏苡仁各 25 克，郁李仁 50 克，牵牛子 75 克（生，研末）。共研为末，炼蜜为丸（如梧桐子大），五更时以生姜、大枣煎汤送服 20 丸（以泻为验，未泻再服）。适用于风气积滞型脚气病。

2. 大豆、茯苓各 60 克，桑白皮 150 克，槟榔 27 枚。将大豆每日 1 剂，加水 10 碗煎取 5 碗，去大豆，入茯苓、桑白皮、槟榔煎至 2 碗，去渣，加酒（半碗），调匀分 4 次服。适用于湿型脚气病全身水肿者。

3. 苍术（米泔水浸 24 小时后盐炒）、黄柏（去粗皮，酒浸 24 小时，炙焦）各 120 克。共研为末，每服 120 克，以水 200 毫升煎至 150 毫升，温服，每日 3～4 服。适用于骨疼痛及一切脚气病。

4. 凤仙花叶、枸杞叶各 500 克。煎浓汤，洗患处，洗后鲜凤仙花叶、枸杞叶各 250 克，捣烂敷于患处，每日 1 次。适用于脚气病红肿痛甚者。

5. 艾叶 60 克，葱头 1 根（捣烂），生姜 45 克（捣烂）。布包，以极热烧酒醮搽患处（以痛止为度）。适用于湿型脚气病两腿作痛者。

**【名医指导】**

1. 注意食物的调配，长期吃精白米、面食者，最好掺杂粮。

2. 大米一般不宜反复搓擦、淘洗，以免维生素 $B_1$ 损失。

3. 改变不良的烹调习惯，尽量保存食物中原有的维生素 $B_1$，如去米汤稀饭使大量维生素 $B_1$ 丢失；煮稀饭时加碱，容易使维生素 $B_1$ 破坏；面食、馒头等发酵，最好用酵母或酒酿，要避免加碱。

4. 按时给生长发育旺盛的儿童、妊娠、哺乳、高温作业者添加富含维生素 $B_1$ 的辅食，如糙米、蛋黄、瘦肉、豆类、鸡蛋、蔬菜等。

5. 积极防治其他疾病，尤其是胃肠道疾病。如已得病，应补充维生素 $B_1$。

6. 母乳中维生素 $B_1$ 的含量与母乳饮食有关，母乳宜吃糙米、豆类、鸡蛋及新鲜蔬菜。

## 夜盲症

夜盲症俗称鸡盲眼或雀盲眼，是一种在天黑时什么也看不见的疾病。人的视网膜上有两种视觉细胞：视锥细胞（在白天光亮的地方感光的）和视杆细胞（在夜晚或光线暗淡时感光的）。视杆细胞含有视紫红质（是由维生素 A 和一种蛋白质结合而成的感光物质），当维生素 A 缺乏时视紫红质的合成便发生障碍，而使眼睛的暗视觉减退，出现夜盲。夜盲症多由于缺乏维生素 A 所致。

本病中医学称"高风内障"，又称"高风雀目"、"阳衰不能抗阴之病"。多因久病虚羸，气血不足；或脾胃虚弱，运化失司，导

致肝虚血损，精气不能上承或因肝肾阴虚，精血不能输注于目，目失所养所致。

**【必备验方】**

1. 苍术15～20克。水煎15分钟，过滤取液，再加水煎20分钟，去渣，2次滤液兑匀，早、晚分服。

2. 鲜白花龙胆50克（冲烂），鲜猪肝100克。同煮（不加盐），每日早、晚分服。适用于夜盲症视力下降、视物模糊者。服药期间忌房事，忌食辛辣食物。

3. 灵芝根、晚蚕蛾各15克，炙甘草、射干各7.5克，羊肝1个。将前4味共研为末，羊肝切开，纳入药粉6克（扎定），以黑豆60克、米泔水1碗煮熟，早、晚分服。适用于小儿夜盲症。

4. 鲜枸杞叶100克，糯米50克，红糖（或蜂蜜）适量。将枸杞叶洗净，加水300毫升煎至200毫升，去渣，入洗净、泡好的糯米煮粥，温热服食，每日1剂。适用于夜盲症虚劳发热、头晕目赤者。

5. 萤火虫20克，鲤鱼胆4个。将萤火虫放入鲤鱼胆内阴干，共研为末，每取少许用滴眼棒蘸开水少许，点眼，每日3～4次。

**【名医指导】**

1. 科学安排营养，特别对婴儿和发育时期的青少年应提倡食品多样化。除主食外，副食方面包括鱼、肉、蛋、豆类、乳品和动物内脏及新鲜蔬菜等。

2. 多食新鲜富含维生素A的食物，如各种动物的肝脏、蛋类、鱼类以及胡萝卜、白菜、豆腐、豆芽、甜橙、红枣等，特别是胡萝卜和蔬菜中的紫苏叶、芹菜、芥菜、香菜、菠菜、马兰头、塌棵菜、油菜、荠菜以及红薯、芒果、南瓜等，都含有大量的胡萝卜素（又称维生素A原）。一旦被人体吸收后即转变为维生素A，而发挥防止夜盲症的作用。

3. 适当补充维生素$B_1$、维生素$B_2$、维生素C和微量元素锌；在调配食疗用膳时，应加适量的油脂；烹调过程中，煎煮时间不宜太久，温度不能过高。

4. 病情严重的患者，夜间应安静卧床。

5. 多做户外活动，多接触阳光，注意卫生，预防全身性疾病。

## 痛　风

痛风又称高尿酸血症，是由遗传因素或获得性因素等多种原因引起的嘌呤代谢紊乱或尿酸排泄障碍所致的一组异质性疾病。临床分为原发性痛风和继发性痛风。原发性痛风主要由先天性嘌呤代谢紊乱引起，可分为两类：一类是尿酸生成过多和排泄过少，属多基因遗传；另一类是酶缺陷，为幼儿及青少年痛风，是罕见的性联遗传病。继发性痛风发生于某些骨髓增生性疾病，如真性红细胞增多症、白血病、多发性骨髓瘤等。肾衰竭、各种肾脏病、高血压及心肾血管疾病晚期使尿酸潴留体内，噻嗪类、依他尼酸、呋塞米等药物抑制尿酸排泄，均可造成。早期无自觉症状，若血尿酸过高时即出现明显症状，主要表现有关节炎、痛风石及肾结石等。痛风有急、慢性之分，急性痛风关节炎常在夜间发作，可由外伤、手术、饮酒过度和感染等诱发。初期单关节受累，以蹰指及第1跖关节为好发部位，其次为手、足小关节及踝、足跟、膝、腕、肘和指关节等，关节红肿、发热，有明显压痛，关节活动受限，并伴有发热、头痛、脉速等；急性发作数周后可自行缓解，多数患者在1年内有第2次发作。若无适当治疗，发生次数逐渐增多，不同关节或同一关节反复发作，形成慢性痛风关节炎，关节逐渐破坏，失去运动功能。几次发作后约半数患者在耳壳或耳轮部出现痛风石，尿酸排泄增多者可发生肾结石。若肾组织因过量尿酸盐沉着而遭到破坏，易继发感染；若长期不能控制，可造成肾组织破坏、萎缩，导致肾衰竭、尿毒症甚至死亡。

本病中医学亦称“痛风”。多由素体阳盛，脏腑蕴毒；湿热浊毒，流注关节；素体脾虚加之饮食不节、外邪侵袭等引起。急性发作期治疗以祛邪为主，宜除湿泄浊、祛风散寒、清热解毒、活血通络等；缓解期宜扶正祛邪，以健脾益气、补益肝肾等为法。

**【必备验方】**

1. 穿山甲（左痛用右，右痛用左）3克（炒黄，研末），泽兰9克。酒煎服。适用于痛风或头项肩背手足腰肢等筋骨疼痛者。

2. 生山药300克，鸡内金30克。共研末，每服10克，每日2～3次。适用于痛风伴糖尿病者。

3. 生川乌、五灵脂各120克，威灵仙150克。共研为末，酒糊为丸（如梧桐子大），每服7～10丸，盐汤送服（忌茶）。适用于痛风手足麻痹或瘫痪疼痛、腰膝痹痛或大仆伤损、腰扭伤痛不可忍者。

4. 山慈菇、生大黄、水蛭、玄明粉、甘遂各10克。共研为末，每取3～5克，以薄荷油调敷患处，隔日1次。适用于痛风关节炎急性发作。

5. 油松节60克，乳香3克（炒焦存性），木瓜、大蒜各适量。将前2味共研极细末，以木瓜煎酒调下5克；大蒜擦足心（令遍热）。适用于痛风足上转筋、疼痛非常者。

**【名医指导】**

1. 合理安排饮食，每餐不可吃得过多、过饱。病情较重时应以植物蛋白为主，糖类应是能量的主要来源。

2. 多饮水、少喝汤。血尿酸偏高者及痛风患者，要多喝白开水，少喝肉汤、鱼汤、鸡汤及火锅汤。

3. 少吃酸性食物，如油炸、煎炸食物等；多吃碱性食物，如蔬菜、水果、坚果、牛奶等；急性发作期每日食用蔬菜1～1.5千克或适量水果，还应增加B族维生素和维生素C的摄入。

4. 多食纤维素，如粗粮、苹果等。

5. 限制嘌呤摄入量，每日应在150毫克以下。急性发作期的2～3日内选用嘌呤含量很少或不含嘌呤的食物，慢性期每周至少2日完全选用嘌呤含量很少或不含嘌呤的食物，其余几日可选用低嘌呤膳食（选用一种嘌呤含量较少的食物，其他为基本不含嘌呤的食物，或选用一种嘌呤含量较高的食品，其他用不含嘌呤的食物）。嘌呤含量高的食物有动物内脏（肝、肠、肾、脑）、海产品（鲍鱼、蟹、龙虾、三文鱼、沙甸鱼、吞拿鱼、鲤鱼、鲈鱼、鳟鱼、鳕鱼）、贝壳食物、肉类（牛、羊、鸭、鹅、鸽）、黄豆食物、扁豆、菠菜、椰菜花、芦笋、蘑菇、浓汤、麦皮。

6. 戒酒、浓茶、咖啡。

7. 经常洗热水浴或用热水泡脚，以促进血液循环，促进尿酸排泄。

8. 痛风患者应适当控制体重；适当参加体育锻炼。

# 第八章 结缔组织病和风湿病

## 类风湿关节炎

类风湿关节炎又称类风湿病，是一种以关节滑膜炎为特征的慢性全身性自身免疫性疾病。滑膜炎持久反复发作可导致关节内软骨和骨的破坏，致使关节功能障碍甚至残废。本病早期表现为游走性关节红、肿、热、痛；晚期表现为关节强硬畸形。临床诊断主要依据关节的特殊表现及间歇发作的慢性过程。其病理变化早期为滑膜的炎性细胞浸润和渗出，以及关节囊和邻近组织的炎性变化而引起关节红肿疼痛，日久关节面肉芽组织的纤维化和粘连融合而形成纤维性关节强硬，甚至畸形、脱位，影响关节活动功能。

本病中医学属“痹证”、“尫痹”等范畴。由于卫表不固，风寒湿之邪乘虚入侵，搏于肌肉、筋骨、关节，使筋络痹阻，气血不通所致。病久气血亏虚，肝肾不足，肌肉筋骨失养，引起筋骨、肌肉、关节疼痛、酸楚、重着、麻木以及关节肿大、屈伸不利等虚实夹杂之证。临床分为风寒湿偏盛型、热邪偏盛型、气阴两虚型、肝肾亏损型、脾虚邪衰型。治疗以疏风散寒、培元益本、祛湿通络、消肿止痛为主。

**【必备验方】**

1. 女贞子 10 克，带鱼 100 克，调味品适量。将带鱼去头杂、切段，与女贞子加适量清水及调味品蒸熟。适用于脾胃阴虚型类风湿关节炎。

2. 五加皮 60 克，老母鸡 1 只（去头、足及内脏）。加水炖熟，去五加皮，食汤及鸡腿。待症状减轻，隔 3～5 日再服 1 剂。适用于肝肾亏虚型类风湿关节炎。

3. 赤小豆 30 克，鸡内金 10 克（烘干，研末）。将赤小豆洗净，加水煮至八成热，入鸡内金粉煮至豆熟，每日早饭服食。适用于热痹型类风湿关节炎。

4. 麻黄、侧柏叶、冬青、北五加皮各适量。每日 1 剂，加水浸泡 5～10 分钟后水煎，取汁熏洗双手、足，每日 2 次，每次15～30 分钟，7～14 日为 1 个疗程，连用1～2 个疗程。适用于痛痹型类风湿关节炎。

5. 秋水仙 50 克（研碎），75％乙醇适量。同浸泡（每日搅拌数次）5 日，过滤，搽患处每日 2 次。适用于类风湿关节炎疼痛甚者。

**【名医指导】**

1. 正确调护，避风寒湿邪，冬天注意保暖；炎热之天，不可汗出当风，或睡于风口，或卧于地上，或露宿达旦。

2. 出汗及时擦干，勿用冷水洗衣或洗澡，洗漱宜用温水；晚间洗脚热水应能浸及踝关节以上，时间在 15 分钟左右。

3. 饮食上宜选用富含优质蛋白质、高维生素、易消化的食物，并注意钙剂的摄入；不宜服用对病情不利和刺激性强的食物，如辣椒等。糖类、脂肪、盐类不宜过多。

4. 忌茶叶、咖啡、柑橘、羊肉、狗肉、奶制品等温热食品；禁用油炸食品。

5. 通过关节功能锻炼，避免出现僵直挛缩，防止肌肉萎缩，恢复关节功能，促进机体血液循环，改善局部营养状态。

6. 保持情绪稳定，积极乐观心态。

## 系统性红斑狼疮

系统性红斑狼疮是一种累及多系统、多

器官并具有多种自身抗体的自身免疫性疾病。临床上分为盘状型和全身性两大类，前者主要为面部皮肤损害，可以引起面部容貌的毁坏；后者则可因全身各器官和系统的病变而危及生命。本病早期症状往往不典型，容易被误诊为其他疾病而延误病情。其诊断要点为：具有不规则发热，面部有蝶形红斑或盘状红斑，无畸形关节炎或关节痛，脱发，雷诺现象或血管炎，口腔溃疡、浆膜炎，光过敏，神经精神症状等。其基本病理变化是结缔组织黏液性水肿、纤维蛋白样变性坏死性血管炎。

本病中医学辨证与温病学说的卫气营血辨证及内伤杂病辨证有关。多由于正气虚弱、卫表不固，风寒湿浊、热毒之邪外侵或日光曝晒、药物中毒等致阴阳失调，脏腑气血痹阻而发病。气血运行不畅、瘀凝脉络，若湿从热化，热久必然累及心、脾、肝、肾，损伤气阴，耗血动血，形成“本虚标实”。治疗首先应着眼“热”、“毒”、“瘀”，并注意护阴益气，标本兼顾。临床分为热邪炽盛、热伤气阴、肝经郁热、阴虚火旺、气滞血瘀、脾肾亏虚、阴阳两虚等证型。

**【必备验方】**

1. 黑芝麻、核桃仁各 250 克，红糖 500 克。将红糖置锅内加少许水熬稠，加入炒熟的黑芝麻、核桃仁调匀，趁热倒入表面涂油的大盘中，稍冷后压平、切块，随意食用。适用于各型红斑狼疮。

2. 昆布（水发海带）、白扁豆各 50 克，鲜荷叶 3 张。将白扁豆洗净，加水煮至八成熟，放入切碎的海带荷叶，同煮粥食。适用于热毒炽盛型系统性红斑狼疮早期低热、尿少、便干、胃口不佳者。

3. 鲜白茅根、莲藕、粳米各 200 克。将鲜白茅根切碎，水煎 10 分钟，去渣留汁，将莲藕切成花生米大小碎块；将粳米放入白茅根汁中煮烂后放入莲藕，微滚即可。适用于热毒炽盛型系统性红斑狼疮，对急性发作者或伴有继发感染者也有效。

4. 生大黄 12 克，熟附子 10 克，牡蛎 30 克。加水 500～800 毫升煎至 200 毫升，每晚保留灌肠 30～60 分钟。适用于系统性红斑狼疮肾脏受损而出现早期尿毒症者。

5. 水仙花根 250 克。去老赤皮与根须，捣烂如膏，敷于患处（中间留 1 孔出热气，干则易之，以肌肤上生粟米大小黄疮为度）。适用于系统性红斑狼疮肌肤红肿者。

**【名医指导】**

1. 避免日晒和紫外线照射。外出活动最好安排在早上或晚上，尽量避免上午 10 点至下午 4 点日光强烈时外出。外出时应使用遮光剂，撑遮阳伞或戴宽边帽，穿浅色长袖上衣和长裤。

2. 在寒冷季节应注意保暖，冬天外出戴好帽子、口罩，避免受凉，尽量减少感冒等感染性疾病。

3. 一次严重的发作往往要休息数月之久才能缓慢恢复正常活动；有工作的患者出院后，也需半休，然后逐渐正式走上工作岗位；平时劳动也要适量，避免过劳。

4. 保证充足的睡眠，应为 8～10 小时，每日应安排早休和午休。

5. 在病情稳定期可进行适当的保健强身活动，如练气功、打太极拳、散步等，要避免进行剧烈运动。

6. 饮食宜清淡、易消化、低盐，不食或少食具有增强光敏感作用的食物，如无花果、紫云英、油菜、泥螺以及芹菜等；尽量少食用蘑菇、香菇等蕈类和某些食物染料及烟草。

7. 有肾脏损害的系统性红斑狼疮患者须补充足够的优质蛋白；不宜食用含脂肪较多的油腻食物；适当控制饭量，少食含糖类高的食物；多食富含维生素的蔬菜和水果。

8. 如并发结核感染而服用异烟肼的患者，忌食鱼。

9. 保持心情愉快。

10. 面部有明显红斑的患者，可短期局部涂抹含有激素的氢化可的松冷霜；不能用化妆品涂抹；不能染发、纹眉或硅胶隆胸。

11. 磺胺类药和四环素类药有诱发狼疮的作用，应尽量避免。

## 巨细胞动脉炎

巨细胞动脉炎又称巨细胞性颈动脉炎、

颅动脉炎、肉芽肿性动脉炎，是一类病因不明的系统性坏死性血管炎。病理改变为节段性以大血管内层弹性蛋白为中心的坏死性全层动脉炎，主要侵犯从主动脉弓发出的大中动脉，引起以受累血管炎症、狭窄，相应器官供血不足为主要临床表现的系统性疾病。其中颈动脉受累最为常见，表现为额部头痛、间歇性下颌运动障碍和失明。

本病中医学属“头痛”、“脉痹”、“偏头痛”等范畴。其病因分为外感、内伤两大类。外感责之为风热阻滞脉络或风寒外束，上扰清窍，头颈受损，伤及血脉；内伤责之肝失条达，肝肾阴虚，肝阳偏亢，循经上扰清窍，消烁津血，血行障碍，气滞血瘀，滞涩不通。治疗多以疏风、温经活血、化痰止痛为主。

**【必备验方】**

1. 天麻25克，川芎、茯苓各10克，鲜鲤鱼1尾（约1000克）。将川芎、茯苓切片，与天麻同放入二次米泔水中浸泡4～6小时，捞出天麻，置米饭上蒸透，切片，再与川芎、茯苓放入洗净的鱼腹中，加生姜、大葱隔水蒸30分钟，按常规制作调味羹汤，浇于鱼上，即可佐餐食。适用于肝阳上亢型巨细胞动脉炎。

2. 熟冬笋、粳米各100克，猪肉末50克，香油25克。将熟冬笋切丝；香油烧热，入猪肉末煸炒片刻，加入冬笋丝、葱末、姜末、食盐、味精，翻炒入味，装碗备用。粳米加水熬成粥，把碗中的备料倒入稍煮片刻即可。每日早、晚空腹分服。适用于痰浊痹阻型巨细胞动脉炎。

3. 雄螃蟹500克，干葱头150克，生姜丝25克，猪油75克。将螃蟹洗净、切块，把炒锅用武火烧热，下猪油烧至六成热，下葱头翻炒后捞出；在锅内略留底油，以武火爆炒生姜丝、蒜泥和炸过的葱头，下蟹块炒匀，炝料酒，加汤、食盐、白糖、酱油、味精，加盖略烧至锅内水分将干时，下猪油（10克）及香油、胡椒粉炒匀，用湿淀粉勾芡，即可。佐餐食。适用于瘀血阻络型巨细胞动脉炎。

4. 白附子3克，葱白15克。将白附子研末，与葱白捣成泥状，取如黄豆大1粒堆在小圆形纸上，贴于痛侧太阳穴处1小时左右取下。适用于寒凝经络型巨细胞动脉炎。

5. 白芷、赤芍各15克，蚕沙30克，僵蚕20～30只。加水5碗煎至3碗，用厚纸将沙锅口封住，并视疼痛部位大小，盖纸中心开1孔，令患者痛位对准纸孔。满头痛者，头部对准沙锅口（两目紧闭或用手巾包之），上方覆盖一块大方手巾罩住头部，以热药气熏蒸。每日2次，每次10～15分钟。适用于巨细胞动脉炎头痛甚者。

**【名医指导】**

1. 生活规律，保证充足的睡眠，提高机体的免疫力。

2. 在寒冷季节应注意保暖；避免曝晒、淋雨，防止诱发本病。

3. 饮食宜定时定量、少食多餐。宜多食降血脂和抗凝作用的食物，如香菇、木耳、洋葱、大蒜、海带、紫菜、茶叶；忌辛辣等刺激性食物。

4. 戒烟、酒，不宜喝浓茶。

5. 本病对糖皮质激素反应较好，但在服用本药期间，避免随便加减剂量，避免停药；同时注意服用预防该药副作用的药物，如胃黏膜保护剂等。

## 变应性肉芽肿血管炎

变应性肉芽肿血管炎是以哮喘、嗜酸性粒细胞增多和血管外肉芽肿形成为主要特征的自身免疫性血管炎疾病，其病变主要累及中小动脉。其病理变化为坏死性血管炎，血管壁及血管外肉芽肿形成，组织内嗜酸粒细胞浸润，病变累及全身，特别是肺、心和皮肤。

本病中医学属“脉痹”、“血痹”等范畴。多因先天不足，后天失调，以致气血亏虚，复感寒湿之邪侵袭，使脉道受损，经络受阻，气血运行不畅，气滞血瘀而成。

**【必备验方】**

1. 青蛙250克，南瓜500克，大蒜60克。将青蛙去皮及内脏、切块，大蒜去衣、洗净，南瓜洗净、切块；把青蛙、南瓜、大蒜放入开水锅内以武火煮沸，改用文火煲半小时，调味后食，每日 1 剂。适用于变应性肉芽肿血管炎伴肺气肿者。

2. 公鸡半只，干姜 6 克，葱白 2 根，肉桂 5 克。将公鸡去毛及内脏后洗净、切块，以热油炒后备用。将干姜、葱白、肉桂装入药袋，与炒鸡块加适量水及调料以武火煮沸，去沫，改用文火煮烂，佐餐食。适用于心气虚弱型变应性肉芽肿血管炎。

3. 山药粉 150 克，面粉 300 克，鸡蛋 1 个（搅匀），豆粉 20 克。清水及食盐揉成面团，制成面条，沸水中煮沸，加猪油、生葱、生姜，煮熟，味精调匀即可。每日 3 次分服。适用于肺肾亏虚型变应性肉芽肿血管炎。

4. 斑蝥适量。研细末，蜂蜜调为膏，取绿豆大 1 粒贴印堂穴，外以塑料小圆圈、胶布固定。一般可敷 8～24 小时（至局部有烧灼疼痛感时）揭去，此时可见局部起一小水疱，待水疱自行吸收后，再做第 2 次治疗。3 次为 1 个疗程，每疗程间隔 1 周。适用于变应性肉芽肿血管炎伴鼻炎者。

5. 栀子、桃仁各 12 克（共研细末），炼蜜 30 克。调匀，摊敷于心前区（敷药范围为右侧至胸骨右缘第 3～第 5 肋间，左侧达心尖搏动处，面积长 7 厘米，宽 15 厘米），外用纱布敷盖、胶布固定，3 日换药 1 次，连用 2 次后 7 日换药 1 次，6 次为 1 个疗程。适用于心气亏虚、血瘀阻络型变应性肉芽肿血管炎。

**【名医指导】**

1. 生活规律，早睡早起，养成良好的睡眠习惯，增强机体抵抗力。

2. 适应四季变化，注意保暖；同时避免曝晒、淋雨；预防感冒等感染系疾病。

3. 宜进行轻柔的体育锻炼，如散步、做操、打太极拳等。

4. 保持情绪平稳、积极乐观的心态，避免情志过极，增强战胜疾病的信心。

5. 饮食宜清淡，忌辛辣、生冷、燥热之品。宜进食营养丰富、易消化食物，如瘦肉、鸡蛋、牛奶等。多食富含维生素 E 的水果、蔬菜，如猕猴桃、杏仁、榛子、核桃仁、向日葵籽、玉米、甘薯、山药、菠菜、莴苣、卷心菜等。奶类、蛋类、鱼肝油也含有维生素 E，也可经常食用。

6. 对高敏体质人群，应注意避免各种致敏因素。可合理应用抗生素及其他药物预防发生药物性过敏反应。

7. 本病治愈后有复发倾向，故门诊患者应定期复查。

8. 大剂量的糖皮质激素可明显改善预后，但在应用期间应注意预防糖皮质激素的不良反应，如应用胃黏膜保护剂保护胃黏膜。

## 干燥综合征

干燥综合征是一种常见的自身免疫缺陷性疾病，主要侵害外分泌腺（包括泪腺及唾液腺等）而引起眼口干燥。临床上主要表现为眼口干燥，腺体外的脏器，如呼吸道、消化道、肾脏、肌肉、关节、血管等均可累及。因唾液腺病变而出现口干、多发性龋齿、腮腺炎等症状称口干燥症；因泪腺受累使泪腺分泌的黏蛋白减少而出现眼干涩、有异物感、少泪等症状称眼干燥症。

本病中医学属“燥证”、“萎证”、“燥痹”、“虚劳”等范畴。多由先天禀赋不足，素体阴虚内热，复感六淫邪气，酝酿成毒，内陷于里，燥毒为患，阴虚津干，气虚失运，虚劳致病，痰血阻络，煎熬津液而成。阴津亏虚，燥为其貌，阳虚为其所累，气血瘀阻为其所致。临床上分为阴虚燥热、气阴两虚、温燥犯肺、湿热瘀滞、血虚血瘀、阴阳两虚等证型。

**【必备验方】**

1. 菠菜 50 克，鸭蛋 2 个。锅中加水煮沸，放入搅匀的鸭蛋，等蛋白凝固时放入洗净的菠菜稍煮，淋上香油调味即可。

2. 银耳 10 克（泡发），枸杞子 5 克（泡发），杭菊花 3 克，冰糖 100 克，鸡蛋清少许。沙锅内放水煮沸，打入蛋清，放入冰糖、银耳与枸杞子煮沸，撒入菊花即可食用。适用于阴虚内热型干燥综合征。

3. 珍珠粉 4 克，地龙粉 20 克，煅月石 6 克，白凡士林 70 克。将煅月石研末，与地龙粉、珍珠粉和匀，入凡士林加温至 80 ℃左右，调匀成膏。每取适量涂于患处，每日 2 次，10 日为 1 个疗程。适用于干燥综合征肌

肤干燥、手足皮肤皲裂者。

4. 当归、蜂蜡各 15 克，紫草 3 克，香油 125 毫升，地骨皮、白矾各适量。将当归、紫草与香油同熬至药枯，滤清；将油再熬，入蜂蜡化尽，待冷备用。以地骨皮、白矾煎液，泡洗患处至皮损变软时，涂上药膏，每日 3～5 次。适用于肺燥型干燥综合征。

5. 制何首乌、桑椹各 30 克，火麻仁 10 克，糯米粉 700 克，粳米粉 300 克。将制何首乌、桑椹、火麻仁放入清水中浸泡后水煎 20 分钟，去渣，入糯米粉、粳米粉及适量白糖和匀，拌成面团，制成糕状，裹上适量炒香的芝麻，隔火蒸 15～20 分钟即可食用。

**【名医指导】**

1. 饮食宜清淡、多汁、多维生素，如新鲜瓜果蔬菜；多喝水、粥、豆浆，多吃萝卜、莲藕、荸荠、梨、蜂蜜等。避免进食过咸、过酸、辛辣、刺激性食物。

2. 避免饮酒、吸烟。

3. 注意口腔卫生，可用液体湿润口腔，早晚刷牙（宜选用软毛牙刷），饭后漱口；定期做口腔检查。发生口腔溃疡、口腔继发感染及唾液引流不畅引发的化脓性腮腺炎时，及早到医院就诊。

4. 平时应戴防护镜，可用人工泪液滴眼；可使用加湿器来改善环境湿度。一旦出现角膜溃疡，及早到眼科做相应治疗。

5. 勤换衣裤、被褥，保持皮肤清洁，少用或不用碱性肥皂，可用复方甘油止痒乳、维生素 E 乳等；注意阴部卫生，适当使用洁尔阴洗液或润滑剂。有皮损的患者及早到医院治疗。

6. 室内湿度控制在 50%～60%，温度保持在 18 ℃～21 ℃。同时预防肺部感染。

7. 保持情绪稳定，积极乐观心态。

8. 经常到空气新鲜的地方散步。

## 结节性多动脉炎

结节性多动脉炎以中、小动脉的广泛性坏死性血管炎引起多脏器病变为特征的全身免疫性疾病。本病仅局限于皮肤，以沿小动脉分布的结节为特征；可波及脏器，主要表现为高血压、肾损害和腹痛等。其病理改变主要侵犯中小动脉，以动脉交叉处及远端分支处为多见，病理改变为全层坏死性血管炎，以节段性病变为特征。

中医学认为，多由于火热、痰结、血瘀，最终导致脉络阻塞、气血凝滞、血瘀痹阻而成本病。临床分为热毒瘀阻证、营卫不和证、脾肾不足证、肝肾阴虚证和肝风内动证。本病病情复杂，虚实、寒热交错，实热毒盛阻络者，皮损颜色紫或鲜红，灼热疼痛兼有口干或口苦欲冷饮；虚寒者，皮损颜色与正常皮肤近似，无压痛、肢冷畏寒，偶伴低热，舌淡苔薄质胖。临床常以活血化瘀、温阳通脉、益气活血为主法，并结合清热解毒、祛湿化浊、滋阴补肾、平肝潜阳等法。

**【必备验方】**

1. 绿豆 50 克，北粳米 100 克。将绿豆洗净后以温水浸泡 2 小时，与粳米同加水 1000 克煮粥，顿服。每日 2～3 次（夏季可当冷饮频食）。适用于结节性多动脉炎循环系统损害者。

2. 鲫鱼 1 条（250 克左右，去鳞、鳃、内脏，洗净），生姜 30 克（洗净，切片），陈皮 10 克，胡椒 3 克。将后 3 味布包，塞入鲫鱼肚内，以小火煨熟，加少许食盐，空腹服食。适用于结节性多动脉炎消化系统损害，出现胃寒腹痛、食欲不振、消化不良者。

3. 高良姜（切片）、胡椒（研碎）各 10 克，猪肚 1 个（约 500 克）。将猪肚去脂膜、洗净，纳胡椒、高良姜入猪肚内（扎紧两端），以适量清水煮沸后改用文火炖熟，加盐调服。适用于痰湿交阻型结节性多动脉炎。

4. 牛奶 250 克，蜂蜜 100 克，葱白 100 颗。将葱白洗净、捣烂、取汁；牛奶与蜂蜜煮沸，下葱汁再煮沸，每早空腹服。

5. 茄子 100 克，猪骨头 30 克，侧柏叶、冰片各 20 克。共研细末，蜂蜜调敷患处，每日 2～3 次，7 日为 1 个疗程。

**【名医指导】**

1. 室内温度避免过冷或过热；冬季天气寒冷，注意保暖，特别注意腿、脚保暖。

2. 加强体育锻炼，提高自身免疫功能，适应四季变化。如春、夏、秋季，宜早起到

室外散步、做操、打太极拳等；注意劳逸结合。

3. 生活规律，合理安排睡眠时间，养成早休、午睡的好习惯；睡前要用热水泡脚；洗澡时可在热水中加入生姜或甘菊、肉桂、迷迭香等精油。

4. 穿衣要宽松，避免太紧。

5. 鼓励患者多食新鲜蔬菜、水果。坏死期间患者应食用营养高，蛋白质、维生素丰富的食物。禁食生冷、辛辣等刺激食物。

6. 严格戒烟，少量饮酒。

## 多发性大动脉炎

多发性大动脉炎是主动脉及其分支动脉或肺动脉的慢性进行性非特异性炎症性疾病，是一种较常见的自身免疫性血管炎。是由于感染、药物后引起自身免疫的功能失调，使大动脉壁具有抗原性，并作用于大动脉壁发生抗原抗体反应，形成免疫复合物沉积在血管壁，发生非特异性炎症，造成免疫损伤而使大动脉狭窄和闭塞及狭窄前后动脉瘤样扩张，导致病变部位器官组织缺血。

本病中医学属“脉痹”、“血痹”、“眩晕”等范畴（缺血严重而发生坏疽者，又属“脱疽”范畴）。多因先天禀赋不足，后天脾胃失调，以致气血亏虚，复因寒湿之邪侵袭，致使脉道受损，经络阻塞，气血凝滞，气滞而血瘀；或因饮食失节，损伤脾胃，运化失司，痰湿内生，阻滞脉道，痰瘀互结，经络受阻；或因脾肾阳虚，不能温煦，寒凝脉滞；或为肝肾阴虚，筋脉失之濡养，脉涩为痹，而致无脉。诸多因素影响终致脉道受阻，经络不通而成本病。临床常以活血化瘀、温阳通脉、益气活血为主法，并结合清热解毒、祛湿化浊、滋阴补肾、平肝潜阳等法。

**【必备验方】**

1. 狗肉250克（洗净，切块），菟丝子、附子各3克，川芎10克。将狗肉入锅，加适量生姜、料酒煸炒片刻；菟丝子、附子、川芎装入纱布袋内扎紧，入狗肉锅内，加适量葱白、食盐后煮沸，去浮沫，再用文火焖熟，入味精调味后佐餐食。适用于阳虚血瘀型多发性大动脉炎。

2. 山楂（捣碎）、夏枯草（研末）各30克。沸水冲泡15～20分钟，代茶饮，每日1剂。适用于肝阳上亢兼血瘀型多发性大动脉炎。

3. 西瓜皮、芹菜（洗净，切段）各100～200克，鳝鱼200克（洗净，切丝）。将鳝鱼丝倒入烧热的植物油内，加适量葱、蒜、醋及味精炒至半熟时，放入西瓜皮和芹菜翻炒至熟，佐餐食。适用于多发性大动脉炎肾性高血压者。

4. 猪肝150克（洗净，切块），粳米100克（洗净）。加适量清水及葱、生姜、食盐煮成粥，每日早、晚空腹温热分服。适用于气虚血瘀型多发性大动脉炎。

5. 白鲜皮、苦参各30克，苍术、黄柏各15克。用纱布包好，煎水熏洗患处，每日1～2次，每次1小时。如有创口，熏洗后再常规换药。适用于多发性大动脉炎下肢静脉曲张并发湿疹样皮炎者。

**【名医指导】**

1. 适当进行柔和的体育锻炼，如散步、快走、慢跑、打太极等，以增强体质。

2. 宜清淡、高蛋白、低脂肪饮食，避免食用煎烤、油炸之品。可适当食用具有活血化瘀作用的食物。

3. 在服用糖皮质激素、抗血小板聚集药进行治疗时，要注意预防药物的不良反应，注意保护胃黏膜。如有结核分枝杆菌或链球菌感染，可予以抗结核或青霉素G治疗。

4. 可适当使用血管扩张药。

5. 保持情绪稳定，积极配合治疗。

6. 若内科治疗效果不佳，可考虑手术外科治疗。

## 大动脉炎

大动脉炎又称高安病、无脉病，是一种发生在主动脉及其主要分支的慢性进行性炎症病变，常导致动脉狭窄甚至闭塞。由于受累血管的不同，造成缺血部位的不同，从而导致临床表现也不相同。主要有头臂动脉型，表现为头晕头痛，晕厥抽搐，半身不遂，上

肢无力，无脉等；胸腹主动脉型，表现为下肢无力，间歇性跛行，肾性高血压等；广泛型，兼具前两型的表现；肺动脉型表现为心悸气短，肺动脉高压等。

本病中医学属“脉痹”、“无脉证”等范畴。其病因病机主要为先天不足，后天失养，复感外邪，脉道痹阻；脾肾阳虚，寒凝脉络；肝肾阴虚，脉道失养；气血亏虚，无以充养经脉，出现头痛、半身不遂、心悸胸闷等证候。

**【必备验方】**

1. 黄芪桂枝五物汤加减：黄芪、鸡血藤各30克，白芍、当归、川芎、桂枝、秦艽、防风、生姜各10克，大枣6枚。水煎服。下肢无脉者，加牛膝10克。

2. 新加四妙四物汤加减：金银花、连翘、川芎、薏苡仁、牛膝各30克，赤芍、鸡血藤各25克，丹参10克，桃仁、红花各15克，黄柏、苍术各20克。水煎服。

3. 温脉饮加减：熟地黄、鹿角胶、骨碎补、肉桂、干姜、当归、白芥子各10克，黄芪、丹参、地龙各30克，水蛭2克，甘草5克。水煎服。上肢无脉者，加桂枝9克；下肢无脉者，加牛膝9克；胸闷苔厚者，加瓜蒌、草果各9克；气虚甚者，加红参15克；阳虚甚者，加附子9克（先煎）；纳食减少者，加砂仁、山楂各9克。

4. 益气通脉汤加减：西洋参5克（炖服），黄芪、熟地黄、当归各30克，川芎20克，桃仁、红花各15克。水煎服。病在上肢者，加桑枝、片姜黄各15克；病在下肢者，加牛膝30克；气虚兼血虚者，加党参15克，阿胶10克（烊化）；低热不退者，加银柴胡、牡丹皮各15克，地骨皮、鳖甲各10克，生地黄20克；伴头晕目眩、面红目赤者，加钩藤10克，夏枯草15克，石决明20克，生磁石30克。

5. 加减复脉汤加减：龟甲（先煎）、鳖甲（先煎）、阿胶（烊化）、生地黄、麦冬、白芍、当归尾各15克，丹参、磁石（先煎）、珍珠母（先煎）各30克，酸枣仁、火麻仁各10克。水煎服。耳鸣甚者，加山茱萸15克，知母、黄柏各9克；鼻塞不闻香臭者，加辛夷、白芷各10克；眩晕甚者，加白蒺藜9克，生玳瑁15克；下肢浮肿者，加泽泻10克，茯苓、车前子（布包）各15克；四肢麻木者，加桂枝9克，地龙6克，鸡血藤、络石藤各15克。

**【名医指导】**

1. 避免室内过冷或过热；注意保暖，特别注意腿、脚的保暖，预防感染。

2. 适当体育锻炼，增强体质，提高免疫力，适应四季变化。天气暖和时，宜早起到室外做相对缓和的运动，如散步、做操、打太极拳等；同时要注意劳逸结合。

3. 生活作息规律，合理安排睡眠时间。坚持睡前热水泡脚，洗热水澡时可放入精油。穿衣宜宽松。

4. 进食各种新鲜蔬菜和瓜果，多补充维生素E；多吃富含烟酸和B族维生素的食物；多吃坚果、胡萝卜等温热性食物；适当吃辛辣食物，如辣椒、胡椒、芥末等。合并高血压者限制钠盐摄入，少食油腻食品；忌生冷食物、冰品、冷饮。

5. 忌烟，少量饮用啤酒、葡萄酒和黄酒等。

6. 坚持做合理的运动。大动脉炎患者不宜剧烈活动，要合理分配体力，在运动过程中要做到从小运动量开始，循序渐进，坚持不懈。运动时间不宜过长，运动过程中要注意休息、调整体力，同时要多喝水补充水分。

## 风湿性多肌痛

风湿性多肌痛是一组临床综合征，常见于老年人，以持续性颈、肩胛带、骨盆带肌群疼痛僵硬感为临床特征。其起病隐袭，有低热、乏力、倦怠、体重下降等症状。临床主要表现为对称性颈、肩胛带或骨盆带近端肌肉酸痛、僵硬不适，也可单侧或局限于某组肌群；僵痛以晨间或休息之后再活动时明显。急性发病者，每诉夜间上床时尚可，早上醒来全身酸痛僵硬难忍；严重时，梳头、刮面、着衣、下蹲、上下楼梯都有困难。本病乃因肌肉关节僵痛所致，活动之后可渐缓解或减轻。体格检查阳性体征较少，可有轻度贫血，肩及膝关节轻度压痛、肿胀或少许滑膜积液征，关节镜检证实可有滑膜炎。一般无内脏或系统性受累表现。

本病中医学类似于“痹证”、“历节”、“肌痹”。其内因可由于饮食劳倦或过食肥甘，脾失健运，或先天禀赋不足，久病伤肾，房劳过度，肺脾虚久，终致下元亏虚，命门火衰；或由起居不慎，寒暖失调，卫外失固，皮毛疏松，肺易受邪，终使肺脾肾三脏功能失调。外因为风寒湿热，外邪乘虚而入，侵袭肺脾，发于肌肉皮肤。本病属本虚标实之证，肺脾肾三脏功能失调为本虚，风寒湿邪外侵、瘀血阻络为标实，治疗应以祛邪不忘固本，攻补兼施。

**【必备验方】**

1. 猪脊骨 4 条（斩块），猪扇骨 250 克（斩块），牛蒡子、千斤拔各 30 克，生姜、黄酒各适量。分别洗净，猪脊骨用开水氽过，猪扇骨放入开水锅中飞水，同加适量清水煮沸后改文火煲 2～3 小时，调味后食。适用于肾虚精亏型风湿性多肌痛。

2. 薏苡仁 120 克，鸡肉 200 克，生姜丝、葱末、香菜末各适量。将鸡肉洗净、切块，入开水中烫，过冷水；锅内加水适量，放入鸡肉块、薏苡仁、生姜丝、葱末，以大火烧沸后改用文火炖熟，调入精盐、味精、胡椒粉、香油及香菜末即可。

3. 猪肺 500 克，薏苡仁 50 克，大米 150 克，生姜 10 克，调料适量。将猪肺洗净、切块，与薏苡仁、大米同煮成粥，加食盐、味精调味，每日分 3 次服。适用于热痹型风湿性多肌痛。

4. 艾叶 150 克。煎汤熏洗患处，每日 1～2 次，每次 30～60 分钟。适用于风寒湿型风湿性多肌痛。

5. 制川乌、透骨草、海桐皮、红花各 15 克。共研细末（布包），水煎 20 分钟，熏洗患处，每日 1～2 次，每次 30～60 分钟。适用于风寒湿型风湿性多肌痛。

**【名医指导】**

1. 注意保暖，避免受寒、受潮，尽量勿用冷水；减少洗澡的次数，勿洗桑拿浴，以减少潮湿因素对疾病的不良影响。

2. 劳逸结合，动静结合。患者应有充分的休息和睡眠时间，在急性期或关节疼痛肿胀严重期，应绝对卧床休息；慢性期或疼痛减轻者可适当活动，进行功能锻炼。锻炼方法有医疗体操、关节操、耐力运动、太极拳及气功等。

3. 局部关节病变可行局部按摩、被动活动等。

4. 补充营养，多食富含镁的食物，如绿色蔬菜、坚果、种子类食物。补充维生素和矿物质（B 族维生素、维生素 C、维生素 E、钙等）；禁用茶、咖啡、柑橘类水果、羊肉等温热食品以及油炸、油煎食品等。多食富含钙、锌的食物，如葡萄干、芝麻、松子、核桃、猪肝、排骨、骨髓等。

5. 进行生活活动锻炼：如无明显关节活动障碍，应做活动幅度较大的动作，如上街买菜、做饭、洗衣、打扫卫生等；如已有明显的功能障碍时，要保持洗漱、吃饭、步行、上厕所等活动能力。已有行走困难时，应学会正确地使用拐杖、轮椅和其他工具。

## 特发性炎症性肌病

特发性炎症性肌病是一组病因不明的炎症性横纹肌病，与遗传和病毒有关。其特点为髋周、肩周、颈、咽部肌群进行性无力，其中以对称性四肢近端肌无力较为明显，可伴有发热、关节痛、乏力、体重减轻等。本病可分为：①原发性多肌炎（PM）；②原发性皮肌炎（DM）；③恶性肿瘤相关 DM 或 PM；④儿童期 DM 或 PM；⑤其他结缔组织病伴发 PM 或 DM；⑥包涵体肌炎；⑦其他如嗜酸性粒细胞性肌炎（见于嗜酸性粒细胞增高综合征）、局灶结节性肌炎等。特发性炎症性肌病的病理特点为肌纤维肿胀，横纹消失，肌浆透明化，肌纤维膜细胞核增多，肌组织内炎症细胞浸润。其中以淋巴细胞为主，巨噬细胞、浆细胞、嗜酸性粒细胞、嗜碱性粒细胞和中性粒细胞也可出现。

本病中医学属“肌痹”、“痹证”、“痿症”、“肌肤酸痛”、“阴阳毒”等范畴。多因先天禀赋不足，或情志内伤，气血逆乱，以

致机体卫外失固，复感风寒湿邪，邪蕴肌肤，痹阻经络，郁而化热，而致皮肤红斑，肌肉疼痛；邪内传于脾，脾气受损则四肢肌肉无力；或因风湿毒邪侵袭，蕴阻肌肤，内传营血，热毒炽盛，气血两燔而引起急性发作；久病阴阳气血失调，脏气受损，出现心脾两虚或阳虚血瘀等证。

**【必备验方】**

1. 黑豆90克，酒1000毫升。将黑豆炒熟，趁热放入酒中，密封浸泡2日后服，每次20毫升，每日2次，连服1～2周。适用于特发性炎症性肌病心烦脚弱、头目眩晕者。

2. 紫河车粉1份，煮熟猪（或牛）骨髓3份。捣烂，和入米粉及适量白糖调服。食欲尚佳者，可用鲜骨髓加入适量黄豆煮食。适用于特发性炎症性肌病病久腿软无力、肌肉萎缩者。

3. 猪蹄筋80克，鸡血藤50克，大枣6枚，食盐少许。将蹄筋用清水浸泡1夜，翌日用开水浸泡4小时，用清水洗净，与鸡血藤、大枣同加开水1000毫升，煎沸后改中火煮熟，加盐调味后服食。适用于风寒湿型特发性炎症性肌病。

4. 山刺柏、毛冬青各1000克，柽柳、麻黄各2000克，野艾叶3000克。加100升温水煮至50升，过滤取液；药渣再加水100升煎余30升，2次滤液混匀，洗浴，每日1次，每次10分钟（水温50℃左右）。适用于特发性炎症性肌病阴冷潮湿者。

5. 山芋头根、接骨草、大血藤、槟榔各10克（鲜品，洗净），小螃蟹1只，白酒30毫升。将前5味捣烂拌匀，白酒加热，包敷患处，2～3日1剂，连用3～5剂。适用于湿热浸淫型特发性炎症性肌病。

**【名医指导】**

1. 尽量避免日光直接照射（主要是紫外线），外出时戴帽子、手套，穿长袖衣服或打伞等。

2. 不用唇膏、化妆品、染发剂等。

3. 避免接触农药、某些化学装修材料等。

4. 多吃易消化、清淡、富含维生素的低盐食物。多吃新鲜蔬菜、水果、粗粮、脱脂牛奶、鱼及家禽；少吃富含蛋白质的食物、精制糖、白面、腌制食品、牛、羊、猪肉等；少食油腻性食物；尽可能不食海产品（鱼、虾、蟹等）；忌食辛辣刺激食物（葱、姜、蒜等）；勿饱食；不吃或少吃芹菜、黄花菜、香菇等。

5. 积极参加体育锻炼；经常洗热水浴，并辅以按摩、推拿等，以防止肌肉萎缩。急性期应卧床休息，可做关节和肌肉的被动活动，每日2次，但不鼓励作主动活动。恢复期可适量轻度活动，但动作不宜过快、幅度不宜过大；根据肌力恢复程度，逐渐增加活动量，功能锻炼应避免过度疲劳。

6. 保持精神愉快，坚定战胜疾病的信心。

## 系统性硬化病

系统性硬化病又称硬皮病，是以局限性或弥漫性皮肤及内脏器官结缔组织纤维化、硬化及萎缩为特点的结缔组织病，主要特点为皮肤、滑膜、骨骼肌、血管和食管出现纤维化或硬化。有些内脏器官如肺、心脏、肾脏和大小动脉均可有类似的病变。本病轻者只有手指和脸部皮肤受累（局限型），早期表现为面部、手或足肿胀，皮肤发紧，不能提起，状如腊肠（又称腊肠样指），皮肤逐渐增厚，皮纹和皱褶消失；晚期皮肤变硬萎缩，面部皮肤菲薄，表情呆板，鼻子变尖，耳轮变薄，张口受限，像个面具样。

本病中医学属“痹证”、“皮痹”等范畴。风寒湿邪阻于表而为病；病久肾阳衰微，阴寒之邪内生，凝聚于全身肌表腠理，使全身皮肤顽硬；肌肤顽硬如板状，乃痰凝胶着。如果累及内脏，有肾功能损害，可按“水肿”辨证；有肝脏损害者，可按“黄疸”、“胁痛”辨证；有急性心内膜炎、心肌损害者，则按“心悸”辨证；有呼吸困难、肺功能损害者，可按“喘证”辨证。本病症状繁多复杂，临床上应抓住其病机，结合症状、体征和舌脉得出综合结论。其病因主要为寒、虚、湿，主要病机为阳虚寒凝，气滞血瘀，肌肤失养；治疗原则主要为温阳散寒。

【必备验方】

1. 生地黄（切片、绞汁）、天冬、黄精各150克，蜂蜜500克。将天冬、黄精水煎，去渣，入生地黄汁混匀，加入蜂蜜，以武火煎沸后改文火煎成膏状即可。每日早、晚空腹以黄酒调匀，温服，每次5～6克。适用于气血亏虚型系统性硬化病。

2. 熟地黄、知母各20克，鹌鹑1只（去毛、爪及内脏，切块）。加适量水及调味品，隔水以文火炖3小时，佐餐食。适用于湿热蕴结型系统性硬化病。

3. 红花10克，鸡血藤20克，鹿角霜30克，粳米100克。将鸡血藤、鹿角霜水煎30分钟，加入红花同煎15分钟，去渣，加入粳米煮粥食。适用于血虚型系统性硬化病。

4. 伸筋草、艾叶、桑枝各30克，透骨草、刘寄奴、官桂、穿山甲各15克，红花、苏木各9克。共研碎（装纱布袋内），在锅上蒸后热敷患处（或水煎，熏洗患处）。

5. 生黄柏、生半夏、五倍子、伸筋草、面粉各等份。共研为末，加适量食醋调成糊状，以大火煮熟，敷于患处。

【名医指导】

1. 注意防寒保暖，防止感冒、感染和其他疾病，注意保护肢端和关节突出部位。

2. 建立战胜疾病的信心，保持心胸豁达、积极乐观心态。

3. 饮食须均衡，营养全面，以低脂、低盐、富含植物蛋白、易消化且营养丰富的食物为主，如哈蟆油、沙虫干、雪蛤、猪皮、鳖甲、奶、鱼、蛋、瘦肉、豆制品等；多食新鲜水果、蔬菜。忌食寒凉、辛辣及刺激性食物，如绿豆、海带、冬瓜、西瓜等。吞咽不畅的患者，宜给予半流食或糊状易消化的食物，进食速度宜慢，要细嚼慢咽。吞咽困难者，必要时鼻饲。观察患者有无腹胀、腹痛及腹泻、便秘的现象，以预防早期肠梗阻；每周测体重1次，以了解患者营养状况。

4. 张口困难者要勤漱口，及时做好口腔护理，保持口腔清洁，防止继发感染。

5. 禁烟、酒、浓茶、浓咖啡。

6. 在工作、家务方面要量力而行，不能过度劳累；适当参加太极拳、气功等健身活动，避免剧烈运动。加强关节自我锻炼，以主动运动为主，在无痛范围内进行。在关节周围进行按摩，有助于解除挛缩。单纯膝关节挛缩，可配合滑车持续牵引。任何运动疗法都会出现轻度疼痛和疲乏感，若1～2小时后这些症状不减轻则要减少运动量；若翌晨这些症状未消失或反而加重则应暂停运动。

## 雷诺综合征

雷诺综合征是肢端小动脉痉挛引起手、足部一系列皮肤颜色改变的综合征，常由情绪激动或受寒等因素诱发，可分为雷诺病和雷诺现象。本病多见于20～30岁的女性，好发于寒冷季节。临床表现为阵发性皮肤呈现苍白色，依次转变为青紫和潮红，伴有疼痛、麻木，继而潮红、变暖而恢复正常，甚则出现指端皮肤浅表性溃疡或局限性坏疽。其病理变化分3期。①痉挛缺血期：指、趾动脉最先发生痉挛，继之毛细血管和小静脉亦痉挛，皮肤苍白；②淤血缺氧期：动脉痉挛先消退，毛细血管内血液淤滞、缺氧，皮肤出现发绀；③扩张充血期：痉挛全部解除后，出现反应性血管扩张充血，皮肤潮红；然后转为正常肤色。

本病中医学属“寒厥”、“手足厥冷”“痹证”等范畴。主要由于情志失调，脾肾阳虚，外受寒冷刺激，血脉痹阻，阳气不能达于四肢，肢端失其温养而引起。临床分为气虚型和血虚型，以温经散寒，活血化瘀为治疗原则，温经散寒为常用之法。血虚为主者，可重用活血祛瘀药。发作期，以平素气虚、血虚，复感寒邪为主；缓解期以正虚，尤以气虚、血虚为主。

【必备验方】

1. 细辛、三棱各50克，川乌、桂枝各30克。加水1000毫升，以文火煎沸后熏蒸患肢；最后煎取400毫升泡洗20分钟。适用于寒湿痹阻型雷诺综合征。

2. 狗肉250克，小茴香、桂皮、丁香各6克，葱、生姜、大蒜、酱油、料酒、白糖各适量。将狗肉洗净，加水烧开，放入小茴香、桂皮、丁香以及葱、生姜、大蒜、酱油、料

酒、白糖煮到狗肉熟烂后取出切片，放回汤内即可食肉喝汤。适用于肾阳不足型雷诺综合征。

3. 鹿茸 3～5 克，鸡肉（去皮、骨）或瘦肉 80 克（用开水飞过），生姜 2 片。加适量水，隔水炖 2 小时，加食盐调服，每周 1 次，服药期间禁食生冷、辛辣食物及甘蔗、萝卜。

4. 老鹳草 600 克，丁公藤 300 克（蒸），桑白皮、豨莶草各 150 克。水煎 2 次，第 1 次 2 小时，第 2 次 1 小时，合并煎液，滤过，滤液浓缩至相对密度为 10.14～10.20，放冷。每 500 克浓缩液加白酒 800 克，搅匀，静置，滤过，外敷患处及口服，每次 15～30 毫升，每日 2～3 次。适用于寒湿痹阻型雷诺综合征。

5. 炮姜、附子、食盐、葱白各适量。将炮姜、附子研细末，填满脐孔；再将葱白切碎，与食盐炒热（布包），热熨脐部（冷则炒热）。

**【名医指导】**

1. 保持精神轻松、愉快，避免或消除情绪激动及不必要的精神紧张。

2. 避免患肢受寒，注意保暖（特别是在寒冷的冬季）。

3. 日常生活中可饮少量酒类饮料，但必须戒烟。

4. 观察指（趾）端皮肤状况及血液循环。当出现指（趾）端皮肤苍白、疼痛及麻木等症状时，可予温水浸泡，加强按摩，必要时可在指（趾）端局部涂以硝酸甘油软膏，每次保留 1 小时后擦干。

5. 患者应注意细心保护手指和脚趾。

6. 注意防止受外伤。

# 第九章 神经系统疾病和精神病

## 三叉神经痛

三叉神经痛又称脸痛，是在面部三叉神经分布区内反复发作的阵发性剧烈神经痛，是神经外科常见病之一，也是国际公认的疑难杂症之一。多发于40岁左右中老年女性，其发病右侧多于左侧。本病发病骤发、骤停，表现为闪电样、刀割样、烧灼样、顽固性、剧烈性疼痛。说话、刷牙或微风拂面时可导致阵痛，患者常不敢擦脸、进食，甚至连口水也不敢下咽。

本病中医学属“面痛”、“头痛”、“偏头痛”，“偏头风”等范畴。为感受风寒、痰火之邪及阳明胃热所致，而以风邪为主。因阳明经络受风毒传入经络而凝滞不行，或因情感内伤、肝失条达，郁而化火，上扰清空所致；因气血瘀滞，阻塞经络而为痛。临床上包括肝胆风火型和阳明燥热型。

**【必备验方】**

1. 石菖蒲全草（长得较矮的那种）、芭蕉根各等份。分别洗净后水煎2次，将2次药液混匀，再煮沸片刻，取一半药液倒入保温瓶，分2～3日服，每日早、晚各1次。余液与药渣混合后敷患处（药渣干了就取下药渣蘸药液后再敷）。连用3剂。

2. 荜茇、木鳖子各30克，广藿香18克，冰片6克。将荜茇、广藿香漂洗后烘干(80℃)，木鳖子去壳；四药混合精研1小时，过180目筛，储瓶备用。将火柴头大小体积的药面（约0.5克）置于纸折中，对准痛侧鼻孔吸入。首次应在痛时吸入，隔10分钟后再吸，以后隔3～4小时1次，每日4次。

3. 地龙5条，全蝎20个，路路通10克，生天南星、生半夏、白附子、细辛各50克。共研细末，加一半面粉，酒调成饼，摊贴于太阳穴，外以敷料固定，每日换药1次。

4. 食盐250克。炒热，分为2份（布包），分别敷于百会穴及三叉神经痛处约半小时，每日早、晚各1次，连用2个月（食盐，可以反复炒）。

5. 向日葵盘100～200克（去籽），白糖适量。将向日葵盘掰碎，水煎至500～600克，加白糖调匀，每日早、晚饭后1小时服。若病情较重，可日服3次，服量也可加大一些。可根据病情灵活掌握疗程。为防止复发，病愈后可多服几日。

**【名医指导】**

1. 饮食有规律，宜选择质软、易嚼食物；必要时进食流质。多食富含维生素的新鲜水果、蔬菜及豆制品；少食肥肉，多食瘦肉；忌吃油炸物及刺激性、过酸、过甜以及热性食物等。

2. 尽量避免触及“触发点”，吃饭、漱口、说话、刷牙、洗脸动作宜轻柔。

3. 注意头、面部保暖，避免局部受冻、受潮；洗脸水不宜太冷、太热。

4. 保持情绪稳定，不宜激动。

5. 室内应安静，空气新鲜；起居规律，保持充足睡眠，不宜疲劳熬夜。

6. 保持精神愉快，避免精神刺激，常听柔和音乐。

7. 适当参加体育锻炼。

## 特发性面神经麻痹

特发性面神经麻痹又称面神经炎，是指茎乳突孔内急性非化脓性炎症引起的周围性

面瘫，与颅内炎症、肿瘤、血管病变、外伤等多种原因病变累及面神经所致的继发性面神经麻痹不同。本病临床表现以一侧面部表情肌突然瘫痪、同侧前额皱纹消失、眼裂扩大、鼻唇沟变浅、面部被牵向健侧为主要特征。任何年龄均可发病，多见于20～40岁，男性多于女性，多为一侧发病，发病率高达42.5/（10万·年），预后良好。本病起病迅速，在几小时至1～2日面肌麻痹达高峰，持续1～2周开始恢复，3个月不能完全恢复者可留后遗症。

本病中医学属"面瘫"、"口眼㖞斜"、"吊线风"、"卒口僻"等范畴。金元时期，张子和提出"口眼㖞斜是经非窍"论，从发病部位上指出本病与中风病的不同，强调本病主要损伤手阳明经和足太阳经。明·楼英《医学纲目·口眼㖞斜》谓："凡半身不遂者，必口眼㖞斜，亦有无半身不遂而㖞斜者。"从临床表现对本病与中风病进行了鉴别。本病病位在头、面。清·王清任《医林改错·口眼歪斜辨》谓："若壮盛人，无半身不遂，忽然口眼㖞斜，乃受风邪阻滞经络之症。经络为风邪阻滞，气必不上达。气不上达头面，亦能病口眼㖞斜。"明确指出了本病病变部位在头、面。

**【必备验方】**

1. 松香16克，烧酒30克。将松香研细末，放白布上摊匀，将酒合干松香上点燃，将药化合后，令稍凉贴患侧，左歪贴右，右歪贴左。

2. 鹅不食草鲜者、干者各15克。将干者研细末，与凡士林膏混匀，置于纱布上；再捣鲜者为泥，共摊于纱布上，贴患侧，2日换药1次。

3. 蜈蚣1条，独瓣蒜1枚，小枣7枚，手（中）指甲7小片，艾尖7个，黑胡椒7粒，蜂蜜60克。将前6味捣烂，用蜂蜜调制成大药丸，握手中取汗，同时以防风6克煎水服。连用7日。忌伤风感冒，如嘴往右斜用左手握，往左斜用右手握。

4. 大皂角250克，田三七15克。共研细末，每取2匙放入铜勺内，加适量米醋调和成稀糊，以文火熬制成膏，摊于白布上，温贴于患侧（右歪贴左，左歪贴右），3～7日换贴1次，连用2～3次。

5. 马钱子500克。加水3600毫升煮沸20分钟，趁热刮去外皮，取净仁切片，置瓦上文火烘酥，研为细末，以适量蜂蜜调为稀糊，文火煎15分钟，温涂于患侧面部（左斜涂右，右斜涂左），外用纱布覆盖，每日换药1次，一般3～5日发生奇痒，6～8日出现粒疹，9～14日若疼痛剧烈，即可停药。

**【名医指导】**

1. 适当参加体育活动，注意预防面部受凉吹风。

2. 注意精神调养，避免不良精神刺激。

3. 饮食清淡，营养均衡；避免过食辛辣、肥甘厚味；多食高纤维食物；多食鸡蛋、大豆等高蛋白质食品；多食富含维生素的新鲜水果，特别是富含B族维生素和钙质的食物，如排骨、深绿色蔬菜、蛋黄、海带、芝麻、水果、胡萝卜、西瓜、奶制品等都富含钙质；香菜、番茄、冬瓜、黄瓜、木瓜、苹果、菠萝、梨、桃、西瓜、杏、柿子、葡萄等。

4. 戒烟、酒、咖啡。

5. 注意保护眼睛，防止引起眼内感染；入睡后用眼罩掩盖患侧眼睛，点眼药水。

## 面肌痉挛

面肌痉挛为阵发性半侧面肌的不自主抽动，通常情况下仅限于一侧面部（又称半面痉挛），偶见于两侧。多起于眼轮匝肌，逐渐向面颊乃至整个半侧面部发展，逆向发展者较少见；可因疲劳、紧张而加剧，尤以讲话、微笑时明显，严重时可呈痉挛状态，重者可出现轻度面瘫。多于中年起病，最小年龄为2岁，发病与性别无关。

本病中医学属"瘈疭"范畴，瘈疭即抽搐。《张氏医通·瘈疭》谓："瘈者，筋脉拘急也，疭者，筋脉弛纵也，俗谓之抽。"《温病条辨·痉病瘈疭总论》谓："瘈者，蠕动引缩之谓，后人所谓抽掣，搐搦，古人所谓瘈也。"根据面部神经损伤的程度、部位不同，可出现眼、面、口同时痉挛，眼、面（或面、

口）痉挛，眼部痉挛。

**【必备验方】**

1. 龙眼肉15克，大枣3～5枚，粳米100克。适用于面肌痉挛、心烦失眠、食少体倦者。

2. 薏苡仁50克，白芷9克，云茯苓20克，陈皮6克。将薏苡仁煮为粥；后3味水煎，去渣，粥中煮3～5沸即可。每日1剂，连服数日。适用于脾失健运、痰湿阻遏型面肌痉挛。

3. 胆南星8克，雄黄3克，醋芫花50克，黄芪30克，马钱子总生物碱0.1毫克。共为细粉，再喷入白胡椒挥发油0.05毫升混匀。每取药粉0.2克，敷脐，常规法固定，每周换药1次。

4. 天麻、防风、白芷、荆芥穗、羌活、辛夷、细辛、全蝎、僵蚕、白附子各等份。共压细粉，每取10～15克，纳入脐内，外以胶布固定，每日1换。

5. 雌黄、黄丹（炒）各10克（为末），麝香少许。以牛乳半升熬成膏，和为丸（如麻子大），每日以温水送服3～5丸。

**【名医指导】**

1. 多食新鲜蔬菜和水果、粗粮、豆类及鱼类。

2. 保持心情愉悦，劳逸适度，睡眠充足。

3. 减少外界刺激，如电视、电脑、紫外线等。

4. 患者勿冷水洗脸，注意头、面保暖。

5. 适当增加B族维生素的摄入。

## 炎症性脱髓鞘性多发性神经病

炎症性脱髓鞘性多发性神经病属于特发性周围神经病变，分为急性和慢性两种。急性者称吉兰-巴雷综合征，其具体病因尚不清楚，可能发生于疫苗接种或者非特异性病毒感染之后，也可能没有什么明确的诱因，目前认为该病是一种自身免疫性疾病。临床上主要表现为四肢的对称性、迟缓性瘫痪，严重者可累及呼吸肌、吞咽肌，患者常出现肢体的感觉异常，如烧灼、麻木感等。慢性者称慢性吉兰-巴雷综合征，是一种慢性进行性疾病，临床表现与前者相似，也可表现为四肢由远及近的对称性无力、感觉障碍，还可出现共济失调的症状。

本病中医学属“痿证”范畴。其病因病机主要为温邪外袭，肺热津伤，筋脉失濡；湿热浸淫，阻滞经脉；素体阳虚，寒湿阻络，终至宗筋失调，痿软弛纵而为病。

**【必备验方】**

1. 生石膏（先下）、芦根各30克，麦冬、火麻仁、阿胶珠各12克，淡竹叶、桑叶各10克，北沙参12克。水煎服，每日1剂。适用于肺热津伤证。

2. 黄柏、防己各10克，木瓜、茯苓、苍术、牛膝、泽泻各15克，薏苡仁20克。水煎服，每日1剂。适用于湿热浸淫证。

3. 熟地黄30克，当归、川芎、赤芍各15克，桃仁、红花各9克，黄芪、鸡血藤各20克，川牛膝、丹参各15克。水煎服，每日1剂。适用于瘀血阻络证。

4. 熟附子（先煎）、红参（另煎兑入）、炙麻黄各12克，干姜6克，细辛3克，白术、川牛膝各15克。水煎服，每日1剂。适用于脾肾两虚、寒湿下注证。

5. 山药16克，党参、白术、茯苓、薏苡仁各15克，砂仁6克，莲子肉、白扁豆各12克。水煎服，每日1剂。适用于脾胃虚弱证。

**【名医指导】**

1. 急性期应尽早就诊，及时治疗。当出现呼吸、吞咽困难、血压波动、心律失常、严重的肺感染时，随时可危及生命，应立即入院急救。

2. 吸氧，高于床头侧卧，注意保持呼吸道通畅；定时拍背，稀释痰液，及时排出呼吸道分泌物。

3. 保证每日所需热量、蛋白质，保证机体足够的营养，维持正氮平衡。

4. 家属在医护人员指导下，帮助患者每2小时翻身1次，以预防褥疮的发生；帮助患者被动运动，保证肢体的轻度伸展，预防肌肉萎缩。

5. 保持稳定情绪及乐观心态，积极配合治疗。

## 运动神经元病

运动神经元病是一组病因未明的选择性侵犯脊髓前角细胞、脑干后组运动神经元、皮质锥体细胞及锥体束的慢性进行性变性疾病。临床特征为上、下运动神经元受损症状和体征并存，表现为肌无力、肌萎缩与锥体束征不同的组合，感觉和括约肌功能一般不受影响。本病发病率有随年龄增大而增高的趋势，80岁以后发病率又下降；男性高于女性，有家族遗传。临床分为4型：肌萎缩侧索硬化、脊肌萎缩症、进行性延髓麻痹、原发性侧索硬化，其中以肌萎缩侧索硬化最常见。目前认为本病的病因可能与遗传、免疫反应、环境毒素、慢性病毒感染和恶性肿瘤有关。

本病中医学属“痿证”范畴。因各种病因致五脏气血不布或亏虚，四肢筋脉失养，痿弱不用，发为本病。运动神经元病出现上肢肌束颤动、下肢痉挛性瘫痪等症状时，可归入“颤证”或“痉证”范畴。而出现声音嘶哑、吐词不清等延髓麻痹症状时，可归入“失语”范畴。但目前大多数学者支持从“痿”论治。

**【必备验方】**

1. 龟甲、熟地黄、知母、黄柏、陈皮、白芍、牛膝、狗骨、杜仲、续断、菟丝子、当归、茯苓、白术、炙甘草各适量。适用于肝肾不足、阴虚火旺兼见脾虚肉痿之运动神经元病。

2. 石菖蒲、麦冬、钩藤、佛手、牡蛎、龙骨、焦白术、桃仁、赤芍药、红花、六神曲、麦芽、山楂、炙甘草、伸筋草、珍珠母各适量。适用于安神定惊，益心通络，养血活血，健脾生肌。

3. 党参、白术、山药、白扁豆、砂仁各10克，茯苓、薏苡仁各15克，陈皮、甘草各6克。水煎服。肥人多痰者，配合六君子汤健脾化湿。

4. 黄芪、淫羊藿、鹿筋、海龙、海马、人参、龟甲胶、当归、白芍、熟地黄、枸杞子、杜仲、续断、菟丝子、锁阳、白术、薏苡仁、陈皮、牛膝、木瓜、秦艽、蕲蛇、炙狗骨、补骨脂、知母、黄柏、桂枝、羌活、独活、防风各适量。共研极细末，水泛为丸。每服3～9克，每日2～3次。阴虚火旺者慎用。

5. 熟地黄24克，山茱萸、山药各12克，泽泻、牡丹皮、白茯苓、枸杞子、菊花各9克。水煎服。头目眩晕者，加石决明12克，龟甲15克；肠燥、大便干结者，加玄参、火麻仁各15克；腰膝酸软者，加杜仲、川牛膝各15克。水煎服，每日1剂。

**【名医指导】**

1. 凡经常接触本病诱发因素如重金属者应定期作健康检查，注意肌力改变，以便及早发现、及时治疗。

2. 平时应注意体质锻炼与情志调节，保持心情愉快，避免忧思等不良的精神刺激。

3. 早期采用高蛋白、富含维生素、磷脂和微量元素的食物，并积极配合药膳，如山药、薏苡仁、莲子心、陈皮、太子参、百合等；中晚期以高蛋白、高营养的半流质和流质为主，少食多餐；慎用或禁用味精及含有味精、调料、鸡精的食物，禁用辛辣、刺激食物，如鱼、虾等海鲜产品以及方便面等。饮食以清淡为主，以免造成运动神经元病的恶性发展。

4. 戒烟、酒。

5. 患肢按摩，被动活动；吞咽困难者，以鼻饲维持营养和水分的摄入。

## 高血压脑病

高血压脑病是指在高血压病程中因血压急剧、持续升高而出现脑部小动脉持久而明显的痉挛，继之为被动性或强制性扩张，急性的脑循环障碍导致脑水肿和颅内压增高。临床表现为先有血压突然急剧升高（收缩压、舒张压均高），以舒张压升高为主，同时出现剧烈头痛、头晕、恶心、呕吐、烦躁不安、脉搏慢而有力，可有呼吸困难或减慢、视力障碍、黑矇、抽搐、意识模糊甚至昏迷，也可出现暂时性偏瘫、偏语、偏身感觉障碍等。各型高血压患者血压显著升高时，均可引起，

应立即送医院急救治疗。

本病中医学属“眩晕”、“头痛”、“中风”、“厥证”等范畴。多为脏腑功能失调，情志过极，饮食不节，用力过度或气候骤变，致痰热内生、肝阳暴亢、风火相煽、气血逆乱、上冲于脑所致。临床分为肝阳暴亢、风痰闭窍等证型。

**【必备验方】**

1. 制何首乌 15 克，胡萝卜 30 克，槐角、山楂各 12 克，大枣 10 克。混匀装袋（每袋 10 克），每取 1～2 袋于餐前 1 小时加白开水 150～200 毫升浸泡 15～20 分钟后饮用，餐后 30 分钟再加白开水 100～150 毫升浸泡 15 分钟后饮用，每日 3 餐前后各饮 1 次。适用于预防高血压脑病。

2. 牛蒡根（去皮，切）500 克（晒干，打成面），大米 1000 克。合做成饼，于淡豆豉汁中煮熟，加葱、椒，空腹食，可常食。适用于高血压脑病口目抽动、烦闷不安者。

3. 天麻 24 克，枸杞子 30 克，鲜鲍鱼（连壳）250 克，生姜 1 片。将鲍鱼壳（即石决明）洗净打碎，与鲍鱼肉、天麻、枸杞子、生姜（分别洗净）同放入瓦锅内，加适量清水以武火煮沸，改用文火煮 1 小时（天麻不宜久煎），调味后分次饮用。适用于高血压脑病肝阳上亢者。

4. 荆芥穗、薄荷叶各 50 克，淡豆豉 150 克。水煎，去渣，入粟米 150 克（色白者），酌加清水煨粥，空腹顿服。适用于中风后言语謇涩、精神昏愦者。

5. 野生黄蒿子（臭蒿子）1 把（秋季取）。水煎 10 分钟（或开水冲泡），适温时洗头 10 分钟（每晚 1 次），水凉后再加热，洗脚 10 分钟。每日坚持洗、泡，不要间断。适用于辅助治疗高血压脑病。

**【名医指导】**

1. 高血压患者在生活中应注意监测血压，至少每周测 1 次；平时血压应控制在 140/90 毫米汞柱以下。如有头痛、头晕等症状更应随时测量，一旦发现血压升高立即服用降压药。

2. 坚持服用降压药，不能随意停药，必要时在医师指导下调整药物。

3. 高血压患者注意合理用脑，避免神经功能失调。在学习或工作 1 小时后应休息 10～15 分钟，以预防高血压脑病的发生。

4. 饮食中应有适当蛋白质，如常吃蛋清、瘦肉、鱼类和各种豆类及豆制品，一般每日饮牛奶、酸奶各 1 杯。多吃富含维生素 C 和钾、镁的新鲜蔬菜和水果；多吃富含碘的食物，如海带、紫菜、虾米等。限制动物脂肪（如猪油、牛油、奶油等）以及含胆固醇较高的食物（如蛋黄、鱼子、动物内脏、肥肉等）。可食用植物油，如豆油、茶油、芝麻油、花生油等。少吃鸡汤、肉汤；低盐饮食，每日食盐摄入量在 6 克以下为宜。忌暴饮暴食。

5. 戒烟；限酒、浓茶、咖啡等。

6. 控制血糖、血脂、血黏度。减轻体重，达到正常标准。

## 短暂性脑缺血发作

短暂性脑缺血发作是指伴有局灶症状的短暂的脑血液循环障碍，以反复发作的短暂性失语、瘫痪或感觉障碍为特点，症状和体征在 24 小时内消失。多见于 60 岁以上老年人，男性多于女性，多在体位改变、活动过度、颈部突然转动或屈伸等情况下发病。临床常见症状为单瘫、偏瘫、偏身感觉障碍、失语、单眼视力障碍等，亦可出现同向偏盲及昏厥等。临床表现为神经缺损症状，常见为眩晕、眼震、站立或行走不稳、视物模糊或变形、视野缺损、复视、恶心或呕吐、听力下降、延髓性麻痹、交叉性瘫痪，轻偏瘫和双侧轻度瘫痪等，少数可有意识障碍或猝倒发作。本病常系脑血栓形成的先兆，颈动脉短暂性缺血发作发病 1 个月内约有半数、5 年内有 25％～40％患者发生完全性卒中，约 1/3 发作自然消失或继续发作。高龄体弱、原发性高血压、糖尿病、心脏病等均影响预后，主要死亡原因系完全性脑卒中和心肌梗死。

本病中医学属“中风先兆”、“小中风”、“眩晕”等范畴。由于五志过急、恼怒过度，导致肝气郁结，化火上逆，或伤肾阴，阴虚阳亢，引动肝风；或者饮食不节，饥饱失宜

或过食肥甘醇酒，损伤中气，脾失健运，聚湿生痰，痰郁化热，引动肝风，肝风夹痰上扰发病。或者劳倦、操持过度，劳则耗气，气为血帅，气虚运血无力，血行不畅，经脉痹阻；淫欲过度或房事不节，损伤肾精，肾精不足，水不涵木，肝阳上亢，阳化风动也可发病。

**【必备验方】**

1. 头晕草、仙桃草各 30 克。共研末，肉汤或油汤送服，每次 15 克。适用于头晕疼痛者。

2. 法半夏 60 克，枯矾 15 克。共研细末，以生姜汁泛为丸（如梧桐子大），姜汤送服，每次 10 粒，每日 2 次。适用于眩晕、头重者。

3. 蜂蜜、芝麻（炒黄，研细）各 30 克，米醋 30 毫升，鸡蛋 1 个（取蛋清）。混匀，分作 6 份，开水冲服，每次 1 份，每日 3 次。适用于肝肾不足型眩晕。

4. 绿茶 1 克，香蕉 200 克（去皮），食盐 0.3 克，蜂蜜 25 克。搅匀，加开水 300 毫升泡 5 分钟后服，每日 1 剂。适用于眩晕。

5. 白菊花（或带花全草）1430 克（研粗末，布包），米酒 10000 毫升，白酒（60 度）1000 毫升。同浸泡 1 周，取澄清液服，每日 3 次（常令酒气相续，不醉为度）。适用于眩晕。

**【名医指导】**

1. 保持思想乐观、心胸开阔，尽量避免焦躁、忧虑、紧张等。

2. 适当地开展一些体育锻炼（但运动量不宜过大），可采取太极拳、散步、慢跑、体操、跳舞等方式。

3. 晚睡前和晨起后喝 1 杯白开水，每日饮水 1000～2000 毫升。

4. 饮食宜清淡，限制脂肪、钠盐摄入量，控制总热量，不吃油腻食物；限制精制糖分和含糖分的甜食，如点心、糖果和饮料等；多吃富含维生素的新鲜蔬菜和水果，如苹果、猕猴桃、西红柿、小白菜、西兰花等；适当增加蛋白质，如禽类、鱼类等。

5. 生活规律，养成早休、午休的生活习惯。

6. 原发性高血压患者应注意观察和调整血压，纠正血压的具体数值要视原来血压而定，设法改善脑部的血液供应，防止血管硬化的加重。

## 脑血栓形成

脑血栓是在脑动脉粥样硬化和斑块基础上，在血流缓慢和血压偏低的条件下，血液的有形成分附着在动脉的内膜形成的血栓。临床上以偏瘫为主要表现，多发于 50 岁以上，男性略多于女性。患者发病前常有肢体发麻、运动不灵、言语不清、眩晕、视物模糊等征象，常于睡眠中或晨起发病，患肢活动无力或不能活动，说话含混不清或失语，喝水易呛。多数患者意识清楚或轻度障碍，面神经及舌下神经麻痹，眼球震颤，肌张力和腱反射减弱或增强，病理反射阳性，腹壁及提睾反射减弱或消失。轻者表现为一侧肢体活动不灵活、感觉迟钝、失误，重者可出现昏迷、大小便失禁，甚至死亡。

本病中医学类似于“中风病”，属“类中风”、“中风”等范畴。根据其临床表现有否意识障碍，又分为中经络和中脏腑两类。即有意识障碍的是中脏腑，无意识障碍的是中经络。脑血栓形成以中经络为主，中脏腑较少；脑栓塞是中脏腑者较多。中经络者，以气虚血瘀，阴虚风动，风火上扰，痰热腑实为主，以益气、养阴、熄风、潜阳、活血、化痰、清热、通腑为主要治法；中脏腑者，又当区分闭证、脱证。闭证分风火上扰和痰热内闭，为阳闭；痰浊蒙闭者为阴闭。阳闭者，以辛凉开窍，佐以清肝熄风、清热化痰。阴闭者，以辛温开窍，佐以温阳化痰。脱证是因五脏之气衰微，元气败脱；治疗以回阳固脱为主。恢复期治疗主要针对不同的功能障碍（如半身不遂、口眼㖞斜、失语等）采取相应的治法。在治疗中尤其应注意邪正关系。若为余邪未尽，风、痰、瘀尚存在，以驱邪为主而不忘扶正。若以气虚、肝肾不足为主者，以益气养阴、滋补肝肾为主。

**【必备验方】**

1. 威灵仙适量（冬三月丙丁、戊己日

采）。洗净，焙干，研末。好酒和，微湿，入竹筒内，牢塞口，九蒸九曝，如干，添酒重洒之，以白饭捣和为丸（如梧桐子大）。每服20～30丸，温酒下。或阴干为末，每日空腹温酒调服，每次10克，可渐加至30克。适用于中风不语、手足不遂、口眼㖞斜等。

2. 生附子（或盐附子）适量。研末，醋调敷于双足心涌泉穴。适用于中风昏迷、高热不语、下肢不温者。

3. 荸荠、糙米各50克，薏苡仁30克。将荸荠洗净，去皮、拍碎，与洗净、浸泡3小时后的薏苡仁、糙米同煮粥食。适用于预防高脂血症、原发性高血压、中风、心血管疾病、心脏病。

4. 金毛狗脊150克（用黄酒洗净），黄酒1500克。同煮3柱香久（约1.5小时），埋土7日退火气，空腹服，每日3次，连用数日。适用于瘫痪大病10余年不能行动、手脚瘫软者。

5. 槐枝、柳枝、桃枝、椿枝、楮枝、茄枝、白艾各500克。煎水，浸洗（水冷添热），覆被取汗（禁风、三七）。适用于年久瘫痪者。

**【名医指导】**

1. 保持情绪稳定，思想乐观，积极配合治疗及功能锻炼。

2. 适当进行体育锻炼，如体操、打太极拳、骑自行车、散步、慢跑、游泳、舞剑等，改善血液循环。

3. 晚睡前和晨起后喝白开水；每日饮水1000～2000毫升，可降低血液黏稠度，对预防血栓有好处。

4. 饮食宜清淡，限制脂肪、钠盐、精制糖和含糖类甜食的摄入，控制总热量，不吃油腻食物；吃富含维生素的新鲜蔬菜和水果，如苹果、猕猴桃、西红柿、小白菜、西兰花等；适当增加蛋白质，如禽类、鱼类等。

5. 增加高密度脂蛋白的摄入，可常吃洋葱、大蒜、辣椒、四季豆、菠菜、芹菜、黄瓜、胡萝卜、苹果、葡萄、黑木耳等。

6. 生活规律，养成早休、午休的生活习惯。

7. 积极防治基础疾病，对原发性高血压患者应注意观察和调整血压；对糖尿病患者，注意监测血糖；血脂高者，应控制血脂。

## 腔隙性脑梗死

腔隙性脑梗死是长期高血压引起脑深部白质及脑干穿通动脉病变和闭塞导致缺血性微梗死，缺血、坏死和液化脑组织由吞噬细胞移走形成腔隙。梗死灶较小，直径一般不超过1.5厘米，多发生在脑的深部，尤其是基底核、丘脑和脑桥。2个病灶以上者称多发性腔梗。腔隙性脑梗死最常见的原因是原发性高血压，其次为糖尿病和高脂血症。临床表现多样，常见以下4型：①单纯运动障碍；②构音障碍-手笨拙综合征；③单纯感觉障碍；④共济失调轻偏瘫。通常症状较轻、体征单一、预后较好，无头痛、颅内压增高和意识障碍等表现，部分患者不出现临床症状，由头颅影像学检查发现。

本病中医学属“缺血性中风”、“中经络”、“偏枯”等范畴。其病因病机为患者平素气血亏虚，心、肝、肾、脾等脏阴阳失调，内生风、痰、湿、火，加之忧思恼怒，或饮酒饱食，或房室劳累，或外邪侵袭致气血运行受阻，肌肤筋脉失于濡养，或阴亏于下，肝阳暴涨，阳化风动，气血逆乱，夹痰夹火，横窜经隧，蒙蔽清窍，而形成上实下虚，阴阳互不维系之证。

**【必备验方】**

1. 鸡肉90克，田七、红参各10克，生姜3片，黄芪30克。将田七打碎，加鸡肉、生姜片过油，与余味同放瓦锅内，加适量清水，以文火煮2小时，调味后随餐饮用。适用于中风后遗症之半身不遂，患肢肿胀、疼痛，言语不利，记忆力减退，头晕，心悸，舌淡暗或有瘀斑，脉细弦者。

2. 天冬、麦冬各30克，枸杞子20克，大米50克。将天冬、麦冬水煎，取汁与大米、枸杞子煮粥食，每日1剂。适用于肝肾阴虚所致肢体麻木、手足不遂、腰膝酸软、口干咽燥、五心烦热者。

3. 薏苡仁、白扁豆、鲜山药（去皮，切块）各30克，白萝卜（切块）、粳米各60

克。薏苡仁、白扁豆、粳米加水煮粥，10分钟后加入山药、白萝卜熬至粥稠即可，每日1剂，连服7～10日。适用于缺血性中风。

4. 杜仲30克，牛膝15克，猪脊骨500克（斩碎，开水氽），大枣4枚（去核）。加适量清水煮沸，以文火煮2～3小时，调味后分次饮用。适用于腔隙性脑梗死后遗症。

5. 桃仁10克，决明子30克，鲜香芹250克，蜂蜜适量。将香芹洗净，用榨汁机榨汁30毫升；桃仁和决明子打碎，水煎，取汁加入鲜香芹汁和蜂蜜拌匀服。适用于脑血栓伴大便秘结的中风患者。

**【名医指导】**

1. 控制血压、血脂、血糖；保持心胸开阔，思想乐观，尽量避免焦躁、忧虑、紧张等；生活规律，养成良好的生活习惯。

2. 适当体育锻炼，如体操、打太极拳、骑自行车、散步、慢跑、游泳、舞剑等。

3. 饮食宜清淡，限制脂肪、钠盐、精制糖和含糖类的甜食的摄入，控制总热量，不吃油腻食物；吃富含维生素的新鲜蔬菜和水果，如苹果、猕猴桃、西红柿、小白菜、西兰花等；适当增加蛋白质，如禽类、鱼类等。

4. 若无禁忌证，可长期服用阿司匹林75～100毫克/日。

5. 重视防治发热、脱水、腹泻、大汗等。

6. 经常出现头痛、眩晕、肢麻及一时性语言不利等中风先兆者，须注意加强防治。

## 脑出血

脑出血是指原发性非外伤性脑实质内出血，多由于高血压、动脉硬化症伴有脑内小动脉变性、坏死而形成微动脉瘤，在血压骤然升高时，微动脉瘤破裂而出血，出血后在脑实质内形成一种急性占位性损害。本病好发于50～70岁中老年人，男性稍多于女性，多发于冬、春季节，往往由于情绪激动或活动时突然发病。临床上表现为头痛、呕吐等颅内压增高的症状以及偏瘫、语言和意识障碍等神经系统病理体征。

本病中医学属"中风"、"卒中"、"偏枯"等范畴。本病有内因外因之分，脏腑功能失调，气血亏虚，形成风、火、痰、瘀等病理产物，是发病的内因；五志过极，饮食不节，劳伤过度，气候骤变等是发病外因。内外因相合，致气血逆乱，气血上冲脑部，并溢于脉外，脑髓受损，而出现舌强语謇，肢体偏瘫，或神志昏蒙等。

**【必备验方】**

1. 陈醋、白胡椒各适量，梨2个。将白胡椒研细，梨切两半，纳白胡椒粉于其中，放入盘内，加醋，上笼蒸熟，分2次食梨。适用于肝阳上亢、脉络瘀阻型脑出血。

2. 高丽参9克，西洋参6克，猪瘦肉50克。将高丽参和西洋参切薄片，与洗净的猪瘦肉加100毫升冷开水，隔水用中火炖2小时，温服。适用于体虚脉弱、气虚阴亏、正气欲脱的中风患者。

3. 浙贝母粉15克，粳米50克，冰糖适量。将粳米、冰糖如常法煮粥至半熟时，加入浙贝母粉，改用文火稍煮片刻，每日早、晚温服。适用于痰热内结型中风。

4. 五灵脂100克，草乌25克（炮制去毒）。共研细末，与核桃仁100克（去油）混合，醋糊为丸（如梧桐子大），每晚以白酒送服，初服3克（取微汗，禁风），次服4.5克，后增服至6克。适用于中风瘫痪。

5. 生川乌（去皮）、炙穿山甲各60克，伸筋草30克。共研为末，每次15克，捣葱汁调成厚饼状（约2厘米），贴于患肢双足心（或手心），缚定，避风，3日1次，5次为1个疗程。适用于中风肢体活动不利者。

**【名医指导】**

1. 急性期患者需密切观察病情，并采取相应的措施。

2. 加强护理，防止并发症。做到勤翻身，保持衣物、床单干燥平整，积极按摩受压皮肤，以防止褥疮发生；鼓励患者咳痰或勤吸痰，保持呼吸道通畅，防止肺部、口腔感染等；注意会阴部卫生以防感染。神昏者应鼻饲，进食以流质为主，进食宜慢以防窒息。

3. 饮食以低盐、低脂、低胆固醇为宜，适当多吃新鲜蔬菜、水果和豆制品。

4. 尽早进行康复护理。早期多以被动运动为主，并进行肢体按摩，之后以自主运动为主；对语謇或失语者，应引导语言训练，可配合针灸、按摩等综合治疗。

5. 鼓励患者积极乐观面对生活，保持良好的心态；家属应当经常陪伴患者。

6. 戒除烟、酒。保持大便通畅。

7. 重视中风先兆症状变化。无诱因的剧烈头痛、头晕、晕厥，突感一侧肢体麻木乏力，或一时性失视、语言交流困难等，应及时就医。

8. 避免中风复发。已有中风病史患者，应加强预防。

## 蛛网膜下腔出血

蛛网膜下腔出血是指颅内血管破裂后血液流入蛛网膜下腔。蛛网膜下腔出血一般分为颅脑损伤性和非损伤性（自发性）两大类，自发性蛛网膜下腔出血又分为原发性蛛网膜下腔出血和继发性蛛网膜下腔出血。本部分主要讨论自发性蛛网膜下腔出血。本病可由多种原因引起。常见的病因是颅内动脉瘤破裂。临床表现为患者在激动、活动用力等情况下急剧起病，剧烈头痛、呕吐、颈项强直（脑膜刺激征）甚至不省人事。发病率仅次于动脉硬化性脑梗死和脑出血，为脑血管疾病的第三位，年龄以50～60岁多见。四季均发病，以秋初、冬季为多。

本病中医学相当于国家标准的“真头痛”，亦属于“中风”、“头痛”、“昏厥”等范畴。本病病位在头，涉及脾、肝、肾等脏腑，风、火、痰、瘀、虚为致病的主要因素，脉络阻闭，神机受累，清窍不利为其病机。

**【必备验方】**

1. 生地黄、决明子、夏枯草、花蕊石、钩藤、生龙骨、牡蛎各30克，黄芩、郁金、白芍各12克，黄柏、牛膝、苦丁茶、大黄各10克，白茅根50克，全蝎粉、蜈蚣粉各4克，三七粉3克。水煎服。痰多者，加天竺黄、竹沥、菖蒲各10克；阴虚者，去蝎粉、蜈蚣粉、黄柏、黄芩，加山茱萸、天冬各10克，阿胶6克（烊化）。

2. 法半夏、茯苓、菖蒲、竹茹各15克，陈皮、胆南星（制）、枳实、黄芩、生大黄、钩藤（后入）、生甘草各10克。水煎服。抽搐者，加全蝎6克，僵蚕10克。

3. 生地黄、当归、牡丹皮、黄连各10克，升麻8克，生石膏30克（打碎包煎）。水煎服。大便秘结者，加大黄12克；胃热较甚、口渴饮冷者，重用石膏，加玄参、天花粉各15克；口臭甚者，加茵陈蒿15克，广藿香、豆蔻各12克。

4. 法半夏、菖蒲、茯苓、竹茹、郁金各12克，陈皮、枳实、胆南星（制）、川贝母、生甘草各10克。水煎服。大便不通、腹胀者，加大黄、莱菔子各20克；痰浊化火、舌红苔黄腻者，加黄连6克，黄芩10克；偏身麻木、半身不遂者，加红花6克，川芎、桃仁各10克。

5. 枸杞子、菊花、山茱萸、牡丹皮、山药、生蒲黄各10克，泽泻、生地黄、茯苓各15克，墨旱莲、荠根各30克，女贞子20克。水煎服。头痛较剧、虚火上扰者，加钩藤、石蒺藜、珍珠母各15克；阴虚火旺者，加知母、黄柏各10克；血瘀者，加桃仁、红花各10克，牛膝15克。

**【名医指导】**

1. 蛛网膜下腔出血无论经手术或是内科治疗后均易复发，如有头痛、头昏等症状应积极到医院救治，切勿错过最佳治疗时间。积极治疗原发病。

2. 保持积极乐观的生活态度，避免情绪激动。

3. 控制血压，避免其他可引起出血的高危因素，如糖尿病、心脏病、肥胖、高血脂、吸烟、过度饮酒等。

4. 蛛网膜下腔出血后需要积极进行功能训练，但要避免重体力劳动。

5. 饮食一般无禁忌，予以易消化吸收的食物即可；保持大便通畅。

## 多发性硬化

多发性硬化属于中枢神经系统炎症性脱髓鞘性疾病，病因和发病机制至今尚不明确。

临床上根据病程的不同可将本病分为良性型、复发-缓解型、继发进展型、进展复发型、原发进展型5种类型，主要临床特征为体征多于症状，可有下肢无力、不对称性的痉挛性瘫痪、轻偏瘫、反复发作性视力障碍、表情淡漠或抑郁易怒、反应迟钝、失语、眼球震颤、假性球麻痹等表现。

本病中医学属"痿证"、"眩晕"、"痦痱"等范畴，其病因病机主要为先天不足，脾肾两亏，肝肾阴虚，复感外邪而致筋脉失养，气血闭阻，痰湿内生，郁久化热，痰、瘀、湿、热、虚相合而为病。

**【必备验方】**

1. 黄柏、萆薢各10克，苍术、防己、牛膝、当归、龟甲各12克，薏苡仁15克。水煎服。兼见胸闷脘痞者，加瓜蒌9克，草豆蔻12克，广藿香、佩兰各15克；兼腹胀者，加厚朴9克，陈皮6克；热甚者，加车前草15克，黄连、连翘各9克。

2. 熟地黄、龟甲（先煎）、山茱萸、鹿角胶（烊化）、枸杞子、菟丝子、山药、牛膝、川芎、丹参各15克，知母、黄柏各10克。水煎服。口咽干燥明显者，加女贞子、墨旱莲、石斛各15克；兼大便干燥者，加生何首乌、火麻子仁各15克；伴筋肉抽动者加天麻15克，钩藤20克（后下），全蝎5克。

3. 熟地黄、生地黄各30克，黄芪、五味子、钩藤、伸筋草各15克，茯神、当归、白芍各12克，天麻、川芎、牛膝、木瓜各10克。水煎服。腰膝酸软甚者，加枸杞子、杜仲各10克；伴尿频或尿失禁者，加益智20克，覆盆子9克；兼小便潴留者，加泽泻、车前子各10克。

4. 黄芪30克，淫羊藿、鹿角胶（烊）、白芍、丹参、钩藤各15克，枸杞子、菟丝子、巴戟天、牛膝、川芎各10克，全蝎5克。水煎服。肢冷明显者，加附子9克（先煎），肉桂6克；伴尿频甚至尿失禁者，加益智、桑螵蛸各10克。

5. 黄芪20克，党参、益智、丹参、茯苓、枸杞子各15克，肉苁蓉、锁阳、淫羊藿、桑螵蛸、川芎各10克，甘草5克。水煎服。肢冷甚者，加附子（先煎）、肉桂各9克；兼胞睑下垂者，重用黄芪、党参，加升麻10克；兼食少便溏者，加肉豆蔻、砂仁各10克。

**【名医指导】**

1. 避免过劳；保持乐观的心态；坚持治疗。

2. 注意平衡膳食，可食用鱼肝油、植物不饱和脂肪酸等；多食低脂、高纤维食物；勿吃糖、咖啡、巧克力和盐、过度调味的食物，忌辛辣、加工罐头、冷冻食品。

3. 病情反复发作者需使用大量激素冲击治疗（或小剂量激素维持者），应注意控制食量；需使用抑酸药物和胃黏膜保护剂。

## 帕金森病

帕金森病是中老年人常见的神经系统变性疾病和锥体外系疾病。我国65岁以上人群患病率为1000/10万，随年龄增高而升高，男性稍多于女性。本病由于多因素引起的黑质多巴胺神经元显著变性丢失，多巴胺的合成减少，抑制乙酰胆碱的功能降低，则乙酰胆碱的兴奋作用相对增强，两者失衡导致基底节的运动调节紊乱。临床以静止性震颤、动作迟缓、肌张力增高、姿势步态障碍等为主要特征。

本病中医学属"震颤"、"振掉"、"肝风"等范畴。其病位在脑，与肾、脾、肝关系密切。肾虚则脑髓不足，反应迟钝，动作徐缓；脾为气血生化之源，脾虚则气血亏乏，肌肉失养，加之脾虚运化水湿停蓄，浸渍腠理，导致肌肉强劲拘挛而失其柔韧。同时，口水多、流涎、痰多呛咳等，都是脾胃虚弱、痰湿内盛的表现，肾精不足，气血亏虚，不能涵养肝木，致虚风内动，震颤由此而生。其病因病机以脑髓失充、气血虚弱为本，风火、痰热、瘀血为标。

**【必备验方】**

1. 母鸡1只，人参3克，黄芪9克，当归6克，山药15克。将母鸡去毛及内脏，纳后4味入鸡腹内缝好，加水、葱、生姜以及调料等，以小火炖烂，去药，吃鸡喝汤，宜常服。适用于气血亏虚型震颤。

2. 羚羊角粉2～3克。每日1剂，分2次服。适用于风阳内动型震颤。

3. 龙眼肉10克，猪脊髓100克，鱼头1个。将猪脊髓、鱼头洗净，加适量清水煮沸，入龙眼肉及葱、生姜、花椒、大蒜、料酒、米醋等，以文火炖熟，加食盐、味精调味，下紫苏叶、香菜煮1～2沸即可。适用于脑髓亏虚型震颤。

4. 鸡蛋2枚，小茴香6克，菟丝子、桑寄生、蜜炙黄芪各15克。将鸡蛋打入碗中备用，小茴香、菟丝子、桑寄生、蜜炙黄芪水煎2小时，趁沸时滤取药汁冲蛋花，加白糖（或食盐），每晚睡前顿服。适用于阴虚型震颤。

5. 枸杞子20克，鸡血藤15克，红花5克。每日1剂，加水500毫升煎至300毫升，入黄酒30克，早、晚分服。适用于血瘀风动型震颤。

**【名医指导】**

1. 消除各种致病因素：由于长期用药引起者，可减少或停止用药；因脑部疾病所致者，应及时治疗脑部疾病或其他并发症。此外，还要减少或避免接触某些生物化学物品。

2. 保持生活环境安静：做到思想放松，心情舒畅，精神愉快，避免紧张、激动、恐惧、忧伤等不良刺激，经常听些轻松、优美的音乐，参加适宜的娱乐活动。

3. 戒除烟、酒。少饮茶水及咖啡等。

4. 注意饮食营养：常吃八宝粥、龙眼粥、海参粥、山药粥等；多食补精血之品，如猪肉、猪肝、牛肉、鱼肉、蛋类；蔬菜则以清淡为宜，如西红柿、白菜、胡萝卜、豆芽、紫菜等；忌咸、辣之品；平时常饮用甘泉水、各种水果汁、蜂蜜或牛奶等。

5. 加强体育锻炼：疾病早期，多做主动运动，锻炼四肢，常沐日光浴、空气浴或温泉浴，做坚持散步和气功锻炼。

6. 防止继发他病：外出时，要防止摔跤骨折。对晚期卧床不起的患者，家人应帮助其勤翻身、做被动运动，以防褥疮和肺炎的发生。

## 癫　痫

癫痫是大脑神经元突发性异常放电导致短暂的大脑功能障碍的一种慢性疾病。癫痫发作是指脑神经元异常和过度超同步化放电所造成的临床现象，其特征是突然和一过性症状。由于异常放电的神经元在大脑中的部位不同，而有多种多样的表现。可以是运动感觉神经或自主神经伴有或不伴有意识或警觉程度的变化。

本病中医学类似于“痫病”，属“胎病”、“羊羔风”、“巅疾”等范畴。

**【必备验方】**

1. 大黄1000克，防风500克，白酒1500毫升。将前2味共研粗末，与白酒同浸泡14日，取滤液服，成人每日3次，每次10毫升；10～14岁每日3次，每次5毫升；10岁以下，每日1～2次，每次5毫升。适用于风痰壅阻型癫痫。

2. 90%乙醇100毫升，鸡蛋2个。置盘内，点燃乙醇并不时翻转鸡蛋至熟透，去皮，早晨空腹食，发作间歇期内服完50个鸡蛋为1个疗程。发作时，轻者用1个疗程，重者连用2个疗程。适用于心肾不足、脾失健运型癫痫。

3. 好松萝茶240克。研末，米饮捣为丸，临发日清晨及常日各服9克，米汤送服。

4. 大皂角500克（肥者）。去皮，切碎，以酸浆水1碗浸（春秋三四日，夏一二日，冬七日），去渣，取汁入银器或沙锅慢火熬（以槐柳枝搅）成膏，取出摊厚纸上，阴干收储。用时取手掌大1片，以温浆水化在盏内，用竹筒灌入鼻孔内，良久涎出为验（欲涎止，将温盐汤饮30克便止。忌鸡、鱼、生硬、湿面等物）。

5. 金灯花根似蒜者1个。以茶清研如浆，正午时以茶调服（即卧）。日中良久吐物；如不吐，再以热茶投之。适用于风痰痫疾。

**【名医指导】**

1. 自我心理调适：首先要树立战胜疾病的信心，持之以恒，病自去矣；其次，要尽

量积极调整心态，通常采用填写“三栏对比表”、“日常活动表”等方式完成认知预演及行为治疗中的自信训练、角色扮演等技巧。

2. 自我行为纠正：癫痫患者的自我行为纠正实际上也是一种行为疗法，通过有些行为治疗的方法，纠正一些不良行为，以避免由此引起的负面效应。现简介几种行为纠正的方法：

（1）隐蔽法：让患者在幻想中产生有关焦虑紧张的问题行为，然后在意象中不再接受任何阳性强化刺激，让它逐渐隐蔽消退。这种治疗的目标是针对与癫痫发作有关的焦虑情况，通过减轻或消除焦虑来达到预防发作的目的。

（2）松弛技术：这种技术就是训练一个人能系统地检查自己头部、颈部、肩部、背部、腰部、四肢的肌肉紧张情况，训练如何把紧张的肌肉放松下来。方法很简单：坐在椅子或躺在床上，半闭着眼睛，全神贯注身体的各部分肌肉，并且按次指挥使自己紧张着的肌肉松弛下来，以便达到全身松弛的状态。

3. 本病是一种慢性疾病，治疗时间较长，患者应坚持服用药物，避免骤然停药或随意增减剂量。

4. 保持平稳的情绪，建立战胜疾病的信心。家人及周围的朋友亦应理解、关心、安慰患者，增加患者的信心。

## 偏头痛和紧张性头痛

偏头痛是一种反复发作的搏动性头痛，是一种可逐步恶化的疾病，发病频率通常越来越高。一般发作前常有闪光、视物模糊、肢体麻木等先兆，数分钟至 1 小时左右出现一侧头部一跳一跳的疼痛，并逐渐加剧，直到出现恶心、呕吐后才会有所好转，在安静、黑暗环境内或睡眠后缓解。在头痛发生前或发作时可伴有神经、精神功能障碍。

紧张型头痛又称紧张性头痛或肌收缩性头痛，是双侧枕部或全头部紧缩性压迫性头痛（约占头痛患者的 40%），是临床最常见的慢性头痛，多见于成年人。其发病与社会心理压力、焦虑、抑郁、精神因素、肌肉紧张、滥用止痛药物等有关。

本病中医学属“头痛”、“脑风”、“首风”等范畴。由于外感与内伤，致使脉络细急或失养，清窍不利所致。本病以自觉头部疼痛为特征，可以发生在多种急、慢性疾病中，亦是某些相关疾病加重或恶化的先兆。

**【必备验方】**

1. 穿山甲 50～100 克，川芎 6～9 克，当归 9～15 克，瘦羊肉 100 克。将前 3 味用纱布包好，与羊肉同炖 2～3 小时，饮汁吃肉，连服 5～6 日。适用于血瘀型偏头痛。

2. 桑椹、熟地黄各 500 克。水煎至烂，去渣，留汁浓缩，加适量冰糖煎至能拔丝，倒于干净大理石上，未完全冷却前切块，每日含化少许。适用于肝肾阴虚型偏头痛体质较弱者。

3. 生葱 1 把。捣烂，同入瓷瓶封固，埋土中（春五、夏三、秋五、冬七日），取出晒干，研为末，醋糊为丸（如梧桐子大），每服 9 丸，临卧温酒下，立效。适用于紧张性头痛。

4. 川芎、白芷、细辛各 5 等份，冰片 1 份。共研细末，每取少许入鼻中，取嚏即能缓解头痛。也可用鲜薄荷叶、鲜紫苏叶、鲜广藿香叶各适量，放于 80 ℃水中浸泡 1～2 分钟，取叶敷于痛处，每日数次。适用于偏头痛。

5. 蜂蜡 90 克。溶化，以纸（宽 7 厘米、长 17 厘米）在蜡上拖匀，蕲艾铺于上，卷为筒，左痛插右耳中，右痛插左耳中，火燃之，烟气透脑，痛即止，至重不过 2 次。适用于紧张型头痛。

**【名医指导】**

1. 放松心情，释放压力。因工作压力致偏头痛者可常泡温水浴，或尝试一些肌肉放松技巧。如腹式呼吸技巧，慢慢吸气，令腹部充分外鼓，吐气时，感受腹部逐渐内扁。

2. 规律运动：着重呼吸训练、调息的运动（如瑜伽、气功），可帮助患者稳定自律神经系统；减缓焦虑、肌肉紧绷等症状。

3. 睡眠规律：拒绝晨昏颠倒，维持规律的作息，保证充足的睡眠。

4. 饮食清淡，少食刺激性食物，如辣椒、蒜、葱等。

5. 忌烟、酒、咖啡等。

## 血管性痴呆和阿尔茨海默病

血管性痴呆是因血管病导致脑梗死造成的痴呆（包括高血压性脑血管病），可发生于多次短暂性脑缺血发作或连续的急性脑血管意外之后，也可发生在严重中风后。梗死灶一般较小，但效应可累加。一般在晚年起病，包括多发脑梗死性痴呆。

阿尔茨海默病又称老年性痴呆，是一组病因未明的原发性退行性脑变性疾病，多起病于老年期，潜隐起病，病程缓慢且不可逆，临床上以智能损害为主，临床表现为认知和记忆功能不断恶化，日常生活能力进行性减退，并有各种神经精神症状和行为障碍。研究显示，美国2000年病例为450万例。

本病中医学属"痴呆"、"老年痴病"、"呆病"、"文痴"、"痴呆"、"善忘"等范畴，亦属"癫狂"、"神病"等范畴。多由髓减脑消、神机失用所致，临床以呆傻愚笨，智能低下，善忘等为主要表现。轻者可见神情淡漠，寡言少语，反应迟钝，善忘；重者表现为终日不语，或闭门独居，或口中喃喃，言语颠倒，行为失常，忽笑忽哭，或不欲食，数日不知饥饿等。

**【必备验方】**

1. 昆布100克（洗净，切丝，煮熟），豆腐200克，生姜3片。同炖半小时，调味后服食，每日1剂。适用于痴呆。

2. 天南星250克。先掘一土坑，以炭火（15千克）烧红，倒入酒5升，渗干后，把天南星安放在内（用盆盖住，勿令走气）。次日取出研末，加琥珀30克，朱砂60克，同研细末，以生姜汁调成丸（如梧桐子大）。每服30～50丸，以人参、石菖蒲煎汤送下。适用于痴呆。

3. 银耳15克，大豆100克，大枣5枚，鹌鹑蛋6个。将银耳用清水泡20分钟后洗净，撕成小块；鹌鹑蛋煮熟后去壳；大豆和大枣洗净与银耳同炖至熟烂，加入鹌鹑蛋稍煮片刻，适当加入食盐或白糖调服，每日1次，可常服食。适用于痴呆。

4. 天麻、山楂各15克，荷叶半张，排骨500克。将山楂洗净、切丝，天麻洗净、切薄片，荷叶洗净、撕成丝，排骨斩成块；同加水以小火炖1～2小时，加入适量食盐、味精调味佐餐食，每日1次，可常服。适用于痴呆。

5. 玫瑰花15克（鲜品加倍），羊心500克，食盐20克。将玫瑰花与食盐水煎10分钟，待冷备用；将羊心切片，穿在烤签上（边烤边蘸玫瑰花盐水）反复在火上烤熟食。适用于痴呆。

**【名医指导】**

1. 重视调护，预防或减缓痴呆的发生，积极防治导致痴呆的各种危险因素（如不良的生活方式、饮食习惯、情绪抑郁、环境污染等）；保持良好的心理状态，避免情绪抑郁、悲伤等。

2. 加强功能训练，培养和训练痴呆老人的自理能力。

3. 选择营养丰富、清淡宜口的食品，荤素搭配，饮食均衡，食物温度适中，无刺、无骨，易于消化。

4. 注意安全：对中、重度患者要留意其安全。不要让患者单独外出，以免迷路、走失；衣袋中最好放一张写有患者本人姓名、地址、联系电话的卡片或布条，如万一走失，便于寻找。

5. 改善家庭环境：家庭设施应便于患者生活、活动和富有生活情趣。家庭和睦温暖，使患者体会到家人对他的关心和支持，鼓励患者树立战胜疾病的信心，避免一切不良刺激。

## 重症肌无力

重症肌无力是一种神经肌肉传递障碍的获得性自身免疫性疾病。临床特征为部分或全身骨骼肌易疲劳，通常在活动后肌无力加重，休息后减轻。任何年龄均可发病，其发病率为4.3～6.4/10万，女性多于男性，女性发病高峰为20～40岁；男性发病高峰为

40～50岁，多合并胸腺瘤。

本病中医学属“睢目”、“睑废”、“歧视”等范畴；尾组脑神经支配的肌肉无力，进食、吞咽困难，饮水反呛，言语无力，发音不清，中医学属“喑痱”范畴；头颈四肢肌肉受累，转头、耸肩无力，起坐行走困难，被迫卧床，中医学属“痿证”、“风痱”范畴；严重者呼吸肌麻痹，呼吸困难，汗出肢冷，可按“喘脱”或“大气下陷”辨治。中医文献无本病专门记载，散见于上述各种病候之中。但论述颇详，且大多与中医痿证相符。

**【必备验方】**

1. 鲜紫河车适量。去污血、洗净，烤焦，研细末，装胶囊（每粒0.5克），每次1粒，每日2次。

2. 黄芪60克，党参30克或五爪龙60克。煲瘦肉（或猪脊骨）食。失眠者，加百合30克；湿气重者，加薏苡仁30克；腹泻者，加山药30克；心烦、燥热者，加龙眼肉30克；复视者，加枸杞子30克，或金钗石斛（10克）煲瘦肉（40克）；或膨鱼鳃1个，分4次煲瘦肉。

3. 牛腱90克。切碎，加水浸泡20分钟（水变至淡红色），再煮沸，以慢火熬15分钟，去渣服。适用于脾胃虚损、脾肾虚损型重症肌无力辅助治疗。

4. 制何首乌60克，枸杞子15克，猪肝200克。将制何首乌、枸杞子水煎取浓汁；猪肝切片，加适量豆粉、食盐、醋、白糖、酱油拌匀，用植物油炒熟，放入煎汁及葱、生姜，分2次服食。

5. 生黄芪、人参、生马钱子各适量。共研细末，制成药膏，贴敷于足三里、三阴交、脾俞、肝俞等穴（每穴敷药直径约1厘米），3日换药1次，10日为1个疗程。

**【名医指导】**

1. 一定要及早治疗，控制病情。一旦累及延髓肌、脊髓肌、躯干肌、呼吸肌等则无论中医西医都会很难治。

2. 家人可采取讲故事、说笑话、听相声、看滑稽戏剧表演等，甚或采取冲喜的方法举办喜事。或通过与患者谈心的方法，用关心、体贴或用大量事例开导患者，让其看到希望之光，转忧为喜，鼓足生活的勇气，从而促使病情早日改善，身体康复。

3. 文娱怡神法：家人指导患者或自行运用传统文娱方式，如各种游戏、舞蹈、弈棋、钓鱼、书画、玩具以及音乐等，达到畅怡神情；患者可根据其不同的证情和神情以及个人兴趣爱好，分别选用相应的文娱项目。小儿具有新奇好的心理特点，宜于选用新奇玩具，同时配合智力游戏活动，如垒积木、开游乐汽车、骑木马、捉小鸡等。

4. 环境爽神法：指选择环境优美、风物宜人之处，以陶冶性情，爽神养心，促使康复的方法。具体环境可选择幽静的森林、清澈的泉水、壮丽的高山、充足的阳光、清新的空气、宜人的香花，或天然岩洞、人工石窟等。居室宜通风透光、清静宽敞，色彩布置宜根据心情和病证而定，以爽心悦目为佳。

5. 起居有常，劳逸结合。

6. 饮食不能过饥或过饱，营养调配要适当，不偏食；避免食用萝卜、芥菜、绿豆、海带、紫菜、剑花、西洋菜、黄花菜、西瓜、苦瓜、冬瓜、白菜、豆浆、豆奶、冷饮等（特别是萝卜和芥菜）。

7. 避风寒，防感冒。在冬春季节注意防寒保暖。

8. 不主张患者参加体育锻炼。如锻炼不当，可使病情加重，甚至诱发危象，故以多休息为佳。

## 多肌炎和皮肌炎

多肌炎是以对称性四肢近端、颈肌、咽部肌肉无力，肌肉压痛，血清酶增高为临床主要特征的弥漫性肌肉炎症性疾病。其病因未明，通常在数周至数月内达高峰，全身肌肉无力，严重者呼吸肌无力，可危及生命。

皮肌炎又称皮肤异色性皮肌炎，属自身免疫性结缔组织疾病之一，是一种主要累及横纹肌且以淋巴细胞浸润为主的非化脓性炎症病变，可伴有多种皮肤损害及各种内脏损害。

本病中医学属“肌痹”、“肉痹”等范畴。《素问·长刺节论》谓：“病在肌肤，肌肤尽

痛，名曰肌痹，伤于寒湿。”

**【必备验方】**

1. 公鸡1只（刚刚开叫的），生姜100～250克。分别切成小块，在锅中爆炒后炖熟（不放油、食盐，饮酒者可放少量酒），1日内吃完，1周（或半个月）1次。

2. 鲜羊肉1000克，当归、党参各20克，生姜10克，大葱2根，花椒15粒，味精2克，胡椒粉1克，精盐5克。将羊肉洗净、切成块；黄芪、党参洗净，用纱布包好扎紧，生姜、大葱洗净。置净锅中以旺火炖至软时，去药包及姜、葱、花椒，加入胡椒粉、味精、精盐即可。

3. 乌梢蛇75克，大白花蛇10克，蝮蛇5克，生地黄25克，冰糖250克，白酒5000克。将前3味剁去头，用酒润透，切短成节；与余味密封浸泡（每日搅匀1次）10～15日过滤，冰糖调服，每次20毫升，每日2次。

4. 生姜汁、葱汁、醋、牛皮胶各15克，面粉31克。共熬成膏，敷患处。苍耳子（炒后研末）、茶叶各适量。水煎，代茶饮。

5. 火麻仁1升。加水浸泡，取沉者1升，滤出曝干，炒香，研细末，分成10份。每用1份，加优质黄酒1大碗，滤其酒，直令麻粉尽，余壳即去之，都合酒一处，煎取一半，空腹顿服，每日1剂。适用于多肌炎和皮肌炎。

**【名医指导】**

1. 急性期应卧床休息，可做关节、肌肉的被动活动，每日2次，以防止组织萎缩，但不鼓励主动活动。

2. 恢复期可适量轻度活动，但动作不宜过快，幅度不宜过大，根据肌力恢复程度，逐渐增加活动量；功能锻炼应避免过度疲劳，以免血清酶升高。

3. 保持精神愉快，不要过度紧张；建立战胜疾病的信心。

4. 调节饮食结构，多吃维生素、糖、蛋白质含量丰富及低脂的食物。可常食用山药、薏苡仁、土茯苓、冬虫夏草、当归、枸杞子、阿胶、灵芝、紫河车等。忌食肥甘厚味、生冷、辛辣之品。

5. 坚持定期服药和随诊。避免日晒。

6. 护理人员及家属应帮助患者定时翻身、拍背，防止发生坠积性肺炎及褥疮。

7. 寻找病因，对症处理，积极治疗原发病。

## 进行性肌营养不良症

进行性肌营养不良症是一种随着年龄增长，肌肉逐渐萎缩，使行动能力渐渐消失直至完全丧失生活自理能力的疾病，为一种原发横纹肌的遗传性疾病，在神经肌肉疾病中最多见。临床主要表现为由肢体近端开始的两侧对称性的进行性加重的肌肉无力和萎缩，无感觉障碍，个别病例尚有心肌受累。患者最终只能眼睁睁地等待着自己由于心肌衰竭而死亡。本病是一组渐进性遗传性骨骼肌变性疾病，主要临床特征为选择性受累的骨髓肌呈渐进性对称性无力和萎缩，最终丧失运动功能。本病为单基因遗传，发病年龄为5～6岁，发生率为出生男婴的（13～33）/105。近年研究认为，其病变的基本原因在于肌肉细胞膜的异常。

本病中医学属“痿证”范畴。其主要病机为“肺热叶焦”和“湿热不攘”，分为皮、脉、筋、肉、骨五痿，有医家提出脏气不足、肝肾亏虚、气虚血瘀、精亏血虚是痿证的主要病因。

**【必备验方】**

1. 虎骨20克（炙酥），粉萆薢30克，淫羊藿10克，薏苡仁12克，牛膝18克，熟地黄15克。同捣碎，用白布袋盛，置于净器中，加酒1000克密封浸泡7日后空腹服，每日3次，每次1杯，连用百余日。

2. 葱子、杜仲、牛膝各20克，淫羊藿18克，乌蛇30克（酒浸，去骨，炙微黄），石斛、制附子、防风、肉桂、川芎、花椒（去目）各15克，白术25克，五加皮24克，炒酸枣仁10克。同捣碎，置于净器中，加酒1500克密封浸泡7日，去渣，饭前温饮，每次1小盅。

3. 生白术、地骨皮、蔓荆子各500克，菊花300克（未开者）。同研粗捣筛，加水1500克，同煮取750克，去渣，澄清取汁，

酿黍米1000克，用碎曲如常酿法，酒熟压去糟渣。收取清酒于瓷器中，密封备用。每日2次，每次3～5杯，徐徐饮之。如能饮者，常令半醉，但勿至吐。

4. 菝葜2500克，细曲250克，白糯米5000克。将菝葜捣碎，加水7500毫升煮取3500毫升，去渣澄清；细曲捣碎，加入药汁1000毫升浸3日沸起；将糯米淘净、控干、炊饭，候熟倾出，温度适中，入药汁2500毫升及曲末拌匀，瓮中盛之（春夏7日，秋冬10余日），压去糟渣，每次随量而饮，每日5～6次，常令酒力相续。

5. 红花、当归、赤芍、白芍、透骨草各15克，丁香9克，川乌、草乌、乳香、没药各7克，肉桂6克。共研细末，加凡士林500克，搅匀，将药膏涂在布上或硬底板上（药上覆盖两层纱布），敷于两腿腓肠肌处，令患者仰卧，两小腿放在温水袋上加温，每日4～6小时。

**【名医指导】**

1. 做好预防工作：做好遗传咨询、产前检查、携带者的家谱分析和检查是预防本病发生的重要措施。

2. 本病目前无有效的治疗方法，应鼓励患者进行适当的肌肉活动，并配合按摩、针灸、理疗等，以延缓肌肉萎缩。

3. 平时应加强饮食营养，多食富含高蛋白饮食及新鲜水果、蔬菜。宜将体重控制在标准范围之内。

4. 积极预防和及时治疗呼吸道感染等疾病。

5. 长期卧床患者，应预防坠积性肺炎和褥疮的发生。定时翻身，白天每2小时翻身1次，夜间3～4小时翻身1次；定时拍背；保持皮肤清洁。床铺要清洁整齐，保持干燥、平坦、无渣屑。

6. 保持情绪平稳、积极乐观的心态。

## 周期性瘫痪

周期性瘫痪是一组与钾离子代谢有关的代谢性疾病，分为低血钾、高血钾和正常血钾型。临床表现为反复发作的弛缓性骨骼肌瘫痪或无力，持续数小时至数周，发作间歇期完全正常。发病机制不清楚，普遍认为与钾离子浓度在细胞内外的波动有关。

本病中医学属“痿证”，又称“风痱”。本病是由于正气亏损、外因诱发致使邪壅于内，阻碍气机，肢体失养而瘫软无力。其诱因包括饮食不节、劳累过度、精神紧张、感受寒湿外邪、汗出过多耗气伤津等。

**【必备验方】**

1. 猪油、蜂蜜各100克，党参、白术、玉竹各300克。将党参、白术、玉竹水煎3次，每次煎30分钟，取液合并后浓缩为稠糊；猪油、蜂蜜分别用小火煎沸，与稠糊混匀，即可食用，每次1汤匙，每日2次。

2. 乌龟1只（500～800克），冰糖10克，生姜块25克，大葱30克，花椒20粒，熟猪油20克，水发竹笋60克，精盐3克，八角茴香1个，红酱油15克，味精1克，大蒜40克。将乌龟投沸水内煮死后捞起，把龟壳剥去，去头、四肢、粗皮、指甲、肠脏，龟肉洗净、切块，再入沸水中洗去血水；将水发竹笋切成马耳朵形。锅置旺火上，放入熟猪油烧至六成热，下龟肉块榨干水分，加入精盐、红酱油、生姜、葱、花椒、大蒜炒香，入鲜汤煮沸，撇去泡沫，入八角茴香、竹笋，用小火煮至熟，去姜、葱、八角茴、花椒，调入味精即成。

3. 马蹄500克，菊花、荷叶各50克，光瘦鸭1只，生姜4片。将马蹄洗净、去皮；菊花、荷叶洗净；光瘦鸭洗净，去脏杂、尾部，与生姜加入冷开水1750毫升（加盖），隔水炖3小时，适量食盐调服。

4. 大鱼头1个，豆腐100克，火腿片200克，冬菇30克（水发），大蒜（拍）、生姜片各15克，食盐、糖、米酒、生抽、蚝油、胡椒粉、花生油各适量。将鱼头处理好，洗净，以食盐、糖、米酒、生抽调，备用；开锅下油，姜片爆香，下鱼头煎香至两边上色，取出；爆香大蒜、火腿片和冬菇，加适量水及生抽、蚝油，以食盐和胡椒粉调味，放入鱼头、豆腐，以中火焖至鱼头熟，即可服食。

5. 枸杞子250克，蛤蚧1对（去头、

足)，肉苁蓉200克，大枣50克。装广口瓶，兑入低度白酒（高于中药约3厘米），每日搅动1次，封存半个月后饮用。

**【名医指导】**

1. 均衡饮食，避免偏嗜。按时节量，以五谷为养，五菜为充，五果为助，五畜为益，严禁过食五味，尤其是食勿过咸。既要摄入足够的蛋白和脂肪，又要防止恣食膏粱厚味；忌饥饱失常，饮食不洁，恣食生冷；禁饮浓茶、咖啡等刺激性饮料。

2. 患者除进食低碘、高蛋白、高维生素饮食外，还应多吃豆类、水果、红枣、花生、动物内脏等含钾高的食品。此类食物每100克含钾200毫克。

3. 戒烟，淡茶、饮酒不可过量。

4. 环境安静、舒适，保持适宜的温度和湿度，通风良好，空气新鲜，避免强光刺激。患者外出时需有人陪同，以防止发生意外。

5. 避免过度劳神、患得患失、多愁善感、忧郁寡欢，思想应经常处在乐观的状态中。

6. 加强体质锻炼，养成良好的体育习惯，常做体操、太极拳、五禽戏、八段锦、跑步、打球等。

7. 慎房事，避免损耗肾精。

## 神经症

神经症又称神经官能症、精神症，是一组心因性障碍，人格因素、心理社会因素是其主要致病因素；是一组精神病功能性障碍，但非应激障碍，具有精神和躯体两方面症状；患者具有一定的人格特质基础，但非人格障碍；各亚型有其特征性的临床表现。神经症是可逆的，外因压力大时加重，反之症状减轻或消失。患者社会功能相对良好，自制力充分。

**【必备验方】**

1. 佩兰10克，普洱茶8克，延胡索15克，素馨花12克，厚朴、炙甘草各5克。每日1剂，加冷水浸泡20分钟后煎煮2次：首煎沸后以文火煎30分钟，二煎沸后以文火煎20分钟，合并药液300毫升左右，分2次空腹温服，7～10日为1个疗程。适用于神经症、失眠者。

2. 凉瓜300克，黄鳝250克，车前子50克（布包）。将凉瓜去瓤、切片，以适量食盐腌10分钟，洗净；鳝鱼去内脏，洗净、切段，与凉瓜、车前子加适量清水，以文火煲1小时，去车前子布包，调味后食。

3. 枸杞子25克，山药50克，猪脑30克(洗净)，生姜、生葱各适量，食盐少许。将山药、枸杞子洗净，与生姜、葱加水500毫升，以小火煲30分钟，入猪脑再煲30分钟，加入食盐调味，佐餐食用，连服3～7日。

4. 灵芝6克，猪瘦肉100克，鸡蛋1个，生姜、葱、食盐、味精各适量。将灵芝研末，猪瘦肉剁成肉糜，生姜、葱切碎，同放碗内，加入食盐、味精，打入鸡蛋调匀，隔水以旺火蒸熟。佐餐食，每日1次，宜常食。

5. 鲜花生叶15克，赤小豆30克，蜂蜜2汤匙。每日1剂，将花生叶、赤小豆洗净，水煎，去花生叶，调入蜂蜜，分2次服。

**【名医指导】**

1. 经常参加力所能及的体育活动，如打太极拳、跑步等；保持乐观的态度，培养稳定的心态，锻炼顽强的体格。

2. 尽量做到劳逸结合。生活有规律，合理安排生活。

3. 避免过度紧张，不宜从事持续时间过长、注意力高度集中的工作。

4. 严重失眠者可选用地西泮、健脑合剂、谷维素、多种维生素、普萘洛尔等，或者辨证选用中成药归脾汤、朱砂安神丸、黄连阿胶汤、交泰丸等。

## 精神分裂症

精神分裂症是一种持续、慢性的重型精神疾病，主要影响心智功能，包含思考及对现实世界的感知能力，并进而影响行为及情感。其病因未明，多于青壮年发病，隐匿起病，临床表现为思维、情感、行为等多方面障碍以及精神活动不协调。患者一般意识清楚，智力基本正常。

本病中医学属“癫狂”。癫证以沉默痴

呆，语无伦次，静而多喜为特征；狂证以喧扰不宁，躁妄打骂，动而多怒为特征。因两者在症状上不能截然分开，又能相互转化，故癫狂并称。

**【必备验方】**

1. 鲜午时花（收返草）30～50克，白背桐15克，白变木、灯心草各10克，朱砂1.5克（冲服）。水煎服，每日1剂。

2. 郁金3克，天竺黄30克，雄黄15克，白矾9克。共研为末，以不落水猪心血捣为丸，朱砂为衣（如龙眼大）。每日以石菖蒲五分煎汤送服1丸。

3. 生赭石30～60克，大黄15～30克，芒硝18克（冲服），半夏、郁金各9克。水煎服。每日1剂，无泻下者，可加甘遂1～3克；兴奋躁动不眠者，加天仙子、磁石、朱砂、龙骨、牡蛎、酸枣仁；惊恐多疑、忧虑不安、脉弦细、苔白腻者，加柴胡、陈皮、枳壳、竹茹、乌药、香附、茯苓；情感淡漠、意志减退、脉沉迟、舌淡苔少者，加仙茅、益智、菖蒲、远志、五味子。体弱者，隔日1剂，15日为1个疗程，连服1～3个疗程。同时，可加服小剂量安定剂（氯丙嗪每日不超过300毫克）。

4. 蜈蚣3条，大黄24克，川贝母、全蝎各6克，石菖蒲、五谷虫各15克，茯神、香附各12克，黄连、胆南星、天竺黄各9克，芒硝21克（冲服），朱砂1.5克，白糖30克。狂躁者，去芒硝，加巴豆霜，可加服小剂量氯丙嗪；抑郁者，加礞石、地龙、柴胡、白芍；失眠者，加酸枣仁、柏子仁、合欢皮、远志、琥珀，去全蝎、蜈蚣；哭笑不休者，加龙骨、牡蛎、珍珠母、浮小麦、大枣、炙甘草，去芒硝、大黄、全蝎、蜈蚣。每日1剂，水煎2次，早、晚分服。

5. 淡豆豉9克，甜瓜蒂、党参各6克，白矾3克，急性子4克。加水3碗煎2次，头煎于早晨空腹服，得快吐，止后服；药后6小时仍不吐者服第二煎。吐不止者，可以大葱3～5根煎汤服。老、幼、孕、弱者（或有宿疾者）忌服。

**【名医指导】**

1. 居住环境宜安静舒适，忌喧闹、嘈杂。

2. 家属对患者应严加监视，应将药品妥善保存，每次按剂量发给患者，亲眼看见患者服下。

3. 忌看惊险、凶杀、悲剧性的小说、画报、连环画、电视、电影等，以免加重病情。

4. 忌治疗痊愈后再度陷入当初诱发疾病的环境，以免复发。

5. 忌酒、烟。

6. 忌单独外出。

7. 忌玩弄刀剑棍棒等体育用品，以免造成意外；忌练气功。

## 睡眠障碍

睡眠障碍是睡眠量不正常以及睡眠中出现异常行为的表现，也是睡眠和觉醒正常节律交替紊乱的表现。可由多种因素引起，常与躯体疾病有关。包括睡眠失调和异态睡眠。睡眠失调包括：睡眠量不足；想睡但无法入睡，睡眠质量差；尽管睡了1夜，但是仍不能消除疲劳。异态睡眠则指睡眠期间出现行为或生理上的异常。

本病中医学属“不寐”、“梦呓”、“夜惊”、“梦魇”、“嗜睡”等范畴，是一种以经常不能获得正常睡眠为特征的病症。不寐的病情轻重不一，轻者有入寐困难，有寐而易醒，有醒后不能再寐，亦有时寐时醒等，严重者则整夜不能入寐。

**【必备验方】**

1. 茯神粉10克，鲜牛奶200克。将茯神粉用少许凉开水化开，再以煮沸的鲜牛奶冲，早、晚分服。适用于睡眠障碍，对兼有骨质疏松症者尤为适宜。

2. 柏子仁15克，猪心1个，精盐适量。将猪心洗净、剖开，纳入洗净的柏子仁，加适量清水，隔水蒸1小时左右，加食盐调味，佐餐食用。适用于睡眠障碍，对兼有心慌者尤为适宜。

3. 北五味子100克，蜂蜜20克。将北五味子水煎3次，取汁浓缩，入蜂蜜以慢火熬后收膏。每晚睡前服1～2匙，可适当喝点白开水。适用于兼有肺虚的失眠者，症见经年咳喘、面白头晕、气少无力、大便不实、心悸、遗精等。

4. 大枣、龙眼肉、大米、砂糖各适量。将大米煮粥至沸，加入大枣、龙眼肉煮至粥熟，调入冰糖再煮1～2沸即可，每日1剂。或取酸枣仁细末，置于脐中，外用伤湿止痛膏固定，每日1换。适用于失眠。

5. 梨3个，砂糖25克。将梨洗净，去皮，切片，水煎20分钟，加糖调味，分2次服。适用于痰热扰心或热病津伤所致失眠、烦闷之症。

**【名医指导】**

1. 定时睡觉，定时起床。

2. 定时运动，使身心放松而增进睡眠。

3. 减少兴奋剂，如咖啡、浓茶的摄入。

4. 良好的卧具。

5. 禁止吸烟，饮酒不宜过量。

6. 睡眠时间严格控制在所需范围内，可加深睡眠。

## 脑　　瘤

脑瘤是指生长于颅内的肿瘤，包括由脑实质发生的原发性脑瘤和由身体其他部位转移至颅内的继发性脑瘤。其发病多缓慢，首发症状可为颅内压增高（如头痛、呕吐）或为神经定位症状（如肌力减退、癫痫等）；数周、数月或数年之后症状增多，病情加重。发病较急者，可于数小时或数日内突然恶化，陷入瘫痪、昏迷。原发性脑瘤分为良性和恶性。良性脑瘤生长缓慢，包膜较完整，不浸润周围组织及分化良好；恶性脑瘤生长较快，无包膜，界限不明显，呈浸润性生长，分化不良。无论良性或恶性，均能挤压、推移正常脑组织，造成颅内压增高，威胁人的生命。

本病中医学亦称“脑瘤”。多由于内伤七情，使脏腑功能失调，加之外邪侵入，寒热相搏，痰浊内停，长期聚于身体某一部位而成。

**【必备验方】**

1. 魔芋1.5个，胡萝卜1个，牛蒡、蒜苗各100克，色拉油、调料（料酒120毫升、酱油10毫升、砂糖25克配制而成）各适量。将魔芋、胡萝卜切片；牛蒡切细，加水煮5～6分钟；蒜苗切段；将色拉油烧热，放入魔芋、牛蒡同炒，加入调料煮10分钟，加入胡萝卜再煮5～6分钟，放入蒜苗再烧片刻，即可服食。适用于脑瘤头痛、便秘者。

2. 龙眼肉30克，西洋参10克，蜂蜜少许。加少许凉开水，隔沸水蒸40～50分钟，每日早、晚分服（龙眼肉和西洋参亦可吃下）。适用于脑瘤贫血、低热不退者。

3. 天麻片15克（温水洗净），猪脑1副（挑去血筋），冬菇3朵（洗净，泡软），葱、生姜、食盐、料酒、鸡汤各适量。将天麻片混匀，隔水蒸20分钟，加入少许味精调服。适用于脑瘤出现精神症状者（对周围事物反应淡漠、迟钝，记忆和思维能力低下，定向力、理解力减退等）。

4. 甲鱼300克，枸杞子30克，熟地黄15克，黄芪10克。将甲鱼去壳、头、爪，洗净，切块，与后3味（布包）加清水煮沸，以文火煲熟透，去药包，调入食盐、味精即可。适用于气阴不足型脑瘤患者及化疗、放疗后红、白细胞下降者。

5. 薏苡仁（泡开）、半枝莲各20克，白花蛇舌草30克，猪瘦肉100克（洗净，切块）。将白花蛇舌草、半枝莲布包，与猪肉、薏苡仁加适量清水煮开，以文火炖熟，去药包，调入食盐、味精即可。适用于癌毒炽盛者。

**【名医指导】**

1. 养成良好的生活习惯，戒烟限酒。

2. 不宜过食咸而辣的食物，不吃过热、过冷、过期及变质食物；不食被污染的食物，如被污染的水、农作物、家禽、蛋、发霉的食品等，要吃绿色有机食品，要防止病从口入。年老体弱者，酌情吃含碱量高的碱性食品。

3. 劳逸结合：有良好的心态应对压力，不要过度疲劳。

4. 加强体育锻炼，多在阳光下运动。多出汗可将体内酸性物质随汗液排出体外，避免形成酸性体质。

5. 生活规律，养成良好的生活习惯。

# 第十章　理化因素所致疾病

## 酒精中毒

酒精中毒（俗称醉酒）是指一次饮用大量的酒类饮料而对中枢神经系统产生先兴奋后抑制作用。重度中毒，可使呼吸、心跳抑制而死亡。酒精中毒是由遗传、身体状况、心理、环境和社会等诸多因素造成的，而遗传为最关键的因素。

本病中医学类似于“酒厥”，属“恶酒”、“厥症”、“昏迷”等范畴。

**【必备验方】**

1. 菊花 10～15 克。水煎服。适用于饮酒过度所致头痛、头昏者。

2. 大白菜叶适量。洗净，切块，煮熟，加食醋、生姜末，热食。

3. 白萝卜 1000 克。捣烂，取汁顿服（也可加红糖服，也可生食）。

4. 米醋或陈醋 50 克，红糖 25 克，生姜 3 片。煎汤服。

5. 花露水数滴。洒于热毛巾上，轻拭胸背、肘及太阳穴。可明显减轻醉意。

**【名医指导】**

1. 开展反对酗酒的宣传教育，教育“喝酒适量”的重要性。

2. 创造替代条件，转移注意力，加强文娱体育活动。

3. 饮酒时做到“饮而不醉”的良好习惯，切勿以酒解烦愁、寂寞和工作压力等。

4. 饮酒时不应打乱饮食规律，切不可“以酒当饭”，以免造成营养不良。

## 急性一氧化碳中毒

急性一氧化碳中毒是较为常见的生活性中毒和职业性中毒。最初可出现头晕、头痛、恶心、呕吐、心悸、乏力、嗜睡等（医学上称轻度中毒）；严重时出现深昏迷，各种反射减弱或消失，肌张力增高，大小便失禁（医学上称重度中毒）；此时可发生脑水肿、肺水肿、休克、应激性溃疡、大脑局灶性损害，受压部位可出现类似烫伤的红肿、水疱，甚至坏死。

**【必备验方】**

1. 僵蚕末适量。热开水调服 6 克。适用于一氧化碳中毒头痛者。

2. 法半夏（洗去滑后研末）、小麦面各 500 克。水调为丸（如子弹大），煮熟。初服 4～5 丸，次服加至 14～15 丸。适用于一氧化碳中毒恶心、呕吐者。

3. 真火酒、新汲井水各 1 杯。和匀服。适用于一氧化碳中毒恶心、呕吐者。

4. 龙眼肉 15 克，乌豆、大枣各 50 克。加水 3 碗煎至 2 碗，早、晚分服。适用于一氧化碳中毒心悸者。

5. 猪心 1 个，党参 15 克，丹参、黄芪各 10 克。将后 3 味药布包，与猪心同炖服，每日 1 次。适用于一氧化碳中毒心悸者。

**【名医指导】**

1. 热水器或煤气具不应放置于家人经常活动的房间内。

2. 宜保持室内良好的通风，尤其是在冬天、雨天。

3. 应注意热水器或煤气正确的使用方法及保养，并随时注意是否呈完全燃烧状态。

若产生红色火焰则呈不完全燃烧的现象，若产生蓝色火焰则大部分为完全燃烧。

4. 煤气具应放在不燃烧材料上面，周围切勿放置易燃品。

5. 自动点火的煤气连续未点燃时，应稍等片刻，让已流出的煤气放散后再点火。

6. 使用煤气具之前，应先闻一下有无煤气味，确定是否漏气。

7. 煤气具、热水器切勿安装于密闭浴室或通风不良处。

8. 注意检查连接煤气具的橡皮管是否松脱、老化、破裂、虫咬，若有应及时更换。

9. 居室内火炉要安装烟囱，烟囱结构要严密和通风良好。

10. 吃火锅用木炭时，一定要注意室内通风。

## 有机溶剂中毒

有机溶剂主要是指那些难溶于水的油脂、树脂、染料、蜡、烃类等有机化合物的液体，此类物质均可引起人体中毒。最常见的有苯、甲苯、二甲苯、汽油、正己烷、氯仿、氯乙烷、甲醇、乙醚、丙酮、二硫化碳等。轻者头痛、头昏、眩晕；重者头痛、恶心、呕吐、心率慢、血压高、躁动、谵妄、幻觉、妄想、精神异常、抽搐、昏迷，甚至死亡。

根据其临床表现，本病中医学可参考“眩晕”、“头痛”、“心悸”、“厥证”等疾病的治疗。

**【必备验方】**

1. 当归 60 克。以酒 1 升煎取 6 合，饮之，日再服。适用于有机溶剂中毒头痛者。

2. 苍耳叶适量。晒干为末，酒调服，每次 3 克，每日 3 次。若吐，则炼蜜丸（如梧桐子大），每服 20 丸。适用于有机溶剂中毒眩晕者。

3. 生姜汁 1 盏（煎滚，收储），蜂蜜 250 克（炼熟，收储）。每取姜汁 1 匙，蜂蜜 2 匙，以沸水调服，每日 5～7 次。适用于有机溶剂中毒恶心、呕吐者。

4. 鹅蛋 1 个，花椒 1 粒。在鹅蛋顶端打一小孔，塞入花椒，面糊封口，蒸熟，食蛋，每日 1 个鹅蛋，连用 7 日。适用于有机溶剂中毒高血压者。

5. 金银花、菊花各 24～30 克。头晕明显者，加桑叶 12 克；动脉硬化、血脂高者，加山楂 24～30 克。每日 1 剂，分 4 次以沸水冲泡 10～15 分钟，代茶饮（冲泡 2 次弃掉另换），连服 3～4 周或更长时间。适用于有机溶剂中毒高血压者。

**【名医指导】**

1. 生产和使用有机溶剂时，要加强密闭，减少有机溶剂的逸散和蒸发。

2. 宜采用自动化和机械化操作，以减少操作人员直接接触的机会。

3. 应使用个人防护用品，如戴防毒口罩或防护手套。皮肤黏膜受污染时，应及时冲洗干净。勿用污染的手进食或吸烟。勤洗手、洗澡与更衣。

4. 应定期进行健康检查，及早发现中毒征象，进行相应的治疗和严密的动态观察。

5. 若为急性中毒者，应立即将中毒者转移到空气新鲜的地方，脱去被污染衣物，迅速用大量清水或肥皂水清洗被污染的皮肤，同时注意保暖。眼部被污染的，立即用清水冲洗，至少冲洗 10 分钟。

## 镇静催眠药中毒

镇静催眠药中毒是由于服用过量的镇静催眠药而导致中枢神经系统过度抑制的一系列病症，分急性中毒和慢性中毒。急性中毒是指在短期内服用大量镇静催眠药物而造成的病症；慢性中毒是指因长期服用镇静催眠药物而产生对药物的耐受性和依赖性，一旦终止用药，患者即出现不同程度的药物戒断症状的现象。镇静催眠药是中枢神经系统抑制药，具有镇静、催眠作用，过多剂量可麻醉全身，包括延脑中枢。临床表现为嗜睡、情绪不稳定、注意力不集中、记忆力减退、共济失调、发音含糊不清、步态不稳、眼球震颤、共济失调、明显的呼吸抑制等。

根据其临床表现，本病中医学可参考“眩晕”、“头痛”、“心悸”、“厥证”等疾病治疗。

【必备验方】

1. 干哈蟆油25克，菠菜100克，海米50克，食盐、鸡汤、味精、葱、姜汁各适量。将干哈蟆油用温水泡开，择出黑线、洗净，用开水汆一下捞出，切丁；将菠菜洗净、切段，放开水内略烫；将鸡汤放入哈蟆油丁、海米、葱、姜汁、食盐，烧开后撇净浮沫，加入味精、菠菜即可。适用于中毒后注意力不集中、减退者。

2. 水发莲子200克，京糕25克，冰糖、香精各适量。将莲子加冰糖隔水蒸烂，取出沥净糖水，倒入汤碗内；把京糕切丁，放在莲子上。净锅内放冰糖、清水，使冰糖化开，放入蒸莲子糖水烧开，撇去浮沫，加入香精，浇在莲子上即可。适用于中毒后注意力不集中、减退者。

3. 猴头菌150克，黄芪30克，鸡肉250克，料酒、精盐、生姜、葱白、胡椒粉各适量。将猴头菌洗后用温水泡发（约30分钟），洗净，切薄片，发猴头的水用纱布过滤；鸡肉洗净后剁成方块，黄芪用温毛巾拭净后切薄片，生姜、葱白切节。取净锅烧热下猪油，投入黄芪、生姜、葱白、鸡块煸炒，入食盐、料酒及发猴头的水和少量清汤烧沸，以文火炖1小时，下猴头菌片再煮半小时，撒入胡椒粉。然后将鸡块放在碗底，猴头菌片盖上面，汤加盐调味后盛入即可。适用于中毒后注意力不集中、减退者。

4. 红螺肉50克，豌豆苗50克，竹荪10克，料酒、精盐、味精、葱段各适量。将红螺肉去杂，加入少量去黏液物质，洗净，切片，放沸水内焯透、捞出；竹荪用清水泡软，洗去泥沙，切去两头，再用清水漂洗成白色时捞出、切段；豌豆苗去杂洗净。净锅内加入清水，放入竹荪、料酒、精盐、螺肉片烧开，入豌豆苗、葱段再煮片刻，加入味精，即可佐餐食用。适用于中毒后注意力不集中、减退者。

5. 生、熟大枣各15克。水煎，去渣，入百合煮熟，顿服。或鲜百合50克，加水浸1昼夜，与冰糖合，炒食。适用于中毒后注意力不集中、减退者。

【名医指导】

1. 应用巴比妥类药物应严格掌握剂量，防止过量而引起中毒反应。

2. 用药后应严密观察药物反应情况，一旦发生药物过量反应及早采取救治措施。

3. 恢复期注意休息与饮食，应服保肝的药物。

4. 严重苯巴比妥中毒者可出现惊厥、呼吸不规则甚至停止、脑水肿，均可引起脑细胞严重缺氧，所以应在专业医师指导下正确使用本类药物，避免乱用。

5. 防止药物的依赖性。长期服用大量催眠药的患者，包括长期服用苯巴比妥的癫痫患者，不能突然停药，应逐渐减量、停药。

6. 对伴有抑郁症的失眠患者，应高度警惕其囤药自杀现象的发生。

## 阿片类药物中毒

阿片类药物主要包括阿片、吗啡、可待因、复方樟脑酊和罂粟碱等，其中以吗啡为代表（吗啡对中枢神经系统作用先兴奋、后抑制，以抑制为主）。长期应用阿片类药物可引起欣快症和成瘾性。轻度急性中毒表现为头痛、头昏、恶心、呕吐、兴奋或抑制，患者有轻度意识障碍，可伴有便秘、尿潴留等。重度中毒表现为昏迷、瞳孔呈针尖样大小、高度呼吸抑制（即阿片中毒三大特征），常出现惊厥、牙关紧闭和角弓反张等脊髓反射增强的体征；呼吸异常，变浅变慢，继之出现叹息样呼吸或潮式呼吸，并伴有急性肺水肿，以致休克、瞳孔散大、呼吸麻痹而死亡。

本病中医学可参考“眩晕”、“头痛”、“心悸”、“厥证”等疾病治疗。

【必备验方】

1. 高良姜适量。生研，入鼻中，即止。适用于阿片类药物中毒头痛者。

2. 半夏（洗去滑）、小麦面各500克。共为末，水泛为丸（如子弹大），煮熟。初服4～5丸，次服加至14～15丸。适用于阿片类药物中毒恶心、呕吐者。

3. 蜂蜜适量。用铜器以微火熬，频搅（勿令焦），候凝如饴，捻作挺子，头锐如捐；掺皂角末少许，趁热纳肛门中，用手按住，

欲大便时去之。适用于阿片类药物中毒便秘者。

4. 食醋1杯。每日清晨空腹服（或加入1汤勺醋的白开水），之后再饮1杯白开水，然后室外散步30～60分钟，长年坚持服用效果尤佳。适用于阿片类药物中毒便秘者。

**【名医指导】**

1. 加强管理，严格控制使用麻醉镇痛剂。

2. 禁毒，坚决打击贩卖阿片类药物犯罪分子活动，对有成瘾者应进行戒毒。

3. 发现阿片类中毒后，首先确定中毒途径，口服者及中毒时间较久者应积极洗胃，但禁用吗啡催吐。如发现皮下注射吗啡过量，速用止血带扎紧注射部位上方，局部冷敷，以延缓吸收，结扎时间不宜过久。

4. 整个过程应保持呼吸道的通畅、吸氧；酌情使用呼吸兴奋剂，维持呼吸功能；必要时应用呼吸机辅助呼吸。

5. 吗啡中毒量成人为0.06克，致死量0.25克；可待因中毒剂量为0.2克，致死量0.8克。原有慢性病如肝病、肺气肿、支气管哮喘、贫血、甲减或慢性肾上腺皮质功能减退症等患者更易发生中毒，应谨慎使用。

6. 与酒精饮料同服，即使治疗剂量，也有发生中毒的可能。

7. 巴比妥类及其他催眠药物与本类药物均有协同作用，合用时要谨慎。

## 高原病

高原病又称高山病、高原适应不全，是指人体进入高原（海拔3000米以上）低氧环境发生的一种特发性疾病，返回平原后可迅速恢复。其病因为高原低氧环境引起机体缺氧，上呼吸道感染、疲劳、寒冷、精神紧张、饥饿、妊娠等为发病诱因。本病分为急性和慢性两大类。急性高原病是指初入高原时出现的急性缺氧反应或疾病，分为轻型（或良性）和重型（或恶性）。轻型即反应型或急性高原反应，重型分为脑型急性高原病（又称高原昏迷或高原脑水肿）、肺型急性高原病（又称高原肺水肿）、混合型（即肺型和脑型的综合表现）。慢性高原病又称蒙赫病，是指抵达高原后半年以上方发病或原有急性高原病迁延不愈者（少数高原世居者也可发病），分为高原心脏病、高原红细胞增多症、高原血压异常（包括高原高血压和高原低血压）和混合型慢性高原病（即心脏病与红细胞增多症同时存在）。国外未作上述分型。本病临床表现为头痛、头昏、心慌、气促、恶心、呕吐、乏力、失眠、眼花、嗜睡、手足麻木、唇指发绀、心律增快等。

**【必备验方】**

1. 山楂核末40克，大枣7枚（去核，撕碎），白糖少许，加水400克煎20分钟，取汁分成3份，每晚睡觉前半小时温服1份。适用于高原病失眠者。

2. 猪心1个，朱砂15克。将猪心洗净，挖一深孔，塞入朱砂后用线捆紧，加水煮烂，分2次服食。适用于高原病心悸者。

3. 荷叶9克。烧灰（存性），研细末，每服0.9克，每日1次，连服数日。适用于高原病恶心、呕吐者。

4. 片脑3克。纸卷作捻，烧烟熏鼻，吐出痰涎即愈。适用于高原病头痛者。

5. 苦杏仁1升。去皮、尖，水研汁，熬如膏，和酒或羹粥内搅2勺，饭后服，10日后出汗，永瘥。适用于高原病头晕者。

**【名医指导】**

1. 在高原低氧环境下，宜减少身体耗氧，减少重体力及重脑力劳动，以免器官、组织缺氧加重。

2. 受凉和感染可诱发高原病，故在高原时应根据气候变化，及时增减衣服，注意保暖，预防上呼吸道感染。

3. 避免精神过度紧张、焦虑，保持心态的平和、乐观。

4. 饮食宜富含热量、糖类和蛋白质，并应低脂肪、易消化。

5. 进入高原时，缓慢登高，不宜过快，使机体逐渐适应，可减少高原病的发生。

## 电击伤

电击伤（俗称触电）通常是指人体直接

触及电源或高压电时电流通过人体引起的组织损伤和功能障碍，重者可发生心搏骤停。超过1000伏的高压电可引起灼伤，雷击属于高压电损伤范畴。

**【必备验方】**

1. 石榴皮500克。加水500毫升熬至250毫升，过滤装瓶，以纱布浸湿贴于患处，连用2～3日。

2. 酸枣树皮粗末300克，80%乙醇1000毫升。同密封浸泡48小时，过滤，取滤液密封保存；药渣再加入80%乙醇500毫升，密封浸泡24小时，过滤，尽量压榨药渣中之药液；合并2次滤液，分装即可。创面先以1%呋喃西林湿敷，待干后撒上药粉，无感染的疮面每日喷2～3次。

3. 生绿豆粉100克，75%乙醇（白酒亦可）适量。调成糊状，静置30分钟，加入冰片15克调匀备用；创面暴露，除去脱落上皮及异物，用0.1%苯扎氯铵溶液清洗后搽上药糊（约厚0.5毫米），每日2～3次。

4. 大蒜1个。去皮，研取自然汁，令患者仰卧、垂头，以铜筋点少许滴入鼻中，眼泪出即愈。适用于电击后头痛者。

5. 大黄、黄连、白芷各6克。共研细末，香油调敷于患处。

**【名医指导】**

1. 应普及电学常识教育，并遵守安全用电。

2. 任何可能接触或被人体接触或威胁生命危险的电器，均应有良好的接地，并在电路内装有保护性的断路装置，可安装接地故障电路断开器。

3. 预防闪电雷击，经常了解天气变化，不在大树或是电压线下避雨。

4. 一旦发现有人触电，应立即切断电源，或用不导电的物体拨离电源；呼吸心搏骤停者进行心肺复苏；复苏后还应注意心电监护及维持电解质的平衡。

5. 被电击烧伤的部分，应特别警惕厌氧菌感染，局部应暴露，可用过氧化氢溶液冲洗、湿敷，以及注射破伤风抗毒素。

## 农药中毒

农药中毒是中毒和意外死亡的主要病因之一，以急性生活性中毒为多，主要由于（误服或自杀）滥用农药引起。生产作业环境污染所致农药中毒，主要发生于农药生产的包装工和施用农药人员。在田间喷洒农药或配药及检修施药工具时，皮肤易被农药污染，均容易经皮肤和呼吸道吸收而发生急性中毒。轻者，头晕、头痛、腹痛、流涎、痉挛、呼气有大蒜味；重者，惊厥、昏迷、肺水肿甚至死亡。

**【必备验方】**

1. 鲜石菖蒲全株1000克。切段，水煎，去渣，取汁分10～15次代茶饮，每日1剂，连服15日为1个疗程，顽固者连服2～3个疗程。适用于农药中毒头晕者。

2. 仙鹤草50克，鸡蛋2个，红糖适量。将仙鹤草水煎30分钟，去渣，加入红糖煮化，打入鸡蛋煮熟食，每日1剂，连服3日。适用于农药中毒头晕者。

3. 小麦秆适量。烧灰，地上出火气，将麻布包了，滚水淋汁，1服立止。适用于农药中毒腹痛者。

4. 青麦苗1篮，白糖60克。将青麦苗捣汁，加白糖同炖服。适用于农药中毒痉挛者。

**【名医指导】**

1. 食用蔬菜、水果时应用水充分清洗。

2. 不吃被农药毒死或是不明死因的禽、畜肉。

3. 喷洒过农药的食物不到安全期不得采收、销售和食用。

4. 农药和毒种不得与食物和生活用品混放在一起。

5. 装过农药的瓶子或其他包装物应销毁。

6. 拌过农药的粮种，使用水洗后也不能再食用，包括作为饲料使用。

7. 不要让老弱病残、孕妇、小孩及哺乳期的妇女做配药、拌种、喷洒、涂抹等使用农药的工作。

8. 喷洒农药时，一定要穿长袖衣裤，戴口罩及防护眼镜。

9. 喷洒农药时，人要逆风往前走。收工后，要立即脱掉全身所有衣裤、鞋袜等，要反复用肥皂水冲洗全身，特别是手、口、鼻、眼等部位，一定要冲洗干净。反复漱口，在此前绝不能进食、喝水、饮酒、吸烟。

10. 定期对农药生产工人进行体检和健康监护，及时防止农药危害接触者。

11. 在农药运输中，严格专车（船）装运、专库（柜）保存、专架销售、配药容器及施药器具专用，并明示警告标志，防止污染或误用。

## 淹　溺

淹溺是指人淹没于水中引起换气障碍而窒息，也可因反射性喉、气管、支气管痉挛和水中污泥、杂草堵塞呼吸道而发生窒息。不慎跌入粪坑、污水池和化学物储槽，亦可引起皮肤和黏膜损伤以及全身中毒。患者有昏迷、皮肤黏膜苍白和发绀、四肢厥冷、心跳微弱或停止，口、鼻充满泡沫（或污泥、杂草），腹部常隆起，伴胃扩张。在复苏过程中可出现各种心律失常，甚至心室颤动、心力衰竭和肺水肿。

**【必备验方】**

1. 大枣 20 枚，葱白适量。每日 1 剂，将大枣洗净，水煎 20 分钟，加入葱白再煎 10 分钟，分 2～3 次服。适用于淹溺复苏过程中心律失常者。

2. 三七 5 克，紫苏子、白芥子、莱菔子各 10 克，大米 100 克，白糖适量。将前 4 味加水浸泡 5～10 分钟后煎取汁，与大米煮粥，待粥熟时调入白糖煮 1～2 沸，即可服食，每日 1 剂，7 日为 1 个疗程，连用 2～3 个疗程。适用于淹溺复苏过程中心律失常者。

3. 党参、麦冬、五味子各 10 克，大米 50 克，冰糖适量。将前 3 味水煎，取汁与大米加适量清水煮粥，待熟时调入冰糖煮 1～2 沸（或将生脉口服液 1 支调入稀粥中服食），每日 2 剂，7 日为 1 个疗程，连用 2～3 个疗程。适用于淹溺复苏过程中心律失常者。

4. 酸枣仁 30～45 克，粳米 100 克。将酸枣仁捣碎，水浓煎取汁；粳米加水煮至半熟，兑入枣仁汁同煮为粥，晚餐时温热服食。适用于淹溺复苏过程中心律失常者。

5. 赤茯苓、白茯苓各等份。共为末，以新汲水按洗，澄去新沫，控干，同好酒熬成膏，为丸（如子弹大），空腹以盐酒嚼下。适用于淹溺复苏过程中心律失常者。

**【名医指导】**

1. 当发生溺水时，不要慌张，除呼救外，应取仰卧位，头部向后，使鼻部露出水面呼吸，呼气要浅，吸气要深。

2. 一定要保持镇定，不要将手臂上举乱扑动，而使身体下沉更快；会游泳者，如发生小腿抽筋，应采取仰泳位，用手将抽筋腿的脚趾向背侧弯曲，可使痉挛松解，然后慢慢游向岸边。

3. 救护溺水者，应迅速游到溺水者附近，观察清楚位置，从其后方出手救援，或投入木板、救生圈、长杆等，让落水者攀扶上岸。

4. 溺水者救上岸后，首先清理其口鼻内污泥、痰涕，取下义齿，然后进行控水处理。救护人员单腿屈膝，将溺水者俯卧于救护者的大腿上，借体位使溺水者体内水由气管口腔中排出。

5. 如果溺水者呼吸心跳已停止，立即进行口对口人工呼吸，同时进行胸外心脏按压。

6. 对于呼吸、脉搏正常的溺水者，经过倒水之后，回到家里后进行漱口，喝姜汤或热茶，并注意保暖，多休息；如有咳嗽、发热应去医院治疗。

7. 加强宣传游泳安全知识；游泳前应做准备活动，避免腓肠肌痉挛。结伴下水活动。加强海上作业人员的安全和急救知识教育。

## 辐射损伤

辐射损伤是指机体受电离辐射而产生的各种类型的某种程度的有害变化。受辐射皮肤基底组织的进行性病理反应是局部辐射损伤的典型特征，典型症状为顽固型胀痛。通常接受的剂量越高，预后越严重。

**【必备验方】**

1. 本人头发适量。烧灰（存性），研末，酒调服。随即以白芥子末少许，水调敷于脐中，汗出而愈。适用于腹部胀痛者。

2. 白胡椒2克，鸡蛋1个。水煎5分钟，将鸡蛋去壳后再煮10分钟，吃蛋喝汤，每日2次。适用于腹部胀痛者。

3. 白芥子30克。捣成泥状，以鸡蛋清调贴于痛处，30分钟后将药翻一翻再贴30分钟，然后去药。适用于胸胁胀痛者。

4. 蒲葵叶20克。烧灰（存性），研细末，分2次服（隔4小时1次）。适用于胸部胀痛者。

5. 伏龙肝3克（研细）。冷痛用白酒送下，热痛用开水送下。适用于胸部胀痛者。

**【名医指导】**

1. 在发生核辐射事件后，成人推荐服用100毫克碘，孕妇和3～12岁儿童服用50毫克，3岁以下儿童服用25毫克，以有效减少放射性碘的摄入。但应避免碘摄入量过多而中毒。

2. 辐射损伤后，饮食调护非常重要。具体如下：

（1）供给充足的能量，摄入足够的糖类。糖类供给以果糖最佳，葡萄糖次之，而后是蔗糖等。

（2）供给充足的蛋白质和维生素，如多吃胡萝卜、西红柿、海带、瘦肉、动物肝脏等富含维生素A、维生素C和蛋白质的食物，增强机体抵抗核辐射的能力。

（3）脂类摄入不宜高，但需增加植物油所占比重。

（4）宜多补充必需脂肪酸及维生素A、维生素K、维生素E和B族维生素。

（5）保持矿物质的均衡及无机盐的摄入。在膳食中适量增加无机盐（主要是食盐），可促使人饮水量增加，加速放射性核素随尿液、粪便排出。

（6）可常吃辛辣食物，调动机体的免疫系统，使细胞免受辐射损伤。

## 减压病

减压病又称潜涵病，是指潜水或潜涵等高气压下工作者过快地转入地面时所致静脉气栓、肺气栓等症候。飞行员迅速升入高空，也可发生上述临床表现，称航空减压病。轻度表现为皮肤瘙痒、丘疹、大理石样斑纹、皮下出血，水肿等，中度表现为四肢大关节及其附近的肌肉关节痛，重度表现为神经系统、循环系统、呼吸系统和消化系统障碍。

**【必备验方】**

1. 食盐适量。用旺火炒黑，每取少许溶于温水，用卫生棉球或消毒纱布蘸搽患处，每日3～5次。适用于减压病皮肤瘙痒者。

2. 醋半碗，红糖100克，生姜50克（切成细丝）。合煎至2沸，去渣，温开水调服，每次1小杯，每日2～3次。适用于减压病皮肤丘疹者。

3. 新鲜紫菠根60克（干品30克）。水煎，于早晨空腹和晚上临睡前分服，每日1剂（小儿酌减）。同时，取鲜紫薇全草500克（干品250克）。水煎，取液洗患处，每日1次。适用于减压病皮肤丘疹者。

4. 小红辣椒、陈皮各10克，白酒500毫升。同浸泡7日，过滤后服，每日2～3次，每次2毫升。适用于减压病关节酸痛者。

5. 白茅根30克，猪皮500克（去毛，洗净），冰糖适量。将白茅根（布包）水煎，去渣，入猪皮炖至汤汁黏稠时，入冰糖拌匀。每日分4～5次服。适用于减压病皮下出血者。

**【名医指导】**

1. 对潜水员尤其是新潜水员进行医学防治知识教育，使潜水员了解减压病的发病原因及预防方法。

2. 养成良好卫生习惯，建立合理生活制度，工作前充分休息，防止过度疲劳，不饮酒和少饮水。

3. 工作时应预防受寒和受潮，工作后应立即脱下潮湿的工作服，饮热茶、洗热水浴，在温暖的室内休息半小时以上，以促进血液循环，使体内多余的氮加速排出。

4. 每日应保证高热量（一般每日15072～16747千焦）、高蛋白、中等脂肪饮食，并适当增加各种维生素。

5. 进行潜水员就业前、定期及下潜前体

检。骨关节尤其四肢大关节每年应进行X线摄片，一直到停止高气压作业后4年为止。凡患有听觉器官、心血管系统、消化系统、呼吸系统、神经系统以及皮肤疾病者，均不宜从事高压环境工作。重病后、体力衰弱者、远期骨折者、嗜酒者及肥胖者也均列为就业禁忌。

## 中　暑

中暑俗称发痧，是指在高温和热辐射长时间作用下使机体体温调节障碍，出现水、电解质代谢紊乱及神经系统功能损害的症状，颅脑患者、老弱者及产妇尤易发生。中暑是一种威胁生命的急病，可引起抽搐、永久性脑损害或肾衰竭，核心体温达41 ℃是预后不良的体征，体温若略为升高一点则可致死。老年、衰弱和酒精中毒者可加重预后不良。

本病中医学称“中暍”，是以出汗停止而身体排热不足、体温极高、脉搏迅速、皮肤干热、肌肉松软、虚脱及昏迷为特征的一种病症。多由于暴露于高温环境过久而引起身体体温调节机制的障碍所致。

**【必备验方】**

1. 冬瓜500克，昆布（水发海带）、蚕豆（去皮）瓣各100克，香油、食盐各适量。将海带和蚕豆瓣同以香油煸炒后加水500克，加盖烧煮至蚕豆熟，入冬瓜及食盐烧至冬瓜九成熟即可。适用于中暑头昏、头痛、烦渴者。

2. 鲜杨梅500克（洗净），白糖80克。同捣烂，装瓶后加盖（不密封，稍留空气），7～10日后绞汁，煮沸，待冷后装瓶，密封保存（时间越久越佳），夏季饮用。适用于预防中暑。

3. 食盐1把。揉擦两手腕、双足心、两胁、前后心等处（至擦出许多红点）。适用于先兆中暑或轻度中暑。

4. 广藿香15克，粳米50克。将广藿香加水150～200毫升煎2～3分钟，去渣；粳米加水煮至将熟，加入藿香汁再煮2～3分钟，每日分2次温食。适用于中暑高热、消化不良、感冒胸闷、吐泻等症。

5. 绿豆粉皮、黄瓜各100克，海米少许，胡萝卜500克，香菜、精盐、麻酱、芥末、酱油、米醋、大蒜、生葱、干辣椒、味精各适量。将粉皮洗净、切条，拌以香油；胡萝卜洗净、去皮、切丝，入沸水氽一下；黄瓜洗净、切丝；海米洗净，加沸水泡发；干辣椒洗净、去籽、剪成段，再用香油炸焦；香菜洗净、切段；大蒜去皮、捣成泥；生葱切末，芝麻酱用凉开水搅稀。芥末以沸水调糊，盖后在温热处焖发，再加凉开水调成稀汁，去渣后加麻酱、精盐、米醋、酱油、蒜泥、葱末、味精、辣椒油制成卤汁。将粉皮摆在盘中，码上胡萝卜丝、黄瓜丝、海米、香菜段，浇上卤汁即可。适用于中暑、纳食不香者。

**【名医指导】**

1. 预防中暑：

（1）躲避烈日：不宜在早上10点至下午4点在烈日下行走；出门要备防晒用具，如打遮阳伞、戴遮阳帽、戴太阳镜，有条件的最好涂防晒霜。

（2）充足的水和饮料：最理想的是根据气温的高低，每日喝1500～2000毫升；保持充足睡眠：最佳就寝时间是22:00～23:00，最佳起床时间是5:30～6:30。

（3）注意不要躺在空调的出风口和电风扇下，以免患上空调病和热伤风。

2. 炎热夏季，防暑降温药品如十滴水、龙虎人丹、风油精等要备身边，以防应急之用。外出时尽量选用棉、麻、丝类的衣服。

3. 老年人、孕妇、有慢性疾病者，在高温季节要尽可能减少外出活动。

4. 已中暑者应采取少量多次饮水方法，每次不超过300毫升为宜。忌狂饮不止。

5. 忌大量食用生冷瓜果；忌食大量油腻食物；多饮茶、多吃粥，如绿豆粥、金银花粥、薄荷粥、莲子粥、荷叶粥、莲藕粥等。忌纯补。

6. 患者应以清淡饮食为主，可适当佐以鱼、肉、蛋、奶等。

## 晕动病

晕动病（即晕车病、晕船病、晕机病）

是由于各种原因引起的摇摆、颠簸旋转、加速运动所致的疾病。其发病机制尚未明了，主要与影响前庭功能有关，前庭器的内耳膜、迷路的椭圆囊和球囊的囊斑可感受上下和左右的直线运动，3个半规管毛细胞可感受旋转运动。当囊斑或毛细胞受到一定量的不正常运动刺激所引起的神经冲动依次由前庭神经传至前庭神经核，再传至小脑和下丘脑而引起一系列以眩晕为主要症状的临床表现。前庭受刺激后影响网状结构，引起血压下降和呕吐；前庭神经核通过内侧纵束纤维至眼肌运动核，引起眼球震颤；小脑和下丘脑受神经冲动后，引起全身肌肉张力改变。本病可能与视觉有关。例如，当人们凝视快速运动或旋转的物体时也可引起本病。小脑受刺激，亦可能为本病的又一机制。此外，高温、高湿、通风不良、噪声、特殊气味、情绪紧张、睡眠不足、过度疲劳、饥饿或过饱、身体虚弱、内耳疾病等均易诱发本病。

**【必备验方】**

1. 生姜1片。上车或上船放在舌下，下车、船后吐出。

2. 甘蔗汁、生姜汁各适量。和匀，温服。适用于晕动病恶心、呕吐者。

3. 荷叶9克。烧灰（存性），研细末，每服0.9克，每日1次，连服数日。适用于晕动病恶心、呕吐者。

4. 生葱头1把（捣烂），食盐少许。蒸熟成饼，敷脐中，良久呕可止。适用于晕动病恶心、呕吐者。

5. 苍术30克，麦麸250克，酒适量，醋少许。将苍术研末，拌麦麸炒黄，趁热以酒淬，令患者吸其热气，另取一部分（布包）温拭前胸。适用于晕动病恶心、呕吐者。

**【名医指导】**

1. 加强体育锻炼，平时多做转头、弯腰转身及下蹲等动作，以增加前庭器官的耐受性。

2. 避免吃得过饱、疲劳、睡眠不足、空气污浊、情绪紧张及汽油和油烟特殊气味等不良因素。

3. 康复训练：如反复多次乘船、乘车训练，以提高前庭器官对不规则运动的适应能力。可经常参加一些有助于调节人体位置平衡的体育项目，如秋千、滑梯、单双杠。

4. 乘车、乘船时应尽量限制头部运动，可将头靠在背椅上固定不动（如有可能尽量平卧）。

5. 避免不良的视觉刺激。乘车时少往窗外看，避免看书、看手机。

6. 乘车前可服用恬含宁含片等，以预防晕动病。

# 第三篇　外科疾病

# 第十一章 全身化脓性感染

## 局部化脓性感染

局部化脓性感染是指金黄色葡萄球菌、溶血性链球菌等突破皮肤的防线侵入人体引起的局部细菌性感染（如毛囊炎、疖、痈、蜂窝织炎和脓疱疮等）。临床表现为红肿、皮温增高、压痛、硬结、硬块或向心性蔓延的红痛条索状物，局部有波动感、坏死、溃疡及功能障碍等，但要注意区域淋巴结有无肿大，躯体其他部位有无同样病灶以及活动性手足癣等。

**【必备验方】**

1. 益母草适量。捣烂，封疮；另取鲜益母草绞汁服。又方，益母草，烧存性；先用已消毒的刀划破疔根，挤出血，挑药末入疔内，深者用捻子把药送入底部，过一会，有污血流出，拭净，再次上药，直到看见鲜血乃止。1～2 日后，根烂出，以针挑去，再敷上药，自愈。适用于各种疔疮的治疗。

2. 鲜猕猴桃叶、鲜野菊花叶各等份。同捣烂，敷患处。或鲜猕猴桃全草，白糖少许。捣烂敷患处，每日换 1 次；同时捣汁（1 酒杯）服。适用于痈疽疔疮、无名肿毒。

3. 蟾酥 5 克，白面 10 克，朱砂少许。水调为丸子（如麦粒大）。每用 1 丸，开水送服。如疮势紧急，用葱汤送服 5～7 丸，汗出即愈。适用于一切疮毒。

4. 陈小麦 1000 克。加水浸泡（夏季 2 日，冬季 7 日），捣烂，去渣，静置沉淀后去上清液，晒干成小粉浆，以小火炒（要不断搅动）至焦黄成块状时取出，研细末，加醋调（每 500 克药粉配食醋 240 毫升）敷于患处。适用于疖肿、痈、蜂窝织炎、流行性腮腺炎、带状疱疹、急性乳腺炎、丹毒、外伤感染等具红肿热痛特征的外科疾病。

5. 蛇皮 1 张，全蝎 2 个，蜂房 10 个，食醋 300 毫升。同浸泡 24 小时（时间长些则更好，药液用完后可再加醋 1 次）。用棉花或纱布蘸敷患处，外用绷带、胶布固定，每日 2 次。适用于疖肿。

**【名医指导】**

1. 注意卫生，禁食辛辣、刺激性食物及酒类，少吃甜食。忌挤捏面部和上唇的疖子；反复发作者寻找潜在因素，消除体内感染病灶。检查有无贫血、糖尿病等情况，及时治疗。

2. 可进行紫外线、红外线、超短波照射，缓解炎症。

3. 及时正确处理一切创伤和各种原发病源，正确使用抗生素和激素，严格掌握支援疗法的指征，增强身体体质，提高人体对疾病的抵抗力。

4. 已发生全身性感染者：

（1）严密观察病情：注意呼吸、脉搏、体温和血压的变化，注意神志变化及内脏损害表现，警惕感染性休克的发生。

（2）及时应用抗生素：对较长时间大剂量联合应用抗生素者，应经常观察其口腔黏膜是否出现真菌感染的白色斑点，警惕发生二重感染。

（3）局部病灶术后应注意观察脓液性质和引流是否通畅，注意有无新的转移性脓肿的出现并及时切开引流。

（4）加强支持疗法，进食高蛋白、高营养食物；对症处理和生活护理，预防并发症。

## 全身性化脓性感染

全身性化脓性感染是指病原菌侵入人体血液并在其生长繁殖或产生毒素而引起严重的全身感染症状和中毒症状的情况。本病可继发于污染或损伤严重的创伤及各种化脓性感染（如大面积烧伤、开放性骨折、弥漫性腹膜炎、胆道或尿路感染等），一般分为败血症和脓血症，以败血症最为常见。败血症是指病原菌侵入血液并在其内迅速生长繁殖而产生大量毒素，引起严重的全身症状。一般发生在患者全身情况差和致病毒力大、数量多的情况下，是一种严重的外科感染。脓血症是指局部化脓性病源的细菌栓子或脱落的感染血栓间歇地进入血液并在全身其他组织（或器官）形成转移性脓肿。此外，尚有菌血症、毒血症；实际上败血症、脓血症、菌血症、毒血症多为混合型，不能截然分开。毒血症与脓血症同时存在，称脓毒败血症。导致全身性感染的因素有：人体抵抗力的削弱（如营养不良、贫血、血浆蛋白过低及某些疾病等）；正常免疫功能的改变；局部处理不当。本病可影响人体各组织和器官，如控制不当或治疗不及时可危及生命。

本病中医学属“走黄”、“内陷”等范畴。疔疮毒邪走散为走黄，其他疮疡引起毒邪内传者称内陷。临床上分为火陷、干陷、虚陷三型。火陷者，多由于阴液不足，火毒炽盛，复因挤压疮口，或治疗不当，或治疗失误等因素以致正不胜邪，从而毒邪内陷入营；干陷者，多由于气血两亏，正不胜邪，不能酿化为脓，托毒内出，以致正愈虚，毒愈盛，从而形成内闭外脱；虚陷者，毒邪虽已衰退，而气血亦大伤，脾气不复，肾阳亦衰，致生化乏源，阴阳两竭，从而余邪亦可走窜内陷入营。

**【必备验方】**

1. 一点红30克，十大功劳10克，山芝麻、梅叶冬青、鱼腥草各15克。水煎服。每日1剂，分2～3次服。适用于疮疖内陷。

2. 鲜九头狮子草60～90克。洗净，捣烂，绞汁，加食盐调服。适用于疮疖并发全身感染者。

3. 千里光60克，桉树叶90片。每日1剂，将千里光水煎，分3次加桉树叶，分3次服。适用于泌尿系感染高热者。

4. 鲜大青叶50～100克。捣烂，绞汁，调少许蜂蜜炖热，温服，每日2次。适用于肺炎高热者。

5. 鲜丝瓜叶汁适量。调金黄散成糊，外涂患处。适用于流火、丹毒（多患于下肢，皮肤红、肿、热痛并伴有寒战、高热、头痛）。

**【名医指导】**

1. 及时、正确处理一切创伤和各种原发病，避免发生医源性感染，正确使用抗生素和激素，严格掌握支援疗法指征，增强身体体质，提高机体的抵抗力。

2. 已发生全身性感染要注意以下几点：

（1）严密观察病情，定时监测体温、脉搏、呼吸和血压，注意神志变化和有无内脏损害表现，警惕发生感染性休克。

（2）及时应用抗生素，对较长时间大剂量联合应用抗生素的患者，应经常观察口腔黏膜是否出现真菌感染的白色斑点，警惕发生二重感染。

（3）局部病灶手术后注意观察脓液性质和引流是否通畅，注意有无新的转移性脓肿出现，如发现新病灶要及时切开引流。

（4）加强支持疗法，对症处理和生活护理，预防并发症。

3. 保持情绪平稳、积极乐观心态，积极配合治疗。

4. 宜进食高能量、高蛋白质、低脂肪的食物，保证充足营养。宜进食含纤维素高的食物，保持大便通畅。

## 破伤风

破伤风又称金疮痉，多因皮肤破伤处受邪（破伤风梭菌）所致。临床表现为面唇青紫、颜面肌肉阵发性痉挛、苦笑面容、角弓反张、牙关紧闭、舌强流涎，甚者呼吸困难、痰鸣、窒息等。

**【必备验方】**

1. 羚羊角3克（锉，略炒），乱发1小

团（烧灰），蜈蚣1条（赤足者，炙）。共研细末，敷于患儿的脐中，外用绢帕束紧或用消毒绷带包裹。适用于预防新生儿破伤风。

2. 鱼鳔胶10～15克，黄酒120克。将鱼鳔胶用线扎数周，用草燃烧至烧焦，研末，以黄酒煎开冲服（见汗即愈）。

3. 蝉蜕适量。以葱汁调敷患处；同时以葱白60克，蝉蜕12克。煎水服。

4. 蛤蟆2只（去肠肚），花椒30克，酒适量。将蛤蟆剁如泥，入花椒同酒炒熟，再入酒500毫升，酌量温服（少顷汗出）。

5. 老葱白500克（连须，去叶），黑豆45克，棉籽90克，高粱酒75克。将棉籽炒焦至酱紫色，碾碎，去壳；葱白水煎成汤，酒温热；黑豆炒至90%焦时离火，倒入温酒，去渣，入棉籽粉混匀，加适量葱汤搅匀，灌服（服后盖被发汗），连服2日。适用于破伤风。服药期间忌食腥冷食物。

**【名医指导】**

1. 保持呼吸道通畅：病情严重者，宜早期行气管切开，利于呼吸道分泌物排出，减少肺部并发症，防止窒息。

2. 频繁痉挛抽搐，有引起呼吸肌痉挛窒息可能者，应进行机械人工呼吸，以渡过最危险时期。

3. 加强护理，严格隔离，观察病情变化。防止抽搐时发生跌伤。严格伤口隔离，防止交叉感染，交换后的敷料应焚毁。

4. 保持室内安静、遮光，减少刺激、避免扰动，必须的操作如测体温、翻身等尽量集中同时进行。及时清除痰液，可采用气管插管冲洗吸痰法，保持呼吸道通畅及口腔、皮肤清洁。

5. 保证营养和水分供给，后期可鼻饲乳品，如痉挛频繁不能鼻饲，可用静脉营养。

6. 给氧纠正缺氧状态。

7. 注射破伤风类毒素进行主动免疫。首次在皮下注射0.5 mL，间隔4～6周再注射0.5 mL，第2针后6～12个月再注射0.5 mL，此三次注射称为基础注射。以后每隔5～7年皮下注射类毒素0.5 mL，作为强化注射。

8. 未接受或未完成全程主动免疫注射，而伤口污染、清创不当以及严重的开放性损伤患者，应进行被动免疫，可予以破伤风抗毒血清1500 U进行肌内注射；伤口污染重或受伤超过12小时者，剂量加倍；注射前应做过敏试验。

# 第十二章　损伤性疾病

## 毒虫蜇伤与其他动物咬伤

毒虫蜇伤与其他动物咬伤是指人体被蜂、蜈蚣、蝎、蜘蛛及其他动物等蜇咬而出现局部或全身中毒症状。

**【必备验方】**

1. 被毒蚊、毒虫叮咬，可将随身携带的清凉油、风油精或红花油反复搽患处。亦可用棱针，先点刺放血，挤出黄水后涂上药。被蝎子、马蜂、蜜蜂蜇伤者，一定要先用针刺透伤处并挤压肿块，将毒汁与毒水尽量挤净，再用碱水洗伤口，涂上肥皂水、小苏打水或氨水；也可将碱面用煤油调涂患处；亦可将阿司匹林2片，研末，用凉水调涂患处。

2. 细茶叶适量。沸水泡，取汁洗患处，每日数次，连用数日。适用于蜂蜇、蜈蚣叮咬。

3. 若被蚂蟥咬住，千万不要硬拉，可用火柴烧（或用针刺）其尾部，或用鞋底、巴掌直接拍打蚂蟥，或在叮咬部位滴上几滴盐水（或乙醇、浓醋等），然后以75%乙醇消毒后涂上甲紫溶液。若蚂蟥钻入鼻腔，可将鼻子靠近一盆清水，用鼻子向水面吹气，蚂蟥遇水即会爬出。若蚂蟥钻入尿道或生殖系统，可用不带针头的注射器将适量蜂蜜水注入尿道或生殖系统，3～5分钟后蚂蟥就会掉出。

4. 守宫1条，鸡蛋1个。将鸡蛋打1个孔，纳守宫入蛋内（将小孔封固），埋于阴凉土内（暑季埋深20厘米）20日后取出，敷于患处（包扎固定）。适用于蝎蜇、蜂蜇。

5. 大蒜、艾叶各适量。将大蒜切薄片，贴于伤处，铺艾灸，至不痛为度。适用于毒蜘蛛咬伤、蝎蜇。

**【名医指导】**

1. 宜远离草丛和灌木丛，避免里面的虫类咬蜇伤。

2. 发现蜂巢应绕行，最好穿戴浅色光滑的衣物；若误碰触蜂群而招至攻击，此时最好用衣物保护好自己的头颈，反向逃跑或原地趴下，千万不要试图反击。

3. 夏季蜈蚣较多，尤其在农村，不要把婴儿放在室外乘凉，以免被蜈蚣蜇伤。孩子到野外玩耍时，应避免被草丛中蜈蚣蜇伤。

4. 在水田、池塘中使用裹脚、长筒靴能防止水蛭咬伤。

5. 在林区、树荫下工作或歇息时，注意有无毛虫、蜈蚣等。

## 烧　　伤

烧伤是指由热力（包括热液、蒸气、高温气体、火焰、灼热金属液体或固体等）所引起的皮肤黏膜损害，严重者可伤及其皮下组织。此外，由于电能、化学物质、放射线等所致的组织损害及临床过程类似于热力烧伤，临床上均归于烧伤类。也有将热液、蒸汽所致之热力损伤称烫伤，火焰、电流等引起者称烧伤。烧伤是由高温、化学物质或电引起的组织损伤，烧伤的程度因温度的高低、作用时间的长短而不同。局部的变化如下。一度：因血管麻痹而充血；二度：形成充满血清的烧伤水疱；三度：组织坏死；四度：组织的炭化。

**【必备验方】**

1. 鸡蛋1个。煮熟后取出蛋黄，入锅内翻炒至出油，取油涂于患处。适用于烫伤皮破灼痛者。

2. 开水、火（或油）烫伤时，即掐一段绿色葱叶，劈成片状，将有黏液的一面贴伤处（可多贴几片，并轻轻包扎），1～2 日即可痊愈。吃饭喝汤不小心烫伤口腔或食管，可马上嚼食绿葱叶，慢慢下咽。

3. 生菜籽油小半瓶，鲜葵花适量（洗净，擦干）。同浸（像腌咸菜一样压实，装满为止），拧紧瓶盖；放阴凉处存放 2 个月即可使用（存放时间越长越好）。使用时，以生菜籽油调搽伤处，每日 2～3 次，轻者 3～5 日、重者 1 周可见效。适用于烫伤。

4. 酸枣树皮粗末 300 克，80%乙醇 1000 毫升。同密封浸泡 48 小时，过滤，滤液密封保存；药渣再加入 80%乙醇 500 毫升密封浸泡 24 小时，过滤（尽量压榨药渣中药液），合并 2 次滤液，分装即可。创面先以 1%呋喃西林湿敷，待疮面干后上药。烧伤者，先撒上药粉后将无感染的疮面每日喷 2～3 次。适用于烧伤无感染者。

5. 榆树皮粉 500 克，黄柏粉 200 克，80%乙醇适量。同密封浸泡 48 小时，过滤，滤液密闭保存；药渣再加入 80%乙醇密封，浸泡 24 小时，过滤（尽量压出药渣中药液），合并 2 次滤液，分装即可。创面先以 1%呋喃西林湿敷，待疮面干后上药。凡烧伤者，先撒布药粉，然后将感染的疮面每日喷 2～3 次。适用于烧伤感染者。

**【名医指导】**

1. 注意皮肤清洁卫生。

2. 避免过度摩擦和过度活动，以免加重病情。

3. 下肢烧伤后不宜过早下床活动，一般在 3 个月左右活动比较适宜，在下床前宜使用压力套保护。

4. 注意饮食：

(1) 对于严重烧伤患者，饮食应由少量试餐开始，逐渐增加，避免发生急性胃扩张和腹泻；烧伤前胃内有残留食物的患者，暂不进食，伤后第 2～第 3 日，胃肠蠕动功能恢复后进食，以清淡易消化流质饮食为宜；1 周后可将流质饮食改为半流质饮食，进食肉末粥、蒸蛋、面条等；若患者消化功能良好，饮食可逐步恢复同一般患者。

(2) 烧伤者早期宜清淡、易消化饮食，多食新鲜蔬菜和肉类（包括鸡、肉、鱼等），荤素搭配均匀；后期多食高热量、高蛋白、易消化食物，如鸡蛋、豆类及其制品、鱼类、肉类等；忌辛辣刺激性食品，如辣椒、姜、蒜等；餐前餐后辅以水果，以帮助消化。

5. 水疱形成后以络合碘消毒，用无菌剪刀剪开水疱及时引流，避免感染形成溃疡。一般应在水疱消退、溃疡愈合后再行抗瘢痕治疗。

## 冻　疮

冻疮是局部皮肤、肌肉因寒气侵袭而形成局部血液循环障碍致皮肤损伤的疾病，好发于手、足、耳、面等暴露部位。临床表现为肿胀性紫红色斑块，局部温度变低，按压时可褪色，压力除去后红色逐渐恢复，病情严重时可出现水疱、大疱，破溃后形成糜烂、溃疡，愈后留有色素沉着或萎缩性瘢痕。

**【必备验方】**

1. 仙人掌适量。去刺，洗净，切片，捣烂，涂于患处，外用净纱布包好，2～3 日更换 1 次，连用 2 次即愈。

2. 冬瓜皮、茄子根各等份。煎水洗患处。或者用辣椒粉 30 克。加水 250 毫升煮沸，洗患处。已溃者，可将蜂蜜涂于消毒纱布上贴敷患处。

3. 芒硝、黄柏各适量。冻疮未溃者，芒硝用量大于黄柏 1 倍；已溃者，黄柏用量大于芒硝 1 倍。共研细末，以冰水（或雪水）调敷患处。局部症状轻微者，可按未溃者用药比例，将黄柏水煎后化芒硝，外洗患处，每日 1 次。未溃者每个疗程 4～7 日，已溃者每个疗程 8～11 日。

4. 风油精。搽患处（揉搓至发热），每日 3 次，连用 3 周。适用于冻疮初起及预防冻疮。已溃者忌用。

5. 红花、辣椒各 200 克，当归、生姜各 250 克，樟脑 10 克，60%乙醇 6000 毫升。将红花、当归、辣椒、生姜置容器内，加入 60%乙醇 5000 毫升浸泡 7 日，过滤备用；将樟脑溶于 60%乙醇 1000 毫升中，再与滤液混

匀过滤，取汁搽患处，每日3～4次。

**【名医指导】**

1. 积极参加体育活动，提高皮肤对寒冷的适应力及时受力。

2. 寒冷季节及气温骤降外出时注意戴好手套、耳罩，穿厚袜和棉鞋。平时常揉搓脸、耳、鼻和手，加强局部血液循环。

3. 衣服、鞋袜宜宽松，尽量保持干燥，潮湿后及时更换。

4. 习惯性冻疮应从夏季开始调护，逐步养成冷水洗脸、洗手的习惯，以提高耐寒能力。注意不要用含碱性太大的肥皂，以免刺激皮肤。洗后可适当擦油质护肤品。

5. 寒冷敏感者可多吃热性祛寒食品，如羊肉、狗肉、鹿肉、胡椒、生姜、肉桂等。

6. 慢性病患者除积极治疗原发疾病外，宜增加营养，保证足够的热量供应，增强耐寒能力。

7. 习惯性冻疮患者如需要在寒冷的户外环境中作业或长途旅行，可事先用20%的辣椒油膏（即辣椒细粉2分、凡士林8分，搅匀即得）擦于冻疮易发部位。

## 冻　伤

冻伤是由于寒冷作用于人体而引起局部乃至全身的损伤，与寒冷的强度、风速、湿度、受冻时间以及局部和全身的状态有关。多由寒冷所致，是以暴露部位出现充血性水肿红斑、遇温高时皮肤瘙痒为特征，严重者可出现皮肤糜烂、溃疡等现象。

本病病程较长、反复发作，不易根治。由于寒冷刺激，局部皮肤小动脉痉挛并造成组织缺氧、缺血和细胞损伤，如持续时间较长，细胞内外环境改变，可出现血管麻痹性扩张、静脉淤血，其通透性增加，血浆渗入组织间隙而引起水肿。湿冷环境（特别是气温在10℃以下）、末梢血运微循环异常、自主神经功能紊乱、营养不良性贫血和手部多汗均为诱因。临床表现为：初起时损害常为圆形，界线不明显，局部皮肤苍白，然后转成紫色；冻伤的皮肤有冷的感觉，局部肿胀，有麻木、灼痒、触痛感，局部温暖时更厉害；有时冻伤部位还会有水疱，如果破溃造成感染，可出现炎症；全身性的严重冻伤，造成昏迷甚至死亡。一般将冻伤分为冻疮、局部冻伤和冻僵3种。

**【必备验方】**

1. 乙醇（30%～50%）、鲜樱桃（用冷开水洗净）各适量。同密封浸泡，埋于不见阳光的背阴处深49～66厘米，冬季取出，过滤至澄清，将樱桃和滤液分装。一、二度冻伤，取液涂患处，每日数次；三度冻伤（有溃疡面或坏死组织），可将樱桃去蒂、核，捣烂后敷患处。

2. 当归、肉桂各60克，红花、花椒、干姜各30克，樟脑、细辛各15克，95%乙醇1000毫升。同浸泡7日，去渣，装瓶备用。于三伏天中午以药棉蘸涂患处，每次10～20分钟，连用30日（晴天比阴天效果好）。一般1年即效，重者连续2年三伏天均涂。

3. 透骨草、冬瓜皮各50克（已溃时，用生地黄30克，紫花地丁15克，芫花、甘草各9克）。煎汤，熏洗患处，每日2次，连用3日。适用于手、足冻伤。

4. 黄丹120克，熟石膏18克。共研细末，撒于疮面上。或干姜片（炮至微黄）、枯矾各等份，共研细末，撒于患处，每日换1次。适用于冻伤已溃者。

5. 鲜橘皮3～4个，生姜300克。加水2000毫升煎30分钟，取液浸洗患处，药渣外敷。适用于冻伤红肿、发痒者。

**【名医指导】**

1. 注意锻炼身体，增强免疫力；坚持冷水洗脸、洗手，如果身体能耐受可坚持冷水浴。

2. 注意保暖，保护好易冻部位如手、足、耳朵等处，出门要戴好手套、穿厚袜、棉鞋等，保持衣服鞋袜的干燥；平时经常揉搓易冻部位，以加强血液循环。

3. 避免使用含碱性大的肥皂；洗后可适当涂一些润肤脂、雪花膏、甘油等油质护肤品。

4. 慢性病患者（如贫血、营养不良等），积极治疗原发病的同时增加营养，以保证机体足够的热量供应。

5. 避免长时间坐立，静止不动；要适当活动，以促进血液循环。

6. 冻伤急救时，可将冻伤部位或冻伤患儿置于救护者怀中或腋下复温；不可直接用火烤，也不可把浸泡的热水加热，所有冻伤部位尽可能缓慢地使之温暖而恢复正常体温。切忌直接用雪团按摩患部及用毛巾用力按摩。对已复温的患儿，不能再用温热水浸泡；否则会加重组织损伤和坏死。

## 毒蛇咬伤

全世界共有蛇类2500种，其中毒蛇为650余种，而每年被毒蛇咬伤的人数在30万人以上，死亡率约为10%。我国蛇类有160余种，毒蛇约有50余种，其中有剧毒、危害剧大的有大眼镜蛇、金环蛇、眼镜蛇、五步蛇、银环蛇、蝰蛇、蝮蛇、竹叶青、烙铁头、海蛇等，可多于夏秋季节南方森林、山区、草地中出现。毒蛇的头多呈三角形，颈部较细，尾部短粗，色斑较艳，牙齿较长。无法判定是否为毒蛇咬伤时，应按毒蛇咬伤急救。

**【必备验方】**

1. 重楼、半边莲、八角莲、山海螺、地耳草、白花蛇舌草、香茶菜、徐长卿、杠板归、甜地丁、青木香、东风菜、蛇莓、两面针各等份（均为鲜品，取一至数种）。洗净，捣烂，取汁服，每次20～30毫升，每日4～6次（首次加倍），同时取汁敷伤口周围（不要遮盖伤口），每日数次（干后即换）。

2. 白芷、雄黄、酒、大蒜各适量。将白芷、雄黄煎酒急饮（白芷宜多，煎酒汁宜浓，尽量多饮），常令酒气不断，同时多食生、熟大蒜。

3. 大蜘蛛7个，酒250克，白花蛇舌草100克。将酒含口中，用力吸咬伤处（至将酒含吸完，勿咽），用狭灌在伤口处拔毒3次，将活蜘蛛放伤口处（至蜘蛛失去知觉），将其余6只和白花蛇舌草捣烂，敷于伤处周围。注意：蜘蛛有毒，宜慎。

4. 老黄瓜根25克。水煎服，外用鲜叶捣敷，敷患处（或煎水洗）。适用于毒蛇咬伤、蜂窝织炎、湿疹、疮疖。

5. 鲜半边莲50～100克（捣烂绞汁），甜酒50克。调匀服（取微汗），重者每日2次。并将鲜半边莲捣烂敷于伤口周围。

**【名医指导】**

1. 取少量雄黄烧烟，以熏衣服、裤子和鞋袜；将雄黄蒜泥丸藏于衣裤口袋中，可驱蛇。

2. 在行进途中可用登山杖、树棍不断打击地面、草丛、树干；穿上高帮鞋、长裤，必要时绷紧裤脚；进入丛林时，头戴斗笠或草帽。

3. 若嗅到特殊的腥臭味，要警惕附近有蛇。

4. 遇到毒蛇后保持静止。

5. 遇到毒蛇紧追时，采取“之”字形路线跑开；或站在原地不动，面向着毒蛇，注视它的来势，向左右躲避；或设法躲到蛇的后面；可用登山杖或木棍向毒蛇头部猛击。

6. 毒蛇见灯（火）光追来，迅速熄灭头灯、电筒，将火把扔掉，可向蛇身喷洒雄黄水。

注意：五步蛇对红外线特别敏感，眼镜王蛇会主动袭击人，伤后死亡率很高。

## 毒虫咬蜇伤

毒虫咬蜇伤是指含有毒素的虫类（包括蜂、蚊、蝎、蜈蚣、刺毛虫、蜘蛛等）通过其刺及毒毛刺蜇或口器刺咬人体皮肤，毒液入里而发生局部或全身性病理反应。轻者仅发生局部的中毒症状，严重者可出现全身性的中毒反应。咬蜇伤多见于颜面、手足等暴露部位。人体被咬蜇伤后，伤处可出现剧痛，或伴瘙痒、红肿、水疱、荨麻疹等；也可出现全身中毒反应，如头昏、恶心呕吐、腹泻、恶寒发热，严重者可有惊厥、抽搐，甚至可发生过敏反应。

本病中医学属“恶虫叮咬”范畴。中医学认为：恶虫咬蜇人体，由其虫毒注入人体内而发病，轻则局限于皮肤，重则走散，循经络而入营血脏腑，从而引起局部的反应或全身的中毒症状。毒虫伤人，毒气侵入肌肤，可致瘙痒刺痛，外起斑疹，甚则溃烂；若毒

气流窜经络，可有红丝显现；若邪毒炽盛，则可入营血，侵犯脏腑。

【必备验方】

1. 消风祛毒汤加减：金银花、车前子各30克，连翘、牛蒡子、徐长卿各10克，蝉蜕、龙胆各6克，蒲公英、生甘草、半边莲各15克，夏枯草9克。水煎服。胸闷呼吸困难者，加山梗菜9克；气喘痰鸣者，加川贝母3克（研末冲服），竹沥30克（冲服），法半夏9克。

2. 琥珀碧玉散加减：琥珀、黄连各6克，青黛5克，野菊花、滑石、甘草各30克，大青叶、连翘各15克，丝瓜络、牡丹皮、黄芩各10克。水煎服。局部痒者，加地肤子10克，白鲜皮10克，蒺藜10克，苦参10克；热盛抽搐者，加钩藤12克，白芍10克；气虚、大汗淋漓者，加生黄芪15克，西洋参12克；高热、谵语者，加服安宫牛黄丸或紫雪丹。

3. 蛇伤方加减：威灵仙、防己、五灵脂、白芷各15克，浙贝母、吴茱萸各10克，红花6克，川贝母12克，细辛3克，黄连9克，半边莲30克。水煎服。

4. 五味消毒饮合清营汤加减：金银花我、甜地丁、水牛角、半边莲各30克，菊花、重楼、玄参、牡丹皮、连翘、淡竹叶各10克，生地黄15克。水煎服。

5. 五虎追风散加减：蝉蜕30克、天南星、天麻各6克、全蝎5克、僵蚕9克。

【名医指导】

1. 保持环境卫生清洁，衣服、被褥常洗晒。

2. 注意预防，尽量远离草丛和灌木丛。发现蜂巢应绕行，最好穿浅色衣服。

3. 夏季（尤其是农村）不要把婴儿放在室外乘凉，以免被蜈蚣蜇伤。

4. 在水田、池塘时，需裹脚、穿长筒靴。

5. 在林区或树阴下工作或休息时，注意有无毛虫或蜈蚣等。

6. 如果在野外被蜂类蜇伤，要快速转移到安全的地方，然后用直角边的物体（如卡或刀背）擦掉或刮掉毒刺，再用肥皂和清水清洗被咬的部位。不要试图拔掉毒刺，以免释放更多毒液。可用冰袋或装满冰块的衣服敷在伤口上，用0.5%或1%氢化可的松乳膏或炉甘石液涂在咬伤、疼痛部位直至症状消失。如果蜇伤后出现恶心反胃、肠痉挛、痢疾、腹泻或较大肿块时，应立即住院治疗。

7. 忌食鱼腥发物，多食水果蔬菜，保持大便通畅。

# 第十三章 急腹症疾病

## 急性阑尾炎

急性阑尾炎是一种极为常见的急腹症，主要由于阑尾腔内异物滞留所致，可发生于任何年龄，以青年人发病最多。本病可分为单纯性、化脓性、坏疽穿孔性和阑尾周围脓肿4类。临床表现为突发性上腹或脐周疼痛，常伴有发热、恶心、呕吐，食欲减退，转移性右下腹疼痛，也可有右下腹部痛、反跳痛以及肌紧张等腹膜刺激征，体温一般为37.5 ℃～38 ℃；阑尾穿孔时体温明显升高，并伴有寒战、高热、血白细胞增高，中性粒细胞增多。本病治疗以手术切除阑尾为主，亦可辅以中医治疗。

本病中医学属“肠痈”范畴。凡饮食不节，劳倦过度，跌仆损伤，暴怒忧思，寒温不适均可致病。其病机不外乎气滞、血瘀、湿阻、热毒，临床多以实热证为主，治疗以清热解毒、理气活血为法。临床分为瘀滞期、蕴热期和毒热期。

**【必备验方】**

1. 金银花30克，绿豆50克，粳米100克，白糖适量。每日1剂，将金银花水煎，去渣，入绿豆、粳米煮为稀粥，加入白糖，分2次服。适用于急性阑尾炎溃脓期。

2. 辣椒500克。洗净，晒干，研细末，过100目筛，取粗末，加水适量，过滤，取浓汁与细粉混合，制成丸（如梧桐子大），每服12粒，每日3次。适用于急、慢性阑尾炎。

3. 三叶鬼针草、败酱草各30克。加水800毫升煎至300毫升，顿服，重者2剂。或鲜三叶鬼针草100克，水煎服，每日3次；另用鲜草捣烂，敷于阑尾穴。

4. 紫皮大蒜100克，芒硝30克。同捣成泥，先用凡士林涂患处，再敷上药糊（外用纱布包好、胶布固定），每日1次。若白细胞数增高，可适当加用青霉素等抗生素。一般敷后约15分钟，患处疼痛加剧（如火灼），周身出汗；20分钟后腹部肠鸣不断，可有排气现象；30分钟后火灼感逐渐消失。适用于急性阑尾炎、阑尾脓肿。

5. 大黄、木香、牡丹皮各10克，金银花18克，桃仁4～10克，连翘12克。水煎至200毫升，保留灌肠，每日2次。

**【名医指导】**

1. 注意饮食卫生，避免饮食不节；防治肠道寄生虫。

2. 多食粗纤维食物，预防便秘。注意身体锻炼，避免饭后剧烈活动。

3. 保持情绪平稳、心态乐观，积极配合治疗；消除对疼痛和手术的恐惧。

4. 术后24小时可起床活动，以促进肠蠕动、防止肠粘连；术后3个月内避免重体力劳动、性生活。避免过度疲劳，保证充足睡眠。

5. 术后1日宜流质饮食，术后2～3日吃软食，术后4日可吃普食。食物丰富多样化，多吃鸡、鱼等蛋白含量高的食物。多吃水果和蔬菜，保持大便通畅。忌辛辣食品，忌酒。

6. 年老体弱者术后注意保暖；每日需拍背助咳，预防坠积性肺炎。保持大便通畅。

7. 术后如感伤口处疼痛、不适，随时复诊。

8. 彻底清除机体感染病灶，预防肠道感染性疾病。

## 急性胰腺炎

急性胰腺炎是指胰酶在胰腺内被激活后引起胰腺组织自身消化的急性化学性炎症，胆道疾病、胰管梗阻、酗酒、暴饮暴食、手术创伤、内分泌代谢障碍、感染、药物以及其他因素均可导致。临床症状轻重不一，轻者有水肿，表现为腹痛、恶心、呕吐等；重者胰腺发生坏死或出血，可出现休克和腹膜炎，死亡率高。本病好发于20～50岁女性。

本病中医学称“胰瘅”，属“胃胀痛”．“脾心痛”等范畴。

**【必备验方】**

1. 白胡椒2克，鸡蛋1个。水煮5分钟，去蛋壳后再煮10分钟，吃蛋喝汤，每日2次。适用于急性胰腺炎腹痛者。

2. 芥末9～15克。加醋和卤水熬浓，摊厚纸上或布块上，贴腹痛处。如皮肤发赤起疱，即去药。适用于急性胰腺炎腹痛者。

3. 生姜汁1盏（煎滚收储），蜂蜜250克（炼熟收储）。每取姜汁1匙，蜂蜜2匙，沸水调服，每日5～7次。适用于急性胰腺炎恶心、呕吐者。

4. 风油精1毫升。加冷开水20～30毫升，擦浴（上下肢两侧、背部、腋下、腹股沟及四肢关节屈侧，边擦边揉）7～8分钟。适用于急性胰腺炎发热者。

5. 冰片适量。研细末，加3～4倍的蒸馏水，混匀，擦浴（全身皮肤和颈部、腋部、腹股沟、腘窝、肘窝表浅大血管等处，以发红为度）。适用于急性胰腺炎发热者。

**【名医指导】**

1. 积极去除病因及诱因，预防本病的发作及反复发作。具体如下：

（1）积极去除梗阻因素，如胆道蛔虫病、乏特壶腹部结石嵌顿、十二指肠乳头缩窄等。

（2）积极去除酒精因素，长期饮酒者应戒酒；饮酒时不宜与高蛋白、高脂肪食物一起摄入。忌暴饮暴食，忌饱饭后剧烈运动。

（3）积极去除血管因素，及时发现并解除胰腺小动、静脉急性栓塞、梗阻及胰管梗阻。

（4）避免外伤。

（5）积极消除感染因素，控制各种细菌感染和病毒感染。

（6）积极纠正代谢性疾病，如及时消除高钙血症、降低高脂血症等。

2. 急性胰腺炎患者急性期应禁食，一般为1～2周；并及时进行胃肠减压。视病情的恢复情况，逐渐由流质、半流质饮食过渡到软食。期间忌食寒凉、高脂肪饮食；忌辛辣醇酒厚味、鱼腥发物等。

3. 绝对卧床休息，除休克患者外，均宜取半坐卧位，使脓液流向盆腔。

4. 定时复查腹部体征，动态观察炎症发展情况，特别是非手术治疗者。

5. 预防及早期发现并发症，若内科保守治疗效果不佳者，可转外科手术治疗。

## 急性腹膜炎

急性腹膜炎是由感染、化学性物质（如胃液、肠液、胆汁、胰液等）或损伤引起的腹膜急性炎症性病变，其中以细菌感染引起者最多。临床主要表现为腹痛、腹部触痛和腹肌紧张，常伴有恶心、呕吐、腹胀、发热、低血压、速脉、气急、白细胞增多等中毒现象。本病大多为腹腔内某一疾病的并发症，起病前后常有原发病症状。

中医关于腹膜炎的记载散见于“肠痈”、“腹痛”、“胃脘痛”、“结胸”等病。《诸病源候论》谓：“凡腹急痛，此里之有病”，“由脏腹虚寒冷气客于肠胃膜原之间，结聚不聚，正气与邪气交争，相击故痛。”

**【必备验方】**

1. 半夏（洗去滑）、小麦面各500克。共为末，水泛为丸（如子弹大），煮熟。初服4～5丸，次服加至14～15丸。适用于急性腹膜炎恶心、呕吐者。

2. 绿豆1把，伏龙肝1块（如大枣大）。共研细末，加冷开水1碗搅匀，取澄清液服。适用于急性腹膜炎恶心、呕吐者。

3. 盐橄榄30枚。煅炭，研细末，饭后以生姜汤冲服，每次4.5克，每日3次，连服2～3日为1个疗程。适用于急性腹膜炎腹胀者。

4. 大枣10枚，黄芪16克，糯米50克。将黄芪水煎，去渣，入大枣、糯米煮粥食，每晚1次，连用2个月。适用于急性腹膜炎低血压者。

5. 乌骨鸡1只（去毛及内脏，洗净），当归60克，黄芪50克，红糖150克，米酒50毫升。纳后4味入鸡腹中（再将鸡肚皮缝紧），隔水蒸服，半个月1次，连用2个月。适用于急性腹膜炎低血压者。

**【名医指导】**

1. 卧床休息，宜采取前倾30°～45°的半卧位，以利炎性渗出液流向盆腔而易于引流。若已休克则取平卧位。

2. 禁食并做胃肠减压。

3. 纠正体液、电解质及酸碱平衡的紊乱。静脉输液，保持每日尿量1500毫升左右。

4. 宜采用广谱抗生素或使用数种抗生素联合治疗。如能获得病原菌，依药敏试验结果选用抗生素疗效更佳。

5. 剧烈疼痛或烦躁不安者，如诊断已经明确，可酌用哌替啶、苯巴比妥等药物。

6. 避免暴饮暴食及过度饮酒。

7. 保持情绪平稳，避免暴怒、忧郁等精神刺激。

8. 劳逸结合，防止受凉劳累。

## 肠梗阻

肠梗阻是以肠内容物不能正常顺利通过肠道为特征的疾病，是外科常见急腹症之一。其病因复杂，病情发展迅速可引起一系列局部和全身的病理变化，可危及生命。临床分为机械性肠梗阻、麻痹性肠梗阻和血运性肠梗阻。机械性肠梗阻是由机械性损伤或刺激引起，可发生于小肠和大肠的任何部位。当某段肠曲发生梗阻时，近端的肠曲就会增加蠕动（以克服阻塞）而引起剧烈阵发性腹痛；梗阻时间稍长，梗阻以上的肠曲就有气体和液体滞留，可出现呕吐、大便秘结、肛门不排气等症状。麻痹性肠梗阻是由于炎症和毒素使肠蠕动受到抑制而形成的梗阻。其主要表现为满腹胀痛，肠蠕动逐渐减弱或消失，可有呕吐、停排便和失水等全身症状。血运性肠梗阻是因肠系膜血管阻塞或血栓形成而发生的梗阻。其特点为发病急，表现为剧烈腹痛、血便，肠管很快坏死而形成腹膜炎。发生肠梗阻患者应及时就医，缓解后可进行中医治疗。

本病中医学属“关格”、“腹痛”、“肠结”等范畴。由于饮食不节，湿邪食滞交阻，肠道气机不疏；或寒邪凝滞，血不得行，肠管气血痞结；或热邪郁闭，蕴久化火，伤阴损阳；或情志不畅，郁怒伤肝，气血障阻；或大肠干枯，燥屎内结，肠腑传化障碍；或蛔虫聚集，扭结成团，经络阻塞，导致肠腑通降失常，壅滞上逆而成。肠梗阻初起，肠腑气机不利，滞塞不通，痰饮水停，呈现痛、吐、胀、闭四大证候；其后肠腑府血阻滞，痛有定处，胀无休止，甚至痹积成块，或血不归经而致呕血、便血；继之，郁久生热化火，热甚肠腐，热毒炽盛，邪实正虚，正不胜邪，阴阳两伤，而出现亡阳亡阴之危证。

**【必备验方】**

1. 菜油20～30毫升，野菜花根、马鞭草根、扁竹根鲜品各30克（干品10～15克）。分别洗净、切片，水煎半小时，滤后再煎2次。患者先急服生菜油，半小时后再服头煎滤液，约30分钟后疼痛缓减，续服二、三煎混合液，待排出蛔虫则梗阻可解除。适用于梗阻性肠梗阻。

2. 花椒（去椒目）15克，香油125毫升。将香油加热，入花椒至微黄时停火，去渣，取油顿服。适用于虫积性肠梗阻。

3. 麝香0.15～0.25克。研末敷于神阙穴上外用胶布固定，以艾灸至肛门排气（艾灸时以皮肤觉热为度），同时针刺内关、足三里（均双）等穴，交替强刺激，留针30分钟。脐部有湿疹、溃烂者忌敷。若12小时以上无效者，改用其他治疗。适用于麻痹性肠梗阻。

4. 莱菔子（研末）、鲜石菖蒲（捣烂）各60克，鲜橘叶100克（切碎），葱白5根，白酒50～100克。前4味用白酒炒热（布包），热敷脐周，冷却后再加酒炒热外敷，如

此反复多次。敷药6小时症状未减者，可配合中药内服；敷药24小时仍未排气排便者，可根据情况改用其他疗法。

5. 生甘遂10～20克，生大黄（后下）、芒硝、枳实、厚朴各10克。煎汤200～300毫升保留灌肠，必要时4～6小时再行1次。适用于粘连性肠梗阻。

**【名医指导】**

1. 注意饮食规律，忌暴饮暴食。宜食干净、易消化、富含纤维素的食物，如水果、新鲜蔬菜等；少吃动物性食物，尤其不吃高蛋白且不易消化吸收的食物；肉类食品可煮至熟烂后再吃，对不易嚼烂、易形成团块的食物（如糯米、葡萄、香菇、竹笋、动物筋膜、肌腱等）尽量少吃。少吃辛辣之品。

2. 饱餐后不宜立即运动或劳动。卧床久、活动少会增加食物性肠梗阻机会，妊娠期一定要注意适当运动（如散步等）。

3. 保持大便通畅。

4. 养成饭前、便后洗手的习惯；积极治疗肠道蛔虫病。

5. 治疗各种腹外疝，及早发现和治疗肠道肿瘤。

6. 非手术治疗期间，须严密观察腹痛、呕吐及体温、呼吸、脉搏、血压等病情变化。若不见好转或反而加重，应立即手术。

7. 鼓励腹部术后患者早期起床活动，防止肠粘连。

8. 术后须禁食，在手术2～3日后如肛门排气，可给予少量流质饮食，如稠米汤、藕粉、清鸡汤等；5～6日后可改为少渣半流质饮食，如米粥、汤面、粉丝汤、瘦肉汤等；忌食带鸡肉、火腿及各种蔬菜的汤类；术后10日可酌情给予肉汤。

9. 若有呕吐、腹胀、腹痛、停止排气排便等，应及时就诊。

## 胆囊炎和胆石症

胆囊炎和胆石症两者互有联系和互为因果，相互伴发，临床表现和治疗又密切联系。急性胆囊炎可有发热、黄疸、右上腹阵发性绞痛，压痛明显，痛处肌紧张。慢性者常因饱餐或过食油腻而急性发作，发作时痛如刀割。胆石症可无症状，当结石移动嵌顿于胆管时出现剧烈绞痛，可从右上腹向右肩胛区放射，疼痛过后可出现黄疸。

本病中医学属“黄疸”，“胁痛”等范畴。

**【必备验方】**

1. 丝瓜络适量。研细末，以金钱草30～45克煎水（加酒数滴）送服，每次10克，每日2次，半个月为1个疗程。适用于胆结石。

2. 白矾500克，玄明粉500克。共研极细末，装入胶囊（每粒约0.5克），饭后以温开水送服，每次4粒，每日3次，连服1～2年。适用于胆石症。

3. 核桃仁、冰糖、香油各500克。隔水蒸熟。服7～10日。有脾虚、腹泻者，香油用量可酌减至250克，宜温服；外感发热时，停药。适用于胆囊炎。

4. 炙鸡内金30只，糯米100克，白糖适量。将鸡内金研粉；糯米加水浸泡2小时后捞出，晒干，蒸熟后烘干（或晒干），磨成粉，与鸡内金粉混合，再磨1次，取粉装瓶。每日2次，每次2匙（加半匙白糖），以适量开水拌匀后煮沸，当点心吃，3个月为1个疗程。适用于胆囊炎。

5. 龙胆、苦参、大黄、金钱草各120克（共研细末），猪苦胆10只（取汁）。调匀饭前服，每日3次，每次9～12克。适用于胆囊炎。

**【名医指导】**

1. 注意保暖，居室温度适宜。

2. 劳逸结合，避免过劳。

3. 饮食不宜过饱，忌暴饮暴食。饮食应注意：

（1）宜低脂饮食，不吃肥肉、油炸和含脂肪多的食品，并以植物油代替动物油。少吃含胆固醇多的食品，如蛋黄、鱼子及动物脑、肝、肾等。烹制食品时，以炖、烩、蒸、煮为主。

（2）进食富含优质蛋白质及糖分的食物，保证热量的供给。

（3）多补充水分，以稀释胆汁。

（4）多吃富含维生素A食物，如西红柿、胡萝卜、玉米、鱼肝油等。

(5) 多饮果汁，如橘汁、梨汁、苹果汁、荸荠汁及藕汁。

(6) 少用富含纤维素的食物，可食用少渣食品或半流质饮食。

(7) 忌酒及刺激性食物、浓烈调味品。

4. 保持心情舒畅，避免精神抑郁。

5. 适当参加体育运动，控制体重。

6. 糖尿病、肾炎、溶血性疾病、胆道手术等均能直接或间接引起胆囊炎、胆石症，故应注意对基础疾病的治疗。

## 胁　痛

胁痛指一侧或两侧胁肋部疼痛，包括肝脏、胆囊、胸膜、肺部、胸肌、肋骨及肋间神经等。

中医学认为，胁痛多与肝胆疾病有关。凡情志抑郁，肝气郁结；或过食肥甘，嗜酒无度；或久病体虚，忧思劳倦；或跌仆外伤等均可导致。辨证时，分气、血、虚、实。气郁者多为胀痛，痛处游走不定；血瘀者多为刺痛，痛有定处；虚证多隐隐作痛；实证多疼痛突发，痛势较剧。临床分型如下。①肝气郁结型：症见胁痛胀痛，走窜不定，胸闷纳呆，苔薄脉弦。②气滞血瘀型：症见胁部刺痛，固定不移，胁肋下或可触及结块，舌紫暗，脉沉涩。③肝胆湿热型：症见胁痛胸闷，口苦纳呆，或尿黄身热，苔黄腻，脉弦数。④肝阴不足型：症见胁痛隐隐，口干心烦，头晕目眩，舌红少苔，脉弦细或数。

**【必备验方】**

1. 鲜墨旱莲100克。洗净，捣汁服，每次半茶杯，每日3次。或干品50克，水煎服。适用于胸壁挫伤胁痛咯血者。

2. 丹参15克（切片），旋覆花（布包）、郁金（切片）各10克，粳米100克，葱白5茎。将旋覆花、丹参、郁金水煎，去渣，入粳米煮成粥，加入葱白搅匀，于每日早、晚空腹服食，每次1小碗，7日为1个疗程。

3. 芫花、甘遂、大戟各等份，大枣10枚，矿泉水400毫升。同入沙锅以文火煎至100毫升去渣，于每日早上顿服（体弱者减半，小孩按年龄服）。服后可随意饮白开水；忌食生冷食物。

4. 生川乌、生草乌各等份。共研细末，用凡士林调敷于痛点及其周围（外以纱布覆盖、胶布固定），每日换药1次。如胁痛游走不定，可取章门、期门、日月等穴。局部皮损者忌用。适用于胁痛剧烈者。

5. 白芍12克，香附10克，柴胡、芍药、青皮、枳壳各6克。共研细末，香油调贴痛处。胀痛明显者，加夏枯草30克，钩藤12克；以刺痛为主者，加鸡血藤、桃仁；以灼痛感为主者，加地龙、木香、穿山甲各10克。适用于胁痛固定者。

**【名医指导】**

1. 保持心情愉快，积极乐观面对生活，防止气机郁滞。

2. 起居劳动避免外邪侵袭。

3. 注意劳逸结合，以安静休息为主，活动锻炼为辅，防止过劳、跌仆等。

4. 少食肥甘厚腻、辛辣之品，多吃蔬菜、水果、瘦肉、豆制品等清淡而有营养的食物；勿食生冷不洁、不易消化之物。

5. 积极治疗原发疾病，防止变生他证。

## 黄　疸

黄疸是肝胆系疾病的一个突出表现，表现为巩膜及皮肤黄染。它是胆红素代谢障碍致血液中胆红素浓度增高，渗入到组织中而使皮肤、巩膜、黏膜、体液和其他组织被染成黄色。在正常情况下，血清总胆红素含量<17毫摩尔/升，1分钟（直接）胆红素占15%～25%。当血清胆红素>17毫摩尔/升而<34毫摩尔/升，而临床上并不会发现有黄疸现象，称隐性黄疸。当总胆红素浓度>34毫摩尔/升，巩膜、皮肤、黏膜、体液和其他组织才会黄染而被肉眼观察到，称显性黄疸。按其病因分为溶血性黄疸（如先天性溶血性黄疸、蚕豆病、恶性疟疾等）、肝细胞性黄疸（如传染性肝炎、钩端螺旋体病、晚期门脉性肝硬化、肝脓肿、肝癌等）和阻塞性黄疸（如胆囊炎、胆石症、胰头癌、胆道蛔虫病等）。

本病中医学亦称“黄疸”。

【必备验方】

1. 鲜蛤蚧500克。剖开，倒出壳中的汁和肉，锅中放少许油炼熟，倒入蛤蚧肉及汁，加水煮沸即可。每日分2～3次服食，连用3日即愈。适用于急、慢性黄疸。

2. 泥鳅5条，豆腐1块，食盐、味精各少许。将泥鳅放入清水中，滴几滴食用油（以使其排出粪物），取出泥鳅同豆腐（切块）炖熟，加食盐及味精调食，每日2次。

3. 茵陈1把，栀子14枚，生石膏500克。前2味以水八升煮取二升半，去渣；以石膏500克，猛火烧令赤，投汤中沸，定清取汁，适寒温服1升，汗出乃愈。

4. 安息香1支，瓜蒌10克。同捣烂，用草纸卷成卷，用火点燃熏鼻。如系阴黄者，加麝香少许。

5. 百部50克，糯米饭1小碗，酒适量。将百部捣烂，再把糯米饭和酒拌匀。先将百部根置于脐窝中，盖上糯米饭及酒（以纱布包扎、胶布固定），以口中有酒气为度。适用于阳黄。

【名医指导】

1. 饮食有节，少食多餐。应吃营养价值高的牛奶、蛋、果汁等食品；不宜食用辣椒、榨菜、大蒜、肉桂、丁香、茴香、葱、韭、生姜等辛辣之品；忌食糯米、大枣、荔枝等黏糯滋腻之物；忌食马铃薯等易致胀气食物；忌食辛热、肥甘之物，如动物油、肥肉、狗肉、海鱼、虾子等；阴黄之人还应忌螃蟹、螺蛳、蚌肉、柿子、香蕉、生地瓜、生菜瓜、苦瓜等生冷性凉食物。

2. 勿饮酒。

3. 注意休息，生病期间应在床上静养。

4. 保持心情舒畅愉快，不宜生气、郁郁寡欢。

5. 黄疸消退后，不宜马上停药，应遵医嘱复查，以免复发。

## 尿石症

尿石症是泌尿系统各部位结石病的统称，主要与代谢因素有关，其次与遗传、性别、季节和地理环境等因素有关。其临床典型表现可见腰腹绞痛、血尿，或伴尿频、尿急、尿痛等泌尿系统梗阻和感染症状，常伴有尿路梗阻。肾结石约占尿石症的27%，任何年龄均可发病，多见于21～50岁（10岁以下和60岁以上者少见）。输尿管结石多以肾脏原发而来，男女发病比例为4.5∶1，好发于下段1/3。膀胱结石有明显地区性，好发于男性，且以儿童为多见，多原发于膀胱，也可来自肾脏或继发于其他局部病变。尿道结石约占尿石症总数的3%，多为男性，多发于肾或膀胱，也可原发于尿道或其他部位的结石移行于尿道内滞留长大。

本病中医学属“砂淋”、“石淋”、“血淋”、“腰痛”等范畴。一般急性发病并有尿石排出者称石淋、砂淋，急性发病而无尿石排出者称血淋、热淋，可纳入“腹痛”、“腰痛”范畴。中医学认为，本病病因病机主要为下焦湿热、气滞血瘀及肾气虚弱。平素嗜食肥甘酒热之品，脾胃运化失常，致湿热蕴结下焦，煎熬尿液，积久成石；或外感湿热，阻滞气机，血脉经络不通，腰腹疼痛即作；热伤血络，血溢脉外，下走阴窍，则出现血尿；湿热蕴结膀胱，则尿频急涩痛；脾亏肾虚，水湿不化，痰瘀交阻，可出现肾积水，肾功能受损。

【必备验方】

1. 牛膝、乳香各10克，血余炭2克（研细末）。以牛膝、乳香煎汤，加适量酒冲血余炭服（服药前先服冬瓜汤1次）。

2. 瞿麦、滑石、石韦、石燕子（烧红，水淬2次，研细）各等份。共研末，面糊为丸（如梧桐子大），以瞿麦、灯心草煎汤送服，每次50丸，每日3次。适用于小便痛不可忍，出沙石而后方通者。

3. 大萝卜（1指厚）4～5片。以好蜂蜜淹少时，以慢火炙（干则蘸蜜），取尽60克蜂蜜反复炙，令香软（不可焦），候温细嚼，以盐汤50毫升送下。适用于砂淋。

4. 粉萆薢9克，蛤壳（研细）、石韦、车前子、茯苓各4.5克，灯心草20节，莲子心、石菖蒲、黄柏各2.4克。水煎服。适用于白浊淋症。

5. 生川乌（研细末）、生草乌（研细

末）、生姜片各 100 克。加适量白酒炒热（装棉布袋内），热敷结石部位和腰腹部，每日 1 次，每次 30～60 分钟（忌敷脐以上部位，炒药不能用旧铁勺）。适用于气淋。

【名医指导】

1. 以磷酸盐、碳酸盐为主的结石，应选择糖分、脂肪、肉类的食物；以草酸钙、尿酸钙等盐类为主的结石，应多食蔬菜、水果如冬瓜、黄瓜、胡萝卜、西葫芦、西瓜、鸭梨、柑橘、苹果等；草酸钙结石患者，应限制菠菜、芹菜等的摄入；尿酸结石患者，应避免进食含嘌呤高的食物，如动物内脏、肉类、鱼类、豆类及豆制品、蘑菇等。

2. 一般每日饮水 2000 毫升以上为宜。

3. 不憋尿、及时排尿。

4. 加强身体锻炼，增加结石震动（如跳绳、下楼梯）。

5. 做碎石的患者碎石后 3 日内应卧床休息，并采取患侧卧位，尽可能少下床活动，使碎石颗粒尽可能减缓排出速度，避免或减少石巷形成的可能。

## 急性梗阻性化脓性胆管炎

急性梗阻性化脓性胆管炎是指胆管严重的急性梗阻性化脓性感染，常伴胆管内压升高。患者除了有右上腹痛、畏寒发热、黄疸（Charcot 三联症）外，还伴有休克及精神异常症状（Reynolds 五联征）。本病是我国胆道疾病最突出的急症，也是最严重的感染性急腹症。病死率较高。本病多因胆石症、胆道蛔虫或肝脓肿引起。感染的细菌绝大多数是大肠埃希菌、铜绿假单胞菌、变形杆菌等。其特点是发病急骤、病情危重、发展迅速，常伴有中毒性休克，如处理不及时常会出现严重后果。

本病中医学属“黄疸”的“急黄”范畴，系感受湿热毒邪，阻滞中焦，脾胃疏泄失常，胆汁输送排泄受阻，侵入于血，外溢肌肤所致。它的特点是发黄急骤，身目呈红黄色，高热烦渴，胸满腹胀，神昏谵语，衄血便血，或出斑疹，舌绛，苔黄燥，脉弦滑数。

【必备验方】

1. 茵陈 60 克，大黄、金银花、蒲公英、金钱草、薏苡仁各 30 克，郁金、连翘、枳壳各 15 克，黄芩、黄柏、牡丹皮、栀子各 10 克，青黛 3 克（冲服）。每日 1 剂，水煎 2 次，分 2 次服。

2. 水牛角、蒲公英、金银花各 30 克，生地黄、黄连各 5 克，黄柏、栀子、大青叶、赤芍各 12 克，玄参 20 克，大黄 5 克。每日 1 剂，水煎服。另安宫牛黄丸 1 粒化服，每日 3 次。适用于湿热内蕴，热毒炽盛所致之急黄。

3. 茵陈、虎杖、金银花、金钱草、板蓝根各 30 克，丹参 20 克，龙胆草、柴胡各 10 克，黄芩、黄柏、赤芍、栀子、大黄各 15 克，甘草 6 克。水煎服，每日 1 剂。

4. 柴胡、黄芩、郁金、焦山栀、枳实、陈皮、厚朴各 12 克，生大黄、茵陈、炙黄芪各 15 克，生地黄 20 克，金钱草 30 克。水煎服，每日 1 剂，早、晚分服。内热甚者，加蒲公英、金银花；小便短赤者，加车前子、猪苓。

5. 柴胡、栀子、厚朴、黄芩、赤芍、半夏、枳实各 15 克，金银花、茵陈、金钱草各 50 克，大黄、芒硝各 25 克。水煎服，每日 1 剂，早、晚分服。体温不降者，加生石膏、牡丹皮各 15 克；腹胀重者，加木香、莱菔子各 15 克；恶心呕吐者，加竹茹、赭石各 15 克；腹痛重者，加延胡索、川楝子各 15 克；休克者，加人参 20 克，甘草 10 克，麦冬、附子各 15 克。服中药的同时配合针刺，取穴足三里、内关、期门、中脘等穴，强刺激手法或电针，留针 1 小时。

【名医指导】

1. 注意保暖，温度适宜。积极预防基础疾病，如对肝胆管结石及胆道蛔虫病的防治。

2. 劳逸结合，有胆石症基础的患者，不宜过度劳累。

3. 不可暴饮暴食，易引发胆绞痛等。低脂饮食，不吃肥肉、油炸和含脂肪多的食物，以植物油代替动物油；少吃含胆固醇多的食物，如蛋黄、鱼子及动物的脑、肝、肾等；烹制以炖、烩、蒸、煮为主。进食富含优质蛋白质及糖类食物；多补充水分；吃富含维

生素A的食物，如西红柿、胡萝卜、玉米、鱼肝油等；多饮果汁，如橘汁、梨汁、苹果汁、荸荠汁及藕汁。忌酒及刺激性食物。

4. 既往有胆囊炎、胆结石等基础疾病者，一旦出现高热、寒战、黄疸、腹痛、腹胀等症状应及时就诊。若伴呕吐，及时清除呕吐物，保持呼吸道通畅。

5. 确诊后卧床休息，暂禁食。

6. 使用足量敏感的抗生素，预防中毒性休克和胆源性败血症。必要时急诊手术。

# 第十四章 腹外疝

## 腹股沟斜疝

腹股沟斜疝是指疝囊经过腹壁下动脉外侧的腹股沟管深环突出，向内、向下、向前斜行经过腹股沟管再穿出腹股沟浅环并可进入阴囊。本病约占腹股沟疝的90%，是最常见的腹外疝。

本病中医学属“疝气”范畴。

**【必备验方】**

1. 乌头5枚（大者）。去芒角及皮，蜂蜜煎透，取出、焙干，炼蜜为丸（如梧桐子大），盐汤下20丸。

2. 老韭菜500克。加水煮沸，熏洗阴囊。

3. 干荔枝（去壳）、冰糖各5～6枚。将荔枝水煎20分钟，加入冰糖再煮10分钟（可以连煮3次），代茶饮用，每日1剂，连用3～4个月后可愈。

4. 麻雀1只（去毛，开膛）。将小茴香子放入麻雀膛里（用纸包好），烤酥，研末，以黄酒、红糖调服，连用5只为1个疗程。

**【名医指导】**

1. 积极防治引起腹内压增高的疾病，如慢性支气管炎、尿潴留、肺气肿、前列腺肥大、慢性便秘等。

2. 戒烟，改变不良的卫生习惯。

3. 保持大便通畅，多食蔬菜、水果并定量饮水。

4. 小儿应尽量避免和减少哭闹、咳嗽，防止便秘。注意休息；小儿坠下时，可用手按摩，推至腹腔。

5. 尽量减少奔跑与站立过久，坚持适宜、适量、适时的锻炼，忌蹦、跳、拉、持重等剧烈运动；并注意腹部肌肉的锻炼。

6. 多食蔬菜、水果，定量饮水。多食有补气作用的食物，如山药、扁豆、鸡、鱼、肉、蛋等；食物宜温、热、软，忌生、冷、硬。

7. 保持乐观、愉悦的心情，建立战胜疾病的信心。

## 腹股沟直疝

腹内脏器和组织经腹壁下动脉内侧直疝三角突出体表为腹股沟直疝。年老体弱，腹壁肌肉、腱膜筋膜退化，腹壁强度降低均可发病。巨大斜疝使腹股沟管后壁强度明显减弱或缺如可并发直疝。腹股沟直疝约占腹股沟疝的5%，多见于老年男性，常为双侧。腹股沟直疝主要为腹股沟区可复性肿块，位于耻骨结节外上方，呈半球形，多无疼痛及其他不适；站立时疝块出现，平卧时消失；肿块不进入阴囊，极少嵌顿；还纳后可在腹股沟三角区直接扪及腹壁缺损，咳嗽时指尖有膨胀性冲击感。用手指在腹壁外紧压内环，患者起立咳嗽时仍有疝块出现，可与斜疝鉴别。双侧性直疝、疝块常于中线两侧互相接近。

本病中医学属“疝气”范畴。

**【必备验方】**

1. 乳鸽1只，生黄芪10克（布包）。将乳鸽洗净，纳生黄芪入乳鸽中，隔水蒸食。适用于小儿疝气。

2. 全蝎（研末）、鸡蛋各1个。将全蝎末装入鸡蛋（打1小孔）蒸熟食。

3. 猪脬1个（洗净），小茄香、八角茴香、补骨脂、川楝子各等份。将后4味填入

猪脬内再加青盐 1 块，扎定，以酒煮熟，吃猪脬留药。药再焙过，捣丸服下。

4. 茶叶 10 克，橘叶 70 克，老姜 25 克，淡豆豉 30 克，食盐 1.5 克。煎水熏洗患处，每次 20 分钟以上，每日 1 次，连用 3～5 次。适用于疝气。

5. 生姜片（2 毫米厚）。置于患侧腹股沟上方，将艾绒做如枣大，灸 5 壮，燃至有温热感时压穴，每日 1～2 次。

**【名医指导】**

1. 改变不良的生活习惯，培养健康的生活方式。

2. 戒烟：不仅有效缓解慢性咳嗽，还可避免抑制胶原纤维的合成。

3. 保持大便通畅，宜多食新鲜蔬菜、水果，定量饮水。养成定时排便的习惯。

4. 积极预防和治疗使腹内压增高的疾病，如慢性支气管炎、肺气肿、前列腺肥大等。

5. 小儿应尽量避免和减少哭闹、咳嗽和便秘，注意休息；当疝坠下时，可用手按摩，推至腹腔。尽量减少奔跑、站立过久。

6. 适当增加营养，多吃具有补气作用的食物，如山药、扁豆、鸡、鱼、肉、蛋等。适当进行锻炼，增强身体素质。

## 股　疝

股疝是指经股环、股管而自卵圆窝突出的疝，多见于中年以上的经产妇女（右侧较多见），临床上约占腹外疝的 5%。疝块往往不大，常在腹股沟韧带下方卵圆窝处表现为一半球形的突起；平卧回纳内容物后，疝块有时并不完全消失，咳嗽冲击感不明显。易复性股疝症状较轻，肥胖者尤其容易忽视。部分患者可在久站或咳嗽时感到患处胀痛并有可复性肿股疝（如发生嵌顿）。除引起局部明显疼痛外，也常伴有较明显的急性机械性肠梗阻，重者可以掩盖股疝局部症状。

本病中医学属“疝气”范畴。

**【必备验方】**

1. 红皮蒜（去皮）、金橘各 2 个，白糖、橘核各 50 克。以水 2 碗煮至 1 碗，顿服。适用于疝气异常疼痛者。

2. 狼毒 200 克，防风 100 克，附子 150 克。共研为末，炼蜜为丸（如梧桐子大）。每服 3 丸，每日 3 次。适用于阴疝（睾丸缩入腹中，急痛）。

3. 龙眼核、荔枝核各 8 克，黄皮果核 6 克，小茴香 4 克。每日 1 剂，水煎，3 岁以下儿童分 3 次服，连用 3 剂为 1 个疗程，重者酌加艾灸。适用于小儿疝气。

4. 槐子 3 克（炒褐色，研末），食盐 1 克。调匀，空腹以黄酒送服。适用于疝气偏坠肿痛者。

5. 川楝子 25 克（去核），吴茱萸 15 克。共研为末，酒糊为丸（如黍米大），每服 20～30 丸，盐汤送下。适用于小儿冷疝（气痛、阴囊水肿）。

**【名医指导】**

1. 保持乐观心态，情绪平稳，经常自我检查疝气有无突出、嵌顿等，必要时及时到医院治疗。

2. 疝气初发，应引起足够重视，予以妥善有效维护，避免嵌顿、坏死等。

3. 坚持适宜、适量、适时的锻炼，增强体质，提高抗病能力，切勿进行蹦、跳、伸、拉、持重等剧烈活动，以免加重病情。

4. 注意饮食调理：宜食温、熟、软的食物，忌食生、冷、硬的食物。采取少吃多餐，防止过饱。饮食宜富有营养，易消化吸收。

5. 防止便秘，保持大便畅通。

6. 老年人应积极加强腹部肌肉锻炼，积极治疗老年病。

## 脐　疝

脐疝是指经脐环脱出的疝，临床上分为婴儿脐疝和成人脐疝（前者较后者多见）。脐位于腹壁正中部，在胚胎发育过程中是腹壁最晚闭合的部位。同时，脐部缺少脂肪组织，使腹壁最外层的皮肤、筋膜与腹膜粘连，成为全部腹壁最薄弱的部位，腹腔内容物容易于此部位突出形成脐疝。在人体胎儿时期，通过脐环部位有 2 条动脉、1 条静脉、卵黄管及脐尿管与母体相连，以获取营养。在胎儿出生前后，上述结构逐渐闭锁，脐环闭锁时形成脐凹陷。如果闭锁不全或延期闭锁，可使胎儿出生后出现畸形及形成脐疝。

本病中医学属“疝气”范畴。

**【必备验方】**

1. 补骨脂50克（盐炒，研末），黑芝麻25克。调匀服，每次9克，每日2次。

2. 羊睾丸、鸡蛋各4个。炖汤，吃蛋喝汤，每日1剂，连服数日。适用于脐疝气虚者。

3. 干丝瓜适量。瓤烧末，每服6克，热黄酒下。

4. 生姜、葱白、大蒜各等份。同捣烂，敷于气海穴（外以纱布包扎、胶布固定），并用麸夫炒热（布包）熨之。适用于小儿疝气。

5. 麝香1克，阿魏9克，芒硝6克，普通膏药24克。将膏药放于小铜勺中溶化，入阿魏、芒硝烊化拌匀，摊于3寸见方的薄布上，最后将麝香撒于药膏上面，贴敷患处。适用于小儿疝气。

**【名医指导】**

1. 成人脐疝：积极治疗原发病，避免或减少腹内压增加的因素，如腹壁薄弱的肥胖者、中老年人、经产妇及有腹内压增高的慢性疾病患者，应注意治疗咳嗽、便秘、腹部疾病等。

2. 婴幼儿脐疝：要耐心、细心护理，按时喂哺，及时换尿布，注意保暖，尽量减少哭闹，定期做儿保健康检查。及时添加钙剂及维生素D，多晒太阳，防止佝偻病的发生。

# 第十五章 周围血管疾病

## 血栓闭塞性脉管炎

血栓闭塞性脉管炎是一种慢性周期性加剧的全身中小动、静脉阻塞性病变，好发于20～40岁男性。临床表现为四肢末端发冷、麻木，继而疼痛、坏死溃疡，严重时趾（指）节脱落。如不及时治疗，会造成残疾，甚至危及生命。

本病中医学属“血瘀”、“脱疽”、“十指零落”等范畴。其内因主要为脾气虚弱、肝肾不足，外因主要为寒湿侵袭，长期吸烟也是本病诱因。本病多因脾肾阳虚，寒湿外侵，寒湿凝聚经脉，或因情志内伤，脏腑蕴热，邪热淫于脉络等，致脉络痹塞，气血不调而成。

**【必备验方】**

1. 鸭血适量。加适量清水及食盐，隔水蒸熟，入好酒（最好是首乌酒）1～2汤匙稍蒸片刻后服用。每日1次，连服4～5次为1个疗程。适用于气血俱虚型血栓闭塞性脉管炎。

2. 爬山猴350克，白酒1000毫升。将爬山猴研细，先用白酒湿润后置于密闭容器内，加入白酒，按冷浸法浸渍7日后服，每次15毫升，每日3次。原发性高血压患者忌用。

3. 猪前蹄1只（烙净余毛，洗净，砍成小块），毛冬青200克（洗净，切块）。加清水800毫升烧开，撇去浮沫，加入生姜片、黄酒和精盐，以小火炖熟，去毛冬青块，分1～2次热服，连服7日为1个疗程。如无不良反应，可继续服用。

4. 生石膏250克，桐油100毫升。将石膏研末，加桐油调敷患处，外以消毒纱布包扎，每日换药1次。已溃破者，需将溃破口敷平，换药时先用15%温盐开水洗净、拭干后敷药。

5. 艾叶、桃枝、槐枝、桑枝、红花、炒穿山甲各30克。加水浸泡1小时后煎3～4小时，去渣，洗浴（水温调至30℃左右）10～15分钟，连用20日后，水温逐渐调至35℃左右，并在该温度下能适应20分钟。

**【名医指导】**

1. 必须戒烟。

2. 进行足部运动以增加侧支循环。

3. 避免寒冷刺激。冬季宜穿长筒棉套，穿着宽大舒适的鞋袜。

4. 注意卫生。患肢常用温水或肥皂清洗。经常修剪趾（指）甲，清理污垢。

5. 加强肢体功能锻炼，以不感疲劳为宜。节制性生活。

6. 饮食宜清淡而富有营养，多食瘦肉、豆制品、新鲜蔬菜、水果等。可选用温性食物，如牛肉、羊肉、鸡肉等；可选食山楂、马兰头、柿、油菜、芹菜、绿豆、海带、淡菜、荞麦面等食品。忌生冷、辛辣刺激性食物，如辣椒、大蒜等。

7. 保持心情愉快、情绪乐观，增强战胜疾病的信心，积极配合治疗。

## 动脉硬化性闭塞症

动脉硬化性闭塞症是指全身性动脉内膜及其中层呈退行性、增生性改变，使血管壁变硬、缩小、失去弹性，从而继发血栓形成，致使远端血流量进行性减少或中断；可发生于全身各主要动脉，多见于腹主动脉下端和下肢的大、中动脉。发生在肾动脉以下的腹主动脉与两髂总动脉者称 Leriche 综合征。

本病中医学属“痛痹”、“痿证”、“脱疽”等范畴。主要由于脾气不健，肝肾不足，寒湿侵袭，凝滞脉络所致。脾肾阳气不足、肝肾不足是发病的根本，寒冷刺激是发病的重要因素，还与长期吸烟、外伤等因素有关。四肢为诸阳之末，得阳气而温。脾肾阳气不足，不能温养四肢，复感寒湿之邪，则气血凝滞，经络阻遏，不通则痛，四肢气血不充，失于濡养，则皮肉枯槁不荣，汗毛脱落，肝肾不足，或寒邪郁久化热蕴毒，湿毒浸淫，脉络闭阻，肢末无血供养，而致趾（指）焦黑坏死，甚则脱落。病久耗伤气血，导致气血两虚。临床治疗以温阳通脉、活血祛瘀为主。

**【必备验方】**

1. 熟附子 45 克，细辛 15 克，红花、丹参各 60 克，土鳖虫、苏木、川芎各 30 克，大枣 20 克，白酒 1500 毫升。同浸泡 1 周后服，每日 2 次，每次 30 克。适用于寒湿血瘀者。湿热壅滞者忌用。

2. 爬山猴 350 克，白酒 1000 毫升。将爬山猴研细，先用白酒湿润后置于容器内，加入白酒，按冷浸法浸渍 7 日后，每次 15 毫升，每日 3 次。原发性高血压患者忌用。

3. 牛骨髓（烤干）、黑芝麻（略炒香，研细末）各 300 克，白糖适量。调匀服，每次 9 克，每日 2 次。适用于肝肾亏虚型痿证。

4. 当归 15 克，独活、桑枝、威灵仙各 30 克。煎水熏洗，每日 1 次。未溃期，可选用冲和膏、红灵丹油膏外敷。

5. 附子、干姜、吴茱萸各等份。研末，蜂蜜调敷于患足涌泉穴，每日换药 1 次。如发生药物性皮炎即停用。

**【名医指导】**

1. 积极治疗原发性高血压、高脂血症、糖尿病等原发病。严密监测病情。肥胖者应减肥。

2. 适当进行患侧肢体运动锻炼：患者仰卧，抬高下肢 20～30 分钟，然后两足下垂床沿 4～5 分钟，同时两足及足趾向下、上、内、外等方向运动 10 次，再将下肢平放 4～5 分钟，每日 3 次。注意坏疽感染时禁用。

3. 走路步伐不宜过快，避免引起缺血症状发作；避免搬重物等过劳活动。

4. 患肢注意保温，脚部保持干燥清洁，勤剪趾甲，穿合适的鞋袜，避免损伤。

5. 必须戒烟。

6. 饮食宜清淡，多食水果、蔬菜、豆类食品；增加营养素，如蛋白质、糖类、维生素、无机盐和水等的摄入；多食纤维素丰富、胆固醇量低、低脂肪的饮食；多喝水或淡茶水；少食刺激性食物，如辣椒、胡椒等。

7. 避免外伤。

8. 肢体活动功能训练可采用主动、被动训练，从内容上可有传统体育训练、生活作业训练等。若肢体瘦削枯萎、运动无力、不能步履，卧床阶段可采用卧位被动练功，随时变换姿势，防止“畸形”发生。继则采取主动练功训练，如坐位、立位和步行练功。根据病情，可选用相应的导引、按摩、气功以及五禽戏、八段锦等传统体育锻炼方法。生活作业方法更为实用易学。若上肢活动障碍，采用写字、投掷、接球、弹琴、编织、拨算盘等；若下肢活动受限，采用踏三轮车、缝纫等训练方法。

## 下肢深静脉血栓形成

下肢深静脉血栓形成（DVT）是临床常见病、多发病，在周围血管疾病中占 40%左右，而下肢深静脉血栓形成后综合征的发病率高达 50%以上。据报告，美国每年有 25 万～50 万人患深静脉血栓性疾病，尸检中发现有下肢深静脉血栓形成者占 72%。国内深静脉血栓形成的病人也在逐年增多。本病多与手术、挤压、外伤和长时间固定体位有关，发病后严重影响患者正常生活和工作，甚至危及生命。

本病属中医学“肿胀”、“瘀证”、“血瘤”、“筋瘤”、“恶脉”、“瘀血流注”、“脉痹”等范畴。1994 年国家中医药管理局发布的《中医病症诊断疗效标准》将本病明确命名为“股肿”。其形成多由筋脉受损，或过食膏粱，或气机郁滞，或荣卫不和，或外邪入侵，致

使气血正常运行受阻，局部筋脉络道凝滞、痰瘀内蕴而成。

**【必备验方】**

1. 金银花、忍冬藤、生地黄各 20 克，当归、牛膝、蒲公英、赤芍各 15 克，玄参 12 克，黄柏、苍术各 10 克，生薏苡仁、鸡血藤各 30 克。水煎服，每日 1 剂。

2. 土鳖虫、赤芍药、川芎、熟地黄各 10 克，当归、苏木、骨碎补、地龙各 20 克，木瓜 15 克，参三七、甘草各 5 克。水煎服，每日 1 剂。

3. 三棱、莪术各 10 克，水蛭、当归各 12 克，干蜈蚣 3 克，泽兰、泽泻各 8 克，川牛膝、车前子、白花蛇舌草各 15 克，炙黄芪、土茯苓各 30 克，甘草梢 6 克，水煎服，每日 1 剂。

4. 红花 8 克，当归、地龙、黄柏、赤芍各 15 克，桃仁（打）、川芎、苍术、川牛膝各 10 克，泽兰 12 克，丹参、土茯苓、薏苡仁、金银花各 20 克。疼痛甚者，加乳香、没药各 10 克；下肢热肿明显者，重用黄柏、苍术、金银花，加萆薢、猪苓各 15 克；气血亏虚明显者，去金银花、黄柏，加黄芪 40 克，党参、白术各 20 克；阳虚肢冷麻木者，去金银花，加桂枝、制附子各 10 克，蜈蚣 2 条。

5. 苍术、白术、茯苓、红花各 15 克，法半夏、黄柏、川牛膝、香附各 10 克，丹参、黄芪各 30 克，当归 20 克，延胡索 12 克。水煎服，每日 1 剂。

**【名医指导】**

1. 坚持服用抗血小板聚集药，切不可自行中断。

2. 挑选适合自己的弹力袜，最好终身穿。

3. 适当活动，如跑步、跳健身操、游泳、爬山等活动。

4. 多食富含维生素的食品，如芹菜、韭菜、粗粮、豆类、富含维生素 C 的新鲜水果、西红柿、山楂等；多食富含维生素 $B_6$ 的豆制品、乳类、蛋类；多食富含维生素 E 的绿叶蔬菜、豆类等；多食高蛋白食物，如肉类、鱼类、乳制品类；多食高热量食物，如牛奶、蛋糕、鸡蛋、甜食；多食优质蛋白质，如牛奶、鸡、鸭、鱼类、蛋类（蛋黄应少吃）、豆制品；少吃或不吃动物脂肪、内脏，如肥肉、肥肠、肚等；低盐饮食。

5. 多饮水，喝适量热牛奶，避免喝咖啡、浓茶等。

6. 注意休息，生活规律，保证较好的睡眠质量。

## 下肢静脉曲张

下肢静脉曲张临床主要表现为下肢的大、小隐静脉扩张和伸展，形似蚯蚓，突出表面；行走时，脚部感到疲乏，且胀痛不适。下肢静脉曲张造成小腿的血液循环不畅，表浅组织的血液供不应求，致使养料和氧气不能满足需要，局部抵抗力和组织修复能力下降，患者自觉下肢沉重、发胀、麻木、隐痛，行走或站立后容易疲劳，足背和内外踝部常有肿胀；严重时小腿皮肤呈紫铜色，常伴有脱屑、瘙痒；若遇蚊虫叮咬、搔抓或外伤，容易溃烂且经久不愈。

本病中医学属“筋瘤”、“炸筋腿”、“脉管病”等范畴。由于嗜食辛辣刺激之品，湿热内生，加之长期站立，以致湿热下注，而使脉络气血运行受阻，瘀结于下则为病；久居阴凉、潮湿之处，或长期涉水作业，湿邪外袭，阻于经络，气血运行失畅，脉络瘀滞；年老体弱，诸脏气虚，血脉不利，久瘀不化，溃疡久治不愈。

**【必备验方】**

1. 旧麻袋 50 克（切碎，洗净），黑芝麻 25 克。共水煎至 1 碗，顿服，每日 2 次，连用 10 日。

2. 白鲜皮、马齿苋、苦参各 30 克，苍术、黄柏各 15 克。同以纱布包扎好，水煎，去渣，熏洗患处，每日 1～2 次，每次 1 小时。如有创口，熏洗后再常规换药。

3. 云南白药适量。用白酒调敷患处，外用塑料袋敷盖、胶布固定，24 小时更换 1 次。适用于早期静脉曲张。

4. 黑豆、粳米各 100 克，红糖适量，苏木 15 克，鸡血藤 20 克，延胡索 5 克（研细末）。将苏木、鸡血藤水煎，去渣，入黑豆、粳米、延胡索为粥，加红糖食。

5. 当归、川芎、鸡血藤、透骨草、艾叶、制川乌、红花、桂枝、牛膝各15克。加水浸泡40分钟，以文火煮沸30分钟，熏蒸患部，每日2次，每次20分钟。10日为1个疗程。

【名医指导】

1. 避免久站、久坐；患肢应常做抬高、放下运动，忌下肢活动过少或长时间下垂不动。适量运动，每日做数次躺下将腿抬高（高过心脏）的姿势；每日穿弹力袜运动1小时，如散步、快走、骑脚踏车、跑步等。

2. 坚持穿循序减压弹力袜，每日早起下床前即穿上弹力袜。保持弹力袜的清洁，当弹力袜失去弹性时应立即更换。

3. 保持正常体重。

4. 每晚自我检查小腿是否肿胀；不可使用40℃以上的水长时间泡脚；保持脚及腿部清洁，避免受外伤造成皮肤破溃。

5. 腿部皮肤干燥者，遵医嘱涂药；每晚睡时，将腿垫高约20厘米，并保持最舒适姿势。

6. 宜吃活血食物及温性食物，如生姜、鸡、鸭、山楂、藕、栗子、荔枝等；忌油腻食物；忌腌制、烟熏、火烤和油炸的食物；忌辛辣刺激性食物。

7. 快速步行：静脉曲张患者，坚持每日快速步行4次，每次15分钟。快速步行后，躺下休息（脚高于身体平面体位）15分钟左右。

8. 爬行活动：距离由短到长，速度由快到慢，不宜在饭前、饭后运动。

9. 忌用收缩血管的药物如麻黄碱等。

10. 避免提重物。

## 小腿慢性溃疡

小腿慢性溃疡（俗称老烂腿）又称慢性小腿溃疡、静脉曲张性溃疡、淤积性溃疡，是由于静脉曲张，静脉压增高，毛细血管损伤，局部循环障碍，小动脉及淋巴管阻塞，以致局部组织营养不良，氧合作用降低，或外伤感染而促进溃疡形成。临床特点为多发于小腿中下1/3交界处前内外侧，溃疡发生前患部长期皮肤瘀斑、粗糙，溃烂后疮口经久不愈（或虽已经收口，易因局部损伤而复发）。

本病中医学属“臁疮”、“裤口疮”、“裙边疮”等范畴。由于小腿皮肤破损染毒、湿热下注（或瘀久化热）所致。

【必备验方】

1. 茄子（经霜打后的）100克（切片，晾干，研细末），地龙25克（焙干，研细末），猪头骨30克（煅），侧柏叶20克（焙干，研细末），灯心草15克（烧成炭，研细末），冰片10克。共研细末，蜂蜜调涂于患处，每日换药1次。适用于下肢溃疡。

2. 铜青7分（研细），蜂蜡50克。同加热至沸；另取厚纸1张，铺涂熬汁（两面垫一层纸），贴患处（以出水为好）。适用于臁疮顽癣，亦治杨梅疮毒及虫咬。

3. 鲜猪蹄甲3份（炒黄，研粉），枯矾、海螵蛸粉各1份，冰片少许。和匀，蜂蜜调敷于创面上，外用纱布包扎，1周后换药，之后3日换药1次，再后每日1次，连用5～10次即可。适用于溃疡不敛、臁疮糜烂、创伤、烧伤。

4. 绿豆60克。用文火略炒，研末，每取适量，以适量陈醋调敷于患处，每日换药1次。连敷10周可愈。适用于臁疮。

5. 陈石灰、凡士林各60克，冰片10克。将石灰、冰片研细，凡士林调摊于患处（外以纱布、橡皮膏固定），每日换药1次。适用于臁疮。

【名医指导】

1. 患足宜抬高，减少走动。

2. 疮口愈合后，宜常用绷带缠缚或穿“医用弹力袜”保护。

3. 进食富含维生素、蛋白质的食物。

4. 宜食具有活血的食品，如生姜、鸡、鸭、山楂、藕、栗子、荔枝等，宜热服。宜食清热解毒易消化食物，如绿豆、梨、西瓜、百合、苦瓜等；可饮用菊花茶、金银花露，或用荷叶、竹叶煎汤代饮。宜食营养丰富的滋补之品，如瘦肉、海参、牛奶、鸡蛋等；可用党参、黄芪、当归炖鸡，或用党参、当

归、熟地黄、白术、大枣等炖牛肉食用。忌生冷、收敛之品；忌辛辣、烧烤、肥甘厚味及鱼腥发物等。

5. 避免过度负重、久站、远途跋涉、外伤及刺激，治疗静脉曲张或静脉瘤。

## 红斑性肢痛症

红斑性肢痛症是一种少见的肢端血管扩张性疾病，最容易侵犯肢体的远侧端（尤其是下肢）。其特征为发作性疼痛、皮肤血管充血和皮肤温度增高，其病机可能由于自主神经功能紊乱引起末梢血管功能失调，导致血管过度扩张、局部充血所致，其病因尚未明了。

本病中医学可归属于“痹症”、“脚板痛”、“手足痛”等范畴，尤与“血痹”相类似。本病病因病机与正虚邪袭、寒凝经脉有关。

**【必备验方】**

1. 3年陈醋5升（煎5沸），葱白3升。煮沸，滤出，以纱布趁热裹之。适用于红斑性肢痛症疼痛者。

2. 尖嘴鳝鱼、鳅鱼各数尾。和白糖捣烂，敷于患处连用3～4次，可愈。适用于红斑性肢痛症疼痛者。

3. 苍术5000克。洗净，以米泔浸3宿，再以蜂蜜酒浸1宿，去皮。用黑豆1层拌苍术1层，蒸2次；再用蜜酒蒸1次，用河水熬浓汁，去渣，隔汤煮，滴水成珠为度。每膏500克和炼蜜500克，白汤调服。适用于红斑性肢痛症疼痛者。

4. 艾叶60克，葱头1把，生姜45克。同捣烂（布包），加极热烧酒，搽患处（以痛止为度）。适用于红斑性肢痛症疼痛者。

5. 紫苏60克。杵碎，以水3升研汁，煮粳米2合作粥，和葱、椒、姜、豉食之。适用于红斑性肢痛症疼痛者。

**【名医指导】**

1. 寒冷季节注意肢端保暖，鞋、袜保持干燥；长时间乘车、站立、步行时，宜及时更换姿势，定期下车活动，可预防或减少发作；气温骤变时，及时增减衣物，保持寒暖适宜。

2. 避免在热环境中生活。患者宜穿多孔凉鞋，夜间睡眠时足部不加覆盖。发作频繁者可搬到气温偏低的地方居住。

3. 急性期应卧床休息，避免久站，抬高患肢；可用冰敷或冷水刺激患肢。急性期后，坚持加强肢体活动锻炼，避免任何引起局部血管扩张的刺激。

4. 可用超声波、超短波、短波紫外线照射的方法进行治疗。

# 第十六章 皮肤疾病

## 单纯疱疹

单纯疱疹是一种由单纯疱疹病毒所致的病毒性皮肤病，而人是单纯疱疹病毒的唯一自然宿主。病毒经呼吸道、口腔、生殖器黏膜以及破损皮肤进入体内，潜居于人体正常黏膜、血液、唾液及感觉神经节细胞内。原发性感染多为隐性，多无临床症状或呈亚临床表现，仅有少数可出现临床症状。原发感染发生后，病毒可长期潜伏于体内（正常人群中有50%以上为病毒的携带者），在人体内不产生永久免疫力，每当机体抵抗力下降时（如发热、胃肠功能紊乱、月经、妊娠、病灶感染和情绪改变），被激活而发病。临床多为局限性单纯疱疹，表现为局部开始有灼痒紧张感，随即出现红斑，在红斑或正常皮肤上出现簇集性小水疱群，疱液清澈透明，之后变混浊，溃后出现糜烂、渗液、结痂，也可继发化脓感染，此时附近淋巴结可肿大；1～2周可自愈，愈后可遗留暂时的色素沉着斑；皮疹好发于皮肤黏膜交界处（如口唇、口周、鼻孔附近及外阴处），亦可见于颜面、口腔及眼部。

本病中医学属“热疮”范畴。多由外感风热邪毒阻于肺胃，熏蒸皮肤；或因阴虚内热而至反复发作。临床分为肺胃热盛、湿热下注、阴虚内热等证型。

**【必备验方】**

1. 蒲公英、野菊花、甜地丁、重楼、大青叶、赤芍、天花粉各10～15克。水煎服，每日1剂。可选用口服金莲花片（每次5片，每日2次）、牛黄解毒丸或黄连上清丸（每次1丸，每日2次）。

2. 鲜海金沙藤适量。捣烂绞汁，加食盐（每100毫升加食盐1.5克）调匀，取汁涂于患处，每小时1次。

3. 飞扬草、马兰头各30克，小蘖6克，甘草3克。共研细末，茶油调涂患处。适用于化脓性疱疹。

4. 雄黄10克（研细末），2%普鲁卡因2毫升，75%乙醇30毫升。调匀，以棉签蘸涂于患处（干则再涂），每日数次（不需包扎）。

5. 蜈蚣、蛇蜕、香油按1∶1∶8比例配方。将蜈蚣、蛇蜕炒，研极细末，以香油调涂于患处，每日3次。

**【名医指导】**

1. 使用肌肉深度放松、生物反馈、诱导想象及深思等方法，激发免疫系统来抵御病毒。

2. 避免食用含精氨酸的食物，如坚果、巧克力及种子等；宜多食富含赖氨酸的食物，如肾脏、豆类、豌豆及谷物。若每年发作3次以上，宜每日食用500毫克赖氨酸作为补充。

3. 起疱疹处，使用冰块冷敷15分钟减轻疼痛。

4. 用凡士林涂抹疱疹，使用维生素E油促进溃疡愈合。

5. 定期及时更换牙刷。患有单纯疱疹者接吻或共用器皿、毛巾及剃须刀可相互传染，宜避免；触摸单纯性疱疹后应洗手、不应揉眼，勿触摸生殖器。

## 带状疱疹

带状疱疹是由水痘-带状疱疹病毒引起的急性炎症性皮肤病。儿童感染后，可发生水

痘，部分患者感染后成为带病毒者而不发生症状。患者感染后病毒可长期潜伏于脊髓神经后根神经节的神经元内，当抵抗力低下或劳累、感染、感冒发热、生气上火时，病毒可再次生长繁殖并沿神经纤维移至皮肤而产生炎症。临床主要表现为皮疹初起为皮肤发红，随之出现簇集成群的绿豆大小的水疱，沿一侧周围神经作群集带状分布，皮疹在红斑的基础上出现群集的丘疹、水疱（粟粒至绿豆大小），疱液清亮，严重时可呈血性或坏死溃疡；皮疹单侧分布呈带状，自觉疼痛，剧烈难忍。疼痛可发生在皮疹出现前，表现为感觉过敏，轻触诱发疼痛。疼痛常持续至皮疹完全消退后，遗留暂时性红斑或色素沉着，可持续数月之久。

本病中医学称“缠腰火龙”、“缠腰火丹”，俗称“蛇丹”、“蜘蛛疮”。多由于情志内伤，肝气郁结，久而化火，肝经蕴热，外溢皮肤而发；或脾失健运，湿邪内生，或感染邪毒，蕴结肌肤而成；老年体弱者多因血虚肝旺、气血凝滞，致疼痛剧烈，病程迁延。

**【必备验方】**

1. 大青叶、柴胡各 15 克，粳米 30 克。每日 1 剂，将大青叶、柴胡加水 1500 毫升煎至 1000 毫升，去渣，入粳米煮成粥，加入白糖调味，早、晚分食，连服数日。

2. 板蓝根 30 克，荆芥、柴胡各 6 克，龙胆、赤芍、白芍、车前子、炒牵牛子各 9 克，青黛、生甘草各 3 克。水煎，每日 1 剂，分 2 次服。

3. 老茶树叶适量。研细末，用浓茶汁调涂于患处，每日 2～3 次。

4. 王不留行 250 克。小火炒黄（至少数开花），研极细末，以香油调搽患处；已溃者，直接撒药末于患处；每日 3 次。

5. 白矾 10 克，琥珀末 3 克，冰片 4 克，蜈蚣 2 条（焙干）。共研细末，以鸡蛋清调涂于患处，每日数次，连用 2～3 日可愈。

**【名医指导】**

1. 预防感染，尤其在春秋季节，适时增减衣服，避免受寒致上呼吸道感染。

2. 积极治疗口腔、鼻腔的炎症，增强体质，提高抗病能力。

3. 坚持适当的户外活动或参加体育运动。

4. 防止外伤。

5. 避免接触毒性物质。

6. 注意饮食营养，多食豆制品、鱼、蛋、瘦肉等富含蛋白质的食物及新鲜瓜果蔬菜。患病后禁食油腻的食物、海鲜及蛋类、家禽；忌辛辣刺激食物；宜食富含维生素的清淡食物。

7. 保持情绪平稳，积极配合治疗。

8. 老年重症患者尤其发生在头面部的带状疱疹，宜住院治疗，以防变生他症。

## 疣

疣是由人乳头瘤病毒所引起的表皮良性赘生物。临床常见有寻常疣、跖疣、扁平疣、尖锐湿疣等。

### 寻常疣

寻常疣初起为米粒大小，微黄色角化性丘疹，中央可见如针头大小红点，可逐渐增至绿豆大小，圆形或多角形乳头状隆起，边界明显，质硬，表面粗糙呈刺状，灰白，污褐色。初发常为 1 个，可长期不变或不断增多，邻近者互相融合，有时可自身接种。

本病中医学称“千日疮”，又称“疣”、“疣疮”，俗称“瘊子”或“名尤”。因风邪搏于肌肤而生，或因肝虚血燥、筋气不荣所致。多见于手背、指背、头面以及颈项、背部。初起小如粟粒，渐至大若黄豆，突出皮表，色灰白，表面呈现蓬松枯槁，状如花蕊。所发之数多少不一，少者独一，多则甚至数十者，或散在或群聚。一般无自觉症状，若受挤压则局部有疼痛感，或碰撞、摩擦时易于出血，治疗多以外治为主。

**【必备验方】**

1. 归尾、熟地黄、红花、桃仁、赤芍、白芍各 10 克，川芎、白术、炮穿山甲、甘草、制何首乌各 6 克，夏枯草、板蓝根各 15 克。水煎，每日 1 剂，分 3 次服。适用于瘊子。

2. 生苦瓜 60 克。剖开去籽，在酸菜水中浸泡1周后取出切碎，入油锅中爆炒佐菜顿食，每日3次，连服半个月。适用于千日疮。

3. 红花10克。开水冲泡15分钟，代茶饮（至无色为止），每日1剂。经期停用。适用于疣。

4. 生香附20粒（洗净，碾碎），鸡蛋或鸭蛋1个。调匀，煎炒食，隔日或2～4日1次，连用10次。适用于疣。孕妇忌用。

5. 地肤子150克。以水1000毫升煎至300毫升，去渣，加入白矾50克溶化，冷后以棉签蘸搽患处（使局部红润），每日3～6次。适用于疣。

**【名医指导】**

1. 经常锻炼身体，提高机体免疫力。

2. 饮食宜干净，不食霉变的花生及没有腌制好的酸菜；注意限制或禁食鱼、虾、蟹等发物；多吃蔬菜、水果，补充多种维生素，特别是维生素$B_6$等，避免吃葱、蒜、辣椒等辛辣的食物。

3. 戒酒、烟。

4. 保持情绪平稳，积极配合治疗。

5. 不使用激素类药物，如地塞米松等。

6. 不宜搔抓、抠剥、过度搓洗疣体。

7. 注意个人卫生，忌与他人共用清洁用具，以免发生传播。

## 扁平疣

扁平疣又称青年扁平疣，是由人乳头瘤病毒感染引起的皮肤赘生物，表现为分散分布、质地柔软、顶部光滑、粟粒至绿豆大、淡褐色或高出皮肤表面的扁平状丘疹。好发于面部、手、背部等部位，有一定传染性。

本病中医学称“扁瘊”。

**【必备验方】**

1. 鲜马齿苋300克（干品100克）。水煎，每日1剂，早、晚温服，6日为1个疗程；药渣外敷患处，每日4～6次，每次10～15分钟。

2. 羌活、茵陈、苦参各15克，防风、当归、黄芩各12克，白术、炙甘草、猪苓、泽泻、知母各10克，升麻、苍术、葛根各6克，党参30克。水煎，每日1剂，分3次服。

3. 薏苡仁、大青叶、板蓝根、牡蛎粉各30克，败酱草、夏枯草各15克，赤芍10克。水煎，每日1剂，分2次服；药渣再煎熏洗患处15～20分钟。

4. 生石灰3～6克（出矿不见水、未风化者）。研细末，用右手大指与次指捻末1撮，压于瘊顶上，不离手用次指按住研之至粉化，再捻粉按上再研，如此数次。1～2日内即自行脱落。如过大，可用丝线束其根部，而后施术。

5. 苦参、板蓝根、大青叶、鱼腥草各30克，冰片（另包）、玄明粉（另包）、桃仁、红花各10克。将冰片、玄明粉共研极细末；余药煎取浓汁，适温时用毛巾或棉球蘸药水反复擦洗患处15～20分钟，再将冰片、玄明粉用冷开水调擦患处15～20分钟，用力以不擦破表皮为限度。上药每日1剂，分2次外用，5日为1个疗程。

**【名医指导】**

1. 保持心情愉悦，加强身体锻炼。

2. 忌烟、酒及辛辣刺激性饮食；多食新鲜蔬菜、水果，补充多种维生素，特别是维生素$B_6$。

3. 患者应采用联合治疗及免疫调节治疗。谨慎对待创伤性治疗及自身疣体种植治疗。

4. 忌用激素类药物；忌搔抓或抠剥疣体，避免过度搓洗。

5. 注意个人卫生，不与他人共用清洁用具。

## 脓疱疮

脓疱疮是一种常见的急性化脓性皮肤病，具有接触传染和自体接种感染的特性。其病原菌主要为金黄色葡萄球菌、乙型溶血性链球菌单独或混合感染，多发于夏秋季节，多见于儿童及幼儿，易传染，发病前常有痱子、湿疹类瘙痒性皮肤病；好发于颜面、四肢等暴露部位；皮损初为丘疹或水疱，迅速变为炎性脓疱，散在分布；可伴有淋巴管炎，严重者可引起败血症或急性肾炎。

本病中医学属“黄水疮”范畴。多因暑

夏炎热，湿热邪毒袭于肌表，气机失畅，熏蒸皮肤而成；或者小儿机体娇嫩，汗出腠疏，暑湿侵袭而发病。若反复发作，以致脾虚失运，病程迁延或损及脏腑，发生传变。临床治疗多以清热利湿、清热解毒等为主。

**【必备验方】**

1. 硫黄15克（研末），韭菜根汁半碗。将韭菜根捣汁，去渣澄清，盛于碗内，将硫黄拌开水内，炖干矽出。将碗覆转，烧艾叶熏半柱香久，研末，磨油调搽。

2. 莲房适量。烤焦（烧成白灰无效），研细末，以浓茶洗净患处后干撒，直至疮面干燥后，以食油调敷疮面，每日2～3次。

3. 密陀僧适量。研细末，香油调涂于患处，每日2次，连用4～5日，即可结痂而愈。如患部奇痒，临用时可加铜绿少许研和；病灶部发炎红肿者，可加少许冰片。

4. 铁锈、苦杏仁各适量。共研细末，香油调涂于患处，24小时换药1次，连用药2～3次即愈。

5. 蒲公英、紫花地丁各30克，黄芩、金银花各15克，苦参12克。煎水，以药棉或纱布蘸搽患处，每日2～3次，连用数日可愈。适用于小儿脓疱疮。

**【名医指导】**

1. 注意皮肤卫生，避免损伤，勤洗澡，及时治疗瘙痒性皮肤病。

2. 流行期间可服清凉饮料预防，体虚患儿常服绿豆米仁汤等。

3. 幼托机构应定期检查，一旦发现患儿应及时隔离，已污染的衣服、用具消毒处理。

4. 勿食辛辣刺激性食物，不食鱼、虾、海鲜等过敏性发物。

5. 小儿可适当补充维生素A、B族维生素、维生素C，多食蔬菜水果，饮食宜清淡。

## 癣

### 头 癣

头癣是头皮和头发的浅部真菌感染，分为黄癣、白癣和黑点癣3种。头癣好发于儿童，传染性较强，易在托儿所、幼稚园、小学及家庭中互相传染，主要通过被污染的理发工具传染，也可通过接触患癣的猫、狗等家畜感染。

本病中医学相当于“白秃疮”、“肥疮”。多因感受风湿热邪，郁于腠理，淫于皮肤而致。临床治疗以疏风清热、解毒利湿为主。

**【必备验方】**

1. 淘米水3大碗，花椒3克，白矾6克，麻柳叶1把。煎水熏洗头部。每日1～2次。

2. 花生壳灰、硫黄、冰片各适量。茶适量，茶油少许。共研细末，以茶油调涂于患处（先以适量茶叶煎水洗净），每日2次，连用数日。

3. 蜗牛30只。煮水3碗，熏洗患处，每次15分钟左右，每日2～3次。

4. 黄柏、轻粉各15克，青黛9克，煅石膏、煅蛤壳各30克。共研细末，以香油调敷患处。头上流脓者，先用茶水洗净后干撒患处。

5. 巴豆1枚。去壳，以菜油研磨，用棉签蘸涂患处，然后用油纸覆盖、固定，7日后揭去油纸。

**【名医指导】**

1. 注意个人卫生，不与他人共用毛巾、脸盆等。

2. 学校、理发店、浴室、旅店等公共场合应加强教育和卫生管理。

3. 对癣病传染途径做好消毒灭菌工作。对患癣动物及时处理，杜绝传染源。

4. 同住者或家人应同时治疗。

5. 忌辛辣刺激性食物，如辣椒、大蒜、姜等；忌过食肥甘；多吃清热利湿食物，如薏苡仁、山药、白扁豆、豆蔻、绿豆、芹菜、香椿、冬瓜、黄瓜、苦瓜、西瓜、鲫鱼、黑鱼等。

6. 忌烟及兴奋性饮料，如酒、浓茶等。

7. 锻炼身体，增强体质及免疫力。

### 手 足 癣

手足癣是发生于掌（跖）与指（趾）间皮肤的浅部真菌感染，致病菌主要有红色毛癣菌、须癣毛癣菌和絮状表皮癣菌。足癣俗称“香港脚”，又称脚气、脚湿气，症状为脚

趾间起水疱，脱皮或皮肤发白湿软，或糜烂或皮肤增厚、粗糙、开裂，可蔓延至脚底及脚背边缘，剧痒；常伴有继发感染，致局部化脓、红肿、疼痛，腹股沟淋巴结肿大，甚至形成小腿丹毒及蜂窝织炎。常传染至手而发生手癣（鹅掌风）；真菌在指（趾）甲上生长，则成甲癣（灰指甲）。本病是一种接触传染病，可因共用面盆、脚盆、毛巾、拖鞋、澡盆而迅速传播。

中医学认为，本病多由湿热生虫，或疫行相染所致。因脾胃湿热，循经上行于手则发于手癣，下注于足则发足癣。

**【必备验方】**

1. 高锰酸钾2粒（小米粒大小）。加入半盆温开水至水成粉红色，3～5分钟即可将双脚浸泡于其中。

2. 鲜韭菜250克。洗净，切碎，冲入开水，适温时泡脚半小时（水应没过脚面，可同时用脚揉搓），每周1次。

3. 鲜地龙2条。放清水里泡1日（让其吐出泥土），捞出后放碗里或小瓶里，撒上白糖，静置2日即可使用。每晚睡前把脚洗净后用药棉或布条蘸涂患处，晾一会用纸或药布包好，连用半个月可愈。

4. 生地黄24克，大黄18克，蛇床子、豨莶草、百部、大枫子、海桐皮各15克，木鳖子（切片）、紫草、苦杏仁、牡丹皮、当归各12克，花椒、甘草各6克，香油1000毫升。同浸泡2日后用炭火煎至微黄，去渣，入蜂蜡450克搅匀成膏，每晚睡前用温水洗净患处后，取膏涂擦。适用于手癣表皮干燥、脱皮、皲裂或水疱、奇痒者。

5. 苦参、地榆、胡黄连、地肤子各200克（切碎），75%乙醇1000毫升。同浸泡1周，过滤后再加70%乙醇1000毫升混匀，搽患处，每日3次。适用于水疱型足癣。

**【名医指导】**

1. 注意个人卫生，忌公用拖鞋、脚盆、擦布等，鞋袜、脚布要定期灭菌，保持足部清洁干燥。

2. 浴室、游泳池等公共场所应严格执行消毒管理制度。

3. 针对癣病不同传染途径做好消毒灭菌工作。对患癣动物应及时处理，杜绝传染源。

4. 忌辛辣刺激性食物；忌过食肥甘；少饮刺激性饮料，如浓茶、咖啡、酒类等。

5. 减少化学性、物理性、生物性物质对手足皮肤的不良刺激。

6. 足癣瘙痒者忌用热水烫脚，避免因毛细血管扩张导致继发性细菌感染。

7. 晚上洗脚或洗澡后要揩干趾缝间的水分，扑上消毒撒布粉（薄荷脑0.1克，麝香草酚碘化物、碳酸镁各2克，硬脂酸锌4克，硼酸15克，滑石粉加至100克）。

8. 锻炼身体，增强体质及免疫力。

## 体癣和股癣

体癣指发生于除头皮、毛发、掌跖、甲板以外的平滑皮肤上的一种皮肤癣菌感染。股癣指发生于腹股沟、会阴和肛门周围的皮肤癣菌感染（即发生在特殊部位的体癣）。本病主要通过直接接触患者、患癣家畜（狗、猫等）或间接接触患者污染衣物而引起，也可由自身感染（患有手、足、甲癣等）而发生。长期应用糖皮质激素，或糖尿病、慢性消耗性疾病者易患本病。体癣一般好发于面、颈、腰、腹、臀及四肢等处，原发损害为丘疹、丘疱疹或水疱，由中心逐渐向周围等距离扩展蔓延，形成环形或多环形；边缘微隆起，狭窄而不连贯，中央炎症减轻，伴脱屑或色素沉着。

本病中医学属“鹅掌风”、“脚湿气”、“圆癣”、“紫白癜风”、“灰指甲”等范畴。其病因、病机、治法与癣病相同。

**【必备验方】**

1. 五倍子适量。研碎，以陈米醋熬成膏，将癣抓破后敷上（干则复敷，以不痒为度），去药，与患处之皮一同粘起，尽除根。

2. 土荆皮（勿见火）500克（晒干，研末），好酒500毫升，榆面120克。同浸7日，蘸酒搽患处，每日数次。

3. 用绿豆槌碎，以纸蒙碗口，针刺多孔。以碎豆铺纸上，用炭1块烧豆，豆灼尽，纸将焦，去豆揭纸，碗中有水，取搽3～5次即愈。

4. 鲜嫩榆树皮适量。捣烂，取汁敷患

处，外用纱布包扎、胶布固定，4～5小时后揭下，连用3次可愈。治疗期间下水时间不要过长。

5. 鲜榆钱100克，苦参50克，75%乙醇500毫升。同密封浸渍3日，取澄清液，再压榨残渣，2次取液合并，取滤液涂于患处，每日3～5次，连用2～3周。

**【名医指导】**

1. 病情严重时，配合内服药物治疗，治疗期间定期检测肝功能。

2. 注意个人卫生，不与他人公用卫生洁具，切断传播途径。

3. 积极治疗全身性疾病，提高自身的免疫力。

4. 坚持正确用药，忌用皮质类固醇软膏。

5. 积极参加体育锻炼。

## 荨麻疹

荨麻疹是一种常见的皮肤病，是由各种因素致使皮肤黏膜血管发生暂时性炎性充血与大量液体渗出造成局部水肿性的损害，可分为急性荨麻疹、慢性荨麻疹、血管神经性水肿与丘疹状荨麻疹。其迅速发生与消退、有剧痒，可有发热、腹痛、腹泻或其他全身症状。风疹块扁平发红或是淡黄或苍白的水肿性斑，而边缘有红晕。风疹块呈环形时称环状荨麻疹；几个相邻的环形损害可以相接或融合而呈地图状称图形荨麻疹；损害中央有瘀点时称出血性荨麻疹，肾脏及胃肠可以同时出血；疹块中有水疱时称水疱性荨麻疹，有大疱时称大疱性荨麻疹。

本病中医学称“瘾疹”。由禀性不足，对某些物质过敏所致。如风寒外袭，营卫失调；或风热之邪留恋，外不得透达，内不得疏泄而致；或饮食所伤，湿热内蕴，郁于肌肤；或年老体弱，气血亏虚，血虚生风所致；或妇女胎产，冲任失调，肝肾不足，肌肤失养，生风化燥所致。

**【必备验方】**

1. 大豆90克。以酒360毫升，煮4～5沸，每次服100毫升，每日3次。

2. 黄芪、地肤子各30克，肉桂、制附子各6克，党参、白术、茯苓、赤芍、白芍、当归各12克，熟地黄15克，川芎、乌梢蛇、炙甘草各9克。每日1剂，早、晚分服，连服5剂症状减轻者可继续服用，反之，则为本方所不及。

3. 生菜籽油适量。搽患处，每日数次；同时外洗：鲜紫薇全草500克（干品250克）。煎水洗患处，每日1次。

4. 紫荆花、茎适量。煮水，熏洗，每日早、晚各1次，连用2日即愈。

**【名医指导】**

1. 预防措施：

（1）少接触含有香料的肥皂、橡胶、染发剂等致敏物品。

（2）忌酒，包括葡萄酒、啤酒、白酒等；戒烟。

（3）保持居室清洁，家中少养猫、狗等宠物。

2. 避免强烈抓搔患处；不滥用刺激强的外用药物，不要热敷。

3. 避免吃含有人工添加物，如防腐剂、调味品、色素添加剂的食品；忌食辛辣、鱼腥发物；忌食油炸肥腻食物，如各种油炸、煎烤、熏腌肉制品、动物内脏、奶油蛋糕、巧克力等；清淡饮食，多吃含丰富维生素的新鲜蔬果或是服用维生素C与维生素B；多吃碱性食物，如葡萄、绿茶、海带、番茄、芝麻、黄瓜、胡萝卜等。

4. 不能熬夜，多休息，勿劳累。

5. 适度运动，增强体质，提高免疫力。

## 疥疮

疥疮是由于疥虫感染皮肤引起的皮肤病，可通过性传播，临床表现为皮肤剧烈瘙痒（晚上尤为明显），皮疹多发于皮肤皱褶处，特别是阴部。疥疮传染性很强，在一家人或集体宿舍中往往相互传染。感染疥疮后，首先出现皮肤刺痒，同时出现小皮疹，初起皮疹多见于皮肤潮湿柔软处，（如手指间、手腕部位皮肤），继之传播到身体其他部位，如肘、腰部、腋窝、腹部及阴部等处。

本病中医学称“虫疥”、“干疤疥”。多因起居不慎，接触疥虫传染而致。一人患病可殃及家属或同居之人，虫郁于肤，气血失和，湿热蕴结，外泛肌肤而成。

**【必备验方】**

1. 鱼藤 15 克，食醋 100 毫升。将鱼藤以水 500 毫升浸 2 小时后捶烂，洗出乳白色液体，边捶边洗，反复多次，去渣，再加入食醋于患者洗澡后搽患部皮肤，每日 2～3 次，连用 3～4 日为 1 个疗程。适用于干疤疥。糜烂渗液较多、脓液结痂较严重者禁用。

2. 幼白鸽 1 只（去内脏）、绿豆 150 克。加酒少许，炖熟食用，每日 1 次。适用于干、湿疥疮发痒异常者。

3. 老醋 2500 克，五倍子粉 625 克，蜈蚣 10 条（研细末），蜂蜜 3000 克，冰片 5 克（研细末）。将醋与蜂蜜同熬沸，入五倍子粉搅匀，以文火熬成糊，待冷加入蜈蚣、冰片调匀，敷患处，3～5 日换药 1 次。

4. 龟甲 50 克（炙，研末），酒 500 毫升。同浸 10～15 日，每服 1～2 杯，每日 1～2 次，酒尽可再添酒浸之。

5. 菖蒲 200 克（切碎，蒸 2～3 小时，晒干），米酒 1000 毫升。同浸 3～5 日，去渣，取澄清液服。或将菖蒲水煎至 500 毫升，与糯米 1 碗，如常酿酒，候熟去渣，温服，每服 1～2 杯，近醉。

**【名医指导】**

1. 注意个人卫生，勤洗澡、勤换衣、勤晒衣被。对被污染的衣服、被褥、床单等要用开水烫洗灭虫；如不能烫洗者，一定要放置于阳光下曝晒 1 周以上再用。

2. 不与其他人同居、握手；患者的衣服不能和其他人的放在一起，避免传播。

3. 杜绝不洁性交。

4. 加强卫生教育宣传，对公共浴室、旅店、车、船要定期消毒。

## 接触性皮炎

接触性皮炎是由于皮肤黏膜接触外界物质（如化纤衣着、化妆品、药物等）而发生的炎性反应。本病发病急，在接触部位发生境界清楚的水肿性红斑、丘疹及大小不等的水疱；疱壁紧张、初起疱内液体澄清，感染后形成脓疱；水疱破裂形成糜烂面，甚至组织坏死。病变多发生在身体暴露部位如手背、面部、颈部等，皮炎境界不清。由于搔抓可将接触物带至全身其他部位如外阴、腰部等，也可发生类似的皮炎。机体若处于高度敏感状态，皮损不仅限于接触部位，范围可很广，甚至泛发全身；自觉症状轻者瘙痒，重者灼痛或胀痛；全身反应有发热、畏寒、头痛、恶心及呕吐等。

本病中医学称“漆疮”、“膏药风”、“马桶癣”等。多由禀性不足，腠理疏松，接触某些物质，毒邪侵入皮肤，与气血相搏，气血失和，郁而化热，外泛肌肤而成。

**【必备验方】**

1. 栀子、生地黄、黄芩、牡丹皮、甜地丁、泽泻、木通各 10 克，金银花、龙胆草、紫草各 15 克，甘草 6 克。水煎服。适用于湿热夹毒急性期。

2. 荆芥、防风、生地黄、牡丹皮、当归各 10 克，鸡血藤、赤芍、白芍各 15 克，生石膏（先煎）、丹参各 30 克，甘草、蝉蜕各 6 克。适用于血虚风燥型接触性皮炎反复发作者。

3. 红花 10 克（油炸后去渣），瘦猪肉末 250 克。同煸炒，入佐料、山楂（30 克）同炒至熟，佐餐食。适用于瘀血阻络型接触性皮炎。

4. 甘草 5 千克。切段，水煎 6～7 小时，过滤，取汁浓缩至 1500 克，入蜂蜜 1.5 升调匀，沸水冲服，每次 6～10 克，每日 2 次，连用 5～7 日为 1 个疗程。适用于气血不和型接触性皮炎。

5. 猪胆 1 个。取汁搽患处。每日 2～3 次，连用 2～3 日。已溃者，用消毒药棉清洗患处，取白矾（研细），以猪胆汁调敷患处。每日换药 2～3 次，连用数日。适用于漆疮初起。

**【名医指导】**

1. 去除病因，远离变应原。

2. 禁止使用碱性肥皂，宜使用中性对皮肤刺激小的肥皂。

3. 禁止用热水烫洗；忌在热水内长期浸泡或用力搓擦，可以淋浴。

4. 禁用刺激性强的止痒药物。

5. 避免抓挠患处。

6. 禁食刺激性食物，如辣椒、葱、蒜等；忌食易引起过敏的食物，如海鲜等；忌食油炸食物；宜清淡饮食，多吃新鲜蔬菜或水果。

7. 戒烟，少饮酒和咖啡。

8. 精神愉快，生活规律，不过度劳累。

9. 适当锻炼，如爬山、散步，跳舞等。

10. 可选择适当的保健品，提高机体的免疫力。

11. 宜选择正规医院在专家的指导下治疗。

## 药物性皮炎

药物性皮炎是药物通过口服、外用和注射等途径进入人体而引起的皮肤黏膜炎症。几乎所有的药物都可能引起皮炎，最常见的有磺胺类药、解热镇痛药、安眠药类以及青霉素、链霉素等。药物性皮炎形态多种多样，主要有以下几种。①固定型药物性皮炎：是最常见的类型，即每次发作都在原来的部位反复以同一形态发生药物性皮炎。好发于四肢、躯干等部位，口唇、外阴等部位尤为多见。如再服该药，会在原部位出现同样的皮疹，且面积可增大，部位可增多。②荨麻疹样药物性皮炎：发病突然，全身对称性分布。先从面颈部开始，以后蔓延到四肢及躯干，皮肤瘙痒，患者感到畏寒和发热。③剥脱性皮炎型药物性皮炎：此型潜伏期长，初期如麻疹，继续发展全身皮肤渐红、肿胀，然后皮肤发生广泛性叶片状脱屑，反复不已。④大疱性表皮松解型药物性皮炎：此型极其严重，发病较急。全身发生大面积水疱，擦破后露出大面积剧烈疼痛的糜烂面(像二度烫伤那样露出表皮)，如不及时抢救有生命危险。

本病中医学属“药毒”范畴。

**【必备验方】**

1. 生甘草 30 克，干姜、黄连、法半夏各 6 克，黄芩 15 克，党参 10 克，苦参 20 克，大枣 3 枚。每日 1 剂，水煎 3 次，取头、二煎 200 毫升分 3 次服；第三煎煮取 1000 毫升，熏洗患处。适用于口腔或外阴溃烂型药物性皮炎心火炽盛证。

2. 生何首乌 15 克，生大黄（后下)、生麻黄各 5 克，薄荷、防风、蝉蜕、僵蚕、苦参、黄芩、紫草、赤芍、牡丹皮、生甘草各 10 克。每日 1 剂，水煎 3 次，头、二煎取汁 300 毫升分 4 次服；第三煎取汁 1000 毫升沐浴。适用于药物性皮炎麻疹样红斑或猩红热样红斑型、荨麻疹型、多型红斑样型风热证。

3. 羚羊角粉 0.3 克（冲服），生石膏 60 克（另包，先煎 30 分钟），知母、生地黄、麦冬各 15 克，黄芩、黄连、金银花、连翘、牡丹皮各 12 克，栀子 10 克，玄参 20 克。每日 1 剂，水煎 20 分钟，冲羚羊角粉，温服。适用于大疱性表皮坏死松解型或剥脱性皮炎样型药物性皮炎热燔营血证。

4. 金银花、连翘各 25 克，蒲公英、生地黄各 20 克，泽泻、赤芍、栀子、苦参、白鲜皮各 15 克，生甘草 7.5 克。每日 2 剂，加水 400 毫升煮取 200 毫升，再加水 300 毫升煮取 150 毫升，2 次煎汁混匀，分 4 次服完。适用于固定性红斑型药物性皮炎湿热炽盛证。

5. 苦参、黄芩、茯苓、猪苓、泽泻各 10 克，虎杖、车前子各 15 克，薏苡仁、六一散（另包，先煎 10 分钟）各 20 克，木通 8 克。每日 1～2 剂，水煎 15 分钟，分 2～4 次温服；药渣再加水 1500 毫升煎汁，温敷患处。适用于湿疹样型药物性皮炎湿盛证。

**【名医指导】**

1. 在医师指导下将过敏药物记录下来，避免再用类似药物。

2. 轻症药物性皮炎一般治疗即可；重症药疹一定要及时前往专科救治，否则会危及生命。

## 湿　疹

湿疹是一种常见的由多种因素引起的表皮及真皮浅层的炎症性皮肤病，也是一种过敏性炎症性皮肤病，以皮疹多样性、对称分布、剧烈瘙痒、反复发作、易演变成慢性为

特征。一般认为与变态反应有一定关系。其临床表现具有对称性、渗出性、瘙痒性、多形性和复发性等特点，可发生于任何年龄、任何部位、任何季节，常在冬季复发或加剧，有渗出倾向，慢性病程，易反复发作。

本病中医学类似于“浸淫疮”、“旋耳疮”、“绣球风”、“四弯风”、“奶癣”。主要与湿邪有关，湿可蕴热，发为湿热之证，久之湿则伤脾，热则伤阴血，而致虚实夹杂之证。临床表现：湿疹常有多种形态，容易减轻、加重或复发，边界一般不太清楚；皮疹容易发生于两侧并或多或少的对称，根据急性或慢性程度而有红斑、丘疹、水疱、糜烂、鳞屑、痂、色素增加或减少、皲裂或苔藓样化等不同表现，其中数种表现往往混杂在一起，有时先后发生。如有继发性感染，可有脓疱等皮损。

**【必备验方】**

1. 马铃薯100克。洗净、去皮，研成泥状，贴敷患处（外以纱布包扎），每日换药3次。

2. 茄子1个，雄黄、枯矾各15克。将茄子挖一小孔，纳后2味入内后封口，用草木灰火烤软，搽患处（轻轻摩擦）5～10分钟。适用于急性湿疹。

3. 绿豆30克，水发昆布50克（切碎），红糖、糯米各适量。将绿豆、糯米同煮成粥，调入昆布末再煮3分钟，加入红糖调服。

4. 蛤壳100克，花椒50克，轻粉3克。将文蛤打成细块、炒至金黄，入花椒同炒至黑（以起烟为度），入密封罐内封存；第2日加入轻粉，共研细末，香油调擦。

5. 松香末60克，硫黄末30克。混匀，香油调摊于纱布上，卷成（如指头）粗条用线扎紧，入香油中泡1日，取出用火点一头，油浸冷水中1夜，外搽。适用于湿疹伴局部感染者。

**【名医指导】**

1. 遵医嘱，按时服药或涂药。

2. 过敏性体质或有过敏性家族史者要避免各种外界刺激（如热水烫洗、搔抓、日晒等），尽量避免易致敏和刺激性食物。

3. 生活规律，劳逸结合；保持大便通畅、睡眠充足，冬季注意皮肤清洁。

4. 衣着宽松，勿使化纤及毛织品直接接触皮肤。

5. 患者应该与医师合作，建立治愈信心，尽可能避免各种可疑致病因素。生活上注意避免精神紧张，过度劳累。

6. 饮食清淡，勿食辣椒、鱼、虾、蟹或浓茶、咖啡、酒类等。

7. 加强锻炼，提高机体免疫力。

## 神经性皮炎

神经性皮炎又称慢性单纯性苔藓，是以阵发性皮肤瘙痒和皮肤苔藓化为特征的慢性皮肤病。多见于青壮年，夏季多发或季节性不明显。皮疹好发于颈部、四肢及腰骶、腋窝、外阴；自觉剧痒，病程长，可反复发作或迁延不愈；常先有局部瘙痒，反复搔抓摩擦后局部出现粟粒状绿豆大的圆形或多角形扁平丘疹，皮色呈淡红或淡褐色，稍有光泽，以后皮疹数量增多且融合成片，成为典型的苔藓样皮损，皮损大小形态不一，四周可有少量散在的扁平丘疹。

本病中医学类似于“牛皮癣”、“摄领疮”等。本病主要由于心绪烦扰，七情内伤，内生心火而致。初起皮疹较红，瘙痒较剧，因心主血脉，心火亢盛，伏于营血，产生血热，血热生风，风盛则燥，属血热风燥；病久，皮损肥厚，文理粗重，呈苔藓化者属血虚风燥。

**【必备验方】**

1. 荆芥、防风、生地黄、当归、蝉蜕、苍术、茯神、生石膏、苦参、知母、牛蒡子各10克，木通、甘草各5克。水煎，每日1剂，分3次服。心烦失眠、夜间痒甚者，加煅龙骨（或牡蛎）30克；奇痒难忍者，加僵蚕（或乌梢蛇）10克。

2. 苍耳子15～24克，防风9～12克，乌梢蛇、当归、赤芍、白蒺藜各9～15克，牡丹皮9克，鸡血藤15～30克，生地黄、地肤子、白鲜皮各18～30克，蝉蜕6～8克，每日1剂，水煎服。

3. 樟脑、冰片各等份。共研细末，以

75%乙醇调擦患部，干后再涂1次，干燥后用伤湿止痛膏贴于患处，3～4日换药1次。

4. 斑蝥3克，3%碘酊100毫升。同浸泡7日，以1∶5000高锰酸钾溶液洗净患处后涂搽，每日3～4次。

5. 鸡蛋3个，米醋500克。同浸7～10日，去蛋壳，将鸡蛋与米醋搅匀，涂擦患处，每日2～3次。

**【名医指导】**

1. 遵医嘱服药或涂药。

2. 按皮肤科一般常规护理。

3. 清洁局部皮肤，勤洗手、剪指甲；忌用手搔抓或热水烫洗。

4. 饮食清淡，多吃水果蔬菜；避免食用鱼、虾、浓茶、咖啡、酒类、麻辣食物等。

5. 内衣应宽松，勿穿化纤内衣；不宜穿过硬的内衣以免刺激皮肤。

6. 加强锻炼，提高机体免疫力；保持情绪平稳，心情舒畅。

## 皮肤瘙痒症

皮肤瘙痒症是一种自觉瘙痒而临床上无原发损害的皮肤病。其病因尚不明了，多与某些疾病（如糖尿病、肝病、肾病等）及一些外界因素刺激有关（如寒冷、温热、化纤织物等）。皮肤瘙痒症有泛发性和局限性之分。泛发性皮肤瘙痒症患者最初皮肤瘙痒仅限局限于一处，进而逐渐扩展至身体大部分或全身，皮肤瘙痒常为阵发性（尤以夜间为重），由于不断搔抓，出现抓痕、血痂、色素沉着及苔藓样变化等继发损害。局限性皮肤瘙痒症发生于身体的某一部位，常见有肛门瘙痒症、阴囊瘙痒症、女阴瘙痒症、头部瘙痒症等。

本病中医学属“痒风”范畴。

**【必备验方】**

1. 百部50克，高度白酒250克。同密封浸泡1周。先洗净患处后以棉签蘸涂。适用于老年人皮肤瘙痒症。

2. 鲜西瓜皮适量。反复涂患处1分钟，再用清水洗净。

3. 苎麻根、豨莶草、金银花、杠板归各15克，地肤子、白蒺藜各10克。水煎服。

4. 鲜虎耳草500克（切碎），30%乙醇1000毫升。同浸泡7日，去渣，外涂。

5. 浮萍、忍冬藤、过塘蛇各250克，地茶、土荆芥各120克，樟木叶90克（以上均鲜品）。水煎服。适用于血热引起者。

**【名医指导】**

1. 生活规律，早睡早起，适当锻炼。及时增减衣服，避免冷热刺激。

2. 全身性瘙痒患者应注意减少洗澡次数，洗澡时不要过度搓洗皮肤，不用碱性肥皂。

3. 内衣应宽松舒适，以棉织品为宜，避免摩擦。

4. 精神放松，避免恼怒忧虑，树立信心；积极寻找病因，去除诱发因素。

5. 戒烟、酒、浓茶、咖啡及一切辛辣刺激食物，适当补充脂肪。

6. 不宜用手搔抓，选择适当的皮肤护肤品。

7. 必要时到医院就诊，遵医嘱。

## 玫瑰糠疹

玫瑰糠疹是常见的炎症性皮肤病，好发于躯干和四肢近端，多发于青壮年人，以春、秋季多发。临床表现：初起时躯干或四肢某处出现直径1～3厘米大小的玫瑰色淡红斑1～3个，有细薄的鳞屑（称前驱斑）；1～2周以后，躯干与四肢出现大小不等的红色斑片，常对称分布（开始于躯干，以后逐渐发展至四肢），呈椭圆形，斑片中间有细碎的鳞屑，而四周边缘上有一层游离缘向内的薄弱鳞屑，斑片的长轴与肋骨或皮纹平行，可伴有不同程度的瘙痒。少数患者皮损仅限于头、颈部或四肢部位。本病有自限性，病程一般为4～8周，也有数月不愈者，自愈或痊愈后一般不复发。

本病中医学属“风热疮”、“风癣”等范畴。多因内有血热，复感风邪，热毒凝结，郁于肌肤，闭塞腠理而发病；或汗出当风，汗衣湿透肌肤所致。临床治疗以清热、凉血、消风止痒为主。

**【必备验方】**

1. 牡丹皮、赤芍、黄芩、牛蒡子、蝉

蜕、浮萍、白蒺藜、苍耳子、荆芥、防风各10克，金银花、生地黄各15克，苦参、白鲜皮各12克。水煎服，每日1剂。

2. 茜草、生地黄各24克，紫草、大青叶各15克，生槐花、墨旱莲、牡丹皮、玄参、赤芍、防风、荆芥、生甘草各10克，蝉蜕6克，蜂房12克。水煎服，每日1剂。同时配合润肤膏外用（生地黄、熟地黄、何首乌、白及各15克，冰片5克，凡士林适量，调匀），每日2次。

3. 赤芍、白芍各12克，当归、生枳壳、生甘草、茜草根各9克，蝉蜕6克，浮萍3克，白茅根、白鲜皮各30克，蒺藜、金银花各15克，水煎服，每日1剂。

4. 防风、当归、白芍、芒硝、大黄、连翘、桔梗、川芎、煅石膏、黄芩、薄荷、麻黄、滑石各30克，荆芥、白术、栀子各8克，甘草60克。共研粗末，每服6克，加水100克、生姜3片，煎至60毫升，去渣，温服。

5. 生地黄、丹参、白蒺藜、地肤子（炒）各30克，赤芍、白芷各12克，川芎3克，地骨皮、大青叶各15克，制香附、炒枳壳、当归、羌活各9克，生甘草6克。共研细末，每日早、晚各服1小匙，白开水送下。

**【名医指导】**

1. 不宜过分担心、焦虑。

2. 小儿应减少出入公共场所，增加抵抗力，避免受到感染。

3. 高热时，注意幼儿精神状况，并服用医师开的退热药。

4. 多喝开水、多休息。

5. 保持良好心态，积极锻炼。

## 银屑病

银屑病（俗称牛皮癣）是一种在红斑上反复出现多层银白色干燥鳞屑的慢性皮肤病。好发于头皮、四肢及背部，男性多于女性，春冬季节容易复发或加重。临床表现为初起皮损往往为红包或棕红色小点或斑丘疹，有干燥的鳞屑，以后逐渐扩展而成棕红色斑块，边界清楚，相邻的可以互相融合。

本病中医学称“白疕”、“松皮癣”。为营血亏损，化燥生风，肌肤失于濡养所致。

**【必备验方】**

1. 首乌片配合磁朱丸治疗。首乌片，每次5片，每日2～3次；磁朱丸。每次6克，每日2次，开水送服。

2. 荆芥、花椒、龙胆、地肤子各15克，防风12克，蝉蜕18克，白鲜皮、白花蛇舌草各26克，黄连8克，槐花16克，乌梢蛇13克，薏苡仁30克。每日1剂，水煎服，连服10～20剂。药渣再煎后外洗。适用于顽固性银屑病。

3. 鲜白刺适量。捣烂，掺入1/10的冰片，先将患处洗净，用布包扎涂患处，2～3小时后除去。如患部大于10厘米×10厘米时，应分次涂药，以防剧痛难忍。

4. 透骨草、艾叶、粗盐各50克。将粗盐炒至发黄，与前2味同入铁盆中加入大半盆开水，熬开，温洗患处，每次15～20分钟，每晚1次。每剂药可连用3次。每次洗完后擦干，将红霉素软膏或克霉唑软膏涂于患处。用药期间忌辛辣、刺激性食物，患部勿接触冷水。

5. 斑蝥10克，乙醇150克。同泡7日，用药棉蘸擦患处（一直到起水疱），不要用针挑破，3日后水疱皮自行脱落，不留瘢痕，不再复发。

**【名医指导】**

1. 根据气温变化增减衣服，避免感冒、扁桃体炎、咽炎的发生。

2. 饮食清淡，忌酒、海鲜、辛辣之物。多食富含维生素类食品，如新鲜水果、蔬菜等。

3. 消除精神紧张因素，避免过于疲劳，注意休息。

4. 居住条件要干爽、通风、便于洗浴。

5. 患者尽量避免使用抗疟药、β受体阻滞药等药物。

6. 清洗患处时动作要轻揉，不要强行剥离皮屑，以免造成局部感染而延长病程。

7. 临床痊愈后应再继续服用2～3个疗程药物进行巩固，以免复发。

## 白癜风

白癜风是一种以局部或泛发性色素脱失、形成白斑为特征的色素性皮肤病。其男、女性均可发病，其中以青年人居多。全身均可发病，除皮肤呈现色素脱失、减退变白外，黏膜（如口唇、阴唇、龟头等）处也可出现颜色减退、变白，特别是好发于阳光曝晒及摩擦受损伤的部位。白癜风临床分为进展期和稳定期。进展期就是指皮损不断扩大，而且有新发皮损，同形反应阳性（就是外伤或其他皮肤病的基础上形成新的白斑）；稳定期指皮损不再扩大，没有新发皮损。

本病中医学称“白癜”、“白驳风”。多由风邪搏于皮肤，血气不和所致。近代医家在继承其学说的同时，提出了本病发病的三大看法：肝郁致致病论、血瘀致病论、脏腑功能失调致病论。

**【必备验方】**

1. 土蒺藜180克。生磨为末（忌铁器），开水送服，每次6克，每日2次；外用小麦摊石上，烧铁器压油搽之，半个月后白处现有红点，1月后断根。

2. 五月五日割苍耳草叶适量。洗净、晒干为末，炼蜜丸（如梧桐子大），每服10丸，每日3服。

3. 鳗鲡鱼脂适量。火炙出油30克，先拭白驳风上，刮令燥痛，后以油涂上，不过3次即愈。

4. 乌鸡蛋1枚（取蛋清），硫黄适量（研末）。调匀，用生布1片（将药刷在布上），日中曝，反复刷3～4次，钉布在板上，令不皱，候干收起，洗浴或汗出之时，将布于患处搽之即愈。

5. 木蝴蝶30克，白酒500克。同浸泡2～3日，取酒搽患处，每日早、晚各1次，连用3个月。

**【名医指导】**

1. 多食富含铜的食物，如田螺、河蚌等。

2. 尽量避免服用维生素C，少吃或不吃富含维生素C的蔬菜和水果，如青椒、番茄、柑橘、柚子等。

3. 常食黑木耳、海带、海参、芹菜、茄子、香椿芽、核桃仁、甲鱼、苋菜、韭菜、发菜、榆树叶。忌食草莓、杨梅、酸辣食物及鸡、羊等发物。多食含有酪氨酸及矿物质的食物，如肉（牛、兔、猪瘦肉）、动物肝脏、蛋（鸡蛋、鸭蛋、鹌鹑蛋）、奶（牛奶、酸奶）、新鲜蔬菜（萝卜、茄子、海带等）、豆（黄豆、豌豆、绿豆、豆制品）、花生、黑芝麻、核桃、葡萄干、螺、蛤等贝壳类食物。

4. 以补气、健肾中药辅以免疫调节剂一同治疗，治愈率较高。

5. 积极配合治疗，保持心态乐观。加强体育锻炼。

6. 工作、居住环境保持空气清新。

## 斑　秃

斑秃（俗称鬼剃头）是一种骤然发生的局限性斑片状的脱发性毛发病，其病变处头皮正常、无炎症及自觉症状。本病病程缓慢，可自行缓解和复发，与免疫力失调、压力突然加大有关。若整个头皮毛发全部脱落，称全秃；若全身所有毛发均脱落，称普秃。

中医学认为，本病与气血双虚、肝肾不足、血瘀毛窍有关。发为血之余，气虚则血难生，毛根不得濡养，故发落成片；肝藏血，肾藏精，精血不足则发无生长之源；阻塞血路，新血不能养发，故发脱落。临床分为：心脾气虚（神志不畅、头晕目眩、夜寐梦多、失眠）、肝郁血瘀（气滞胸闷、肝脾大、胸肋胀痛）、气血两虚（病后或病久脱发，神疲乏力，面色苍白，形体消瘦）和肝肾不足（头晕耳鸣，腰背痛、遗精滑泄，阳痿口干）等证型。

**【必备验方】**

1. 柏枝（干药）、椒目、法半夏各90克。加水500毫升煎至250毫升，入蜂蜜少许煎1～2沸。用时加少许生姜汁调匀，搽患处，每日2次。

2. 何首乌15克，白芍、熟地黄各12克，当归、桃仁、红花各10克，川芎、赤芍、牡丹皮各9克，香附、柴胡、白芷各6

克，葱白3寸。水煎，每日1剂，分3次服。适用于血虚失荣、瘀血阻滞证。

3. 芝麻花适量。于农历春3月间采鲜花装入玻璃瓶内压实，封好瓶口，埋于地下30厘米左右，泥土封牢；于9月份将瓶子取出，先将头痂洗净后用纱布蘸液搽患处，每日1次，20～30日即可长出新发。

4. 芝麻花、鸡冠花各60克，樟脑1.5克，白酒500克。将芝麻花、鸡冠花撕碎，与白酒同浸泡（密封）15日，过滤，入樟脑（溶化），即可以药棉蘸搽患处，每日3～4次。适用于神经性脱发。

5. 墨旱莲20克（鲜品加倍）。用清水洗净，隔水蒸20分钟，待冷加入75%乙醇200毫升浸泡（冬春3日，夏秋2日），去渣，装瓶备用。用棉签蘸搽患处，待干后用手在脱发区上连续轻轻叩打，手法宜均匀，不宜忽快忽慢，忽轻忽重，宜平起平落，不能歪斜，每次叩打至皮肤潮红为度。开始每日3次（早、中、晚），叩打2次，不宜间断。待新生头发日见增加时，可改为每日2次，叩打1次，直至痊愈。

**【名医指导】**

1. 生活作息时间规律，保证充足睡眠；在日常生活中保持情绪稳定，忌焦躁、忧虑、紧张等精神刺激。

2. 进行适当的体育锻炼，忌疲劳过度。

3. 患者应避免使用含有强碱性的洗发水。

4. 一旦发现本病，应引起重视，及早治疗，避免病情加重。

## 脂溢性皮炎

脂溢性皮炎好发于皮脂腺分布较多的地方，如头皮、面部、胸部及皱褶部。发于头皮部位，开始为轻度潮红斑片，上覆灰白色糠状鳞屑，伴轻度瘙痒；皮疹扩展，可见油腻性鳞屑性地图状斑片；严重者，伴有渗出、厚痂、有臭味，可侵犯整个头部，使头发脱落、稀疏。面部损害多见于鼻翼、鼻唇沟和眉弓，有淡红色斑，覆以油腻性黄色鳞屑，常满面油光。发于胸部、肩胛部，初为小的红褐色毛囊丘疹伴油腻性鳞屑，以后渐成为中央具有细鳞屑，边缘有暗红色丘疹及较大的油腻性的环状斑片。皱褶部多见于腋窝、乳房下、脐部和腹股沟等，为境界清楚的红斑、屑少，湿润，常伴有糜烂、渗出。本病多发于30～50岁中年肥胖者。本病病程缓慢，易反复发作，常伴有毛囊炎、睑缘炎。

中医学认为，本病因肌热当风，风邪入侵毛孔，郁久血燥，致肌肤失养而成；或因过食辛辣厚味及油腻之品，湿热内蕴，外受风侵，以致阳明胃经湿热夹风而成。若发生在头部称“白屑风”，发生在面部称“面游风”。

**【必备验方】**

1. 黄连4.5克，生地黄15克，地肤子12克，僵蚕、白鲜皮、野菊花各9克。每日1剂，水煎2次，头煎加水400毫升煮取150毫升，二煎加水300毫升煎取100毫升，2次煎液混合，分3次温服。适用于湿性脂溢性皮炎心火炽盛证。

2. 当归、柏子仁各500克。共研细末，水和蜂蜜为丸（如梧桐子大），每次吞服6～10克，每日3次，1个月为1个疗程。

3. 何首乌、生侧柏叶、黑芝麻、墨旱莲、女贞子、生地黄各30克，陈皮15克，花椒9克，大青盐13克。加水3000毫升煎至1500毫升，去渣，入黑豆500克煮干取豆晒干后嚼服，每次60粒，每日3次。

4. 生地黄、何首乌各30克，黑芝麻梗、鲜柳枝各50克。煎水，熏洗患部，洗后用干毛巾覆盖患部半小时。每日1剂，分3次洗发，5日为1个疗程。

5. 生半夏、生姜各300克（研末），香油1000克。同浸半个月，先以生姜片涂擦患处后涂药油，每日1次，连用3个月。

**【名医指导】**

1. 保持生活规律和充足睡眠，保持精神愉快，按时服药。

2. 勤洗头（一般3日1次），宜用硫黄软皂；禁烫洗和搔抓。

3. 调节胃肠功能，保持大便通畅；可适量番泻叶泡水代茶饮。

4. 急性期要避免风吹日晒，不要用强刺

激性药物。

5. 宜食富含维生素A、维生素$B_2$、维生素$B_6$、维生素E的食物，如动物肝、胡萝卜、南瓜、土豆、卷心菜、芝麻油、菜籽油等。

6. 忌食辛辣刺激性食物，如辣椒、胡椒面、芥末、生葱、生蒜、白酒等。

7. 忌油腻食物，少吃甜食和咸食。

8. 避免使用油腻的化妆品。

## 丹　　毒

丹毒是指皮肤及其网状淋巴管的急性炎症，好发于下肢和面部。其病原菌为A群B型溶血性链球菌，偶有C型或C型链球菌所致；多由皮肤或黏膜的破损处侵入，也可由血行感染侵入，鼻部炎症、抠鼻、掏耳、足癣等常为诱因。其他如营养不良、过分饮酒、丙种球蛋白缺陷及肾性水肿等均为诱因。发病前有全身不适、寒战、恶心等症状，继而局部出现边界清楚的水肿性鲜红斑并迅速向四周扩大，皮损表面可出现水疱、自觉灼热疼痛，可伴发淋巴管炎及淋巴结炎。多见于颜面及小腿部，面部损害发病前常存鼻前庭炎或外耳道炎，小腿损害常与足癣有关，并常有复发倾向，复发时症状往往较轻。婴儿多见于腹部，与脐部感染有关。愈后遗留色素沉着。

中医学认为，其病因以火毒为主，可由风、湿、热诸邪化火而致。其中发于颜面称“抱头火丹”或“大头瘟”；发于下肢者称“流火”；发于新生儿或小儿，称“赤游丹”、“游火”。临床分为风热火炽、肝经郁火、湿热火盛、毒热入营等证型。

**【必备验方】**

1. 玄参15克，当归10克，金银花20克，甘草6克。水煎服。发于颜面者，加牛蒡子、桑叶、菊花；发于胸腹者，加柴胡、龙胆、黄芩、郁金；发于下肢者，加黄柏、猪苓、赤小豆、牛膝。

2. 鲜鸭跖草60～90克（重症可用150～210克）。水煎服（或捣汁服）。适用于小儿丹毒，也可用于热痢或急性热病。

3. 雪上草根21克，马兰根、丝瓜络各9克，青木香4.5克，薄荷2.4克。水煎服。适用于流火（小腿部红肿灼热、腹股沟淋巴结肿大、身发寒热）。

4. 初期用仙人掌、马齿苋、芙蓉叶、绿豆等，任选一种，捣烂外敷，干则换之。中后期红肿稍退，可改用金黄膏或如意金黄散，蜜水调敷。

5. 鲜蜈蚣萍适量，食盐少许。同捣烂，贴于大椎穴。症状未减者，贴囟门；未见效者，加贴脐中。适用于赤游丹。

**【名医指导】**

1. 积极预防和治疗足癣，避免和纠正抠鼻的习惯。对皮肤黏膜的小伤口及时消毒处理，注意保持皮肤清洁卫生。

2. 婴幼儿皮肤柔嫩，要精心护理；糖尿病患者一旦出现小的感染灶应积极处理，防止病灶的扩散，发生丹毒。

3. 饮食清淡，戒烟、酒，忌辛辣油腻食物及海鲜等。

4. 加强身体锻炼，提高机体抵抗力，减少发病。

## 痤　　疮

痤疮又称青春痘、粉刺毛囊炎，是由于毛囊及皮脂腺阻塞、发炎引发的皮肤病。青春期人体内的激素会刺激毛发生长而使皮脂腺分泌更多油脂，毛发和皮脂腺因此堆积许多物质而引发皮肤红肿的反应。

本病中医学称“粉刺”。由于肺热熏蒸，蕴阻肌肤所致；或过食辛辣、油腻之品，生湿生热，结于肠内，循经上炎，上壅于面而成；或脾虚不运，运化失调，水湿内停，日久成痰，湿郁化热，湿热夹痰，凝滞肌肤所致。

**【必备验方】**

1. 生枇杷叶（去毛）、桑叶、麦冬、天冬、黄芩、杭菊花、生地黄、白茅根、白鲜皮各12克，地肤子、牛蒡子、白芷、桔梗、茵陈、牡丹皮、苍耳子各9克。水煎，每日1剂，分3次服，5日为1个疗程。

2. 水牛角（先煎）、生地黄各30克，赤芍60克，牡丹皮、黄连、黄芩、桑叶、蝉蜕

（去头、足）各10克，当归尾6克。水煎，每日1剂，分3次服。

3. 白附子30克。研细，每取1克，加白面2克，水调成浆，每晚反复涂于面部，干后涂上蜂蜜，次晨洗去，坚持常用。

4. 五月五日收带根天麻，晒干，烧灰，用商陆根捣自然汁，加酸醋，绢绞净。或天麻作饼，炭火煨过，收之半年方用，入面药，尤能润肌。

5. 何首乌末适量。以生姜汁调膏，用帛盖，大炙或热熨之。适用于痤疮。

**【名医指导】**

1. 日常生活中应注意少吃辛辣刺激性食物。

2. 保持皮肤清洁。每晚一定要用洗面奶洗脸，然后涂保湿水。避免使用油腻的化妆品。

3. 保持心情愉快，学会自我调节。

4. 戒掉不良习惯，如抽烟、喝酒、熬夜等。

5. 多喝水，多吃新鲜蔬菜水果。

6. 养成按时排便的习惯，保持大便通畅。

## 酒渣鼻

酒渣鼻又称玫瑰痤疮，是一种好发于面部中央的慢性炎症皮肤病，病因不明。临床表现为鼻子潮红，表面油腻发亮，持续存在可伴有瘙痒、灼热和疼痛感。早期鼻部出现红色的小丘疹、丘疱疹和脓疱；鼻部毛细血管充血严重，肉眼可见明显树枝状的毛细血管分支；最终鼻子上出现大小不等的结节和凹凸不平的增生，鼻子肥大不适。

中医学认为，本病多因饮食不节，肺胃积热上蒸，复感风邪，邪热瘀结于鼻所致。临床治疗多以清热解毒、活血消肿为主。

**【必备验方】**

1. 飞硫黄、大黄粉各15克。加冷开水100毫升拌匀，用棉签蘸搽患处，每日早、中、晚各1次（以搽后局部发痒为度），连用7～10日。

2. 百部30克，蛇床子、地榆各10克，75%乙醇100毫升。同密封浸泡5～7日，用棉签蘸搽患处，每日3～5次，连用5～7日。

3. 蒲公英、野菊花、鱼腥草、淡竹叶各10克。加少许清水浸泡5～10分钟后，煎取浓汁，搽患处，每日3～5次，10日为1个疗程，连用1～2个疗程。

4. 火麻仁、大枫子各50克（去壳，捣碎），红粉、轻粉各5克。拌匀做丸（每丸重7～8克），用4层纱布包，挤油搽患处，每晚1次（1丸可擦2～3次）。适用于酒渣鼻。

5. 密陀僧30克。研极细末，用人乳调如薄糊，每夜略蒸，待热，敷面，次晨洗去，连用半个月。

**【名医指导】**

1. 忌食辛辣、酒类等刺激性食物。戒烟。

2. 保持大便通畅，及时纠正消化道功能紊乱及内分泌失调性疾病。

3. 不宜在夏季、高温、湿热的环境中长期生活或工作；避免寒冷、风吹、日晒等诱因。

4. 常用温肥皂水洗涤。

5. 禁止在鼻子病变区抓、搔、剥及挤压。

6. 禁用有刺激性的化妆品。每次敷药前，先用温水洗脸，洗后用干毛巾吸干水迹。

7. 保持情绪平稳，避免焦虑、紧张、暴怒等精神刺激。

8. 及时去除、消灭毛囊虫，避免本病的发生及反复发作。

## 黄褐斑

黄褐斑又称肝斑，是面部黑变病的一种，发生在颜面的色素沉着斑。多因女性内分泌失调、精神压力大、各种疾病（肝肾功能不全、妇科病、糖尿病）、体内维生素缺乏及外用化学药物刺激引起。

本病中医学称“面上杂病”、“黧黑斑”、“面尘”、“蝴蝶斑”等。多为邪犯肌肤，气血不和，肝郁气滞，气滞血瘀所致。肝失条达，气机郁结，郁久化火，灼伤阴血，血行不畅，可导致颜面气血失和；脾气虚弱，运化失健，

不能化生精微，则气血不能润泽于颜面；肾阳不足、肾精亏虚等均可导致。

**【必备验方】**

1. 桃仁、甜杏仁、白果（去壳）各10克（共研细末），鸡蛋1个，冰糖10克，粳米50克。将粳米洗净，加桃仁等细末及适量水，以旺火煮沸，打入鸡蛋，改用文火煨粥，加入白糖调匀，每日早餐食用，20日为1个疗程，每疗程间隔5日。

2. 生地黄、熟地黄、当归各12克，柴胡、香附、茯苓、川芎、白僵蚕、白术、白芷各9克，白鲜皮15克，白附子、甘草各6克。水煎，每日1剂，分3次服。适用于肝郁化火、火燥瘀滞证。

3. 制附片、淫羊藿、熟地黄各9克，冬瓜子、生薏苡仁各30克，党参、茯苓各12克，桃仁、仙茅、红花各6克，白附子、蔓荆子、细辛各3克。水煎，每日1剂，分3次服。适用于阳虚患者。

4. 益母草、白及各7.5克，白附子、白蔹、钟乳粉各6克，密陀僧4.5克，细辛、轻粉各1.5克。共研极细末，每晚睡前用人乳或温水调涂患处，次日用温水洗去。

5. 鸡蛋5个。取蛋清，以烧酒密封浸泡（酒将蛋清淹没为度）1个月后，去烧酒，取出蛋清于每晚洗脸后涂面，次日清晨以温水洗净，再用冷水清洗。

**【名医指导】**

1. 注意防晒。尤其在夏季，应尽量避免长时间日晒。

2. 防止各种电离辐射，包括各种玻壳显示屏、各种荧光灯、X光机、紫外线照射仪等。

3. 慎用各种有创伤性的治疗，包括冷冻、激光、电离子、强酸强碱等腐蚀性物质。

4. 禁忌使用含有激素、铅、汞等有害物质的“速效祛斑霜”。

5. 戒掉不良习惯，如抽烟、喝酒、熬夜等。

6. 多喝水、多吃蔬菜水果，如西红柿、黄瓜、草莓、桃等；避免刺激性的食物，如咖啡、可乐、浓茶、香烟、酒等。

7. 注意休息，并保证充足的睡眠。

8. 保持良好的情绪。

# 第十七章　肛管、直肠和结肠疾病

## 痔

痔是指直肠末端黏膜下、肛管及肛缘皮下的静脉丛淤血曲张扩大形成柔软的血管瘤样病变，分为外痔、内痔和混合痔等，发作时有便血、疼痛、脱肛和坠胀等。

本病中医学亦称“痔”或“痔疮”。脏腑本虚、气血亏损是发病基础，情志内伤、劳倦过度、长期便秘、饮食不节、妇女妊娠等为诱因，使脏腑阴阳失调，气血运行不畅，经络受阻，燥热内生，热与血相结，气血纵横，经脉交错，结滞不散而成。

**【必备验方】**

1. 西瓜皮适量。用适量水将其煮熟闻香气，患者坐于木器之上，以药物之香气熏蒸痔疱，若能用手蘸药液至痔疱上清洗，疗效更佳。或生姜切薄片，放在痛处，以熟艾作炷于姜片上灸3壮。

2. 皂角适量。去子、皮，蜜炙，研末，米糊为丸（如梧桐子大），每服20～30丸，米饮送下。适用于肠风痔漏。

3. 蒲公英、黄柏、赤芍、牡丹皮、土茯苓各30克，桃仁20克，白芷15克。每日1剂，外洗，加水2500～3500毫升煮沸，去渣，熏洗患处，每日2～3次，每次15～30分钟。

4. 枳壳、槐花、地榆各10克，仙鹤草、墨旱莲、侧柏叶、火麻仁各15克，黄芩5克，苋菜30克。水煎，每日1剂，分2次服。药渣加水，煎液，熏洗患处。

5. 大黄50克，鸡蛋2个。将大黄加开水200毫升煮1分钟，放入鸡蛋再煮20分钟，食鸡蛋，每日早、晚各1个；取汁于晚上洗患处。连用数日。适用于外痔。

**【名医指导】**

1. 加强锻炼，参加多种体育活动，如广播体操、太极拳、气功、踢毽子等。

2. 养成定时排便的习惯。习惯性大便干燥者，可在每日晚饭后（隔1小时）生吃白菜心150～250克。

3. 合理调配饮食，日常饮食可多选用蔬菜、水果、豆类等含维生素和纤维素较多的食物；少食辛辣刺激性食物，如辣椒、芥末、姜及酒等。

4. 注意妊娠期保健。妊娠期应定时去医院复查，遇到胎位不正时应及时纠正。

5. 保持肛门周围清洁，避免诱发痔疮。

6. 司机、孕妇和坐班人员在每日上午和下午各做10次提肛动作。

## 肛隐窝炎

肛隐窝炎又称肛窦炎，是肛窦、肛门瓣发生的急、慢性炎症。其特点是肛门部疼痛，坠胀不适和肛门潮湿，常并发肛乳头炎、肛乳头肥大。临床上症状比较轻微，常被忽视，然本病是诱发肛门、直肠疾病的重要因素，故肛窦素有肛门、直肠疾病的“发源地”之称。

中医学认为，本病多因饮食不节，过食膏粱厚味及辛辣刺激食物所致；或因肠燥热结，便秘蕴热肛门；或因湿毒热结，湿热下注肛门所致。

**【必备验方】**

1. 当归尾、通草各9克，薏苡仁、金银花各15克，泽兰、牡丹皮、赤芍、枳壳各6克。水煎服，每日1剂。

2. 金银花、紫花地丁各 15 克，水牛角 30 克，夏枯草、赤茯苓、连翘、牡丹皮各 9 克，川黄连 6 克。水煎服，每日 1 剂。大便秘结者，加火麻子仁 6 克，大黄 9 克；痛甚者，加延胡索 6 克，枳壳 9 克；小便短赤者，加木通 6 克，淡竹叶 15 克。

3. 川芎、地榆、当归、生地黄各 6 克，白术 12 克，茯苓、白芍、天花粉、栀子各 9 克，黄连、甘草、人参各 3 克。水煎服，每日 1 剂。

4. 紫花地丁、蒲公英各 30 克，赤芍 12 克，野菊花 5 克，半边莲、金银花各 15 克，甘草、牡丹皮、黄芩各 9 克。水煎服，每日 1 剂。

5. 莲子、薏苡仁、缩砂仁、桔梗各 5 克，白扁豆 8 克，白茯苓、人参、甘草、白术、山药各 10 克。水煎服，每日 1 剂。若纳差食少，加炒麦芽 12 克，焦山楂 15 克，炒六神曲 10 克。

**【名医指导】**

1. 保持大便通畅，定时排便，及时治疗急、慢性肠道炎症。

2. 饮食清淡，多吃瓜果蔬菜，少食辛辣、刺激、炙煿之品。

3. 保持肛门周围清洁干燥。

4. 若有肛门不适感，及时到医院就诊。

## 直肠肛管周围脓肿

直肠肛管周围脓肿是临床中较常见的化脓性感染，是肛瘘的前驱病变，任何年龄均可发生。直肠肛管周围脓肿大多起源于直肠肛管壁内感染如肛窦炎等，也可经淋巴传播或肛周毛囊皮脂腺发生感染形成，粪便内的尖锐异物刺破直肠肛管壁而引起周围组织感染也可形成。直肠肛管周围软组织被肛提肌和盆筋膜分为若干间隙，脓肿也常位于这些间隙内，如坐骨直肠窝脓肿、黏膜下脓肿、骨盆直肠窝脓肿和皮下脓肿。临床表现为畏寒、发热、头痛、乏力、食欲不振、里急后重，排脓血、黏液便及膀胱刺激征等症状。

本病中医学称“肛痈”。发病原因是湿热下注肛门，郁久化火，肉腐成脓而发为肛痈。

**【必备验方】**

1. 金银花 30 克，当归、地榆、玄参、薏苡仁各 15 克，枳实、黄芩、大黄各 9 克。水煎服，每日 1 剂。适用于热毒型脓肿。

2. 竹节菜 50 克（干品 30 克），粳米 100 克。将竹节菜水煎，去渣，入粳米煮成粥，温热顿服，每日早、晚各 1 次。适用于缓解脓肿的相应症状。

3. 玄明粉 50 克，大黄、黄连、黄柏、乳香各 20 克。水煎至 400 毫升，去渣，保留灌肠，每次 40～60 毫升，早、晚各 1 次（肛内保留 20 分钟）。适用于脓肿流脓者。

4. 槐花适量。研细末，香油调敷患处，每日 1 次，连用 3～5 次。适用于出血性脓肿。

5. 鲜马齿苋适量。捣烂，于午休前和晚睡前贴敷于患处（无须胶布固定）。适用于热毒型脓肿。

**【名医指导】**

1. 卧床休息；避免久坐湿地。

2. 合理调配饮食，多选用蔬菜、水果、豆类等含维生素和纤维素较多的饮食；少食辛辣刺激性食物，如辣椒、芥末、姜等。

3. 养成定时排便的习惯。晨起喝 1 杯凉开水；或晨起参加体育活动，如跑步、做操、打太极拳等可预防便秘。

4. 有便意时勿忍着不去大便，以免引起习惯性便秘。应纠正排便时蹲厕时间过长或看报纸、过分用力等不良习惯。

5. 正确治疗便秘：对于一般的便秘患者可以采用合理调配饮食，养成定时排便的习惯加以纠正。对于顽固性或由某种疾病引起的便秘，应尽早到医院诊治，切不可长期服用泻药或长期灌肠。

6. 保持肛门清洁：勤换内裤，便后清洗肛门。

7. 积极锻炼身体：以加强局部的抗病能力，预防感染。

8. 积极防治其他肛门疾病：如肛隐窝炎和肛乳头炎。

## 肛　瘘

肛瘘是指肛门周围的肉芽肿性管道，由

内口、瘘管、外口3部分组成。内口常位于直肠下部或肛管，多为1个；外口在肛周皮肤上，可为1个或多个，经久不愈或间歇性反复发作，是常见的直肠肛管疾病之一，任何年龄都可发病，多见于青壮年男性。临床表现为瘘外口流出少量脓性、血性、黏液性分泌物；较大的高位肛瘘，因瘘管位于括约肌外，不受括约肌控制，常有粪便及气体排出。由于分泌物的刺激，使肛门部潮湿、瘙痒，有时形成湿疹。当外口愈合，瘘管中有脓肿形成时，可感到明显疼痛，可伴有发热、寒战、乏力等全身感染症状，脓肿穿破或切开引流后症状缓解。上述症状反复发作是瘘管的临床特点。

**【必备验方】**

1. 马齿苋、郁李仁各30克。分别洗净，加水500毫升煮开，以文火煮30分钟，去渣，分次饮服。适用于肛瘘实证。

2. 冬瓜、苦瓜各50克。分别洗净，切块，加水500毫升，以急火煮沸10分钟，去渣，分次饮服。适用于肛瘘实证。

3. 猪胆1个，冰片10克。将猪胆上端割1个小口，纳冰片入猪胆内（不要放出胆汁），扎紧口挂在阴凉处阴干，瓦上焙干，研末，香油调敷患处，外用胶布固定。大便后洗净患处再重新敷上。

4. 干蒜瓣子200克，鲜柳树须根（水中生长的）150克。水煎40分钟，熏洗患处，每日1次，连用5日即愈。

5. 生茄子（或黄花菜）根适量。捣烂，敷患处。同时配服绿豆汁、西瓜汁、生藕汁、大青叶煎水服（或黄连、菊花加甘草煎水）。适用于疼痛、肿胀初起。忌食辛温、香燥之品及发物。

**【名医指导】**

1. 宜进食清淡、富有营养、富含纤维素的食物，如绿豆、萝卜、冬瓜等新鲜蔬菜、水果；可多食瘦肉、牛肉、蘑菇等；忌食油腻、辛辣、煎炸之品。

2. 及时治疗肛窦炎、肛乳头炎。

3. 肛门灼热不适、下坠者，及时查清原因，及时治疗。

4. 积极防治便秘和腹泻，预防诱发本病。每日排便后坐浴以保持肛门清洁。

5. 应重视、积极治疗本病，预防发生其他变症，如溃疡性结肠炎、克罗恩病等。

## 肛　　裂

肛裂是齿状线以下肛管皮肤层裂伤后形成的小溃疡，其方向与肛管纵轴平行（长0.5～1.0厘米），呈梭形或椭圆形，常引起剧痛，愈合困难。而肛管表面裂伤不能视为肛裂。肛裂是一种常见的肛管疾患，也是青壮年产生肛管处剧痛的常见原因。多见于中年男性，也可发生于老人及小儿，常发于肛门后、前正中，以肛门后部居多。临床表现为：初起仅在肛管皮肤上有一小裂口，有时可裂到皮下组织或直至括约肌浅层，裂口呈线形或棱形；如将肛门张开，裂口的创面即成圆形或椭圆形，并伴有疼痛、便秘、出血。排便时剧烈疼痛，排便后疼痛短暂缓解，因此患者恐惧排便，以致便秘加重而形成恶性循环。

**【必备验方】**

1. 益母草20克，红花、白鲜皮各12克，苦参、蜂房各15克，艾叶、花椒各5克，三棱10克，枯矾3克。上药用布包，加水500毫升，以火上煮沸5分钟，于每晚待温坐浴20分钟，之后取少许云南白药涂于患处。适用于肛裂、妇女产后会阴伤口久不愈合者。

2. 大豆1000克，食盐100克。将食盐加水加热化开，入大豆浸泡30分钟，后取豆子晾干，炒熟。每日于饭前和晚睡前嚼食，每次60粒左右。

3. 槐角5克，黑豆100粒，椿皮、生姜、红糖、白梨各120克。将前3味水煎至1碗，兑入生姜汁、白梨汁、红糖调服，每次1匙，每日4～8次。适用于便血。

4. 白及200克，蜂蜜50克。将白及水煎至稠，去渣，取液浓缩成稀糊状，兑入煮沸、去沫的蜂蜜搅匀，冷涂于患处，每日2次，连用3～5日。

5. 金银花、地肤子各20克，苦参、蛇床子、黄柏各30克，赤芍15克。水煎20分

钟，熏洗患处10～15分钟。适用于肛裂伴有肛门瘙痒者。

**【名医指导】**

1. 保持大便通畅，养成每日定时排便习惯，发现大便燥结时，切忌努责排便，可用温盐水灌肠或开塞露注入肛内润肠通便。

2. 积极治疗肛管内原有病变，如肛窦炎、肛乳头炎、肛隐窝炎、直肠炎、结核等。

3. 少量饮酒，不吃辛辣刺激食物；宜粗、细粮和蔬菜等搭配食用。适当多饮水。

4. 保持情绪稳定，积极配合治疗；若保守治疗效果不佳，可行外科手术治疗。

## 直肠息肉

直肠息肉泛指直肠黏膜表面向肠腔突出的隆起性病变，包括腺瘤（其中有绒毛状腺瘤）、儿童型息肉、炎症息肉及息肉病等。临床症状主要为无痛性便血，脱垂，肠道刺激症状，如腹部不适、腹痛、腹泻、脓血便、里急后重等。

**【必备验方】**

1. 生地黄、枳壳、桂枝、皂角刺、当归、蒲黄各10克，炒小茴香、赤芍、炒五灵脂、牛膝各8克，没药、延胡索各6克，水煎服，每日1剂，15日为1个疗程。适用于直肠息肉糜烂。

2. 僵蚕（微炒）、乌梅（去核，炒炭）各500克，蜂蜜500克。将乌梅、僵蚕研细末，和蜜为丸（如豆粒大小）。每服9克，每日3次，15日为1个疗程。适用于多发性直肠息肉。

3. 半枝莲、黄芪各30克，山豆根12克，诃子、白术、薏苡仁各15克，白花蛇舌草20克。水煎服。腹痛者，加延胡索8克，橘核10克，茴香5克；腹泻者，加黄连5克，马齿苋30克；便血者，加地榆15克，槐角、炒荆芥各10克；体虚、脾弱者，加党参、当归、山药、麦芽、山楂各10克，鸡内金（研末，冲服）3克。适用于湿热型直肠息肉。

4. 生黄芪20克，赤芍15克，地龙6条，川芎、牛膝、全当归各10克，桃仁、红花各12克，穿山甲8克。水煎服。腹胀、肛门下坠者，加枳实10克，木香8克。适用于气滞血瘀证。

5. 乌梅、五倍子、五味子、牡蛎、夏枯草、浮海石、紫草各15克。水煎浓汁50毫升，保留灌肠，每日1次。适用于泄泻型直肠息肉。

**【名医指导】**

1. 保持肛周清洁，养成定时排便习惯。

2. 宜多吃富含纤维素的水果、蔬菜；不宜吃酸、辛辣、煎炸等刺激性食物；少吃油腻食物。若有长期便血者，饮食中宜富含铁；做饭时宜使用铁锅、铁铲。

3. 及时治疗肛门、直肠的各种疾病。

4. 一旦确诊，应及早外科手术治疗。治疗期间保持心态乐观，积极配合。

5. 平时宜应保持情绪稳定，避免七情过极。

## 直肠脱垂

直肠脱垂是指肛管、直肠甚至乙状结肠下端向下移位，常见于儿童及老年人。只有黏膜脱出，称不完全脱垂；直肠全层脱出，称完全脱垂；脱出部分在肛管直肠，称内脱垂或内套叠；脱出肛门外，称外脱垂。儿童直肠脱垂是一种自限性疾病，可在5岁前自愈；成人完全性直肠脱垂较严重者，可致阴部神经损伤产生肛门失禁、溃疡、肛周感染、直肠出血，甚至发生脱垂肠段水肿、狭窄和坏死的危险，应以手术治疗为主。

本病中医学属于“脱肛”、“脱肛痔”、“重叠痔”、“截肠”、“盘肠痔”等范畴。

**【必备验方】**

1. 绿豆50～60克，糯米20～30克，猪大肠250～300克。将前2味塞猪大肠内（两端用线扎紧），加水炖2小时，取出，切段，调味，佐餐食。

2. 黄芪30克，山茱萸10克，瘦猪肉100克（切片）。将前2味水煎30分钟，去渣，入猪肉片煮熟，调味后饮汤食肉。

3. 升麻5克，当归、枳壳、麦冬各10克，黄芪、炒山药、南沙参、乌梅、白芍各15克。小儿滑泻不禁者，加煨诃子10克，炙

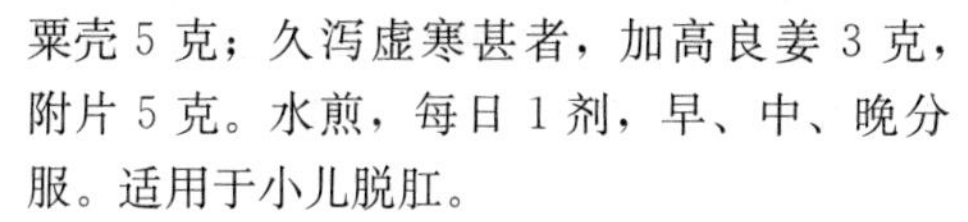

粟壳 5 克；久泻虚寒甚者，加高良姜 3 克，附片 5 克。水煎，每日 1 剂，早、中、晚分服。适用于小儿脱肛。

4. 陈艾（煎水）、陈壁土（研细）各适量。混匀，去渣，以艾水温浴，待收入为度，外用熨法。

5. 鲜重楼适量。用醋磨汁，涂患部后用纱布压送复位，每日 2～3 次。

**【名医指导】**

1. 积极去除各种诱发因素，如咳嗽、久坐久站、腹泻、肠炎等疾病，婴幼儿尤要注意。

2. 生活规律，注意增加营养。养成定时排便的习惯，切勿长时间蹲坐便盆；便后和睡前可用热水坐浴，以刺激肛门括约肌的收缩，预防直肠脱垂。

3. 习惯性便秘或排便困难者多食富含纤维素的食物，且排便时不要用力过猛。

4. 妇女分娩和产后要充分休息，以保护肛门括约肌的正常功能。如有子宫下垂和内脏下垂，应及时治疗。

5. 经常做肛门体操，以促进肛提肌群运动。

6. 饮食宜清淡、易消化、少渣；忌刺激性食物，如辣油、芥末、辣椒等；不宜过食油腻；不宜食用带鱼、螃蟹等发物。

## 溃疡性结肠炎

溃疡性结肠炎是一种局限于结肠黏膜及黏膜下层的炎症过程，多发于乙状结肠和直肠，也可延伸至降结肠甚至整个结肠。本病多见于 20～30 岁。临床表现为起病缓慢，反复发作，少数突发起病，呈持续进展或暴发性过程；可伴有腹痛和腹泻。腹痛位于左下腹，呈隐痛、绞痛，便后缓解；腹泻以黏液脓血便最常见，每日次数不等，常伴里急后重。尚有恶心、呕吐、食欲不振；贫血、消瘦、低蛋白血症、水及电解质紊乱、精神焦虑；常有关节炎、结节性红斑、慢性活动性肝炎、口腔溃疡等；左下腹压痛，部分患者可触及条索状增厚或痉挛的肠管。

本病中医学属“肠澼”、“久泻”、“休息痢”等范畴。辨证应为本虚标实之证，本虚以脾胃虚弱为主，严重者会出现脾肾两虚、气血两亏；标实为湿浊、湿热、热毒等留滞肠间，病程久者，会出现瘀血阻滞肠胃之脉络。临床治疗多以健脾化湿、活血祛瘀、清热解毒为主。

**【必备验方】**

1. 鲜土豆 1000 克。洗净，切细丝，捣烂，绞汁，以大火煮沸后以小火煎稠，加入等量蜂蜜再煎至黏稠如蜜时停火，待凉装瓶。每次 1 匙，每日 2 次，空腹食。

2. 黄芪、薏苡仁各 12 克，党参、茯苓、血余炭、赤石脂、白芍各 10 克，白术炭、陈皮炭、柴胡、厚朴、黄连各 6 克。水煎，每日 1 剂，分 2 次服。适用于脾胃气虚、中气下陷证。

3. 金钱草 30 克，白头翁 20 克，金银花 25 克，秦皮、柴胡各 10 克，黄芩、葛根、黄柏各 15 克，黄连、甘草各 6 克。水煎，每日 1 剂，分 2 次服（或饭后半小时服），同时以用 30～50 毫升保留灌肠。适用于热毒夹湿证。

4. 黑鲤鱼 1 尾，冰糖 50 克，白酒适量。将鱼去内脏（不去鳞），切块，以白酒浸泡，加水煨炖数小时，过滤，取汁 500 克，加冰糖调匀，于饭后 2 小时服，每次 100 克，每日 2～3 次。适用于虚证。

5. 重楼 20 克（浸透），鲜猪肚 1 只。将重楼塞入猪肚内（扎紧两端），加水及食盐，以文火煲汤，去渣，喝汤食肉，隔 4 日用 1 剂，连服 1 个月左右。

**【名医指导】**

1. 注意劳逸结合，不可太过劳累；暴发型、急性发作和严重慢性型患者应卧床休息。

2. 根据气候变化及时增减衣服；适当进行体育锻炼以增强体质。

3. 进食柔软、易消化、富有营养和足够热量的食物，宜少量多餐；补充多种维生素。勿食生、冷、油腻及多纤维素的食物。

4. 注意食品卫生，不吃变质、过期食物；忌烟、酒、辛辣食品及牛奶和乳制品、鱼、虾、蟹、鳖等。

5. 保持心情舒畅，避免精神刺激，解除

各种精神压力。

6. 腹泻时忌吃多油食品，应以蒸、煮、焖、水滑等蒸煮方式为主。

## 克罗恩病

克罗恩病又称局限性回肠炎、局限性肠炎、节段性肠炎和肉芽肿性肠炎，是一种原因不明的肠道炎症性疾病，与慢性非特异性溃疡性结肠炎统称炎症性肠病。本病可发生在整个胃肠道的任何部位，好发于末端回肠和右半结肠。临床以腹痛、腹泻、肠梗阻为主要症状，且有发热、营养障碍等肠外表现；病程多迁延，常有反复，不易根治。典型病例多在青年期缓慢起病，病程常在数月至数年。活动期和缓解期长短不一，相互交替出现，反复发作中呈渐进性进展。少数急性起病，可有高热、毒血症状和急腹症表现，多有严重并发症，偶有以肛旁周围脓肿、瘘管形成或关节痛等肠外表现为首发症状者。腹泻者，每日大便2～6次，一般无脓血或黏液（如直肠受累可有脓血及里急后重感）。腹痛者，多位于右下腹，与末端回肠病变有关，饭后腹痛与胃肠反射有关。此外，活动性肠道炎症及组织破坏后毒素的吸收等均能引起发热，一般为中度发热或低热，常间歇出现。急性重症病例或伴有化脓性并发症时，多出现高热、寒战等症状；腹块以右下腹和脐周多见；便血与溃疡性结肠炎相比，可有恶心、呕吐、纳差、乏力、稍瘦、贫血、低蛋白血症等临床表现。

本病中医学属“泄泻”、“腹痛”、“肠结”等范畴。本病病脾，多因湿热内蕴，下迫大肠而发病，病久损伤正气，脾肾亏虚。

**【必备验方】**

1. 黄芪30克，人参3克（或党参15克），山药30～50克，赤小豆、白糖各适量。将赤小豆加水煮至半熟，入山药（去皮，切片）、黄芪、人参煮至粥熟，加入白糖，早餐食，可常服。适用于久泻伤气耗阴证。

2. 人参、生姜各3～5克，白茯苓15～20克，粳米100克。将人参、生姜分别切薄片，把茯苓捣碎；同加水浸泡半小时，煎取汁，然后再煎取汁，2次煎汁合并，于早、晚同粳米煮粥服食。适用于脾虚证。

3. 鲜猪肉750克（切块），干姜6克，吴茱萸、肉豆蔻各3克，肉桂2克，丁香1克。将后5味共研末；涂于猪肉块表面，加入适量酱油、黄酒、白糖、味精浸渍2～3小时，放入烤箱中以文火烤15分钟左右，翻过再烤15分钟左右，即可服食，1周（或半个月）1次。适用于脾肾阳虚证。

4. 柞树皮50克，无花果7枚。开水浸泡1小时，熏洗小儿脚掌并淋洗膝关节以下15分钟，每日2次，7日为1个疗程。适用于湿证。

5. 杨树皮1块（长30厘米、宽5厘米）（晒干，洗净），红糖50克，鸡蛋2个（洗净）。水5碗煎沸10分钟，于每日早晨空腹食鸡蛋、服汤（将多余的水倒入暖瓶，当日喝完），连用3个月不要间断。适用于血虚证。

**【名医指导】**

1. 病情较重者应卧床休息；轻者应劳逸结合，增加休息时间。

2. 腹痛、腹泻时，注意食用少纤维食物；可适当给予抗胆碱药，如在饭前给予阿托品或颠茄等；也可给予苯乙哌胺，每日2～4毫克，根据大便次数调整剂量。

3. 饮食宜少渣、无刺激性、富于营养；酒茶、咖啡、冷食和调味剂等不宜食用。

4. 适当补充维生素。

5. 低蛋白血症或贫血明显者可适量输血；必要时可予以静脉高营养。

6. 有精神症状、精神紧张或抑郁时，可使用镇静药；或进行必要的心理治疗。

# 第十八章　男性生殖系统疾病

## 睾丸炎和附睾炎

睾丸炎通常由细菌和病毒引起，多由于邻近的附睾发炎引起，又称附睾-睾丸炎。常见致病菌为葡萄球菌、链球菌、大肠埃希菌等，可以直接侵犯睾丸；多见致病病毒为流行性腮腺炎病毒，主要侵犯儿童腮腺而引起“大嘴巴”，也嗜好于侵犯睾丸。

附睾炎多发于青壮年。当抵抗力低下时，大肠埃希菌、葡萄球菌、链球菌等致病菌便乘机侵入附睾而引发炎症。本病多继发于后尿道炎。急性附睾炎多由泌尿系前列腺炎和精囊炎沿输精管蔓延到附睾所致，血运感染较少见。经尿道器械操作频繁、导尿、前列腺摘除术后留置尿管等均易引起附睾炎，急性附睾炎若治疗不彻底可转为慢性附睾炎。急性附睾炎临床表现为突然高热、白细胞升高，患侧阴囊胀痛、沉坠感，下腹部及腹股沟部有牵扯痛，站立或行走时加剧；患侧附睾肿大，有明显压痛。炎症范围较大时，附睾和睾丸均有肿胀，两者界限触摸不清，称附睾睾丸炎。患侧的精索增粗，亦有压痛。一般情况下，急性症状可于1周后逐渐消退。慢性附睾炎，多继发于慢性前列腺炎或损伤，多数患者并无明确的急性期，常感患侧阴囊隐痛、胀坠感，疼痛常牵扯到下腹部及同侧腹股沟，有时可合并有继发性的鞘膜积液。检查时附睾常有不同程度的增大、变硬，有轻度压痛，同侧输精管可增粗。

本病中医学属“子痈”范畴。

**【必备验方】**

1. 丹参、玄参各12克，白芥子、山药、丝瓜络、橘核、生地黄、熟地黄、莪术各10克，肉桂6克，忍冬藤30克，鸡血藤20克。水煎，每日1剂，分2次服。适用于脾肾两虚、寒湿凝结、经络阻遏者。

2. 小茴香、苍耳子、杜仲、丝瓜络各10克。水煎服，每日1剂。适用于少阴寒凝证。

3. 盐橘核、盐荔枝核、盐小茴香、巴戟天、白芍、熟地黄、沙苑蒺藜、白蒺藜、醋炒川楝子、海浮石各10克，醋炒山楂核、瓦楞子各30克，胡芦巴、附子、盐炒韭菜子、升麻、细辛、炙甘草各6克，桂枝5克。水煎服。适用于肾阴阳两虚证。

4. 野菊花15克，金银花、蒲公英、甜地丁各30克，重楼20克。水煎至100毫升，保留灌肠，每日1次，每次30分钟。适用于湿热下注证。

5. 蒲公英、败酱草、王不留行各50克，延胡索、赤芍各25克，穿山甲、木香各10克，牡丹皮15克，土茯苓、淫羊藿各30克，仙茅、当归各20克。加水煎2次，取液混合，过滤，保留灌肠，每次30分钟，每日2次。适用于热毒证。

**【名医指导】**

1. 及时到正规医院治疗性病。

2. 急性期应卧床休息，多饮水；用布带将阴囊托起，以减轻阴囊坠胀感。

3. 急性期可作冷敷，慢性期可作热敷。

4. 常饮赤小豆汤或绿豆汤。

5. 治愈前及治疗期间避免性交。

6. 饮食上宜多吃新鲜蔬菜、瓜果，增加维生素C的摄入，以提高身体抗感染能力；少吃猪蹄、鱼汤、羊肉等发物，以免引起炎症进一步浸润扩散；忌辛辣刺激性食物；戒烟、酒；忌久站久坐、过度性生活、频繁手淫等。

# 前列腺炎

## 急性前列腺炎

急性前列腺炎是指前列腺非特异性细菌感染所致的急性炎症，主要表现为尿急、尿频、尿痛、直肠及会阴部疼痛，多有恶寒发热等；致病菌以大肠埃希菌为主（约占80%），感染途径为血行感染或直接蔓延，其中经尿道直接蔓延较多见。其主要病因有：①淋菌性尿道炎时，细菌经前列腺管进入前列腺体内引起；②前列腺增生和结石，使前列腺部尿道变形、弯曲充血，失去对非致病菌的免疫力而发生；③尿道器械应用时带入细菌或上尿路炎症细菌下行，致前列腺感染；④血行感染，常继发于皮肤、扁桃体、龋齿、肠道或呼吸道急性感染，细菌通过血液到达前列腺部引起感染。突然发病时全身症状（乏力、虚弱、厌食、恶心、呕吐、高热、寒战、虚脱或败血症）可掩盖局部症状（会阴或耻骨上区重压感，久坐或排便时加重，且向腰部、下腹、背部、大腿等处放射）。尿路症状：排尿时灼痛、尿急、尿频、尿滴沥和脓性尿道分泌物。膀胱颈部水肿可致排尿不畅，尿流变细或中断，严重时有尿潴留。直肠症状：直肠胀满，便急和排便痛，大便时尿道流白。

本病中医学属“热淋”范畴。由于外感热毒，蕴结不散，流注下焦，气血壅滞，经脉阻隔，膀胱气化不利，而成淋浊之证；饮食失节，过度饮酒或房室不洁，致湿热内生，蕴于精室；房室太过，或强忍不泄，致肾精亏耗，阴虚火旺，相火妄动，引动下焦之湿热而致，临床主要分为湿热下注型和热毒壅盛型。

**【必备验方】**

1. 土茯苓25克，薏苡仁、败酱草各20克，王不留行、萹蓄各10克，瞿麦、滑石、石韦各15克。水煎，每日1剂，分2次服。适用于湿热下注型。

2. 柴胡8克，升麻6克，桔梗9克，茯苓、猪苓、泽泻、车前子、木通各10克。水煎，每日1剂，分2次服。适用于清气不升、浊阴不降、气化失司、膀胱不利者。

3. 蛤蜊肉150克（用淡盐水洗净），鲜益母草250克（洗净，切碎），牛膝15克（洗净，切碎）。将后2味加沸水以文火煮30分钟，去渣，入蛤蜊肉煎15分钟，调味后服食。适用于瘀血水阻证。

4. 赤小豆50克（煮成粥），鲤鱼（或鲫鱼）1尾，水煎取汁。调匀（不入佐料），早餐食。适用于湿热下注型。

5. 豌豆苗30克，薏苡仁50克，粳米50克。将粳米、薏苡仁加水煮沸，入豌豆苗同煮粥，加入食盐、香油、味精调服。适用于热淋。

**【名医指导】**

1. 保持乐观情绪，消除不必要的思想顾虑。

2. 劳逸结合。保持充足睡眠，避免过度体力活动。

3. 适当参加体育锻炼，避免久坐不动和长时间骑自行车、摩托车等。

4. 注意饮食，多吃蔬菜、水果；禁酒、烟；忌辛辣刺激性食物。

5. 不憋尿，做到有尿就排。

6. 讲究卫生，保持会阴部清洁干爽。

7. 适当饮水。

8. 适度性生活。

9. 排除诱发因素，预防感冒及其他皮肤感染。

10. 热敷下腹及会阴部（或热水坐浴），避免会阴部潮湿阴冷。

## 慢性前列腺炎

慢性前列腺炎是男性泌尿生殖系统常见的感染性疾病（4%～25%）。临床表现为尿频、尿急、尿道灼痛，清晨尿道口有黏液、黏丝或脓性分泌物，尿混浊，大便后尿道口有白色液体流出，后尿道、会阴及肛门不适，可有阴茎、睾丸及腹股沟部疼痛，并伴有射精痛、血精、早泄、阳痿以及乏力、头晕、失眠和忧郁等。

本病中医学属“精浊”、“劳淋”、“白淫”等范畴。以湿、热、瘀、虚为病因病机。

**【必备验方】**

1. 生山药（去皮后捣为糊）、大米（煮

粥）各 60 克，酥油、蜂蜜各适量。将生山药糊用酥油和蜂蜜炒凝，揉碎，与米粥搅匀，早饭食。

2. 羊腰子 1 对，杜仲 15 克，调料适量。将腰子切开，去筋膜，切成花，放入调料与杜仲同炖熟，夜宵食。

3. 瘦猪肉 150～200 克（洗净，切块），鲜白兰花 30 克（干品 10 克）。同煮汤，加食盐调服，每日 1 次。适用于前列腺炎、女子白带过多等症。

4. 车前子 60 克，陈皮 15 克，通草 10 克，绿豆 50 克，高粱米 100 克。将前 3 味布包，水煎，去渣，入后 2 味同煮粥，空腹服，连服数日。适用于老年人前列腺炎。

5. 白花蛇舌草、穿山甲各 20 克，知母 12 克，菟丝子、茯苓各 18 克，王不留行、粉萆薢、车前子、益智、泽泻各 15 克。水煎服，每日 1 剂；同时以药渣煎水熏洗会阴部，14 日为 1 个疗程。

**【名医指导】**

1. 每日按摩尿道两侧 15～20 分钟，按摩强度以自己能承受为度。

2. 站立做缩肛运动，每日早起和晚睡前各 50～100 次，以肛门感觉酸胀发热为准。

3. 夏天用湿毛巾冷敷睾丸，每晚 2～3 次（以睾丸收缩到位为准）。

4. 保持情绪平稳，心态积极乐观；忌紧张、焦虑，使身心处于放松状态。

5. 每日早晨晨练：慢跑 10～15 分钟，以微出汗为准；或是做操、游泳等。

6. 每日早晨双手扣腰，刺激肾脏血液循环（以扣 100～150 次最好）。

7. 饮食清淡，忌辛辣、油腻之品；戒烟、酒。

8. 多饮水，不憋尿；注意生理卫生，禁止手淫，减少房事。

9. 生活规律，早睡早起；保证充足的睡眠，提高机体的免疫力。

10. 对于急性泌尿生殖性感染应积极治疗，如急性前列腺炎、急性附睾炎、急性精囊炎等。

## 前列腺增生症

增生是指由于实质细胞数量增多而造成组织、器官的体积增大，是各种原因引起的细胞有丝分裂活动增强的结果。前列腺增生症是老年男性的常见疾病，一般于 40 岁后开始发生增生病理改变，50 岁后出现相关症状。前列腺增生与体内雄激素及雌激素的平衡失调关系密切。其常见的诱因有：过度的性生活及未经彻底治愈的后尿道炎；睾丸功能变异；尿道梗阻及其他结构的改变；饮酒过度及过食刺激性食物。其临床表现如下。①尿频急：为早期突出症状，以夜间最为突出。尿频系膀胱颈部充血，残余尿中轻度感染，刺激膀胱口部所致；尿急多由膀胱炎症引起。②排尿困难：开始表现为排尿等待及排尿无力，继而尿流变细、中断，甚至出现尿潴留。③尿失禁：常为晚期症状，常发生于患者入睡时，由于盆底肌肉松弛而出现尿失禁。增大的腺体一方面造成排尿困难，另一方干扰了膀胱口括约肌，也可以发生尿失禁。④血尿：主要由膀胱炎症及合并结石时出现，常为镜下血尿。如果为腺体表面的血管扩张破裂时，可引起肉眼血尿。出血量大而发生尿道内血块堵塞致急性尿潴留。⑤急性尿潴留：在受寒、运动剧烈、饮酒或过食刺激性食物，未能及时排尿，引起腺体肥大及膀胱颈部充血、水肿而产生尿潴留。

中医学认为，本病的基本病因为肾元亏虚，病机责之于肾虚血瘀。临床治疗多以益肾健脾、清热解毒、活血化瘀、软坚散结、益气利水为主。

**【必备验方】**

1. 黄芪、海藻各 20 克，党参、丹参各 15 克，枸杞子、菟丝子、牛膝、泽泻各 10 克，白花蛇舌草、半枝莲各 30 克，王不留行 12 克，甘草 5 克。水煎，每日 1 剂，分 2 次服。适用于湿热下注证。

2. 生黄芪 30 克，当归、滑石各 10 克，升麻、柴胡各 8 克，甘草、石菖蒲各 5 克，淡竹叶 2 克。水煎，每日 1 剂，分 2 次服。适用于气虚下陷证。

3. 柴胡、白芍、青皮、陈皮、法半夏、茯苓、白芥子、香附、莪术各9克，牡蛎15克，瓜蒌12克。水煎，每日1剂，分2次服。适用于肝郁痰结型。

4. 黄芪20克，莪术、泽泻、肉苁蓉、熟地黄各15克，当归、穿山甲、盐知母、盐黄柏、淫羊藿各12克，木通、肉桂、地龙各9克。水煎，每日1剂，分2次服。适用于脾肾两虚、气滞血瘀证。

5. 四方藤、春根藤、金钱草各30克，王不留行、桃仁各10克，灯心草15克，猪前脚1～2只。煲汤加盐调服，每日3次，连用3～6日，重者可酌情多用数日。适用于血热证。

**【名医指导】**

1. 防止受寒：秋末至初春应注意防寒，预防感冒和上呼吸道感染等。

2. 绝对忌酒。

3. 忌食辛辣之品。

4. 不憋尿，做到有尿就排。

5. 劳逸结合，不可过劳。

6. 避免久坐，宜经常参加文体活动及气功锻炼等。

7. 适量饮水：夜间适当减少饮水，白天多饮水。

8. 慎用药物：主要有阿托品、颠茄及麻黄碱、异丙肾上腺素等。最好不用钙阻滞药和维拉帕米等。

9. 彻底治疗前列腺炎、膀胱炎与尿道结石症等。

10. 按摩小腹：点压脐下气海、关元等穴。

11. 性生活不宜频繁。保持大便通畅。

12. 饮食宜清淡，多食菠菜、空心菜、芹菜、黄花菜、黄瓜、苦瓜、梨、藕、冬瓜、西瓜等。

## 男性不育症

男性不育症是指由于男性因素引起的不育，一般把婚后同居2年以上未采取任何避孕措施而女方未怀孕，称不育症。其中单属女方因素约为50%，单纯男方因素约为30%，男女共有疾病因素约20%。临床上分为性功能障碍和性功能异常，后者依据精液分析结果可进一步分为无精子症、少精子症、弱精子症、精子无力症和精子数正常性不育。

本病中医学称“无子”、“无嗣”、“五不男”等。中医学认为，肾主藏精，主发育与生殖；肾精充盛，则人体生长发育健壮，性功能及生殖功能正常。肝主藏血，肝血充养，则生殖器官得以滋养，婚后房事得以持久。脾主运化，水谷精微得以布散，精室得以补养，才能使精液充足。凡肾、肝、脾、心等脏腑功能失调均可影响生殖功能，出现精少、精弱、精寒、精薄、精热、精稠、阳痿、早泄、不射精等症，乃至男性不育。

### 少精子症

**【必备验方】**

1. 枸杞子、益智、淫羊藿、覆盆子、蛇床子、紫河车、巴戟天、熟地黄、菟丝子、炙甘草、山药、补骨脂各30克，五味子、砂仁、韭菜子各15克，附子、肉桂各24克，山茱萸9克，柴狗肾、鹿鞭各1具。共为细末，配成水丸，每次服9克，每日2次。适用于精子数少、成活率低而导致不育者。

2. 熟地黄20克，山药30克，山茱萸、茯苓、枸杞子、覆盆子、沙苑子、菟丝子、肉苁蓉各15克，泽泻、牡丹皮、牛膝各10克，韭菜子12克。水煎服，每日1剂。肾阳虚加仙茅、巴戟天、肉桂、附子各10克；肾阳不足，相火旺盛加盐知母、盐黄柏各10克，生地黄30克；气虚加黄芪30克，党参15克；血瘀加王不留行、红花、路路通、穿山甲各10克，改牛膝为川牛膝10克；湿热者，改茯苓为土茯苓30克，加败酱草、蒲公英、金银花、萆薢各15克；肝郁气滞加川楝子、小茴香、香附、郁金、柴胡、当归、白芍各10克。适用于性功能障碍，精子数量少、活力差者。

3. 熟地黄、炒山药、枸杞子、楮实子、菟丝子各15克，山萸肉、牡丹皮、茯苓各10克，淫羊藿、泽泻各12克，肉苁蓉、何首乌、覆盆子各10克。水煎服，每日1剂。

4. 阳起石、黄芪各30克，巴戟天、葫

芦巴、仙茅、菟丝子、泽泻各9克，当归12克，续断、川牛膝、淫羊藿各15克，山羊睾丸1对为引。水煎服，每日1剂。

【名医指导】

1. 节性欲：贵在节、少、和。

2. 宁心神：神态安定，心情淡泊。

3. 适劳逸：勿过劳。

4. 和七情：太过则伤精。

5. 勤运动：经常性的体育运动可延缓衰老，同时又可增强青春活力。

6. 洁外阴：搞好个人卫生，内裤不宜过紧。

7. 慎药石：不可随意滥服补肾壮阳药，可在医师指导下服用药物。

8. 除嗜好：戒烟、酒；早睡早起，保证充足的睡眠。

9. 疗疾病：有病早治，久病重病容易伤肾。

## 畸形精子过多症

【必备验方】

1. 熟地黄、炒山药、枸杞子、楮实子、菟丝子各15克，山茱萸、牡丹皮、茯苓各10克，淫羊藿、泽泻各12克，黄柏、知母、肉苁蓉、何首乌各10克。水煎服。

2. 知母、黄柏、泽泻、牡丹皮、山茱萸、天冬各10克，生地黄、熟地黄、制何首乌、黄精、山药、菟丝子各15克。水煎服。失眠多梦者，加酸枣仁、柏子仁、茯神各10克；头晕耳鸣，加女贞子15克，墨旱莲10克。

3. 熟地黄30克，玄参15克，麦冬、生地黄、牡丹皮、山药、石斛、沙参各9克。水煎服，每日1剂，分2次服。

4. 萆薢、杜仲、丹参各15克，茯苓、乌药、香附、栀子、益智、赤芍各10克，车前子、生地黄、枸杞子各12克。水煎服，每日1剂，分2次服。

【名医指导】

1. 注重养生，调整饮食结构，减少对肾精的耗损。

2. 生活规律，调整起居。

3. 减少感染，特别是女性生殖道的感染对精子的活力有很大杀伤力。

4. 慎用补品，过度使用温阳药耗损阴精过多，可使精子减少或畸形。

5. 避免长时间骑自行车、泡热水澡、穿牛仔裤。

6. 如果经常接触放射性物质、高温及毒物，一定要严格按照操作规定和防护章程作业。如果近期想要孩子，最好能够脱离此类工作半年后再生育。

## 精液不液化症

【必备验方】

1. 丹参30克，赤芍、蒲公英、当归各12克，法半夏、茯苓、陈皮、栀子、黄芩、生地黄各10克，车前子15克，泽泻、木通、淡竹叶、龙胆各6克。水煎服，每日1剂。

2. 赤芍、泽泻、牡丹皮、石菖蒲、乌药各10克，丹参30克，浙贝母、当归、萆薢各12克，白芷、穿山甲、甘草各6克，茯苓15克。兼有肾阳不足、寒邪凝滞者，加附子、鹿茸；肾阴亏乏、阴虚火旺者，加知母、黄柏；湿热内蕴者，加龙胆、黄芩、白茅根；瘀血内停者，加红花、益母草、茜草。每日1剂，水煎，分2次饭前温服。1个月为1个疗程。

3. 生地黄、玄参各30克，天冬、麦冬各15克，黄柏、知母各20克，泽泻、淡竹叶、山茱萸、水蛭粉（分2次冲服）各10克，每日1剂，水煎服。

4. 黄柏24～30克，知母15～20克，肉桂3～5克。若血瘀加水蛭10～15克，桃仁12克，红花9克；若痰阻加胆南星12克，陈皮10克；若湿热盛加龙胆12克，泽泻9克。水煎服，每日1剂，连续治疗1个月。

5. 陈皮、茯苓、法半夏、覆盆子、浙贝母、生地黄、玄参各10克，菟丝子、麦冬各20克，枸杞子、车前子各15克，山楂、麦芽各30克，水蛭5克。火煎服，每日1剂。痰盛者，加莱菔子30克，紫苏子15克；气虚明显者，加黄芪30克，党参15克；兼肾阳虚者，加仙茅15克，淫羊藿10克；湿热重者，加蒲公英20克，黄柏10克。

**【名医指导】**

1. 中药调理，滋补肝肾。

2. 如果精液黏稠度过高，可用分段射精方法，将前三下射出的精液留在阴道内，然后立即抽出阴茎，将其余精液射在外面。

3. 人工授精。

4. 补锌、镁等微量元素能改善精子不液化。

5. 远离污染、辐射。

6. 夫妻间保持外阴清洁。

7. 乐观面对，加强锻炼。

## 无精子症

**【必备验方】**

1. 熟地黄、枸杞子、黄精各 15 克，山茱萸、麦冬、石斛、巴戟天、淫羊藿各 10 克，五味子、陈皮、鸡内金各 6 克，山药 24 克。水煎服，每日 1 剂。

2. 熟地黄、白芍各 30 克，牛膝、地龙、川芎、当归、桃仁、红花各 9 克，枸杞子、鸡血藤各 15 克，路路通 12 克。水煎服，每日 1 剂。

3. 蒲公英、败酱草各 30 克，枸杞子 12 克，丹参、赤芍、石韦各 15 克，泽兰、炮穿山甲、红花、桃仁各 9 克，没药 20 克，王不留行 24 克。水煎服，每日 1 剂。

4. 取穴会阴、关元、气海、三阴交、肾俞、脾俞等。每次选用 3～4 穴，针刺或隔姜灸治。每日或隔日 1 次，15 次为 1 个疗程。

5. 枸杞子、菟丝子各20克，桑椹、山药、白芍、覆盆子各15克，淫羊藿、熟地黄各 12 克，山茱萸、紫河车粉（分吞）各 10 克，全当归、银柴胡各 9 克。水煎服，每日 1 剂。

**【名医指导】**

1. 经常锻炼，增强体质。男性体重控制在标准范围内，可以提高精子质量。

2. 少去桑拿房、蒸汽浴室。高温蒸汽浴不仅直接损伤精子，还抑制精子生成。

3. 戒烟、酒。

4. 放松心情，保持心态积极乐观。

5. 多吃绿色食品。

6. 定期检查：病菌感染也是男性不育的重要因素，应该经常到医师那里接受衣原体、前列腺的相关检查。

## 死精子症

**【必备验方】**

1. 淫羊藿、太子参、车前子各 15 克，肉苁蓉、覆盆子、菟丝子、枸杞子、制黄精、制狗脊、王不留行、当归各 12 克，仙茅 9 克，五味子 6 克，紫河车粉 3 克。每日 1 剂，水煎，分 2 次服。专治因死精所致的男子不育症。

2. 采用针挑疗法，取生殖点、骶丛神经点、腰 2 神经点或大椎旁点，皮肤常规消毒及局部麻醉后，用特制不锈钢挑针刺入达皮下，中频手法（80～120 次/分钟），每周针挑 3 次，连续 2.5 个月（或遵医嘱）。

3. 萆薢、车前子、紫花地丁、土茯苓、炒白术各 15 克，蒲公英、山药各 20 克，生地黄 10 克，瞿麦 12 克，赭石 12 克，生甘草 5 克。水煎服，每日 1 剂。

4. 淫羊藿、菟丝子、金银花各 20 克，枸杞子、覆盆子、肉苁蓉、蒲公英各 15 克，车前子、人参、续断、巴戟天、威灵仙各 10 克。水煎服，每日 1 剂。

5. 枸杞子 15 克。每晚睡前嚼碎咽下，连服 1 个月。适用于一切证型的死精子症。

**【名医指导】**

1. 戒烟、酒。

2. 减少高温对睾丸的刺激，不宜进行桑拿、熏蒸。

3. 减少不良的性生活。忌不洁性生活，注意安全防范措施。

4. 不可随便吃补品。

5. 尽量不穿紧身裤，处于青春期的男孩子更不能穿。

6. 洗澡水温最好控制在 30 ℃左右，最好每日用冷水清洗阴部；不要用香皂等洗阴部，最好用清水或男性专用洗液等。

7. 尽量不要长时间坐在软绵沙发或者老板椅上。

8. 尽量减少使用化妆品。化妆品中含有邻苯二甲酸酯，可导致少精症和死精症。

9. 从干洗店拿回来的衣服要放置几日再穿。

## 前列腺癌

前列腺癌是男性生殖系最常见的恶性肿瘤，发病随年龄而增长，其发病率有明显的地区差异，欧美地区较高。本病仅次于肺癌，在男性癌症死亡排第二位。本病的潜伏型、隐匿型皆无局部症状；临床型局部症状与前列腺增生症相类似，早期无症状；当癌肿引起膀胱颈及后尿道梗阻时，可出现血尿较少，部分患者表现为腰背痛、坐骨神经痛等；侵及膀胱颈后尿道，有尿频、尿急、尿痛、血尿和排尿困难等症，可伴消瘦、无力、贫血。

本病中医学属“淋证”、“尿血”等范畴。其病机主要为老迈年高，阴气自半，肝肾亏虚，虚火内动；或由房事不节，色欲过度，阴虚火旺，灼液成痰，痰浊凝结而成本症。过食肥甘厚味或辛辣之品及嗜酒贪杯，酿生湿热，湿热内蕴，郁久化毒，湿热毒邪结于下焦而致本症。长期的性压抑或欲念过旺，忍精不泄，致肝气不疏，气滞血瘀，瘀血败精结于下焦诱发本症。疾病后期，久病体虚，耗伤气血，导致全身衰竭。临床治疗采用清热解毒、软坚散结、活血化瘀、扶正祛邪等法。

**【必备验方】**

1. 桑叶、黄芩、法半夏各 10 克，柴胡、薄荷各 5 克，忍冬藤、连翘各 12 克。水煎服。发热较重者，加金银花 12 克，黄连 5 克；肿块坚硬者，加莪术、三棱各 10 克。适用于热毒证。

2. 人参、荆芥穗、熟地黄、柴胡、枳壳、酸枣仁、炙鳖甲、羚羊角、白术各 3 克，防风、川芎、当归、肉桂、炙甘草各 2 克，生姜 3 片。水煎服（或为散，分 2 次服）。睾丸疼痛者，加延胡索、川楝子各 3 克。适用于湿热下注证。

3. 青蒿、黄芩、佩兰、栀子各 6 克，苦杏仁、瓜蒌各 9 克，大豆卷、赤茯苓、鲜竹茹、六神曲、芦根、益元散各 12 克，郁金 5 克。水煎服。热重者，青蒿、黄芩均加至 12 克；疼痛者，加延胡索、川楝子各 6 克。适用于气滞血瘀证。

4. 当归（酒洗）、山药、莲子、川芎各 30 克，白芍 36 克，熟地黄 24 克，人参 15 克，白术 40 克，白茯苓、白扁豆各 18 克，炙甘草 9 克。共为细末，以生姜汁、六神曲糊为丸，每服 9 克，空腹白开水送下。自汗、汗多者，加黄芪、浮小麦各 30 克；眩晕不止者，加钩藤 10 克，天麻 6 克。适用于肝肾阴虚证。

5. 熟地黄、阳起石各 15 克，山药、狗脊、覆盆子、淫羊藿各 12 克，葛根、续断、伸筋草、桑螵蛸、知母、巴戟天、蛇床子各 9 克，远志 6 克。水煎服。脾气虚弱者，加白参 9 克，白术、炙甘草各 12 克；小便不利者，加泽泻、茯苓各 10 克。适用于肾阴阳两虚证。

**【名医指导】**

1. 老年人健康体检时，应特别注意检查前列腺。

2. 食物中保证摄入足量的硒元素，宜多食鸡蛋和青花鱼、绿色蔬菜、蒜、嫩茎花椰菜和蘑菇等。

3. 日常饮食注意选择富含番红茄素的食物，如西红柿、杏、番石榴、西瓜、番木瓜和红葡萄等。

4. 饮食宜清淡、低脂肪；忌烟、酒及辛辣食物。

5. 生活规律，保证充足的睡眠。多饮水，忌憋尿。

6. 适当运动，避免过度劳累。

7. 保持良好的心态，积极配合治疗。

8. 对不能确诊者，应定期随访，必要时早期切除。

## 睾丸癌

睾丸癌是指睾丸的细胞癌变形成的恶性肿瘤。睾丸负责制造并储存精子，是男性雄激素的主要来源。睾丸癌只占男性类癌症总数的 1%，多生于 15～39 岁男性。常见症状为睾丸出现无痛肿块、阴囊有沉重感、睾丸肿大；下腹部、后背或腹股沟（大腿和腹部的连接部位）部位疼痛；阴囊里液体突然增多；并伴有睾丸其他不适症状。

本病中医学属“寒疝”、“水疝”、“筋疝”、

"血疝"等范畴。

**【必备验方】**

1. 板蓝根15克，连翘、玄参各6克，夏枯草、海藻、黄芩、柴胡、马勃各9克，川楝子、莪术、半枝莲各10克。水煎服。发热无汗者，加荆芥10克，薄荷、广藿香各6克；口渴者，加天花粉、生地黄各10克。适用于热毒证。

2. 酒大黄、甘草、穿山甲各10克，桃仁12克，当归、红花、瓜蒌根、柴胡、橘核各15克。水煎服。气滞甚者，加木香10克，青皮、陈皮各6克；疼痛甚者，加乳香、没药、三七各3克。适用于血瘀证。

3. 黄芪、远志各15克，红参、白术、茯苓、炒酸枣仁、当归、炙甘草各10克，木香6克。水煎服。兼见腰膝酸软、头晕目花、五心烦热者，加枸杞子、女贞子、墨旱莲各15克；兼见腰膝酸软、四肢清冷、尿频者，加淡附子10克，肉苁蓉8克。适用于脾气亏虚证。

4. 熟地黄24克，酸枣仁、茯苓、山茱萸各12克，山药15克，牡丹皮、泽泻、柴胡、白芍、炒栀子、当归身各9克。水煎服。胁痛明显者，加郁金、延胡索各9克；大便干结者，加瓜蒌子12克，火麻仁9克；低热者，加银柴胡、地骨皮各12克，知母9克。适用于脾肾两虚证。

5. 熟地黄、阳起石各15克，山药、狗脊、覆盆子、淫羊藿各12克，葛根、续断、伸筋草、桑螵蛸、知母、巴戟天、蛇床子各9克，远志6克。水煎服。脾气虚弱者，加白参9克，白术、炙甘草各12克；小便不利者，加泽泻、茯苓各10克。适用于肾阳虚证。

**【名医指导】**

1. 多吃根茎类食物，如红薯、芋头等；宜多吃玉米、板栗等；避免食用激素类养殖、种植的食物，避免食用烧烤、煎炒、油炸、过于油腻的食物。肉类以白色肉为主，红色肉次之（如鱼肉为白、猪肉为红）。

2. 作息规律。

3. 保持心情舒畅，积极配合治疗。

4. 少接触污染的空气。对于辐射的机器要适当远离，如电脑、电磁炉、微波炉、手机等，要远离睡眠区。对噪声大的地方，适当远离。

# 第十九章　性传播疾病

## 淋　病

淋病是淋病奈瑟菌引起的以泌尿生殖系统化脓性感染为主要表现的性传播疾病，近年来发病率居我国性传播疾病首位。淋病奈瑟菌为革兰阴性菌，呈肾型，成双排列，离开人体不易生存，一般消毒剂即可将其杀灭。多发于青年男女。男性潜伏期为2～14日，通常以尿道轻度不适起病，数小时后出现尿痛和脓性分泌物；当病变扩展至后尿道时可出现尿频、尿急；检查可见脓性黄绿色尿道分泌物，尿道口红肿。女性通常在感染后7～12日开始出现一些轻微症状，有时有尿痛、尿频和阴道分泌物；子宫颈和较深部位生殖器官最常被感染，其次依次为尿道、直肠、尿道旁腺管、前庭大腺；子宫颈可发红变脆伴有黏液脓性或脓性分泌物；压迫耻骨联合时，可从尿道，尿道旁腺管或前庭大腺挤出脓液。输卵管炎是常见并发症。

本病中医学属“淋证”范畴。由房劳淫欲过度、肾阴耗损、阴虚生热所致。机体感染娼家秽毒，入于尿管，归于膀胱，而化热生湿，肾虚不能分清泌浊，亦致湿热内生。湿热蕴积下焦，膀胱气化不利，故淋沥涩痛，肾虚则小便数，数而且涩，故淋沥不宣。湿热黏滞，加以热毒煎熬，故窍端出脓浊分泌物。湿热伤及气分，故似白浊，间有伤及血分，又可见赤浊之表现。其病因以湿热为主，病位在肾与膀胱。病初多为邪实之证，久病则由实转虚；如邪气未尽，正气已伤，则表现为虚实夹杂的证候。临床分为膀胱湿热、肝气郁滞、肾气亏虚等证型。

**【必备验方】**

1. 金银花15克，白茅根、薏苡仁各20克，茵陈、粉萆薢、山药各12克，淡竹叶、黄柏、车前子各10克，灯心草4把，甘草6克。水煎，每日1剂，分2次服。适用于毒热内侵、湿热下注者。

2. 土茯苓、生薏苡仁、山药、茵陈、白茅根各30克，熟地黄20克，泽泻、山茱萸各15克，车前子12克，桑螵蛸、生甘草、生益母草各9克，麦饭石颗粒50克。水煎服，每日1剂，7日为1个疗程。适用于淋病肾虚证。

3. 栀子、黄柏各10克，白花蛇舌草30克，车前子、金银花、连翘、石韦、冬葵果、当归各10克，琥珀粉3克，甘草6克。水煎，每日1剂，分2次服。药渣煎水外洗。

4. 生大黄粉10克，鱼腥草60克，黄柏12克，白矾5克，乌梅3个。煎水外洗，每日2次，每次30分钟。适用于急性淋病。

5. 苦参、土牛膝、土茯苓、黄柏、蛇床子、枯矾各20克。每日1剂，水煎坐浴，每日2次（其中1次须在睡前进行）。

**【名医指导】**

1. 宣传性传播疾病知识，严禁嫖娼卖淫。

2. 使用安全套，可降低淋病奈瑟菌感染发病率。

3. 性伴同时治疗。

4. 注意个人卫生与隔离，不与家人、小孩（尤其女孩）同床或同浴。

5. 在公共浴池提倡淋浴。

6. 患病后要及时治疗。

7. 患病后要隔离，未治愈前应避免性生活。

8. 经常用肥皂清洗阴部及手；不要用手揉擦眼睛。

9. 新生儿出生时要用1%硝酸银1滴进行点眼预防。

10. 保持良好的心态；适当进行锻炼，增强体质。

11. 按时服用药物，避免自行停药或随意增减剂量。

## 梅毒

梅毒是由苍白密螺旋体苍白亚种（俗称梅毒螺旋体）引起的慢性、系统性性传播疾病，多通过性交传播。临床分为1期梅毒、2期梅毒、3期梅毒和潜伏梅毒。患有梅毒的孕妇可通过胎盘传染给胎儿，引起胎儿宫内感染（多发生在妊娠4个月以后），导致流产、早产、死胎或分娩胎传梅毒儿。孕妇梅毒病期越短，对胎儿感染的机会越大。感染后2年仍可通过胎盘传给胎儿。梅毒螺旋体也可间接接触传染，如通过接吻、哺乳及患者的衣裤、被褥等。

本病中医学称"杨梅疮"、"霉疮"、"广疮"、"天柳病"、"花柳病"、"卖疮"、"大疮"、"硬下疳"等。多由性乱或禀受母体之毒而使淫秽疫毒之邪入侵，流窜皮肉筋骨、脏腑经络，甚至侵犯脑系。

**【必备验方】**

1. 金银花、土茯苓各45克，蒲公英30克，生黄芪、薏苡仁、赤小豆各20克，龙胆、马齿苋、苍耳子、皂角刺各10克，大枫子3克，车前子15克（包煎）。每日1剂，水煎服。伴下疳阴疮者，加儿茶3克；脾虚血亏者，加党参、白术、当归各10克；肾阴或肾精不足者，加淫羊藿、五味子、菟丝子各10克。

2. 黄柏、黄芩、车前子、独活、丁香、红娘子、穿山甲、菖蒲、皂角刺、黄连、蛇蜕、鹤虱各6克，土茯苓、白花蛇、地骨皮各30克，牛蒡子、木通、白芷、大黄、天花粉各9克，黑丑、白丑各18克，大枫子、生地黄各12克，斑蝥21克（去头、足），蜈蚣2条（去头、足）。将斑蝥、红娘子以糯米少许同炒至米黄（去米不用）；白花蛇去鳞；共研细末，以酒1000毫升浸15日，每日早、晚各服30～45毫升。适用于梅毒，毒侵筋骨、周身骨节疼痛者。

3. 公猪肉丝180克，净轻粉12克，香油360克。将公猪肉丝剁成泥，净轻粉研成细末，混匀，水泛为丸（如绿豆大），入香油内炸至黄色。每日早晨空腹服，每次7丸，白开水送下。

4. 包心白菜5000克（洗净，切段），大青盐末2000克（分层撒于菜中）。同密封1周。后榨汁，加硇砂10克、煅石膏粉100克搅匀，冷搽患处，每日1～2次。

5. 木鳖子、蜂蜜、葱汁各适量。将木鳖子煎水熏洗患处，再将葱汁和蜂蜜混匀涂之，连用数次。

**【名医指导】**

1. 追踪患者性伴侣，包括患者自报及医务人员访问的，查找患者所有性接触者，进行预防检查，追踪观察并进行必要的治疗，未治愈前绝对禁止性生活。

2. 对可疑患者应进行预防检查，做梅毒血清试验，以便早期发现并及时治疗。

3. 发现梅毒患者必须强迫进行隔离治疗。

4. 对可疑梅毒的孕妇，应及时给予预防性治疗，以防止将梅毒感染给胎儿；未婚男女患者，未经治愈前不能结婚。

5. 对已接受治疗的患者，应给予定期追踪治疗。

6. 加强梅毒危害及其防治常识的宣传教育。

7. 严禁卖淫、嫖娼，对旅馆、浴池、游泳池等公共场所加强卫生管理和性病监测。

8. 夫妇双方共同治疗。

9. 保持良好的心态，积极配合治疗。

## 非淋菌性尿道炎

非淋菌性尿道炎是指由性接触传染的淋病奈瑟菌以外的其他病原体（主要是沙眼衣原体、解脲支原体）引起的尿道炎，女性可有宫颈炎等炎症。病原体多为衣原体、支原

体、滴虫、疱疹病毒、假丝酵母菌，其中衣原体、支原体占80%以上。男性非淋菌性尿道炎表现为尿道不适、发痒、烧灼感或刺痛、尿道红肿，尿道分泌物多为浆液状，晨起有“糊口”现象。女性非淋菌性尿道炎表现为宫颈炎和糜烂、分泌物增多，子宫颈分泌物多为分叶型白细胞（高倍镜下每视野超过10个）、阴道及外阴瘙痒、下腹不适感，部分患者可无症状或症状不典型，极少数病例可伴发尿道炎、关节炎、角膜炎、结膜炎、皮疹。

本病中医学属“淋证”范畴。由于不洁夫妻生活，或洗涤用具不洁，或摄生不慎，湿热毒邪侵犯下焦，伤及泌尿生殖系统，继而出现气血瘀阻、脾肾亏虚等证候。临床治疗常采用清热利湿、活血化瘀、补脾益肾等治则治疗。

**【必备验方】**

1. 黑槐子末、大黄末各2克，鸡蛋一个。将鸡蛋打1小孔，纳前2味入内搅匀，以白面糊口，煮熟服，每次2枚，每日1次，2日1次（服后多喝开水）。适用于血淋。

2. 玉米须30克，灯心草、车前子各10克，猪肚1个（切块）。将玉米须、灯心草、车前子水煎，去渣，入猪肚块炖熟，加食盐调服，连用3～5日。适用于热淋。

3. 荠菜250克，瘦猪肉100克，大米100克，食用油、黄酒、酱油、食盐、淀粉、味精各适量。将猪肉剁成泥，加黄酒、酱油、淀粉搅匀，以食用油炒熟，待用；荠菜洗净、切碎；大米煮成粥，加入荠菜末煮5分钟，调入肉糜煮沸，调味后食。适用于老年肾亏、肾结石、血尿者。

4. 鲜海螺1000克，水发木耳10克，大葱、生姜、大蒜、料酒、醋、食盐、味精、湿淀粉、清汤、菜油各适量。将海螺用刀背敲碎，取出螺肉（去螺黄和筋），去头部黑膜，加入醋、食盐揉搓几下，再用清水洗净，切薄片；将大蒜切片，大葱切段；将清汤、料酒、味精、精盐、湿淀粉放入碗内调成卤汁待用。将炒勺内放入菜油，置旺火上烧至八成热，下海螺稍炸即捞出；勺内放底油，用旺火烧热后，入葱、蒜煸炒出味，入海螺肉、木耳，倒入调好的卤汁颠翻几下，即可盛盘。适用于肝热目赤、目痛、小便不利者。

5. 葱白300克（带须不洗，擦去泥）。捣烂，煨热，热敷于脐孔中央，外以纱布、胶布固定，每日换药1～2次。适用于气淋。

**【名医指导】**

1. 治疗期间忌饮酒。

2. 要按时、按量服药。避免突然停药，或随意增减剂量及换其他药物。

3. 性伴侣如有感染，应同时治疗。孕妇可用红霉素或阿莫西林治疗。

4. 倡洁身自爱，根除性混乱现象。

5. 未治愈前不得与任何人发生性关系。

6. 平时应用专用浴盆、浴巾，连同内裤都要经常煮沸消毒。

7. 治疗结束1周应随访复查。

8. 保持良好的心态，积极配合治疗。

## 尖锐湿疣

尖锐湿疣是指人乳头瘤病毒引起的一种性传播疾病，与艾滋病相似。传播方式包括直接与间接传播，以性接触最为常见。女性潜伏期平均为2～3个月，病变发展无自限性，表现为局部瘙痒、疼痛，少数病例无症状；可发生于外阴、阴道、子宫颈、肛周，常见2个部位同时发生，局部表现为淡红色或灰色小丘疹，呈疣状突起，常融合形成菜花样赘生物，用5%醋酸涂后病变处变白。男性尖锐湿疣通常好发于冠头沟、包皮内、肛门周围，起初为小淡红色丘疹，以后逐渐增大增多，表面凹凸不平，湿润柔软，突起像菜花样、鸡冠状或乳头样，污灰色或红色，触之易出血，常发生糜烂、渗液，自觉瘙痒，如有脓性分泌物会散发恶臭。

本病中医学属“千日疮”范畴，又称“瘙疳”、“瘙瘊”。其发病原因有内、外之分，内因多为“欲火猖动，不能发泄，致败精湿热留滞为患”；外因多为“娼妇阴器浊未净，辄与交欢，致淫精邪毒感触为患”。多为房事不洁，或间接接触秽浊之品，湿热淫毒侵入外阴皮肤黏膜所致。临床分为风热血燥、湿热瘀阻和热蕴血瘀等证型。

**【必备验方】**

1. 生地黄、何首乌、板蓝根、白芍各15克，赤芍、穿山甲各12克，赤小豆、桃仁、红花、牡丹皮、牛膝、杜仲各9克，甘草6克。水煎服。患处硬甚者，加浙贝母、生牡蛎；皮疹发红、口干、咽痛者，去杜仲、赤小豆，加大青叶、板蓝根、马齿苋、薏苡仁；烦躁易怒者，加珍珠母、赭石、磁石。适用于风热血燥证。

2. 桃仁、川芎、紫草各10克，红花、赤芍、当归、生地黄、大青叶各12克，败酱草、板蓝根、马齿苋各15克，甘草6克。水煎服。体倦乏力、气短懒言者，加黄芪、白术；烦躁易怒者，去紫草、败酱草，加生牡蛎、珍珠母；疼痛明显者，加石决明、忍冬藤。适用于热蕴血瘀证。

3. 板蓝根、磁石、白头翁、赭石各15克，紫花地丁、皂角刺、白芍各12克，柴胡9克，青皮、甘草各6克，水煎服。局部痛痒者，加白鲜皮、延胡索、全蝎。适用于湿热瘀阻证。

**【名医指导】**

1. 坚决杜绝乱性。

2. 防止接触传染：不共用内衣、泳装及浴盆；在公共浴池提倡淋浴，沐浴后不直接坐在浴池座椅上；在公共厕所尽量不使用马桶；上厕所前用肥皂洗手；不在密度大、消毒不严格的游泳池游泳。

3. 讲究个人卫生：每日清洗外阴、换洗内裤，内裤宜单独清洗。即使家庭成员间也应该做到一人一盆，毛巾分用。

4. 配偶患病后禁止性生活。进行物理治疗时，应接受口服药及外洗药综合治疗，治疗后复查。在此期间如发生性行为，可使用避孕套。

5. 为避免分娩时感染胎儿，可选择剖宫产；产后不要与婴儿同盆而浴。

6. 多吃蔬菜水果；多喝白开水；少吃淀粉类、糖类以及刺激性食物，如辣椒、海鲜等。戒烟、酒。

7. 尽量穿棉质内裤，不穿尼龙、合成纤维的内衣，少穿牛仔裤。内裤洗涤应以温和的肥皂手洗，不要用强效的洗衣粉或机洗。

8. 保持良好的心态。

## 生殖器疱疹

生殖器疱疹是指主要由单纯疱疹病毒2型引起的性传播病，可通过胎盘及产道感染新生儿，导致流产及新生儿死亡，与宫颈癌的发生也有关。原发性生殖器疱疹感染潜伏期为3～5日，患部先有烧灼感，之后出现红斑，很快在红斑的表面发生3～10个成簇分布的小水疱，数日后成为小脓疱，破溃后形成糜烂和浅溃疡，局部红肿，有烧灼样疼痛。女性多发于阴唇、阴道、肛门周围，可同时侵犯子宫颈引起宫颈炎或子宫炎；男性多发于龟头、冠状沟、尿道口或阴茎体，可并发尿道炎；多数患者有双侧腹股沟淋巴结肿大。

中医学认为，本病早期属热证、实证，为湿热、毒火阻滞肝脉；后期则伴有肝肾不足。临床分为湿热下注、毒热蕴结、肾气不足等证型。

**【必备验方】**

1. 龙胆、泽泻各12克，炒栀子、甘草、黄芩、牡丹皮各10克，土茯苓30克，板蓝根20克，车前子（包煎）、生地黄各15克。水煎服。疱疹痛甚者，加延胡索15克，川楝子10克；全身症状明显者，加连翘18克，蒲公英20克；小便黄赤、排尿疼痛困难者，加马鞭草、天葵子、淡竹叶；淋巴结肿大、疼痛者，加紫花地丁、夏枯草；溃疡愈合迟缓者，加黄芪、茯苓、泽泻，车前子加至20克。适用于湿热下注证。

2. 红参6～10克，炙黄芪、川牛膝各30克，苍术、陈皮、龙胆、黄芩、黄柏各9克，金银花、白鲜皮、当归各12克。水煎服。发作间歇期，去龙胆、苦参，加薏苡仁12克，白扁豆9克；阴虚内热型，去龙胆、苦参、苍术，加北沙参12克，麦冬、鳖甲（先煎）各9克。适用于脾虚湿阻证。

3. 知母、熟地黄各20克，泽泻10克，牡丹皮9克，茯苓、黄柏、菟丝子、莲须、芡实、山药、山茱萸、龙骨、牡蛎各15克。水煎服。阴虚火旺者，加女贞子、知母；肾阳不足者，加制附片、肉桂、淫羊藿；失眠者，加合欢皮、玫瑰花、白蒺藜各10克。适用于肝肾阴虚证。

4. 大青叶15克，薏苡仁30克，柴胡10克，白花蛇舌草、土茯苓、板蓝根各20克，黄柏12克，甘草5克。每日1剂，水煎服。适用于疱疹初起。

5. 大青叶60克，槐枝、虎杖各50克，穿山甲15克，碧桃干20克，龙胆、锦灯笼、黄柏、蒺藜、三颗针、鸡矢藤各30克。共研细末，煎水，加高度白酒25克，泡洗患处，连用数周可愈。

**【名医指导】**

1. 洁身自好，避免性乱。

2. 提倡淋浴，洗浴后不直接坐在公共浴池的坐椅上；在公共厕所尽量使用蹲式便池。

3. 讲究卫生，每日清洗外阴、换洗内裤；不共用盆具、泳衣；上厕所前一定要洗手。

4. 患者内衣、床单以及被患者分泌物污染的用具可用开水煮沸或消毒液浸泡法消毒。在疱疹活动期，禁止性生活。夫妻一方患病时，另一方也应一同前往医院检查、治疗。

5. 孕妇有过单纯疱疹病毒2型感染史或可疑感染史者不要隐瞒病情，如果确认应积极治疗；并根据孕妇的意见决定是否继续妊娠。

6. 饮食宜清淡，避免辛辣刺激性的食物，戒烟、酒。

7. 每日用清水清洗生殖器部位，避免高温、汗多、搔抓。

8. 加强体育锻炼，避免感冒等。

# 第二十章 骨 折

## 锁骨骨折

锁骨（又称皮下骨）呈“S”形架于胸骨柄与肩峰之间，是连接上肢与躯干之间的唯一骨性支架。锁骨位于皮下、表浅，受外力作用时易骨折，占全身骨折的5%～10%，多发于儿童及青壮年。以间接暴力造成骨折者多见。如跌倒时手或肘部着地，外力自前臂或肘部沿上肢向近心端冲击；肩部着地更多见，撞击锁骨外端造成骨折。间接暴力造成的骨折多为斜形或横行，其部位多见于中外1/3处。直接暴力造成骨折因着力点不同而异，多为粉碎或横行。幼儿多为青枝骨折。锁骨骨折的典型移位多表现为：近端受胸锁乳突肌牵拉向上、后移位，远端因肢体质量及胸大肌牵拉向前、下、内侧移位，形成断端短缩重叠移位。

本病临床表现为局部肿胀、皮下淤血、压痛或有畸形，畸形处可触到移位的骨折断端（如骨折移位并有重叠，肩峰与胸骨柄间距离变短），伤侧肢体功能受限，肩部下垂，上臂贴胸不敢活动，并用健手托扶患肘；幼儿青枝骨折畸形多不明显，其头多向患侧偏斜、颌部转向健侧。有时直接暴力造成的骨折，可刺破胸膜发生气胸，或损伤锁骨下血管和神经，出现相应症状和体征。

本病中医学治疗以活血化瘀为主，并配合其他辨证治疗。

**【必备验方】**

1. 当归、续断各12克，牛膝、独活、防风、五加皮、杜仲各9克，青皮5克，羌活、荆芥、红花、枳壳各6克。水煎服，每日1剂。

2. 红花、羌活、白芷、五加皮各45克，钩藤、官桂、甘松、乳香、没药、血竭各30克，田七、荜茇、丁香各15克，蟾酥9克（后下），95%乙醇4000毫升。同浸泡1个月，去渣，入蟾酥拌匀，取液擦患处至生热为度。

3. 槐花、乳香、没药、儿茶、龙骨、檀香、山慈菇、血余炭、密陀僧、煅自然铜、蜂蜡、生地黄、赤芍、土鳖虫、当归、血竭、钩藤、防风、五加皮、红花、川芎、樟脑、续断、牛膝各10克，白及50克。共研为细末，以猪油200克装入有盖瓷盅封口后，用炭火煮约半小时，出白烟后再慢火煎10分钟，待凉后放至潮湿地方10日，启用时加梅片75克拌匀。

4. 千锤打20克，入地金牛、天上云七、榕树寄生、节节花各10克，散血丹5克，过江龙15克。共研细末，加少许面粉，以水、酒各半煮沸，加入适量生鸡血和匀，热敷于伤处（用药前先涂一层猪油，防止肌肉过敏发炎），1日后解除。经X线透视，如碎骨接合不够理想时，可再用1次，然后改换黑膏方。

5. 蟾酥30克，鲜蒲公英150克（洗净，捣烂，取汁）。调匀，敷于患处（外盖3层纱布，中间夹一层凡士林纱布，以减缓药汁蒸发），24小时换药1次。有过敏性皮疹者，不宜用。

**【名医指导】**

1. 饮食上骨折早期宜清淡饮食，可食用蔬菜、豆类、豆制品、水果、鱼汤、瘦肉等；忌食酸菜、燥热、油腻之品。中期宜高营养饮食，如骨头汤、田七煲鸡、动物肝脏之类，以补充维生素A、维生素D、钙及蛋白质。后

期宜补，如老母鸡汤、猪骨汤、羊骨汤、鹿筋汤等；能饮酒者，则可选用杜仲骨碎补酒、鸡血藤酒、虎骨木瓜酒。

2. 饮食上忌偏食、盲目补钙、不消化的食物、肉骨头、过食白糖；忌常服三七。多喝水。

3. 骨折后应到正规医院进行手法复位或手术治疗，避免拖延。

4. 注意休息，尽量使患者保持相对固定的状态。

5. 自己在家或医院可做适当功能锻炼，防止肌肉萎缩。

6. 保持情绪平稳，积极配合治疗。

7. 保持大便通畅。

8. 若需卧床休息应注意定时翻身，按摩受压的皮肤。

9. 室内经常通气，保持空气清新；经常到户外活动，多晒太阳；讲究个人卫生，防止感冒。

## 肱骨干骨折

肱骨干骨折指发生在肱骨外科颈以下1～2厘米至肱骨髁上2厘米之间的骨折，好发于骨干中1/3及中下1/3交界处（下1/3次之，上1/3最少），多见于青壮年。中下1/3骨折易合并桡神经损伤，下1/3骨折易发生骨不连。临床主要表现为骨折局部肿胀，可有短缩、成角畸形，局部压痛剧烈，有异常活动及骨擦音，上肢活动受限；合并桡神经损伤时，出现腕下垂等症状。肱骨干骨折端的移位与暴力方向、肢体重力及肌肉收缩直接有关。当骨折位于肱骨干上部、三角肌止点之上时，骨折近端受胸大肌、背阔肌和大圆肌的牵拉向前内移位，远端受三角肌牵拉向上外移位；肱骨干中部骨折，骨折处位于三角肌止点以下时，近端因三角肌和喙肱肌收缩向外前移位，远端因肱二头肌、肱三头肌收缩向上移位；肱骨干下部骨折，两端肌肉拉力基本平衡，移位方向取决于外力方向、肢体所处位置及重力等。

本病中医学治疗主要以活血化瘀为主，并配合其他辨证治疗。

**【必备验方】**

1. 炙龟甲、炙鳖甲、炮穿山甲、煅牡蛎（先煎）、骨碎补、补骨脂、杜仲、山茱萸、五加皮各10克，地骨皮、荔核各15克，寻骨风30克。每日1剂，水煎3次，合并药液，早、中、晚分服。

2. 续断12克，自然铜10克，赤芍、当归尾、乌药各9克，苏木、陈皮、桃仁、川芎、乳香、没药、木通、甘草各6克。水煎服，每日1剂。

3. 血竭、松香各10克，羊胆5具，冰片、麝香各3克，乳香、没药各20克，香油150克。将香油煎沸，入松香熔化后离火，撒入血竭粉（以深赤色为度），入羊胆汁（至起黄色泡沫为止），待冷，加入冰片、麝香拌匀，摊于胶布上敷痛处。

4. 胆南星、制川乌、制草乌、制马钱子各10克，老鹳草20克，花椒、鸡血藤、伸筋草各30克，羌活、独活、木瓜、桂枝各15克。水煎30分钟，熏洗患部，每日1次，每次30分钟，30日为1个疗程（每剂可重复使用2～3次）。

5. 红蓼子60克，麝香1.5克，阿魏、急性子、大黄各15克，甘遂9克，巴豆10粒。同捣碎，以白酒500毫升拌匀，塞入猪膀胱内，敷痛处。

**【名医指导】**

1. 发生肱骨干骨折后，可用手法整复夹板外固定法，一般在局部麻醉或肩丛麻醉下手法整复达到或接近解剖复位。成人一般固定6～8周，儿童4～6周。固定后要早期做伸屈掌指关节、腕关节及耸肩活动；亦可根据病情的需要，行悬重石膏整复固定法固定。

2. 进行适当的功能锻炼：如骨折复位固定后，即可做伸、屈指、掌、腕关节和耸肩活动；肿胀消退后，做患肢肌肉舒缩活动和用力握拳，保持骨折部位相对稳定。骨折愈合后，应加大肩、肘关节活动范围，如做肩关节外展、内收、抬举活动及肘关节伸屈活动等。具体如下：

（1）复位固定后开始练习指、掌、腕关节活动，并做上臂肌肉的主动舒缩练习，以加强骨折端在纵轴上的挤压力。禁止做上臂

旋转活动。

(2) 2～3周后练习肩、肘关节活动。伸、屈肩、肘关节，健手握住患侧腕部，使患肢向前伸展，再后伸上臂。肩关节环转及双臂上举活动。

(3) 解除外固定后，继续上述锻炼，并逐渐增加幅度，进行力量练习。

4. 若内科保守治疗效果不佳，及时行手术治疗。

5. 宜帮助患者不断提高生活自理能力。帮助其建立战胜疾病的信心。

6. 本病主要由外伤性因素引起，故平时应注意安全，预防本病的发生。

7. 肱骨干中下段骨折易合并桡神经损伤，术前需详细检查，术中避免损伤。

## 桡骨骨折

桡骨头表面被有软骨，中部凹入呈杯状与肱骨小头关节面相对。当肘关节伸直时仅桡骨之前半部与之相接触，屈肘时两者全吻合，杯状面之尺侧为一半月形的倾斜面，于旋前时与滑车之桡侧边缘相接触，桡骨头周边也被有软骨，称柱状唇，与尺骨之桡骨切迹组成上尺桡关节。桡骨头呈椭圆形，多发于成年人。常见有桡骨头骨折和桡尺骨干双骨折，后者多见于青少年，直接、间接（传达或扭转）暴力均可造成。表现为骨折后局部肿胀、疼痛，肢体畸形，前臂旋转功能障碍，完全骨折者可扪及骨擦音；分为裂纹型、塌陷骨折、粉碎骨折。直接外力引起的骨折很少见，常见为肘关节伸直位摔倒，手掌着地，外力使桡骨头在外翻位与肱骨小头撞击而产生骨折；常合并肱骨小头损伤与内侧副韧带损伤，多见于成年人且容易漏诊。伤后局部疼痛、肿胀，可出现畸形姿势，常合并关节脱位。若不能得到早期治疗，前臂旋转功能可受到限制。

本病中医学治疗以活血化瘀为主，并配合其他辨证治疗。

**【必备验方】**

1. 湖蟹2只，麻黄、制马钱子各30克，制乳香、制没药、血竭、钻地风、红花、自然铜（煅后醋淬2次）、羌活、独活、防风、杜仲、木瓜、桂枝、牛膝、贝母、生甘草各50克。共为细末，炼蜜为丸（每丸6克），每服1丸。

2. 生川贝母120克，桃仁、土鳖虫、山楂、刘寄奴各60克，枳实、青皮、三棱、莪术、降香、槟榔、凌霄花、川芎、苏木、制乳香、制没药、威灵仙各30克，冰片1.5克、麝香1克。共为细末，炼蜜为丸（每丸重10克），每服1丸。

3. 生黄芪30～60克，桃仁、红花、延胡索各10克，粳米100克。将前4味煎取浓汁，加粳米煮粥，早、晚分服。

4. 炒穿山甲、自然铜、乳香、没药、羌活、独活、香附、木瓜、当归、续断各15克，桂枝、制川乌、制草乌、白芷、苏木、小茴香各10克，细辛6克。共研细末，用生菜油调敷包扎，每次10～20克，3日为1个疗程。

5. 当归、羌活、红花、白芷、防风、制乳香、制没药、骨碎补、续断、木瓜、透骨草、花椒各等份。共为粗末，每取120克，加大青盐、白酒各30克拌匀（装入布袋内），煎汤熏洗伤处，每日2次。或隔水蒸热敷伤处，每日1～2次，每次1小时。有皮损及红、肿、热、痛严重者忌用。

**【名医指导】**

1. 进食营养丰富，色、香、味俱佳的食物。多食西红柿、苋菜、青菜、卷心菜、胡萝卜等维生素C含量丰富的蔬菜，以促进纤维骨痂生长和伤口愈合。手臂活动不便者，家属需耐心、细心地喂食。

2. 早期合理的功能锻炼，可防止关节僵硬，促进骨折愈合。如被固定的肢体，均要做适当的肌肉收缩和放松锻炼。没有固定的关节，应及时做主动的功能锻炼，当骨折端已达临床愈合时应逐渐加强负重锻炼。临床上功能锻炼形式如下：

(1) 主动运动：第一阶段，骨折1～2周内可通过肌肉收缩放松运动及在不影响断端再移位的情况下，进行上下关节屈伸活动，促进肿胀消退，防止肌肉萎缩。骨折2～3周后除加强肌肉收缩与放松运动外，其他关节

均可逐渐加大主动活动度，由单一到几个关节的协同锻炼。第二阶段，即外固定和牵引拆除后，应进行主动锻炼，以解除关节粘连、关节囊挛缩、肢体水肿等。

（2）被动运动：可进行按摩及关节被动活动等。

3. 功能锻炼时需注意以下方面：

（1）功能锻炼必须在医务人员指导下进行。

（2）功能锻炼应根据骨折的稳定程度，从轻微活动开始逐渐增加活动量和活动时间，不能操之过急，避免使骨断端再移位；对疼痛有恐惧心理的患者，应对其进行劝说、开导，鼓励其进行主动运动。

（3）单纯桡骨骨折，不伴有并发症时，去掉石膏后要通过功能锻炼，主要是屈伸腕和旋转锻炼，坚持 3 个月后，逐渐进行生活锻炼。

## 指骨骨折

指骨骨折又称竹节骨骨折，是手部最常见的骨折，可发生于近节、中节或末节，多见于成人。指骨骨折包括近节指骨骨折、中节指骨骨折、末节指骨骨折，骨折有横断、斜形、螺旋、粉碎或波及关节面等。骨折后局部疼痛、肿胀，手指伸屈功能受限；有明显移位时，近节、中节指骨骨折可有成角畸形，末节指骨基底部背侧撕脱骨折有锤状指畸形，手指不能主动伸直；有移位骨折可扪及骨擦音，有异常活动；X 线检查可明确骨折部位和类型。

本病中医学治疗分 3 期：早期宜活血祛瘀、消肿止痛，内服肢伤一方或七厘散；中期宜接骨续筋，内服肢伤二方或接骨丹、八厘散；后期如无兼证，可免服药物。解除固定后，可用上肢洗方或八仙逍遥汤煎水熏洗。

**【必备验方】**

1. 当归、天麻、何首乌、防风、独活、牛膝、牡蛎、石斛、金银花各 9 克，川芎、秦艽、千年健各 15 克，续断、杜仲、泽泻、桑寄生、油松节各 16 克，狗脊、厚朴、桂枝、钻地风、甘草各 6 克。加酒泡半个月后服，每日 1～2 次，每次最多 30 毫升。孕妇忌服。

2. 当归、白芍、茯苓、莲子各 60 克，血竭、红花、儿茶、丁香、木香、熟大黄、自然铜、土鳖虫各 30 克，牡丹皮 15 克，甘草 6 克。共研细末，炼蜜为丸（每丸 6 克）。每日 2～3 次，每次 1 丸，用开水吞服。孕妇及月经期、风湿病、溃疡病患者忌用。

3. 丁香、檀香各 3 克，木香、牛膝、乳香、没药各 6 克、续断 12 克，海桐皮、合欢皮、川芎、血竭各 9 克，官桂、骨碎补、白芷、地肤子各 15 克。共研细末，以蜂蜜水调敷患处（摊于油纸或纱布上），药干后重新加蜂蜜水再敷。

4. 大黄 30 克，苏木 15 克，木香 18 克，大葱白适量（砸碎）。共研细末，以蜂蜜水调敷患处（摊于油纸或纱布上），药干后重新加蜜水再敷。

5. 白芷 19 克，海桐皮、五加皮各 18 克，秦艽、细辛、川芎、草乌各 16 克，续断 30 克，骨碎补、苍术、自然铜、防风、威灵仙各 15 克。共研细末，以蜂蜜水调敷患处（摊于油纸或纱布上），药干后重新加蜂蜜水再敷。

**【名医指导】**

1. 在专业医师指导下预防性服用止痛剂。患者宜进行适当的文娱活动，以分散注意力，减轻疼痛，如看书、听音乐、增加交际活动、散步等。

2. 宜食高热量、高蛋白质的食物，多食蔬菜、水果，补充维生素 C 以促进机体代谢及伤口愈合；同时注意钙质的补充，多吃富含钙的食物，如虾皮、虾米、海带、豆腐干等；适当晒太阳，增加钙质吸收，促进骨折愈合。

3. 通过对患肢指端皮肤颜色、温度、毛细血管充盈及肿胀情况密切观察，了解骨折局部血液循环变化，及时发现问题、及时处理。

4. 术后应采取平卧位，患肢用垫枕抬高于心脏水平，下床活动时，应给予三角巾悬吊患肢，并密切观察石膏托位置、松紧度，及时给予调整，保证肢体功能位，促进骨折

恢复。

5. 无移位的骨折，可用铝板或石膏将伤指固定于掌指关节屈曲和指间关节微屈位，4周左右拆除固定，进行功能锻炼。有移位的闭合性骨折，可行手法复位外固定；其固定的位置应根据骨折移位的情况而定，4～6周拆除固定。

## 股骨颈骨折

股骨颈骨折又称股骨颈囊内骨折，是指股骨头下至股骨颈基底部之间的骨折，其骨折线多在关节内，多见于老年人。股骨颈骨折分为嵌入型和错位型，这两型骨折线可表现为致密线和（或）透亮线。致密骨折线表示两骨折端的骨小梁有重叠嵌插，而透亮骨折线则意味着两骨折端有分离。嵌入型股骨颈骨折无明显错位，通常股骨颈可见模糊的致密骨折线，局部骨小梁中断，局部骨皮质出现小的成角或凹陷，股骨干的外旋畸形不明显；属较稳定性骨折。由于骨折发生时外力作用的不同，股骨头可发生不同程度的内收、外旋、前倾或后倾的成角畸形。如出现嵌入端成角畸形较明显，或骨折线的斜度较大、骨折端部分有分离，或股骨干外旋明显时，提示骨折不稳定。错位型股骨颈骨折又称内收型股骨颈骨折，表现为两骨折端出现旋转和错位，股骨头向后倾、骨折端向前成角，股骨干外旋向上错位，骨折线分离明显。

本病中医学治疗以活血祛瘀、消肿止痛、消除肿胀为主，并配合其他辨证治疗。

**【必备验方】**

1. 枸杞子200克，茅香100克，干柿5枚。将干柿同茅香煮熟，枸杞子焙干；共研末，水泛为丸（如梧桐子大）。茅香汤送服，每次50丸，每日3次。

2. 葛根50克（加水700毫升煎至500毫升，滤过取汁），小公鸡1只（去毛及内脏，切块，放锅内用适量油稍炒）。加生姜丝及黄酒同以文火煨熟，调入味精、食盐，佐餐食。

3. 熟地黄、山茱萸、补骨脂、骨碎补、寻骨风、当归、桃仁、土鳖虫、乳香、没药、延胡索各10克，附子、肉桂、杜仲、枸杞子、龟甲、鳖甲、罂粟壳、制川乌、制草乌各6克，大黄、侧柏叶各10克，泽兰、黄柏、防风、乳香各5克。共研细末，以蜂蜜水调敷患处。

4. 土贝母、五倍子（瓦上炙透）、独活、生香附各30克，生天南星、生半夏各15克。加陈醋以小火熬至1/4（冬季熬至凝结不散，夏季可略加白醋少许），趁热倾入冷水中（以去火毒），放置1宿即可应用。

5. 雄黄、白矾、乳香、没药各15克，麝香、蟾酥各2克，硇砂1克，黄柏、苦参各30克，冰片3克。共研细末，以蛋黄油调敷患处，每日换药1～2次。

**【名医指导】**

1. 骨折后卧床休息期间应加强全身锻炼，主动咳嗽排痰，做上肢或健侧下肢的主动或被动关节活动，做头胸部的自我按摩。

2. 新鲜骨折行闭合复位内固定者，足部需穿"丁"字鞋，以防患肢外旋；复位内固定后，即可取半卧位休息，开始进行股四头肌锻炼和踝关节的背伸、跖屈锻炼，禁止做髋关节的内收活动，以防止肌肉萎缩、关节僵直和骨折发生再移位。4～6周后可在床上做主动或被动的髋、膝关节锻炼，但不宜做髋关节内收和外旋运动。2～3个月扶拐步行锻炼，一般不宜负重太早，忌盘腿、侧卧、下地。

3. 室内经常通风换气，保持空气清新。经常到户外活动，多晒太阳，促进钙质吸收。讲究个人卫生，防止感冒。

4. 在专业人员的指导下学会正确用拐，避免发生继发性畸形、再损伤或引起臂丛神经损伤等。

5. 功能锻炼用力应适度，活动范围应由小到大，循序渐进，每次以不感疲劳为度。

6. 老年人应多补钙，适当增加晒太阳的时间，增加骨强度。避免滑倒、跌落或下肢突然扭转等，以免发生本病；同时应预防车祸、高处跌落等。

## 胫骨骨折

胫骨位于小腿的内侧，对支持体重起重

要作用，可分为一体和两端。上端膨大，形成内侧髁和外侧髁，与股骨下端的内、外侧髁以及髌骨共同构成膝关节；两髁之间的骨面隆凸称髁间隆起，隆起前后各有一凹陷的粗糙面，分别称髁间前窝和髁间后窝。上端的前面有一粗糙的隆起，称胫骨粗隆。外侧髁的后下面有一关节面，接腓骨小头，称腓关节面。直接暴力和间接暴力均可造成骨折，多在作用处发生横断或短斜形骨折，多有1～2个碎骨片。如为间接暴力，多为螺旋形或斜形骨折，骨折线多在中下1/3交界处。胫骨约1/3部分位于皮下，胫骨的血供较其他有肌肉包裹的骨骼差，胫骨开放骨折多见并且软组织损伤多较重，感染、延迟愈合和不愈合为常见并发症。

本病中医学分3期治疗：早期宜活血祛瘀、消肿止痛，中期接骨续筋，后期如无兼证，可免服药物。解除固定后，可用上肢洗方或汤煎水熏洗患肢。

**【必备验方】**

1. 黑豆、猪胆汁、麝香各20克。共研细末，装入胶囊（每粒含药0.3克），每日服3次，每次3～4粒。

2. 自然铜（煅后醋淬7次）、马钱子、鲜螃蟹各30克，土鳖虫60克。将自然铜、马钱子（油炸、刮尽毛）分别研细末，螃蟹、土鳖虫分别捣碎，加白酒500克浸泡14日后服，每次20毫升，每日2次。

3. 紫荆皮、黄金子、全当归、赤芍、丹参、牛膝、片姜黄、五加皮、木瓜、羌活、独活、白芷、威灵仙、天花粉、防风、木防己、川芎、秦艽、生甘草、马钱子各10克。共研细末，加适量饴糖和匀，水调摊于韧性纸张或纱布垫上（约厚0.4～0.5厘米），上盖桑皮纸，外用胶布固定，3～5日更换1次。

4. 生川乌、生草乌、生天南星、生半夏、生大黄、全当归、牡荆叶、紫荆皮、生地黄、苏木屑、桃仁、嫩桑枝、桂枝、炙僵蚕、青皮、炙土鳖虫、炙地龙、羌活、独活、川芎、白芷、续断、黑栀子、骨碎补、透骨草、细辛、生麻黄、木香、炙穿山甲片、红花、牡丹皮、赤石脂、落得打、白芥子、木瓜、乳香、没药、苍术、甘松、山柰各20克。分别洗净后切片或打碎，浸入香油内7～10日，以文火煎至药枯为度，去渣，滤液继续煎至滴水成珠，离火，徐徐筛入炒东丹（边筛边搅），收膏（为去火毒，以置泥地上，储存一些时日再用），每取适量，后摊于土布上（约0.2厘米厚，多呈圆形，也可作椭圆形），贴于患处。

5. 生麻黄、生半夏、生天南星、白芥子、僵蚕、京大戟、甘遂、鲜泽漆、藤黄、硝石各10克。将前7味加菜油浸6～7日后捞起，入泽漆煎熬至枯，去渣，入前7味煎枯去渣，再熬至滴水成珠；加入藤黄、硝石溶化后滤清，入炒黄铅粉搅匀收膏，摊于韧性纸张或土布上，贴患处。

**【名医指导】**

1. 整复和固定时，避免石膏或夹板固定过紧。固定后注意观察下肢血液运行情况，是否有肿胀、麻木，若有应及时请医师处理，预防远端肢体缺血、缺氧。

2. 骨折后应抬高患肢（用枕头垫起骨折的肢体）促进血液循环，防止过度肿胀。

3. 骨折后长期卧床的患者，应睡木板床；定时翻身，按摩受压的皮肤，防止发生褥疮。

4. 加强功能锻炼，在身体允许情况下尽早下床活动，不能下床者要在床上做肢体运动；积极进行踝关节的功能锻炼以及脚趾的锻炼。

5. 家属要照顾好患者的饮食起居，加强营养，宜吃高蛋白、高维生素食物。常喝骨头汤，补充钙质。

6. 避免情绪焦虑、紧张及暴怒等，心态保持稳定平和。

## 跟骨骨折

跟骨是足骨中以松质骨为主、最大的骨，呈长而略有弓形，跟骨后端为足弓的着力点之一，跟骨与距骨形成距跟关节，跟骨的载距突与距骨颈接触，支持距骨头并承担体重，跟骨上关节面与距骨远端形成距骨下关节，跟骨与骰骨形成骰跟关节。由跟骨结节与跟骨后关节突的连线与跟骨前后关节突连接形

成的夹角称跟骨结节关节角（正常时约为40°）。跟骨结节与第1跖骨头和第5跖骨头形成的三点负重并形成足弓。若跟骨骨折、塌陷，使足底三点负重关系发生改变，足弓塌陷将引起步态的改变和足的弹性、减震功能降低。跟骨骨折为跗骨骨折中最常见者，约占全部跗骨骨折的60%，多由高处跌下、足部着地，足跟遭受垂直撞击所致。

本病中医学治疗分3期：早期宜活血祛瘀、消肿止痛；中期接骨续筋；后期如无兼症，可免服药物。解除固定后，可用上肢洗方（或汤）煎水熏洗患肢。

**【必备验方】**

1. 大驳骨、自然铜、骨碎补、土鳖虫、地龙、枳实、重楼、虎杖、胡椒各2.5克，制穿山甲、红花、血竭、鸡血藤、桑寄生、牛膝、川芎、续断各5克。共研细末，加50度白酒500毫升浸泡48小时后过滤，自容器上添蒸馏水至全量500毫升即成。口服，每次20～30毫升，6小时1次（儿童酌减）。

2. 釜脐墨、陈小麦、黄柏、制乳香、制没药、栀子、姜黄、三七、骨碎补、螃蟹壳各20克。将釜脐墨研碎，陈小麦炒后研末，混匀，加适量米醋煎成糊状，冷却后加少量朱砂及余药（研细末）外敷。

3. 鲜接骨草叶500克。捣烂，加少许乙醇炒至略黄，以文火煎6～8小时，取汁过滤，配成45%的药酒500毫升（1∶1浓度）（也可将接骨草叶量加倍，按上法制成2∶1浓度），搽患处。

4. 大黄、黄柏、黄芩各15克。共研细末，加红玉膏（东丹、锌氧粉各30克，白凡士林240克）调敷患处，再在外层包敷三色敷药（牡荆子去衣，炒黑40克，紫金皮炒黑240克，当归、五加皮、木瓜、丹参、羌活、赤芍、白芷、姜黄、独活、天花粉、牛膝、威灵仙、防风、防己各60克，甘草18克，秦艽、川芎各30克，连翘24克。共研细末，饴糖调敷）。

5. 樟脑、乳香（去油）、没药（去油）、松香、蓖麻子（去壳，去油）、麝香、冰片、银珠、茄稞虫（用高粱酒浸至虫烂）各30克。共为细末，隔水炖透，搽敷患处。夏季药膏太薄，可加松香末（随加随搅）至好摊为度。

**【名医指导】**

1. 骨折早期适当补充锌、铁、锰等微量元素，如动物肝脏、海产品、黄豆、葵花籽、蘑菇中含锌较多；动物肝脏、鸡蛋、豆类、绿叶蔬菜、小麦面粉中含铁较多；麦片、芥菜、蛋黄、乳酪中含锰较多，宜常服用。

2. 宜食富含纤维素的蔬菜；多食香蕉、蜂蜜等，保持大便通畅。

3. 戒烟。

4. 骨折期间，患肢宜抬高，促进血液回流，预防肢体肿胀。

5. 无移位的跟骨骨折，用小腿石膏托制动4～6周，待临床愈合后即拆除石膏，用弹性绷带包扎，促进肿胀消退。同时做功能锻炼。一般在伤后12周以后下床行走。有移位的跟骨骨折，可在麻醉下行手法复位，然后用小腿石膏固定于功能位4～6周，后结节骨折需固定于跖屈位。

## 脊柱骨折

脊柱是人体的四肢与头颅连接的中心，也是支持内脏和保护内脏的支柱和后壁；由33个椎骨组成，其中包括颈椎（7个）、胸椎（12个）、腰椎（5个）、骶（5个）、尾椎（4个）。成人时骶椎与尾椎均融合为一体，故能活动的椎骨只有24个。脊柱骨折中最为常见的部位是在胸、腰椎之间（第12胸椎至第1、第2腰椎）。多因高空坠下，臀部着地，上身的重力向下冲击，地面的反冲力量向上冲击，两股力量汇合在脊柱前屈最大解位即胸、腰椎之间，造成骨折和脱位。脊柱骨折一般分为两类。①稳定性骨折：包括单纯椎体压缩性骨折、棘突骨折、横突骨折等，预后良好；②不稳定性骨折：包括椎体压缩性骨折并发关节脱位，或并发脊髓损伤，治疗困难，预后较差。

本病中医学分3期辨证治疗：早期宜活血化瘀、消肿止痛；中期续筋接骨；后期以补肝肾、养气血、舒筋活络为主，并兼顾其

并发症，内服外用辨证治疗。

**【必备验方】**

1. 赤芍、桃仁、川芎各30克，丹参90克，法半夏、生天南星、煅青礞石各45克，石菖蒲20克，肉桂15克，当归、紫河车、黄芪、党参各60克，天麻50克。共研细末，炼蜜为丸（每丸10克）。姜汤送服，每次1丸（儿童用量酌减），每日3次，1个月为1个疗程。

2. 何首乌、制天南星、芍药、丹参、骨碎补各500克，当归、牛膝各300克，细辛250克，赤小豆1000克，制川乌710克，煅自然铜120克，青桑炭2500克，猴骨、续断各100克。共研细末，醋糊为丸（如梧桐子大），朱砂为衣。每服30丸，温酒下（醋汤亦可）。

3. 骨碎补、血竭、丁香、白芷、续断、马钱子、白及、硼砂、生草乌、肉桂、甘松、细辛、生川乌、生牛膝、苏木、杜仲、伸筋草、透骨草各20克，羌活、独活、麻黄、五加皮、皂角核、红花、乳香、没药、泽兰叶各10克，虎骨8克，黄丹800克，冰片15克，麝香（酌加）1.5克。共研细末，以香油1600克浸泡7日后煎成膏，摊贴于膏药皮纸上，贴患处。

4. 羊骨100克（打碎），生栀子、生木瓜、生大黄、独活、生草乌、生半夏、路路通各30克，生天南星、赤芍、红花各15克，羌活70克，紫荆皮60克，生蒲黄、旋覆花、苏木各22.5克。共研细末，以3倍饴糖调敷伤处。

5. 自然铜、荆芥、防风、皂角、茜草、续断、羌活、独活、乳香各30克，白及、血竭、硼砂、螃蟹末各40克，骨碎补、接骨木、红花、没药、桂枝、鲜土鳖虫20克。共研细末，以3倍饴糖调敷伤处，7日换药1次。

**【名医指导】**

1. 对任何脊柱骨折可疑者，不得任意搬动，应当用木板或门板搬运，搬运过程中使脊柱保持伸直位置。不要使伤者的躯干扭转、屈曲，禁用搂抱或一人抬头、一人抬足的方法，以免加重脊髓损伤。对颈椎受伤患者，要有专人托扶头部，沿躯体纵轴略加牵引，使头颈随躯干一起滚动，睡到木板上后用沙袋或折好的衣服放在颈两侧加以固定，然后转送医院诊治。

2. 患者可仰卧硬板床上，腰部用枕垫起。枕垫正对骨折部位，保持脊柱过伸位。静卧2～3日后，骨折处出血停止，疼痛减轻及腹部胀气消退后，即开始腰部背伸肌锻炼。患者需卧床3个月，每日坚持锻炼，大部分患者可获得良好的效果。

3. 饮食上宜多吃新鲜的蔬菜、水果，避免油腻、多肉、多骨头饮食。

4. 应避免暴力外伤、高处跳跃、车祸等。

## 骨盆骨折

骨盆是由骶骨、尾骨、髋骨、耻骨和坐骨连接而成的漏斗状环形结构。骨盆边缘有许多肌肉和韧带附着，韧带结构对维护骨盆起着重要作用，骨盆的底部更有坚强的骶结节韧带和骶棘韧带，骨盆保护着盆腔内脏器，骨盆骨折后对盆腔内脏器也会产生重度损伤。主要由于压砸、轧碾、撞挤或高处坠落等损伤所致，多伴有骨盆大血管和神经损伤。外伤时外力的作用方向决定骨折部位。骨盆骨折多为高能量直接暴力所致（如交通事故、地震、土方塌方、矿井塌陷、枪弹、弹片火器伤等）；也有肌肉强力收缩致肌肉附着点撕脱骨折者（如髂前上下棘撕脱骨折、坐骨结节撕脱骨折等）。直接暴力作用方向不同可造成不同的骨折类型。骨盆骨折创伤在半数以上伴有合并症或多发伤；最严重的是创伤性失血性休克及盆腔脏器合并伤，若救治不当可危及生命。

本病中医学分3期辨证治疗：早期宜活血化瘀、消肿止痛；中期以续筋接骨为主；后期以补肝肾、养气血、舒筋活络为主，并兼顾其并发症，内服外用辨证治疗。

**【必备验方】**

1. 制大黄、落得打、当归尾、炙土鳖虫、炙乳香、炙没药、丹参、骨碎补、赤芍、王不留行、川芎、防风、制天南星、生地黄、桑枝、续断、桃仁各30克。共为细末，水泛

为丸（如绿豆大）。开水吞服，每日 3～9 克。

2. 猪脚 1 只，川芎、牛膝、麻黄各 15 克，赤芍、桂枝、白术、茯苓各 20 克，黄芪 25 克，甘草、制川乌、制乳香、制没药、制草乌、干姜各 10 克，苍术、桂枝、防己各 12 克，细辛、甘草各 6 克。炖汤，每日分 2 次服，隔日 1 剂。

3. 乌雄鸡 1 只（约 500 克），鸡血藤 30 克，独活、牛膝各 15 克，千年健、地龙、木瓜各 10 克，杜仲、续断、威灵仙、当归各 12 克，川芎、红花各 9 克，三七 5 克。将乌鸡去毛及内脏，洗净，纳后 13 味（均切片）入鸡肚中，加少许黄酒，隔水炖熟，蘸酱油服，可常服。

4. 大黄、榆树皮按 2∶1 比例。共研细末，每取适量，用鸡蛋清调摊于油纸或纱布块上，敷患处，连用 3～5 次即愈。肿胀较大、疼痛剧烈者，加少许冰片。

5. 金银花、黄柏、生锦纹、生甘草、紫花地丁、当归身、紫草、马钱子、蜂蜡、白蜡、血竭、乳香、没药、黄连、儿茶、龙骨、象皮各 30 克。先将前 8 味用香油浸 5 日，后煎枯，去渣后熬至滴水成珠，加入蜂蜡、白蜡混匀，再加入研末之后 7 味（均研末）和匀，擦患处。

**【名医指导】**

1. 患者及家属可积极向医师询问病情，避免自己忧虑、乱想，加重焦虑、紧张情绪。

2. 及时开展积极适当的功能锻炼，加快愈合。具体操作如下：

（1）不影响骨盆环完整的骨折：①单纯一处骨折，无合并伤及无须复位者，宜卧床休息，仰卧与侧卧交替（健侧在下）。早期在床上做上肢伸展运动、下肢肌肉收缩以及足踝活动。②伤后 1 周后半卧及坐位练习，并做髋关节、膝关节的伸屈运动。③伤后 2～3 周，若全身情况允许可下床站立并缓慢行走，逐渐加大活动量。④伤后 3～4 周，不限制活动，练习正常行走及下蹲。

（2）影响骨盆环完整的骨折：①伤后无合并症者，卧硬板床休息，并进行上肢活动。②伤后第 2 周开始半坐位，进行下肢肌肉收缩锻炼，如股四头肌收缩、距小腿关节（踝关节）背伸和跖屈、足趾伸屈等活动。③伤后第 3 周在床上进行髋、膝关节的活动，先被动，后主动。④伤后第 6～第 8 周（即骨折临床愈合），拆除牵引固定，扶拐行走。⑤伤后第 12 周逐渐锻炼，并弃拐负重步行。

3. 本病手术的最佳时间为伤后 7 日内进行，最晚不超过 14 日。

4. 在治疗骨折的同时，应积极治疗并发症，如出血性休克、腹膜后血肿、尿道或膀胱损伤、直肠损伤、神经损伤等。

# 第二十一章 脱　位

## 肩关节脱位

肩关节脱位又称盂肱关节脱位，好发于20～50岁男性，分为前脱位和后脱位。肩关节是运动广泛的球凹关节，肱骨头大，肩胛盂小而浅，关节囊和韧带松弛薄弱，关节囊下方无韧带支持，易发生脱位。肩关节前脱位者，常因间接暴力所致。如跌倒时上肢外展外旋，手掌或肘部着地，外力沿肱骨纵轴向上冲击，肱骨头自肩胛下肌和大圆肌之间薄弱部撕脱关节囊，向前下脱出，形成前脱位。肱骨头被推至肩胛骨喙突下形成喙突下脱位，如暴力较大，肱骨头再向前移致锁骨下，形成锁骨下脱位。后脱位分为肩胛冈下和肩峰下脱位，多由于肩关节受到由前向后的暴力作用或在肩关节内收内旋位跌倒时手部着地引起。肩关节脱位如在初期治疗不当，可发生习惯性脱位。

肩关节脱位最常见，约占全身关节脱位的50%，多发生于青壮年男性。固定期间练习手腕和手指活动；外固定解除后，应逐步作肩关节各方向主动活动锻炼，并配合按摩推拿、针灸、理疗，以防肩关节软组织粘连、挛缩。

本病中医学分3期辨证治疗：早期活血祛瘀、消肿止痛；中期宜服舒筋活血、强筋壮骨之剂；后期可服八珍汤、补中益气汤等调养。

**【必备验方】**

1. 鲜螃蟹1只（小的2只）。放清水中泡半日，取出，捣成肉泥，摊在粗布上（直径不超过8厘米），每晚贴患处，次晨取掉，连用2～3次。

2. 鲜泽漆2500克（清明前），生菜油7500克，生麻黄、生半夏、生天南星、甘遂各180克，白芥子、京大戟、僵蚕各240克，黄藤90克，硝石30克，炒黄铅粉1500克。将前2味同煎至枯，去渣，入麻黄、天南星、甘遂、白芥子、京大戟、僵蚕再熬枯，去渣后煎至滴水成珠状，入黄藤、硝石同煎枯，将油滤清，入黄铅粉收膏，摊于牛皮纸上，贴患处，5日换药1次。

3. 桑枝、槐枝、榆枝、桃枝、柳枝各36厘米（直径12毫米，秋末、冬初采）。切段，以香油500克炸焦（呈黄色），去渣，入乳香、没药各15克（研细末），边加边搅拌（朝一个方向搅拌），加入樟丹250克搅拌成糊，摊于牛皮纸上，贴患处，5日换药1次。同时，加强肩关节功能锻炼。

4. 防己、威灵仙、五加皮、羌活、独活、川芎、赤芍、红花、木瓜、鸡血藤、千年健、海风藤、青风藤、桑枝、马钱子、伸筋草、透骨草各30克。加冷水浸泡2小时后以文火煎20分钟（不去渣），适温时以毛巾热敷患处（或用药液洗浴患处），每日1～2次，每次30分钟，每剂药可用1周。

5. 威灵仙、川牛膝、鸡血藤各30克，伸筋草、透骨草、骨碎补各20克，桂枝、羌活、豨莶草、延胡索各15克，麻黄、细辛、干姜各10克。共研细末（分成20份），每份用布袋装好、缝合，放在肩部外以热水袋敷之。

**【名医指导】**

1. 习惯性关节脱位患者，可在医师指导下长期服用中成药左归丸或右归丸。

2. 宜在病变后早期进行手法复位。

3. 复位后将关节固定于稳定位置2～

3周。

4. 复位固定后肿胀、疼痛明显者，可予以冷敷。

5. 注意恰当的活动，避免引起经常脱位的姿势；要穿舒适的衣服和鞋子。

6. 注意功能锻炼。6周内禁止做强力外旋和被动牵拉活动。

7. 避免外伤、摔伤。

8. 对青少年患者，当原始脱位复位后必须严格制动3～4周，并按康复要求进行功能锻炼；不要过早参加剧烈活动，以免复发。

## 肘关节脱位

肘关节脱位是最常见的关节脱位，分为前脱位和后脱位，后者多见。根据脱位时暴力不同可合并肘关节骨折，肘关节脱位占全身四大关节脱位总数的一半。构成肘关节的肱骨下端呈内外宽厚，前后薄扁，侧方有坚强的韧带保护，关节囊前后部相当薄弱。肘关节的运动，主要为屈伸。尺骨冠状突较鹰嘴突小关节稳定，主要是依靠关节囊和韧带来约束关节的活动力。肘部的骨性标志主要是肱骨内、外上髁及尺骨鹰嘴凸出部分的3点，当肘关节伸直时，3点成一直线；在屈曲时，3点构成等边三角形，称肘三角。因此，对抗尺骨向后移动的能力要比对抗向前移动的能力差。新鲜脱位如早期未能得到及时正确地处理，则可能导致晚期严重的功能障碍。

本病中医学治疗分为3期：早期宜活血祛瘀、消肿止痛；中期宜行气活血、舒筋通络；后期宜补益肝肾、壮骨强筋，同时配合外敷活血散或消瘀散等（1～3日换药1次），肿胀消退后改用外洗药方，至功能恢复。

**【必备验方】**

1. 白芍20克，桃仁15克，粳米60克。将白芍水煎取液（约500毫升）；桃仁去皮、尖后捣烂，加水研汁，去渣；用2味汁液同粳米煮稀粥食。

2. 茄子秧10棵，干辣椒2个，桑枝、当归、川芎、木香、乳香、羌活、独活、桂枝、秦艽各10克，海风藤15克，甘草6克，白酒500毫升。同浸泡30日后服，每次10毫升，每日3次。

3. 伸筋草、透骨草、香樟木各30克，油松节15克，红花、甘草各6克。加冷水浸泡2小时后，以文火煎20分钟（不去渣），热敷患处（或洗浴患处）。

4. 鲜侧柏叶20克，三棱、莪术、生半夏、土鳖虫、生川乌、商陆、桃仁、没药各9克，麝香0.3克，木鳖子0.9克，阿魏3克，红花、雄黄各3克。共研细末（密封装瓶），每取适量，蜂蜜调敷患处，隔日换药1次。

5. 生马钱子30克，蜈蚣、白芷各50克，冰片10克，黄药子80克，大黄100克，姜黄、乳香各60克。共研极细末，每取适量，以蜂蜜、米醋调敷患处，2小时后取下。注意：马钱子、黄药子均有毒，应慎用。

**【名医指导】**

1. 新发生的关节脱位或合并骨折主要以手法复位治疗为主。复位后用上肢石膏将肘关节固定在功能位。3周后拆除，做主动的功能锻炼，不宜做强烈的被动活动。

2. 超过3周者为陈旧性脱位，通常在1周后即感复位困难。此时应试行复位，若感困难则转外科手术治疗。

3. 复位后应鼓励患者早期活动肩、腕及掌指等关节，拆除固定后，将上臂置于枕垫之上，进行屈伸及前臂旋前、旋后等活动。必须避免肘关节的粗暴被动活动，以防发生损伤性骨化。在锻炼时强调主动活动为主，切忌他人强行拉伸。

4. 手法复位后注意观察手部血液运行情况，及时了解远端肢体有无缺血、缺氧并及时处理。

5. 若关节积血较多，可在无菌操作下穿刺抽出积血，加压包扎，预防关节粘连与损伤性骨化。

6. 注意抬高患肢，促进血液回流。

7. 保持情绪平稳，积极配合治疗、锻炼。

## 髋关节脱位

髋关节由髋臼和股骨头组成，髋臼的周缘有纤维软骨构成的髋臼唇，髋臼唇在髋臼

切迹处失去软骨成分，由髋臼横韧带横架于切迹上，其下有血管和神经通过。髋关节脱位一般分为前、后及中心脱位3型。股骨头脱位后位于髂前上棘与坐骨结节连线之前者为前脱位；反之，为后脱位；向盆腔方向脱位者，为中心脱位。本病多为直接暴力所致，常见为后脱位。后脱位、前脱位也可合并髋臼骨折，不做X线摄片可漏诊。若治疗不当可引起股骨头缺血性坏死。

中医学认为，机体体质虚弱，抗病能力低下，肝肾精血不足，致使骨质疏松，其病变涉及肝、脾、肾。肾为先天之本，主骨生髓，肾健则髓生，髓满则骨坚。骨与软骨挫裂伤，气血不通畅，经脉瘀阻，血行障碍，肢体失去营养，再生和修复能力减退，因而产生本病。

**【必备验方】**

1. 当归12克，伸筋草、桑寄生各15克，五加皮、木瓜、陈皮、羌活、骨碎补各9克，黄芪20克。共研极细末，炼蜜为丸（每丸重10克），每次1丸，早、晚各以白开水送服（小儿酌减），20日为1个疗程。

2. 蟾酥5克，黄芪、丹参各18克，杜仲、延胡索、鹿角片各15克，淫羊藿、骨碎补、川牛膝、鸡内金各10克，鳖甲6克。水煎，每日1剂，分3分服，1个月为1个疗程。

3. 全蝎21个，地龙6条，五倍子15克，生天南星、生半夏、白附子、木香各30克。共研细末，加适量面粉，以白酒调敷患部，每日换药1次。

4. 朱砂、乳香、没药各15克，冰片30克。捣碎，装以500毫升米酒密封浸泡2日，取上清液涂敷痛处（干后再涂），连用10～15分钟。

5. 熟地黄、生黄芪、鸡血藤、土茯苓各20克，斑蝥5只，烧干蟾1只，土鳖虫3个，菊花10克，牡丹皮、竹茹各12克，蜈蚣3条，焦三仙、骨碎补、山茱萸、山药、泽泻、透骨草、蒲公英、海金沙、补骨脂各15克。以淡盐水调敷患处，2日换药1次。

**【名医指导】**

1. 搬运患者时，应由3人平托患者，维持患者平卧、患肢外展中立位姿势；防止髋关节过度屈曲、内收、内旋。

2. 在脱位整复固定后应早期进行踝及足部的功能练习，经常做股四头肌的收缩活动，保持肌肉张力和髋、膝关节被动活动，改善血液循环，减轻肿胀。

3. 脱位整复后，患肢最好置于外展、内旋位。伤后3周内，患者不能盘腿而坐，不能做并腿动作，以防再次脱位。具体姿势如下：防止内旋或外旋，即置患肢于外展（15°～30°）中立位，穿“丁”字鞋；防止内收，在两大腿之间放一软枕或梯形枕；防止过度屈曲和伸直，术后在腘窝处放一小棉枕或适量卫生纸，使膝关节微屈。对单纯脱位复位者，可取伸髋位，将两下肢用绷带绑在一起3周，此期间如大便可临时松解绷带，但只能屈健侧髋，而不能屈伤侧髋，防止再脱位。

4. 固定物一般在整复3～4周后拆除，并逐渐扶双拐下地活动，在3周内活动时不能负重，以免股骨头缺血性坏死；髋关节屈曲应<60°。

5. 准备合适的拐杖（即拐杖的高度及中部把手与患者的身高臂长相适宜），学会正确使用。在下床时，健侧腿先离床，并使足部着地，患肢外展、屈髋<45°，由他人协助抬起上身使患侧腿离床并使足部着地，再拄双拐站起。行走时采用三点式行走法，即双拐与患肢一起前进，再移动健肢。注意行走的时间、距离逐渐加长，行走时有人陪护，防止意外。上床时，按相反方向进行，即患肢先上床。

## 膝关节脱位

膝关节由股骨内、外侧髁和胫骨内、外侧髁以及髌骨构成，主要靠强大的肌肉和韧带维持关节稳定。当外力引起完全性脱位时，其脱位的方向决定于暴力方向、着地姿势和着力部位。根据胫骨移位方向可将膝关节脱位分为前侧脱位、后侧脱位、内侧脱位、外侧脱位及旋转脱位。

本病中医学治疗分为：初期筋骨受损、气血离经、瘀血阻滞、络道闭塞，宜内服活

血散瘀、消肿定痛药物；解除固定后，及时应用外敷和熏洗法。

**【必备验方】**

1. 制川乌200克，制草乌、青风藤、白芷、海风藤各20克，制白附子、制甘草、地龙、防己、桂枝、川牛膝、穿山甲、白鲜皮、甘草各15克。水煎服，每日1剂。关节发热者，加漏芦30克；关节发凉者，加附子10～30克（先煎1小时），麝香10克，羚羊骨6克，紫河车5克（研冲）。

2. 猪脊骨1具（洗净），大枣120克，莲子90克，降香、生甘草各9克。加水以小火炖烂，加食盐调服。

3. 鸡血藤30克，鹿衔草、伸筋草、透骨草、老鹳草、威灵仙各20克，牛膝、木瓜各15克，骨碎补12克、路路通10克。水煎，每日1剂，分3次服。有寒湿者，加制川乌、桂枝、苍术；有湿热者，加生薏苡仁、黄柏、苍术；肿胀者，加天仙藤、丹参、地龙。药渣装袋，蒸热熨患处，每次20分钟，每日1次，每疗程1个月。

4. 制何首乌、独活、鸡血藤、桑寄生各20克，川牛膝、木瓜、狗脊、当归各15克，巴戟天、淫羊藿各12克，土鳖虫、苏木、薏苡仁、地龙各10克。共研细末（分成20份），每份用布袋装好、缝合，放在膝盖上热敷。

5. 龙脑冰片30克，丁香油25毫升，大曲酒500毫升。将龙脑冰片倒入大曲酒中溶化，入丁香充分摇匀，用脱脂棉球蘸敷痛处，1～2小时1次。待疼痛减轻时，可酌情减少次数。

**【名医指导】**

1. 膝关节脱位复位后，宜适度活动，以关节不感到疼痛为度，若觉疼痛即应休息。运动量应逐渐增加；避免半蹲、全蹲或跪的姿势，如蹲马步等。平躺时缓慢抬举一侧肢体，离地面约30厘米，且维持膝关节伸直，持续5～10秒再缓慢放下，双腿轮流进行，每日做2次，每次5～10分钟。

2. 体重控制在正常范围内，减轻膝关节的负担。在肌肉力量锻炼后应进行膝关节拉伸、放松锻炼。做膝关节拉伸锻炼时，动作宜慢，以免肌肉拉伤。锻炼应适度，避免外伤及过度劳动。

3. 注意膝盖的保暖，可以穿长裤或用护膝。

4. 少搬重物，少穿高跟鞋。活动严重受限应及时就诊，获得个体化的治疗和锻炼方案。

5. 关节内的血肿应以无菌操作吸出。用石膏固定于膝关节屈曲15°～20°，临时固定5～7日。在此期间，可精心挑选合适的修复韧带的手术方案。

# 第二十二章 筋 伤

## 肩部扭挫伤

肩部扭挫伤是指肩部受到外力的打击或扭挫致伤，可发于任何年龄。损伤部位多见于肩部的上方或外上方，以闭合伤为常见，多因跌挫、扭转、打击所致。表现为伤后肩部疼痛、肿胀、压痛，肩关节活动受限（多为暂时性）。如肩部肿痛范围较大者，要查出肿痛的中心点，根据压痛最敏感的部位，判定受伤的准确位置。冈上肌肌腱断裂时，冈上肌肌力消失，无力外展上臂。若患肢外展至60°以上后，就能自动抬举上臂，应注意除外肱骨外颈嵌入性骨折、肱骨大结节撕脱性骨折，注意与肩关节脱位及肩锁关节脱位相鉴别。如外伤暴力不大而引起严重肿痛者，应排除外骨囊肿、骨结核等病变，必要时拍摄X线片进一步明确诊断。

本病中医学属“筋伤”范畴。临床分为气血瘀滞证和风寒湿痹证。

**【必备验方】**

1. 猪脑2副，银耳、黑木耳、香菇各6克，鹌鹑蛋5个（去壳）。将银耳泡发、去杂质；香菇切丝；猪脑去筋，蒸熟，切粒；同入开水内煮熟，入鹌鹑蛋及调味品煮成羹，每日服2次。

2. 核桃仁（捣碎）、黑芝麻各250克（炒香），红糖50克。将红糖加水熬稠，入核桃仁、黑芝麻搅匀，倒在涂有熟菜油的搪瓷盘中，用刀划成小块，储藏于干燥处（备用）。每日早、晚各食3块。

3. 猪骨头1000克，黄豆250克，兔儿酸、独活各5克，桑寄生、丹参、王不留行、鸡血藤、川牛膝各30克，杜仲、当归、威灵仙、防己、防风各15克，土鳖虫、细辛、制附子各10克，甘草6克。水煎，每日1剂，分2次服。

4. 猪脚骨头20克，三棱、莪术、生半夏、土鳖虫、生川乌、商陆、桃仁、没药各9克，麝香0.3克，木鳖子0.9克，红花6克，阿魏、雄黄各3克。共研细末，蜂蜜调敷患处，隔日换药1次。

5. 伸筋草、红花、海桐皮、秦艽、兔儿酸（可用透骨草代）、当归各20克，独活、乳香、没药各10克。共研细末，黄酒调敷患处，隔日换药1次。

**【名医指导】**

1. 手法治疗：

（1）多采用肩部点按、拿捏等手法以活血、舒筋、通络。

（2）在痛点部位可采用拨筋、弹筋手法3～5次，并应与拿捏手法相间操作，以缓解痉挛、消瘀定痛。

（3）在适当牵引下用直臂摇肩法、屈臂摇肩法旋转摇肩，幅度可由小到大，反复5～7次。

（4）最后以抖法、捋顺手法收功。

2. 固定方法：损伤较重者，用颈腕关节吊带悬挂于胸前3～7日，以利于损伤修复。

3. 功能锻炼：

（1）耸肩动作由小到大，由慢到快，在悬吊期内即可开始。

（2）耸肩环绕，两臂侧平举，屈肘，以指松散接触肩部按顺、逆时针方向环绕。

（3）展旋单侧或双侧，手心始终向上，自腰侧旋向后方伸直，移向侧方，屈肘，手心仍向上，手背从前方过头、伸肘，顺滑至侧方，沿前方降下，手心仍向上，回复原势。

重复进行，双臂同时做亦可，展旋时配合左右弓步及上身前俯后仰。

4. 可配合中药内调、针灸、理疗、局部封闭等。

5. 避免外伤；避免过度牵拉、扭曲等。

## 肩关节周围炎

肩关节周围炎（简称肩周炎）是一种以肩痛、肩关节活动障碍为主要特征的多因素病变的筋伤，多见于50岁以上的中老年人，多呈慢性发病，少数病例有外伤史。表现为初时肩周微有疼痛，常不引起注意；1～2周后，疼痛逐渐加重，肩部酸痛，夜间尤甚，肩关节外展、外旋活动开始受限，逐步发展成肩关节活动广泛受限。外伤诱发者，外伤后肩关节外展功能迟迟不恢复，肩周疼痛持续不愈，甚至加重，肩部肿胀不明显，肩前、后、外侧均可有压痛，病程长者可见肩臂肌肉萎缩，尤以三角肌为明显。用一手触摸住肩胛骨下角，一手将患肩继续外展，可感到肩胛骨随之向外上转动，此说明肩关节已有粘连。重者外展、外旋、后伸等功能活动均受到严重限制。本病病程较长，一般在1年以内，长者可达2年左右。X线检查多属阴性，有时可见骨质疏松、冈上肌肌腱钙化或大结节处有密度增高的阴影。

本病中医学称“肩痹”、“漏肩风”、“五十肩”、“肩凝症”、“冻结肩”等。临床分为风寒湿型、瘀滞型和气血虚型。

**【必备验方】**

1. 制半夏12克，陈皮、茯苓各15克，甘草10克，天南星6克。痛甚者，加桂枝、香附各15克；酸楚麻木、屈伸不利者，加威灵仙30克，羌活15克；沉重不适者，加炒苍术15克；肩臂局部发红、灼热者，加黄芩15克。水煎，每日1剂，早、晚温服；药渣装入布袋内热敷患部，每日数次，连用4日为1个疗程。

2. 枫树球、桑寄生、鸡血藤、黄芪、老桑枝各30克，桑寄生、威灵仙各18克，制川乌、桂枝、两头尖各12克，乌雄鸡1只（约500克）。将乌鸡去毛及内脏；前10味水煎，取汁炖乌雄鸡，分2次服食。适用于气血不足、寒凝经络型肩周炎。

3. 木蝴蝶10克，伸筋草、追地风各15克，白花蛇1条，羌活、骨碎补、牛膝、当归、赤芍各12克，杜仲20克。水煎，每日1剂，分2次服。或加白酒泡7日，每日饮酒20毫升。适用于风湿阻络、气血凝滞型肩周炎。

4. 当归40克，红花、伸筋草、透骨草、川芎、白芷、威灵仙、花椒、防风、羌活、赤芍、秦艽、姜黄、桂枝、木瓜各15克。共为粗末，加粗盐、白酒各30克拌匀，分2份装于白布袋缝合，蒸热后轮换敷于肩关节周围，每次1小时，每日2次。每次熨后作爬墙、后伸摸腰、搭肩等主动锻炼10分钟，药袋用毕后挂于通风阴凉处。第2次用时在药袋上加白酒30克，每袋药可连用5日，10日为1个疗程，连用1～3个疗程。

5. 艾叶、红花、赤芍、桑枝、木瓜、防风、五加皮各10克，鸡血藤、川牛膝各15克，透骨草30克。加水3000毫升煎后，热浴，每次30分钟，每日2～3次。第2次使用时稍加热即可。适用于风邪阻络、气血凝滞型肩周炎。

**【名医指导】**

1. 注意防寒保暖，避免肩部受凉、受潮。

2. 加强功能锻炼，特别是关节运动，可经常打太极拳、太极剑、门球；或在家里进行双臂悬吊，使用拉力器、哑铃以及双手摆动等运动，但要注意适量运动。

3. 纠正不良姿势，避免造成慢性劳损和积累性损伤。

4. 注意容易引起继发性肩周炎的相关疾病，如糖尿病、颈椎病、肩部和上肢损伤、胸部外科手术以及神经系统疾病，并开展肩关节的主动运动和被动运动。

5. 对已发生肩周炎的患者，还应对健侧进行预防。

6. 功能锻炼：

（1）爬墙运动：面对墙壁，用双手或患手沿墙壁徐缓的向上爬动，使上肢尽量高举，然后缓慢向下回到原处，反复进行。

（2）体后拉手：双手向后反背，用健手拉住患肢腕部，渐渐向上拉动抬起，反复进行。

（3）外旋锻炼：背靠墙而立，双手握拳曲肘，做上臂外旋动作，尽量使脊背靠近墙壁，反复进行。

（4）摇膀子：弓箭步，一手叉腰，另一手握空拳靠近腰部，做前后环转摇动，幅度由小到大，动作由快到慢。

7. 侧卧时注意患肩在上。睡眠的姿势避免固定一侧侧卧，一侧肩部受压。

8. 配合针灸、推拿等理疗。

## 肘部扭挫伤

肘部扭挫伤是常见的肘关节闭合性损伤，直接暴力打击造成肘关节挫伤，间接暴力如跌仆滑倒、手掌撑地时，肘关节处于过度外展、伸直或半屈位均可致肘关节扭伤。表现为伤后肘关节处于半屈曲位，呈弥漫性肿胀、疼痛、肘关节活动受限，可出现瘀斑；压痛点往往在肘关节内后方和内侧副韧带附着部。严重的扭挫伤要注意与骨折相区别，环状韧带的断裂常使桡骨头脱位并尺骨上段骨折。成人通过X线摄片易确定有无合并骨折，儿童骨骺损伤时较难区别，可与健侧同时摄片对比。部分严重者，有可能是肘关节错缝后已自动复位，只有关节明显肿胀，已无脱位征，易误认为单纯扭伤，在后期可出现血肿钙化，并影响肘关节的伸屈功能。

本病中医学属“筋伤”范畴。临床分为气滞血瘀型和虚寒型。早期治宜化瘀消肿，可内服活血舒筋汤加三七粉，外敷消瘀止痛膏或三色敷药；后期治宜和营通络，可内服活血散，并配合熏洗。

**【必备验方】**

1. 青风藤40克，生麻黄、桂枝、生姜各10克，制附子24克（先煎1小时），生石膏18克，木通、甘草各6克。水煎，每日1剂，分2次服。

2. 猪骨头100克，蜂房10克，海藻、昆布、炒牛蒡子各9克，白芥子、桂枝、穿山甲片各6克，血竭3克，生黄芪60克，当归21克，葛根12克，枸杞子30克。水煎，每日1剂，分2次服。

3. 鲜地龙100克，白糖30克。将地龙洗净，加白糖静置片刻（待地龙化成液体），过滤，加适量黄连素（高压消毒），取液擦患处，每日7～8次，连用2～3日。

4. 蛇床子15克，苦参、蜂房各18克，苍耳草40克（趾间水疱或糜烂者，加白矾20克，黄柏18克）。每晚加水1000毫升煎至800毫升，去渣，加入5～6倍的40℃温水浸泡患处，每次20～30分钟，连用3次。如未愈，2周后继续按上述方法治疗。

5. 栀子、泽兰、白芷、冰片、地龙各适量。共研极细末，加香油（或蜂蜜、凡士林）熬制成膏，摊于纱布上，局部外敷，3日1次，3次为1个疗程。

**【名医指导】**

1. 一旦受伤后应选择恰当的固定方式，以避免反复摩擦。

2. 固定和练功活动：早期肘关节置于功能位，限制肘关节的伸屈活动；7～10日肿痛减轻后，可逐步练习肘关节的伸屈功能。做被动伸屈活动必须轻柔（尤其在恢复期）；运动时应加强手臂、手腕的力量练习；运动强度要合理，不可过劳。

3. 饮食调节，避风寒。

4. 避免跌仆滑倒，手掌撑地。

5. 理筋手法在触摸到压痛点后，以两手掌环握肘部，轻轻按压1～2分钟（有减轻疼痛的作用），然后用轻按摩拿捏手法（以患者有舒适感为度）。

## 腕管综合征

腕管综合征是由于正中神经在腕管中受压而引起以手指麻痛、乏力为主的综合征。多由于腕部的创伤（如桡骨下端骨折、腕骨骨折脱位、腕部扭挫伤、腕部慢性损伤）、腕管内有腱鞘囊肿、脂肪瘤、内分泌紊乱等所致。主要表现为正中神经受压后，引起腕以下正中神经支配区域内的感觉、运动功能障碍；患者桡侧3个半手指麻木、刺痛或烧灼样痛，肿胀感；患手握力减弱，拇指外展、对掌无力，握物、端物时，偶有突然失手的

情况；夜间、晨起或劳累后症状加重，活动或甩手后症状减轻；寒冷季节患指可有发冷、发绀等改变。病程长者大鱼际萎缩，患指感觉减退，出汗减少，皮肤干燥脱屑。屈腕压迫试验，即掌屈腕关节同时压迫正中神经 1 分钟，患指症状明显加重者为阳性；叩击试验，即叩击腕横韧带之正中神经处，患指症状明显加重者为阳性。肌电图检查可见大鱼际出现神经变性，可协助诊断。

本病中医学属“筋伤”范畴。临床分为气滞血瘀型和虚寒型。

**【必备验方】**

1. 好油 1500 克，蓖麻子 200 个，当归、芍药、白蔹、白及、白芷、木鳖子、苦杏仁、轻粉、乳香、黄芪各 20 克，巴豆 10 克（去皮），雄黄 20 克，白矾少许，没药 30 克，黄丹 1000 克，血余炭 60 克（净）。共研末，温黄酒（或温开水）送服，每次 5～10 克，每日 2 次。

2. 防风、荆芥、川芎、甘草各 3 克，当归（酒洗）、黄柏各 6 克，南苍术、牡丹皮、花椒各 9 克，苦参 15 克。共研细末（装白布袋内扎口），煎水，熏洗患处；药渣敷于患处，12 小时更换 1 次。

3. 鲜骨碎补 60 克，大黄、当归、羌活、独活、麻黄、防风、赤芍、地黄、荆芥、玄参、白芷、黄柏、黄芩、乌药、官桂、马钱子、牡丹皮各 30 克。分别切碎，以棉籽油 2000 克浸泡后炸枯，去渣，炼至滴水成珠；入适量红丹（每 100 克炼油用 27～33 克）搅匀，收膏，浸泡于水中（去“火毒”后捞出），贴患处。

4. 鸡蛋壳 1 个，乳香、没药、大黄、姜黄、山柰、栀子、白芷、黄芩各 20 克，小茴香、丁香、赤芍、木香、黄柏各 15 克，蓖麻子 20 粒。共研细末，鸡蛋清调敷患处，6 小时换药 1 次。

5. 刺猬皮、血竭、红花、生乳香、冰片各 10 克。共研细末，以酒、醋各半调敷痛处，24 小时换药 1 次，7 日为 1 个疗程。

**【名医指导】**

1. 纠正不良生活习惯；保持良好的姿势，避免长时间用鼠标或打字。

2. 调整心态，注意劳逸结合。

3. 防止用电脑引发腕管综合征，保持正确的使用电脑姿势。间歇期应注意伸展和松弛操作手，每小时反复做 10 秒；或持续做 10 秒的握拳活动。

## 髋关节扭挫伤

髋关节扭挫伤是指髋关节在过度外展、外旋、屈伸姿势下扭挫，致使髋部周围的肌肉、韧带和关节囊发生撕裂、水肿而出现一系列症状。间接暴力扭伤多见，直接暴力挫伤少见。多发于青壮年，多因摔跤或高处坠下时，髋关节姿势不正受到扭挫损伤，其肌肉、韧带和关节囊或有撕裂、断裂伤，或有嵌顿现象。表现为损伤后患侧髋部疼痛、肿胀、功能障碍，活动时加重，休息时疼痛减轻；患肢不敢着地负重行走，呈保护性姿态（如跛行、拖拉步态、骨盆倾斜等）；患侧腹股沟处有明显压痛，在股骨大转子后方亦有压痛，髋关节被动活动时可出现疼痛加重，偶有患肢外观变长。托马斯征可出现阳性，X 线检查多无异常表现。

本病中医学属“筋伤”范畴。临床分为气血瘀滞型和风寒湿型。

**【必备验方】**

1. 丹参 50 克，乌药 15 克，川芎 6 克，当归、川牛膝、独活、泽泻、红花、穿山甲、枳壳各 9 克，陈皮、甘草各 3 克，茯苓 12 克。水煎，取汁与猪长骨同煎。每日 1 剂，分 2 次服。

2. 乌鸡 1 只（去毛、内脏，洗净），白芍 30 克，葛根、威灵仙各 20 克，白芷、秦艽、当归各 12 克，川芎 9 克，细辛 3 克。同炖，每日 1 剂，分 2 次服。

3. 柴胡、枳实、白芍、制香附、郁金、延胡索各 10 克，甘草 6 克，炙乳香 5 克。共研末，撒在胶膏上，贴患处，外以热毛巾敷 30 分钟（以不烫伤皮肤为度），每日 3 次，5～7 日换药 1 次。

4. 天南星、生川乌、生草乌、羌活、苍术、姜黄、生半夏各 20 克，白附子、白芷、乳香、没药各 15 克，红花、细辛各 10 克。

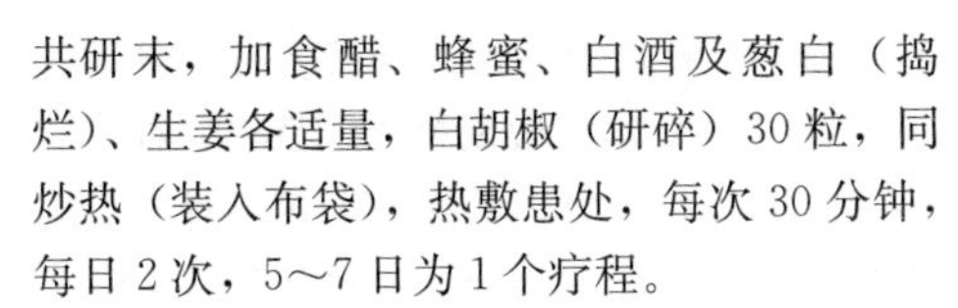

共研末，加食醋、蜂蜜、白酒及葱白（捣烂）、生姜各适量，白胡椒（研碎）30粒，同炒热（装入布袋），热敷患处，每次30分钟，每日2次，5～7日为1个疗程。

5. 穿山甲6克，海马、木香各10克，五灵脂、王不留行各12克。共研细末，鸡蛋清调敷患处。

**【名医指导】**

1. 平时应注意避免跌扑损伤，避免髋关节过度外旋、屈伸姿势下扭挫。

2. 损伤后应注意休息；根据情况，必要时卧床休息。

3. 严格进行功能锻炼：

（1）康复训练早期：术后1～2日，做患肢股四头肌等长收缩运动及踝、趾关节主动伸屈运动，以促进血液循环，减轻肿胀及疼痛，使切口早期愈合。

（2）康复训练中期：术后3～5日，鼓励患者自动活动双上肢，握拳、屈伸肘腕关节、前屈后伸、外展内收肩关节等活动，保持上肢肌力同时有助于保持呼吸功能正常；术后2～3日做髋、膝关节屈伸练习，从小角度开始，逐日增加角度（但不超过90°），同时增加外展肌的锻炼。

（3）康复训练后期：术后6～7日，患者在床上进行直腿抬高训练，允许患者翻身，翻身时两腿之间放一软枕，患肢不可向上，鼓励患者扶拐行走。

4. 注意劳逸结合，加强饮食调理。

5. 肥胖患者要减肥。

## 膝部韧带损伤

膝关节的稳定性主要依靠韧带和肌肉，以内侧副韧带最为重要，其次为外侧副韧带及前、后交叉韧带。内侧副韧带损伤多为膝外翻暴力所致，外侧副韧带损伤主要为膝内翻暴力所致。膝关节伸直位下内翻损伤和膝关节屈曲位下外翻损伤都可以使前交叉韧带断裂，无论膝关节属于屈曲位或伸直位，来自前方的使胫骨上端后移的暴力均可使后交叉韧带断裂；膝伸直位，膝或腿部外侧受强大暴力打击或重压，使膝过度外展，内侧副韧带可发生部分或完全断裂。相反，膝或腿部内侧受暴力打击或重压，使膝过度内收，外侧副韧带可发生部分或完全断裂。在严重创伤时，侧副韧带、十字韧带和半月板可同时损伤。临床表现：为受伤时可听到有韧带断裂的响声，因剧烈疼痛很快便不能继续运动或工作，膝部伤侧局部剧痛、肿胀、有时有瘀斑，膝关节不能完全伸直；韧带损伤处压痛明显。内侧副韧带损伤时，压痛点常在股骨内上髁或胫骨内髁的下缘处；外侧韧带损伤时，压痛点在股骨外上髁或腓骨小头处。

本病中医学属“筋痹”范畴。临床治疗通过对患处进行按摩、外敷中药和超短波理疗等综合疗法，使患处气血得以畅通，筋脉得以顺畅，达到清热、解毒、活血化瘀、消肿止痛的功效。

**【必备验方】**

1. 川牛膝、熟狗脊、土鳖虫各40克，制马钱子30克，鹿角胶60克（烊化），蜂蜜适量。将前4味共研细末；后2味以文火煎浓，调制为丸（如绿豆大）。每日6克，分2～3次服，10日为1个疗程。

2. 嫩母鸡1只，独活、桑寄生、杜仲、牛膝、细辛、秦艽、茯苓各15克，当归、芍药、生地黄、肉桂、防风、川芎各10克，人参20克，甘草6克，水煎，每日1剂，分2次服。

3. 生川乌、生草乌、生杜仲、忍冬藤、当归、五加皮、海风藤各35克，乌梅2个，白酒1500毫升，冰糖、红糖各100克。将前8味水煎2小时，去渣，入冰糖、红糖调匀，加入白酒即可。每日早、晚各服10～20毫升。

4. 土鳖虫、虎杖、生天南星、制乳香、制没药各20克。共研细末，用饴糖调敷患部，2日1换，7次为1个疗程，连用2个疗程。

5. 雄黄、白矾、乳香、没药各15克，麝香2克，蟾酥2克，硇砂1克，黄柏、苦参各30克，冰片3克。共研细末，蛋黄油调敷患处，每日换药1～2次。

**【名医指导】**

1. 急性损伤发生后应立即停止活动，不要让受伤的关节再负重。

2. 用冷水冲或用冰冷敷患处，每次15～20分钟，每日3～4次。

3. 用绷带加压包扎患肢，并抬高患肢；注意动静结合，在没有疼痛感觉的前提下进行早期活动。

4. 基本痊愈后应加强关节周围肌肉的锻炼。

5. 后期加强功能锻炼：

(1) 继续练习抗阻和主动膝关节屈伸。

(2) 继续练习行走和上下楼，从扶单拐部分负重行走，逐渐过渡到术后7周的完全弃拐行走。

(3) 逐步进行日常生活活动，提倡步行、游泳、骑固定的自行车等，避免剧烈运动。

6. 保持情绪稳定，积极配合治疗。

## 半月板损伤

在胫骨关节面上有内侧和外侧半月形状骨称半月板。其边缘部较厚，与关节囊紧密连接，中心部薄，呈游离状态。内侧半月板呈“C”形，前角附着于前十字韧带附着点之前，后角附着于胫骨髁间隆起和后十字韧带附着点之间，其外缘中部与内侧副韧带紧密相连。外侧半月板呈“O”形，其前角附着于前十字韧带附着点之前，后角附着于内侧半月板后角之前，其外缘与外侧副韧带不相连，活动度较内侧半月板为大。半月板可随着膝关节运动而有一定的移动，伸膝时半月板向前移动，屈膝时向后移动。一般情况下，半月板是紧黏合在胫骨平台的关节面上，膝关节在运动的过程中是不移动的，只有在膝关节屈曲135°时，关节做内旋或外旋运动，半月板才有轻微移动，在此体位时容易造成半月板损伤。主要为膝关节半屈曲时，体重穿过关节发生研磨及劈裂的力量，半月板卡在股骨髁与胫骨平台之间，突然的伸直和旋转而造成损伤。大部分患者无外伤史，伤后逐渐肿胀，伤侧较显著。临床表现为疼痛往往发生在运动中的某种体位，体位改变后疼痛可能消失，疼痛部位在两侧关节间隙；行走可，但乏力，上下楼梯时尤为明显，伴有疼痛或不适，病程长者股四头肌会逐渐萎缩。当运动中，股骨髁突入半月板之破裂处而又不能解除，可突然造成膝关节的伸屈障碍，形成交锁。放松肌肉、改变体位、自主或被动地旋转伸屈之后，交锁多可解除。

半月板损伤属西医学诊断，传统中医学文献并无这一病名。中医学治疗半月板损伤的“不手术、不固定、多运动”的治疗方法独有特色。“凡损药必热，便生血气，以接骨耳”，重视损伤部位的血运。半月板破裂的保守治疗，用电褥子加热水袋（先发其汗而祛其寒），通过改善局部的气血运行而促使受损组织的修复。无论急性还是慢性，都要求患者活动，因为“动生气血”。

**【必备验方】**

1. 白茅根、玉米须各60克，大枣10枚，猪小肚500克。加水浸泡片刻，煲汤服食。

2. 红蓼子60克，麝香1.5克，阿魏、急性子、大黄各15克，甘遂9克，巴豆10粒，白酒500毫升。同浸泡1周，每次饮15毫升，每日3次。

3. 黄柏、合欢皮、白及、续断、千年健、粉萆薢各15克，甜瓜子、土鳖虫、牛膝、檀香各9克，赤芍、红花各6克。共研细末，以蜂蜜水调敷患处，隔日换药1次。

4. 羌活、白芷、当归、细辛、芫花、白芍、吴茱萸、肉桂各等份。共研细末，每取适量，与适量的连须赤皮葱捣烂，以醋炒热（布包），热熨患处。

5. 紫河车、白及、土鳖虫各30克，儿茶、血竭、丹参、骨碎补各15克，乳香、没药、象皮各12克，茯苓、牛膝各9克。共研细末，以蜂蜜水调敷患处，隔日换药1次。

**【名医指导】**

1. 损伤早期应注意休息，伤肢应尽量少活动。

2. 用油布棉枕放在患肢下，抬高患肢。在抬高期间，可根据患者的需求，将患肢下的枕头暂时拿开，放平肢体然后再垫起来。

3. 患肢冷敷、制动，对症治疗。若效果不佳，可采用手术治疗。

4. 加强后期功能锻炼，防止肌肉萎缩。患者症状减轻后，应进行股四头肌功能锻炼；

术后 2 周，下床负重，逐渐增大关节活动范围。

5. 少食油腻、高脂肪食物，多食新鲜蔬菜、水果；少食细粮，多食粗粮；忌牛肉、鸡肉、姜及燥热食物，忌服激素类药。

6. 上、下楼梯时必须全神贯注，稳踏之后再行第二步，避免外伤。

## 髌韧带断裂

髌韧带断裂是临床中较少而又严重的膝关节运动性损伤，主要由于股四头肌强力收缩所致。多见于 40 岁以下的患者，表现为受伤时膝前血肿、局部疼痛，X 线片上的非特异表现有时会造成漏诊而导致陈旧性髌韧带断裂。髌腱断裂可由直接暴力所致，也可由间接暴力所致，多发生于屈膝情况下伸膝装置突然收缩时（如在跳高、篮球等项目突然起跳或踏跳时以及屈膝落地股四头肌突然收缩时），也可见于跑步中突然跌倒的情况。髌腱断裂有以下临床特点：①有明确的跳跃或跪地性受伤史，伤后主动伸膝功能丧失。但要注意当两侧髌腱未断时仍可有伸膝动作，但伸膝力量明显减弱且膝关节不能完全伸直。②髌骨上移，左右活动范围异常增大，股四头腱收缩时张力下降。③髌腱正常轮廓消失，屈膝位可看到，摸到断裂部位的凹陷，髌腱无张力感（正常时膝关节伸 30°～40°时髌腱轮廓最清楚，触之张力最明显）。④断裂端触痛，伸膝抗阻痛，直抬腿试验阳性。⑤X 线片多显示骨与关节正常。屈膝 30°侧位片可见髌骨上移，髌腱阴影失去连续性。

本病中医学属“筋伤”、“痹症”等范畴。临床分为气滞血瘀和肝肾亏虚等证型。

**【必备验方】**

1. 丁香、木香、血竭、儿茶、熟大黄、红花各 30 克，当归头、莲子、白茯苓、白芍各 60 克，牡丹皮 15 克，甘草 9 克。共为细末，炼蜜为丸，每服 9 克，黄酒调服。

2. 生川乌、生草乌各 50 克（切片，晒干），蜂蜜 250 克，三七（捣碎）、马钱子（去毛，油炸）各 25 克。将前 3 味合煎，马钱子与后 2 味水煎 2 次，第 1 次加水 1000 毫升浓缩到 300 毫升，第 2 次加水 1000 毫升浓缩到 200 毫升，2 次滤液兑匀，加白酒 500 毫升调匀服，每次 10 毫升，每日 3 次，10 日为 1 个疗程。

3. 大黄、黄柏、威灵仙、独活、牛膝、透骨草各 30 克（布包），芒硝 5 克，陈醋 250 克。将前 6 味加水 3000 毫升煎半小时，去渣，入芒硝、醋搅匀，熏洗、热敷痛处，每次 1 小时，每日 1～2 次。

4. 守宫 6 个，辰砂 6 克。共研粉，每取适量，撒于患处，外用强力麝香膏固定，隔日换药，1 个月为 1 个疗程，休息 3～6 日后可继续下 1 个疗程。

5. 鲜山慈菇 30 克，山柰、乳香、没药、大黄、姜黄、栀子、白芷、黄芩各 20 克，小茴香、丁香、赤芍、木香、黄柏各 15 克，蓖麻子 20 粒。共研细末，鸡蛋清调敷患处，6 小时换药 1 次。

**【名医指导】**

1. 急性损伤发生后应立即停止活动，以减少出血。

2. 24 小时之内立刻用冷水冲损伤部位或用冰块冷敷局部，以达到止血的目的；然后覆盖绷带加压包扎防止肿胀；经过 24～48 小时后，可用温热毛巾热敷或按摩以消肿。热敷温度不要太高，时间不宜太长，按摩时也不宜太重。

3. 抬高患肢，促进血液回流。

4. 注意动静结合，在疼痛允许的情况下进行早期活动。基本痊愈后，应加强关节周围肌肉的力量练习，提高关节的相对稳定性。

5. 如怀疑有骨折的情况，在初步处理后应及时就诊医院检查、治疗。

6. 髌腱断裂后仅靠缝合与休养是不可能完全恢复到伤前运动强度的。目前国际上比较先进的手法是进行重建手术，即对受损髌腱进行置换。理论上，单纯髌腱断裂患者术后 6～12 月才能恢复到伤前运动强度。

7. 保持良好的心态，积极配合治疗，坚持功能锻炼。

8. 饮食宜清淡，多食蔬菜、水果、粗粮；忌牛肉、鸡肉及燥热食物。

## 踝部扭挫伤

距小腿关节（踝关节）由胫、腓骨下端与距骨组成，以趾屈、背伸为主。距小腿关节周围主要韧带有内侧副韧带、外侧副韧带和下胫腓韧带。内侧副韧带又称三角韧带，起于内踝。距小腿关节扭伤是指距小腿关节遭受内、外翻和扭转牵拉外力而引起踝部筋肉的损伤，是常见的软组织损伤之一。可发生于任何年龄，以青壮年较多。临床一般分为内翻扭伤和外翻扭伤两类，表现为伤后踝部即出现肿胀、瘀斑，疼痛，跛行或不能行走；内翻扭伤时，在外踝前下方肿胀、压痛明显，将足部内翻时疼痛加剧；外翻损伤时，在内踝前下方肿胀、压痛明显，将足部外翻时疼痛加剧。疑有韧带断裂或合并骨折脱位者，应作与受伤姿势相同的内翻位或外翻位X线检查。一侧韧带完全撕裂，往往显示患侧关节间隙增宽；下胫腓韧带断裂，可显示内外踝间距增宽。

本病中医学属“筋伤”范畴。临床分为气滞血瘀和筋脉失养等证型。

**【必备验方】**

1. 木瓜2个（剖开），乳香、没药各6克。将后2味夹于木瓜内缚定，置饭锅上蒸3～4次，研烂，每取9克，以黄酒1杯炖化，温服。

2. 六月雪15克，透骨草、秦艽、川乌、草乌、郁金、羌活、川芎各10克，木瓜20克，全蝎2克，鸡血藤各30克，60度白酒1000克。同浸泡15日后服。

3. 生姜30克，陈面35克（引子），生花椒25克。分别将花椒、陈面引子捣碎成粉，将生姜捣烂如泥；三者合匀，敷患处，外以纱布、胶布固定，每日换药1次，连用3～5日。

4. 炒紫荆皮4份，炒独活、炒赤芍、白芷各2份，石菖蒲、细辛、香附、炒乳香、炒没药各1份。共研细末，医用凡士林（熔化，凉至20℃左右）加入药末（1500克凡士林入药末500克，边加边搅拌）调匀，待冷凝后摊于药棉上（面积略宽于肿胀范围1厘米，厚度约0.5厘米），贴患处（绷带固定），隔日换药1次。嘱患者减少患踝活动，肿胀严重时抬平患肢。敷药后若有局部瘙痒、丘疹等过敏现象，应立即停药，并外擦尿素软膏；局部红肿、热象明显者忌用。

5. 蛇床子15克，苦参、蜂房各18克，苍耳草40克。加水1000毫升煎至800毫升，去渣，加入5～6倍的40℃温水，浸泡患部，每次20～30分钟，每晚1次，连用3次。如未愈，2周后继续按上述方法治疗。

**【名医指导】**

1. 发生距小腿关节损伤后应立即停止活动，坐下休息。

2. 24小时内用冷水冲洗患处（或冰块冷敷），24小时以后用热水热敷，并将患肢抬高。可调敷消炎散及如意金黄散。

3. 注意损伤的局部防寒保暖。

4. 恢复期针灸按摩。

5. 距小腿关节扭伤严重者，应到医院做X线检查（以排除骨折和脱位）。如发现骨折应立即请医师处理。

6. 在进行体育运动以前，应先做准备活动，如活动手腕、脚腕等易扭伤的关节处。

7. 下坡、下楼要注意；走不平坦的路或运动时应穿高帮鞋，以加强防护。

8. 平时尽量少穿高跟鞋，避免走不平的路或剧烈运动。

## 跟痛症

跟痛症是指患者因长期站立工作（或长期从事奔跑、跳跃等）、扁平足、足弓塌陷致足跟部疼痛及行走困难的证候。临床表现为站立或行走时足跟疼痛，疼痛可沿跟骨内侧向前扩展至足底，尤其是早晨起床后或休息后开始，行走时疼痛更明显，活动一段时间后疼痛反而减轻，压痛点在跟骨负重点稍前方的足底腱膜处，X线可见跟骨底有骨刺形成。临床分型如下。①跟后痛：主要有跟腱滑膜囊炎、跟腱止点撕裂伤等。②跟下痛：主要有足底腱膜炎、跟骨下滑膜囊炎、跟骨下脂肪垫炎、跟骨骨髓炎；③跟骨骨痛：如跟骨骨骺炎、跟骨骨髓炎、骨结核，偶见良

性肿瘤或恶性肿瘤。

本病中医学又称“脚根颓”。足跟部为肾经之所主，足少阴肾经起于足下趾，斜行足心至内踝后，下入足跟。足跟处乃阴阳二跷发源之所，阳跷脉、阴跷脉均起于足跟，阳跷脉、阴跷脉各主人体左右之阴阳，肾为人体阴阳之根本，藏精主骨生髓。因此，足跟痛与人体肾阴、肾阳的虚损密切相关，在肾虚的基础上可夹有寒湿或湿热。足居下，而多受湿，肾虚正气不足，寒湿之邪，乘虚外侵，凝滞于下，湿郁成热，湿热相搏，致经脉郁滞，瘀血内阻，其痛作矣或足部有所损伤，亦可致瘀血内阻。本病以肾虚为本，瘀滞为标，外邪多为寒湿凝聚。临床治疗分3期：早期，治宜化瘀消肿止痛；中、后期，治宜舒筋活血、行气止痛，或补益肝肾。

**【必备验方】**

1. 鲜湖蟹壳2只，生薏苡仁30克，大黄6克，川乌、肉苁蓉、延胡索、蕲蛇、防风、桑枝、三七各10克。制成糖衣片（每片1.5克），饭后服，每次5片，每日3次，连服2个月。适用于跟骨骨刺引起的跟痛症。

2. 大黄、黄柏、威灵仙、独活、牛膝、透骨草各30克（布包），芒硝5克，陈醋250克。将前6味加水3000毫升煎约半小时，取出药包，加入芒硝、醋搅匀，熏洗热敷痛处，每次1小时，每日1～2次。

3. 鸡血藤、透骨草、白芍、威灵仙各10克。共为末（装布袋中），加冷水浸泡20分钟，取出控净水分，备用；取新砖一块，把中间挖成凹窝状，然后放炉火上烧红拿下，取食醋倒入凹窝中，并将药袋迅速放在砖的凹窝上，患足置放于药袋上，足背部以干毛巾覆盖进行蒸熏（防止热砖烫伤足）。每日1次，每日1剂，7次为1个疗程。适用于跟骨骨刺、跟部纤维脂肪垫炎、跟腱滑囊炎、跟骨骨骺炎。

4. 蕲艾60克，乌梅10克。煎水，倒入盆内，将烧砖烧红放入药液内，患足放于蒸气上熏洗，并用衣物遮盖，待适温后将患足跟底部放于砖块上乘热下压数分钟（药液可以反复使用），每日1～2次，连用7～10日为1个疗程。

5. 仙人掌适量。去毛刺，剖成两半，敷患处，外用胶布固定，12小时后更换（冬季可将剖开一面烘热再敷患处，一般宜晚上敷）。治疗期间宜穿布底鞋，适量活动。

**【名医指导】**

1. 减少局部压迫，可采用海绵跟垫、矫形鞋、石膏外固定。

2. 可行局部理疗或热敷，或痛点行封闭治疗。

3. 急性期宜休息，症状缓解后亦应减少站立和步行。

4. 可行推拿治疗。

5. 治愈之后应加强预防与调摄，以避免疾病的再度复发。

6. 年老因肾虚导致足跟痛的患者可辨证服用补肾之品，巩固疗效。

## 颈部扭挫伤

颈部扭挫伤是常见的颈部筋伤，可兼有骨折、脱位，或伤及颈髓，危及生命。

中医学没有颈部扭挫伤的提法，其症状散见于“颈部伤”、“脖颈伤筋”、“项背痛”等。在日常生活中，颈部可因突然扭转或前屈、后伸而受伤。如在高速行驶的车上，因意外情况车突然减速或突然停止时；打篮球投篮时，头部突然后仰；嬉闹扭斗时颈部过度扭转或头部受到暴力打击，均可引起颈部扭挫伤。表现为颈部单侧疼痛，在痛处可摸到肌肉痉挛，头常偏向患侧，颈项部功能活动受限；局部常见轻度肿胀、压痛。检查时，注意有无手臂麻痛等神经损伤症状，X线摄片以排除颈椎骨折及脱位。

本病中医学治疗以活血化瘀为主，并配合功能锻炼、药物、理疗等治疗方法。

**【必备验方】**

1. 鲜夏枯草50克，熟地黄、鸡血藤各30克，盐杜仲、当归各12克，白芍、牛膝、黄芪各15克，淫羊藿、红花、狗脊各9克，肉苁蓉20克，木香3克。水煎，每日1剂，分2次服。

2. 五加皮、五味子、山楂各15克，当归、赤芍、透骨草、生地黄各12克，羌活、

独活、防风、红花各10克，炮附子6克，花椒30克。同装布袋内扎紧，水煎15分钟，适温时托敷于颈背部，每次30分钟，每日2次，每剂药连用4次，10日左右可有明显好转。

3. 白胡椒30粒（研碎），红花、桃仁、松香各6克，当归、生天南星、生半夏各12克，生川乌、羌活、独活各9克，白芥子、冰片各3克，细辛、猪牙皂各4.5克，樟脑15克。共为细末，酒炒热，熨患处，每次7～8小时，每日1次。

4. 蒜苗5根，天南星、生川乌、生草乌、羌活、苍术、姜黄、生半夏各20克，白附子、白芷、乳香、没药各15克，红花、细辛各10克。共研末，加食醋、蜂蜜、白酒及葱白（捣烂）、生姜各适量，白胡椒（研碎）30粒，同炒热（装布袋），热敷患处，每次30分钟，每日2次，5～7日为1个疗程。

5. 羌活、独活、木瓜、桂枝各15克，胆南星、制川乌、制草乌、制马钱子各10克，老鹳草20克，花椒、鸡血藤、伸筋草各30克。水煎30分钟，熏洗患部，每日1次，每次30分钟，30次为1个疗程，每剂中药可重复使用2～3次。

**【名医指导】**

1. 急性期：注意休息，减少颈部的活动。

2. 恢复期：加强颈部功能锻炼。两脚开立，与肩同宽，双手叉腰；分别作抬头望月，低头看地、头颈向右后转，眼看右方、头颈向左后转，眼看左后方、头颈向左侧弯、头颈向左后转，眼看左后方、头颈向左侧弯、头颈向右侧弯、头颈前伸并侧转向左前下方、头颈前伸并侧转向左前下方、头颈转向右后方上方、头颈转向左后止方、头颈各左右各环绕1周。以上动作宜缓慢，尽力做到所能达到的范围。不要长期盯着电脑显示屏，10～30分钟锻炼1次。

3. 注意改善不良的睡眠习惯：正常人仰卧位枕高应在12厘米左右，侧卧与肩等高、枕头的高低因人而异，约与个人拳头等高为好。颈椎病患者与正常人大致相同，椎体后缘增生明显者，枕头可相应偏高些；黄韧带肥厚、钙化者应偏低些。枕芯内容物要求细碎、柔软。常用谷皮、荞麦皮、绿豆壳、草屑等充填，而海绵、棉絮、木棉等均不适应。枕头的形状以中间低，两端高的元宝形为佳。

4. 固定姿势工作习惯的改善：对于低头工作或头颈部固定在同一姿势下的人，首先要使案台与座椅高度相称，避免过度低头曲颈；桌台可适当高些，勿过低，半坡式的斜面办公桌较平面桌更为有利；同时应注意做颈椎保健操。在长时间工作中，做短暂的颈部前屈、后伸、左右旋转及回环运动。

5. 对于专业化程度高的工作，应适当改变工种，或定期轮换工作。

## 落　　枕

落枕又称失枕，多因睡眠姿势不良所致。好发于青壮年，冬、春两季多发，由于睡眠时姿势不良，头颈过度偏转，或睡眠时枕头过高、过低或过硬，使局部肌肉处于长时间紧张状态，持续牵拉而发生静力性损伤；颈背部遭受风寒侵袭也是常见因素。如严冬受寒、盛夏贪凉，风寒外邪使颈背部某些肌肉气血凝滞、经络痹阻，僵凝疼痛，功能障碍。其主要症状为：晨起突感颈部疼痛不适，头常歪向患侧，活动欠利，不能自由旋转后顾，颈项部肌肉痉挛压痛，触及条索状硬结，斜方肌及大小菱形肌部位亦常有压痛。风寒外束、颈项强痛者，可有渐渐恶风、身有微热、头痛等表证。其往往起病较快，病程较短，2～3日即能缓解，1周多能痊愈。如痊愈不彻底，易于复发。若久延不愈，应注意与其他疾病引起之颈背痛相鉴别。

本病中医学治疗主要以手法治疗为主，并配合药物、理疗等方法治疗。

**【必备验方】**

1. 葛根50克（加水700毫升煎至500毫升，取汁），小公鸡1只（去毛、内脏，切块，适量油稍炒）。同加适量生姜丝、黄酒，以文火煨熟，调入味精、细盐，佐餐食。

2. 鲜山慈菇、罂粟壳、桃仁、红花、丹参、当归各10克，制半夏、制天南星、猪苓、茯苓各15克，牡丹皮、赤芍、黄柏、苦

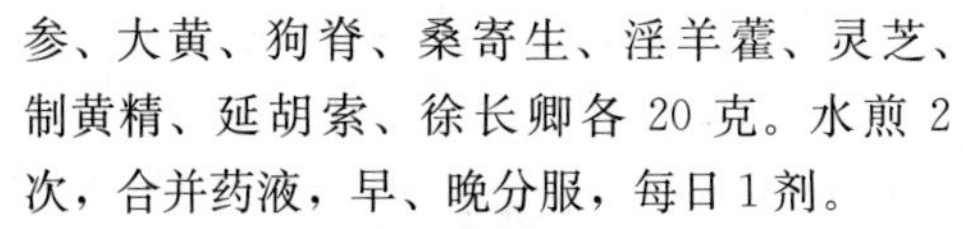
参、大黄、狗脊、桑寄生、淫羊藿、灵芝、制黄精、延胡索、徐长卿各 20 克。水煎 2 次，合并药液，早、晚分服，每日 1 剂。

3. 鲜辣椒藤 5 根，生地黄 20 克，补骨脂 15 克，骨碎补、菟丝子、狗脊、续断、葛根、枸杞子、当归、白芍、川芎各 12 克，鸡血藤、黄芪各 30 克。水煎，每日 1 剂，分 2 次服。

4. 三七、重楼、延胡索、山慈菇、芦根、黄药子、川乌各 30 克，冰片 6 克。共研细末，分为 2 份，每取 1 份加入 150 克温热的医用凡士林调匀，敷贴于痛区皮肤表面，24 小时换药 1 次。同时，将另 1 份药末，温开水送服，每次 3 克，每日 3 次。

5. 铁屑 500 克，陈醋 60～70 毫升。取适量温水与陈醋混合（水：醋＝6：4），再与铁屑混匀（装布袋，以棉垫包裹），敷患处，每次 15～30 分钟，每日 1 次，12～15 次为 1 个疗程。

**【名医指导】**

1. 针灸治疗。

2. 按摩、热敷：

（1）按摩：站立于患者身后，用一指轻按颈部，找出最痛点，然后用一拇指从该侧颈上方开始，直到肩背部为止，依次按摩，对最痛点用力按摩，直至感明显酸胀即表示力量已够；如此反复按摩 2～3 遍，再以空心拳轻叩按摩过的部位，重复 2～3 遍。

（2）热敷：采用热水袋、电热手炉、热毛巾及红外线灯泡照射均可起到止痛作用，必须注意防止烫伤。

（3）选用正红花油、甘村山风湿油、云香精等，痛处擦揉，每日 2～3 次。

3. 调整情绪。

4. 劳逸结合。多做颈部运动，并进行颈部的按摩。

5. 注意防止外伤，做到有病早治，治疗力求彻底，尤其是有反复落枕病史者。

6. 注意睡姿，不宜睡高枕；枕头要富有弹性，高度以侧卧位时头部与身体能平直为佳。注意避免颈部受凉，睡眠时切勿让风直吹颈部。

7. 矫正不良的看书姿势，桌椅高度要适当。

## 颈椎病

颈椎病是指颈椎骨质增生、颈项韧带钙化、颈椎间盘萎缩退化等改变并刺激或压迫颈部神经、脊髓、血管而产生的一系列症状和体征的综合征，多见于 40 岁以上中老年人。以长期从事低头伏案工作的会计、誊写、缝纫、刺绣等职业者或长期使用电脑工作者，或颈部受过外伤者多见；或由于年高肝肾不足，筋骨懈惰，引起椎间盘萎缩变性，弹力减小，向四周膨出，椎间隙变窄，继而出现椎体前后缘的骨质增生、钩椎关节的增生、小关节关系改变、椎体半脱位、椎间孔变窄、黄韧带肥厚、变性、钙化、项韧带钙化等一系列改变。椎体增生的骨赘可引起周围膨出的椎间盘、后纵韧带、关节囊的反应充血、肿胀、纤维化、钙化等，共同形成混合性突出物。当此类劳损性改变影响到颈部神经根、颈部脊髓、颈部主要血管时即可发生一系列相关的症状和体征。常见有神经根型、脊髓型、椎动脉型和交感神经型，其中最为多见的是神经根型以及同神经根型相关的混合型。

本病中医学散见于“颈肩痛”、“颈背痛”、“痹证”、“痿证”、“项强”、“眩晕”等。临床治疗分为早、中、晚 3 期辨证。

**【必备验方】**

1. 桑寄生、续断、熟地黄、川芎、僵蚕各 12 克，丹参 20 克，葛根、威灵仙、木瓜各 15 克，黄芪 30 克，牛膝 10 克，乳香、没药各 9 克。水煎服。药渣用纱布包好，加白醋 50 克，隔水蒸 20 分钟，热敷颈部，每次半小时，每日 2 次，30 日为 1 个疗程。

2. 白胡椒 30 粒（研碎），鹿角片、鹿角胶各 10 克，淫羊藿 30 克，生地黄、熟地黄、肉苁蓉、牛膝、川芎、葛根各 10 克，骨碎补、赤芍、白芍、木瓜、杜仲各 15 克，泽泻 20 克，茯苓 12 克。共研细末，水泛为丸，每服 6 克，每日 3 次。适用于颈椎病。

3. 鲜荷叶 20 克，熟地黄 15～25 克，丹参、桑枝、生麦芽、当归尾各 10 克，鹿衔草 10～15 克，骨碎补 15 克，肉苁蓉 6～10 克，生蒲黄 20～25 克，鸡血藤 15～20 克，蛇蜕 6

克。水煎服，每日1剂。痛甚者，加延胡索、制乳香、制没药各10克；高血压者，减肉苁蓉；患肢胀痛、活动障碍者，加伸筋草10～15克，三七2克；颈部软组织及上肢酸痛者，增用川芎嗪、当归、丁公藤注射剂各2毫升局部注射。

4. 嫩母鸡1只（去毛及内脏，洗净），丹参、葛根、黄芪、大枣各18克，赤芍、当归、羌活各12克，白芷、地龙各9克，炙甘草、桂枝各6克。同炖服，每日2～3次。适用于颈椎综合征。

5. 大葱3根（捣烂），千年健、川牛膝、艾叶各45克，透骨草、伸筋草各36克，赤芍、桂枝各30克，木瓜、桑枝各90克，干姜、花椒各27克。同捣碎，分装于2个纱布袋里，以陈醋250克泡半小时后蒸1小时，轮换热敷患处，每次1小时，每日1次，每剂药连用8日为1个疗程。

**【名医指导】**

1. 避免颈部突然旋转、长时间一个姿势工作及肩负、手提重物。平时低头体位工作或学习1～2小时后应注意休息或活动颈部，可选择做10分钟的广播体操以消除颈部疲劳。

2. 坚持颈部锻炼，长期做前伸后仰、左右旋转、左右侧屈、耸肩挺背、转动双肩等动作。

3. 颈后垫枕：对颈椎生理弧度消失，变直或反张者，可自制直径8～10厘米的结实小圆枕，置于颈部，取仰卧位躺20～30分钟，每日2～3次；而对颈椎生理弧度加深者，则可用高一点的枕头，为正常的1.5～2倍，置于颈部，取仰卧位躺20～30分钟，每日2～3次。

4. 睡觉时用较低而松软的枕头垫在枕项部。枕头长度至少是侧睡时3个头的宽度；软硬要适中，透气性好。

5. 晚上最好采取侧卧位或仰卧位，不可俯卧位。

6. 避免颈肩部受凉，夏季尤其注意避免风扇或空调冷风直吹颈肩部。天气变化时应及时添衣御寒。

7. 注意劳逸结合，戒烟、酒、咖啡。

8. 注意预防上呼吸道感染，保持口腔清洁。

9. 保持乐观的心态。

## 腰部劳损

腰部劳损是指腰部肌肉、筋膜、韧带软组织的慢性损伤，通常为腰肌劳损、腰骶关节炎、棘上或棘间韧带劳损、腰背筋膜炎、骶髂关节炎、第三腰椎横突综合征的统称。长期弯腰工作或工作姿势不良、腰部急性外伤之后，露卧贪凉，汗出当风，风寒湿邪侵袭腰部，使腰部肌肉发生痉挛、水肿、局部充血及慢性无菌性炎症等。若没有很好的治疗或休息，则容易引起损伤。主要表现为腰痛，多为隐痛，时轻时重，反复发作，休息后有一定减轻，弯腰工作则疼痛加剧；疼痛部位多在腰两侧部或腰骶关节周围，少数病例感到臀部和大腿后上部胀痛；腰部有明显的压痛点。腰部劳损寒湿并发者，阴雨天或受凉后腰痛加重，腰部不能直立、喜暖畏寒、活动不便。

本病中医学属“腰痛”范畴。主要由于肾气亏虚或气滞血瘀、腰失荣养所致。

**【必备验方】**

1. 韭菜（或韭菜根）、冰糖各30克。将韭菜洗净，加水500毫升以小火煮至250毫升，加入冰糖调匀，温后顿服。

2. 生姜、黄瓜各100克，葱白23根，路路通、葛根、桑枝各30克，当归、刘寄奴各15克，川芎、姜黄、白芷、威灵仙各12克，胆南星、独活、红花、白芥子各9克。水煎服，每日1剂，连服6日后停药1日，12剂为1个疗程。

3. 鸡屎白、麦麸各250克。慢火炒热，加适量乙醇，混匀（布包），热敷患处，次日可再炒热后加乙醇使用，连用4～5次。每日1次，7～10日为1个疗程。适用于腰肌劳损、急性腰扭伤及关节炎。

4. 辣椒叶适量。洗净，捣烂，炒热，取适量，热敷患处，外以布带裹敷，每日换药1～2次，5～7日为1个疗程。适用于腰酸痛。

5. 大蒜头5个，五加皮、五味子、山楂各15克，当归、赤芍、透骨草、生地黄各12克，红花、羌活、独活、防风各10克，炮附

子6克，花椒30克。同装布袋内扎紧，水煎15分钟，以毛巾浸敷于腰背部，每次30分钟，每日2次，每剂药连用4次，连用10日即可好转。

**【名医指导】**

1. 避免过劳、矫正不良体位。

2. 适当功能锻炼（如腰背肌锻炼），防止肌肉张力失调。

3. 家人可帮助患者局部按摩、热敷等，促使局部血液循环加强。

4. 平日可行以下几种简单的康复锻炼方法：

（1）腰部前屈后伸运动：两足分开与肩同宽站立，两手叉腰，做好预备姿势。然后做腰部充分前屈和后伸各4次，运动时要尽量使腰部肌肉放松。

（2）腰部回旋运动：姿势同（1）。腰部做顺时针及逆时针方向旋转各1次，然后由慢到快，由大到小，顺、逆交替回旋各8次。

（3）“拱桥式”：仰卧床上，双腿屈曲，以双足、双肘和后头部为支点（5点支撑）用力将臀部抬高，如拱桥状，随着锻炼的进展，可将双臂放于胸前，仅以双足和头后部为支点进行练习。反复锻炼20～40次。

（4）“飞燕式”：俯卧床上，双臂放于身体两侧，双腿伸直，然后将头、上肢和下肢用力向上抬起，不要使肘和膝关节屈曲，要始终保持伸直，如飞燕状。反复锻炼20～40次。

5. 忌辛辣、温热食物，如辣椒、桂皮、生姜、羊肉等。

6. 避免引起“闪腰”的动作，如弯腰持重物，反复弯腰等。一旦扭伤，必须休息。

7. 根据气候变化，随时增添衣服；出汗及雨淋之后，要及时更换湿衣或擦干身体。

8. 做剧烈活动之前，需做热身运动。

9. 肥胖者需减肥控制体重。

## 腰椎间盘突出症

腰椎间盘突出症又称腰椎间盘纤维环破裂髓核突出症，是在腰椎间盘发生退行性变，在外力的作用下使纤维环破裂、髓核突出，刺激或压迫神经根而引起腰痛及下肢坐骨神经放射痛等的腰腿痛疾病。多发于20～40岁，临床主要以腰痛和坐骨神经痛为主症，以腰4/腰5、腰5/骶1椎间盘突出最多见。

本病中医学属“腰腿痛”、“痹证”等范畴。肾气虚损、筋骨失养而退变是其根本原因。临床分为早期、急性发作期和晚期辨证治疗。

**【必备验方】**

1. 马钱子、麻黄各5克，土鳖虫10克，牛膝15克。共研粉，分装胶囊（每粒0.3克）。每晚睡前服4粒，逐日增加1粒（最多不超过8粒），以黄酒30～50毫升送服。适用于气滞血瘀型腰椎间盘突出症。

2. 杜仲20克，威灵仙55克，猪腰子（猪肾脏）1～2个（去臊腺、筋膜，洗净、剖开）。3药研末搅拌摊匀后合紧，加水少许，隔水以慢火蒸食，每日1剂。孕妇忌服。适用于肾虚型腰椎间盘突出症。

3. 穿山龙75克，川乌、草乌各20克，威灵仙15克。加水500毫升煮取250毫升，药渣加水250毫升煮取125毫升，2次煎液兑匀，与小公鸡1只（去肠杂）同煮熟，加酒适量（五加皮酒或当归酒更好），分2次服。适用于寒湿型腰痛。

4. 藁本、续断、苏木各30克，防风、白芷、附子、川乌、草乌各20克，狗脊、独活各45克。共研细末（布包），日夜戴于腰部。

5. 川芎、牛膝、木瓜、威灵仙、五加皮各10克，乌药、桂枝各15克，三桠苦、豹皮樟、过江龙、半枫荷、山大颜、络石藤各30克。煎水，熏蒸患部，每次20分钟，每日1次。

**【名医指导】**

1. 注意保暖，防止受凉，可给予腰部热敷和频谱仪照射。

2. 饮食宜清淡，多饮水；多食富含纤维的蔬菜、水果，防止便秘；忌生冷、油腻食物；多食滋补肝肾的食物，如动物肝肾、羊肉、大枣等；多吃含钙量高的食物，如牛奶、奶制品、虾皮、海带、芝麻酱、骨头汤、豆制品等。

3. 保持心情愉快。

4. 减轻腰部负荷，避免过度劳累；尽量不要弯腰提重物，如捡拾地上的物品宜双腿下蹲、腰部挺直、动作要缓。

5. 加强腰背肌功能锻炼，注意持之以恒。

6. 建立良好的生活方式，生活要有规律；多卧床休息；禁烟、酒。

7. 睡硬板床，可以减少椎间盘承受的压力。

8. 白天腰部戴一个腰围（护腰带），以利于腰椎的恢复。

9. 不做弯腰用力的动作（如拖地板），避免长久弯腰和过度负重，以免加速椎间盘的病变及加重疼痛。

10. 不要盲目进行运动。

11. 注重平时的站姿、坐姿、劳动工作姿势及睡姿的合理性；下床时也不要直接从床上坐起，最好能将身体移至床缘，向外侧卧，将脚弯曲踩到地后，再用手支撑将身体慢慢侧身坐起。

12. 女性应避免长时间穿着高跟鞋，以防止腰部过度受力。

## 梨状肌综合征

梨状肌综合征又称坐骨神经盆腔出口综合征，是由于梨状肌的肥大或变异而刺激或压迫坐骨神经，引起的以臀腿部疼痛为主的临床综合征。临床主要以臀部酸胀疼痛为特点，并常出现沿坐骨神经放射样疼痛，严重者不能走路或跛行。

本病中医学属“痹证”范畴，又称“臀痛”、“腿痛”。伴有腰痛时，称“腰腿痛”。中医学认为，本病主要因外伤致气滞血瘀、脉络受阻为主，即有“不通则痛”之意。临床分为早期和中、晚期辨证施治。

**【必备验方】**

1. 核桃仁、黑芝麻各210克，骨碎补45克，续断、木瓜、延胡索各30克，香附15克，菟丝子、杜仲、当归各60克。除核桃仁、黑芝麻外，余药晒干，研碎过筛备用，将黑芝麻于研槽内研碎，再放入核桃仁同研细，余药共研细末，同以炼蜜250克分数次加入搅匀，每服20克，黄酒冲服。

2. 五加皮、鱼腥草各40克，肿节风、艾叶、五爪风、杜仲藤、花椆木、八角枫、鸡矢藤、苏木、两面针、十八症各30克，四方藤、伸筋草、透骨消各50克。加水5000毫升，煮沸，将事先制备好的竹罐（口径1～5厘米，长度10厘米）投入药液中同煮10分钟左右，每剂药可使用3日，每日3次。

3. 蜀黍炭2.5克，乌蛇3.5克，乌木屑0.05克，制天南星、白芷、黄柏、川芎、红花、羌活各10克，威灵仙25克，苍术、桃仁、防己、延胡索、独活各15克，龙胆6克，六神曲、桂枝各12克。水煎，每日1剂，分2次服，3日为1个疗程。

4. 生麻黄、制川乌、木香、制草乌各15克，虎杖30克，威灵仙、乳香、没药各10克，骨碎补、土鳖虫各20克，蜈蚣5条。同捣碎，以白酒2000毫升同浸7日（每日摇晃1次），敷痛处，每日3次。

5. 炒紫荆皮4份，炒独活、炒赤芍、白芷各2份，石菖蒲、细辛、香附、炒乳香、炒没药各1份。共研细末，以医用凡士林（1500克凡士林入药末500克）调摊于药棉上（面积略宽于肿胀范围1厘米，厚度约0.5厘米），贴患处（绷带固定），隔日换药1次。敷药后局部若有瘙痒、丘疹等过敏现象，应立即停药，并外擦尿素软膏；局部红肿、热象明显者忌用。

**【名医指导】**

1. 急性损伤者，经医师手法治疗后在3～5日内勿参加体力劳动；隔日复诊1次。慢性损伤，每日治疗1次，治疗期间勿参加重体力劳动。

2. 若伤侧臀部及下肢发凉、天气变化疼痛明显者，应在腰、骶部加揉搓手法数分钟，臀部及下肢加捏拿、叩打手法数分钟，使肢体温热为度。疼痛发作时，可用冰敷患处30～60分钟，每日数次，连续2～3日；然后以同样的间隔用热水袋敷患处。每日睡前用热毛巾或布包的热盐敷腰部或臀部，温度不可太高，以舒适为宜。

3. 损伤超过1周者，在手法治疗期间配合食醋加白酒热敷，20分钟1次，每日1～2次，1周为1个疗程。亦可配合适当的体疗，以提高疗效。

4. 个别陈旧性损伤的病例，如果保守治疗无效，可考虑采用梨状肌松解术或切断术。

# 第二十三章 骨疾病

## 急性化脓性骨髓炎

急性化脓性骨髓炎又称血源性骨髓炎，是指骨质各组成部分受到金黄色葡萄球菌或溶血性链球菌感染而引起的急性炎症。病变可侵及骨髓、骨皮质及骨膜，多发于儿童，男性多于女性。本病起病突然，进展迅速，可出现不同程度的感染中毒症状（高热、寒战、头痛、恶心、呕吐甚至昏迷等）及局部炎性表现（红、肿、热、痛），患肢功能障碍，易发生病理性骨折。多起始于长骨的干骺端，成团的细菌在此处停滞繁殖；病灶形成后脓肿的周围为骨质，若引流不好多有严重的毒血症表现，以后脓肿扩大依局部阻力大小而向不同方向蔓延。如不及时、正确地治疗，可危及生命；或者演变成慢性骨髓炎，形成窦道，经久不愈。

本病中医学称“附骨痈”。因其发病部位不同命名各异：大腿外侧的称“附疽症”，内侧称“咬骨疽”。本病的形成主要与热毒注骨，外伤感染和正气不足有关；病机特点以邪实为主，其邪气主要与热毒有关。临床治疗按照三期（脓未成、脓已成、脓已溃）辨证，运用“消”、“托”、“补”三法。

**【必备验方】**

1. 西红花、红花、雄黄、蟾酥（制）、乳香（制）、没药（制）、血竭、沉香、硼砂、蒲公英、大黄、葶苈子、穿山甲（制）、牛黄、麝香、珍珠、熊胆、蜈蚣、金银花、朱砂、冰片各等份。共研细末，（取出朱砂细粉适量作包衣用），水泛为丸（低温干燥），用朱砂为衣。每次1粒，每日2次，开水化服。孕妇忌服。

2. 血余炭、蜂房、蛇蜕各500克，炙象皮、全蝎各250克，蜈蚣、壁虎各100条，穿心莲60克。共研极细末，水泛为小丸，百草霜为衣，每服1.5～3克，每日2次。

3. 蒲公英、甜地丁、四季青、马齿苋、野菊花、芙蓉叶各50克。同捣烂，外敷。溃后可用10%黄柏溶液淋洗或湿敷。

4. 脓多时，用鸡麻莽粉（鸡屎藤、芋麻蔸、水莽根各等份，食盐少许，共研细末）；脓液稀少时，用鸡莽粉（鸡屎藤100克，冰片20克，水莽根30克，共研细末）；有死骨时，用樟蜣散（樟树皮100克，蜣螂50克，共研细末）。

5. 乳香、没药各15克，血竭10克，轻粉5克，蜈蚣15条，蟾酥1.5克，冰片1克，麝香0.3克。共研极细末，撒疮面上，外盖红油纱条或贴膏药。

**【名医指导】**

1. 早诊断、早治疗，以预防形成慢性疾病或变生他病。

2. 保持心态良好，忌烦躁、大怒。

3. 保持呼吸道通畅，防治肺部感染。

4. 防治褥疮，保持皮肤清洁，避免局部受压。按时翻身、拍背，对易受压部位经常按摩；可加用气垫或软垫以防发生压疮。

5. 保持大便通畅：多吃含粗纤维的食物，可服缓泻剂，必要时灌肠。

6. 卧床休息；宜进食高营养、高维生素、高纤维素、易消化的食物。

## 慢性化脓性骨髓炎

慢性化脓性骨髓炎是急性化脓性骨髓炎的延续，一般症状限于局部。由于骨质破坏、

死骨形成、窦道经久不愈而反复发作，往往顽固难治。临床上进入慢性炎症期时，有局部肿胀、骨质增厚、表面粗糙，有压痛；如有窦道，伤口长期不愈，偶有小块死骨排出；有时伤口暂时愈合，急性发作时有全身发冷发热、局部红肿，经切开引流（或自行穿破，或药物控制）后，全身症状消失，局部炎症也逐渐消退，伤口愈合；全身健康较差时，也易引起发作。如发生病理骨折，可有肢体短缩或成角畸形；如发病接近关节，多有关节挛缩或僵硬。

本病中医学属“附骨疽”范畴。多由于病后体虚，余毒残留，兼之湿热内感，邪毒窜泛筋骨，以致气血壅滞，经络闭阻不通；或是内热炽盛，火毒深窜入骨，壅滞不行，热胜则肉腐，肉腐则为脓，蕴脓腐骨；或肾中精气不足，阴寒之邪深袭，凝滞内郁；或寒湿之邪因人之虚，深袭伏结，郁久化热，湿热之邪凝滞经脉气血，化腐成脓而致。

**【必备验方】**

1. 象牙粉、血竭、地龙各35克，生甘草20克。共研极细末，炼蜜为丸（每丸10克），白开水送服（小儿酌减），20日为1个疗程。

2. 野葡萄根、黄芪各30克，鹿角片、川芎、重楼各10克，当归8克，金银花、熟地黄各20克，补骨脂15克，白芷、炙甘草各5克。水煎，每日1剂，分2次服。

3. 阿胶50克，蜂房1～2个（约35克），血余炭30克，穿山甲粉20克，白胡椒粉15克。将血余炭、蜂房加白酒浸泡24小时后以小火煎5分钟，去渣，加入阿胶浸软，以小火熬至滴水成珠，加入穿山甲粉、白胡椒粉搅匀，摊布上外用。

4. 鲜浮萍全草30克，鲜泥鳅2条。将泥鳅用水养24小时，保留体表黏滑物质，洗后用冷开水浸洗1次，共捣烂，敷患处，每日1次，2周为1个疗程。

5. 石灰（整块）500克，开水4000毫升。混匀，静置1夜，去渣，以净布浸贴患处（干则换）。初贴时会流出很多黄水，如果没有黄水流出，表明已逐渐愈合。

**【名医指导】**

1. 正确认识，一旦患上本病，除了要长时间使用抗生素治疗以外，可能还要接受多次手术治疗。患者和家人均要有心理准备，保持情绪平稳、心态乐观并配合治疗。

2. 注意保暖。适应四时变化，及时增减衣服，避免外邪侵袭致病。

3. 注意饮食调节且多食高蛋白、高维生素、易消化饮食，忌鸡、羊、鱼肉及辛辣刺激性食物，及时纠正水、电解质及酸碱平衡的失调。

4. 注意情志的调畅，忌大悲、大忧。

5. 注意劳逸结合。

6. 节制房事。

7. 加强康复训练。

8. 长期卧床患者应注意预防呼吸道、泌尿道的感染；保持呼吸道通畅，预防褥疮。

## 化脓性关节炎

化脓性关节炎为化脓性细菌引起的关节急性炎症。血源性者在儿童发生较多，受累的多为单一的肢体大关节（如髋关节，膝关节及肘关节等）。如为火器损伤，则根据受伤部位而定，一般膝、肘关节发生率较高。细菌侵入关节后，先有滑膜炎、关节渗液、关节有肿胀及疼痛；病情发展后，积液由浆液性转为浆液纤维蛋白性，最后为脓性；当关节受累后，病变逐渐侵入软骨及骨质，最后发生关节僵硬。关节化脓后，可穿破关节囊及皮肤流出，形成窦道；或蔓延至邻近骨质，引起化脓性骨髓炎。由于关节囊的松弛及肌肉痉挛，亦可引起病理性脱臼，关节呈畸形，丧失功能。急性期主要症状为中毒的表现，患者突有寒战高热、全身症状严重，小儿患者则因高热可引起抽搐；局部有红肿疼痛及明显压痛等急性炎症表现，关节液增加、有波动，在表浅关节（如膝关节）更为明显，有髌骨漂浮征。患者常将膝关节置于半弯曲位，长期屈曲必将发生关节屈曲挛缩，关节稍动即有疼痛，有保护性肌肉痉挛。

本病中医学相当于“关节流注”、“流注病”等范畴。为外感六淫之邪，或因疔疮痈毒、湿热内盛，或因跌打损伤、瘀血停留，阻于关节，以致营卫不和，气血凝滞，郁而化热

生毒，腐肉蚀骨而发病。本病以正气虚损为本，以邪毒流窜、经脉相隔、气血凝滞为标。临床治疗以清热解毒、行瘀透脓为法。

**【必备验方】**

1. 红糖150克，鲜姜250克。将鲜姜切块，捣碎，取汁（用消毒纱布包裹把姜汁挤出）与红糖、老黄酒拌匀，烧沸，分2次于晚上睡前服（令发汗）。

2. 鲜浮萍50克，粉萆薢、白芍各15克，木防己、木瓜、秦艽、薏苡仁、牡丹皮、川牛膝、当归尾、延胡索各10克，甘草5克。水煎，每日1剂，分2次服。

3. 猪骨头100克，熟地黄、土茯苓、生黄芪、鸡血藤各20克，斑蝥5只，烧干蟾1只，土鳖虫3个，菊花10克，竹茹、牡丹皮各12克，蜈蚣3条，焦三仙、骨碎补、透骨草、补骨脂、蒲公英、海金沙、山药、山茱萸、泽泻各15克。共研末，淡盐水调敷，2日换药1次。

4. 透骨草、忍冬藤、威灵仙、蒲公英、龙葵、肿节风各30克，黄柏、刘寄奴各15克，乳香、没药各5克，徐长卿、天花粉各20克，黄芩、土鳖虫、当归、赤芍各10克，生甘草3克。共研末，敷患处。

5. 生姜300克，葱汁120克，牛膝少许，麝香0.3克。将生姜捣烂，取汁与葱汁同煎成膏，入牛膝、麝香搅匀，摊于布上，贴患处，每日更换1次。

**【名医指导】**

1. 及时处理疗、疖及皮肤破损等，限制患肢活动并防止病理性骨折和关节畸形；宜用含有敏感抗生素的冲洗液冲洗关节腔，直至脓液变为澄清色。

2. 保持皮肤清洁，防止感染。

3. 根据气温变化，及时增减衣服；预防感冒，避免加重病情。

4. 劳逸结合。注意休息，适量锻炼。

5. 保持良好心态，积极配合治疗。

6. 减少酸性食物的摄入，如米、麦、糖、酒、鱼、肉、禽、蛋和动、植物油脂以及含蛋氨酸和胱氨酸的蛋白质及磷脂等；多食碱性蔬菜、水果、薯类和海藻（紫菜、海带和海菜等）；多饮水。

7. 发病早治疗。

8. 疾病初期，患者出现功能障碍者应做肢体屈伸功能锻炼，或早期进行牵引；长期卧床者预防肺部感染、褥疮、泌尿系感染等。

9. 保持口腔清洁卫生，避免二次感染。

## 脊柱结核

脊柱结核占全身骨关节结核首位，多为椎体结核，多发于儿童和青少年；其中以腰椎发病率最高，依次是胸椎、胸腰椎，颈椎、颈胸段和骶尾椎较少见。椎体结核分为中心型和边缘型，以中心型较多。椎体中心型病变也常有死骨形成，死骨吸收后形成空洞。大多数椎体病变只有1处，少数椎体病灶有2处（或2处以上），每处病灶之间有健康的椎体或椎间盘隔开，因此称跳跃型病变。脊柱结核是继发性病变，致病因子为结核分枝杆菌。椎体病灶所产生的脓液先汇集在椎体一侧的骨膜下形成局限性椎旁脓肿，位于颈椎或胸椎椎体后方的局限性脓肿可压迫脊髓造成截瘫。脓肿继续增加时，或者继续剥离病椎和相邻椎体的骨膜形成一个广泛的椎旁脓肿；或者突破椎体骨膜，沿组织间隙向远处流注，形成流注脓肿。最后脓肿可向体表处穿破，形成窦道，或向咽腔、食管、胸腔、肺、支气管、腹腔或肠管穿破，形成内瘘。脓肿穿破后，即将发生混合脊椎结核，属“流痰”范畴。

本病中医学属“阴疽”范畴，又称“龟背痰”、“肾俞虚炎”、“流痰”、“骨痨”。多为先天不足，骨骼柔嫩，或有所损伤、感染疥虫致使气血失和，风、寒、痰浊、瘀血凝聚留于骨骼，流注于筋骨关节而成。

**【必备验方】**

1. 鲜浮萍、千年健、桑寄生、木瓜、川牛膝、续断、杜仲各15克，鹿角片（先煎10分钟）、乌梢蛇各10克，生甘草6克。加水浸泡15分钟后煎20分钟，早、晚饭后温服，连服3个月。

2. 猪肚1个（洗净），枸杞子、威灵仙、金银花、桑寄生、续断、鸡血藤、茯苓各30克，木香6克，桂枝10克，附子50克，菟丝

子、黄芩、赤芍、白术各15克，丹参、狗脊、连翘各20克。将后7味置于猪肚，蒸熟，每日分2次服。

3. 山药、羌活、独活、川芎、白芷、徐长卿、青木香、苏木、桂枝、当归、制乳香、制没药、细辛各等份，冰片少许。共研细末，与2倍淘洗干净的细沙拌匀（装布袋内），隔水蒸半小时，敷于痛处，每次30～60分钟，每日1次，10次为1个疗程。

4. 生半夏、生天南星、生草乌、生川乌、青风藤、威灵仙、龙骨、牡蛎、木通、泽泻、乌梢蛇、当归、制乳香、制没药、细辛、羌活、独活、穿山龙各30克。水煎3次，取液合并后，浓缩至1000毫升，以药垫浸液敷于痛处，外接离子导入治疗机治疗（电压<40伏，电流5～15毫安），每次30分钟，每日1次，10次为1个疗程。

5. 羌活、木瓜、桂枝、独活各15克，老鹳草20克，花椒、鸡血藤、伸筋草各30克，胆南星、制马钱子、制川乌、制草乌各10克。水煎30分钟，温洗患部，每日1次，每次30分钟，30次为1个疗程（每剂药可重复使用2～3次）。

**【名医指导】**

1. 按时服用抗结核药，不可随意停药、加减剂量；应在专业医师的指导下调整药物。

2. 保持良好心态，积极面对疾病，配合治疗。

3. 患病期间少到公共场合；不与他人公用物品，防止传染给他人。

4. 劳逸结合。注意休息，避风寒。

5. 宜食高热量、高蛋白、高脂肪饮食，保持大便通畅。

6. 训练患者在床上进行大、小便，以适应术后需要；发热者，及时告知医师，并予以物理降温。

7. 保持床铺整洁、皮肤干燥清洁。术后宜勤翻身、拍背；鼓励患者床上活动，防止关节僵直。

## 强直性脊柱炎

强直性脊柱炎是一种慢性、进行性炎症疾病，主要累及骶髂关节、脊柱、脊柱骨软组织及四肢关节。主要表现为椎间盘纤维环及其附近结缔组织的骨化，椎间可动关节和四肢关节滑膜的炎症和增生，可累及眼睛、心血管、肺和神经系统，表现为虹膜炎或葡萄膜炎、上行性主动脉瓣下纤维化、主动脉瓣关闭不全、心脏传导障碍、肺上叶纤维化、肺大泡、肾淀粉样变、马尾综合征等。本病具有明显的家族集聚发病趋势，多见于年轻男性，以15～20岁多见。

本病中医学相当于“脊痹”范畴，属“顽痹”、“肾痹”等范畴。因肾虚于先，寒邪深入骨髓，使气血凝滞，脊柱失去温煦所致。

**【必备验方】**

1. 鲜湖蟹2只（取肉带黄），威灵仙30克，羌活、独活各15克，全蝎6克，川楝子、延胡索、生黄芪各25克，土鳖虫、当归、远志各20克。水煎，每日1剂，分2次服。适用于血虚血瘀、风湿痹阻型强直性脊柱炎。

2. 猪脊骨1具（洗净），大枣120克，莲子90克，降香、熟地黄、何首乌、淫羊藿、桑寄生、续断、丹参各20克，杜仲、地龙各15克，川芎、红花各12克，菝葜、金毛狗脊各30克，生甘草9克。每日1剂，水煎，加生姜、食盐调味，分2次服，3周为1个疗程。适用于正虚邪实型强直性脊柱炎。

3. 威灵仙30克，鸡血藤20克，血竭3克，地骨皮、透骨草、荆芥、红花、牡蛎各10克，制川乌、制草乌各12克，防风、补骨脂、当归、木瓜、徐长卿、丝瓜络各15克，制乳香、制没药各6克。加水浸泡1小时，用小圆竹去竹青后按竹节截成一端有节的竹筒若干个（口部磨平），浸入药液中泡1小时后以文火煮30分钟备用。取穴阿是穴（常规消毒后），用梅花针刺穴位皮肤（使之微红出血），然后取出竹筒拔于穴位上，每次治疗3～5处，每次15～20分钟，每周2次。血常规增高或有出血性疾病者禁用。

4. 麝香、丁香、肉桂、斑蝥按1∶2∶2∶1比例配制成药粉。于暑夏三伏天施灸，每取1～1.8克，沿脊柱正中线（大椎至腰俞穴）上铺敷药粉，外以大蒜1500克（捣烂）

在药灸粉上铺成宽5厘米，高2.5厘米，再灸2～3炷，最后以湿毛巾轻轻拭去蒜泥。灸后可起水疱，注意预防感染，休息调养1个月。

5. 黄藤200克，忍冬藤、鸡血藤、当归、红花、生川乌、生草乌、杜仲、牛膝、枸杞子各100克。加水（浸过药面）煮开，加醋250克，熏蒸20～30分钟，每日1次，15次为1个疗程（每剂药可用5次）。如出现头晕、胸闷、心慌等现象，应立即停止并卧床休息。适用于强直性脊柱炎。年老体弱、原发性高血压、心脏病、重度贫血、传染病及发热、月经、妊娠期患者忌用。

**【名医指导】**

1. 采用正确的工作姿势，特别是长期从事同一姿势工作的人要注意适当的活动。

2. 使用合理、符合健康要求的寝具。保持正确的睡眠姿势。

3. 注意休息，防止过度疲劳。

4. 防止风寒、潮湿的侵袭。注意保暖，防止雨淋，保持居室内的干燥。

5. 加强锻炼，特别是颈部和腰部的活动。

6. 忌生冷饮食，宜食用姜、酒等温热性食物；多吃营养丰富的食物，如牛肉、羊肉、鸡肉等；也可将黄芪、熟地黄、当归、枸杞子等药物与肉类食物同煮食用（吃肉喝汤）等。

7. 提倡温水洗手、洗脚，戒烟、酒。

8. 患者可在床上进行自我锻炼：

（1）床上伸展运动：早晨醒来时，采用仰卧位，双臂上伸过头，向手指、脚趾两个方向伸展，伸展满意后，放松；伸展双腿，足跟下伸，足背向膝方向屈，至满意后放松。可反复做几次。

（2）膝胸运动：仰卧位，双足着床板，屈膝，抬起侧膝慢慢向胸部方向屈曲，双手抱膝拉向胸前，到满意为止，回原双足位置；接着另膝做上述运动。双膝各重复2～3次。做双手抱双膝运动2～3次，至僵硬消失为止。

（3）猫背运动：趴跪如猫状，低头尽量放松，同时拱背如弓形，直至拉伸满意为止；回复原位后，塌背仰头抬臀，尽量拉伸至满意为止。如此重复5次。

（4）腹部运动：目的在于伸张腹部肌肉，改善肌力并保持躯干平直姿势。仰卧位，屈膝，双足着地，双臂置身旁，头及双肩一起慢慢抬高，以至双手触膝，坚持5秒，回复至原位；以上动作重复5次。

## 原发性骨质疏松症

原发性骨质疏松症是一种以骨量降低、骨结构失常，骨骼脆性增加，易于发生骨折为特征的全身骨骼疾病。其病因未明，可能与妊娠和哺乳、雌激素、活性维生素D、甲状旁腺素、某些细胞因子、钙的摄入量、生活方式和环境、遗传因素有关。多见于中、老年绝经后妇女。表现为骨质减少、骨密度降低，骨组织的微结构退化、骨脆性增加、易于发生骨折等，轻者腰酸背痛、四肢乏力，重者驼背、弯腰、骨骼疼痛、身高下降甚至骨折，主要发生在髋部、腕部的股骨颈、脊椎和桡骨远端。

本病中医学属“骨痿”、“骨枯”、“骨痹”、“骨极”等范畴。肾虚是主要病机。老年人骨质脆弱，易于骨折，与肾中精气不足、骨髓空虚、骨失充养有关。脾为后天之本，主运化，为气血生化之源。脾气健运，则四肢得以充养，活动强劲有力；若脾失健运，清阳不升，精微不布，四肢失养，则痿弱不用。另外，肾精亏虚，脾失健运，必致脉络受阻，经络不通，则产生疼痛症状，甚至使骨失所养，脆性增加，发生骨质疏松，容易骨折。临床分为肾阳亏虚、肝肾阴虚、脾气亏虚和气滞血瘀等证型。

**【必备验方】**

1. 鲜鹿脊骨、炙龟甲、骨碎补、黄芪、补骨脂、乳香、没药、续断、炙牛膝、狗脊、杜仲、当归、炙甘草各20克。将鲜鹿脊骨以木火烤（去其肉）干，高温灭菌、粉碎，余药高温灭菌、烘干、研末。混匀，装胶囊（每粒0.25克），每服1.5克，每日3次，1个月为1个疗程。

2. 乌雄鸡1只（约500克，去皮毛及内

脏，洗净），熟地黄20克，山药、杜仲、黄精、枸杞子各12克，淫羊藿15克，菟丝子、骨碎补、牛膝、茯苓、金樱子各10克，芡实8克，生甘草5克。将后13味分别切片，纳入鸡肚中，加少量黄酒，隔水炖熟，蘸酱油，分2次温服，10日为1个疗程，连用3个疗程。

3. 鲜大蒜子5个，党参、黄芪、山药各50克，山茱萸、鹿角胶、续断、杜仲、牛膝、牡丹皮、白术、茯苓各30克。共研末，炼蜜为丸（每丸5克），每服3丸，每日3次，温水送服，2个月为1个疗程。

4. 麻黄、当归尾、附子、透骨草、红花、干姜、桂枝、牛膝、白芷、荆芥、防风、木瓜、生艾绒、羌活、独活各等份。以醋、水各半煎浓汁，再将铁砂加热后搅拌而成。使用时加少许醋拌匀（置布袋中），热熨患部，每日1～2次。

5. 花椒、桂枝、生川乌、徐长卿、鸟不落、防己、羌活、石菖蒲、当归尾各90克，红花、三七、乳香、没药各45克，苏木、鸡血藤各18克，50%乙醇20千克。同浸泡10～14日后，去渣，以多层纱布浸湿，敷于患处，再用电吹风加热（旋转移动，使热度均匀，防止烫伤），每次15～20分钟，10次为1个疗程。

**【名医指导】**

1. 进行足够时间的户外活动，多晒太阳。

2. 加强体育锻炼，增加骨质的量和硬度。

3. 增加钙的摄入，多食牛奶、骨头汤、海产品和绿叶蔬菜。注意锌、铜的补充，铜含量高的食物有虾蟹、贝类、蘑菇、坚果；并适当补充维生素C。

4. 充足的蛋白质摄入，如进食鸡蛋、瘦肉、牛奶、豆类、鱼虾等，应合理搭配，保证供给；食用豆类、牛奶时避免与菠菜同食。

5. 戒烟、酒。

6. 走路要稳，防止摔跤、碰撞等，以免发生骨折。

## 痛风性关节炎

痛风性关节炎是一种嘌呤代谢紊乱的遗传性疾病，多因尿酸沉积在关节囊、滑膜、软骨、肾脏、皮下及其他组织而引起病损及炎性反应。人体嘌呤来源于饮食和体内合成，嘌呤经代谢后形成尿酸自肾脏排出。当体内人体嘌呤过多生成，超过肾脏清除能力时，尿酸即在体液和组织内积聚，最后结晶析出，形成结石。关节及周围软组织内由于尿酸积聚，沉着而产生炎症反应，引起痛风性关节炎。本病多发于40岁以上肥胖男性，以关节剧痛反复发作、局部红肿压痛为主要特征。患者多在夜间时因下肢关节剧烈疼痛而惊醒，发病的关节有明显的发热、发红与肿胀，好发于跖趾关节，其次是距小腿关节、足部小关节以及膝、肘、腕及掌指关节。

本病中医学可归属于"痹证"、"痛风"、"热毒痹"、"历节病"、"白虎历节"等范畴，属"热痹"范畴。多因机体感受风寒湿热之邪而引起肢体及关节疼痛、酸楚、麻木以及活动障碍等症。临床分急性期和慢性期，急性期多由风湿热痹阻经络，慢性期多由风寒湿邪内侵，病久导致经络阻塞、气血凝滞出现瘀血证。病位在跖趾等关节，可涉及肝、肾等脏腑。

**【必备验方】**

1. 鲜山慈菇、粉萆薢各30克，金钱草、虎杖各15克，玉米须、薏苡仁各20克，菟丝子、牛膝、黄柏、制大黄、桂枝、三七各10克。水煎服，每日2剂，早、晚各1剂。症状好转后每日1剂，连用2周后停药。鼓励患者多饮水，低嘌呤饮食，抬高患肢。高热者，给予生理盐水补液支持治疗。

2. 鲜乌蛇肉、麻黄各6～15克，桂枝10～18克，葛根24克，羚羊角粉0.6克（冲服），黄芪、生石膏各30克，防风、防己、羌活、红花、知母、牡丹皮、赤芍、茜草、白芷、制川乌（先煎1小时）、土鳖虫各10克。水煎2次，合并煎液，每日1剂，早、晚温服，15日为1个疗程。

3. 鲜鱼腥草、金银花各30克，黄芩10

克，木瓜、防己、粉萆薢、土茯苓、鹿角霜、薏苡仁各20克，黄柏、车前草、制没药、天南星、乌梢蛇各15克，鸡血藤25克。每日1剂，水煎2次，合并煎液，早、晚空腹温服。关节红肿发热者，加生石膏、知母、猪苓；关节疼痛剧烈者，加全蝎、地龙；气血虚者，加黄芪、当归；关节疼痛缓解者，加党参、杜仲、续断。

4. 鲜芙蓉叶50克，黄柏、苦参、山豆根、地骨皮各10克，冰片6克，粉萆薢、赤芍、络石藤、薏苡仁各15克。共研为末，水调敷患处，12小时后除去，局部常规消毒，以皮肤针叩刺患处，用火罐拔出少许血液，擦干，消毒，以无菌纱布包扎。隔日1次，7次为1个疗程。治疗期间，停用其他药物，嘱患者饮食清淡，忌食辛辣之品，多饮开水。

5. 芙蓉叶、生大黄、赤小豆各等份。共研细末，凡士林（6：4）调敷患处，每日1次，10次为1个疗程。适用于痛风性关节炎局部红肿疼痛者。

**【名医指导】**

1. 不进高嘌呤饮食，如动物的心、肝、肾和脑；避免肥甘厚腻之味，体重超重者当限制热量摄入。必须限制饮酒。

2. 适当锻炼身体，增强抗病能力，避免劳累；保持心情舒畅，及时消除紧张情绪。

3. 急性期患者应卧床休息，抬高患肢，局部固定冷敷24小时后可热敷；注意避寒保暖，宜大量饮水迅速终止急性发作。

4. 穿宽松的鞋袜，避免过小或过紧，以免足部损伤。

5. 避免潮湿、寒冷，防止诱发本病。

6. 为了防止复发，可长期服用小剂量秋水仙碱；也可服用小剂量丙磺舒。

7. 若有原发性高血压、肾炎、肾结石等合并症，应予适当治疗。

8. 有皮肤溃破者，应注意保护创面以防感染。

## 骨　瘤

骨瘤是指骨组织发生异常的局限性肿大而形成质地坚硬的肿块，是一种较常见的良性肿瘤，主要成分为成骨性的结缔组织内形成丰富的新骨组织。好发于颅骨和下颌骨，一般不引起全身症状；仅见局部隆起，可出现压迫症状，如眩晕、头痛、癫痫发作等，一般不发生远处转移。病变常见于四肢长骨（胫骨上端和股骨下端），发病年龄多在10～25岁。骨瘤因生长迅速，瘤中供血不足，以致部分肿瘤坏死形成假囊肿。肿瘤的外观可因成骨的多少，以及继发性出血、坏死的不同而有差异。如成骨极显著，肿瘤呈浅黄色，质地坚硬如象牙；如成骨少，肿瘤成灰白色，质地较软，瘤中仅夹杂少量沙砾样骨质；若骨瘤血管丰富而发生出血，则瘤组织呈紫红色；若肿瘤生长迅速，可发生坏死和囊性变。

本病中医学属"骨疽"范畴。多为恣欲损耗肾阴，虚火内亢，肾火长期郁遏，肾所主之骨气血阻滞而不畅，伤积而成；或先天禀赋不足，骨髓空虚，痰、湿、浊、毒易于乘虚而留，结成骨瘤；亦有因外伤后，局部骨骼气滞血瘀，正常血液供应不足，六淫或特殊邪毒易于内侵，凝结致病成瘤。

**【必备验方】**

1. 熟地黄30克，鹿角胶（烊化）、白芥子、炮山甲各9克，麻黄、炮姜各1.5克，肉桂、甘草各3克，酒当归、醋延胡索各12克，陈皮6克。水煎2次，每日1剂，早、晚分服。

2. 三棱、莪术、生半夏、土鳖虫、生川乌、商陆、桃仁、乳香、没药各9克，斑蝥、麝香各0.3克，红花6克，木鳖子0.9克，雄黄3克。共研细末，蜂蜜调敷患处，隔日1次。若局部瘙痒发疱，可停药几日；皮损严重者，去斑蝥，加阿魏3克。

3. 芫花（去枝梗）100克（用米醋3升煎至1.5升，去渣，取液入石器内，入硇砂霜50克、巴豆肉7粒研烂熬成膏），木香、没药（别研）、当归、桂心、荜茇各50克，槟榔1分，肉豆蔻1枚（炮），斑蝥3枚（去头、足、翅，以糯米炒焦黄，去米，研细），生附子75克（去皮）。将后9味共研细末，入膏内为丸（如赤小豆大），每次1丸，以开水（或陈酒）化开，煎至5分，热服。轻者每日1次，重者每日2次。

4. 黄芪、野葡萄根各30克，鹿角片、川芎、重楼各10克，当归8克，金银花、熟地黄各20克，补骨脂15克，白芷、炙甘草各5克。水煎服，每日1剂，分2～3次服。

5. 赤芍、生桃仁、生香附、乌药各12克，乳香、红花、阿魏各6克。共研细末，蜂蜜调敷痛处，外用纱布固定，24小时换药1次。

**【名医指导】**

1. 正确认识本病，消除心中的忧虑，保持乐观的心态，积极配合治疗。

2. 饮食营养均衡、丰富，保证高热量、高蛋白。每日喝2杯牛奶，吃1个鸡蛋和150克瘦肉，也可以用鱼或豆制品代替，多食新鲜蔬菜。每日至少吃富含维生素C的水果1～3个；可食新鲜蔬菜，如胡萝卜、苋菜、油菜、菠菜、韭菜、芹菜、菜花、南瓜、西红柿、海带、带鱼、银耳、大枣、香菇等。

3. 适当锻炼，但需预防病理性骨折。

## 骨肉瘤

骨肉瘤是指肿瘤细胞直接形成肿瘤性类骨组织（或骨组织）的恶性肿瘤，是原发性骨恶性肿瘤中最常见者，约占1/3。多发生在骨骼生长发育的旺盛时期，其恶性程度较高、发展快、转移早、预后差。骨肉瘤可发生于任何骨，最常见于四肢长骨，半数以上发生于股骨的下端及胫骨或腓骨的上端，其次为肱骨上端，颌骨、脊椎骨、肩胛骨和髂骨等较少见。长骨的骨肉瘤发病年龄较小，发生于扁骨者年龄较大。多发于骨的内部或中央，在长骨位于干骺端，肿瘤在骨髓腔内及向周围骨皮质浸润形成肿块。因骨骺软骨对骨肉瘤的浸润具有一定抵抗力，在骨骺板闭合骨化之前（17～20岁）一般不侵及骨骺端。少数发生于骨表面者，称皮质旁骨肉瘤。其临床表现为疼痛、肿胀，开始时常呈间歇性隐痛，迅速转为持续性剧痛；局部疼痛，最初为间歇性隐痛，很快转为持续性剧痛，夜间尤其，压痛明显；初起局部轻度肿胀，随着时间推移和肿瘤的日益增大，肿胀扩展，可形成偏心性纺锤状肿胀或肿块。硬化型者坚硬如石，溶骨型者则柔软如橡皮、带有弹性。局部皮肤因肿胀而发亮，皮温升高，静脉怒张；邻近关节的骨肉瘤可产生关节活动受限，局部肌肉萎缩，在下肢可见跛行；晚期骨破坏严重者可发生病理性骨折，全身症状出现较早，常见低热、疲乏、消瘦、贫血和进行性衰弱，最后出现恶病质，常伴有肺部转移。

本病中医学属"石疽"、"石痈"等范畴。外因为寒湿为主的六淫，内因为七情失调，脏腑功能紊乱，阴阳失衡。当机体正气亏损时，外邪乘虚而入，客于肌肉，留滞络脉，造成气滞血痹、痰凝等病理变化，蕴结日久，凝结成块，发为肿瘤；或因外伤，伤及骨与髓，在肾虚之体长期不愈而发病。

**【必备验方】**

1. 蜈蚣1条，全蝎、土鳖虫、僵蚕各1只。共研细末，装入1个鸡蛋内搅匀（以纸糊口），蒸熟，水煎一小时，每日食2个鸡蛋。

2. 天麻9克（研细末），鸭蛋1个。将鸭蛋放盐中浸泡7日后开一小孔，倒出适量（相当于9克天麻面的容积）蛋清，再把天麻末装入鸭蛋内（如鸭蛋不充盈，可把倒出的蛋清重新装入鸭蛋，用麦面和饼封固），外用鸭面饼包裹，置火炭中煨熟，早晨空腹服，每次1个，每日1次，开水送下。

3. 党参、黄芪、当归尾、赤芍、白术、王不留行各9克，牡蛎、桑寄生各31克，陈皮6克，木香5克，海藻、昆布、续断、夏枯草各12.5克（包煎）。水煎，每日1剂，分2次服。

4. 烧干蟾1只，土鳖虫3个，骨碎补、透骨草各15克。共研细末，淡盐水调敷，2日1换。

5. 补骨脂20克，麻黄、炮姜各1.5克，白芥子6克，肉桂、生甘草各3克，路路通、鹿角胶各10克，熟地黄、威灵仙各30克，透骨草15克，草乌2克。共研末，敷患处，3日1换。

**【名医指导】**

1. 保持良好的心态，乐观的情绪，积极配合治疗。

2. 加强体育锻炼，预防病毒感染。

3. 减少和避免放射性辐射，尤其在青少年骨骼发育时期。

4. 避免外伤，特别是青少年发育期的长骨骺部。

5. 改变不良生活习惯，少吃或不吃亚硝酸盐浓度高的酸菜、咸鱼等；少吃苯并芘含量高的烘烤熏制及油炸食品，少食带有较多黄曲霉素、发霉、发酵的食物。

6. 饮食应以高蛋白、高热量、高维生素为主，如奶、蛋、面、瘦肉、猪肝、豆制品、胡萝卜、南瓜、西红柿、橘子、大蒜、海菜等，以蒸、炒、炖汤的方法为好。

7. 多食具有抗骨肿瘤作用的食物，如山羊血、蟹、羊脑、海参、牡蛎、鳖、龟、沙虫、鹿血、大叶菜、麦片、小苋菜、油菜籽、沙枣、香芋、栗、野葡萄等。

8. 宜食具有止痛消肿作用的食物，如芦笋、藕、山慈菇、山楂、獭肉、蟹、海龟、海蛇等。

9. 宜食预防放疗、化疗副作用的食物，如蜂乳、核仁、猕猴桃、银耳、香姑、大头菜、花粉等。

10. 节制烟酒，注意饮食卫生，多食新鲜蔬菜。

## 骨囊肿

骨囊肿又称孤立性骨囊肿、单纯性骨囊肿，为骨的瘤样病变，预后良好。骨囊肿可能是在胚胎时期少许具有分泌功能的滑膜细胞陷入骨内引起滑液聚集而形成，在其发展过程中很少出现症状，多由于外伤造成病理性骨折后产生局部肿痛、肿胀、压痛、不能活动等而被发现，少数病例表现为局部包块或骨增粗，关节活动多正常，肌肉轻度萎缩；发生在下肢患者，偶有跛行。

中医学有“肾生髓，在体为骨”。骨是储存骨髓的地方，骨的杠杆、支架作用及生长发育必须依赖髓的滋养，骨髓为肾精所化，肾中精气是骨骼生长发育之本。若骨受损伤或病变后的修复，必然依赖肾精濡养。临床治疗以补肾益髓、填精生骨为主。囊肿形成亦可因外邪侵袭，留滞骨干，气血津液运行受阻，骨骼组织失养，瘀积日久，化水停留，渐成肿瘤。

**【必备验方】**

1. 生地黄（酒煮后捣膏）、山茱萸各50克，山药、牡丹皮、白茯苓各30克，人参、当归身、泽泻、麦冬（捣膏）、龙骨、地骨皮各20克，木香、砂仁各10克，黄柏（盐水炒）、知母（童便炒）各5克。共研细末，以鹿角胶200克（老酒化稠）、蜂蜜200克同煎至滴水成珠，和药为丸（如梧桐子大），空腹温开水送服，每次6克，每日2次。

2. 川牛膝、熟狗脊、土鳖虫各40克，制马钱子30克。共研极细末，以鹿角胶60克（烊化）加蜂蜜以文火煎浓，调制为丸（如绿豆大）。每日6克，分2～3次服，10日为1个疗程。

3. 鲜牛蒡草480克（干品120克），鲜凤仙透骨草（干品10克）、苏合香各40克，生川乌、桂枝、大黄、当归、生草乌、生附子、地龙、僵蚕、肉桂、乳香、没药、赤芍、白芷、白蔹、白及各20克，川芎、续断、防风、荆芥、五灵脂、木香、香橼、陈皮、麝香各10克。除苏合香外，肉桂、乳香、没药共研细粉，与麝香配研，过筛，混匀。余味，切碎，以植物油2400克炸枯，去渣，滤过，炼至滴水成珠；入红丹750～1050克，搅匀，收膏并浸泡于水中。取膏，用文火熔化后，加入苏合香及药末搅匀，分摊于纸上，敷患处。

4. 熟地黄、生黄芪、鸡血藤、土茯苓各20克，斑蝥5只，烧干蟾1只，土鳖虫3个，菊花10克，竹茹、牡丹皮各12克，蜈蚣3条，焦三仙、山药、山茱萸、泽泻、骨碎补、透骨草、蒲公英、海金沙、补骨脂各15克。共研细末，淡盐水调敷，2日1换。

5. 防己、威灵仙、五加皮、羌活、独活、川芎、赤芍、红花、木瓜、鸡血藤、千年健、海风藤、青风藤、桑枝、马钱子、伸筋草、透骨草各30克。用冷水浸泡2小时，以文火煎20分钟（不去渣），用毛巾蘸液热敷患处（或直接用药液洗浴患处，再次用时加温即可，加温前可续水）。每次30分钟，每日1～2次，每剂药可用1周。

**【名医指导】**

1. 正确认识本病：本病预后良好，应消除心中疑虑，保持乐观心态，积极配合治疗。

2. 保持健康的生活习惯，保证充足的睡眠，合理膳食。

3. 加强体育锻炼，增强机体抗病能力。

4. 平时注意避免患处受力，不可盲目补钙。

# 第二十四章 内 伤

## 头皮损伤

头皮损伤多为直接暴力所致，是颅脑损伤中最常见的组成部分。它能提供头部受力的部位，冲击力的大体方向和大小及可伴其他颅内病变信息。头皮损伤分闭合和开放两类，前者包括各类头皮血肿，后者分擦伤、挫裂伤（包括刺戳伤、裂伤及伴有周围组织呈不同程度失活性的挫裂伤）和头皮撕脱伤。

本病中医学相当于“头痛”、“眩晕”等。多因外伤跌仆引起，以头痛剧烈如针刺状、舌质暗、苔薄白、脉弦涩等为主要表现。临床治疗以活血化瘀为主。

**【必备验方】**

1. 熟地黄2000克（研末），苦杏仁500克（汤浸，去皮、尖，双仁研如膏），诃子皮250克（研末）。混匀，炼蜜为丸（如梧桐子大），饭前以温开水送服，每次10粒，渐加至40粒。忌生葱、萝卜、大蒜。

2. 枸杞子200克，茅香100克，干柿5枚。将干柿同茅香煮熟，枸杞子焙干，共研末，水泛为丸（如梧桐子大），茅香汤送服，每次50丸，每日3次。

3. 乳香（去油）、没药（去油）、血竭、白芷各6克，龙骨9克，黄丹15克，石膏30克（煅），樟脑1.5克。共研细末，掺伤口上，外用纱布盖上、橡皮胶固定。

4. 大蒜2瓣，生姜1块。同捣成泥，搽患处（再用水冲洗），连用3～4个月。

5. 青核桃3枚（捣细），乳汁3盏。于银石器内调匀，搽患处，每日3～5次。

**【名医指导】**

1. 保持情绪稳定，缓解精神压力。

2. 头皮撕脱者，小心取回被撕脱的头皮，轻轻折叠撕脱内面，外面用清洁布单包裹，要保持绝对干燥，禁止置于任何药液中；随同患者一起送医院处理。同时要用无菌辅料覆盖头部创口，并加压包扎。

3. 护送途中，可给予开水（或盐开水，或静脉补液）；应力争在12小时之内送入医院处理。

4. 头痛剧烈者，可给于镇痛药。

5. 卧床休息，饮食清淡，加强营养。

## 颅骨损伤

颅骨损伤（即颅骨骨折）分颅盖骨折和颅底骨折，两者发生率为4∶1。多由外力直接或间接作用于颅骨所致，其形成取决于外力性质、大小和颅骨结构等因素。临床主要表现为并发脑膜、血管、脑和脑神经损伤。按骨折形式分为线性和凹陷两型。

线性骨折可单发或多发，后者可能是多处分散的几条骨折线（或为一处的多发骨折线交错形成粉碎骨折）。骨折多系内板与外板全层断裂，也可为部分裂开。头颅X线摄片可以确诊。单纯的线形骨折无须特别治疗，但对骨折线通过硬脑膜血管沟或静脉窦时，应警惕并发颅内血肿。

凹陷骨折可全层骨折或仅为内板向颅腔凹陷，轻者仅为局部压迫，重者损伤局部的脑膜、血管和脑组织而引起颅内血肿。有些凹陷骨折可以触知，但确诊常有赖于X线摄片检查。

本病中医学相当于“头痛”范畴。多因外伤跌仆引起，以头痛剧烈，如针刺状，舌质暗，苔薄白，脉弦涩等为主要表现。临床

治疗主要以活血化瘀为主。

**【必备验方】**

1. 全蝎1条（不去头足），鲜韭菜、红糖各250克，米饭60～120克。将全蝎于净瓦上焙干，研细末，与洗净的韭菜混合并用力揉成泥状，取汁与红糖、米饭蒸熟，空腹顿食。1个月发作1次者，每周1次或每月2～3次；1个月发作2～3次者，每周2～3次。连用4～5个疗程。

2. 红蓖麻根60克，鸡蛋1～2个，陈醋适量。将鸡蛋加水煮熟后去壳，再与陈醋、蓖麻根水煎，顿服，连服数日。

3. 天南星、白附子各100克，僵蚕、红花各120克，法半夏、全蝎、桃仁、天竺黄各60克，黄连30克，天麻、蜈蚣各50克。共研细末，加面粉合剂压片（每片0.3克），每服30片，每日3次。

4. 穿山甲末100克，乳香、没药各20克，鸡屎藤挥发油0.5毫升，冰片少许，乙醇500毫升。将乳香、没药、乙醇同浸20日备用；每取70毫升，加入穿山甲末，然后烘干，加入鸡屎藤挥发油、冰片，再以食醋调敷患处，24小时换药1次。

5. 紫皮大蒜100克，重楼30克，三七、延胡索、黄药子各10克，芦根20克，川乌6克，冰片8克，麝香适量。将大蒜洗净、捣烂；后7味及麝香分别研细末、混匀，与大蒜汁调匀，贴于痛处，24小时换药1次。

**【名医指导】**

1. 矿业、建筑业等行业的从业人员，应佩戴安全头盔，严格遵守从业规范。在遭遇暴力时，应注意保护头部，特别是颞部。

2. 颅底骨折患者要保持耳、鼻的局部清洁，每日用过氧化氢、盐水棉球清洁局部。

3. 重症脑挫伤合并鼻漏，禁止从鼻腔吸痰，鼻漏未停止，不能从鼻腔插各种管道。颅中窝底骨折损伤下丘脑而产生尿崩症时除给予药物控制，还要供给充足的饮水。

4. 应向患侧卧，便于引流。颅底骨折鼻漏者禁用手掏、堵塞鼻腔，不能用力咳嗽、打喷嚏，以防污染的脑脊液逆流入颅内造成颅内感染、积气。

5. 与伤口接触的物品，均要用无菌物品。

6. 应消除紧张情绪，保持良好心态。

7. 术后一般要加强功能锻炼，可采用体育疗法（如保持正确的卧床姿势、按摩、肌肉运动、被动运动等）及语言疗法（如发音训练、口语训练等）。

8. 加强营养。

## 脑震荡

脑震荡系头部受外力打击致大脑发生一过性功能障碍。常见的症状：头部受伤后，即发生一过性的神志恍惚或意识丧失，时间持续数秒至二三十分钟不等，清醒后恢复正常，但对受伤时的情况及经过记忆不清；可出现头痛、头晕及恶心、呕吐等。清醒后头痛剧烈（多为胀痛、钝痛），常伴眩晕、耳鸣、怕光、呕吐，而且头痛在伤后数日内明显，1～2周内逐渐好转，有近事忘记的现象，一般经卧床休息和对症治疗多可自愈。但要注意是否合并较严重的脑挫裂伤和颅骨血肿等。

本病中医学相当于“头痛”、“眩晕”、“厥证”等范畴。多因外伤跌仆引起，以醒后头痛剧烈，舌质暗，苔薄白，脉弦涩等为主要表现。临床治疗主要以活血化瘀为主。

**【必备验方】**

1. 猪脑1个，九节菖蒲10克。将猪脑洗净，用竹刀劈开，将九节菖蒲研末放入脑内，煮食。

2. 天南星、白附子各100克，僵蚕、红花各120克，法半夏、全蝎、桃仁、天竺黄各60克，天麻、蜈蚣各50克，黄连30克。共研细末，加粉合剂压片（每片0.3克），白开水送服，1～3岁每次服4片，4～7岁每次服6片，8～14岁每次服8片，成人每次服10片，每日3次。

3. 黑芝麻50克（炒），薏苡仁60克（炒），熟地黄30克。共研粗末，以38度白酒500～600毫升浸泡（封严）6～7日，去渣，每日睡前服10毫升。

4. 羌活200克，生川乌、生草乌、细辛各150克，威灵仙、透骨草、大黄、川芎、当

归、鸡血藤、海桐皮、桑枝各250克。共研细末，每取500克加蜂蜜1000克、凡士林300克调匀（装入药罐，密封备用）。每取适量，摊在油纸上敷患处（绷带固定），每日更换1次。

5. 黄丹15克，乳香（去油）、没药（去油）、血竭、白芷各6克，龙骨9克，石膏30克（煅），樟脑1.5克。共研细末，撒于伤口上，外用纱布盖上、橡皮胶固定。

**【名医指导】**

1. 脑部受伤后，及时就诊。

2. 适当卧床休息，减少脑力和体力劳动。

3. 食用含有磷和卵磷脂的食物，如鱼、蛋类等。

4. 忌兴奋性饮食，如酒、咖啡、浓茶等；忌生冷、寒凉食物，如冷饮、绿豆、黄瓜、冬瓜、芹菜、荸荠等；忌油腻及辛辣食物，如辣椒、辣油、芥末、韭菜等。

5. 早期以化瘀通络为主，少佐补肾荣脑之品；后期调养，补肾荣脑为主，少佐活血荣络之品。

6. 饮食宜清淡、低脂、低胆固醇以及富含纤维素、维生素为主。保持大便通畅。

## 脑挫裂伤

脑挫裂伤是脑挫伤和脑裂伤的统称，多在暴力打击的部位和对冲的部位（尤其是后者）较为严重，以额、颞前端和底部为多。脑实质内的挫裂伤，则常因脑组织的变形和剪性应力引起损伤，往往见于不同介质的结构之间，并以挫伤及点状出血为主。临床表现因致伤因素和损伤部位的不同而各异，轻者可无原发性意识障碍（如单纯的闭合性凹陷性骨折、头颅挤压伤），重者可致深度昏迷，甚至死亡。

本病中医学相当于“头痛”、“眩晕”、“厥证”等范畴。多因外伤跌仆引起，以醒后头痛剧烈，常伴眩晕、耳鸣、怕光、呕吐等症状，甚至昏迷，舌质暗，苔薄白，脉弦涩等为主要表现。临床治疗主要以活血化瘀为主。

**【必备验方】**

1. 龙眼肉、干银耳各15克，鹌鹑蛋6个，冰糖50克。将银耳用水浸发、洗净；鹌鹑蛋煮熟、去壳。龙眼肉、银耳以沸水煮熟，入冰糖及鹌鹑蛋煮片刻即可。

2. 鲜黑豆20克，远志、熟地黄、菟丝子、五味子各10克，石菖蒲、川芎各12克，地骨皮24克，白酒600毫升。同浸7日，去渣，取汁倒入玻璃瓶中（密盖，勿使气泄）。每日早、晚各服10毫升，20日服完。

3. 鲜芙蓉叶、柴胡、黄芩、川芎、当归、郁金、青皮、红花各10克，忍冬藤、丹参各30克，赤芍、橘核各15克，鸡血藤75克。水煎，每日1剂，分2次服。

4. 鸡蛋壳50个，蛤壳粉35克，琥珀、朱砂各20克。共研细末，每取4～8克，酒调敷患处。

5. 黄豆500克，白胡椒70克，地龙50克，远志15克。加水2000毫升，以文火煮干，取黄豆晒干（瓶装备用），每日早、晚各取15～30粒，嚼烂敷于患处。

**【名医指导】**

1. 脑部受伤后，及时就诊。

2. 保持情绪稳定，避免焦虑、大怒。

3. 适当卧床休息，减少脑力劳动。

4. 保持呼吸道通畅。

5. 忌生冷、油腻、辛辣食物。多吃含磷和卵磷脂的食物，如鱼、蛋类等。

6. 保持大便通畅。

7. 对于神志昏迷者，要定时翻身、拍背，换床单、清洁皮肤等防止褥疮。若有尿湿、汗湿的衣服，应及时更换；避免着凉，预防感冒及上呼吸道感染。

8. 保持肢体功能位置，按摩偏瘫肢体，做被动运动及理疗等。

9. 保持舒适的体位，患者勿取卧位，应采用平卧与健侧位交替，可将枕头稍垫高，忌单纯抬高头部导致前屈位。

10. 补充足够的水分，多食富含纤维素的食物。

## 颅内血肿

颅内血肿是指脑损伤后颅内出血聚集在颅腔的一定部位造成颅内压增高而引起相应

的临床症状。在正常状态下，颅腔容积等于颅内血容量、颅内脑脊液量和脑组织体积三者的总和。由于颅骨缺乏伸缩性和脑组织缺乏压缩性，只有颅内血容量和脑脊液量能起到代偿作用。当颅内血肿超过代偿限度，即引起颅内压增高，当颅内压增高到一定程度可形成脑疝。根据血肿在脑内的位置不同可分为硬脑膜外血肿、硬脑膜下血肿和脑内血肿。临床以颅内压增高为表现，诊断首先要明确出血的部位和出血量的多少，治疗效果与有无脑疝发生或脑干受压时间长短有密切关系。

中医学治疗慢性颅内血肿较有影响的是20世纪70年代，用颅内消瘀汤治疗颅内血肿，用补阳还五汤加味治慢性硬脑膜下血肿。此外，也有个案及少量中西医结合综合治疗的临床报告。

**【必备验方】**

1. 羊脚1只，山慈菇、石菖蒲各15克，胆南星、清半夏、枳实、竹茹、陈皮、白术各10克，云苓30克，全蝎5克，蜈蚣2条，徐长卿20克。同炖服。

2. 蛇六谷（先煎2小时）、苍耳子、贯众各30克，蒲黄根、重楼各20克。水煎，取汁服，每日1剂。

3. 黑豆500克，枸杞子60克，何首乌30克，核桃仁12个。将枸杞子、何首乌水煎，去渣，入黑豆、核桃仁搅拌，阴干，每日早、晚空腹服，每次食黑豆30粒。

4. 重楼、浙贝母、黄药子、蒲公英、莪术各100克。共研末，用布袋装作枕芯；另用冰片100克、麝香1克研匀，制成小药袋，一并放入药枕中，令患者枕头部。

5. 硇砂1克，雄黄、白矾、乳香、没药各15克，麝香、蟾酥各2克，黄柏、苦参各30克，冰片3克。共研细末，以蛋黄油调敷患处，每日换药1～2次。

**【名医指导】**

1. 脑部受伤后及时就诊，并行相关检查。

2. 应绝对卧床休息，避免过度活动和情绪激动。

3. 烦躁者可遵医嘱适当给予镇静药。

4. 搬动患者时动作应轻柔，避免颈部扭曲及头部剧烈震动。

5. 吸痰时动作要轻快，时间不宜过长；吸痰管粗细适中，防止患者剧烈咳嗽影响呼吸。

6. 保持大便通畅，必要时应用缓泻药。

7. 高热时物理降温或药物降温。

8. 病情稳定者抬高床头15°～30°，以降低颅内压。

9. 注意输液速度及输液量，防止颅内压骤然波动。

10. 忌生冷、油腻及辛辣食物；多吃富含磷和卵磷脂的食物如鱼、蛋类等，伴有脑水肿时可多供给此类食物。

11. 神志昏迷者要定时翻身、拍背，换床单、清洁皮肤等，以防止褥疮。

12 恢复期加强功能锻炼，如行走、语言训练等。

## 脑外伤后综合征

脑外伤后综合征俗称脑震荡后遗症，是指颅脑外伤3个月后仍有头痛头晕、目眩耳鸣、心烦心悸、失眠健忘等症状表现而神经系统无器质性损伤体征的疾病。临床主要表现为自主神经功能失调和癔症样发作，诸如头痛、头晕、精神不振、乏力、耳鸣、多汗、失眠、心悸、情绪不稳、记忆减退等。

中医学认为，脑为元神之府。颅脑外伤受损后，气机逆乱，脉络闭塞，气滞血瘀，不通则痛；病程迁延日久，耗气伤血，气血亏损，心脾失养，终致心脾两虚；肾藏精生髓，脑为髓之海；因病久必及于肾，肾阴阳俱虚，髓海不足则脑转耳鸣，故常有眩晕、耳鸣、记忆下降等症状；头脑损伤，病久心、肝、肾阴血不足，虚火上炎，心火不下交于肾，肾水不上济于心，心肾功能失调，故出现失眠等症状。

**【必备验方】**

1. 乌雄鸡1只（约500克，去皮、毛、内脏，洗净），当归、生地黄、柏子仁各15克，赤芍、牛膝各12克，川芎、柴胡、牡丹皮、枳壳、香附、桃仁、红花各10克，牡蛎

30克。将后13味共研末，纳入鸡肚中，加少量黄酒，隔水炖熟，蘸酱油服，宜常服。

2. 生螃蟹500克（捣烂），女贞子、枸杞子、桑椹，菟丝子各12克，党参、黄芪、酸枣仁各15克，当归、蒺藜各10克，川芎、远志各6克，牡蛎18克，甘草3克。水煎，以热黄酒250克冲服。

3. 鸦胆子适量。去皮、壳，研成泥，然后掺入80%凡士林搅匀，放置48小时，先将患处用75%乙醇消毒，后涂敷（敷盖消毒纱布固定），2日更换，以后3日换药1次。

4. 仙人掌适量。去毛、刺，剖成两半，敷痛处，外用胶布固定，12小时后更换。冬季可将剖开的一面放热锅内烘3～4分钟，烘热敷患处，一般于晚上贴敷。治疗期间适当活动。

5. 夏枯草50克，食醋1000毫升。同浸泡2～4小时后煮沸15分钟，熏洗患处20分钟，每日1～3次，每剂可用2日，连用7～8剂。

**【名医指导】**

1. 注意居室安静，光线宜较暗，减少对患者的一切干扰。

2. 患者记忆和智能受损时，需要全面仔细观察病情变化。

3. 慢性期患者不要改变原有生活习惯，如早起、洗漱、进食、物品放置等均可顺其自然。

4. 生活自理，做自己喜欢的事。增强责任心，如负责自己居室的门窗开关、清洁床头桌、扫地等，使其对生活保持信心。

5. 保持生活起居、饮食、睡眠的规律性。逐渐培养良好生活习惯。

6. 对有精神症状的患者，应注意避免激发精神症状的各种因素。

7. 按病情需要给予充足营养和水分，必要时鼻饲或静脉高营养。

8. 多食新鲜蔬菜水果、豆类食品，增加人体必需的营养素如蛋白质、脂肪、糖类、维生素、无机盐和水等；多食富含纤维素、含胆固醇量低以及低热量、低脂肪饮食；多喝水或淡茶水；宜常食红辣椒、牛奶和鱼，多食水产海味食物，如海带、海蜇、淡菜、紫菜、羊栖菜、海藻之类。

9. 适当进行体育锻炼，增强机体的免疫力。

## 胸部屏挫伤

胸部屏挫伤多因负重屏气或受暴力撞击等所致。胸部屏伤多以伤气为主，导致气机阻滞，运化失职，经络受阻，不通则痛。胸部挫伤则以伤血为主，多因络脉受损，血溢于经络之外，瘀血停滞而为肿。

本病中医学属“胸痛”范畴。临床分为伤气型、伤血型、气血两伤型、胸肋陈伤型，治疗以活血化瘀为主，配合行气止痛。

**【必备验方】**

1. 莲子50克，藕汁半杯。将莲子煮熟后，用藕汁冲服，每日2次。

2. 鲜湖蟹2只（取肉带黄），白芍20克，黄芪60克，甘草10克，生姜3片，大枣5枚，牛膝、桃仁、红花、桂枝各15克。将后9味水煎，去渣，入粳米煮粥至将熟时，入蟹肉及适量生姜、醋和酱油服食，可常服。

3. 白矾30克。研末，以适量面粉及食醋调敷双足心（布包）1昼夜。

4. 生地黄、茯苓、猪苓、骨碎补、补骨脂、透骨草各20克，丹参、女贞子、桑寄生、薏苡仁、肿节风各30克，全蝎、蛇蜕各6克，黄柏、牛膝、山茱萸、墨旱莲各10克。共研末，醋调敷患处。

5. 熟地黄、生黄芪、鸡血藤、土茯苓各20克，斑蝥5只，烧干蟾1只，土鳖虫3个，菊花10克，牡丹皮、竹茹各12克，蜈蚣3条，焦三仙、山茱萸、泽泻、山药、骨碎补、透骨草、蒲公英、海金沙、补骨脂各15克。共研末，淡盐水调敷，2日1换。

**【名医指导】**

1. 胸部受伤后及时就诊，行必要的检查。

2. 多与家人及患者沟通，缓解精神压力，避免焦虑、紧张。

3. 适当卧床休息，减少脑力和体力劳动。

4. 避免外伤、负重（或骤然闪挫）。

5. 发病后鼓励患者深呼吸、咳嗽、咳

痰，在不引起剧烈疼痛的情况下多做上肢活动及扩胸动作。预防并发症，如感染、肺部感染和褥疮、深静脉血栓等。

6. 保持大便通畅。神志昏迷者要定时翻身、拍背，换床单、清洁干燥皮肤。

## 肋骨骨折

肋骨骨折指肋骨的完整性被破坏或连续性中断，占胸部伤的61%～90%。直接暴力所致骨折，断端向内移位，可刺破肋间血管、胸膜和肺，产生血胸或（和）气胸；间接暴力（如胸部受到前后挤压时）骨折，多在肋骨中段，断端向外移位，刺伤胸壁软组织，产生胸壁血肿。枪弹伤或弹片伤所致骨折常为粉碎性骨折。

本病中医学属“胸痛”、“气促”等范畴。临床分为气滞血瘀、瘀血阻络、气血两伤等证型，治疗以活血化瘀为主，配合行气止痛。

**【必备验方】**

1. 鲜苋菜根30克，车前草25克。水煎服，每日2～3次，连服数日。

2. 嫩母鸡1只，黄芪、生山楂、茯苓皮、薏苡仁、白花蛇舌草各30克，当归、乌梅、天花粉各10克，狗脊、续断、黄药子各12克，山药15克。同煮汤食，每日1剂。

3. 油松节40克（研末，炒焦），生鸡仔1只（300～500克）。将生鸡仔（干，勿沾水）去毛、捣烂，与油松节炒，加酒150～300毫升煮沸饮酒，其渣与白及末20克和匀敷伤处2日（小儿不饮酒只敷药）。

4. 煅自然铜、血琥珀、黄连各3克，象皮（煅）、田七、朱砂、大黄各6克，红花、骨碎补、降香各10克，白及15克，珍珠粉2克，羊胆4个（后下）。共为末，用面粉与酒煮熟，每晚敷患处，次晨除去。

5. 丹参、鲜浮萍、桑寄生、女贞子、薏苡仁、肿节风各30克，骨碎补、补骨脂、生地黄、茯苓、猪苓、透骨草各20克，全蝎、蛇蜕各6克，黄柏、牛膝、墨旱莲、山茱萸各10克。共研末，醋调敷患处。

**【名医指导】**

1. 咳嗽时用手稍用力按住骨折的地方，可以减轻疼痛。

2. 早期饮食宜清淡，多食蔬菜及蛋白质、富含纤维素的食物；晚期可稍偏味重。忌食辛辣、油腻之物。

3. 急性期卧床休息，急性期过后（1周）可量力而行，多出门晒太阳。

4. 可酌情用促进骨折愈合的药品，如伤科接骨片等。

5. 预防骨折后产生的血胸、气胸、湿肺等。

6. 保持大便通畅，排便时避免过度用力。

7. 保持良好的心态，建立战胜疾病的信心。

8. 及时移动下滑身体，翻身时应健侧在下，必要时起床时请人扶。

9. 保持皮肤干燥清洁。

## 气　胸

气胸是指胸膜腔内积气。多由于肺组织或支气管破裂，空气进入胸膜腔，或因胸壁伤口穿破胸膜，使胸膜腔与外界沟通所致。一般分为闭合性、开放性和张力性3类。胸部受伤后（如刀、子弹、弹片等刺伤胸壁及胸膜），或肋骨断端刺破肺组织，或气管、食管破裂等，均可导致。

本病中医学属“胸痛”、“气促”等范畴。临床分为气滞血瘀、瘀血阻络、气血两伤等证型，治疗以活血化瘀为主，配合行气止痛。

**【必备验方】**

1. 鲜芦根、雪梨（去皮）、荸荠（去皮）、鲜藕各500克，鲜麦冬100克。分别榨汁，混匀服，每日2次。

2. 鲜昆布50克，葶苈子12克，大枣10枚，炒白芥子、炒紫苏子、桔梗、炒枳壳各3克，瓜蒌皮、瓜蒌子各15克，苦杏仁、茯苓、桑白皮各9克。水煎服，每日1剂。

3. 河蚌2只，炒香附19克，延胡索6克，防风、川芎、陈皮各5克，炙土鳖虫、白蒺藜、郁金、桃仁、苦杏仁、当归、赤芍、续断各10克，橘络、甘草各3克。将后15味研末，分置于河蚌中，加黄酒调匀，蒸服。

4. 萝卜叶 50～100 克，冰片少许。同捣烂，焙热（布包），敷痛侧。

5. 干鹅不食草 10 克。用好酒浸 7 夜，晒 7 日（即每日入夜浸酒，白天取出晒干），再将草搓软，敷痛侧。

**【名医指导】**

1. 绝对卧床休息，尽量少讲话。

2. 积极治疗原发疾病，尽量避免屏气用力、提取重物、剧烈咳嗽、打喷嚏或大笑。

3. 保持大便通畅。

4. 剧烈咳嗽时，服用止咳药；剧烈痛疼者，应给予镇痛药。

5. 饮食护理，多进高蛋白饮食，适当进粗纤维素食物。多吃蔬菜瓜果。戒烟、酒，忌辛辣、油腻之品。

6. 避风寒，防感冒，避免加重肺部病变。

7. 出院后在 3～6 个月内不宜做牵拉动作、扩胸运动，防止气胸的复发。

## 血　　胸

血胸是指胸部受伤后引起的胸膜腔积血。引起胸膜腔积血的原因如下。①肺组织破裂出血：由于循环的压力较低，一般出血量少而缓慢，多能自行停止。②胸壁血管破裂出血：如果是压力较高的动脉出血，不易自行停止。③心脏和大血管破裂出血：出血多而急，往往于短期内导致失血性休克而死亡。血胸的症状根据出血量、出血速度和患者的体质而有所不同。少量血胸（500 毫升以下）可无明显症状，中等量血胸（500～1000 毫升）和大量血胸（1000 毫升以上）尤其是急性失血者，常常出现脉搏快弱、血压下降、呼吸短促等症状；并发感染时，可出现高热、寒战、疲乏、出汗等症状。

本病中医学属“胸痛”、“气促”、“咯血”等范畴。临床分为瘀血阻络证、血瘀化热证、气血衰脱证。治疗以止血祛瘀为主。

**【必备验方】**

1. 银耳 5 克，鸡蛋 1 个，冰糖 25 克，猪油少许。将银耳煮烂；鸡蛋清加少量水搅匀，加入溶化的冰糖水中煮沸，去浮沫，倒入银耳中，加猪油调服，每日 1 剂，连服 7 日。

2. 白果汁、秋梨汁、鲜藕汁、甘蔗汁、山药汁、霜柿饼（捣如膏）、核桃仁（捣如泥）、蜂蜜各 120 克。将蜂蜜溶化后，入柿饼、核桃仁、山药汁搅匀，微微加热，融合后离火，加入前 4 味搅匀（收储于瓷罐），开水和服，每服 1～2 茶匙。

3. 芦荟 100 克（榨汁兑服），柴胡、当归、红花各 20 克，天花粉、穿山甲、桃仁、甘草各 10 克，大黄 15 克。水煎后与芦荟汁兑服，每日 1 剂，分 2 次服。

4. 鲜鳝鱼 1 条。剁去头，取血涂患侧，每日 1 次。或生天南星、生草乌各 1 个，白及 7 克，僵蚕 7 条。共研细末，用鲜鳝鱼血调敷患侧。

5. 麝香 2 克，冰片 1 克。共研末，香油调敷患侧耳屏外（下关穴）、耳轮后（与下关穴对应），每贴药需敷 24～72 小时。

**【名医指导】**

1. 在医护的指导下密切观察生命体征的变化。取半卧位，鼓励患者深呼吸及有效的咳嗽，保持引流通畅。任何情况下引流瓶不可高于胸部。

2. 绝对卧床休息，尽量少讲话。

3. 保持情绪平稳，避免焦虑、急躁。

4. 保持大便通畅，多吃蔬菜瓜果；戒酒及忌辛辣、油腻之品。

5. 避风寒，防止感冒，以免加重肺部病症。

6. 如有必要手术时，应低脂至无脂饮食，术前应禁食。

7. 症状缓解后，在几个月内不宜做剧烈运动。

8. 注意安全，防止意外发生。

9. 由肋骨骨折引起者，3 个月后复查骨折愈合情况。

10. 戒烟及减少吸入刺激性气体。

# 第四篇　妇科疾病

# 第二十五章　妊娠疾病

## 妊娠呕吐

妊娠呕吐又称早孕反应，是指孕妇在早孕期间经常出现择食、食欲不振、轻度恶心、呕吐、头晕、倦怠等症状。一般于停经40日左右开始，妊娠12周左右反应消退。而少数孕妇出现频繁呕吐，不能进食，导致体重下降，脱水，酸碱平衡失调，以及水、电解质代谢紊乱，严重者可危及生命。发病率为0.1%～2%，多见于初孕妇。极少数症状严重，可持续到中、晚期妊娠者，预后多不良。恶性呕吐是指极为严重的妊娠剧吐，患者可因酸中毒、电解质紊乱以及肝、肾功能衰竭而死亡。

本病中医学称“恶阻”，亦称“子病”、“病儿”、“阻病”。怀孕后血聚养胎，胞宫内实，冲脉之气偏盛，冲气上逆，循经犯胃则引起恶心呕吐。临床分脾胃虚弱、肝胃不和、痰湿阻滞、气阴两亏等证型，其中气阴两亏属重症。

**【必备验方】**

1. 鲜鲫鱼250克，砂仁5克。将鲜鲫鱼去鳞、内脏；砂仁研细末，加酱油、盐搅匀，放入鱼腹中（用淀粉封口），隔水蒸熟。佐餐食。

2. 鸡蛋2个，生姜丝2汤匙，食用油适量。将生姜丝以1汤匙食用油炒香，铲起；下油1汤匙，烧热，打入鸡蛋，慢火煎至半凝固时，入半份姜丝，撒入少许盐，折成半月形，煎至两面黄色即可。

3. 猪尾450克（连带猪尾骨），乌豆75克，龙眼肉1.5汤匙，南枣8粒（去核），生姜2大片（拍松）。将乌豆放入锅中（不用下油）以慢火炒至豆壳裂开，铲起、洗净；猪尾放入滚水中煮5分钟，捞起、洗净；将上述诸味同加入锅中，加水8杯煮开，以慢火煲3小时，下盐调服。适用于妊娠呕吐。

4. 艾叶250克，苍术30克。同揉碎，用细麻纸卷成条状（要卷紧），点燃后灸中脘穴（脐上4寸）、内关穴、足三里（灸时离皮肤1寸左右），至局部皮肤潮红为度。

5. 丁香15克，半夏20克，生姜30克。将生姜捣碎，水煎10～15分钟，滤取姜汁；丁香、半夏共研细粉，用姜汁调敷于脐部，外覆纱布、胶布固定，连用3日。适用于脾胃虚寒型、胃失和降型妊娠呕吐。

**【名医指导】**

1. 对妊娠及妊娠后的早孕反应有正确的认识。向医师询问病情，消除疑虑，保持情绪安定与舒畅。

2. 减少诱发因素，如烟、酒、厨房油烟的刺激；居室布置尽量清洁、安静、舒适。避免油漆、涂料、杀虫剂等化学品的异味；呕吐后应立即清除呕吐物，并用温开水漱口，保持口腔清洁。

3. 注意饮食卫生、饮食营养及易消化，避免进食不洁、腐败、过期食物；可采取少食多餐的方法；适当进食酸食或是咸食。

4. 保持大便通畅，多饮水，或用凉开水冲调蜂蜜；可多食新鲜蔬菜、水果，如橘子、香蕉、西瓜、生梨、甘蔗等。

5. 呕吐较剧者，可在饭前口中含生姜1片。

6. 避免在呕吐时进餐，呕吐后注意休息。

7. 作息时间规律，保证充足的睡眠。

## 流　　产

流产是指妊娠不足28周、胎儿体重不足1000克而终止者。其中发生在妊娠12周前者为早期流产；发生于妊娠12～28周为晚期流产。自然流产发生率为10%～15%，多为早期流产。

本病中医学称“妊娠腹痛”、“胎漏”、“胎动不安”、“胎堕难留”、“胎死不下”、“滑胎”。妊娠在12周以内，胚胎自然殒堕者，称堕胎；妊娠12～28周内，胎儿已成形而自然殒堕者，称小产；妊娠1个月，不知其已受孕而伤堕者，称暗产。临床分为先兆流产、难免流产、不全流产、完全流产、稽留流产、习惯性流产、流产感染。

### 先兆流产

先兆流产是指妊娠28周前出现少量阴道流血或下腹疼痛，宫口未开，胎膜未破，妊娠物尚未排出，子宫大小与停经周数相符者。临床表现常为停经后有妊娠呕吐，以后出现阴道少量流血（或时下时止，或淋漓不断），色红，持续数日或数周，可有轻微下腹胀痛，腰痛及下腹坠胀感。孕卵异常、内分泌失调、胎盘功能失常、血型不合、母体全身性疾病、过度精神刺激、生殖器官畸形及炎症、外伤等均可导致先兆流产。先兆流产是否导致流产常取决于胚胎，若胚胎正常，经过休息和治疗后，妊娠可以继续。

本病中医学归属于“胎漏”、“胞漏”、“漏胎”、“胎动不安”等范畴。主要为气虚、肾虚、脾虚、肝气郁滞或血热等原因造成。临床治疗原则分别采用益气养血、补肾固中、健脾和中、疏肝理气、清热凉血等方法。

**【必备验方】**

1. 乌雌鸡1只，阿胶（后下）、茯苓各6克，吴茱萸15克，芍药、白术、麦冬、人参各9克，甘草、生姜各3克。每日1剂，将乌鸡去毛及内脏，切块，加水，水12升煮取6升，去渣，入余药煎取3升，入酒3升及阿胶，分3次温服。适用于妊娠1个月举重腰痛腹满胞急、卒有所下者。

2. 大枣10枚，鲜苎麻根、糯米各100克。将苎麻根加水1000毫升煎至500毫升，去渣，入糯米、大枣煮成粥，每日分2次服。适用于脾虚血热型先兆流产。

3. 莲子（去心）、龙眼肉各50克，山药粉100克。将莲子、龙眼肉以文火煲汤，加入山药粉煮成粥食，每日1～2次。适用于脾肾不足型先兆流产。

4. 南瓜蒂3个。切开，煎汤服（宜自受孕月开始），每月中1次，连服5个月。适用于脾虚血热型先兆流产。

5. 白药子30克，鸡蛋1个。将白药子烘干、研粉，取鸡蛋清调涂于脐下，外覆塑料纸、胶布固定（稍干则用凉水润之），6小时换药1次（热退为度）。适用于妊娠热病致血热胎动不安者。

**【名医指导】**

1. 发现有先兆流产迹象，应尽快到医院检查，但应减少不必要的阴道检查。检查结果显示适合保胎时，应在医师指导下保胎；不适合保胎或胎儿已死宫内，应及时终止妊娠。

2. 卧床休息，居室应安静。

3. 做好心理准备，减少不必要的精神压力。

4. 保持大便通畅，防止便秘；减少下蹲动作，避免颠簸和振动。

5. 禁服妊娠禁忌药物；妊娠3个月内勿抬重物、攀高、远游，避免疲劳，避免性生活。

6. 防寒保暖，预防感冒。

7. 注意饮食卫生，宜食易消化、富有营养的食物，如鱼、肉、蛋等；多食蔬菜水果；忌油腻辛辣之品。戒烟、酒；禁服活血化瘀药。

### 难免流产、不全流产和稽留流产

难免流产是指流产已不可避免，多由先兆流产发展而来妊娠不能继续者。临床表现为阴道流血增多（较月经量多），或阵发性腹痛加重，阴道流水（胎膜已破），子宫颈口已扩张，可见胚胎组织或胎囊堵塞于子宫颈口内，子宫大小与停经月份相符或稍小。本病

中医学称“胎堕难留”，又称“胎动欲堕”。

不全流产指妊娠物已部分排出体外，尚有部分残留于子宫腔或子宫颈内而影响子宫收缩，致流血持续不止甚至流血过多而发生休克。本病中医学称“胎堕不全”，又称“殒堕不全”。

稽留流产是指胚胎或胎儿在宫内已死亡，尚未自然排出者。患者有停经史及妊娠呕吐，或有早期先兆流产症状。临床表现为胚胎或胎儿死亡后子宫不再增大反而缩小，早孕反应消失；若已至中期妊娠，不感腹部增大，胎动消失。本病中医学称“胎死不下”。

中医学认为，冲任损伤、胎元不固为其主要病机。“胎元不固”包括胚胎、胎盘的异常及母体中育胎的精气不足，而母体因素可分为肾虚、脾虚、血热、素有癥疾等。

**【必备验方】**

1. 蒺藜子、川贝母各60克。共研为末，米汤冲服，每次9克。过一会如仍不下，可再次服药。

2. 当归24克，肉桂、川芎、牛膝各6克，车前子7.5克，红花3克，芒硝9克。水煎服。

3. 苎麻根80克（锉），金银花200克，清酒1盅。加水1大盅煎至半盅，去渣，分2次温服。适用于妊娠胎动欲堕、腹痛不可忍。

4. 苜蓿子3克，鸡蛋2个。将苜蓿子捣烂，加水煮20分钟，取汁倒入打匀的蛋液中，隔水蒸服，每日1～2剂，连服1周。适用于堕胎、小产。

5. 离块根约20厘米的番薯藤嫩茎（选取软、粗、肥的茎段）10～20厘米。去枝叶，浸在75%乙醇中消毒后，用无菌纱布揩干，插入子宫腔（宫口宽的插2条，1条插至子宫腔，1条插至子宫颈），然后在阴道塞入纱布球。插入2日未娩出者，可再插1次。

**【名医指导】**

1. 患者应卧床休息，禁止性生活，并配合治疗，尽量减少不必要的妇科检查。

2. 术后患者应用无菌纸垫，保持外阴清洁，2周内禁止坐浴。

3. 宜用当归、山药、枸杞子、大枣、党参等煲乌鸡汤，每周3～4次。

4. 多食牛奶、豆浆、瘦肉、鸡蛋等，少食燥热食物；戒酒、烟。

5. 注意休息，适度运动，以温和运动为主（如太极、瑜伽等）。

6. 患者应注意出血情况，必要时及时清宫处理。

7. 消除心理紧张、焦虑，保持情绪平稳。

## 习惯性流产

习惯性流产是指自然流产连续发生3次或3次以上者（每次流产往往发生在同一妊娠月份），多为抗胚胎抗体免疫因素、孕妇黄体功能不全、甲减、先天性子宫畸形、子宫发育异常、宫腔粘连、子宫肌瘤、染色体异常、自身免疫等所致。习惯性晚期流产常为子宫颈内口松弛所致，多由于刮宫或扩张子宫颈所引起的子宫颈口损伤。少数属于先天性发育异常，在中期妊娠之后由于羊水增多，胎儿长大，子宫腔内压力增高，胎囊可自子宫颈内口突出，当子宫腔内压力增高至一定程度，就会破膜而流产，故流产前常无自觉症状。

本病中医学称“滑胎”，又称“堕胎”、“小产”、“屡孕屡堕”、“数堕胎”等。多因素体虚弱，肾气不足或阴虚内热所致，与孕后起居不慎、房事不节、情志不调或跌仆损伤等关系密切。冲任不固、肾失封藏为其主要病机。

**【必备验方】**

1. 南瓜蒂适量。瓦片上炙炭（存性），研细末，自受孕第2个月起，每周食5克（直至过了以往流产日期2个月以上），也可拌入米饭中食。

2. 乌骨鸡1只（约500克），女贞子20克，炒杜仲、桑寄生各30克。将乌骨鸡闷死，去毛和内脏，用纱布将杜仲、桑寄生、女贞子包好，置鸡腹内，加水煮熟，去渣，加少许盐和调料，分2～3次服食。适用于气血不足、肾气亏虚型习惯性流产。阴虚火旺者忌用。

3. 艾叶12克，鸡蛋2个。将艾叶、鸡蛋用瓦煲（忌用铁器）以文火同煮至鸡蛋熟，去壳后再煮片刻即可。妊娠第1个月每日服1

次，连服5～8日；妊娠第2个月，每周服1次；妊娠第3个月，每15日服1次；妊娠第4个月，每月服1次，直至妊娠足月。

4. 菟丝子、艾炷（如黄豆大）各适量。将菟丝子研末，填满脐窝（略高出肚皮1～2厘米），取艾炷点燃灸之。按年岁计，每岁灸1壮，每日灸1～2次，灸足岁数之艾炷为止。适用于肾气不固型习惯性流产。

5. 当归、党参、生地黄、杜仲、续断、桑寄生、地榆、砂仁、阿胶各30克，熟地黄60克，炒蚕沙45克，香油750克，黄丹360克，蜂蜡60克，煅紫石英、煅赤石脂、煅龙骨各21克（共研细末）。将前12味同煎，去渣，加黄丹、蜂蜡收膏，入紫石英、赤石脂、龙骨搅匀，摊布上，贴腰眼，7日1换，3个月后半个月1换，10个月满为止。

**【名医指导】**

1. 再次怀孕时要禁止重体力劳动，避免屏气、提举重物、用力大便，忌大温大补；妊娠早期禁止接触X线、超声波、放射性核素等。

2. 避免到人多拥挤的公共场所；不要主动或被动吸烟，不接触宠物，不吸入煤气。

3. 生活规律，劳逸结合，早睡早起；每日保证睡眠8小时，并适当做运动。孕妇衣着应宽大，腰带不宜束紧，应穿平底鞋。养成定时排便的习惯，避免吃泻药。

4. 合理饮食，宜食富含各种维生素、纤维素及微量元素、易于消化的食物，如各种新鲜蔬菜和水果、豆类、蛋类、肉类等。胃肠虚寒者，慎服性味寒凉的食品，如绿豆、白木耳、莲子等；体质阴虚火旺者，慎服雄鸡、牛肉、狗肉、鲤鱼等食物。

5. 注意个人卫生，勤洗澡、勤换内衣；不宜盆浴、游泳，注意不要着凉，每日用温水清洗外阴部。

6. 保持心情舒畅，避免各种不良刺激（尤其不能大喜、大悲、大怒、大忧）。

7. 定期做产检，从妊娠中期开始定期进行产检。

8. 妊娠3个月以内、7个月以后应避免房事。若受孕后出现流产先兆（如阴道出血、下腹疼痛等），应及时就医。

9. 饮食清淡，戒烟、酒，忌油腻、辛辣之品。禁服活血化瘀之药。

10. 积极寻找流产原因并针对病因治疗。

## 流产感染

流产感染多发生于各类流产后阴道流血时间过长、子宫腔内有组织物残留、刮宫时未注意无菌操作、性生活及非法堕胎以后，可有高热寒战、腹痛等感染症状。感染可在宫内，亦可蔓延至宫旁结缔组织、输卵管、卵巢等，严重时可扩展到盆腔、腹腔甚至全身，并发盆腔炎、腹膜炎、败血症及感染性休克等。

本病中医学见于“妊娠腹痛”、“胎漏”。临床治疗主要以清热解毒、活血化瘀为主。

**【必备验方】**

1. 荸荠粉30克，车前草、滑石各60克，冰糖10克。取清水约30毫升，溶化荸荠粉及冰糖；车前草与滑石加水2000毫升，以武火煮15分钟，取汁倾入已溶化的荸荠粉、冰糖搅匀，佐餐食。

2. 田螺肉7个，淡豆豉10粒，连须葱头3个，车前草3蔸（鲜），食盐少许。同捣烂，敷脐孔上，每日1次。适用于流产感染之尿路感染。

3. 生苎麻根50克，糯米、大麦面各适量，陈皮25克。共研末，煮粥，加食盐，分2次空腹热服。适用于妊娠腹痛。

4. 鲜香椿叶250克（洗净，切碎），素油500克。将鲜香椿叶洗净、切碎，用适量面粉水调成糊，加入切碎的香椿叶和盐；然后起油锅，用勺将面糊下入油锅炸黄，佐餐食用。适用于流产所致泌尿系统感染。

5. 鲜藕汁、葡萄汁各250毫升，生地黄200克，蜂蜜适量。将生地黄发透，水煎3次，每20分钟取煎液1次，合并煎液，以小火煎至稠黏，掺入藕汁、葡萄汁熬成膏状，加入一倍量的蜂蜜煮沸（停火，待冷装瓶备用），每日2次，每次10毫升。适用于流产所致泌尿系统感染。

**【名医指导】**

1. 注意外阴卫生：所用卫生巾、卫生纸应选用合格产品，卫生巾要勤换；内裤应每

日清洗。

2. 禁房事，避劳累，寒温适宜。

3. 保持情绪稳定。

4. 注意饮食：维生素A可维护组织的健康，促进修复；蛋白质在感染的预防中是不可缺少的营养，各种肉食、大豆、蛋、奶及五谷都能提供大量的蛋白质。

5. 对存在子宫腔感染诱因者，给予预防感染措施。

6. 取半卧位，可使炎症渗出液局限在直肠子宫陷凹，防止感染扩散。

7. 注意休息；避风。

8. 注意监测体温，必要时在医师的指导下使用抗生素治疗。

## 异位妊娠

凡孕卵在子宫体腔以外着床发育，称异位妊娠，又称宫外孕。宫外孕指子宫以外的妊娠，如输卵管妊娠、卵巢妊娠、腹腔妊娠、阔韧带妊娠；异位妊娠指孕卵位于正常着床部位之外的妊娠，还包括宫颈妊娠、间质部妊娠及子宫残角妊娠，其中以输卵管妊娠为最常见，占90%～95%。临床主要表现为腹痛、停经、阴道出血等，当输卵管破裂后，可造成急性腹腔内出血，出现晕厥、休克，可危及生命。

本病中医学见于“停经腹痛”、“少腹瘀血”、“经漏”、“经闭”、“癥瘕”。主要因胎块阻络致瘀血内阻之实证。在破损后，则离经之血瘀于少腹。卵管破裂，出血量多，少腹剧痛，面色苍白，冷汗淋漓，四肢厥冷，脉微欲绝为气虚血脱之危证；若卵管破损，出血不甚，血瘀于腹腔，又因出血致气血虚弱，故为气虚血瘀之虚实夹杂之证；破损日久，血积成症，或胚块已殒，停于胞脉日久，瘀血成症，则为症块瘀结之实证。

**【必备验方】**

1. 海参150克，虾仁、鸡汤各适量。将海参加清水以小火烧开后离火，泡发，剖开，刮净内脏，洗净，再用开水烧开焖至发透，切丁；把虾仁用黄酒浸软。锅内放鸡汤，入海参、虾仁及食盐煮沸20分钟，加味精、胡椒粉，以湿淀粉勾薄芡，即可食用。适用于防治异位妊娠。

2. 苋菜500克，鸡脯肉100克。将苋菜洗净，去根，切段，鸡脯肉切丝；炒锅中放水，先氽苋菜，沥干；锅中放油烧至六成热，入鸡丝炒至变色，加食盐、味精、清汤，倒入苋菜搅匀，煮沸5分钟，即可食用。适用于防治异位妊娠。

3. 蜈蚣适量。研末，制成胶囊（每粒0.4克），口服，每次4粒，每日3次，连用5日。适用于异位妊娠未破裂者。

4. 三棱、莪术各25克，桂枝10克，细辛5克，赤芍20克，昆布、皂角刺各15克，穿破石80克，透骨草、白花蛇舌草各50克。同研碎（布包），隔水蒸30分钟，热敷下腹患侧，每次30分钟，每日2次。

5. 麝香0.06克，樟脑6克，血竭、松香、银珠各9克。将后4味共研细末，摊于布块上用火烤化，加入麝香，贴于下腹包块处。孕卵还没死亡，妊娠试验呈阳性者，加蜈蚣2条，牛膝15克，天花粉9～15克，猪牙皂9克。

**【名医指导】**

1. 适当使用活血化瘀的药物，剂量不可过剧，中病即止。

2. 平时休息时可平卧或者低头位，以改善脑部血氧供应。

3. 注意小腹保暖，根据气温变化适时增减衣物；出血已止，可适当热敷。

4. 保持大便通畅；平时多食营养丰富、多纤维素、易消化食物；避免腹部过度用力。

5. 及时观察病情变化，严重时及时输血、输液及手术治疗。

6. 着装应宽松，避免重体力劳动。

7. 1个月内禁止性生活，以防止生殖器官感染。

8. 若想再次怀孕，必须要等1年以后。

9. 如有发热、腹痛或阴道分泌物有异味等，应及时就诊。

10. 在调养期间应注意全身保暖，避风寒，以免以后头痛、关节疼痛。

## 早　产

早产是指妊娠28～37周（196～258日）的分娩。在此期间出生的体重为1000～2499克、身体各器官未成熟的新生儿，称早产儿。在我国，早产儿死亡率为12.7%～20.8%，死亡原因主要为围生期窒息、颅内出血、畸形；即使存活，亦多有神经智力发育缺陷。

本病中医学属“小产”范畴。多因肾虚、气血虚弱、血热、跌仆损伤、服药等所致。

**【必备验方】**

1. 生山药90克，续断、杜仲、苎麻根各15克（布包），糯米250克。同煮粥，去药袋服。适用于肾虚型早产。

2. 鲜鲫鱼2条，黄豆芽30克。将鲜鲫鱼处理干净，黄豆芽洗净，以小火清炖至沸，即可食用。适用于早产第2周服。

3. 河鳗1条，当归10克，熟地黄、白芍各15克，川芎5克，水5碗，酒300毫升。以中火炖沸，即可食用。适用于早产第3周服。感冒者禁服。

4. 莲子、苎麻根、糯米各15克。水煎服。

5. 阿胶、枸杞子、茯苓、桃仁各适量。加水500毫升，20分钟后用大火煮沸，改用小火煎20分钟，取滤液；再加水300毫升煮沸，以小火再煎15分钟，去渣，2次煎液混合后服。

**【名医指导】**

1. 应做婚前、妊娠前检查，在夫妇最佳的状态下妊娠。

2. 妊娠后应调节情志，避免大喜、大悲、大怒、大忧；早睡早起，保证充足的睡眠，生活起居规律。

3. 既往有屡次堕胎、小产病史者，怀孕后应及时就医。

4. 宜保持贴身衣物清洁卫生，定期清洗会阴部；禁止性生活。

5. 尽量减少运动，多休息；避免拿持重物；行走及上下楼梯等应谨慎，防止跌仆损伤。

6. 发现落红或破水现象，立即就医。

7. 应在医师指导下针对可能的致病因素积极采取预防措施，积极治疗妊娠合并症。

8. 饮食应营养丰富、细软可口、易消化，可适当选用蛋糕、小米粥、挂面和各种点心等；应多吃蛋类、鱼、瘦肉、鸡、鸭、排骨等；可多吃青菜和各种果汁；避免吃刺激性太强的辛辣食物。为了促进乳汁分泌，可多吃汤类，如鸡汤、排骨汤、肘子汤、猪蹄花生米汤、猪骨头炖黄豆芽汤、鸡蛋汤、豆腐汤等。

9. 夏天应注意防暑降温，做到按时通风。每次通风时把门窗半打开或挂上窗帘，避免冷风直接吹在产妇和小儿身上，以免受凉。冬季注意保暖，挂好窗帘、门帘，防止冷空气进入；如果室内温度不够，可根据情况采取增添火炉，使用热水袋或多盖被褥等措施。

## 妊娠期高血压疾病

妊娠期高血压疾病又称妊娠高血压综合征（简称妊高征），是妊娠期所特有的疾病，多发于妊娠20周以后。临床表现为高血压、蛋白尿、水肿，严重时可出现抽搐、昏迷以及心、肾衰竭，甚至母婴死亡。

本病中医学属“子肿”、“子烦”、“子晕”、“子痫”等范畴。脾肾阳虚，水湿内停，或气滞湿郁，泛滥肌肤，则生肿胀，为子肿，亦称妊娠肿胀。若素体虚弱，孕后精血下聚养胎，致肝肾阴虚，肝阳上扰，或气血虚弱，清窍失养，则出现头目眩晕、头痛、视物昏花，为子晕，亦称妊娠眩晕。若阴血虚甚，肝阳上亢，肝风内动，或夹痰火上扰，蒙蔽清窍，则发为昏迷、抽搐，为子痫，亦称妊娠痫症。临床常见有脾虚、肾虚、气滞痰郁、肝肾阴虚、气血虚弱、肝风内动、痰火上扰等证型。

**【必备验方】**

1. 白术、生姜、陈皮、白芍、当归各10克，茯苓15克，青鲤鱼1条（500克）。将鲤鱼去鳞及内脏，余药洗净（布包）；同炖1小时，去药包，饭前空腹服食，每日1次。适用于脾虚水肿型妊娠期高血压疾病。

2. 鲤鱼1条（约500克），杜仲、枸杞子各15克，干姜6克。将鲤鱼去鳞及内脏，洗净，余药洗净（布包）；同炖1小时，去药包，饭前空腹服食，连用7日。适用于肾虚水肿型妊娠期高血压疾病。

3. 鲜芹菜、瘦猪肉各100克。将芹菜洗净、切断，猪肉洗净、切丝。将芹菜煮熟，加入瘦肉片刻，加入食盐、油、味精调服，宜常服。适用于阴虚阳亢型子晕。

4. 冬瓜籽20克，陈皮6克，蜂蜜30克。将前2味水煎，取汁兑入蜂蜜服，每日1剂。适用于妊娠水肿。

5. 马钱子（制）、僵蚕、胆南星、白矾各等份。共研细末，以鲜艾叶、生姜捣匀（如膏状），每取适量（如枣大）敷脐上，同时以蚕豆大艾炷灸之（按患者年龄，1岁灸1壮），每日1次。适用于妊娠子痫风痰较盛型。

**【名医指导】**

1. 本着治病与安胎并举的原则，适当服用养血安胎之品，治病而不伤胎。

2. 定期产检，注重体重、水肿、血压、血糖变化，以便早发现、早治疗，控制病情发展。

3. 饮食上注意限制热量的摄入；适当限制食盐摄入，每日摄盐量为6～8克；限制脂肪摄入，以植物油为主，炒菜时最好不用动物油。蛋白质、维生素和矿物质的摄入应适当增加，可将豆类或豆制品与瘦肉、鱼虾等等量搭配。多食水果、蔬菜、牛奶等食品。

4. 水肿严重者，应注意休息，抬高双下肢。

5. 养成良好的生活习惯，保证充足的睡眠（每日不少于10小时）；休息时宜取左侧卧位，可减轻子宫对腹主动脉、下腔静脉的压迫。

6. 保持情绪平稳、心态乐观，避免焦虑、紧张。若精神过度紧张、睡眠严重欠佳，可给予镇静药（如地西泮2.5～5毫克，睡前口服）。

7. 患者起病急骤、病情严重，突发眩晕昏迷，不省人事，牙关紧闭，四肢抽搐，全身僵直等危急症候，须及时送医院急诊治疗。

## 胎儿生长受限

胎儿生长受限又称宫内发育迟缓，是指妊娠37周后新生儿出生体重小于2500克（或低于同孕龄平均体重的两个标准差，或低于同龄正常体重的第10百分位数）。我国发生率为6.39%，死亡率为正常发育儿的4～6倍。引起胎儿生长受限的病因最常见的是母体因素，包括营养方面、妊娠合并症和并发症、不良生活习惯等，占50%～60%；胎儿因素有染色体异常、内分泌异常等；还有胎盘、脐带病变等因素引起。

本病中医学称“胎萎不长”，又称“妊娠胎萎燥”、“胎弱症”、“胎不长”。发病机制为父母禀赋虚弱，生殖之精不健，或孕后调养失宜。如房事不节，劳倦过度等致肾气亏虚，气血不足，以致胎失所养而生长受限。气血不足、胎失所养是其主要病机。临床常见有肾气亏虚、气血虚弱、阴虚内热及胞宫内寒等证型。

**【必备验方】**

1. 黄芪45克，茯苓、白术各15克，枸杞子12克，母鸡1只。将前4味布包，与母鸡同炖，加入调料，吃肉喝汤，每周1剂。适用于脾胃虚弱型胎萎不长。

2. 麻雀5只（去内脏，洗净），粟米100克，葱白、生姜、素油、食盐、黄酒各适量。煮粥食。适用于阳虚型胎萎不长。

3. 山药200克，猪肉300克，香菇30克，鸡蛋清1个，花生油500克，白胡椒5克，水淀粉20克，香油、葱花、味精、生姜末、食盐各适量。做成肉丸子，佐餐食。适用于肾虚型胎萎不长。

4. 党参、白术、当归、枸杞子、白芍、黄芪各30克，甘草10克。共研细末，水调敷于脐上，每日1换。适用于气血不足型胎萎不长。

5. 小茴香20克，猪腰1对，葱、生姜、食盐、酒各适量。将猪腰（即猪肾）洗净，在凹处剖一口子，纳茴香、食盐入猪腰剖口内（用白线缝合），加葱、生姜、酒及适量清水，以文火炖熟食。适用于偏肾阳虚型胎萎

不长。

**【名医指导】**

1. 定期做产检，如发现胎儿畸形及早终止妊娠。

2. 避免接触有害物质，如烟、酒、毒品、有毒致畸的化学物品、放射线、电磁辐射、污染的环境等；避免喂养及接触宠物；预防感染。

3. 积极治疗妊娠并发症和合并症。

4. 生活规律，保证充足的睡眠。

5. 加强营养，可食高热量、高蛋白食物（如鸡蛋、瘦肉、鱼类、羊牛奶等）。多食富含维生素、叶酸、钙剂等的食物。注意荤素搭配，保证营养均衡全面。

6. 注意休息，宜左侧卧位休息（改善子宫胎盘血液循环）；定期吸氧，每日2～3次，每次20～30分钟。

## 羊水过多

羊水过多是指凡妊娠期羊水量超过2000毫升者，最高可达20000毫升。多数孕妇羊水增多较慢，在较长时期内形成，称慢性羊水过多；少数孕妇在数日内羊水急剧增加，称急性羊水过多。

本病中医学属“子满”、“胎水肿满”等范畴。多与脾肾二脏亏虚有关。临床治以健脾补肾、渗湿利水、温阳化气等，随证化裁，标本兼顾，多能获效。

**【必备验方】**

1. 红茶3～5克。开水冲泡片刻，温饮，每日早、晚各1次。一般于临产前2～3周即开始饮用，7～20日为1个疗程。

2. 大田螺（去壳）、大蒜瓣（去膜）各适量。同捣烂，敷于双足心，外加纱布包扎，每次8小时，连用3～5次。适用于子满。

3. 陈皮、干辣椒、草果各6克，鲜鲤鱼1条（约1000克），冬瓜1500克，小白菜1000克，粉条300克，胡椒粉2克，食盐10克，鸡汤2000毫升，赤小豆、老姜、葱各50克。将鲤鱼去鳞、鳃及内脏，洗净，切块；冬瓜去皮、瓤，切片；小白菜，洗净；粉条泡发，洗净。火锅置炉上，加入鸡汤烧开，入赤小豆、陈皮、辣椒、草果煮15分钟，入生姜、葱、胡椒、食盐烧开，撇去浮沫，去陈皮、辣椒、草果，下鲤鱼烧开，即可食鱼喝汤。

4. 茯苓50克，大腹皮、泽泻各20克，黄芪、赤小豆各30克。水煎3次，去渣，取药汁入大米50克煮粥，佐餐食，连服2个月。

5. 山药粉、猪苓粉、白茯苓粉各100克，白糖50克，大麦粉、小麦粉各150克。将山药粉、猪苓粉、白茯苓粉加适量水浸泡成糊，隔水蒸30分钟，调入白糖、植物油及少许面粉与青、红丝，拌成馅，备用；取发酵调碱后的软面，做成包子，蒸熟食，早、晚餐服食，每次2个。

**【名医指导】**

1. 妊娠6～7个月以后，如子宫增大比较快，应及时到医院检查。

2. 注意休息，宜左侧卧位。有呼吸困难者，多取半卧位；妊娠期不宜体力劳动。

3. 抬高下肢。下肢有静脉曲张者，可涂润滑剂或包扎下肢，以防止血管破裂。注意避免因内裤摩擦而导致外阴静脉破裂。

4. 胎儿畸形时尽快终止妊娠。胎儿无畸形者注意休息，可经腹壁羊膜腔穿刺放羊水。

5. 保持情绪平稳，避免焦虑、急躁。家属多陪伴产妇，生活上多给予关心、照料。

6. 如羊水过多不严重、孕妇无不适感或略感不适，则无须特别治疗，注意控制盐分的摄取，即可安产。

7. 忌食辛辣、生冷；忌暴饮暴食，每周测1次体重。

## 羊水过少

羊水过少是指妊娠晚期羊水量少于300毫升者。多发生于妊娠28周以后，占分娩总数的0.4%～4%，且多发生于年轻初孕与合并妊娠期高血压疾病者。本病胎儿发育畸形率、新生儿发病率及围生儿死亡率较正常妊娠增高，且往往是胎儿生长受限的特征之一。妊娠早、中期的羊水过少，多以流产告终。羊水过少时，羊水呈黏稠、混浊、暗绿色。

本病中医学见于“胎萎不长”。本病多因夫妇双方禀赋不足，胞脏虚损，或因孕后调养失宜，以致脏腑气血不足，胎失所养。临床上常见有气血虚弱、脾肾不足、血热等证型。治疗以养气血、补脾胃、滋化肾等为主。

**【必备验方】**

1. 大枣30克，干姜1克，白术、鸡内金各10克。水煎，取汁与面粉500克及适量红糖制成糕点食。适用于脾胃虚弱型。

2. 山药500克，河鱼1条（约250克，去杂、洗净），食盐、酒、生姜、葱各适量。煮汤服。适用于脾虚型。

3. 小茴香20克，猪腰1对，葱、生姜、食盐、酒各适量。将猪腰（即猪肾）洗净后，在凹处剖一口子，纳小茴香、食盐入猪腰剖口内（用白线缝合），加葱、生姜、酒及适量清水，以文火炖熟食。适用于偏肾阳虚型。

4. 西洋参10克，女贞子30克，鹌鹑1只（去毛、内脏）。3味同隔水炖3小时，调味后服食。适用于肝肾阴虚型。

5. 猪腿肉300克，鲜荔枝肉100克（洗净），鸡蛋2个（取蛋清），水淀粉25克，白糖60克，白醋30克，食用红色素1滴，精盐、料酒各适量，植物油1000克（实耗50克）。将猪腿肉切块（24块），加入食盐、食用红色素、鸡蛋清、水淀粉（15克）拌匀，备用；把鲜荔枝肉一切两半；烧锅放入植物油烧至六七成热时，入猪腿肉炸至（内熟外脆）黄色，捞出；将锅中的油倒去，加入料酒、水（100克）、白糖、白醋、精盐，下水淀粉勾芡，倒入炸好的肉和鲜荔枝肉翻匀，淋上少许熟油即可。适用于气血虚弱所致羊水过少。

**【名医指导】**

1. 积极治疗原发疾病。

2. 左侧卧位休息。多喝水，以改善胎盘血液供应。

3. 保持心情愉快；注意保暖，根据天气变化及时增减衣物。

4. 平时可自数胎动，并定期就医测量宫底高度、腹围及体重，进行胎盘功能检查及胎儿储备功能检查。

5. 定期吸氧，增加孕妇及胎儿的氧供。

6. 经评估发现胎儿有感染时，或胎儿状况不佳不再适合在子宫内居住，均应立即作妥善的处理。

7. 妊娠28～35周，发现羊水过少，B超未发现明显胎儿畸形，应予以羊膜腔内注液治疗。凡妊娠35周以上发现羊水过少，经处理羊水量未见增多，在排除胎儿畸形后应终止妊娠。产程中严密观察，遇有宫内窘迫者应予给氧。如短期内经阴道不能结束分娩者，则以剖宫产结束分娩。

## 过期妊娠

过期妊娠是指平时月经周期规则而妊娠达到（或超过）42周（≥294日）尚未分娩者。其发生率占妊娠总数的3%～15%，围生儿发病率和死亡率随妊娠期延长而增加。妊娠43周时，围生儿死亡率为妊娠足月分娩者的3倍，且初产妇过期妊娠胎儿较经产妇胎儿危险性增加。

本病中医学称“过期不产”。临床分为肝肾不足、气虚血瘀、寒凝脉滞等证型，治疗以滋养肝肾、益气活血、补气行气等为主。

**【必备验方】**

1. 蓖麻油50毫升，鲜鸡蛋2个。同煎炒至鸡蛋熟，顿服。服药后半小时内不进食，注意观察宫缩情况。如无效，24小时后再服1次，连服3次。仍无效须改用其他方法。适用于过期妊娠。

2. 冬苋菜或空心菜、糙米、食盐各适量。将糙米煮粥，加入空心菜、食盐煮沸即可。孕期忌食用。适用于过期妊娠。

3. 黄芪30克，大枣10枚，当归、枸杞子各10克，猪瘦肉100克（切片）。炖汤，去黄芪、当归，调味后服食，每日1剂，连用1～2个月。适用于肝肾不足型。

4. 山楂100克，黑木耳50克（泡发），红糖30克。将山楂水煎至500毫升，去渣，加入黑木耳，以文火煨烂，入红糖服，每日2～3次，5日服完，连服2～3周。适用于气虚血瘀型。

5. 净母鸡1只（1500克）。去爪，剖开背脊，抽去头颈骨（留皮），入沸水汆下，洗

净，将鸡腹向下放入汤碗内，加黄酒50毫升，食盐适量，鲜汤1000毫升，水发香菇25克，笋片25克，火腿片25克，隔水蒸2小时左右。佐餐食。适用于气虚血瘀型。

**【名医指导】**

1. 从胎动开始要自我监测胎动次数并做动态的比较，一旦胎动明显增多或减少，及时就诊。

2. 定期产检（B超检查，监测羊水变化等），以便及早发现异常。

3. 记清末次月经来潮日期及月经周期，准确计算预产期。

4. 合理安排工作及休息时间，适当参加体育活动。

5. 经常注意胎儿情况，如妊娠超过41周仍无分娩征兆，要及时到医院请医师帮助结束分娩。

6. 有过期妊娠预兆者，可做下面几种运动辅助治疗：

（1）散步：散步时应边走动，边按摩，边和宝宝交谈；可分早、晚2次安排，每次30分钟左右，也可早、中、晚3次，每次20分钟。应选择环境清幽的地方，周围不要有污染物。

（2）体操：手扶桌沿，双脚平稳站立，慢慢弯曲膝盖，骨盆下移，两腿膝盖自然分开直到完全屈曲；再慢慢站起，用脚力往上蹬，直到双腿及骨盆皆直立为止，重复数次。

（3）划腿运动：手扶椅背，右腿固定，左腿划圈，做毕还原，换腿继续做，早、晚各做5～6次。

（4）腰部运动：手扶椅背，缓缓吸气，同时手臂用力，脚尖踮起，腰部挺直，使下腹部紧靠椅背，然后慢慢呼气，手臂放松，脚还原。早、晚各做5～6次。

（5）骨盆运动：双手双膝着地，吸气弓背，吐气，同时抬头，上半身尽量往上抬，反复10次。

（6）阴道肌肉运动：仰卧，慢慢收缩阴道肌肉，同时往上收臀部，数到5后慢慢地落下，反复10次。

（7）爬楼梯：平时可在住处爬单元楼内的楼梯，午后可散步。但应注意劳逸结合，下楼时要注意安全。

## 母儿血型不合

母儿血型不合是指孕妇和胎儿之间血型不合而产生的同族血型免疫疾病。当胎儿从父方遗传下来的显性抗原恰为母亲所缺少时，通过妊娠、分娩，此抗原可进入母体，刺激母体产生免疫抗体；当此抗体又通过胎盘进入胎儿的血液循环时，可使其红细胞凝集破坏，引起胎儿或新生儿的免疫性溶血症。胎儿可因严重贫血、心衰而死亡，或因大量胆红素渗入脑细胞引起胆红素脑病而死亡。即使幸存，其神经细胞和智力发育以及运动功能等，都将受到影响。母儿血型不合，主要有ABO型、Rh型，其他如MN系统也可引起（但极少见）。ABO型较多见，病情多较轻，易被忽视。Rh型在我国少见，但病情严重，常致胎死宫内或引起新生儿胆红素脑病。

本病中医学属“湿热”、“湿毒”等范畴。多由湿热内蕴，热邪侵袭，以致气血郁阻，孕胎失养，邪毒内犯而成。临床以清热利湿、解毒祛邪、养胎安胎为法。

**【必备验方】**

1. 茵陈、黄芩各9克，制大黄3克，甘草1.5克。制成冲剂（以上为1袋量），每次1袋，每日2～3次，自确诊后服至分娩。适用于母儿血型不合、新生儿溶血症。

2. 益母草500克，当归、川芎各250克，白芍240克，木香12克。共研细末，炼蜜为丸（每丸9克）。于妊娠17周起开始服用，每次1丸，每日1～3次，直至分娩。适用于预防母儿血型不合。

3. 水芹菜汁1杯。饭后顿服，每日3次。适用于母儿血型不合之新生儿黄疸。

4. 莲子60克，紫苏梗10克，陈皮6克。将莲子去皮、心，加水煎至八成熟，入紫苏梗、陈皮煮熟，食莲子饮汤，每日1～2次。

5. 花生米90克（带衣），赤小豆、大枣各60克，大蒜30克。煮汤服。

**【名医指导】**

1. 既往有流产、不明原因的死胎、输血史或有新生儿重症黄疸史者，均应排除母儿

血型不合。

2. 做好预防工作，夫妇双方行血型检查，必要时行Rh血型检查。若女方为Rh阴性，男方为Rh阳性，应进一步行孕妇血清学检查。

3. 定期B超检查，观察胎儿发育情况及有无水肿。如疑为溶血病或水肿，胎儿更需密切行B超检查，并在B超监护下行羊膜腔穿刺，进行诊断与治疗。

4. 应定期到医院测定血清中抗体的浓度，作为终止妊娠的客观指标。

## 前置胎盘

妊娠28周后胎盘附着于子宫下段甚至胎盘下缘达到或覆盖宫颈内口，其位置低于胎先露部，称前置胎盘。前置胎盘为妊娠晚期出血的主要原因之一，是妊娠期的严重并发症。如处理不当，可危及母儿生命安全。我国发病率为0.24%～1.57%。胎盘前置分为完全性前置胎盘、边缘性前置胎盘和部分性前置胎盘。完全性前置胎盘往往初次出血的时间早，约在妊娠28周，反复出血，次数频，量较多，有时一次大量出血即可休克；边缘性前置胎盘初次出血发生较晚，多在妊娠37～40周或临产后，量也较少；部分性前置胎盘初次出血时间和出血量介于两者之间。临产后每次阵缩时，子宫下段向上牵引，出血往往随之增加。部分性和边缘性前置胎盘患者，破膜后胎先露如能迅速下降，直接压迫胎盘，流血可以停止。由于反复多次或大量阴道出血，产妇可以出现贫血，其贫血程度与出血量成正比，出血严重者即陷入休克，胎儿发生缺氧、窘迫，以致死亡。

本病中医学属“胎动不安”、“胎漏”等范畴。临床常见有肾虚、气血虚弱、血热、血瘀等证型，治疗以益气固肾、补气养血、清热养血、止血安胎等。

**【必备验方】**

1. 地榆60克，槐花、蜂蜜各30克。将地榆洗净，切片，水煎2次，每次40分钟，合并2次煎液，加入槐花，酌加清水，以大火煎10分钟，去渣，待温，入蜂蜜拌匀，早、晚分服。适用于前置胎盘之阴道出血等症。

2. 棉籽饼100克。焙干，研细末，黄酒冲服。适用于前置胎盘之阴道流血。

3. 乌梅9枚，红糖适量。加水1大碗煎至半碗，去渣，温服，每日2次。适用于前置胎盘之阴道流血。

4. 花生米适量。热水烫，去皮，晒干，研细末，开水冲服，每次6克，每日2次。适用于前置胎盘之阴道流血。

5. 鲜莲藕500克，黑木耳60克，老鸭1只，食盐、鸡精、生姜、黄酒各适量。将莲藕洗净、切块，黑木耳温水泡发、洗净；老鸭洗净，加生姜、黄酒熬至八成熟，放入莲藕、黑木耳煮熟，加入食盐、鸡精即可。适用于前置胎盘之阴道流血。

**【名医指导】**

1. 注意经期卫生，做好计划生育，防止多产，避免多次刮宫及感染，以防发生子宫内膜损伤或子宫内膜炎。

2. 卧床休息（以左侧卧位为宜），减少活动。

3. 避免进行增加腹压的活动，如用力排便、频繁咳嗽、下蹲等。避免用手刺激腹部，变换体位时动作要轻缓。

4. 保持外阴清洁，会阴部垫卫生垫，勤换内裤，预防感染。

5. 饮食营养丰富，多食含铁较高的食物如枣、瘦肉、动物肝脏等，预防贫血；多食蔬菜、水果，养成定时排便的习惯，预防便秘。

6. 长期卧床者应适当肢体活动，家属可协助行下肢按摩，防止血栓形成。同时每日进行深呼吸练习，锻炼肺部功能，预防肺炎的发生。

7. 加强产检，对妊娠期出血（无论出血量多少）均应及时就医，做到早期诊断、正确处理。

8. 进行胎儿自我监护——自数胎动。若有出血需住院治疗。程度较轻的边缘性前置胎盘，仍可能自然生产；其他则需剖宫产，等胎儿较大，约35～36周时才可进行剖宫产。

## 胎盘早剥

妊娠20周后或分娩期，正常位置的胎盘在胎儿娩出前，部分或全部从子宫壁剥离，称胎盘早剥。胎盘早剥是妊娠晚期的一种严重并发症，起病急、进展快，处理不及时可危及母儿生命。我国发生率为0.46%～2.1%，国外发生率为0.51%～2.33%，与分娩后是否仔细检查胎盘有关，在临产前可无明显症状，产后检查可见早剥处有凝血块压迹，易被忽略。一旦确诊为胎盘早剥中、晚期，应及时终止妊娠。

本病中医学属“妊娠腹痛”、“胎动不安”、“小产”等范畴。多由素体阴虚，或失血伤阴，或久病失养，或多产房劳，耗散精血所致；孕后血聚养胎，阴血愈觉不足，虚热内生，热扰胎元；或瘀血内停，胞脉阻隔冲任不固而致。临床治疗主要以滋阴清热、化瘀止痛、止血安胎等为法。

**【必备验方】**

1. 大枣60克，银耳20克，白糖适量。将大枣洗净、去核，银耳用温水泡发、洗净，撕成小片；将大枣水煎10分钟，入银耳片煮2～3分钟，调入白糖服，每日1剂，连服10～15日。适用于阴血不足、虚热内生型。

2. 柴胡、香附、枳壳、白芍各9克，合欢花12克，当归、沉香、路路通、川芎各6克，粳米150克，白糖适量。将前9味水煎，去渣；粳米煮粥至将熟时，入煎汁和白糖稍煮即可。适用于脾肾不足型。

3. 瘦猪肉100克，枸杞子、青笋各30克，猪油、食盐、味精、酱油、淀粉各适量。每日1剂，将瘦猪肉、青笋切丝，枸杞子洗净；猪油烧热，投入肉丝和青笋爆炒至熟，放入调料即可。适用于肾阴虚型。

4. 干艾叶15克，鸡蛋2个。加水2碗煎至1碗，取出鸡蛋，剥去蛋壳后再煮片刻，饮水食蛋，每日1次。适用于胞宫虚寒型胎漏、胎动不安。

5. 苎麻根50克（干品），老母鸡250克（已宰好）。将苎麻根洗净，切片；老母鸡洗净，去皮及脂肪，切块；同加水8碗煮沸，以文火熬至2碗，加食盐调味，分2～3次食。适用于肾虚型胎漏、胎动不安。

**【名医指导】**

1. 加强产前检查，积极预防、治疗妊娠期高血压疾病；对合并原发性高血压、慢性肾炎等高危妊娠者应加强管理。

2. 妊娠晚期避免仰卧位及腹部外伤。胎位异常行胎位纠正术时，操作必须轻柔。

3. 处理羊水过多或双胎分娩时，避免子宫腔内压骤然降低。一旦确诊为胎盘早剥中、晚期，应及时终止妊娠，争取在胎盘早剥6小时内结束分娩。

4. 卧床休息，减少活动，采取左侧卧位，改善子宫胎盘血液循环。

5. 给予营养丰富、高蛋白饮食，如动物肉、鱼肉、蛋及牛、羊奶等；并注意合理的荤素搭配。

6. 若出现阴道流血量增多等现象，必须及时到医院就诊，不可擅自保胎，以免带来危害。

7. 妊娠期行走要小心，特别是上、下阶梯时，不要去拥挤场合，避免坐公交车及自己开车，以免摔倒或使腹部受到撞击和挤压。

## 胎儿窘迫

胎儿在宫内因缺氧和酸中毒危及胎儿健康和生命者，称胎儿窘迫。其发生率为2.7%～38.5%。胎儿窘迫主要发生在临产过程，也可发生在妊娠后期。发生在临产过程者，可以是发生在妊娠后期的延续和加重，为围生儿死亡的主要原因（约占42.6%）。胎儿窘迫分为急性和慢性两类。慢性多发生在妊娠末期，往往延续至临产并加重。多因孕妇全身性疾病或妊娠期疾病引起胎盘功能不全或胎儿因素所致。临床上可发现母体存在引起胎盘供血不足的疾病，随着胎儿慢性缺氧时间延长而发生胎儿生长受限。急性胎儿窘迫主要发生于分娩期，多因脐带因素（如脱垂、绕颈、打结等）、胎盘早剥、宫缩过强且持续时间过长及产妇处于低血压、休克等所致。临床表现为胎心率改变、羊水胎粪污染、胎动过频、胎动消失及酸中毒。

本病中医学属“妊娠腹痛”、“胎动不安”、“胎萎不长”、“子痫”等范畴。多由素体虚弱，或孕后失于调养，或多产房劳，耗散精血所致；孕后血聚养胎，阴血愈觉不足，虚热内生，热扰胎元；或因瘀血内停，胞脉阻隔冲任不固而致。临床主要是对孕周小、胎儿尚未成熟的类型采取保守治疗。治疗以补气养血、滋阴清热、扶阳安胎等为主。

**【必备验方】**

1. 大枣30克（去核），糯米100克，红糖适量。同煮粥，入红糖调匀，分1～2次空腹服。适用于素体虚弱或脾虚食少型。

2. 白萝卜、熟牛肉各250克（切块），植物油、水淀粉、鲜汤、葱末、生姜末、大蒜片、花椒、八角茴香、醋、白糖、红辣椒、食盐、酱油、味精、香油各适量。将油烧热，倒入牛肉块、白萝卜块、葱末、生姜末翻炒片刻，入花椒、八角茴香、醋、白糖、红辣椒、食盐、酱油、味精及鲜汤，调味后烧沸，用慢火煨至汁浓，加水淀粉勾芡，淋上香油即可。适用于气血不足型。

3. 龙眼肉、猪心、生姜、胡椒、绍酒、食盐各10克。将猪心剖开，去筋膜；龙眼肉洗净，生姜切片；将猪心氽水、过凉，与龙眼肉、生姜片加水煮沸，以小火煮熟，调味即可。

4. 南杏仁、川贝母、知母各10克（布包），水鱼1条（约400克）。将水鱼去鳃及内脏，纳前3味入鱼腹内，加适量清水煎沸，以文火煮1小时，加食盐调味，饮汤食肉。

**【名医指导】**

1. 在妊娠中、晚期（从妊娠4个月起到分娩）要留心胎动计数。若胎动次数减少、有缺氧者，应去医院就诊治疗。

2. 定期做产前检查，及时发现母亲或胎儿异常情况，如妊娠期高血压疾病、慢性肾炎、过期妊娠、胎盘老化、贫血、胎儿生长受限、前置胎盘、合并心脏病等，从而判断对胎儿的危害程度，制定相应的治疗方案进行预防或治疗。

3. 孕妇多取侧卧位休息；情况难以改善且接近足月妊娠者，可考虑行剖宫产。

4. 距离足月妊娠越远，胎儿娩出后生存可能性越小，孕妇及家属应做好充分心理准备；急性胎儿窘迫应尽快结束妊娠。

5. 妊娠期注意自我保健，增加营养，劳逸结合，避免不良生活习惯，预防胎盘早剥。

# 第二十六章　产时疾病和产后疾病

## 产力异常

产力是指将胎儿及其附属物从子宫内逼出的力量，包括子宫收缩力、腹肌和膈肌收缩力、肛提肌收缩力，主要是子宫收缩力贯穿于分娩全过程。在分娩过程中，子宫收缩的节律性、对称性及极性不正常或强度、频率有改变，称产力异常。临床分为子宫收缩乏力和子宫收缩过强两类，每类又分为协调性子宫收缩和不协调性子宫收缩。

### 协调性子宫收缩乏力

协调性子宫收缩乏力简称协调性宫缩乏力，又称低张性宫缩乏力。表现为宫缩的节律性、对称性及极性正常，但收缩功能低下，收缩强度弱，子宫腔内压力低(＜15毫米汞柱)，宫缩持续时间短，间歇时间长且无规律。根据宫缩乏力出现的时间又分为原发性宫缩乏力和继发性宫缩乏力。从临产开始即出现子宫收缩乏力为原发性宫缩乏力；如果产程开始子宫收缩力正常，产程进展正常，只是当产程进展到某一时期（多在活跃期或第二产程）子宫收缩力减弱，产程进展缓慢甚至停滞，则为继发性宫缩乏力。

本病中医学属“难产”、“产难”等范畴。主要因为孕妇素体虚弱，元气不足；或因临产后用力过早，耗气伤力，不能迫胎外出；或临产胞衣早破，水干液竭，致血气虚弱，是以难产。

**【必备验方】**

1. 兔脑髓（腊月）1枚（去皮膜，研如泥），冰片5克（另研），乳香12.5克（另研），母丁香5克（研极细末）。各味与兔脑髓调为丸（如芡实大），阴干后瓷瓶密封备用。临产时以丁香煎汤送服1丸。

2. 当归、益母草各24克，川芎15克，黄芪30克，党参18克，牛膝9克，厚朴6克。第1剂，水煎温服；腹痛频频（时间较长）继服第2剂。并配合针刺三阴交、合谷穴（强刺激），温灸足三里。

3. ①生龟甲240克，炒黄丹、铅粉各50克，香油500克。将生龟甲、香油同炸至焦枯，去渣，熬至滴水成珠，徐徐加入炒黄丹、铅粉收膏，贴于脐中穴。②车前子、冬葵果各12克，当归15克，半夏6克，枳壳、白芷、白蔹各5克，葱汁20克，香油适量。共研末，以葱汁、香油调涂于膏药上，并覆盖固定。适用于难产。

4. 大龟甲500克，蛇蜕2条，蝉蜕21个，生穿山甲7片，发团、寒水石（半生半熟）、血余炭（研末）各60克，朱砂15克，香油1000毫升。将龟甲、香油同煎至枯，去渣，将余药均研末放入煎好的龟甲、香油中，搅匀收膏，每取9克，贴脐上，效则去药。

5. 针灸。取合谷（双）、三阴交（双）、支沟（双）、太冲（双）等穴，强刺激，久留针。

**【名医指导】**

1. 孕妇应进行产前学习，了解妊娠和分娩是生理过程，消除思想顾虑和恐惧心理。

2. 分娩过程中爱人或是有经验的助产护士进行陪伴分娩，可提高产妇自信心；同时家庭式的病房，亦有助于消除紧张情绪，防止精神紧张所致的宫缩乏力。

3. 分娩前鼓励产妇多进食，如胡萝卜、红苋菜、菠菜、大枣、龙眼肉、猪肝、猪心、羊肝、牛肝、鸡肝（动物肝脏）、蛋类等补气

益血的食物，必要时可予静脉补充营养。

4. 根据宫缩的规律正确用力，不要过早屏气用力以保存体力。

## 不协调性子宫收缩乏力

不协调性子宫收缩乏力简称不协调性宫缩乏力，又称高张性宫缩乏力。表现为子宫收缩呈极性倒置，宫缩的兴奋点来自子宫下段（一处或多处），子宫收缩波由下向上扩散，失去了正常的对称性、节律性和极性；宫腔内压力虽高但呈无效宫缩，宫缩时宫底部收缩不强而是子宫下段强，宫缩间歇时子宫不能完全放松。

本病中医学属“难产”、“产难”等范畴。多是因孕妇临产过度紧张，忧惧惊恐，或产前过度安逸，气血运行不畅，气滞血瘀，碍胎外出。临床表现为宫缩不协调，产程延长，多为实证。

**【必备验方】**

1. 干龟壳 1 个（酥炙），妇女头发 1 把（烧灰），川芎、当归各 30 克。混匀，每取 21 克，水煎服。隔半小时左右，再服 1 次。

2. 甘草、蒲黄（布包）、肉桂、香豆豉各 10 克，鸡蛋 1 个。将前 4 味水浓煎，去渣，打入鸡蛋煮沸，顿服。

3. 乌梅 1 个（去核），胡椒 7 粒，巴豆 3 粒（去壳）。共研细末，白酒调敷于两侧三阴交穴（外以纱布、胶布固定）。

4. 醋炙龟甲、火麻仁各 3 克，麝香 0.3 克。共研细末，香油调敷肚脐及丹田，外以纱布覆盖、胶布固定。

5. 蓖麻子 14 粒（去壳），朱砂、雄黄各 7.5 克（研细末），蛇蜕 30～50 厘米（烧存性）。同捣匀，以浆水饭和丸（如弹子大），每取 1 丸置脐中，外以蜡纸覆盖，宽帛束之（待头生下去药）。

**【名医指导】**

1. 做好产检：一方面检查母体是否有有关疾病；另一方面检查胎儿是否发育正常，能有效对整个妊娠期进行监测，做到早期发现、及时治疗。

2. 注意营养均衡，避免进食太多，以免造成胎婴儿肥胖而造成难产。妊娠期体重增加宜控制在 10～14 千克的合理范围内。

3. 如有胎位不正，应及时纠正。

4. 对孕妇做好产前教育，解除其思想顾虑和恐惧心理。

5. 分娩前宜多进食，做到“睡，忍痛，慢临盆”，排空大、小便，适当运用宫缩剂。

6. 注意营养及休息，必要时给予镇静药，并注意水及电解质平衡。

7. 注重锻炼，增加体力，加强心肺功能。

# 胎位异常

胎位异常又称胎位不正，是指妊娠 30 周后胎儿在子宫体内的位置不正，包括臀先露、肩先露、枕后位、颜面位等。其中以臀先露多见，肩先露危害母婴最大。胎位异常应早期纠正胎位。

胎儿在子宫内的位置称胎位。正常的胎位应为胎体纵轴与母体纵轴平行，胎头在骨盆入口处并俯屈，颌部贴近胸壁，脊柱略前弯，四肢屈曲交叉于胸腹前，整个胎体呈椭圆形，称枕前位。妊娠中期，胎位异常多会自动转为枕前位。子宫发育不良、子宫畸形、骨盆狭小、盆腔肿瘤、胎儿畸形、羊水过多等均可导致胎位异常，可引起难产。如处理不当，甚至危及母婴生命。

本病中医学属“难产”、“产难”范畴。其病机主要是气血虚弱与气滞血瘀，临床可见孕妇素体虚弱，正气不足，神疲肢软而无力促胎转正；或因平素过度安逸，或感受寒邪，寒凝血滞，气不运行，血不流畅，气滞血瘀；又因怀孕惊恐气怯，肝气郁滞，气机失畅，而致胎位不正。临床治疗宜调理气血，同时要固肾。

**【必备验方】**

1. 车前子 9 克。研末，开水送服。1 周后复查，如未成功，隔 1 周后可再服 1 次。。

2. 当归身 20 克，川芎 9 克，醋香附、紫苏、炒枳壳、大腹皮各 7 克，生甘草 5 克，生姜 3 片。水煎 25 分钟，每日 1 剂，早、晚空腹分服。服后将裤带放松，平卧 2 小时。

3. 党参、黄芪、续断、桑寄生各 15 克，

炙升麻、炙柴胡、炙甘草各3克，当归9克，大腹皮、枳壳、炒白术各10克，陈皮6克。水煎，分2次服，隔日1剂。同时艾灸双侧至阴穴，每次15分钟，每日1次，7日为1个疗程。第8日复查，胎位正常后停药，无效者行第2个疗程。

4. 大蒜适量。捣烂，敷贴于命门、肾俞、三阴交、至阴穴，外用油纸盖好、胶布固定，2～3日后取下换敷，7次为1个疗程。

5. 陈艾500克。去尘屑，捣碎，去渣，再捣至烂（如绵为度），用易燃纸卷成艾条（如制香烟状）。孕妇取半仰卧位，一下肢屈膝自然下垂着地（膝略低于髋关节），另一下肢伸膝并低于髋关节30°左右自然斜放（舒适为宜）。点燃备用艾条，熏疗伸直膝之足15～30分钟，每日1次，左右足调换体位熏疗。熏疗时孕妇感觉熏疗之足温烫舒适，宫内胎儿翻动力增强，翻动次数增多者佳（孕妇无痛苦）。

**【名医指导】**

1. 定期去医院行妊娠期检查，纠正胎位不正最合适的时间为妊娠30～32周。

2. 孕妇要调畅情志，忌焦虑、紧张。

3. 加强营养，提高身体素质，保持大便通畅。

4. 不要久坐久卧、过度安逸，要经常轻柔的活动，如散步、揉腹、转腰等。

5. 忌寒凉及一些胀气性食物，如西瓜、山芋、豆类、奶类等。

6. 做好产检，预先诊断出胎位不正时应及时治疗。如未转为头位则先做好分娩方式选择，提前住院待产，避免因胎位不正造成严重后果。

7. 适当做操纠正胎位：

（1）胸膝位纠正法：宜穿宽松的衣服，排空膀胱，双膝着地，胸部轻轻地贴在地上，尽量抬高臀部；双手伸直或折叠置于脸下均可。每日2次，每次保持15分钟，连做1周后请医师复查。

（2）仰卧位纠正法：仰卧，臀部抬高30厘米，臀部下方可垫个靠垫；每次保持10～15分钟。

（3）做完纠正操后，可躺下休息30分钟。休息时采取侧卧位，上面的腿向前，膝盖轻轻弯曲，有助于胎儿背部朝上。

## 胎膜早破

胎膜早破是指胎膜破裂发生于产程正式开始前，易导致宫内感染，危及胎儿及产妇，尚可伴发羊水过少发生胎儿窘迫，是围生儿死亡及孕产妇感染的重要原因之一。发生在妊娠37周后，称足月胎膜早破，占分娩总数的10%；发生在妊娠不满37周者，称足月前胎膜早破，发生率为2%～3.5%。

本病中医学称“胎衣早破”。中医学认为，本病发生有内、外因之别。内因为母体气血不足，气虚下陷，或胎衣单薄；外因系妊娠后期外力损伤、房室损伤或产检不慎损伤胞衣而致。

**【必备验方】**

1. 牛肉1000克，食盐适量，黄酒250毫升。将牛肉洗净、切块，加水煮开，去除血污和浮沫，继小火煎半小时，调入黄酒、食盐，煮至肉烂汁稠即可，佐餐食。适用于气血虚弱型胎衣早破。

2. 童子鸡1只，黄酒、生姜、食盐、葱白各适量。将鸡去内脏、鸡毛，洗净、切块，加入葱白、生姜、黄酒、食盐（不加水），入汽锅内蒸熟，佐餐食。适用于气血虚弱型胎衣早破。

3. 鲜葡萄汁500毫升，蜂蜜1000毫升。将葡萄汁以小火煎至黏稠如膏，加入蜂蜜煮，待冷装瓶备用。每次1汤匙，以沸水化服。

4. 猪腰子1个，人参、当归各10克，山药30克，香油、酱油、葱白、生姜各适量。将猪腰子对切，去筋膜，洗净，在背面用刀划作斜纹，切片；人参、当归水煎10分钟，入猪腰子、山药略煮至熟，即捞出猪腰子，待冷加香油、葱白、生姜、酱油，拌匀即可。适用于气血两虚型胎衣早破。

5. 鳝鱼500克（剖背脊后，去骨、内脏、头、尾，切丝），当归、党参各15克（布包），料酒、大葱、生姜、大蒜、味精、食盐、酱油各适量。同置铝锅内，加水烧沸，去浮沫，以文火煎1小时，去药袋，加入味精即可。

**【名医指导】**

1. 提高警惕性，注意腹压骤然增加时有无不适感。

2. 重视产检，一旦发现“尿床”要立即就医。

3. 重视妊娠期营养，多食富含营养、易消化的食物，多吃蔬菜、水果，保持大便通畅。

4. 积极防治下生殖道感染，重视妊娠期卫生。

5. 妊娠后期禁止性交。

6. 避免负重及腹部受撞击；子宫颈内口松弛者，应卧床休息，并于妊娠14周左右施行子宫颈环扎术，环扎部位应尽量靠近子宫颈内口水平。

7. 不主张预防性使用抗生素。

8. 胎膜早破后，孕妇应立即采取卧位；并抬高臀部。同时保持外阴清洁，用消毒纸垫垫好，立即送医院处理。

## 产后出血

产后出血是指胎儿娩出后24小时内失血量超过500毫升者，是分娩期严重并发症。预后因失血量、速度及产妇体质不同而有所差异，如短时间内快速、大量出血可发生失血性休克，危及生命。子宫收缩乏力是本病发生的最常见原因。

本病中医学属“产后血晕”范畴。其病因、病机有虚、实二证。虚者属阴血骤亡，心神失守；实者为瘀血上攻，扰乱心神。临床主要分为血虚气脱型和瘀阻气闭型。

**【必备验方】**

1. 党参120克。加水400毫升煎取200毫升，每日1剂，分2次服。或高丽参数片，含服。

2. 荆芥穗31克。炒至焦黑，研细末。每取6克，加童便30克调匀，趁热频服。如口噤者，撬开牙齿灌入；如口闭难启者，采用鼻饲法。

3. 大黄30克（研细末），米醋120克。同煎为膏，制为丸（如梧桐子大），每服15丸，温醋汤送下。适用于产后出血、胎衣不下、腹中积留瘀血、昏晕不语。

4. 绿茶2克，益母草200克（鲜品400克），红糖25克，甘草3克。加水600克煎5分钟，每日1剂，分3次温饮。

5. 生半夏30克。研细粉，水泛为丸（如绿豆大），纳入鼻孔，待醒后用他药调理。

**【名医指导】**

1. 注意做好妊娠期保健，积极治疗引起产后出血的病因（如贫血、肝脏疾病等）。

2. 对双胎、多胎、羊水过多、妊娠期高血压疾病等有可能发生产后出血的孕妇或有产后出血史、剖宫产者应严格产检，择期住院待产。

3. 调畅情志，放松心情，注意产妇的休息和营养，防止出现滞产和产妇体力衰竭；平时宜做温和运动（如太极、瑜伽等）增加体力。

4. 在产妇分娩过程中，注意保暖，避免风寒；注意外阴清洁卫生。

5. 产后注意子宫收缩及阴道出血情况，严密观察血压、脉搏及全身情况，做到及时发现、及早处理。

6. 产后出血后，饮食上可用当归、山药、枸杞子、红枣、党参等煲乌鸡汤，每周服用3～4次；牛奶、豆浆、瘦肉、鸡蛋等可多食用，少吃燥热的食物，不能喝酒。

7. 在妊娠42日至3个月之内禁止性生活，具体视子宫恢复情况而定，以免引起子宫内膜炎及盆腔炎等。

8. 宜母乳喂养；婴儿吮吸奶水会刺激子宫收缩，减少出血。

## 晚期产后出血

晚期产后出血是指产妇分娩24小时后在产褥期内发生的子宫大量出血，其中产后出血发生率约为1.29%，足月产后为0.5%，自然产后为4.5%，剖宫产后为0.27%。多发于产后1～2周，亦有产后6周发病者。临床以少量（或中等量）阴道出血，持续（或间断，或突然）大量出血为特征，出血多时常导致严重贫血、休克，甚至危及生命。

本病中医学属“产后恶露不绝”、“产后血崩”等范畴，为妇产科危重症。其机制主要为冲任不固、气血运行失常，虚、热、瘀为其基本的病理特征。

**【必备验方】**

1. 月季花6克，玫瑰花9克。水煎，每日1剂，代茶饮。适用于血瘀气滞型产后恶露不绝。

2. 蒲公英、牡丹皮各10克，赤小豆30克，败酱草、赤芍、腊梅花各9克，益母草、薏苡仁各15克。水煎，每日1剂，分2次服。适用于血热兼湿盛型产后恶露不绝。

3. 女贞子25克，墨旱莲30克，鳖1只（小者）。将女贞子、墨旱莲布包，与鳖（去内脏、肠杂）同炖熟，去药包，加生姜、食盐调味，分2次服。

4. 母鸡1只，黄芪、党参、山药各30克，干姜10克，大枣10枚（去核）。将母鸡去毛及肠杂、洗净，纳后5味（布包）入鸡腹内，隔水蒸熟，去药渣，切块，加食盐调味，分2日服食。

5. 红花6克，熟地黄、赤芍、煨莪术、全当归、炒蒲黄、陈黑豆、干姜、肉桂各30克。同以适量香油熬，黄丹收膏。每取30克，摊贴于丹田处，3日1换，连用3～5次。适用于产后瘀血浊液聚于胞宫所致腹痛、恶露不绝。

**【名医指导】**

1. 注意做好妊娠期保健及营养调护，加强早期妊娠检查，提倡住院分娩。

2. 分娩后绝对卧床休息。恶露多者要注意阴道卫生，每日用温开水或1∶5000高锰酸钾溶液清洗外阴部。选用柔软消毒卫生纸，经常换月经垫和内裤。

3. 保持情绪平稳，心情舒畅，避免大喜、大悲；要注意意外的精神刺激。

4. 保持室内空气流通，但要注意保暖，避免受寒。

5. 恶露减少、身体趋向恢复时鼓励产妇适当起床活动，以助于气血运行和胞宫余浊的排出。

6. 产后未满50日绝对禁止房事。

7. 饮食宜清淡，忌生冷、辛辣、油腻、不易消化食物。多吃新鲜蔬菜。气虚者，可予鸡汤、桂圆汤等；血热者，可温服梨、橘子、西瓜等水果；血热、血瘀、肝郁化热者，可服藕汁、梨汁、橘子汁、西瓜汁等；脾虚气弱者，遇寒冷季节可增加羊肉、狗肉等温补食品；肝肾阴虚者，可增加滋阴食物如甲鱼、龟肉等。

8. 注意观察血压、脉搏及全身情况，做到及时发现、及早处理。

## 产褥感染

产褥感染是指分娩时及产褥期生殖道受病原体感染而引起局部（或全身）的炎性感染，发病率为1%～7.2%，是产褥期最常见的严重并发症。产褥病是指分娩24小时以后的10日内用口表每日测量4次，体温有2次达到或超过38℃。可见产褥感染与产褥病的含义不同。虽造成产褥病的原因以产褥感染为主，但也包括产后生殖道以外的其他感染与发热，如泌尿系感染、乳腺炎、上呼吸道感染等。

本病中医学属“产后发热”范畴。主要为孕妇产后体虚，感染邪毒，正邪交争，或败血停滞，营卫不通。如热毒不解，极易传入营血或内陷心包。临床主要分为感染邪毒、热入营血、热陷心包、血瘀阻滞等证型。

**【必备验方】**

1. 茶叶5克，益母草60克，鸡蛋10个，食盐、黄酒、八角茴香各适量。同煎至蛋熟，将蛋壳轻轻敲破，以小火慢煮2小时，食蛋，每日2～3个。适用于产后发热。

2. 绿茶、荆芥、紫苏叶各6克，生姜2克（洗净，切片），冰糖50克（后下）。加水500克煎5分钟，取汁；其渣加水复煎，2次煎液混匀，汤约500克，过滤，装入冰糖煮溶，分2次服（半小时1次）。适用于产后发热。

3. 射干6～10克（洗净，剁成细末），鸡蛋1个（去壳）。混匀，按常法煎炒食，每日1次，连服3～5次。忌食豆类、生冷等物，勿同时服解表发汗药。适用于产后泌尿系统感染。

4. 滑石20～30克，瞿麦10克，粳米50～100克。将滑石（布包）与瞿麦水煎，去渣，入粳米煮为稀粥，每日1剂，分2次食，3～5日为1个疗程。

5. 鲜冬瓜500克，绿豆50克，白糖适量。煮汤服。适用于防治泌尿系统感染。

**【名医指导】**

1. 产前加强营养，纠正贫血，积极治疗妊娠期高血压疾病及其他并发症；预防和治疗滴虫阴道炎或真菌性阴道炎。妊娠末期禁止性交和盆浴，禁止一切阴道治疗。

2. 临产时应加强营养，注意休息，避免过度疲劳；接生器械要严格消毒；尽量减少出血及撕伤。

3. 产后应采取半卧位；要注意卫生，尤其要保持会阴部清洁；尽量早期起床，以促使恶露早排出。

4. 注意营养，多喝水；产褥期禁止性生活。

5. 产后注意保暖、避风寒、慎起居；洗脸、刷牙，均宜使用温水，勿用冷水。

6. 一旦确诊患为产褥感染，应及时住院治疗；必要时应暂停母乳喂养。

## 产褥中暑

产褥中暑是指产妇在产褥期间因体内余热不能及时散发而引起中枢性体温调节功能障碍的急性热病。临床上主要表现为高热，水、电解质代谢紊乱，循环衰竭及神经系统功能损害等。本病起病急骤，病情发展迅速，如果处理不当常遗留严重的中枢神经系统障碍的后遗症，甚至死亡。

本病中医学属“产后发热”范畴。临床以产褥期内出现壮热、烦渴、汗出为主症，主要分为暑入阳明、暑伤津气、暑犯心包等证型。

**【必备验方】**

1. 绿豆50克（煮烂），鲜丝瓜花8朵。煮汤食。用于预防及治疗中暑。

2. 冰片1克，生石膏30克。共为细末，每服15克，开水送下。适用于中暑发热、胸闷不适。

3. 青蒿、白扁豆各6克，连翘、云苓、西瓜皮各10克，通草、生甘草各3克。水煎服。适用于中暑湿证。

4. 牛黄1.2克，赤金箔10张，冰片1.8克，蟾酥3克，硝石9克，滑石12克，煅石膏60克。共研细末（瓷瓶储存，不可泄气），每取适量，吹鼻中。适用于中暑昏倒或急痧腹痛。

5. 食盐1把。揉擦两手腕、双足心、两胁、前后心等处（以出现许多红点为度）。适用于先兆中暑或轻度中暑。

**【名医指导】**

1. 产后1～2日最好食清淡、易消化的食物，以后再逐渐增加含有丰富蛋白质、糖分以及适量脂肪的食物，多喝水；注意补充维生素及矿物质，可多食新鲜水果蔬菜等（但应温服，不能太凉）。

2. 保持居室通风，避免室温过高；产妇衣着应宽大透气，以舒适为度。

3. 发生产后中暑，在初步处理后应尽早尽快送往医院做进一步处理。

4. 产后可经常用温水擦浴、勤换衣服，以避免产后中暑。

5. 在夏天分娩，切忌包额头，也不能穿厚实的长衣、长裤和袜子。住房必须通风凉爽，但应注意避免冷风直接吹在身上。

6. 如有中暑先兆，立即将产妇移至凉爽通风处解开衣服，多喝凉开水或盐开水。

7. 重度中暑时迅速将患者移至通风处，用冰水或冰水加乙醇全身擦浴，在头、颈、腋下、腹股沟浅表大血管分布区放置冰袋，并尽早尽快送往医院救治。

## 产褥期抑郁症

产褥期抑郁症是指产妇在分娩后出现抑郁症状，是产褥期精神综合征中最常见的一种类型。通常在产后2周出现症状，表现为易怒、恐怖、焦虑、沮丧、对自身及婴儿健康过度担忧，常失去生活自理能力，有时还会陷入错乱或嗜睡状态。

本病中医学属“产后发狂”、“产后癫狂”、“产后脏躁”、“产后乍见鬼状”等范畴。

临床主要有心脾两虚、肝郁气结、瘀阻气逆等证型，治疗以安神定志为主，虚者补益心神、实者镇惊开窍。

**【必备验方】**

1. 石菖蒲、苍耳子各9克，皂角、冰片各5克，细辛17克。共研细末（装有色瓶中密封备用），放入小喷雾器内，喷鼻腔2～3次即可，每日2～3次。适用于幻觉、妄想、迟钝木僵、自语自笑或痛哭不止等。

2. 槟榔200克，陈皮20克，丁香、豆蔻、砂仁各10克，丝瓜络、苦杏仁各15克，食盐100克。水煎至干，将槟榔取出切成黄豆大小颗粒，含服，每日4～5次。适用于肝气郁结型抑郁症。

3. 当归10克（浸软），生姜20克（切片），羊肉500克（沸水余，切片），八角茴香1枚，花椒5～10粒，大蒜5瓣，葱、黄酒、食盐各适量。同炖熟，去当归、生姜，加入少量味精、葱花即可。

4. 取穴：双足三里、双内关。直刺，足三里进针1.5寸，内关进针0.5寸，捻转强刺激，得气后留针15分钟。

5. 龙胆20克，大黄、青皮各10克。水煎，取汁150毫升，保留灌肠，每次15～20分钟，每日1次。

**【名医指导】**

1. 减少孕产妇精神紧张，进行产前、产后培训，减轻孕妇对分娩的紧张、恐惧心理。

2. 保持良好的生活习惯，保证充足的睡眠，适度锻炼身体；饮食营养丰富，多吃谷物、蔬菜和水果。

3. 学会动员全家共同带小孩，以减轻自己心理上的压力，如请丈夫帮助完成家务和夜间喂奶的工作，请家人帮助准备食物或者处理家务等。

4. 可以多和其他人尤其是新妈妈交流育儿经验，以缓解心理担忧。

5. 可以带小孩到空气新鲜、阳光温暖的室外进行户外活动，有利于放松身心紧张及宝宝的成长。

6. 带小孩之余，可以做自己喜欢的事情，如听音乐、做适当的运动等。

7. 简化生活，避免改变，在妊娠和分娩后1年内，不要做出任何重大生活改变。

## 产后缺乳

产后缺乳是指产妇在产后2～10日内没有乳汁分泌或分泌乳量过少，与产妇的精神、情绪、营养状况、休息均有关。任何精神上的刺激，如忧虑、惊恐、烦恼、悲伤都会减少乳汁分泌，可能由乳腺发育较差、产后出血过多或情绪欠佳等因素引起，或因乳汁不畅所致。临床表现为产后乳汁少或完全无乳，乳房松软不胀，乳汁清稀，或乳房胀硬疼痛，乳汁浓稠。

本病中医学称“乳汁不行”、“乳汁不足”。本病有虚、实之分，虚者多为气血虚弱、乳汁化源不足所致，一般以乳房柔软而无胀痛为辨证要点；实者因肝气郁结或气滞血凝所致，一般以乳房胀硬或痛，或伴身热为辨证要点。临床治疗虚者宜补而行之，实者宜疏而通之。

**【必备验方】**

1. 莴苣子100克，糯米、粳米各50克，甘草25克。加水1200毫升，煎至700毫升，去渣，分3次温服，1～2剂即可见效。适用于产后脾胃虚弱所致血虚缺乳者。

2. 红衣花生、玉米渣、大米各100克。将玉米渣、花生加水煮至五成熟，入大米及适量清水，以小火熬成粥，加糖调服。

3. 猪蹄筋350克，鸡脯肉50克，鸡蛋3枚（取蛋清），料酒、食盐、葱末、生粉各适量。将蹄筋切段，水煎片刻，捞起；鸡脯肉去筋，放在肉皮上，敲成细茸，放碗中用水化开，加料酒、食盐、生粉、蛋清调成薄浆；锅内调入清油烧熟，放入蹄筋和调味品炒至入味，徐徐倒入鸡茸浆，浇上葱油即可。适用于产后亏损所致乳汁缺乏。

4. 西红柿3个（约300克）或山楂50克，猪骨头500克，粳米200克，食盐适量。将猪骨头砸碎，用开水焯一下捞出，与西红柿（或山楂）加适量清水，以旺火煮沸，转小火煎30～60分钟，去渣，入粳米煮成粥，入适量食盐调服。

5. 鲜鲫鱼2条（约500克），鸡蛋1个，

生姜丝5克，食盐6克，植物油15克。将鲫鱼去鳞、鳃、内脏，洗净，在鱼身两侧划几道斜花刀，加沸水及食盐5克，煎1分钟左右，连汤盛入碗内；鸡蛋打碗内，加清水125克、食盐1克搅匀，隔水蒸熟，取出，放入鲫鱼，浇入原汤，撒上生姜丝，淋上植物油，隔水蒸5～10分钟，即可食用。

**【名医指导】**

1. 妊娠期做好乳头护理。产检时发现乳头凹陷者应把乳头向外拉；常用肥皂擦洗乳头。

2. 提倡早期哺乳、定期哺乳；母婴同室，早接触、早吮吸，于产后30分钟内开始哺乳，尽早建立泌乳反射。

3. 养成良好的哺乳习惯：按需哺乳、定时哺乳，一侧乳房吸空后再吸另一侧。若乳儿未吸空，应将多余乳汁挤出。

4. 注意营养和休息。要保证产妇充分的睡眠，避免劳累；加强营养，但不要太过滋腻，应鼓励产妇少食多餐，多食新鲜蔬菜、水果，多饮汤水，多食催乳食品如花生米、黄花菜、木耳、香菇等。

5. 保持心情乐观、舒畅，避免精神刺激。

6. 发现乳汁较少时要及早治疗，一般在产后15日内治疗效果较好。

## 产后乳汁自出

产后乳汁自出是指乳房不能储存乳汁、乳汁不经婴儿吸吮而自然流出，属于病理性溢乳。多为气虚中气不足，产后过于忧虑、悲伤使乳汁外溢所致。

本病中医学又称“漏乳”、“产后乳汁自溢”、“产后乳汁自漏”等。主要为胃气不固，乳失摄纳；或因肝经郁热，迫乳自出。

**【必备验方】**

1. 大枣（去核）、柴胡、栀子、牡丹皮各15克，牡蛎肉60克（鲜品），黑豆30克（用水浸1小时）。加适量清水，以武火煮沸后改文火煮2～3小时，加食盐调服。适用于产后乳汁自出肝经郁热证。

2. 柴胡、郁金各10克，莲子（去心）15克（研粗末），粳米100克，白糖适量。将柴胡、郁金水煎，去渣，入莲子、粳米煮成粥，加入白糖调服。适用于防治产后乳汁自出肝气郁结证。

3. 光嫩母鸡1只（洗净，切块），炒麦芽60克（布包），熟猪油15克，鲜汤2000克，食盐10克，味精3克，胡椒粉1克，大葱、生姜各5克。将猪油烧热，入葱、生姜、鸡块煸炒几下，入鲜汤、麦芽、食盐，用小火炖1～2小时，加味精、胡椒粉，取出麦芽包即可。

4. 人参10克，大米60克。将人参水煎，取汁备用；大米煮成粥，加入人参汁兑服，每日1剂，3～5日为1个疗程。适用于气虚血弱型产后乳汁自出。

5. 焦山楂、焦六神曲各10克，焦麦芽30克，山茶花6克，牡丹皮9克。水煎，代茶饮，每日1剂。适用于肝郁型产后乳汁自出。

**【名医指导】**

1. 注意休息，切忌操劳过度。

2. 勤换衣服，可在文胸内垫小毛巾或纱布，及时更换，保持乳头、乳晕的干燥清洁，避免乳汁浸渍皮肤，发生湿疹或炎症。

3. 上衣宜宽松适度，不宜过紧，以免乳房受压，乳汁外溢更多。

4. 养成定时哺乳习惯，对哺乳不尽或乳房有胀痛时，可适当定时挤乳，从乳房根部向中间挤压，防止形成乳腺炎。

5. 宜食富含营养食物，如母鸡汤、桂圆汤、大枣红豆汤等。

6. 产后进行适当的锻炼。

7. 保持情绪乐观，心情舒畅。

8. 若经调理后，溢乳情况未见改善，溢出为血性乳汁，乳房有块者，应警惕乳腺癌，及时到医院就诊检查。

## 产后便秘

产后便秘是指产妇产后饮食如常但数日不行大便或排便时干燥疼痛、难以解出，是最常见的产后病之一。

本病中医学称“产后大便不通”、“产后

大便秘涩”。为产妇素体阴血不足，产时用力汗出，产后失血过多或汗出不止，则津液亏损，肠道失于濡润，致大便艰涩，数日不解；或素体气虚，产时产后失血耗气，脾肺之气亦虚，脾气虚则升降无力，肺气虚则升降失司，大肠传送无力，致大便不解或难解。

**【必备验方】**

1. 猪大肠、海参（泡发，切条，沸水氽）各200克，黑木耳50克，葱、生姜各5克，酱油10克，料酒50克。将大肠入沸水氽后加水煮至五成熟，入海参、葱、生姜、料酒、酱油煮熟，入木耳煮熟即可。

2. 桑椹、白糖各30克，黑芝麻60克（炒香），火麻仁、柏子仁各10克，糯米粉700克，粳米粉300克。将桑椹、火麻仁、柏子仁水煎，取汁与糯米粉、粳米粉、白糖揉成面团，做成糕，撒上黑芝麻，隔水蒸15～20分钟，每日早饭食。

3. 大黄（研细末）、芒硝各5克。共研细末，水调敷于脐孔处，外用敷料包扎、胶布固定，每日换药1次，连用1～2次。或生大黄粉3克。以50～60度白酒调敷于神阙（肚脐）穴，外用敷料包扎、胶布固定，每日于局部用50～60度白酒约5毫升加湿1次，3～5日换药1次。

4. 排便时从盲肠经横结肠向降结肠作“の”字形按摩。排空小便，仰卧床上，用右手掌根部紧贴腹壁，左手叠在右手背上，双手用力，按右下腹→右上腹→左上腹→左下腹的顺时针方向循环按摩，手法从轻到重，每2秒按摩1圈，连按100次。

5. 指压穴位法：排便前用双手（各1指）压迫（或揉摩）迎香穴（鼻翼两侧的凹陷处）5～10分钟，也可按压足三里穴（外膝眼穴下10厘米）数分钟（以自觉酸胀麻为宜）。

**【名医指导】**

1. 产后应保证充足的休息，随着宝宝的生物钟，调整自己的睡眠时间。

2. 保持适当活动：一般自然分娩后6～8小时产妇可坐起，进行翻身活动，采取多种睡姿或坐姿，也可自己轻轻按摩下腹部；第2日下床，在室内来回走动，以不疲劳为宜，但避免长时间下蹲、站立。对于剖宫产无合并症者，于产后第2日试着在室内走动，如有合并症则要遵循医师要求，不可过早下床活动。

3. 正常顺产者从分娩第2日开始，宜做有效的提肛运动。具体如下：

（1）双脚膝盖弯曲，类似分娩前做妇科检查的姿势。

（2）收缩骨盆底肌肉，类似解小便中途忽然憋住的动作。

（3）持续收缩约10秒，再放松10秒，如此重复15次，每日1次。

（4）少吃辣椒、胡椒、芥末等刺激性食物，尤其不可饮酒。

4. 宜多吃纤维素多的食物，如山芋、粗粮、芹菜等各种绿叶蔬菜；多吃水分多的食物，如雪梨等水果；多吃能够促进肠蠕动的食物，如蜂蜜、香蕉、芋头、苹果等；多吃富含有机酸的食物，如酸奶；多吃富含脂肪酸的食物，如花生米、松子仁、黑芝麻、瓜子仁等。宜多喝汤，如鸡汤、鱼汤等；宜多饮水，如补充白开水、淡盐水、菜汤、豆浆、豆汁等。

5. 产妇禁用大黄及以大黄为主的清热泻下药，如三黄片、牛黄解毒片、牛黄上清丸等。可以使用不太刺激肠胃又不会产生依赖性的缓泻剂，如开塞露塞肛。如果仍不能解决便秘。则遵医嘱在医院进行肥皂水灌肠。

## 产后排尿异常

产后排尿异常是产后常见并发症，主要为产后尿潴留、小便频数与失禁，以前者为多见。

### 产后尿潴留

产后尿潴留是指产后膀胱充盈而不能自行排尿或排尿困难，主要为排尿反射功能失调，膀胱紧张度及感受性降低，多由疼痛刺激，精神和心理因素，药物因素等所致，尿常规检查多无异常。

本病中医学称“产后小便不通”。主要症状为产后小便不通，小腹胀急疼痛。若伴有精神委靡，多为气虚；若伴有腰膝酸软，多

为肾虚；若有情志抑郁，多为气滞；若小腹胀满刺痛，乍寒乍热，多为血瘀。

**【必备验方】**

1. 巴戟天 24 克，核桃仁 30 克，猪腰 2 个（约 150 克）。将猪腰洗净，去脂膜，切片；余料洗净。同放入炖盅，加适量开水（炖盅加盖），以文火隔开水炖 2 小时，加食盐调服。适用于产后尿潴留肾阳虚者。

2. 茉莉花 3 克，冬瓜 250 克，食盐适量。将冬瓜加水 300 毫升煮熟后，入食盐、茉莉花焖 2～5 分钟，即可食用，每日 1 次。适用于湿热而致产后小便不利者。

3. 艾条 1～2 支。取关元、中极、三阴交（双）等穴，艾条距施灸穴位 3～5 厘米，每穴灸 5～7 分钟（至局部皮肤红润并有灼热感），以上穴位轮流灸治。至自行排尿为止。

4. 芥籽末 5 克。温水调涂于 1 块 20 平方厘米的正方形布上，贴于小腹膀胱胀满部位，上敷 1 条毛巾后置 1 热水袋，热熨，每次 10～15 分钟，每日 2 次（交换左右部位），连用 2 日。注意：芥籽泥对皮肤刺激性强烈，热敷时间不宜过长。

5. 食盐 30 克，大葱 5 根（葱白），艾炷数个。将食盐炒热，大葱捣烂做成饼，备用；适温时将食盐填入脐内，上置葱饼，再把艾炷放葱饼上点燃，待有热气入腹难忍即有尿意。小便自解后，隔日再灸 1～2 个。

**【名医指导】**

1. 保持情绪平稳，消除焦虑和紧张情绪；以免情绪紧张加重平滑肌痉挛使排尿困难。

2. 在妊娠期多运动；加强腹肌锻炼，可避免妊娠时腹壁持久扩张，产后松弛，腹压下降，无力排尿。

3. 在排尿前即可采用按摩法协助排尿，即将手置于下腹膀胱处向左右轻轻按摩，排尿后还可再用手掌自膀胱底部向下推移按压，以减少膀胱余尿。

4. 调整体位和姿势：酌情协助卧床患者取适当体位，多坐少睡，不要总躺在床上。顺产产妇，可于产后 6～8 小时坐起来；剖宫产术后 24 小时可以坐起。尽可能以习惯姿势排尿；需绝对卧床休息或剖宫产手术的产妇应有计划的训练床上排尿，以免因不适应排尿姿势的改变而导致尿潴留。

5. 产后会阴侧切或会阴撕裂造成外阴创伤疼痛，可反射性引起膀胱括约肌痉挛而发生产后尿潴留。此时应及时寻求医师帮助。

6. 小腹部膀胱处疼痛难忍、触之即有尿意却排不出，应立即就医；出现尿频、尿急、发热、有异常恶露，应及时就医。

## 产后尿失禁

产后尿失禁是指产后排尿次数增多（甚至日夜数十次）或排尿部分（或完全）失去控制、不能自主排出，是由于分娩时，胎儿先露部分对盆底韧带及肌肉的过度扩张，使支持膀胱底及上 2/3 尿道的组织松弛所致；手术产如产钳、臀先露牵引损伤所致。体力不佳、产后咳嗽及一切增加腹压的因素均可影响盆底组织复旧而发生张力性尿失禁。

本病中医学可归属于“产后小便数候”、“产后尿血候”、“产后遗尿候”等范畴，统称“产后排尿异常”。病因为膀胱气化失职所致，与肺、肾有密切关系。因肾司二便，与膀胱为表里；肺主一身之气，通调水道，下输膀胱。产时劳伤气血，脾肺气虚，不能制约水道；或多产早婚，房劳伤肾，肾气不固，膀胱失约所致；产程过长或处理不当，损伤膀胱而发生产后尿失禁。如小便频数或失禁，其量昼夜相等，多属于气虚；如夜尿特多或遗尿，多属肾虚；至于膀胱损伤者，多有产伤史，小便常夹有血液。

**【必备验方】**

1. 鲫鱼 1 条（约 250 克），笋肉 25 克，水发香菇 5 朵，调料适量。将笋肉、香菇分别洗净，切片；鲫鱼洗净，用黄酒、食盐、胡椒粉腌渍 20 分钟，取出置碗内，鱼身中间摆放香菇片，两头列入笋片，加黄酒、葱段、姜片、味精各少许，隔水蒸 1.5～2 小时，去葱、姜，即可食用。适用于产后尿失禁。

2. 莴笋 250 克，海蜇皮 150 克，芝麻酱 30 克，调料适量。将莴苣去皮、切丝，盐渍 20 分钟，挤干水分；海蜇皮洗净切丝，用凉水淋冲、沥水。两者相合，调入芝麻酱、香油、白糖、食盐、味精拌匀，佐餐食。适用

于产后尿失禁。

3. 猪大肠250克，生姜2片，巴戟天30克，食盐适量。将猪大肠洗净，纳巴戟天入内，加水4碗，置炖盅中，入生姜、食盐，隔水炖2小时即可。适用于产后小便频数、尿失禁。

4. 益智、炮姜、炙甘草、肉桂30克。共研细末，每用5克，加葱白（带根须）1段捣成饼状，敷脐部，上用暖水袋热敷30～60分钟，24小时1次。适用于产后尿失禁。

5. 吴茱萸、附子、桑螵蛸（烧炭存性）、油桂、小茴香各10～15克。共研细末，每取20～30克，黄酒调涂于脐窝，外以纱布遮盖、胶布固定（痒即去药），连敷3～4次。

**【名医指导】**

1. 尽量避免分娩时间过长及手术产过程中产钳、臀先露牵引损伤所致的尿失禁。

2. 可进行盆底肌锻炼防治尿失禁。具体方法为仰卧在床，双脚屈膝微开7～8厘米，收紧肛门、会阴及尿道5秒，然后放松，心里默数5下再重做，每次做10次左右；同时有规律地抬高臀部离开床面，然后放下，每次做10次左右。起初收紧2～3秒即可，逐渐增至5秒，站立或坐立时亦可进行此动作。

3. 腹肌锻炼：

（1）仰卧屈膝，双手放在大腿上，深吸一口气，呼出时收缩腹肌，将头及肩抬起，维持5秒后放松。

（2）双臂放在身体两侧，举起腿与躯干垂直，然后慢慢放下，另一只腿做同样动作，如此轮流交换举腿5次，每日1～2次。

（3）双腿放平，双手托枕部，利用腹肌收缩的力量使身体慢慢坐起来，反复多次，促进子宫收缩及回位。

（4）俯卧在床，将枕头置于腹下，保持15分钟，俯卧时注意勿压迫双侧乳房。

（5）仰卧屈曲右膝，伸长左脚，收缩臀部及下肢肌肉，默数5下，然后放松，再做左脚。

4. 养成良好的饮食习惯，宜多喝水，多吃水果、高纤维食物，预防便秘，减轻腹压。

5. 产前宜做好准备，可适当进行会阴肌肉的运动、产前会阴按摩及盆底肌运动。

6. 在发病期间，宜使用成人纸尿裤，保持外阴干燥，预防阴道、泌尿道感染。

7. 适当进行憋尿训练，在训练期间不宜太急，应全身放松，劳逸结合。

## 产后腹痛

产后腹痛是指分娩后由于子宫强烈地阵发性收缩而引起小腹剧烈疼痛，多见于经产妇。

本病中医学亦称“产后腹痛”。其包括腹痛和小腹痛，其中以小腹痛最为常见；多由于血瘀、气血虚或感受风寒所致。以产后瘀血凝滞（或风冷夹瘀血）为主者称“儿枕痛”，小腹部可摸到硬块，有明显压痛，常兼见恶露不畅或不下，胸腹胀满，脉多弦涩有力，有偏寒、偏热的不同。气血虚者易外感风寒，多见腹痛喜热按，往往摸不到硬块，头昏目眩，体倦畏冷，甚则心悸、气短、舌质淡，脉虚细或弦涩；如夹瘀血，则少腹硬痛，舌质多紫暗；兼气滞者则有胸闷腹胀、大便溏薄等症。

**【必备验方】**

1. 党参、白术、茯苓、炙甘草、熟地黄、白芍各10克，当归15克，川芎7.5克，肥母鸡1只，猪肉、杂骨各500克，生葱、生姜各少许。将母鸡常规整理干净，猪肉切碎，杂骨打碎，余药洗净（布包）；同加适量水烧开，去浮沫，加入姜、葱，以文火煮熟，去药包，食肉及汤。适用于血虚气弱型产后腹痛。

2. 山楂糕300克，淀粉、精面粉各50克，白糖150克，蜂蜜30克，植物油500克（实耗50克）。将淀粉、面粉水调成糊，山楂糕切，放入糊中搅匀，以烧至六七成热的植物油中（不能粘连）炸至金黄色；另锅内少许水，入白糖、蜂蜜，以文火熬至水尽将成块时，倒入山楂条炒匀，待冷装瓶，每日服2～3次。适用于产后瘀血腹痛。

3. 赤小豆50克，鲜鲤鱼1条（约500克），陈皮、黄花各5克，调料适量。将鲤鱼去鳞及内脏，洗净，纳赤小豆、陈皮、黄花以及调料入鱼腹内，灌入鸡汤，隔水以旺火蒸1小时即可。适用于血虚型产后腹痛。

4. 鸡血藤30克，紫花地丁、艾叶、香附、葱白各20克，生姜12克。加适量水蒸炒（装入小布袋），适温时，外熨腹部（冷则再热），每次20～30分钟，每日1次。适用于产后体虚，风寒之邪乘虚入侵胞脉，或产后郁怒伤肝，肝郁气滞而致腹痛。

5. 猪牙皂2.5克，细辛1.5克，葱白3根，生姜3片。将猪牙皂、细辛共研细末，葱白、生姜同捣烂，然后与前药粉同捣匀，以醋和酒调敷于印堂穴（外覆敷料、胶布固定），每日2次。适用于产后小腹痛。

**【名医指导】**

1. 妇女生产后要注意保暖。保证充足的休息，尽早下床活动。

2. 饮食宜清淡，不吃生冷食物。山芋、黄豆、蚕豆、豌豆、牛奶、白糖等容易引起胀气，宜少吃。

3. 保持大便畅通，便质以偏稀为宜。

4. 如果腹痛较重并伴见高热（39 ℃以上），恶露秽臭色暗者，应速送医院诊治。

5. 可请医师行按摩法减轻腹痛。

6. 禁止房事。

7. 产后腹痛多见于经产妇，故应做好计划生育工作。

8. 产妇在产后应保持情绪平稳，消除恐惧与精神紧张。

9. 密切观察子宫缩复情况，注意子宫底高度及恶露变化。如疑有胎盘、胎衣残留，应及时检查处理。

# 第二十七章 月经疾病和乳腺疾病

## 功能失调性子宫出血

功能失调性子宫出血（简称功血）是指由于卵巢功能失调而引起的子宫出血，分为无排卵型功血和排卵型功血。临床表现为月经周期失去正常规律，经量过多，经期延长，甚至不规则阴道流血等。无排卵型功血是排卵功能发生障碍，好发于青春期及围绝经期；排卵型功血系黄体功能失调，多见于育龄妇女。主要症状为月经周期紊乱、经量增多、出血时间延长、淋漓不净等。

本病中医学属“月经先期”、“月经后期”、“月经先后无定期”、“月经过多”、“月经过少”、“经期延长”、“经间期出血”、“崩漏”等范畴。崩漏系指妇女在非行经期间阴道大量出血或持续淋漓不断者，前者称“崩中”或“经崩”，后者称“漏下”或“经漏”。中医学认为，本病多与肾有密切关系，与肝、脾及血瘀等也有一定联系。

### 无排卵性功血

无排卵型功血多见于卵巢开始成熟的青春期和卵巢开始衰退的围绝经期。由于卵巢功能低下，分泌雌激素不足，而不能对垂体产生正常的负反馈作用，没有促黄体生成激素的高峰出现，卵泡虽能发育但不会成熟，所以没有排卵。子宫内膜在雌激素长时间作用下，表现为过度增生。临床表现为停经一段时间后发生出血，出血量多，持续时间长；也有表现为经量多、经期长。妇科检查一般正常，基础体温呈单向，阴道脱落细胞学涂片看不出孕激素作用，子宫内膜病理学检查没有分泌期变化。

本病中医学属“崩漏”范畴。其病机主要为冲任损伤，不能制约经血，胞宫蓄溢失常，经血非时而下。临床常见有血热、肾虚、脾虚、血瘀等证型。

**【必备验方】**

1. 芍药 30 克（炒黄），侧柏叶 180 克（微炒）。加水 1 升煎至 0.6 升，入酒 0.5 升煎取 0.7 升，空腹分 2 次服。适用于崩中、下血不止、小腹痛。

2. 牡蛎适量。火煅研细，醋调成丸，再煅至通红，候冷研细（出火毒），用醋调艾末熬成膏，和丸（如梧桐子大），每服 50 丸，醋艾汤下。适用于月水不止。

3. 木贼、香附、芒硝各 30 克。共为末，每服 9 克，色黑者以酒 1 盏煎服，红赤者以水 1 盏煎服，每日 2 服。脐下痛者，加乳香、没药、当归各 3 克。忌生冷、硬物、油腻和酒。适用于血崩。

4. 地黄、山药、附子、黄芩、茯苓、五味子、海螵蛸、牡丹皮、三七、肉桂各 20 克。共研细末（装胶囊），每服 6 粒（出血多者加倍），每日 3 次，1 个月为 1 个疗程。适用于肾虚型功血。

5. 肉桂、沉香各 3 克，当归 9 克，玄明粉 5 克，艾叶、香附、小茴香、吴茱萸各 6 克。共研细末，装入双层消毒纱布袋中，敷于脐部，外用绷带固定，以热水袋置于药袋上，每次 30 分钟，每日 3 次。适用于肾气虚寒型功血。

**【名医指导】**

1. 重视经期卫生，勤换内裤及月经垫等月经用品，用温开水或外阴清洁剂清洗外阴的血污，避免盆浴。

2. 月经期间禁止性生活。

3. 尽量避免或减少宫腔手术。

4. 早期治疗月经过多、经期延长、月经先期等出血倾向的月经病。

5. 经期禁忌食品包括：雪梨、马蹄、石耳、生石花、地木耳等寒凉食品；肉桂、花椒、丁香、胡椒、辣椒等辛辣刺激食品；菱角、茭笋、冬瓜、芥蓝、蕨菜、黑木耳、兔肉等损伤脾胃或肾气食品。

6. 饮食营养丰富，可多吃补血之品，如大枣等。

7. 保持心情舒畅，避免紧张、焦虑；月经期间注意多休息，避免重体力劳动及提重物等。

8. 注意早睡早起，养成良好的睡眠习惯；注意避风寒、防感冒。

## 排卵性功血

排卵型功血是指下丘脑-垂体-卵巢轴反馈机制已建立，卵巢有排卵，但黄体功能异常；分为黄体功能不全和黄体萎缩不全。前者在月经前刮取子宫内膜表现为分泌不良，临床表现为月经周期缩短或月经前点滴出血；黄体萎缩不全表现为子宫内膜脱落不全，于月经第5日刮取子宫内膜仍有分泌期变化，临床表现为经期延长、基础体温呈双向。

本病中医学属“月经失调”范畴。主要为外感六淫，内伤七情，以及饮食、起居、环境改变等因素所致。其机制与肝、脾、肾及冲任等脏腑功能失常，气血阴阳失调有关，与妇女“血少气多”的生理特点也有联系。

**【必备验方】**

1. 黑木耳30克，大枣20枚。煮汤服，每日1次。适用于气虚型月经过多。

2. 当归、生姜各10克，羊肉片100克。同煮熟后，加盐调服。适用于月经后延、量少、腹冷痛等症。

3. 鹿衔草、金樱子各30克。水煎，每日1剂，分2次服，连服3～4剂。适用于少女脾肾虚弱型月经先期。

4. 鲤鱼500克（取肉），黄酒260克。同炖食。鱼骨焙干研末，每日早晨用黄酒冲服。适用于经多不净者。

5. 血竭12克，白胡椒、郁金、制乳香、制没药各9克，麝香0.6克，莪术9克，猪膀胱1个，大曲酒1000克。将前7味共为细末，和大曲酒装入猪膀胱内（用线扎口），敷于痞块处，用带束固定。无痞块者，束于肚脐以上，7日后去掉。适用于月经不调腹内有痞块者。

**【名医指导】**

1. 注重个人卫生，保持外阴局部清洁；月经期间严禁性生活，防感染。

2. 宜食营养丰富、清淡的食品，如富含维生素C的新鲜瓜果、蔬菜；避免辛辣刺激温燥之品、过于寒凉之品。经前期保健食品有大米、包心菜、韭菜、芹菜、橘子等；经后期保健食品有牛奶、猪胰、胡萝卜、红花等；经前、经后均可食海带、干枣、豆腐皮、高粱、薏苡仁、羊肉、苹果等。

3. 保持心情舒畅、情绪平稳，避免七情过极；平时可加强体质锻炼，经期避免重体力劳动和剧烈运动。

4. 出血期间适当休息，避免过度劳累，防止感染；反复出血、病情绵延不愈者应当积极治疗。

5. 出血时注意外阴清洁，勤换内裤及月经垫等月经用品；经期一定要每日清洗，可用外阴清洁剂或温开水清洗（但应避免盆浴）。

# 闭　经

闭经指从未有过月经或月经周期已建立后又停止的现象，分为原发性闭经和继发性闭经两类。前者为年满14岁尚无月经来潮而第二性征不发育者或年满16岁尚无月经来潮不论第二性征是否正常者。多由先天性异常引起，包括卵巢或米勒组织的发育异常所致。月经已来潮又停止6个月或3个周期者称继发性闭经，多由继发性疾病引起。

本病中医学称“经闭”。其病因不外虚、实两类。虚者多因冲任空虚无血可下所致；实者多因冲任隔阻、经血不下所致。

**【必备验方】**

1. 鳖甲30克（捣碎），白鸽1只，米酒少许。将白鸽去毛和内脏，纳鳖甲入腹内，

加适量清水及米酒，隔水炖熟，调味后服食。适用于肝肾不足型闭经。

2. 黄花菜根、当归各20克，大枣5枚，黄芪、瘦猪肉各30克。将瘦猪肉切薄片，水煎20分钟，投入前4味以微火煎软，放入食盐，温服，每日2次，连服10日为1个疗程。

3. 红公鸡心、肝各1具，大枣4枚，黑矾120克，陈麦面120克。共研细末，调糊为丸（如梧桐子大），每服9克，每日1次，开水送下。

4. 益母草125克。加水1000毫升煎汤，先洗小腹，再取适量蚕沙炒热（布包），熨小腹。

5. 赤芍、桃仁、五灵脂、大黄、牡丹皮各5克，茜草、生地黄、当归、木通各10克。煎汤，温洗脐部，然后用麝香膏贴于脐部。

**【名医指导】**

1. 如果出现月经持续不来潮，应及时去医院查明病因并对症治疗；切不可讳疾忌医。

2. 若因消耗性疾病（如重度肺结核、严重贫血、营养不良等）及特有的内分泌疾病（如肥胖生殖无能性营养不良病等）导致者，应积极治疗原发病。

3. 避免精神刺激、悲伤忧虑、恐惧不安、紧张、劳累，以及环境改变、寒冷刺激等。

4. 避免压力过大，应学会自我调节；同时应避免对闭经置之不理、毫不在乎的心态。

5. 若为服用某些药物如长期口服避孕药引起的闭经，应停药观察，或改用他法。

6. 调整饮食习惯，不挑食、不偏食；多吃高蛋白食物，如蛋类、牛奶、瘦肉、鱼类、甲鱼、牡蛎、虾等，以及蔬菜、水果，以保证足够的营养物质的摄入。

7. 制定合理的作息时间，早睡早起；保证充足的睡眠，避免生物钟紊乱。

8. 保持规律的性生活。

## 痛　　经

痛经是指经期前后或行经期间出现下腹部痉挛性疼痛及全身不适而影响日常生活者，仅发生在有排卵的月经周期，分为原发性和继发性两种。经过详细妇科临床检查未能发现盆腔器官有明显异常者，称原发性痛经（又称功能性痛经），病因尚未明了。初潮不久后即出现痛经，有时与精神因素密切相关；也可能由于子宫肌肉痉挛性收缩，导致子宫缺血而引起痛经。多见于子宫发育不良、子宫颈口或子宫颈管狭窄、子宫过度屈曲，经血流出不畅，造成经血潴留而刺激子宫收缩所致。有的在月经期，内膜呈片状脱落，排出前子宫强烈收缩引起疼痛，排出后症状减轻，称膜性痛经。原发性痛经多能在生育后缓解。继发性痛经指生殖器官有明显病变者，多因盆腔炎症、肿瘤或子宫内膜异位症引起。子宫内膜异位症系子宫内膜组织生长于子宫腔以外，如子宫肌层、卵巢或盆腔内其他部位，同样有周期性改变及出血，月经期间因血不能外流而引起疼痛，并因与周围邻近组织器官粘连而逐渐加重，内诊可发现子宫增大较硬，活动较差，或在直肠子宫陷凹内扪及硬的不规则结节或包块，触痛明显。

本病中医学称“经行腹痛”、“经期腹痛”、“经痛”等。与素体禀赋及经期、经期前后特殊的生理环境有关。其病机主要为致病因素影响导致冲任瘀阻或寒凝经脉，使气血运行不畅，胞宫经血流通受碍，以致不通则痛；或冲任、胞宫失于濡养，不荣而痛。其病位在冲任、胞宫，变化在气血，表现为痛证。本病实证多见，虚证少见，亦有虚实夹杂。实证有气滞血瘀、寒湿凝滞、湿热蕴结之别，虚证有气血亏虚、肝肾亏损之不同。临床治疗以调理冲任气血为主。实证分别予以行气活血，或温经散寒，或清热利湿；虚证则予以补气养血，或补益肝肾；虚实夹杂者，治当兼顾。

**【必备验方】**

1. 鸡血藤30克，河蟹250克。加适量清水（置瓦罐中），以文火炖沸，调入适量米酒炖熟，热服，每日1剂，连用5～7日。适用于经前或经行小腹胀痛。

2. 干姜、艾叶各10克，薏苡仁30克。将前2味水煎取汁，薏苡仁煮粥至八成熟，兑入药汁同煮至熟。适用于寒湿凝滞型痛经。

3. 鲜韭菜 300 克，红糖 100 克。将韭菜洗净、沥干，切碎、捣烂，取汁备用；红糖加少许清水煮沸，兑入韭菜汁服。适用于气血两虚型痛经。

4. 红花 200 克，低度白酒 1000 毫升，红糖适量。将红花洗净、晾干，与红糖同装入净布袋内（封好袋口），放入酒坛中（加盖），密封浸泡 7 日，即可饮用，每日 1～2 次，每次 20～30 毫升。适用于血虚血瘀型痛经。

5. 延胡索 10 克，五灵脂 10 克，食盐 4 克，生姜 1 片。将前 3 味共研细末，每取 3 克敷于脐上，上盖生姜 1 片，用艾灸（以自觉脐内温暖为度），隔日 1 次。

**【名医指导】**

1. 功能性痛经经及时、有效治疗常能痊愈；器质性病变引起者，难获速效。

2. 注重经期、产后卫生，可以有效避免痛经发生。

3. 经期保暖，避免受寒；避免淋雨、下水。不可过用寒凉滋腻的药物，忌食生冷之品；忌不易消化和刺激性食物，如辣椒、生葱、生蒜、胡椒、烈性酒等。

4. 痛经者无论在经前或经后均应保持大便通畅；尽可能多食蜂蜜、香蕉、芹菜、白薯等。

5. 饮食宜营养丰富、食品齐全，常吃荠菜、洋兰根、香菜、胡萝卜、橘子、佛手、生姜等。身体虚弱、气血不足者，宜食补气、补血、补肝肾的食物（如鸡、鸭、鱼、鸡蛋、牛奶、动物肝肾、鱼类、豆类等）。

6. 保持精神愉快，气机畅达；注意调摄，慎勿为外邪所伤。

7. 生活规律，劳逸结合，保证睡眠。

8. 适度参加运动锻炼，但忌重活及剧烈运动。

## 经前期综合征

育龄妇女在月经前 7～14 日（即在月经周期的黄体期）反复出现一系列精神、行为及体质等方面的症状，月经来潮后症状即消失，称经前期综合征。临床主要根据下述 3 个关键要素进行诊断：①在前 3 个月经周期中周期性出现至少一种精神神经症状（如疲劳乏力、急躁、抑郁、焦虑、忧伤、过度敏感、猜疑、情绪不稳等）和一种体质性症状（如乳房胀痛、四肢肿胀、腹胀不适、头痛等）；②症状在月经周期的黄体期反复出现，在晚卵泡期必须存在一段无症状的间歇期，即症状最晚在月经开始后 4 日内消失，至少在下次周期第 12 日前不再复发；③症状的严重程度足以影响患者的正常生活及工作。

本病中医学属“经行头痛”、“经行乳房胀痛”、“经行发热”、“经行身痛”、“经行泄泻”、“经行浮肿”等范畴。中医学认为，妇女行经之前，阴血下注冲任，血海充盈，而全身阴血相对不足，脏腑功能失调，气血失和，则出现一系列证候。肝、肾、脾功能失调，气血、经络受阻是导致月经前期综合征的重要因素。临床分为肝郁气滞型、脾肾阳虚型、阴虚肝旺型和心脾两虚型。

**【必备验方】**

1. 鲜藕汁 100 克，三七粉 5 克，鸡蛋 1 个。将鸡蛋打入碗内，加入三七粉搅匀；将藕汁加开水 200 毫升煮沸，倒入鸡蛋，酌加食油、食盐、味精煮熟，即可食蛋饮汤，每日 1 剂，于经前 2 日开始服用，每月连服 5～7 剂，连服 3～5 个周期。适用于血瘀性月经周期紊乱，经期延长，经血淋漓不止，或经血时出时止，经色紫黑有块，伴有痛经者。

2. 韭菜 100 克，羊肝 150 克，葱、姜、食盐各适量。将韭菜洗净切成段，羊肝切片，加葱、姜、食盐，同放铁锅内炒熟，佐餐食用，于经前连服 5～7 日。适用于肝肾不足型月经先后无定期。

3. 山药 200 克（洗净，去皮，切碎，剁成糊状），枸杞子 15 克（洗净），鲜牛奶 200 毫升。将枸杞子加水以中火煨 30 分钟，调入山药糊，改用小火煨片刻；鲜牛奶煮沸，调入枸杞山药糊，拌匀，早、晚分食。适用于脾肾虚引起的经前水肿。

4. 党参、当归、炙黄芪各 15 克（洗净，切片）。水浓煎 2 次，每次 30 分钟，合并 2 次滤汁，备用；将海参 50 克泡发，纵剖成细条状，切丁，待用；大枣 15 枚洗净，水煎至

沸，入党参、黄芪、当归煎汁，改用小火煨20分钟，放入海参丁，加红糖20克煮10分钟，用湿淀粉勾芡即可，早、晚分食。适用于肝血不足引起的经前眩晕。

5. 合欢皮、合欢花各15克（鲜品50克）。将合欢皮水煎15分钟，去渣，入合欢花共煮，加适量红糖调服，每日1剂，连服5~7剂。适用于肝郁不疏、神志不安、失眠多梦者。

**【名医指导】**

1. 适当参加体育锻炼，尤其在月经来之前的1~2周增加运动量可缓解不适。

2. 经期及经前针对主症治疗。

3. 饮食上注意少吃甜食，多喝水，多吃新鲜水果及富含纤维素的食品，少吃动物脂肪；少喝酒。注意B族维生素、维生素C及钙、镁的补充。

4. 保持心情舒畅，避免大怒、悲伤、忧思等。

5. 经前期及经期注意保暖，避免受凉、受潮、吹风；避免淋雨、下水。

6. 月经期间禁房事，注意会阴部清洁。

## 代偿性月经

代偿性月经是指与月经周期相似的周期性非子宫出血的一种疾病，好发于青春期女子。出血部位有鼻黏膜、胃、肠、膀胱、肺、乳腺、皮肤、外耳道、眼等，以鼻黏膜出血最多见，其次为胃，常伴有月经过少甚至无月经。若代偿性月经与子宫出血同时发生，则可能前者出血少而后者出血多。闭经时可有全身不适及盆腔坠胀感，代偿性月经出现症状即消失。检查时可在相关位置找到出血部位。若在鼻腔则表现为典型的周期性鼻出血。诊断根据临床表现及出血部位活检即可确诊，须排除子宫内膜异位症和其他病变。

本病中医学可归属于“经行吐衄”范畴，亦称“倒经”、“逆经”、“错经”。多由肝郁气滞化火，灼伤脉络所致；或素体阴虚火旺，迫血妄行；或气滞血瘀，血行不畅而上逆；或湿热内蕴所致。临床治疗或疏肝理气，或滋阴降火，或理气活血化瘀，或清利湿热。

**【必备验方】**

1. 鲜藕60克，鲜侧柏叶60克。打碎，取汁，分次用陈酒送服。适用于实热型经行吐衄。

2. 大黄、肉桂各3克，生赭石18克。将大黄、肉桂研细末，和匀，以赭石煎汤送下。每日1剂，早、晚分服。适用于经行吐衄虚热、实热证。

3. 木耳、银耳各15克，芹菜300克，味精、食盐、香油、黄酒各适量。将木耳、银耳用温开水泡后洗净，去根，撕成碎片；芹菜洗净，去根、叶，切段；同以沸水烫后，加味精、香油、黄酒、食盐拌食。适用于代偿性月经鼻出血。

4. 鲜墨旱莲30~50克。每日1剂，洗净，捣烂，榨汁煮沸，加适量冰糖，分2次冷服。适用于代偿性月经鼻出血。

5. 黄柏、牡丹皮、栀子、郁金各15克，大蒜适量。同捣烂，敷于双涌泉穴及神阙穴。

**【名医指导】**

1. 养成良好的作息时间规律，保证充足睡眠。适当进行体育锻炼，提高身体素质。多吃富含维生素C的食物，以增强血管抵抗力，在月经期尽量减少触碰鼻部或有关部位。

2. 有衄血史者平时饮食宜清淡，不可嗜食辛辣、煎烤食物。

3. 保持心情舒畅，尤其经前或经期更须稳定情绪，以防止经血上逆而致衄血。经前可酌服逍遥丸、越鞠丸等疏泄肝气，调畅情志。阴虚火旺者经前7日预服知柏地黄丸，亦可预防吐衄。

4. 有子宫内膜异位症者应同时积极治疗。

5. 食用维生素丰富的食品，如水果、新鲜蔬菜，或服用维生素A、B族维生素、维生素C等药物，以增强血管的抵抗力。

6. 临床上发现有"倒经"现象者，随着年龄的增长，往往不治而愈。如果代偿性月经只发生1~2次，不严重者可以不进行治疗，可自愈。

## 围绝经期综合征

围绝经期即从绝经前出现与绝经相关的

内分泌、生物学和临床特征起至绝经后 1 年内的时间。绝经提示卵巢功能衰退、生殖能力终止。城市妇女平均绝经年龄 49.5 岁，农村妇女为 47.5 岁。约 1/3 妇女可以平稳过渡，没有明显不适；约 2/3 的妇女出现不同程度的低雌激素血症引发的一系列症状，称围绝经期综合征。

本病中医学属“老年血崩”、“老年经断复来”、“脏躁”、“百合病”等范畴。为妇女进入围绝经期，肾气渐衰，天癸将竭，冲任二脉虚损，精血不足，气血失调，脏腑功能紊乱，肾阴阳失和而致。临床常见有肾阴虚、肾阳虚、肾阴阳两虚等证型。

**【必备验方】**

1. 苦丁茶、菊花各 3 克，莲子心 1 克，枸杞子 10 克。沸水冲泡 10 分钟，代茶饮用。适用于阴虚火旺型围绝经期综合征。

2. 小麦 90 克，甘草 60 克，大枣 4 枚，核桃仁 50 克。加水 1000 毫升煎至 600 毫升，早、中、晚饭前分次温服。

3. 鲶鱼 2 条（每条约 120 克），鸡蛋 7 个，胡椒 7 粒，生姜 7 片。同炖服。鱼骨焙黄，研末，黄酒冲服。

4. 栗子 20 克，枸杞子 15 克，瘦肉 100 克。同炖服。

5. 制附片 15 克，鲤鱼 1 尾（约 500 克）。水煎附片 2 小时，取汁煮鲤鱼（收拾干净），入生姜末、葱花、食盐、味精调服。

**【名医指导】**

1. 饮食上适当限制高脂、高糖分摄入量，注意补充新鲜水果蔬菜及钙、钾等矿物质；避免乳制品，可多食生菜、海带、鲑鱼（含骨）、沙丁鱼等；应少食多餐，多喝水或果汁，减少咖啡因及酒精的摄入量。

2. 维持适度的性生活，调畅情志，放松心情。

3. 参加各项体育锻炼，适当散步。

4. 注意劳逸结合、生活规律、睡眠充足，避免过度疲劳。

5. 防治自主神经系统功能紊乱症状、泌尿生殖道症状、心血管症状、骨质疏松等并发症。

## 绝经后出血

绝经期妇女月经停止 1 年或 1 年以上者称绝经。绝经后又出现阴道流血者称绝经后出血。绝经后出血为一种临床症状，发病原因多种，或为内分泌紊乱和生殖道炎症，或因子宫和卵巢良、恶性肿瘤所致。临床常见自然绝经 1 年后发生阴道不规则出血，或接触性出血，量少，持续 1～2 日净。部分患者白带增多，呈血性或脓血样，有臭味，或伴有乳房胀痛，下腹部坠胀、疼痛，下腹部包块，低热等。如出血反复发作，或经久不止，或伴腹胀、消瘦等要注意恶性病变。

本病中医学称“年老经水复行”、“妇人经断复来”。本病病机主要为肾气衰竭，天癸竭尽，冲任脉虚，以致胞宫失养，封藏失职，而致经断复来；或因脏腑功能失调，气血失常，阴阳虚损所致。

**【必备验方】**

1. 熟地黄 24 克，山药、枸杞子、山茱萸、墨旱莲、菟丝子、鹿角胶、龟甲胶、阿胶、女贞子各 12 克。水煎服，每日 1 剂。烦躁失眠者，加钩藤、首乌藤、合欢皮各 12 克。

2. 栀子、黄芩、黄柏、薏苡仁、生地黄、赤芍各 9 克，泽泻 12 克，柴胡、白术各 6 克。水煎服，日 1 剂。头痛眩晕、目赤易怒者，可加菊花、桑叶各 12 克，夏枯草 9 克。

3. 生地黄 24 克，芍药、山茱萸、枸杞子、茯苓、炒茜草各 15 克，女贞子、墨旱莲、炒贯众各 12 克。气虚者，加党参、黄芪各 20 克；湿热者，加薏苡仁、大血藤、半枝莲各 15 克；出血量多者，加萆薢、地榆炭各 15 克。每日 1 剂，水煎服，3 剂为 1 个疗程。

4. 熟地黄 24 克，山茱萸、干山药各 12 克，泽泻、茯苓（去皮）、牡丹皮各 9 克，知母、黄柏各 60 克。配制为蜜丸，或水煎服。

**【名医指导】**

1. 定期进行妇科检查，积极针对病因及时治疗。

2. 绝经后应减少性生活。

3. 保持会阴部清洁。

4. 积极治疗老年性阴道炎。

5. 保持良好的心态，适当进行运动。

6. 饮食宜低盐、低脂、清淡为主，避免摄入过多的糖分和脂肪；形体肥胖者注意减肥。

## 急性乳腺炎

急性乳腺炎是指由细菌感染所致的急性乳房炎症，常在短期内形成脓肿。多由金黄色葡萄球菌或链球菌沿淋巴管入侵所致，多见于产后2～6周哺乳期妇女，尤其是初产妇。病菌一般从乳头破口或皲裂处侵入（也可直接侵入）引起感染。

本病中医学称“乳痈”、“妒乳”、“外吹乳痈”。多为肝郁气滞，疏泄失职，使乳络不畅，乳管阻滞，败乳蓄积，化热而成痈肿；或产后饮食不节，嗜食肥甘厚腻，胃热蕴滞，肝胃不和，外加火毒内侵或小儿口气焮热，内热与外邪相搏，蒸腐瘀乳，积而成脓，发为乳痈。

**【必备验方】**

1. 金银花60克，蒲公英30克，甘草节9克，没药6克（去油），当归尾18克。以水、酒各3碗煎至1碗，饭后服；其渣再煎，绞汁服。适用于乳痈。

2. 香附30克，木通、白及各6克，山柰9克，全蝎、樟脑各3克。共研细末，以蒲公英60克煎水调敷患处。

3. 鲜黄花鱼背棘适量。剪下，贴墙上阴干，瓦上炙灰（存性），研末。以陈酒、水各半碗，青皮50克，浓煎，取汁送服，3次即愈。

4. 生半夏10克（研末），葱白少许。捣和为丸，棉裹塞鼻（左乳塞右鼻，右乳塞左鼻）。

5. 瓜蒌1个（捣碎），穿山甲（炒）、当归尾（酒炒）、乳香、没药、甘草各3克。以酒、水各半煎服，渣敷患处。适用于乳痈。

**【名医指导】**

1. 早期按摩和吸乳是避免转成脓肿的关键。患者或家属可用手指顺乳头方向轻轻按摩，加压揉推，使乳汁流向开口，并用吸乳器吸乳；吸通后应尽量排空乳汁，勿使壅积。

2. 及时纠正乳头内陷，妊娠后期常用温开水清洗乳头或用医用乙醇擦洗。

3. 培养良好的哺乳习惯，注意乳头和乳儿口腔的清洁，每次哺乳后排空乳汁。

4. 保持心情舒畅，消除不良情绪，注意精神调理。

5. 清淡饮食，忌辛辣刺激之品，勿过食膏粱厚味。

6. 及时治疗乳头皲裂及身体其他部分的化脓性疾病。

7. 不宜让婴儿含乳头睡觉，哺乳后用胸罩将乳房托起。

## 乳腺囊性增生病

乳腺囊性增生病（简称乳腺增生）又称慢性囊性乳腺病，是乳腺实质的良性增生。为妇女常见的乳腺疾病，多发生于30～50岁，与卵巢功能失调有关，多有较高的流产率。临床特点是乳房胀痛、乳房肿块，少数病例出现乳头溢液，多为棕色、浆液性或血液性液体，绝经后往往可以自动消失。

本病中医学属“乳癖”范畴。多因肝气不疏、冲任失调，致使乳房气滞血瘀，痰瘀凝结而成。情志内伤，郁怒伤肝，忧思伤脾，以致肝气不疏，脾失健运，又肝气不疏亦可克伐脾土，致水湿失运、痰浊内生，从而使痰气互结于乳房而发病。冲为血海，任主胞胎，冲任又隶属于肝肾。生育过多或多次堕胎等伤肾伤血，以致肝肾两亏，冲任失调。冲任失和，下不能通盛胞宫而致月经失调，上不能滋养乳房而致气血凝滞，痰瘀凝结而成本病。

**【必备验方】**

1. 瓜蒌30克，乳香、没药各6克，当归、甘草各15克。经净后第5日开始，水煎，每日1剂，早、中、晚分服，连服20剂为1个疗程，连服1～2个疗程。

2. 山楂片、五味子各15克，麦芽50克。水煎，每日1剂，早、晚分服，10日为1个疗程。治疗期间停用其他药物。

3. 鳝鱼2～3条，黑木耳3小朵，大枣10

枚，生姜3片。添加佐料，如常法红烧食用。

4. 川乌、商陆、大黄、王不留行、樟脑各等份。共研细末，分装入纱布袋内（每袋2.5克），经消毒后置于塑料袋内密封备用。佩戴胸罩时，将药袋紧贴患处。于经前15日开始用药，7～10日换药1次（经期停用），1～3个月经周期为1个疗程。适用于乳腺小叶增生。

5. 金银花、陈皮各15克。加水1000毫升煎至600毫升，早、中、晚饭前分次温服，其渣热敷患处。适用于乳房肿痛。

**【名医指导】**

1. 对本病有正确的认识，解除各种不良的心理刺激，保持情绪平稳、心态乐观。心理承受力差的患者应少生气，保持活泼开朗。

2. 改变饮食习惯，防止肥胖，少吃油炸食品、动物脂肪、甜食，避免过多进食补品；多吃蔬菜水果和粗粮；多吃黑黄豆、核桃、黑芝麻、黑木耳、蘑菇。

3. 生活要有规律，劳逸结合，保持性生活和谐。

4. 保持大便通畅，可减轻乳腺胀痛。

5. 多运动，提高免疫力；禁止滥用避孕药及含雌激素美容用品、不吃用雌激素喂养的鸡、牛等。

6. 注意做好避孕措施，避免人流手术，宜母乳喂养。

7. 自我检查乳房。洗浴后站在镜前检查，双手叉腰，身体做左右旋状，从镜中观察双侧乳房的皮肤有无异常，乳头有无内陷，然后用手指的指腹贴在乳房上按顺时针或逆时针方向慢慢移动；切勿用手挤捏，以免将正常乳腺组织误认为肿块。

## 乳腺癌

乳腺癌是女性最常见的恶性肿瘤之一，通常发生在乳房腺上皮组织，占全身各种恶性肿瘤的7%～10%。本病与遗传有关，多发于40～60岁绝经期前后的妇女，有1%～2%为男性。乳腺细胞发生突变后便丧失了正常细胞的特性，组织结构紊乱，细胞连接松散，癌细胞很容易脱落游离，随血液或淋巴液等播散全身，形成早期的远端转移，全身重要脏器的转移（如肺转移、脑转移、骨转移等）都将直接威胁生命。临床主要表现为乳腺肿块、乳腺疼痛、乳头溢液、乳头改变、皮肤改变、腋窝淋巴结肿大。

本病中医学属“乳岩”、“恶疮”、“失荣”等范畴。与肝郁气滞、冲任失调有关。肝郁气滞，脏腑功能失调而致气滞血瘀、痰凝、邪毒结于乳络而成；七情内伤，忧思郁怒则肝脾气逆，肝郁则气血瘀滞，脾伤则痰浊内生，痰瘀互结，经络阻塞，痰瘀结滞于乳房；肝肾阴虚，阴虚则火旺，火旺则灼津为痰，痰瘀互结乳房而成岩。

**【必备验方】**

1. 黏米粉250克，萝卜1500克，腊肉100克，虾米30克，白糖50克，生油2汤匙，生酱油2茶匙，胡荽30克，胡萝卜1个。将虾米浸透、剁成茸，腊肉切粒；萝卜去皮、刨丝，倒入烧热之锅中，加油与水同煮至萝卜完全变色时，加入虾米、腊肉及调料拌匀，连汁水盛起盆内，黏米粉撒于盆中之混合物，不时以铲拌匀，倒入已涂油之盆内，隔水猛火蒸1小时，用筷子插入糕，如无粉粘即可。适量食用。

2. 青蛙2只（约150克），金针菜（干品）、木耳各25克，生姜4片，大枣4枚。将金针菜、木耳泡发后洗净，与青蛙、大枣同煲1～2小时。调味后服。适用于乳腺癌肝阴虚、肝气郁结者。

3. 猪蹄150克，乌龟1只（约250克），人参10克，生姜4片，大枣5枚。将乌龟放盆中，注入开水，烫死，去内脏，切块；猪蹄洗净，切块；人参洗净，大枣去核。下油起锅，入姜片爆香龟甲、龟肉，再放入猪蹄、人参、大枣，加适量清水煮沸，以文火煲1.5～2小时，调味后服食。适用于乳腺癌术后或放疗、化疗后气血两虚、肝肾亏损者。

4. 白鹅草15克，香芳草12克，甜地丁30克，砂糖60克，谷酒60克。将前3味水煎，冲砂糖、谷酒，分2次服。药渣加砂糖，谷酒调敷患处。如未消尽，可用当归30克，半边莲15克（鲜者30克），水煎服，药渣酒调敷患处。

5. 白石脂9克（煅），石决明75克（煅），龙骨15克（煅），石膏60克（煅），麝香1.5克，珍珠3克（煅）。共研细末，撒于伤口，外贴红油膏。适用于术后切口溃疡不收口者。

**【名医指导】**

1. 家族中有乳腺癌患者，应定期检查乳房。

2. 建立良好的生活方式，调整好生活节奏，保持心情舒畅。

3. 坚持体育锻炼，积极参加社交活动，避免和减少精神、心理紧张因素，保持心态平和。

4. 养成良好的饮食习惯。多食具有抗乳腺癌作用的食物，如海马、鲎、蟾蜍肉、蟹、文蛤、牡蛎、玳瑁肉、海带、芦笋、石花菜等；多食具有增强免疫力的食物，如桑椹、猕猴桃、芦笋、南瓜、薏苡仁、菜豆、山药、香菇、虾皮、蟹、青鱼、对虾、蛇等。肿胀者宜食薏苡仁、丝瓜、赤豆、芋头、葡萄、荔枝、荸荠、鲫鱼、胡子鲶、鲛鱼、泥鳅、黄颡鱼、田螺；胀痛、乳头回缩者宜食茴香、葱花、虾、海龙、橘饼、柚子等。忌烟、酒、咖啡、可可及辣椒、姜、桂皮等辛辣刺激性食物。忌肥腻、油煎、霉变、腌制食物。

5. 勿乱用外源性雌激素，勿长期过量饮酒；同时积极治疗乳腺疾病。

## 多囊卵巢综合征

多囊卵巢综合征是以发病多因性、临床症状呈多态性为主要特征的一种内分泌综合征，可有月经紊乱、闭经、无排卵、多毛、肥胖、不孕合并双侧卵巢增大呈囊性改变等症状。因排卵障碍而致不孕为多囊卵巢综合征的主要临床表现。其病因不详，目前认为是卵巢产生过多雄激素，而雄激素的过量产生是由于体内多种内分泌系统功能异常协同作用的结果。故多囊卵巢综合征是多内分泌轴功能紊乱所引起的疾病的终期卵巢病理改变。

本病中医学归属于“闭经”、“崩漏”、“癥瘕”等范畴。为禀赋不足，素体亏虚，饮食劳倦，情志刺激等导致肝、脾、肾功能的失调；病变脏器重在脾、肾，涉及于肝；脏腑功能失常，气血失调，冲任二脉受损，胞脉不畅，血海蓄溢失常而发本病。临床主要分为肝气郁结、脾肾亏虚、阴阳失调、气血不足、瘀血阻滞、痰湿内停证型。

**【必备验方】**

1. 益母草50克，香附15克，鸡蛋2个。加水400毫升煮沸，改文火煮10～15分钟（至鸡蛋熟），去壳后略煮，去药渣，吃蛋饮汤，每日1次。适用于气滞血瘀型多囊卵巢综合征。

2. 当归、红花各100克（晒干），60度米酒2升。密封浸泡1周（摇匀），过滤服，每次10毫升，每日1～2次。适用于血瘀型多囊卵巢综合征。

3. 嫩母鸡1只（约500克，取鸡肉切块），当归身15克，党参30克，生姜10克。同入炖盅，加适量沸水、少许烧酒（炖盅加盖），隔水以文火炖3～4小时，调味后食鸡饮汤。功能补气养血，调理月经。适用于血虚气弱型多囊卵巢综合征。

4. 白鸽1只（去毛、内脏），鳖甲50克（打碎）。纳鳖甲入白鸽腹内，加水1升煮沸，改文火煲1～2小时，调味后食肉饮汤，每日1次。适用于肝肾阴虚型多囊卵巢综合征。

5. 臀部走罐，先用6根青艾条将臀部两侧各熏20分钟（一边熏一边拍打），然后涂上润滑油，上火罐，走100下左右（至出痧）。治疗前要喝浓浓的大枣龙眼水，治疗后连吃数日海虾。适用于阴虚型多囊卵巢综合征。

**【名医指导】**

1. 养成良好的饮食习惯，注意营养物质的均衡；肥胖者适当节制饮食，少食肥甘厚味，勿过饱；多吃蔬菜、水果，如白萝卜、荸荠、紫菜、海蜇、洋葱、枇杷、白果、大枣、扁豆、薏苡仁、红小豆、蚕豆、包菜等。减肥的女性不要盲目使用减肥药。

2. 养成良好性生活习惯，采取避孕措施，避免多次流产；也不要长期服用避孕药。

3. 经常锻炼身体，如散步、慢跑、球类、游泳、武术、八锦、五禽戏以及各种舞

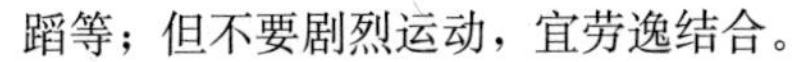

蹈等；但不要剧烈运动，宜劳逸结合。

4. 保持情绪稳定，避免暴怒、抑郁、过度紧张和长期焦虑。

5. 肥胖伴有月经异常的女性要注意：月经周期延长明显，或是几个月来一次或是不来，脸上长痘，应及早就医检查。

6. 戒烟，减少饮酒；避免过度节食和短期内过度减轻体重。

# 第二十八章 女性生殖系统疾病

## 滴虫阴道炎

滴虫阴道炎是指隐藏在腺体及阴道皱襞中的阴道毛滴虫于月经前后繁殖，消耗或吞噬阴道上皮细胞内的糖原并阻碍乳酸生成而引起的炎症。临床主要表现为外阴瘙痒、灼热、性交痛、白带增多，白带多呈灰黄或黄白色稀薄泡沫状分泌物，沉积于阴道后穹，有腥臭味；常伴泌尿道、肠道内滴虫感染，可有尿频、尿痛。约半数带虫者无症状，滴虫吞噬精子常引起不孕，月经后易于复发；若有尿道口感染，则出现尿频、尿痛，甚则尿血。

本病中医学属“阴痒”、“虫蚀”等范畴。主要是由于脾虚湿热，素体脾虚，脾虚生湿，湿郁化热，湿热蕴腐成虫；或肝经郁热，肝郁化热，蕴热成虫。

**【必备验方】**

1. 鲜藕汁500毫升，鲜鸡冠花、白糖各500克。将鲜鸡冠花洗净，水煎3次，每次20分钟，合并煎液，继续以文火煎浓，加入鲜藕汁煎至黏稠，倒入白糖混匀，晒干、压碎，沸水冲化顿服，每次10克，每日3次。

2. 芡实、粳米各30克，核桃仁15克（打碎），大枣5枚（去核），白糖适量。将芡实、粳米加水煮粥至半熟，入核桃仁、大枣煮成粥，加白糖，代早饭食。

3. 苍术、金银花、百部各30克，黄柏、花椒、白矾各15克，虎杖100克，苦参、蛇床子、地肤子各60克，白鲜皮45克，全蝎3克。加水3000毫升，浸泡10分钟，以文火煎20～30分钟，去渣，每晚睡前取液以熏洗阴部10～15分钟，再以带线棉球浸药液（或同放入药中煎）纳入阴道深处，次晨取出。每剂药可用2～3日，10日为1个疗程。

4. 鸦胆子30个（去皮）。以水1.5杯煎至半杯，用消毒过的大注射器抽药液注入阴道，每次20～40毫升。轻者1次，重者2～3次见疗效。

5. 蛇床子、大风子、枯矾、花椒各3克，黄柏30克，冰片1克。共研细末，以凡士林调摊于消毒纱布上（折叠成条状），每晚睡前纳入阴道中，次晨取出。

**【名医指导】**

1. 做好卫生预防工作；定期到妇产科常规进行白带阴道毛滴虫检查，争取早期发现、及时治疗。

2. 提倡淋浴，尽量少洗浴池；清洗个人内裤要用单独的盆具。患者内裤及毛巾要煮沸消毒。

3. 注意个人卫生，尤其是外阴部应保持清洁；注意产褥期、经期的调摄。在治疗期间应避免性交，每日换内裤；对反复发作的患者，应令其爱人同时治疗。

4. 一般产妇产后pH值改变较易感染滴虫病，应注意自身变化；不与他人共用洗漱用品，私人物品做好消毒，定期到医院复查。

5. 重视饮食调养，避免辛辣刺激性食物，如辣椒、胡椒、咖喱等；少吃羊肉、狗肉、龙眼等热性食物，忌海产品，如虾、蟹、贝等。勿吃甜、腻食物；忌烟、酒。多食富含B族维生素的食物，如小麦、高粱、芡实、蜂蜜、豆腐、鸡肉、韭菜、牛奶等；多食水果和新鲜蔬菜。

6. 外阴瘙痒时切勿抓痒，以免外阴皮肤黏膜破损，继发感染。

7. 在治愈后3个月必须进行随访，即每次月经干净后进行复查；阴性者局部应继续治疗1～2次，以巩固疗效。男性亦应检查小便及前列腺液，并应同时进行治疗。

## 阴道假丝酵母菌病

阴道假丝酵母菌病是常见阴道炎症，其病原体为白假丝酵母菌（白色念珠菌）。在全身及阴道局部细胞免疫力下降时，白假丝酵母菌大量繁殖并转变为菌丝相而出现症状。妊娠、糖尿病及大量应用免疫抑制药及广谱抗生素为常见诱因。妊娠及糖尿病时机体免疫力下降，阴道组织内糖原增加，酸度增高，有利于白假丝酵母菌生长；大量应用免疫抑制药（如皮质类固醇激素）或免疫缺陷综合征，使机体抵抗力降低；长期应用抗生素，抑制乳酸杆菌生长，从而利于白假丝酵母菌繁殖。其他诱因有胃肠道白假丝酵母菌、应用避孕药、穿紧身化纤内裤及肥胖者。本病为内源性传染，可通过性交直接传染，也可通过接触感染的衣物间接传染。临床主要表现为外阴瘙痒、灼痛，严重时坐卧不宁，可伴有尿频、尿痛及性交痛；部分患者阴道分泌物增多，白色稠厚呈凝乳或豆腐渣样；阴道黏膜可见水肿、红斑，小阴唇内侧及阴道黏膜上附有白色块状物，擦拭后露出红肿黏膜面，急性期可见糜烂及浅表溃疡。临床分为单纯性外阴阴道假丝酵母菌病和复杂性外阴阴道假丝酵母菌病。

中医学认为，本病由外感寒湿、湿久蕴热、湿热阻滞带脉所致；内因脾肾两虚，运化失职，湿浊内生，蕴而生虫所致。

**【必备验方】**

1. 萹蓄、菝葜、粳米各适量，冰糖少许。将前2味水煎，去渣，入粳米煮成粥，调入冰糖食。

2. 扁豆花、山药各适量。每日早、晚以山药同大米煮成粥，调入扁豆花末煮沸食。

3. 苦参45克，蛇床子、地肤子各30克，野菊花、黄柏各20克，枯矾15克。水煎2次，去渣，加入白醋30毫升，熏洗坐浴（用药前最好以1∶5000高锰酸钾坐浴5分钟），每日9次（经期停用，用药期间禁止性生活），1周为1个疗程，1～2个疗程可愈。

4. 白花蛇舌草、板蓝根、茵陈各30克，僵蚕、牡丹皮、薏苡仁、黄柏各15克，川牛膝10克，炙甘草4克，当归、赤芍各12克。每日1剂，水煎服。同时，以蒸百部、白花蛇舌草各30克，木贼、苦参、黄柏、三棱、地肤子、白鲜皮、蛇床子各20克，鸦胆子15克（捣烂）。水煎，取液2000毫升，熏洗坐浴，每次20分钟，每日2次。或用凡士林软膏涂疣体周围，再用鸦胆子研碎，加米酒调涂，15日为1个疗程，1～2个疗程即愈。

5. 硼砂1克，蜂蜜10克。将硼砂用水溶化，加入蜂蜜调匀，以带线棉球浸液塞入阴道，10小时后取出，每日1次。

**【名医指导】**

1. 初次发生假丝酵母菌感染者应彻底治疗。

2. 勤换内裤，用过的内裤、盆及毛巾应用开水烫洗；不乱用卫生用品，不乱用洗液。

3. 检查有无全身性疾病，及时发现并治疗（如糖尿病等）。

4. 宜穿宽松、透气和吸湿性好的内裤，保持阴道局部干燥，注意外阴清洁。

5. 平时注意体育锻炼，但应劳逸结合；月经期间尤其要注意休息。

6. 注意合理应用广谱抗生素及激素。

7. 提倡患者与性伴侣同时治疗，特别是对口交者的性伴侣的精液及口腔分泌物进行假丝酵母菌培养及菌种鉴别。

8. 治疗期间避免性生活。

## 细菌性阴道病

细菌性阴道病是由阴道嗜血杆菌和一些厌氧菌的混合感染所致，可通过性接触传染。临床通过分泌物涂片检查可发现大量的脓细胞，并可找到致病菌，但分泌物中不会有滴虫和真菌。临床表现为外阴轻度瘙痒，分泌物稀薄均质、有鱼腥味。

中医学认为，妇女由于摄生不慎，或阴部手术消毒不严，或值月经期、产后胞脉空虚等，致湿热、湿毒之邪直犯阴器，湿热蕴

结，湿毒损伤任带二脉而发病。

【必备验方】

1. 鲜马齿苋 50 克。洗净，再以冷开水浸洗 1 次，切段，榨汁，加蜂蜜 25 毫升调匀，隔水炖熟，每日 1 剂，分 2 次服。适用于细菌性阴道病湿热或热毒内盛证。

2. 乌鸡 1 只（约 500 克，去毛、内脏，洗净），莲子 30 克，糯米 15 克，胡椒少许，白果 10 枚。将后 4 味塞入鸡腹内（封口），隔水炖 2～3 小时，调味供用（可分 2～3 次食），适用于细菌性阴道病脾肾两虚证。

3. 大蒜 30 克。煎汤洗患处（或以 50% 大蒜甘油明胶栓剂，塞入阴道内），每日 1 次，连用 7 日。

4. 破白羊毛毡适量。烧灰，每服 9 克，空腹服。白带者，用红糖为引；赤、黄、青、黑带者，用白糖为引。轻者，每日服 1 次，重者每日 2～3 次。忌生冷食物、气恼、过度劳动等。

5. 槐花 10 克，冬瓜子 20 克，大米 150 克，白糖、薏苡仁各 30 克。将槐花水煎，去渣，入薏苡仁、冬瓜子、大米煮为稀粥，加白糖，每日 1 剂，分 2 次服。

【名医指导】

1. 注意个人清洁卫生，防止致病菌侵袭；治疗期间内裤需煮沸消毒，勤换勤晒；月经期禁止用药；适当进行体育锻炼。

2. 妻子患病，丈夫也要同时治疗；患病期间严禁性生活。

3. 饮食宜清淡，多吃新鲜蔬菜和水果；保持大便通畅。忌辛辣食品，如辣椒、姜、葱、蒜等；忌海鲜发物，如桂鱼、黄鱼、带鱼、黑鱼、虾、蟹等；忌甜腻、油腻食物，如巧克力、糖果、甜点心、奶油蛋糕及猪油、肥猪肉、奶油、牛油、羊油等。

4. 忌烟、酒。

5. 重视本病，积极治疗。本病可造成不孕、影响胎儿发育、诱发其他（生殖器感染、盆腔炎、肾周炎、性交痛等）疾病、影响夫妻生活质量。妊娠期细菌性阴道病更可导致绒毛膜炎、胎膜早破，非妊娠妇女可引起子宫内膜炎、盆腔炎、子宫切除术后阴道断端感染。

## 老年性阴道炎

老年性阴道炎又称萎缩性阴道炎，主要表现为绝经前后多种原因所致的阴道局部抵抗力低下、致病菌感染所致的阴道炎症，严重时可引起阴道狭窄甚至闭锁。多发生于绝经期后的妇女，双侧卵巢切除后或哺乳期妇女也可出现。临床表现为阴道分泌物增多，分泌物稀薄、呈淡黄色；严重者呈脓血性白带，有臭味；外阴瘙痒、灼热感，阴道黏膜萎缩，可伴有性交痛，有时有小便失禁。感染侵犯尿道可出现尿频、尿急、尿痛等症状，妇科检查可见阴道黏膜呈萎缩性改变，皱襞消失，上皮菲薄并变平滑，阴道黏膜有充血、红肿，也可见黏膜有出血点或出血斑，以阴道后穹及子宫颈最明显，严重者也可形成溃疡或外阴潮红糜烂。溃疡面可与对侧粘连，检查时粘连可因分开而引起出血，严重时造成阴道狭窄甚至闭锁；炎性分泌物引流不畅形成阴道积脓或子宫腔积脓。

中医学认为，本病是由于年过七七或损伤冲任，导致肝亏损，冲任虚衰，阴虚内热，任脉不固，带脉失约所致。

【必备验方】

1. 淡菜 60 克，韭菜 120 克，黄酒适量。把炒锅置武火上倒入生油烧热，倒入洗净的淡菜速炒片刻，加水 2 碗煮沸，倒入洗净、切好的韭菜以及黄酒煮 1～2 沸，顿服，每日 1 剂，5～7 日为 1 个疗程。

2. 核桃叶 5～7.5 千克，鸡蛋 2 个（煮熟，去壳）。水煎服。

3. 芹菜籽 30 克。水煎，黄酒（为引）送服，每日 1 剂，分 3 次服，连服 3～5 日。

4. 生百部、蛇床子、土茯苓、鹤虱、白鲜皮各 30 克，龙胆、花椒、黄柏、地肤子各 15 克。加水 2000～3000 毫升煮沸 20 分钟，去渣，熏洗外阴，每日早、晚各 1 次，每次 30 分钟。阴道内瘙痒者，熏洗阴道，也可用带线棉球蘸液塞阴道内，次晨取出，10 日为 1 个疗程，最多用 2 个疗程。

5. 黄柏、苦参、蛇床子、白鲜皮、川楝子各 30 克，荆芥、防风各 12 克，龙胆 15 克，

花椒、白矾各10克，薄荷6克。水浓煎，去渣，熏洗坐浴，每日1剂，每日早、晚各1次，10日为1个疗程，2～3个疗程可愈。

**【名医指导】**

1. 老年妇女在生活中要特别注意自我护理，讲究卫生，以减少阴道感染的机会。

2. 外阴不适时忌乱用药物，如不要乱用治疗真菌或阴道毛滴虫的药物及不能乱用激素药膏。

3. 可在性生活前将阴道口涂少量油脂，或减少性生活。

4. 饮食上宜多食新鲜水果和蔬菜；宜多食大豆类食物及扁豆、谷类、小麦和黑米，多食茴香、葵花子、洋葱等；还可食用赤小豆粥、薏米粥、冬瓜汤等；禁食过咸或辛辣食物。

5. 患病期间注意勿用热水烫洗外阴（宜用温水），勿使用刺激性强的清洁用品。

6. 治疗期间禁房事；内裤需煮沸消毒，勤换勤晒；内裤要宽松舒适，选用纯棉布料制作。清洗盆具、毛巾不要与他人混用。

## 宫颈炎

宫颈炎分为急性宫颈炎和慢性宫颈炎，临床上以慢性宫颈炎多见。多由于分娩、流产或手术损伤子宫颈后发生，病原体主要为葡萄球菌、链球菌、大肠埃希菌和厌氧菌，其次是淋病奈瑟菌、结核分枝杆菌；原虫中有滴虫和阿米巴。特殊情况下为化学物质和放射线所引起。慢性宫颈炎表现为宫颈糜烂、子宫颈肥大、子宫颈息肉、子宫颈腺体囊肿等，其中以宫颈糜烂最为多见。

本病中医学属“带下病”范畴。

**【必备验方】**

1. 莲子、枸杞子各35克，猪肠1段，鸡蛋2个。将枸杞子和莲子洗净，加入鸡蛋搅匀，加适量佐料后灌入洗净的猪肠内（两端用线扎紧），煮熟，切片食用，每日1次，10日为1个疗程。

2. 白果6克，莲子20克，粳米60克，乌鸡1只。将乌鸡处理干净后，将白果、莲子研为细末，放入乌鸡腹内，加入粳米及适量水，以小火煮熟，食肉吃粥，每日1～2次，7日为1个疗程。

3. 牡丹皮1000克，蒲公英500克。加水（没过药面）煮沸45分钟，倾出煎液；再加水煮沸60分钟，去渣，2次煎液浓缩至1500毫升（先用窥阴器扩张阴道，干棉球拭净子宫颈黏液后），以棉球浸贴于子宫颈糜烂处，每日1次，10次为1个疗程。

4. 草血竭、虎杖各50克，菜籽油、熊油各500克。将草血竭、虎杖放入菜籽油中煎炸至枯，去渣，入熊油煎10分钟，不断搅拌至冷，取油膏涂于伤面，每日或隔日1次。

5. 紫草9克，黄柏、生大黄各15克，香油150克。同浸泡半日后以小火炸枯，去渣，入消毒后的带线棉球浸泡1日，每晚临睡时取棉球1个塞入阴道深部子宫颈处（留长线在外），第2日取出，10日为1个疗程。适用于宫颈糜烂。

**【名医指导】**

1. 保持外阴清洁干爽，勤换内裤；忌穿过紧内裤，保持良好的血液循环。

2. 注意经期、产后卫生，禁止盆浴；禁忌乱用清洗药物，否则会引起阴道酸碱紊乱。

3. 在患病期间忌同房；平时避免不洁性生活，以免诱发宫颈炎甚至宫颈癌。

4. 避免过早性生活。

5. 积极治疗急性宫颈炎；定期妇科检查（1年1次）；如发现外阴分泌物较多，有异味或白带有血丝时，应及时到医院进行检查。

6. 以清淡食物为主，多吃新鲜水果和蔬菜。在日常饮食中多食瘦肉、鸡肉、鸡蛋、鹌鹑蛋、鲫鱼、甲鱼、白鱼、白菜、芦笋、芹菜、菠菜、黄瓜、冬瓜、香菇、豆腐、海带、紫菜、水果等。

7. 治愈后应养成良好性生活习惯，定期安全有效的保养子宫颈部位；及时清理匿藏在阴道皱褶及子宫颈穹窿处的病菌。

8. 进行自我疗法：先把手掌搓热，然后用手掌向下推摩小腹部数次，再用手掌按摩大腿内侧数次，痛点部位多施手法，以有热感为度。最后用手掌揉腰骶部数次后，改用搓法2～3分钟，使热感传至小腹部。

## 外阴及前庭大腺炎

外阴炎常见症状为外阴皮肤瘙痒、烧灼感、疼痛，在活动、性交、排尿后加重。急性期红肿、充血、有抓痕，慢性炎症期表现为痛痒、外阴发生开裂、苔藓化。部分患者小阴唇内侧肿胀、充血、糜烂以及成片湿疹。前庭大腺是位于大阴唇下方的一对腺体。如某种病因导致其导管闭塞、分泌物不能排出，造成腺体囊状扩张称前庭大腺囊肿；如腺体被细菌（如葡萄球菌、大肠埃希菌）或淋病奈瑟菌感染后伴外阴前庭大腺部位红肿、疼痛或脓肿形成，称前庭大腺炎（脓肿）。

本病中医学归属于“阴痒”、“阴痛”、“阴疮”等范畴。

**【必备验方】**

1. 薏苡仁、蒲公英各30克。水煎服。适用于外阴炎湿热证。

2. 虎杖100克，苦参、木槿皮各50克。加水4500毫升煎取4000毫升，过滤，取2000毫升坐浴，每次10～15分钟，每日2次，7日为1个疗程。

3. 金银花、五倍子、蒲公英、鱼腥草各30克，生黄柏、黄连各15克。水煎，取汁熏洗，每次20分钟，每日2次。

4. 生石膏、黄柏各等份。共研极细末，香油调敷于患部，外面覆以无菌纱布，每日更换2次。适用于脓肿已成未溃者。

5. 防风、花椒、荆芥、黄柏各12克，苦参、紫草、淫羊藿、蛇床子各15克。煎水熏洗。如外阴皮肤粗糙，加鹿衔草、土茯苓、萆薢各15克；若有溃疡，加苍术、白鲜皮各12克。

**【名医指导】**

1. 注意个人卫生，保持外阴清洁干燥；做好经期、妊娠期、分娩期及产褥期卫生。

2. 不穿化纤内裤、紧身裤，宜穿棉织内衣、内裤。局部坐浴时注意溶液浓度、温度及时间、注意事项。并经常换洗内裤。

3. 外阴瘙痒者应勤剪指甲、勤洗手，不要搔抓皮肤，以防破溃，从而继发细菌性感染。

4. 前庭大腺炎急性期应绝对卧床休息，注意局部清洁，局部冷敷。

5. 重视饮食的调养，避免辛辣等刺激性食物。不吃海鲜等易引起过敏的食物。

6. 不用刺激性的香皂、药物以及太凉或太热的水清洗外阴。

## 急性盆腔炎

急性盆腔炎多发生于分娩、流产、子宫腔内手术操作消毒不严，或因经期不卫生，病原体乘机侵入；也可能继发于子宫腔内其他脏器的感染，如阑尾炎、膀胱炎等。临床主要表现为高热、恶寒、头痛、精神不振，食欲差，下腹胀肿疼痛，疼痛可向大腿两侧放射，带下量多等。

本病中医学称“妇人腹痛”、“热入血室”、“产后发热”、“带下病”、“癥瘕”等。为感染湿热、湿毒之邪所致。临床以热毒壅盛、湿毒瘀阻为多见，治疗以清热解毒为主。

**【必备验方】**

1. 皂角刺30克，大枣10枚。水煎半小时，去渣，入粳米30克煮成粥，分2次食。

2. 生大黄15克，鸡蛋5个。将生大黄研末，分5包；鸡蛋敲一小孔，去蛋清，装入生大黄1包，煮熟，于月经干净后晚上临睡服，连服5晚为1个疗程。

3. 芒硝100克（研细末），大蒜50克（捣烂）。和匀（布包），敷于下腹疼痛处，20分钟后取下。

4. 野菊花栓1粒。每晚睡前30分钟塞入肛门内7～8厘米处，10日为1个疗程，连用3～4个疗程。

5. 牡丹皮、丹参各12克，牛膝、败酱草各10克，当归、赤芍、三棱、莪术、延胡索、黄柏各9克，生薏苡仁30克，炙甘草6克。水煎服，每日1剂。有尿频、尿急、尿痛者，加蒲公英、紫花地丁各20克；白带量多、色黄者，加炒黄柏6克，土茯苓15克；腹部有包块者，加桃仁6克，红花10克；有输卵管积水者，加防己12克，桂枝10克。

**【名医指导】**

1. 杜绝各种感染途径，保持会阴部清

洁、干燥，每晚用清水清洗外阴，做到专人专盆；勤换内裤，不穿紧身、化纤质地内裤。

2. 月经期、人工流产术、取环等妇科手术后阴道有流血，一定要禁止性生活；禁止游泳、盆浴、洗桑拿浴；要勤换卫生巾避免感染。

3. 患者一定要卧床休息，取半卧位，以利炎症局限化和分泌物的排出。

4. 要注意观察白带的量、质、色、味，及时就诊并彻底治愈。

5. 保持大便通畅，并观察大便的性状。若见便中带脓或有里急后重感，应立即就诊，以防盆腔脓肿溃破肠壁造成急性腹膜炎。

6. 做好避孕工作，尽量减少人工流产术的创伤。

7. 饮食宜清淡，富有营养；忌食煎烤油腻、辛辣之物。

8. 注意保暖，汗出后及时更换衣裤，避免吹空调或直吹对流风。

## 慢性盆腔炎

慢性盆腔炎是盆腔生殖器官及周围结缔组织、盆腔腹膜发生的慢性炎症，一般为急性盆腔炎未能彻底治愈或因体质较差、抵抗力低下、病程缠绵（或反复感染）所致。临床表现为程度不同的下腹疼痛，轻者下腹不适，重者除疼痛外还伴有腰骶部坠胀感，常在劳累、性交后加剧；月经量增多，痛经，常在月经前2～3日发作，经期加剧，可并发不孕不育，常继发于慢性输卵管炎引起的输卵管阻塞。

中医学认为，本病多因禀赋不足、摄生不慎、阴户不洁或劳倦过度所致。

**【必备验方】**

1. 香椿根33克（鲜品加倍），红糖50克（后下）。水煎浓汤，去渣，加红糖调服，每日1剂，重者每日2剂，连服7日。

2. 槐花9克，薏苡仁30克，冬瓜子20克，粳米60克。将槐花、冬瓜子水煎，去渣，入薏苡仁、粳米同煮粥食，每日1剂，连服7～8次。

3. 大黄100～200克。研细末，米醋调敷于下腹部（保持湿润，随时可以加醋），外用塑料布敷好、橡皮膏固定。

4. 丹参、赤芍、夏枯草各15克，败酱草15～30克。水煎，去渣，浓缩至100毫升，保留灌肠（时间越长效果越好）。治疗前应先排尿，治疗后侧卧30分钟，1个月为1个疗程。经期停药。

5. 红花6克，南瓜蒂1～2枚。水煎，去渣，分2次服，于经前5日起服，连用7日，共用3个月经周期。

**【名医指导】**

1. 杜绝各种感染途径，保持会阴部清洁、干燥，每晚用清水清洗外阴，做到专人专盆；勤换内裤，不穿紧身、化纤质地内裤。

2. 经期、人流术后及上、取环等期间，一定要禁止性生活；禁止游泳、盆浴、洗桑拿浴；要勤换卫生巾。

3. 劳逸结合，不要过于劳累；节制房事。

4. 避免乱服抗生素；预防其他阴道炎症。

5. 做好避孕工作，尽量减少人流术的创伤；积极治疗急性或亚急性盆腔炎，以尽量避免转为慢性盆腔炎。

6. 积极适当锻炼，生活作息时间规律。

## 宫颈癌

宫颈癌是最常见的妇科肿瘤，占女性生殖器恶性肿瘤总数的一半以上，多发生于40～60岁，随年龄而增长，但绝经后下降。早期常无明显症状，偶于性交、妇科检查后产生接触性出血，与慢性宫颈炎无明显区别。尤其在老年妇女子宫颈已萎缩者，某些颈管癌患者由于病灶位于颈管内，阴道部子宫颈外观表现正常，一旦症状出现，多已达到中晚期。临床表现为阴道出血、阴道分泌物增多（多发生在阴道出血以前）、疼痛、发热、贫血、消瘦甚至恶病质，可出现尿频、尿急、尿痛、下坠感和血尿。

本病中医学属“崩漏”、“五色带”、“恶疮”、“阴疮”等范畴。多因冲任二脉受损或外受湿热、毒邪凝聚，阻塞胞络；或因肝气

郁结，疏泄失调，气血凝滞，瘀血蕴结；或脾虚生湿，湿蕴化热，久则成毒，湿毒下注，以致身体虚弱、脉络亏损。临床辨证施治多酌情选用疏肝理气、解毒散结、滋补肝肾、补中益气等法。

**【必备验方】**

1. 蒲黄、五灵脂各 10 克，乌骨鸡 1 只。将蒲黄、五灵脂共研细末（布包）；乌骨鸡，去毛及内脏，入沸水中焯透，用清水过凉，把药袋装入鸡腹，加水适量（以浸没鸡身为度）煮沸，烹入料酒，改用小火煨熟，取出药袋，加葱花、生姜末、精盐、味精、五香粉煮沸，淋上香油，佐餐服食，当日吃完。

2. 制川乌（切片）、艾叶（切碎）、延胡索（切片）各 20 克，蜂蜜 30 克（后下）。将制川乌、延胡索加水浸泡片刻后以大火煮沸，再以小火煎 1 小时，加入艾叶再煎 20 分钟，去渣，取汁兑入蜂蜜拌匀，早、晚分服。

3. 甜杏仁 10 枚，牛乳 100 毫升，大枣 5 枚，粳米 50 克，桑白皮 10 克，生姜 3 克。将杏仁加水浸泡，去皮、尖，加入牛乳绞取汁液；大枣去核，生姜切片；将桑白皮、生姜、大枣水煎，取液，加粳米煮粥，临熟时兑入杏仁汁，煮沸服食，每日 2 次。

4. 田螺数只。洗净，取去田螺外壳，倒覆于洗净容器内过夜，可得浅绿色水液，加适量冰片调成稀糊状。待阴道内冲洗并拭去坏死组织后，取液涂于创面，每日 1 次。

5. 白砒 45 克，白矾 60 克，雄黄 7.2 克，乳香 3.6 克。将白砒、白矾研细末，入小罐内煅至青烟尽白烟起、上下通红，去火，置 1 宿，研末（约 30 克），入雄黄、乳香共研细末，厚糊搓线，置于患处。

**【名医指导】**

1. 定期开展宫颈癌的普查普治，1～2 年 1 次，做到早发现、早诊断、早治疗。

2. 提倡晚婚、少育，开展性卫生教育；已婚妇女特别是围绝经期妇女有月经异常或性交后出血者，应及时就医。

3. 避免多性伴侣，避免性生活过早，避免长期口服避孕药。营养不良、家族遗传、妇科检查器械造成的伤害也会增加宫颈癌发病的风险，应注意加强营养，并定期做检查。戒烟。避免服用类固醇药物。

4. 在妊娠前一定要做好各种检查，尤其是涂片。

5. 重视子宫颈慢性病的防治，积极治疗宫颈癌前病变，如宫颈糜烂、子宫颈湿疣、子宫颈不典型增生等疾病。

6. 饮食宜清淡、营养丰富。放射治疗时多食牛肉、猪肝、莲藕、木耳、菠菜、芹菜、石榴、菱角菜等；化学药物治疗时多食山药粉、薏苡仁米粥、动物肝脏、胎盘、阿胶、甲鱼、木耳、枸杞子、莲藕、香蕉等。术后可食猪肝、山药粉、龙眼、桑椹、黑芝麻、枸杞子、青菜、莲藕等；忌韭菜、生葱，忌烟、酒。

## 子宫肌瘤

子宫肌瘤是女性生殖系统最常见的良性肿瘤，多发于 35～50 岁。临床表现为月经异常（如月经过多，经期延长，或不规则阴道流血）、阴道排液增多、疼痛、贫血、不育。肿瘤位于前壁，可压迫膀胱造成尿频、尿急，或排尿困难、尿潴留。

本病中医学归属于“癥瘕”、“崩漏”、“月经不调”等范畴。

**【必备验方】**

1. 益母草 50～100 克，陈皮 9 克，鸡蛋 2 个。加水共煮至蛋熟，去壳后再煮片刻，吃蛋饮汤。于月经前每日 1 次，连服数次。

2. 延胡索、艾叶、当归各 9 克，瘦猪肉 60 克。将前 3 味加水 3 碗煎至 1 碗，去渣，入猪肉煮熟，加食盐调服。于月经前每日 1 剂，连服 5～6 日。

3. 薏苡仁根、老丝瓜（鲜品）各 30 克。水煎，取汁加红糖调服，每日 1 剂，连服 5 日。

4. 穿山甲 20 克，当归尾、赤芍各 10 克，生艾叶 30 克。同装布袋内，放小腹上，外以热水袋敷之，每次 20 分钟，30 日为 1 个疗程。

5. 丹参、荔枝核各 15 克，山豆根、蒲公英、桃仁、赤芍各 10 克，三棱、香附、桂枝各 6 克，莪术 8 克。水煎服，每日 1 剂。

**【名医指导】**

1. 合理避孕以减少流产次数；适当控制性生活，特别是性生活不洁或多个性伴侣者。

2. 保持外阴清洁干燥，避免外阴及阴道感染。

3. 宜食富含维生素和蛋白质的食物，如瘦肉、鱼肉等；多吃蔬菜水果等。适当摄取含有雌激素的食物，如番薯、山药、蜂王浆等；避免辛辣及刺激性强的食物。

4. 适当进行体育锻炼，增强自身抗病能力。

5. 保持心态平稳，避免七情过极；定期进行妇科体检。

6. 限制高脂肪摄入量，控制体重；避免长期服用激素类药品、保健品；避免使用含有雌激素的化妆品等。

7. 要注意月经、白带是否正常。若有异常及时去医院做检查，争取早发现、早治疗。

8. 术后要有规律的生活方式、健康的饮食习惯及愉快的心情。

9. 术后不宜立即怀孕。

10. 术后宜多食富含铁量高的食物，如猪肝、黑芝麻、葡萄、紫菜、枸杞子、香菇等；多吃蔬菜、水果，尤其是番茄。做到饮食定时定量，不暴饮暴食；坚持低脂饮食，尽量少吃油脂类、煎炸熏烤类食物等。

## 卵巢癌

卵巢癌是女性生殖器官常见的肿瘤，发病率居第三位。早期可无症状，多在术中及病理学检查确诊。临床表现为腹部包块迅速长大，或感腹胀、腹大、消瘦等症状，伴疼痛、发热、贫血、无力及恶病质表现。

本病中医学归属于“癥瘕”、“五色带”、“痛证”等范畴。

**【必备验方】**

1. 大黄、红花各60克，虻虫10个（去翅、足）。将大黄加醋熬成膏，红花、虻虫共研细末，入膏为丸（如梧桐子大），饭后温酒送服，每次5～7丸。

2. 龙葵、葵树子、白花蛇舌草、土茯苓各40克，蜜枣2个，猪肉240克。猪肉分别洗净；备用。将以上材料全部放入瓦煲内，加入适量清水，先用猛火煲至水沸，然后用中火煲2小时左右，再加少许食盐调服。

3. 土鳖虫、蟾蜍、大茯苓、猪苓、党参各15克，白花蛇舌草、薏苡仁、半枝莲各18克，三棱、白术各10克，莪术12克，甘草3克。水煎3次，每日1剂，分3次服，连用2～3个月。

4. 山核桃树枝250克，鸡蛋1个。将山核桃树枝加水500毫升煎20分钟，去渣，入鸡蛋煮熟食，每次1个，每日2次。

5. 于双侧足三里穴皮下埋藏麝香0.1～0.3克，每隔15日在双侧足三里、三阴交及关元穴交替埋藏1次。

**【名医指导】**

1. 多从食物中摄取类胡萝卜素，如进食大量胡萝卜、番茄及其他富含胡萝卜素和番茄红素的食物。

2. 适当增补高钙食物，特别是绝经后妇女和老年妇女；每日坚持喝牛奶或奶制品，常吃豆制品、小虾皮、小鱼、海带及荠菜等食物。

3. 每年妇科检查，早发现、早治疗。

4. 保持情绪平稳，积极配合治疗。

5. 适当进行体育运动，养成良好的作息时间规律。

6. 饮食上注意摄取足够的热量和蛋白质，如多吃牛奶、鸡蛋、瘦猪肉、牛肉、兔肉、鱼肉、禽肉、豆制品等；多吃维生素含量高的新鲜蔬菜和水果，以助于大便通畅；避免用胡椒、芥末等刺激性调味品，以及油煎、熏烤食物。

7. 多饮水，每日不少于2000毫升。多饮用牛奶、豆浆和绿豆汤，以助于排出癌细胞释放的毒物。

## 葡萄胎

葡萄胎是一种良性滋养层细胞肿瘤，又称良性葡萄胎。由于其绒毛间质水肿变性，致使绒毛末端膨大，形成许多水泡，故形成积水泡状胎块。临床以闭经后2～3个月或延至4个月开始反复阴道出血、子宫增大迅速、

大于停经月份、妊娠呕吐及妊娠期高血压疾病出现早且症状严重为特点。

本病中医学属“鬼胎”、“漏下”等范畴。临床治疗以下胎祛瘀为主，佐以调补气血，以善其后。

**【必备验方】**

1. 喜树适量。制成粉剂，装胶囊内。口服，每次2克，每日3次。

2. 薏苡仁、半枝莲、白花蛇舌草各30克。水煎，代茶饮用，每日1剂。

3. 高粱根20克，薏苡仁30克。将高粱根水煎，取汁加薏苡仁煮粥食（食时加红糖或盐少许）。

4. 天花粉30克，香附、紫草各20克，半枝莲、益母草、白花蛇舌草各25克。水煎3次，合并药液，每日1剂，早、中、晚分服，7日为1个疗程。

5. 天花粉50克，猪牙皂10克。共研细末，装入胶囊（每粒含天花粉0.25克、牙皂粉0.15克），每日1粒，置于阴道后穹。

**【名医指导】**

1. 一般于清宫术后，每周查尿1次，至人绒毛膜促性腺激素（HCG）转阴或浓缩尿转阴、放射免疫检查降至正常值后，每2周或1个月查血或尿1次，随诊至3个月。之后每月或每2个月查1次，半年或1年后，改为每半年至1年复查1次，随诊至少3年以上，甚至坚持10～15年以上。若有异常病情变化，及早进行治疗。

2. 同时行妇科检查了解子宫复旧情况，注意患者有无阴道异常流血、咯血及其他转移灶症状。并行盆腔B超、胸部X线片或CT检查。

3. 葡萄胎经治疗后最少应避孕1～2年。

4. 患者应保持情绪平稳，心态乐观，配合检查和治疗。

5. 进行适当的体育锻炼，增强机体的免疫力。

# 第二十九章 其他妇科疾病

## 子宫脱垂

子宫脱垂是一种妇科常见病。子宫从正常位置沿阴道下降，子宫颈外口达坐骨棘水平以下，甚至子宫全部脱出于阴道口以外，称子宫脱垂；常合并有阴道前壁和后壁膨出。临床表现为自觉会阴处有下坠感，阴道有肿物脱出。按下脱程度不同，分为Ⅲ度。子宫位置下降但仍在阴道内，称Ⅰ度；子宫颈及部分子宫体露出阴道口，称Ⅱ度；子宫完全脱出，称Ⅲ度。

本病中医学称“阴挺”、“阴脱”、“阴菌”等。临床治疗以益气升提、补肾固脱为主。重度子宫脱垂者，宜中西医结合治疗。

**【必备验方】**

1. 莲子 250 克，猪肚 1 只，黄酒适量。将莲子洗净，冷水浸泡半小时，备用；猪肚用冷水内外冲洗后，用细盐反复擦洗内壁，再用冷水冲洗干净，肚子剖一缺口，纳莲子入内（用线封口，肚子的两头也用线扎牢），加冷水（将猪肚浸没），用旺火烧开，加黄酒 2 匙，以小火炖 3～4 小时。取出莲子，烘干，研末，开水吞服，每次 1 匙，每日 3 次。肚子蘸酱油，佐餐食。

2. 鲜荷叶 5 张，黑枣 250 克，猪油、黄酒各适量。将荷叶洗净，剪成小方块，备用；黑枣用温水浸半小时，洗净，加黄酒 3 匙拌匀，用荷叶包起来（每张包 1 个黑枣，包时在黑枣表面涂上一层熟猪油，荷叶要包紧），以旺火隔水蒸 2～3 小时（瓷盆加盖）。每取 4～6 只，在饭上蒸热服食，每日 2 次。适用于脾虚型子宫脱垂。

3. 升麻 4 克（研末），鸡蛋 1 个。将鸡蛋开一（黄豆大）小孔，纳升麻末入内，以白纸蘸水将孔盖严（口朝上），蒸熟食，每次 1 个，每日早、晚各 1 个，10 日为 1 个疗程，每个疗程间隔 2 日，连用 3 个疗程。

4. 赤石脂 9 克，鸡内金、五倍子各 6 克，冰片 0.6 克。共研细末，密封装瓶备用。先用五倍子煎水熏洗外阴，擦干，再扑敷药末，并将脱出子宫纳入阴道后，用月经带托住，每日早、晚各 1 次。

5. 蓖麻子 20～50 粒。捣烂，摊于纱布上，贴于百会穴。如子宫上收时，应及时去除。

**【名医指导】**

1. 坚持新法接生，到医院分娩。

2. 会阴裂伤者及时修补，坚持产褥期卫生保健。

3. 产后勿过早下床活动，特别是不能过早参加重体力劳动；保持大小便畅通，积极治疗慢性咳嗽等增加腹内压的疾病。

4. 适当进行身体锻炼，提高身体素质。

5. 卧床休息，注意睡时垫高臀部或脚部（抬高 2 块砖的高度）。

6. 避免长期站立或下蹲、屏气等增加腹压的动作。

7. 哺乳期不应超过 2 年，以免子宫及其支持组织萎缩。

8. 平时注意做一些运动，治疗及预防子宫脱垂。如太极拳、提肛锻炼、膝胸卧位及双手扶床边，双腿并拢，做下蹲动作 5～15 次，每日 2 次，以助于子宫收缩。

9. 节制房事。

10. 增加营养，多食有补气、补肾作用的食品，如鸡、山药、扁豆、莲子、芡实、泥鳅、淡菜、韭菜、大枣等。饮食应定时定

量，不暴饮暴食。坚持低脂肪饮食，多吃瘦肉、鸡蛋、绿色蔬菜、水果等。多吃五谷杂粮，如玉米、豆类等；多吃有营养的干果类食物，如花生、芝麻、瓜子；忌食羊肉、虾、蟹、鳗鱼、咸鱼、黑鱼等发物；忌食辣椒、麻椒、生葱、生蒜、白酒等刺激性食物及饮料；禁食桂圆、红枣、阿胶、蜂王浆等热性和含激素的食品。

## 阴道膨出

盆底组织松弛引起子宫脱垂的同时也常导致阴道壁膨出。耻骨膀胱宫颈韧带及周围肌纤维损伤可致阴道前壁膨出，其邻近器官失去依托常随之膨出，称膀胱膨出；直肠阴道筋膜、耻骨尾骨肌损伤，直肠失去支持而随阴道后壁脱出，称直肠膨出；耻骨尾骨肌后部损伤严重可形成后穹窿疝，肠管由疝部膨出为后穹窿肠疝。阴道膨出包括前阴道壁膨出（膀胱膨出、尿道膨出）与后阴道膨出。

本病中医学属“阴挺”、“阴挺下脱”、“阴菌”等范畴。总属虚证，多由素体脾气虚弱、肾气不充，又遇劳力过度、便秘强下、产中用力等诱因而致。

**【必备验方】**

1. 猪大肠250克，黑芝麻100克，升麻9克。将猪大肠洗净；升麻布包，同黑芝麻塞入肠中，炖熟，去升麻，分2次服食，每周2～3次。

2. 团鱼（水鱼）头5～10个。洗净、切碎，炒黄、研末，每晚睡前用米酒或黄酒送服3克。

3. 五味子、牡蛎、龙骨各10克，丹参15克。水煎服，每日1剂，30日为1个疗程。

4. 海桐皮60克，乌龟1只，鲜红蓖麻叶1～2张。海桐皮烧炭（存性），乌龟取头烤干，共研细末，每取约30克用；所剩者以红蓖麻叶包裹煨热，再以薄布包裹待用；同时取药末3克内服，每日3次，用药包将脱出器官托入，并敷于外阴部至冷，每日1次。药包可连用3次，但蓖麻叶需每次更换。

5. 紫花地丁、金银花各20克，乌梅12克，五倍子10克。煎汤，熏洗外阴部。

**【名医指导】**

1. 做肛提肌锻炼，每次10～15分钟，每日2次，对恢复组织功能有一定作用。注意适当营养，避免站立过久及膀胱过于充盈。

2. 由长强穴起，沿脊柱正中捏至大椎穴，每次捏10回，每日1次，10次为1疗程。

3. 注意卧床休息，睡觉时宜垫高臀部或脚部约2块砖的高度。

4. 产后不过早下床活动，特别是不能过早地参加重体力劳动。

5. 避免长期站立或下蹲屏气等增加腹压的动作；积极治疗增加腹压的疾病，如治疗咳嗽、慢性气管炎、便秘等。

6. 适当进行体育锻炼，提高身体素质。

7. 增加营养，多食有补气补肾作用的食物，如鸡、山药、扁豆、莲子、芡实、泥鳅、淡菜、韭菜、大枣等。

8. 节制房事。

9. 产妇哺乳期不宜超过2年，以免子宫支持组织萎缩。子宫脱垂行子宫切除术，应在切除子宫关闭盆腔腹膜后将子宫骶韧带等缝合于阴道顶端。

## 不孕症

凡婚后有正常性生活，未采取任何避孕措施，同居2年以上而未能受孕，称不孕症。分为原发不孕和继发不孕，前者指婚后从未受孕，后者为曾生育或流产后不再受孕。女方不孕因素包括下丘脑-垂体-卵巢轴功能紊乱致无排卵，输卵管阻塞等。

本病中医学亦称“不孕症”。原发性不孕属“无子”、“全不产”等范畴，而继发性不孕属“断绪”范围。辨证治疗主要依据月经变化、带下病轻重程度；其次依据全身症状及舌脉，进行综合分析，明确脏腑、气血、寒热、虚实，以指导治疗。治疗重点是温养肾气，调理气血，使经调病除，则胎孕可成。此外，还须情志舒畅，房事有节。

**【必备验方】**

1. 生姜（捣烂）、红糖各500克。混匀，

蒸1小时，晒3日（共九蒸九晒），最好在夏季3伏，每伏各蒸晒3次即成。在月经期开始时服，每次1匙，每日3次，连服1个月，服药期间忌房事。适用于宫冷不孕。

2. 猪脊髓200克，团鱼250克。将猪脊髓洗净，团鱼用开水烫死，揭去团鱼之背甲，去内脏，加水、生姜、葱、胡椒末，用旺火烧沸后，改用小火煮熟，放入猪脊髓煮熟，加味精调服。适用于肾虚不孕。

3. 全当归500克，大枣1000克（去核）。以好酒拌匀，隔水炖半日，待凉后，再以绍酒5千克泡20日，随量常服。适用于贫血性不孕。

4. 酒炒白芍30克，酒炒香附、酒洗牡丹皮、茯苓（去皮）各9克，酒洗当归、土炒白术各150克，天花粉6克。水煎，每日1剂，分2次服。适用于肝郁气滞型不孕症。

5. 鹿鞭1只，罐头蘑菇90克，带皮猪肉1000克，海米30克，净嫩母鸡500克，干贝30克，味精、料酒、胡椒粉、鸡油、葱、生姜、食盐、鸡汤各适量。将鹿鞭以温水泡透，纵向剖开，用开水烫掉外皮，放锅内用开水煮1小时左右，再用冷水洗净，加鸡汤、干贝、海米、净嫩母鸡、净猪肉、葱、姜炖熟，取出鹿鞭切成斜片，加入鸡汤、蘑菇（大的切四半，小的切两半）、料酒、胡椒粉、食盐同烩，加入味精、淋上鸡油即可。

**【名医指导】**

1. 在选择婚配、婚龄、聚精养血、交合有时、交合有节诸方面均要符合求嗣之道。

2. 调治劳伤痼疾、全身性疾病，避免身体虚弱。

3. 舒畅情志；夫妻之间的良好心态尤为重要，避免焦虑、紧张。

4. 做好个人卫生尤其是经期卫生，以避免月经不调、痛经、外阴炎、阴道炎、宫颈炎、子宫内膜炎、附件炎、盆腔炎等疾病。

5. 如经期、经色、经量发生变化或发生闭经、痛经、崩漏等，应及早到医院检查和治疗，以免影响生育。

6. 实行计划生育，早期做好避孕措施。

7. 择月经中期交媾。

8. 必要时夫妻双方应去医院进行检查，针对病因进行治疗。

## 子宫内膜异位症

子宫内膜异位症是指具有不同程度功能的子宫内膜出现在子宫腔以外的部位而发生的病变，为良性病变，但具有类似恶性肿瘤远处转移和种植生长能力。病变部位多见于盆腔内（如卵巢、子宫、直肠、宫底韧带、直肠阴道隔等），其中以侵犯卵巢多见，约占80%；也可出现在子宫颈、阴道、外阴、脐部及身体其他部位（如肾、膀胱、输尿管等），但较罕见。临床表现为继发性进行性加重的痛经，月经失调，如阴道不规则出血、月经过多、经期延长以及经前2～3日阴道少量出血；不孕，深部性交痛，急性腹痛。

中医学认为，其病机关键是瘀血。患者素体虚弱，正气不足，又因情志不遂，或感受外邪，或产育受伤，而致肝郁、脾虚、肾亏，冲任受损，胞脉不利，瘀血阻滞，不通则痛，引起痛经、不孕。临床分为肝郁血瘀、寒凝血瘀、气虚血瘀、肾虚血瘀、热郁血瘀等证型。

**【必备验方】**

1. 醋制生大黄、醋制炙鳖甲、琥珀按2∶2∶1比例研粉制成丸，饭前开水送服，每次2.5克，每日2次，连服3个月为1个疗程。

2. 毛冬青、败酱草、忍冬藤各6000克，枳壳3000克。煎液，配成20%浓度（装瓶备用）。每取100毫升保留灌肠，每次4小时，每晚1次，经期停用。

3. 大黄、侧柏叶各1000克，薄荷、泽兰、黄柏各250克。共研细末，每取50～100克，以开水、蜂蜜调敷下腹痛处，每日1～2次，经期停用。

4. 当归、赤芍、五灵脂、延胡索、桃仁、红花各9克，没药6～9克，生蒲黄12克，干姜、小茴香各5克，肉桂3克。水煎服。

5. 淫羊藿30克，桃仁、桂枝各9克，炙鳖甲、茯苓、锁阳、土鳖虫各15克，王不留行、赤芍、牡丹皮、昆布、三棱、莪术、

逍遥丸（包）各12克。水煎，于月经干净后服5～7剂。

**【名医指导】**

1. 适龄婚育和药物避孕。

2. 避免在临近月经期进行不必要、重复的妇科双合诊，以免将子宫内膜挤入输卵管，引起腹腔种植。尽量不以人工流产术作为节育措施，而采用安放宫内节育器或服用避孕药等方法。做剖宫产术时宜用纱布保护腹壁切口，防止子宫内膜碎屑植入腹壁组织；在缝合腹膜后，用生理盐水洗净腹壁伤口，再分层缝合。

3. 及时矫正过度后屈子宫及子宫颈管狭窄，使经血通畅，避免淤滞，引起倒流。

4. 注意保暖，避免寒凉。女孩子在青春期避免受到惊吓，以免导致闭经或形成溢流。

5. 月经期要做好自我保健，注意控制情绪，避免大怒大悲。

6. 在月经期间禁止性生活。

7. 保持身心愉快，不要太过压抑。

8. 饮食宜多干果，如核桃仁、大枣、龙眼肉等；可多食新鲜水果。行经前后，不能进食过热的汤、菜及生冷食物等。少食酸涩收敛之物及肥厚油腻食物。

9. 必要时可采取激素药物治疗或手术治疗，以及药物与手术的配合治疗。

10. 适当规律的体育运动，注意劳逸结合。

## 盆腔静脉淤血综合征

盆腔静脉淤血综合征又称盆腔淤血症，是由于慢性盆腔静脉淤血所引起的特殊病症，多见于30～50岁经产妇。临床表现为下腹部疼痛，多为慢性耻骨联合上区弥漫性疼痛，或为两侧下腹部疼痛，常常是一侧较重，并累及同侧或下肢，尤其是大腿根部或髋部酸痛无力，开始于月经中期；低位腰痛；痛经；性交时有不同程度的痛感，多为深部性交痛，次日下腹痛、腰痛、白带多等症状明显加重；70%以上患者伴有淤血性乳房疼痛、肿胀；外阴和阴道内肿胀、坠痛感，或有外阴烧灼、瘙痒感；大多数患者伴有某些自主神经系统症状。

本病中医学属“腹痛”、“痛经”、“带下”等范畴。病机主要为瘀血阻滞、脉络不通。

**【必备验方】**

1. 贯众1个（炭火烧枯，研末），旧棕1把（烧灰存性）。共为细末，每服9克，空腹热酒送下。

2. 鲜鲤鱼1条（约500克）。黄酒炖食。另将鱼刺焙干，研细末，每早以黄酒送服。

3. 桃仁9克，大黄12克，桂枝、芒硝（后下）各6克。加水1400毫升煮取450毫升，去渣加入芒硝，以文火煮至微沸即可。饭后温服，每次150毫升，每日3次。

4. 红花6克，南瓜蒂1～2枚。水煎，去渣，分2次服，于经前5日服，连服7日，连用3个月经周期。

5. 大血藤、丹参、三棱、莪术各等份，水浓煎至100毫升，于经净后3日保留灌肠，每日1次，7次为1个疗程。

**【名医指导】**

1. 加强计划生育宣传，防止早婚、早育、性交过频及生育较密；提倡最多生2个孩子，2次生产至少应有3～5年的间隔。

2. 重视体育锻炼，改善健康情况。

3. 加强产后卫生宣传，推广产后体操，对生殖器官及其支持组织的恢复有帮助。

4. 休息或睡眠时避免习惯性仰卧位；提倡两侧交替侧卧位，以有利于预防子宫后位的形成。

5. 防止产后便秘及尿潴留。

6. 注意劳逸结合，避免过度疲劳；对长期从事站立或坐位工作者，尽可能开展工间操及适当的活动。注意养成午休的好习惯。

7. 严重者可坚持依次先做10余分钟的膝胸卧位，再取侧俯卧位休息。一般能使严重的盆腔疼痛等症状得到明显地减轻或缓和。如侧俯卧位疗法有效而不能巩固，可考虑手术治疗。

## 外阴瘙痒

外阴瘙痒可由特殊感染（如真菌性阴道

炎、滴虫阴道炎、阴虱、疥疮、蛲虫病)、慢性外阴营养不良、药物过敏或化学品刺激、不良卫生习惯、皮肤病等引起，糖尿病、黄疸、白血病、维生素A缺乏、维生素B缺乏等慢性病也可引起。部分患者无明显症状，可能与精神(或心理)因素有关。

本病中医学称“阴痒”，亦称“肛门瘙痒”。其病机主要为肝、肾、脾功能失常。临床常见肝经湿热、肝肾阴虚、血虚生风等证型。阴部干涩、灼热，或皮肤变白、增厚或萎缩，甚则皲裂，夜间痒甚者，为肝肾阴虚；阴痒伴带下量多，色黄如脓，稠黏臭秽，多为肝经湿热；阴部瘙痒，如虫行状，甚则奇痒难忍，灼热疼痛，伴有带下量多，色黄如泡沫状，或如豆渣状，臭秽，多为湿虫滋生。

**【必备验方】**

1. 土茯苓500克(鲜者更佳)，荸荠200克(去皮)，猪骨500克，佐料适量。将土茯苓(布包)、猪骨水煎，去药包，入荸荠以文火炖半小时，加入佐料后分次服用。

2. 生姜120克(洗净，连皮打碎)，艾叶90克(鲜品200～250克)。加水1500毫升煎沸20分钟，去渣，熏洗阴部，每次10～15分钟，每日1～2次，连用3日。

3. 虎杖100克，苦参、木槿皮各50克。每日1剂，加水4500毫升煎取4000毫升，过滤，分2次坐浴，每次10～15分钟，7日为1个疗程。

4. 鱼腥草20克。加水500毫升熬至250毫升，用吸管吸汁滴于阴痒部位，每日2次，1个月为1个疗程，连用3个疗程。

5. 苦杏仁100克(研细末)，香油450克，桑叶150克。将桑叶煎汤，冲洗外阴及阴道，再以香油调杏仁末涂敷，每日1次(或用带线棉球蘸杏仁末塞入阴道，24小时后取出)，连用7日。

**【名医指导】**

1. 注意经期卫生；行经期间勤换月经垫，勤清洗。

2. 保持外阴清洁干燥；不用热水烫洗，不用肥皂擦洗。

3. 忌乱用、滥用药物，忌抓搔及局部摩擦。

4. 忌酒及辛辣食物，勿吃海鲜等易引起过敏的药物。

5. 不穿紧身裤；内裤须宽松、透气，并以棉制品为宜。

6. 治疗期间及愈后半个月内忌食辛辣、油炸、煎炒食物，严禁喝酒，禁房事。

7. 积极治疗引起外阴瘙痒的全身性疾病。

# 第五篇 儿科疾病

# 第三十章 新生儿疾病

## 新生儿黄疸

新生儿黄疸分为生理性黄疸和病理性黄疸。生理性黄疸一般随着小儿肝脏功能逐渐成熟，10～14 日会自然消退，无须治疗。若出生后 24 小时内出现黄疸，2～3 周后仍不消退，甚至继续加深或退而复现，为病理性黄疸。

本病中医学称“胎黄”、“胎疸”。临床分为湿热胎黄、寒湿胎黄、瘀血胎黄、胎黄动风。分别治以清热利湿退黄和温中化湿退黄，气滞瘀积证以化瘀消积为主。

**【必备验方】**

1. 雪梨 1 个。洗净，连皮切片，置酸醋中泡浸 8 小时，取出晾干，捣烂，榨汁服，每次 3～5 毫升，每日 3～5 次。

2. 茵陈、薏苡仁各 10～15 克，丹参 5～10克，甘草 1～3 克。加水 150 毫升煎至 50 毫升，加少许蜂蜜（或葡萄糖）服，每日 1 剂，3～5 日为 1 个疗程。

3. 鲜牡蛎肉 100 克，玉米须 150 克。先将玉米须洗净、切段，放纱布袋中（扎紧袋口）；将鲜牡蛎肉洗净，斜剖成片，与玉米须同炖熟，去药袋，加葱花、生姜末、食盐、味精拌匀，煮沸即可，分 2 次服食。

4. 鲜茵陈汁适量，赤小豆、丝瓜蒂各 7 粒，白矾少许。将后 3 味共研末，以茵陈汁调敷于脐孔，外以纱布覆盖、胶布固定，每日换药 1～3 次。

5. 绿矾、面粉各 50 克。将面粉和为饼，纳绿矾入内，慢火烤熟，研细末，以煮熟大枣（去核），捣和为丸（如梧桐子大），温水送服 40～50 丸。

**【名医指导】**

1. 应对本病有正确的认识：新生儿出生后 2～3 日出现黄疸，7～10 日消退，为生理性黄疸，多喂温开水或葡萄糖水，无须特殊治疗；若黄疸提前或推迟出现，应立即送医院检查。

2. 孕妇如有肝炎史或曾生病理性黄疸婴儿者，产前宜测定血中抗体及其动态变化；并采取相应预防性服药措施。

3. 夫妻双方若血型不合，尤其母亲血型为 O，父亲血型为 A、B 或 AB，或母亲 RH 血型呈阴性，应定期做有关血清学和羊水检查，并在严密监护下分娩，以防止新生儿溶血症的发生。

4. 对低体重儿、窒息儿、母婴血型不合者及其他容易发生高胆红素血症的高危新生儿，应及早在产后监测血清胆红素，必要时予以治疗。

5. 应在光线充足的情况下注意新生儿的巩膜黄疸情况，及时了解黄疸出现时间及消退时间，发现黄疸应尽早治疗，并观察黄疸色泽变化以了解黄疸的进退。

6. 妊娠期孕母应注意饮食有节，不过食生冷、过饥过饱；忌酒和辛热之品。

7. 注意保护婴儿皮肤，脐部及臀部要清洁；防止破损感染。

8. 新生儿注意保暖，早期开奶；母乳喂养者奶量不足所致黄疸者，应酌情加奶。

## 新生儿寒冷损伤综合征

新生儿寒冷损伤综合征又称新生儿硬肿症，是由于局部或全身血液循环障碍致皮下脂肪凝固形成硬肿，常发生在严寒季节出生

的新生儿，尤其是未成熟儿。

本病中医学属“胎寒”、“五硬”等范畴。其病机除阳气虚衰、寒凝血涩外，与血瘀密切相关。宜益气温和，活血化瘀。其中阳虚者温补脾肾，寒甚者散寒通阳，血瘀者行气活血。同时配合复温、中药外敷等法。

**【必备验方】**

1. 人参、熟附子（先煎 90 分钟）各 6 克，枳实 2 克。分别捣碎，加水 250 毫升煎 20 分钟。重度患儿 24 小时服尽，轻度患儿 48 小时服尽。

2. 温茶油适量。涂抹按摩。

3. 生葱、生姜、淡豆豉各 30 克。同捣碎，酒炒热，敷于局部。

4. 针刺关元、气海、足三里等穴，针后加灸。

5. 鲜韭菜 200～250 克。加水 2500～3000 毫升煮至韭菜发黄，适温时洗浴（除头、面部外，身体其他部位均浸在韭菜水中），并轻轻揉摩硬肿部位，每次 5～10 分钟，每日 1～2 次。

**【名医指导】**

1. 加强新生儿护理，室内保持适宜温度（不低于 24 ℃）。

2. 新生儿应立即擦干羊水，并用温热毛毡包裹。

3. 及早哺乳，加强母乳喂养，补充热量。对吸吮能力差的新生儿可用滴管滴奶，必要时鼻饲。

4. 新生儿转运过程中应有合适的保暖措施。

5. 预防早产、感染、窒息等新生儿高危因素。

6. 可进行复温，轻者可放在 26 ℃～28 ℃室温中，置热水袋；重者先置 26 ℃～28 ℃室温中，1 小时后置 28 ℃暖箱中，每 1 小时提高箱温 1 ℃（至 30 ℃～32 ℃），使皮肤温度达 36 ℃左右。

7. 注意消毒隔离，防止交叉感染。患儿衣被、尿布应清洁柔软干燥，睡卧姿势须勤变换，严防发生并发症。

## 新生儿缺氧缺血性脑病

新生儿缺氧缺血性脑病是由于围生期窒息、缺氧所导致的脑缺氧缺血性损害。临床以神经系统异常为特征，主要表现为意识障碍、肌张力、原始反应异常、惊厥、颅内压增高、脑干功能障碍。多见于严重窒息的足月新生儿。危重者可死于新生儿早期，幸存者往往留有神经系统损伤后遗症，如智力低下、癫痫、脑性瘫痪、共济失调等。本病足月儿多见，是导致儿童神经系统伤残的常见原因之一。

本病中医学属“胎惊”、“胎痫”、“惊风”、“昏迷”、“囟填”等范畴。胎惊者，乃孕妇调适失常，胎儿受病，生后屡发惊风的病证。由于孕妇调适失常，常导致胎儿禀赋不足（包括气血不足），以致风痰内蕴，痰生风，风生惊。目前临床上分为轻度胎惊、中度胎惊、重度胎惊。

**【必备验方】**

1. 白参 1.5 克，丹参 4 克，石菖蒲、钩藤各 3 克。水浓煎至 40 毫升，口服或鼻饲，每次 5 毫升，每日 3 次。疗程：轻度 3～5 日，中度 5～10 日。

2. 人参、当归、丹参、钩藤各 3 克。水煎至 50 毫升，少量多次鼻饲，每次 10 毫升。

3. 人参、附子、丹参、菖蒲各 3 克。水煎至 50 毫升，每次 10 毫升鼻饲，苏合香丸 1/6 丸，冲服。

4. 指压百会穴、人中、合谷，或指压百会，针刺人中、合谷、曲池，不留针，用于止痉；灸法：取大椎、脾俞、命门、关元、气海、百会、足三里，用于脾肾阳虚证；推拿：揉阳池、小天心，补脾平肝，用于恢复期。

5. 山药、山茱萸、人参、黄芪、白术各 3 克。水煎至 50 毫升，每次 10 毫升，鼻饲。

**【名医指导】**

1. 在分娩过程中要严密监护胎儿心率，及早发现胎儿窘迫，给产妇吸养，选择最佳方式尽快结束分娩。

2. 出生后窒息的新生儿须平卧，头稍抬

高，少扰动；应争分夺秒地建立有效呼吸和完善的循环功能，尽量减少生后缺氧对脑细胞的损伤。

3. 窒息复苏后的新生儿要密切观察神经症状和监护各项生命体征。一旦发现有异常神经症状，如意识障碍、肢体张力减弱以及原始反射不易引出，便应考虑本病的诊断；及早给予治疗，以减少存活者后遗症的发生率。

4. 保证足够的营养和热能，不能自行吸吮者可鼻饲。

5. 恢复期可进行肢体按摩、被动操、视听觉训练等康复锻炼。

6. 关注患儿运动、智能发育，注意有无肌张力和姿势的异常，早期发现脑瘫、智力低下等后遗症并进行干预。

## 新生儿脐炎

新生儿脐炎是由于断脐时或出生后处理不当，脐残端被细菌侵入引起的急性脐蜂窝织炎。最常见的为金黄色葡萄球菌，其次为大肠埃希菌、铜绿假单胞菌、乙型溶血性链球菌等。临床表现为脐轮和脐周皮肤轻度红肿，可有少许浆液性分泌物。重者脐部及周围明显红肿，有脓性分泌物，并伴臭味。

脐带脱落前后，脐部湿邪浸淫，久而不干，称脐湿；脐周皮肤红、肿、热、痛，或形成脓肿，称脐疮；发于脐带脱落之后，称落脐疮。其中，脐湿、脐疮是一个疾病的两个阶段；脐湿为脐疮的初起阶段，脐疮则为脐湿的发展和加重。临床治疗以祛湿生肌、清热解毒为主。若热毒炽盛、邪陷心肝，则凉血清营、熄风镇惊，并配合外治法。

**【必备验方】**

1. 冰硼散适量（硼砂、冰片、玄明粉、朱砂组成）。先用生理盐水或苯扎溴铵清洗干净脐上的分泌物，再敷上冰硼散 1 克（包扎），每日换药 1 次，连用 2～3 次，即愈。

2. 五倍子 50 克，生龙骨 25 克，冰片 0.2 克。共研细末，每取适量，陈醋调敷脐部，每日 1 次。

3. 鲜柿叶 5 克，葱白 3 克。同捣烂，敷患处。每日 2 次。

4. 车前子适量。洗净，焙干（或炒干），研极细末，先用生理盐水洗净脐部、清理创面后，再撒上车前子粉（以覆盖创面为宜）。

5. 荆芥 30 克。加水 500 毫升浓煎至 200 毫升，去渣，趁热用消毒纱布蘸搽患处，每日 2 次。适用于湿秽渍脐型新生儿脐炎。

**【名医指导】**

1. 普及新法接生，断脐时严格执行无菌操作，用无菌物品覆盖脐部，做好断脐后的护理，保持局部清洁卫生，干燥。

2. 在脐带脱落前每日检查脐部，观察脐带残端有无出血、渗血、渗液等情况。若发现脐部出血，要及时送医院处理。一般情况下可用消毒棉签蘸 75％乙醇擦脐部，由内向外做环形消毒，然后盖上消毒纱布，再用胶布固定，以防止感染。

3. 勤换尿布，避免尿布直接覆盖在脐部的敷料上。若尿湿脐带纱布，需及时重新消毒脐部后更换敷料。

4. 脐带脱落后脐窝稍潮湿，每日要用 2％碘酊擦洗，再用 75％乙醇擦洗，直到创口愈合、脐窝干燥为止。

5. 发现脐炎时要及时处理。脐炎早期局部可用 3％过氧化氢溶液及 75％乙醇擦洗，然后涂 1％～2％甲紫，直到局部红肿消退、干燥。

6. 不宜用脐带粉和甲紫；新生儿洗澡后涂用爽身粉时应注意不要落到脐部；新生儿脐带未脱落前，只能擦浴；脐部要保持干燥，应选择质地柔软的衣裤减少局部摩擦。

7. 若脐部红肿加重，发展成腹壁蜂窝织炎时，及时就医；若有脓肿形成，则应去医院切开排脓；若伴有高热及精神症状而怀疑有败血症时，应速送医院救治。

## 新生儿破伤风

新生儿破伤风是由破伤风梭菌引起的一种急性感染疾病。其临床表现为：早期症状可有牙关紧闭，吸乳困难；继之面肌痉挛呈苦笑面容，四肢肌肉阵发性强直性痉挛，腹直肌痉挛强直如板状，颈项强直呈角弓反张；

可致窒息、呼吸衰竭、心力衰竭。

本病中医学称“脐风”、“撮口脐风”。邪毒由脐带侵入后，使经络脉遂受阻，营卫壅滞，经脉为邪毒所闭，邪毒流注脏腑，引动肝风致病。病位主要在肝，亦可殃及其他脏腑。毒入心脾结于口舌，毒入肝肾筋脉拘急，毒入于肺喘促屏气。临床治疗重在祛风止痉、宣通经络。痰涎较盛者，宜豁痰开窍；大便不通者，宜理气通腑；如寒邪化热，应佐以清热解毒；后期则应调理气血，滋补肝肾，扶正固本。

**【必备验方】**

1. 蟾酥6克，全蝎、天麻各15克（炒，研末）。将蟾酥化为糊，与后2味调为丸（如绿豆般大）。酒送服，每次1～2丸。

2. 大麻皮120克。烧，研末，分为4份。每取1份，黄酒（或白酒）调，温开水送服（服后盖被取汗），每日2～3次。

3. 蜈蚣1.2克，蝎尾0.6克，僵蚕1.8克，朱砂（水飞）0.3克。共研细末，竹沥调服，每次0.9～1.5克，每日2～4次。适用于痉挛期。

4. 牙关紧闭者，取颊车、下关，配内庭、合谷；四肢抽搐者，取合谷、曲池、内关透外关，或后溪、太冲、申脉、阳陵泉；角弓反张者，取风池、风府、大椎、长强，配昆仑、承山。均采用泻法，留针15～30分钟。

5. 羚羊角3克（锉屑，略炒），血余炭适量，蜈蚣1条（赤足者，炙）。共研细末，敷脐（以绢帕束紧，或用消毒绷带包裹）。

**【名医指导】**

1. 严格实行新法接生，接生时要求严格消毒，接生人员的手、接生用具以及产妇外阴部都要经过严格消毒；一旦接生时未严格消毒，须在24小时内将患儿脐带远端剪去一段，并重新结扎。

2. 严格消毒断脐，如遇紧急情况可用2.5%碘酊涂抹剪刀待干后断脐，结扎脐带的线也用2.5%碘酊消毒，做好新生儿脐部的护理。

3. 将患儿置于安静、避光的环境，尽量减少刺激以减少痉挛发作。痉挛期应暂禁食，禁食期间可通过静脉供给营养，症状减轻后试用胃管喂养，脐部用3%过氧化氢溶液清洗，涂抹碘酊、乙醇；保持呼吸道通畅。

4. 一旦发现新生儿患有破伤风，及早住院进行破伤风抗毒素治疗，及早注射破伤风抗毒素，中和未结合的游离毒素。注射破伤风抗毒素可使新生儿破伤风的病死率由90%下降至17%。

5. 及时进行彻底的消毒或清创，是治疗新生儿破伤风的重要措施。

# 第三十一章 小儿内科疾病

## 病毒性心肌炎

病毒性心肌炎是病毒侵犯心脏而引起局限性或弥漫性心肌炎性病变的疾病，多见于学龄及学龄前儿童，预后大多良好。轻者可无明显自觉症状，重者可发生心力衰竭、严重心律失常、心源性休克，甚至猝死。

本病中医学属“心悸”、“怔忡”等范畴。正气亏虚，邪毒内侵，肺卫失调，心气不足，邪毒闭阻心脉为其发病的根本原因。病变日久，气虚运血无力，致瘀血内停；虚、毒、瘀并存而致病情恶化。

**【必备验方】**

1. 丹参30克。加水300毫升煎取200毫升，去渣，加适量冰糖（微甜为度）服，每次30毫升，每日2次。适用于心血瘀阻者。

2. 葛根、金银花各30克，连翘、黄连、黄芩各9克，甘草6克，板蓝根12克。水煎服。适用于急性病毒性心肌炎初起发热者。

3. 珍珠母、牡蛎各30克，丹参、磁石、紫石英、麦冬各12克，石菖蒲5克，葛根15克，五味子10克，川芎、桂枝各6克。水煎，每日1剂，分2次服。适用于功能性期前收缩及病毒性心肌炎所致传导阻滞者。

4. 瓜蒌、薤白各12克，炙甘草、半夏、远志、酸枣仁各9克，黄连6克，黄芪、丹参、百合各15克。水煎服，每日1剂。适用于小儿病毒性心肌炎室性早搏者。

5. 紫石英、丹参、磁石、麦冬各12克，珍珠母、牡蛎各30克，石菖蒲5克，葛根15克，五味子、炙甘草各10克，川芎、桂枝各6克。适用于心肌炎脉律不齐者。

**【名医指导】**

1. 加强身体锻炼，提高机体抗病能力；减少受冷、发热等不良因素影响。在治疗过程中预防反复感冒。如在感冒或腹泻的急性期或起病1～3周内出现心慌、气促、心前区不适，应及时到医院做相关检查。新生儿期的预防须防止孕妇病毒感染。

2. 春季是病毒性心肌炎的高发季节，应提高警惕。

3. 病毒感染后避免紧张、过度劳累与剧烈运动；营养不良，应予以纠正。

4. 急性期至少卧床休息至热退后3～4周，减少心脏负担及耗氧量。心脏扩大及并发心衰者，更应绝对卧床休息；病情好转心影缩小，再逐渐开始活动。

5. 急性期如出现严重呼吸困难，平卧时加重，大汗淋漓，可能为严重心功能不全，应取坐位或半坐卧位，并及时住院治疗。

6. 恢复期可适当活动，注意劳逸结合。小儿应养成良好的作息规律；避免过度贪玩。

7. 注意饮食宜清淡、易消化，富含维生素、蛋白质；多食新鲜蔬菜、水果，保证营养平衡，避免过冷、过热和刺激性食物。平时注意预防感冒、呼吸道感染，防止本病复发。反复发作可转变为慢性心肌炎、心肌病，危害终身。

8. 保持大便通畅，多食粗纤维食品。

## 充血性心力衰竭

充血性心力衰竭是指在静脉回流正常的情况下，由于原发的心脏损害引起心排血量减少和心室充盈压升高，临床上以组织血液灌注不足以及肺循环和（或）体循环淤血为

主要特征的一种综合征。

本病中医学属“喘促”、“水肿病-心水”等范畴。内因缘于素体虚弱，正气不足；外因缘于感受六淫，饮食劳倦。痰浊阻肺、心气虚衰及心肾阳虚、气阴两亏等均可导致。其病位主要在心，与肺、肾密切相关，病情严重时则见五脏俱损之危候。病性属本虚标实，本为心肾阳虚、血脉无力，标为痰饮、瘀血阻滞于内。临证之时重在分清轻重缓急。伴见喘息不得卧，汗出淋漓，四肢厥逆，甚则昏迷者，属急、属重，须当机立断，急以救逆。

**【必备验方】**

1. 人参、三七、檀香各等份。共研为末，温开水送服，每次 2～3 克，每日 2～3 次。适用于气虚血滞所致心力衰竭。

2. 葶苈子 30～50 克，大枣 5 枚，枳实 30 克。水煎服，每日 1 剂。适用于阳虚水泛、水气凌心型充血性心力衰竭。

3. 卷柏根 12～15 克，大枣 5 枚。水煎服，每日 1 剂。适用于慢性充血性心力衰竭喘悸、水肿者。

4. 当归、红花、珍珠母、首乌藤各 10 克。共研磨成膏，贴于膻中穴。适用于心血亏虚、夜寐不安者。

5. 葶苈子 5～10 克，潞党参、茯苓各 15～30 克，五味子、猪苓各 10 克，白术、麦冬各 12 克，泽泻、车前子各 30 克。水煎服。气虚自汗者，加黄芪 30 克；阳虚者，加附片、桂枝各 10 克；水肿较重者，加郁李仁 30 克；大腹胁胀者，加石菖蒲 15～30 克；阴虚、水肿者，去白术，加女贞子 15～30 克，白茅根、西瓜皮各 30 克；下焦湿热者，加苦参 12 克；血瘀者，加丹参 15～30 克，赤芍 15 克，桃仁、红花各 10 克；血虚者，加当归、熟地黄各 15 克，阿胶 10 克；合并感染者，加金银花、板蓝根、半边莲各 30 克，黄芩、连翘各 15 克。

**【名医指导】**

1. 限制钠盐的摄入：根据病情选用低盐或无盐、低钠饮食。

2. 严重心力衰竭（尤其是伴有肾功能减退）者，在采取低钠饮食的同时必须适当控制水的摄入量。

3. 长期使用利尿药患者，应鼓励多食富含钾的食物和水果，如香蕉、橘子、枣子、番木瓜等。必要时应补钾治疗，或将排钾与保钾利尿药配合应用，或与含钾量较高的利尿中草药（如金钱草、苜蓿、木通、夏枯草、牛膝、玉米须、鱼腥草、茯苓等）合用。

4. 热量和蛋白质不宜过高：一般来说，对蛋白质的摄入量不必限制过严，每日每千克体重 1 克，每日 50～70 克，当心力衰竭严重时则宜减少蛋白质的供给，每日每千克体重 0.8 克，宜采用低热量饮食。

5. 糖类摄入：每日 300～350 克，宜选食含淀粉及多糖类食物。避免过多蔗糖及甜点心等。

6. 限制脂肪：每日 40～60 克。

7. 补充维生素：膳食应富含多种维生素，如鲜嫩蔬菜、绿叶菜汁、山楂、鲜枣、草莓、香蕉、橘子等，必要时口服 B 族维生素、维生素 C 以及叶酸。

## 高热惊厥

高热惊厥是小儿较常见的中枢神经系统以外的感染所致，体温 38 ℃以上时出现的惊厥，5 岁以下小儿占 2%～5%，在小儿中占 5%～6%。首次发病多见于 6 个月至 3 岁，6 个月以下及 6 岁以上发病者甚少。高热惊厥常发生于病毒性感染，常见于上呼吸道感染。惊厥发作时，表现为意识突然丧失，并伴有两眼上翻、凝视或斜视，面部肌肉和四肢强直、痉挛，或者不停抽动，每次持续几秒至几分钟，偶尔会反复发作甚至出现持续状态。如果持续时间过长或反复发作，可引起小儿脑损害。

本病中医学属“急惊风”范畴。由于感受外邪、入里化热、热极生风所致。临床治疗采用急则治标、缓则治本的原则。

**【必备验方】**

1. 乳汁草 60 克。洗净捣烂，合米泔水搅匀，去渣，煮沸，冲蜜糖服。适用于小儿急惊风。

2. 芸香草适量。水煎，加酒服。或加朱

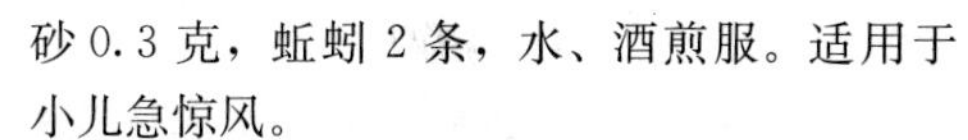

砂0.3克，蚯蚓2条，水、酒煎服。适用于小儿急惊风。

3. 桃仁（捣烂）、栀子（研末）、白面粉各等份。混匀，鸡蛋清调敷两足心（包扎固定）。适用于小儿急惊风、壮热。

4. 鲜地龙7条（洗净，捣烂），冰片1.5克。调匀，贴于囟门，半小时后取除。

5. 冰片适量。研细末，加3～4倍蒸馏水调匀，用消毒纱布蘸液擦浴全身皮肤和颈部、腋部、腹股沟、髂窝、肘窝表浅大血管等处，以红为度。

**【名医指导】**

1. 平时多进行户外活动，使孩子逐渐适应外界环境的冷热变化。同时随气温变化，及时增减衣服，防止感冒。注意婴儿合理的饮食配置，增强孩子身体素质。

2. 孩子因各种急性感染而发高热时，应积极采取降温措施：服用退热药物，用30%～40%乙醇擦浴，尽快将体温控制在38℃以下。乙醇擦浴禁止擦颈后、前胸、脚、颈旁、腋下、腹股沟等有大血管处。

3. 婴儿发生高热惊厥，家长应就地抢救，迅速把孩子放到床上躺好，解开纽扣、衣领、裤带，并用裹有手帕、棉花或纱布的筷子、牙刷柄置于孩子上下齿列之间，防止咬伤舌头（若孩子牙关紧闭，不要强行撬开，以免损伤牙齿）；可用拇指按压患儿人中穴、合谷穴。注意不要太用力，避免损伤皮肤；应及时清除呼吸道分泌物。一边抢救，一边送往医院。

4. 注意安全，防止坠床及碰伤，加强皮肤护理，保持衣被、床单清洁干燥平整，以防皮肤感染及褥疮发生。

5. 饮食上应注意忌食高热量食物，如油炸、辛辣、烘烤类食物、巧克力、糖果等，忌温补食物，如羊肉、牛肉、鸡肉、狗肉。忌荔枝、龙眼、橘子。

6. 初次高热惊厥以后约有40%的患儿会复发。孩子反复抽搐发作对大脑有很大损害，所以要避免反复惊厥而引起的脑损伤致智力障碍。

## 胃炎

胃炎多发于成人，但儿科门诊慢性胃炎患儿有逐年增多的趋势，多见于3～6岁，以胃窦炎多见，萎缩性胃炎较少见。临床表现为上腹部或脐周的反复疼痛和不适感，可伴恶心、呕吐。

本病中医学称“胃脘痛”。多与体质较弱、外感、伤食、情志失常等有关，其基本治则为健脾理气、和胃止痛。

**【必备验方】**

1. 雄黄60克。研细，以好醋2升慢火煎成膏，蒸饼为丸（如梧桐子大），每服7丸，姜汤下。

2. 绿豆25克，大蒜2.5瓣。同煮粥，加入白糖，饭前（或空腹）服，每日早、晚各1次，连服1.5～2个月为1个疗程。

3. 鸭瘦肉100克（粉碎成糜状），麦片、干菱粉各30克，鸭汤500克。将鸭肉糜加菱粉、食盐、味精、鸡蛋清3枚拌成白色鸭茸；鸭汤烧沸，加入麦片调成糊状，徐徐倒入鸭茸，用勺子轻轻调稠至沸，加入精制油拌匀，作菜肴常吃。

4. 北沙参、山药各30克。分别洗净、切碎，加水浸泡2小时后再煎40分钟，取汁；药渣加水再煎30分钟，去渣，合并2次药汁，早、晚分次温服。

5. 牛奶220毫升，蜂蜜30克，鹌鹑蛋1个。将牛奶先煮沸，打入鹌鹑蛋煮数分钟，加入蜂蜜，早、晚分服。适用于胃痛、口渴、纳呆、便秘者。

**【名医指导】**

1. 饮食规律，宜清淡，勿过饥过饱，应少食多餐。年老体弱、胃肠功能减退者，每日以4～5餐为佳，每餐以六七成饱为好。食物中注意糖、脂肪、蛋白质的比例，注意维生素等身体必需营养素的含量。

2. 忌辛辣刺激食物。

3. 忌过冷、过热、过硬食物。

4. 注意饮食卫生，生吃瓜果要洗净，忌食变质食品。

5. 科学饮食，并注意各种营养素的均

衡，注意培养孩子良好的饮食习惯。

## 小儿腹泻

小儿腹泻是各种原因引起的以腹泻为主要临床表现的胃肠道功能紊乱综合征。多发于夏秋季节，分为感染性和非感染性两种，前者是由细菌、病毒、真菌及寄生虫感染引起，大便镜检查有较多的白细胞或红细胞；后者多见于婴幼儿，多由于喂养不当，大便中含有不消化饮食物、脂肪球（或粪糖原阳性）。临床分为轻、中、重3型。重型患儿，每日腹泻10次以上，伴有明显的脱水及电解质紊乱的表现，须住院治疗。大便稀薄或水样便，排便次数增多，周岁以内每日5次以上、2周岁以上每日多于3次即可确诊。

本病中医学称“泄泻”。小儿脾胃薄弱，运化功能尚未健全，是泄泻发病最基本的内在因素。小儿饮食不节，寒温不知自调，内易为饮食所伤，外易为六淫之邪侵袭，容易发生泄泻。小儿泄泻，可因水泻不止，津液和阳气相应消耗，容易发生伤阴和伤阳的变证。治疗以运脾化湿为基本法则，实证以祛邪为主，分别治以消食导滞、祛风散寒、清热利湿；虚证以扶正为主，分别治以健脾益气、补脾温肾；泄泻变证，分别治以益气养阴、酸甘敛阴、护阴回阳、救逆固脱。

**【必备验方】**

1. 小蒜（团蒜）120克，鸡蛋2个。将小蒜洗净、切碎，与蛋煎（不放盐食）。

2. 五倍子（炒黄）、干姜各2份，吴茱萸、丁香各1份。共研细末，每取9～15克，白酒调敷于脐部，外以纱布覆盖、胶布固定，每日换药1次。

3. 用左手固定患儿拇指，右手拇指推患儿拇指桡侧100～500次，同法推示指桡侧100～500次，再揉足三里50～100次；让患儿仰卧，家长用4指（拇指除外）按顺时针方向揉腹患儿中脘至脐中5～10次；患儿俯卧，家长用双手提捏脊。

4. 五倍子10克。研细末，每取3克，温醋调敷肚脐内，外用伤湿止痛膏或胶布固定，1～2日1换（泻止后停用），连用1～3次即可。适用于小儿久泻不止。

5. 乌梅10只。加水500毫升煎汤，酌加红糖，代茶饮，每日1剂。或大枣10枚（洗净、晾干、炒焦），洁净橘皮10克，沸水冲泡10分钟，饭后代茶饮，每日2次。适用于湿热型腹泻。

**【名医指导】**

1. 提倡母乳喂养，应避免夏秋季断奶。

2. 冰箱内放置的食物必须煮沸后食用。在常温下放置的剩奶不能超过4个小时。容器再使用时，一定要煮沸后使用。

3. 教育孩子养成饭前便后洗手、不喝生水、不乱吃不洁食物的习惯，并注意将饮食用具（如奶瓶、汤勺）每日至少煮沸消毒。

4. 避免给小孩嚼饭、舔食试食物温度等，避免成人口腔内的正常细菌使小孩肠道感染。

5. 母乳和人工喂养都应按时添加辅食，合理喂养、定时定量，循序渐进地添加辅食，切忌几种辅食同时添加。

6. 给患儿多于正常摄入量的液体，饮水或其他流质食物如粥、汤等。如果婴儿是母乳喂养，要继续喂养，但要增加次数（至少每3小时要喂1次），如果婴儿是人工喂养则要在奶中加比平时多1倍的水，至少3小时喂1次。

7. 可给小儿食用富含钾的新鲜果汁、香蕉，注意不能给予高糖类食物。

8. 若小儿出现腹泻次数太多，严重口渴、眼睑凹陷，伴有发热、不能正常进食和饮水，应及时就诊。

9. 保持臀部清洁干燥：每次便后用温水冲洗臀部、会阴，不要用碱性清洁剂，严防臀红；应选用较好的一次性尿片；如用自制的尿片，要选用柔软吸水的棉质布，而且每次用后应用碱性小的清洗剂洗干净。

10. 给予安静舒适的环境，测量体温时宜用腋下测温或量耳温，避免由肛门测温以减少刺激。

11. 观察大便的颜色、性质、量、气味、次数。可将最近一次的大便带给医师看，以帮助医师诊断。

## 急性肾炎

急性肾炎是感染后肾小球免疫性炎症，常发于感冒、扁桃体炎、急性咽炎或皮肤疮疡感染之后，预后大多良好。如发病早期处理不当，则可转为慢性肾炎，甚至肾衰竭。在发病前1～4周常有急性扁桃体炎、皮肤脓疱病等先驱感染。主要表现为：开始有低热、咳嗽、头晕、恶心、呕吐、食欲减退、疲乏无力等症，水肿先从眼睑开始继而波及全身，尿量明显减少（甚至无尿）；1～2周尿量逐渐增多，水肿也逐渐消退，大部分患儿血尿呈鲜红色，1～2周内消失。高血压患儿表现为恶心、呕吐、头晕，如果血压上升过急，会出现严重的并发症。发病早期患儿尿量显著减少，水肿加重、呼吸急促、心率加快、烦躁不安，病情急剧恶化后出现呼吸困难、不能平卧、面色灰白、四肢冰冷、频繁咳嗽，咳出粉红色泡沫样痰，说明患儿有心力衰竭发生。如患儿发病早期头晕严重，呕吐、恶心，并出现一过性失明，或者突然惊厥、昏迷，则为高血压脑病；严重者早期出现急性肾衰竭。

本病中医学属“风水”范畴。外因感受风邪、水湿或疮毒入侵，内因则为脏腑失调。其发病与肺、脾、肾关系密切。肺主通调水道，脾主运化水湿，肾主水液排泄；肺、脾、肾三脏功能失调，水液的气化和排泄障碍，则发生水肿。在急性期，病位主要在肺、脾，治疗多以发汗、利水为主，以祛邪外出；恢复期，病位主要在脾、肾，治疗多采用健脾益肾、调补阴阳为法，以扶正补虚。

**【必备验方】**

1. 生姜5片，粳米50克。煮粥，快熟时入适量葱、醋，热食，覆被取汗。适用于急性肾炎初期，头面水肿伴有发热、无汗、头痛、恶心者。

2. 大蒜30～45克（去皮），西瓜1个（约1500克）。在西瓜皮上挖一小洞，纳大蒜入西瓜内（洞口向上用小盘盖好），隔水蒸熟，趁热分次服食。适用于小儿急性肾炎。

3. 乌骨母鸡1只（约1500克），赤小豆300克，黄酒1匙。将母鸡去毛及肠杂，洗净、切块，赤小豆洗净；取大瓷盆1个，先倒入一半鸡块，再倒入一半赤小豆，铺上鸡块及内脏，淋上黄酒，撒入小半匙食盐，以旺火隔水蒸3小时，佐膳食，每次1小碗，每日2次，适用于肾炎水肿轻症。

4. 荷包蛋（炸得老些）、鲜鱼肚（焙干，研细末，分成数份）各适量。以热荷包蛋蘸鱼肚末食，每日2次。同时，以鲜柳叶适量。泡水，代茶饮用。

5. 二锅头酒、枸杞子各适量。同密封浸泡1周（白酒变黄），即可饮用，每日50克。连服数月。但不宜过量饮用，酒色浓重应加白酒稀释，以颜色适中为宜，饮用一段时间后须更换枸杞子。

**【名医指导】**

1. 患者最好卧床休息，保持室内安静，注意通风，防止感冒。

2. 饮食以易消化为宜，忌生冷、油腻之品及发物（如虾、蟹等）。

3. 保持大小便通畅。便秘者，可服麻仁丸等。

4. 外感发热者，服发汗药后注意观察出汗情况，并及时拭干，保持皮肤清洁和干燥。

5. 复查：发病最初3个月内，每周验尿常规2～3次；病情稳定后每周验尿1次。

## 肾病综合征

肾病综合征是由多种病因造成肾小球基底膜通透性增高、大量蛋白从尿中丢失的临床综合征，分为单纯性肾病、肾炎性肾病和先天性肾病。临床主要表现为大量蛋白尿、低白蛋白血症、严重水肿、高胆固醇血症。5岁以下小儿的病理类型多为微小病变型，而年长儿的病理类型以非微小病变型（包括系膜增生性肾炎、局灶节段性硬化等）居多。

本病中医学属“阴水”、“虚劳”等范畴。多因小儿禀赋不足、脾肾素亏，或久病体虚、护养失宜，致肺脾肾三脏功能虚弱。临床治疗以通利水道为基本法则，治以扶正祛邪，

健脾宣肺，温阳利水。阴水复感外邪，则应注意急则治标，邪去方治其本。

**【必备验方】**

1. 鱼腥草100～150克（干品）。加开水1000毫升浸泡半小时，代茶饮，每日1剂，3个月为1个疗程，每疗程间隔2～3日。

2. 龟1000克，芡实、莲子各60克，料酒1匙，食盐、味精各少许。将龟宰杀，取肉切块，同芡实、莲子加冷水浸没，以旺火烧开，加入料酒和食盐，改小火炖3小时，调入味精，吃肉喝汤，每次1小碗，每日2次，2日1剂，连用6日为1个疗程。

3. 商陆3克，五花肉（或猪颈肉）60克。每日1剂，加水400毫升煎至300毫升，分3次服（不吃肉）。适用于水肿及蛋白尿者。

4. 鲜田螺2～3只，食盐3克。同捣烂，炒热，敷于脐下气海穴，外以塑料薄膜覆盖、绷带包扎，每日换1次。适用于合并腹水者。

5. 金樱子根500克（晒干），黄酒1500克。同煎至500克，分3日服，每日早、晚饭后各服1次。忌生冷食品及盐类。或金樱子根30克。水煎，加糖服。

**【名医指导】**

1. 充足的能量可提高蛋白质的利用率，能量按每日每千克体重146千焦供给。

2. 蛋白质供给量应为每日每千克体重0.8～1.0克。如用极低蛋白膳食，应同时加用10～20克必需氨基酸。

3. 糖类应占总能量的60%。

4. 高血脂和低蛋白血症并存者，应首先纠正低蛋白血症；脂肪宜不超过总能量的30%，限制胆固醇和饱和脂肪酸摄入量，增加不饱和脂肪酸和单不饱和脂肪酸摄入量。

5. 明显水肿者应限制进水量。进水量为前1日尿量加500～800毫升。

6. 钠每日控制在3～5克。水肿明显者，应根据血总蛋白量和血钠水平进行调整。

7. 根据血钾水平，及时补充含钾制剂和富钾食物。

8. 适量选择富含维生素C、B族维生素类食物。

9. 增加膳食纤维。

## 脑性瘫痪

脑性瘫痪（简称脑瘫）是指出生前到出生后1个月以内因各种原因所致的非进行性脑损伤，以婴儿期内出现中枢性运动障碍及姿势异常为临床特征。可伴有智力低下、惊厥、听或视觉障碍及学习困难。

本病中医学属“瘫证”、“中风”“五迟”、“五软”等范畴，表现为肌张力低下者，属“痿证”；智力严重低下者，属“痴呆”。中医学认为，本病的发生乃因先天胎禀不足，胎中受惊致产后肾元亏虚，风痰阻络而出现瘫痪、痴呆等症。脑性瘫痪主要病位在肝、脾、肾三脏。肝主筋，肝血不足，筋失所养，则筋强不柔，肢体强硬，张而不弛；脾主肉，脾气不足，肉失所养，则肌肉痿弱，肢体软瘫；肾主骨，肾精不足，则骨槁肢削，强直变形。本病大多属虚证，血瘀痰阻者，脑窍闭塞，亦可见实证。

**【必备验方】**

1. 肉桂3克，党参6克，茯苓、白术、芍药、当归各9克，黄芪、熟地黄各12克。水煎服，每日1剂。

2. 桑寄生、桑椹、五加皮、木瓜、伸筋草各10克，当归、桑枝、淫羊藿各7.5克。共研细末，每次1.5克，每日3次。

3. 黄芪、党参、苍术、茯苓、丹参、鸡血藤各30克，茯苓、续断各15各，牛膝9克，赤芍、木瓜、穿山甲各12克。共为细末，制成糖衣片，每片重0.25克，每次3～4片，每日3次。

4. 麻黄（去节）、人参（去芦）、黄芩、芍药、甘草（炙）、川芎、苦杏仁（去皮尖，麸炒）、防己各3克，肉桂2克，防风5克，附子（炮，去皮）6克。水煎服，每日1剂。

5. 生龙骨、生牡蛎各20克，赤白芍、麦冬、龟甲各12克，生地黄、阿胶、地龙各10克。水煎服，每日1剂。肢体抽搐者，加全蝎3克，僵蚕5克；潮热盗汗者，加黄柏5克，生石决明10克；筋脉拘急、肌肉萎缩者，加木瓜5克，当归10克。

**【名医指导】**

1. 早期治疗：脑组织在婴儿早期（0～6

个月），可塑性大，代偿能力高，恢复能力强。在这一时期及时治疗，可得到最佳治疗效果；还可避免不良姿势的形成、肢体畸形而造成终生残疾。

2. 药物疗法：主要以促进脑代谢的药物为代表，如脑蛋白水解物、胞磷胆碱、神经生长肽、神经节苷脂等脑神经细胞营养药；对痉挛型可用巴氯芬、肉毒杆菌毒素等降低肌张力；对手足徐动型可配合使用苯海索（安坦）、左旋多巴等多巴胺类药物；对髓鞘发育不良的脑瘫可给予糖皮质激素配合治疗。

3. 康复训练：可使脑组织在不断的成熟和分化过程中，使被损害部分的功能得到代偿，从而使患儿的运动功能得到改善。

4. 音乐治疗：患儿可随着优美的旋律学习发音、唱歌、动腿、动手、提高四肢的协调能力和语言表达及运动的技巧，提高学习的兴趣与积极性。

5. 矫形器等辅助器具的应用改善肢体功能或替代已受损的功能，常用的器具有重捶式髋关节训练器、长短下肢矫形器、拐杖、轮椅等。

6. 脑瘫的康复是一个长期过程，家长需掌握正确卧姿、抱姿、运动训练、头部稳定性、翻身、坐位、爬行、跪立、站立、行走、语言等训练，以方便患儿在家里完成训练。

7. 外科手术：通过采用矫形手术来改善、消除患儿的功能障碍，如肌腱延长术、神经肌支切断术、脊神经切断术、周围神经缩小术、交感神经网剥离术等。

## 维生素D缺乏性佝偻病

维生素D缺乏性佝偻病是婴幼儿时期常见的慢性营养缺乏性疾病。临床以多汗、夜啼、烦躁、枕秃、肌肉松弛、囟门迟闭（甚至鸡胸肋翻、下肢弯曲）为特征。多发生冬、春两季节，多见于3岁以下小儿，尤以6～12个月婴儿发病率较高。

本病中医学属“汗证”、“五迟”、“五软”、“鸡胸”、“肾疳”等范畴。多由于先天禀赋不足，后天喂养失宜，脾肾虚亏所致。其病机为脾肾虚亏。肾为先天之本，脾为后天之源。脾肾不足，可影响其他脏腑，故病变之初，不仅出现脾肾虚弱，还可出现心肝火旺、肺卫不固等证候。肾主骨髓，病之后期，证情较重，常见肾虚髓亏，骨气不充，骨质疏松，成骨迟缓，甚至骨骼畸形。由于体质虚弱，肺脾气虚，抗病能力低下，感受风邪后，常易蕴郁肺络，肺气闭塞而引起肺炎喘嗽；或因乳食不节，脾失健运，导致泄泻。临床治疗原则为健脾益气、补肾填精。病之早期，证属脾肺气虚者，治以健脾补肺；证属脾虚肝旺者，治以健脾平肝。证情较重者，多为肾精亏损，治以补肾填精为主。

**【必备验方】**

1. 猪肝50克（切片），黄芪30克，五味子3克，猪腿骨（连骨髓）500克（敲碎）。将后3味同炖1小时，去渣，入肝片煮熟，加少许食盐、味精调味，顿服，宜常服。适用于脾肾虚弱型小儿佝偻病。

2. 生板栗500克，白糖250克。先将板栗加水煮半小时，待凉去皮，放碗内隔水蒸40分钟，捣烂成泥，加入白糖调服。适用于小儿佝偻病。

3. 紫河车粉10克，醋炒鱼骨50克，炒鸡蛋壳20克，白糖30克。共研细末，每服0.5克，每日3次，宜久服。适用于肾气亏损型小儿佝偻病。

4. 推拿脾土、三关等穴。两侧各推20次。下肢变形者，加足三里，两侧各揉20次；前胸变形者，推膻中20次。每日1次，10日为1个疗程。

5. 捏脊法：自尾骶部起，沿脊柱两旁向上推捏至大椎穴，反复3～5次，提至第3次时，每捏3把，将皮肤提一下，提完后，以拇指按摩两侧肾俞数次，每日1次，6日为1个疗程，连用2～3个疗程。

**【名医指导】**

1. 妊娠期宜户外活动，多晒太阳；尤其在妊娠末3个月，产后产妇及小儿均应多晒太阳。

2. 正确喂养，提倡母乳喂养，及时添增辅食，及时添加含维生素D较多的食品（肝、蛋黄等）；断奶后要培养良好的饮食习惯，不挑食、不偏食，保证小儿各种营养素的需要。

3. 必要时补充维生素D并辅以钙剂，防止骨骼畸形和复发。

4. 患儿不要久坐、久站，防止发生骨骼变形；不系裤带，不穿背带裤，防止肋骨外翻。

5. 采取主动和被动运动，矫正骨骼畸形。轻度骨骼畸形在治疗后或在生长过程中自行矫正，同时应加强体格锻炼（如俯卧撑或扩胸动作使胸部扩张，纠正轻度鸡胸及肋外翻）；严重骨骼畸形者外科手术矫正，4岁后可考虑手术矫形。

## 小儿厌食症

小儿厌食症是指小儿食欲不振甚则拒食连续2个月以上，多见于1～6岁小儿。现代医学认为，本病与微量元素缺乏（尤其是锌）有关。

本病中医学称“纳呆”。主因脾胃功能失调。由于脾胃素虚，或喂养不当、饮食不节伤及脾胃所致。临床分为虚、实两证。偏实证者，治以消导为主；偏虚证者，治以调补为主，并结合临床随症加减。实证常因停食停乳引起脾胃失调，食欲减退，恶心呕吐，手足心热，睡眠不安，腹胀或腹泻，舌苔黄白腻，脉滑数。治以消食化滞。

**【必备验方】**

1. 山楂片20克，大枣10枚，鸡内金2个，白糖少许。将山楂片、大枣烤至黑黄色，加入鸡内金、白糖及适量清水煎煮，温服，每日2～3次，连服2日。适用于小儿厌食症脾运失健证。

2. 莲子18克，山药24克，酸柠檬13枚，冰糖50克。将莲子、山药洗净，加温开水浸泡至软，与柠檬同捣成浆状，入适量沸开水冲泡15分钟，加入冰糖调化，分2～3次服，每日1剂，连服3～5日（2岁以下小儿酌减）。适用于小儿厌食症胃阴不足证。

3. 雪梨汁100毫升，酸梅10只，白糖50克。将酸梅洗净，用温开水泡软，加白糖捣成浆，去渣，入梨汁及凉开水调至500毫升，置冰箱内保存备用。1～2岁，每次15毫升；3～5岁，每次30毫升；6岁以上，每次50毫升。每日3～5次，连服3～5日。适用于小儿厌食症胃阴不足证。

4. 砂仁2～3克，木香1～2克，藕粉30～50克，白糖适量。将砂仁、木香共研细末，每取1/5～1/3，与藕粉、白糖和匀，以沸水冲泡成糊，温热食用，每日1～2次，连用2～3日。

5. 黑鲤鱼1尾，白酒、冰糖各适量。将鱼去内脏（不去鳞），切块，加白酒浸泡（加盖）数小时，过滤，取汁500克，加冰糖50克调匀，饭后2小时服，每次100克，每日2～3次。

**【名医指导】**

1. 注意饮食卫生，定时进餐，适当控制零食，尽量避免冷饮和甜食。

2. 饮食合理搭配，每日不仅吃肉、乳、蛋、豆，还要吃五谷杂粮及蔬菜、水果；做到荤素搭配，饭菜应做得细、软、烂。

3. 父母要引导孩子正确饮食，做到不挑食、不偏食。同时要经常变换花样，以提高孩子的食欲。

4. 改善进食环境，使孩子保持心情舒畅；进餐时不要过多说笑、看电视；尽量让孩子与大人共餐。

5. 保证孩子充足睡眠，加强体育锻炼，适量活动。合理的生活制度有助于诱发、调动、保护和促进孩子的食欲。

6. 家长应避免“追喂”等过分关注孩子进食的行为。不宜使用补药和补品去弥补孩子营养，要耐心讲解各种食品的味道及其营养价值。

## 小儿肥胖症

小儿肥胖症包括单纯性肥胖和症状性肥胖两种。前者多与食欲旺盛、活动过少，孕妇进食过多或遗传因素有关。小儿时期以单纯性肥胖为多，男孩多于女孩。

中医学认为，饮食增加，恣食肥甘为其主要病因。小儿脾常不足，若饮食不当，则脾胃受损，痰湿内生，阻于络脉而成本病。

**【必备验方】**

1. 赤小豆、生山楂、大枣各10克。水

煎服，每日1剂。适用于脾虚湿阻证。

2. 鲜荷叶8～10张，八角茴香2枚，猪小排骨1000克，粳米300～400克。将荷叶洗净，每张切4块备用；粳米、八角茴香，用小火同炒至金黄色，研成粗粉备用；将排骨洗净，切块，加酱油半碗、黄酒4匙、食盐半匙以及味精、葱白少许，拌匀腌浸2小时以上，然后沾上一层炒米粉，用荷叶包好（每包1～2块），扎牢，隔水蒸熟，佐餐热食。

3. 嫩黄瓜500克，海蜇皮100克，香菜、生姜、食盐、酱油、醋、味精、香油各适量。将嫩黄瓜洗净、切丝，海蜇皮温水泡发、洗净，切丝后入温开水中略汆，即入冷开水中投凉；香菜洗净、切段，生姜去皮、洗净、切丝；将食盐、酱油、醋、味精、香油同调匀。将黄瓜丝、海蜇丝分层码入盘中，撒上香菜段、生姜丝，浇上调味汁拌匀，即可食用。

4. 嫩白菜心500克，嫩藕400克，干红辣椒、香菜、生姜、食盐、白醋、味精、白酱油、香油各适量。将白菜心洗净（只取嫩叶）、切丝，加食盐腌5分钟；香菜洗净、切段；干红辣椒去籽、用温水泡软，生姜去皮、均洗净、切丝；嫩藕去泥、洗净、切丝，加清水泡去粉汁，入沸水中烫脆，捞出用冷水投凉，控干水分；碗中加食盐、白糖、味精、白酱油、香油兑成调味汁。将白菜丝挤去盐水，加入藕丝、香菜段、生姜丝、辣椒丝，浇上调味汁拌匀，即可食用。

5. 水发木耳100克，荸荠150克，生油、鲜汤各适量，酱油、白糖、醋、湿淀粉各少许。将水发木耳用冷水洗净、沥干，荸荠洗净、去皮、拍碎。炒锅中放油烧至七成热，下木耳、荸荠煸炒，加酱油、白糖、鲜汤烧沸，用湿淀粉勾芡即可。

**【名医指导】**

1. 根据孩子的年龄、身高、体重，计算孩子每日需要的营养量，为他们制订食谱。孩子每日需要的热量，与年龄有密切关系。5～10岁者，每日需要热量为3346～4180千焦（800～1000千卡）；10～14岁者，为4182～5018千焦（1000～1200千卡）。

2. 在一日三餐中，每餐的比例应当为3∶4∶3。

3. 按照体重计算，每千克体重需要1～2克蛋白质。脂肪的供应应该严格加以控制。食物应以蔬菜、水果、谷类为主。宜多吃热量少、体积大的芹菜、白菜等，以避免产生饥饿感。

4. 饮食治疗过程中，家里尽可能不放零食，以免激起食欲，增加食量。

5. 肥胖儿童应每日坚持运动，养成习惯。可先从小运动量活动开始，而后逐步增加运动量与活动时间。应避免剧烈运动，以防增加食欲。

6. 教会患儿及其父母行为管理方法。年长儿应学会自我监测，记录每日体重、活动量、摄食及环境影响因素等，并定期总结。父母帮助患儿评价执行治疗情况及建立良好饮食与行为习惯。

# 第三十二章 小儿感染性疾病

## 急性假膜型念珠菌口炎

口腔念珠菌病主要是由白假丝酵母菌感染所引起的口腔黏膜病，种类较多，最常见的为急性假膜型念珠菌口炎（又称雪口病或鹅口疮）。多见于婴幼儿，好发于唇、颊、舌、腭黏膜。主要表现为黏膜充血、水肿，随即出现许多白色小点；小点略为高起，状似凝乳，可融合成白色绒面状假膜，边界清楚，状若铺雪，此膜不易拭去，勉强撕去时，可见出血面，不久再度形成白色假膜；一般不感疼痛，全身症状亦不明显。个别小儿可有低热、哭闹、拒食、口腔干燥等症状。

中医学认为，本病可因孕母体内积热，热伏胞中，遗于胎儿，复加初生时口腔不洁，感染秽毒，内外合邪，热积心脾，火热上炎口舌所致；或因患儿素体阴亏，久病损阴，肾阴不足，水不制火，虚火上浮，熏于口舌，发为本病；又可因喂哺失宜，或久病、久泻，损伤脾胃，脾失健运，酿成湿浊，湿浊之邪上泛于口舌所致。临床分为实火与虚火两证，前者治以清热泻火解毒，后者治以滋阴潜阳降火；均当配合外治疗法。

**【必备验方】**

1. 石榴壳适量。煅炭，研末，搽口，每日2次。

2. 蛇泡草（研末）、枯矾末各20克。混合，先用盐水加枯矾洗患处，再撒上药粉。

3. 地龙2条，白糖适量。同浸片刻，用竹筷蘸液擦患处，每日2～3次。

4. 淡竹叶6克，灯心草1.5克，乳汁100毫升。将淡竹叶、灯心草水煎，取汁兑乳汁和匀，擦患处，每日数次。

5. 天青地白4克，黄连3克。切细，以水300毫升煮取120毫升，每日分3次服。

**【名医指导】**

1. 产妇有阴道真菌病时应积极治疗，切断传染途径。

2. 婴幼儿进食的餐具应清洗干净后再蒸10～15分钟。

3. 哺乳期的母亲在喂奶前应该先清洁双手；严格消毒奶具，先用3%碳酸氢钠溶液浸泡奶具约30分钟，清水冲洗后煮沸消毒；母亲哺乳前，可用沾有1%碳酸氢钠溶液的纱布清洁乳晕和乳头；经常洗澡、换内衣、剪指甲。

4. 婴幼儿的被褥和玩具要定期拆洗、晾晒；宝宝的洗漱用具尽量和家长的分开，并定期消毒。婴儿室应注意隔离，以预防传播。

5. 幼儿应经常进行户外活动；在幼儿园过集体生活的幼儿，用具不可混用。

6. 新生儿口腔有鹅口疮，可用棉签蘸些制霉菌素溶液（每10毫升冷开水中含20万单位制霉菌素）涂在口腔患处，或用1%甲紫涂口腔；或用2%～3%碳酸氢钠（小苏打）溶液洗口腔；或涂些冰硼散或硼砂甘油。以上药物每日可涂3～4次，一般2～3日鹅口疮即可好转或痊愈，如仍未见好转，应到医院儿科诊治。

7. 卧床休息，给予流质、半流质易消化食物，多喝水，保持皮肤及口腔的清洁卫生。勿吃刺激性食物，勿吃海鲜和动物蛋白性食物。在患病期间饮食保持清淡，多吃新鲜水果和蔬菜。

8. 避免滥用广谱抗生素，防止消化道菌群失调。

## 风　疹

风疹是由风疹病毒引起的比较轻的出疹性传染病，多发于冬、春两季，1～3岁小儿多见。风疹全身症状较轻，有低热及很轻的感冒症状，初期可咳嗽、喷嚏、流涕、咽疼等，发热1～2日即可出疹，一般由面部蔓延到躯干和四肢，往往第1日出疹子即布满全身（但手掌、足心一般无疹子），皮疹呈浅色，稍稍隆起，分布均匀，4～5日皮疹即退。发热即出疹、热退疹也退为其典型特点，并且常伴有耳后、枕部、颈部淋巴结肿大。

本病中医学称"风痧"。风热时邪，由口鼻而入，郁于肺卫，蕴于肌腠，与气血相搏，发于皮肤所致。临床治疗以疏风清热解毒为原则。邪在肺卫者，治以疏风清热透疹；邪在气营者，治以清热凉营解毒。

**【必备验方】**

1. 醋半碗，红糖100克，生姜50克（切丝）。同煎2次，去渣，温开水和服，每次1小杯，每日2～3次。

2. 香菜根须适量。洗净、切段，水煎5分钟，加蜂蜜调服。

3. 紫荆树（春天未长叶前，先开紫花）的花、茎适量。煮水熏洗，每日早、晚各1次。

4. 小白菜500克。洗净，沥干水分，每取3～5棵搓揉患处，每日早、晚各1次。

5. 鲜蟾蜍3～4只。去内脏、洗净，水煎至极烂，去渣，淋洗患处。

**【名医指导】**

1. 冬、春季节应避免到人群拥挤的公共场所。幼儿园、学校等应进行通风、消毒，保持清洁，尽量避免感染。

2. 传染期在发病前5～7日和发病后3～5日，起病当日和前一日传染性最强。患者口、鼻、咽部分泌物以及血液、大小便等中均可分离出病毒。应对患者及其分泌物进行隔离。

3. 应尽快切断传播途径，避免由飞沫经呼吸道及人与人密切接触传播。应将在胎内感染的新生儿隔离，避免通过污染的奶瓶、奶头、衣被、尿布及直接接触等感染缺乏抗体的医务人员、家庭成员，或在婴儿室中传播。

4. 忌抓患处。不宜用过热或过冷的水洗患处，不用刺激性强的外用药。

5. 饮食宜清淡，多吃新鲜的水果和蔬菜；不吃刺激性、海鲜及动物蛋白性食物。

6. 患儿卧床休息，给予流质、半流质易消化食物，多喝水。保持皮肤及口腔的清洁卫生。

## 幼儿急疹

幼儿急疹多见于6～18个月的小儿，3岁以后少见。临床特点是持续高热3～5日，热退疹出，疹出后病情很快恢复，无明显并发症。多发于春、秋季节，感染后有终生免疫力。

本病中医学称"婴儿玫瑰疹"，又称"假麻"、"奶疹"。为外感风热时邪所致。主要病机为邪蕴肌腠，阻滞气血，伤及脾肺。其病位主要在肺、脾。临床治疗以清热生津为主要方法。

**【必备验方】**

1. 桑叶、板蓝根各15克，连翘10克。水煎，去渣，熏洗患处，每次15～20分钟，每日1～2次，连续1～2日。适用于热蕴肺胃证。

2. 鲜胡荽100克，白酒30毫升。将胡荽洗净，揉搓头面、四肢、躯干皮肤，边搓边滴白酒（至皮肤潮红为度），每日1～2次，每次10～20分钟。

3. 蝉蜕、僵蚕、升麻、紫草、野菊花各10克，桑叶、地龙各6克，薄荷3克。共研细末，6～12个月每服0.3～0.5克，1～2岁每服0.5～1克，每日2～3次。适用于幼儿急疹出疹期。

4. 地肤子50～100克。水煎2次，煎液混合，浓缩至400～500毫升（小儿酌减），每日1剂，分2次服；药渣（布包），热擦皮损局部。3日为1个疗程。

5. 鲜紫薇根60克（干根30克）。水煎，每日1剂，于早晨空腹、晚上临睡前分服

（小儿酌减）。外以鲜紫薇全草 500 克（干品 250 克）煎水擦患处，每日 1 次。

**【名医指导】**

1. 多休息，不剧烈玩耍。休息的地方应安静，注意空气流通并保持新鲜；被子不能盖得太厚。

2. 多喝水，可适当加入果汁。

3. 患病期间吃易消化食物，以流质或半流质饮食为主。但要注意营养均衡，避免喝糖水；适当补充维生素 C 和 B 族维生素。

4. 患儿皮肤保持清洁卫生，经常给患儿擦去身上的汗渍，防止着凉又可避免出疹的患儿感染。注意不可汗出当风。

5. 体温超过 39 ℃时，可用温水或 37% 乙醇擦身，以防止高热惊厥（婴儿不建议乙醇降温，如果家长不知道乙醇浓度也不建议给幼儿使用，因其对皮肤有刺激性）。

6. 妈妈应主动关心患儿，满足患儿的心理需要。

7. 卧床休息，注意隔离，避免交叉感染，多饮水，给予易消化食物。高热患者应予以退热镇静药；若持续高热，需加强水分和营养供给，多喝白开水、菜汤、果汁等。

## 流行性腮腺炎

流行性腮腺炎由腮腺炎病毒引起的一种急性呼吸道传染病，多发于冬末春初，多见于 2～15 岁儿童。本病潜伏期一般为 2～3 周，发病开始有畏寒、发热、头痛、咽喉痛、食欲不振等症状；1～2 日后患者侧耳垂下方肿大、疼痛，张口、咀嚼或进食酸甜食物时均可加重；3～4 日以后，对侧腮腺也可出现肿大、疼痛症状。流行性腮腺炎是一种自限性疾病，一旦感染后可获得终生免疫，但也可并发睾丸炎或卵巢炎、心肌炎、胰腺炎、脑炎，甚至耳聋。

本病中医学称“痄腮”、“虾蟆瘟”、“搭腮肿”等，俗称“大嘴巴”、“猪头风”。多由外感风湿时毒，内分积热蕴结所致。风热毒邪壅阻少阳经络，胆胃积热上攻，少阳经脉失和，气血郁滞，凝聚成肿。少阳胆经与厥阴肝经相表里，若循脉下行，则可致睾丸肿痛；若大毒炽感、热机生风，或犯手足厥阴，即可致昏迷、痉厥。本病可分为风热轻症与风热重症。轻症发热恶寒较轻，仅腮部肿、疼痛；重症则壮热烦躁、头痛剧烈、腮肿坚痛、咽部红肿疼痛。本病变证有热感动风、邪入心包、邪窜肝脉等，治疗着重于清热解毒，佐以软坚散结。初起温毒在表者，以疏风清热为主。若病情较重，热毒壅盛者，治宜清热解毒为主；腮肿硬结不散，治宜软坚散结、清热化痰；对于病情严重出现变证，如邪陷心肝，或毒窜睾腹，则按熄风开窍或清肝泻火等法治之。

**【必备验方】**

1. 白糖 500 克，板蓝根 150 克，夏枯草 100 克。将板蓝根、夏枯草加水 1500 毫升，用文火熬煮至 500 毫升，去渣，入白糖熬成膏，候凉装瓶备用。温开水送服，1～2 岁小儿每次 10 毫升，3～5 岁每次 15 毫升，6 岁以上每次 20 毫升，每日 2～3 次，连服 7～10 日。

2. 鲜丝瓜 100 克，紫菜 10 克。将丝瓜洗净、切片，水煎 5 分钟，入紫菜及少许精盐稍煮，放入味精、香油即可，每日分次食用。

3. 蛇蜕 6～10 克（10 岁以下 6 克，10 岁以上 10 克），鸡蛋 2 个（去壳）。将蛇蜕洗净后切碎，与鸡蛋加少许食盐搅匀，以素油如常法炒熟，顿食，每日 1 次，连用 1～2 日。适用于小儿流行性腮腺炎。

4. 取患侧角孙穴（即耳尖正上方处）。将患侧耳壳向前曲折，耳尖正上方入发际处，用甲紫做标记，以 75% 乙醇消毒后，取灯心草 3～4 厘米，浸入香油中约 1 厘米，用左手捏住灯心草 1/3 处，点燃后迅速向穴位一触即起，随即发出“啪”的爆炸声，在施灸处出现一绿豆大小的小疱。灸后局部保持清洁，防止感染。

5. 蟾蜍 1 只。洗净，去头及耳后腺，将皮剥下，煎成膏药状，直接贴敷患处。自行脱落后，可浸水后重贴。

**【名医指导】**

1. 腮腺炎为病毒感染引起，经过 7～10 日，大部分患者可自然恢复正常。

2. 早期隔离患者直至腮腺肿胀完全消退为止；居室要定时通风换气，保持空气流通。

3. 注意口腔卫生，经常用温盐水或复方硼砂溶液漱口。

4. 接种麻疹、风疹、腮腺炎三联疫苗。腮腺炎活疫苗不能用于孕妇（以防病毒经胎盘感染胎儿造成不良后果）及先天或获得性免疫低下者和对鸡蛋蛋白过敏者。

5. 在腮肿早期，可用冷毛巾局部湿敷，以减轻疼痛。

6. 宜给予富有营养及易消化的流食、半流食或软食，多给患儿喝水，忌食海带、鱼虾、香椿等发物。

7. 重症患儿应当卧床休息。

8. 密切观察病情，观察患儿有无持续高热、剧烈头痛、呕吐、颈强直、嗜睡、烦躁、惊厥、睾丸肿大及疼痛等；及时发现、及时就医。

9. 并发睾丸炎的患者绝对卧床休息，保持局部清洁，疼痛剧烈时可局部间歇冷敷，禁用冰敷。注意观察睾丸肿大消退情况、有无睾丸鞘膜积液和阴囊皮肤水肿等情况，有变化随时通知医师，及时处理。

## 传染性单核细胞增多症

传染性单核细胞增多症是由EB病毒引起的一种急性或亚急性自限性传染病。临床以发热、咽峡炎、肝脾大及淋巴结肿大以及外周血液中出现较多的异型淋巴细胞为特征，可发于任何年龄，但以儿童和青少年多见。

本病中医学属“温病”、“瘟疫”等范畴。由于外感温热之邪所致。温热毒邪从口鼻而入，首犯肺卫，肺被邪气所遏，故引起高热等证。热毒蕴肺，使肺失清肃，津液不布，炼液为痰，痰热互结，久而成瘀。可见热毒之邪为致病的主要因素，而痰和瘀则是病变过程的病理产物，同时又形成了新的致病因素，因此，引发出诸多复杂的症候表现。辨证的关键在于分清卫、气、营、血的不同阶段，抓住热、毒、痰、瘀的病机本质。

**【必备验方】**

1. 板蓝根9～15克。水煎服。

2. 当归、芍药各9克，益母草10克，木香3克。水煎至100毫升，每日1剂，分2～3次服。适用于传染性单核细胞增多症肝脾大、气滞血瘀者。

3. 取外关、血海、曲池、合谷等穴。采用泻法，不留针，每日1次。适用于传染性单核细胞增多症初起热势较重者。

**【名医指导】**

1. 急性期患儿予呼吸道隔离；口腔分泌物及其污染物要严格消毒，宜用漂白粉、氯胺或煮沸消毒。

2. 注意观察体温变化及伴随的症状，体温超过38.5℃应给予物理降温和药物降温。

3. 发病初期应卧床休息2～3周。

4. 饮食应给予清淡、易消化、高蛋白、高维生素的流质或半流质，少食干硬、酸性、辛辣食物。每日饮水量少儿为1000～1500毫升，年长儿为1500～2000毫升。

5. 注意保持皮肤清洁，每日用温水清洗皮肤；及时更换衣服，衣服质地宜柔软、清洁干燥。保持手部清洁，剪短指甲；勿搔抓皮肤，防止皮肤破溃感染。

6. 肝大、转氨酶高时可口服维生素C及葡萄糖醛酸内酯，以保护肝脏。脾大时，应避免剧烈运动（特别是在发病的第2周）。

7. 淋巴结肿大者要注意定期复查血常规。如发现颈部淋巴结肿痛、体温升高等情况，及时就医。

# 第三十三章　小儿心理障碍性疾病

## 注意缺陷障碍

注意缺陷障碍又称儿童多动症，是儿童时期以注意力不集中、活动过多、智力正常或基本正常为主要临床特征，可伴有学习困难、动作不协调或性格异常等症状。系由于多种生物因素、心理因素及家庭、社会问题等多种原因综合作用所引起的一种临床综合征。

本病中医学属“烦躁”、“健忘”等范畴。与先天不足、后天失护、久病伤阴、思虑惊恐等有关。其病机为阴虚阳亢，虚火内动，或痰热内盛，扰动心神，或心脾肾虚，脑神失养。其病位主要在心、肝、脾、肾，病性可实可虚，亦可见虚实夹杂之证。

**【必备验方】**

1. 鲜猪脑（或羊脑）1 具，三七粉 3 克。将猪脑洗净，加入三七粉及少许食盐、葱、姜，隔水炖服。适用于瘀血内阻者。

2. 鲜桑椹 10～15 克（干品 5～8 克）。嚼服，10～15 日为 1 个疗程，连服 2～3 个疗程，每疗程间隔 1 周。适用于肝肾阴虚或心脾两虚证。

3. 龙眼肉 500 克（鲜品更佳），白糖 50 克。将龙眼肉反复蒸、晾 3 次（使色泽变黑），再拌以少许白糖装瓶备用。每服 4～5 枚，每日 2 次，连服 7～8 日。适用于心脾两虚证。

4. 梅花针叩刺背部夹脊、膀胱经、督脉至皮肤潮红为度，对心俞、肾俞穴做重点叩刺。1～2 日 1 次，10 次为 1 个疗程。

5. 医者以拇指向掌根方向直推拇指末节螺纹面，旋推中指末节螺纹面。适用于心脾气虚证。

## 抽动秽语综合征

抽动秽语综合征又称多发性抽动征，是指慢性、波动性、多发性的运动肌快速抽动及不自主的发声和语言障碍，多发于 2～15 岁。有复发、不自主、重复、快速、无目的性动作，并影响到多组肌群，常始于头面肌肉（如点头、皱眉、眨眼、噘嘴、嗅鼻等），以后发展到肩、臂、躯干及下肢肌肉（耸肩、抬臂、扭腰、踢腿等）。发作频繁可达每日数百次之多，以至发展到喉肌抽搐，出现轻咳、干咳、喊叫、犬吠、吼叫等声音，并时伴谩骂、粗言秽语、刻板的模仿语言和动作，但能受意志遏制动作数分钟至数小时。上述症状在数周或数月内的强度有不同的变化。

本病中医学属“筋惕肉瞤”、“瘛疭”、“抽风”、“肝风”等范畴。为先天不足，后天脾虚，久病体弱及热病伤阴；或过食肥甘，情志所伤或六淫所感，五志化火；导致肝风内动，痰火扰神，脾虚肝亢或阴虚风动。

**【必备验方】**

1. 甜瓜蒂适量。研细末，每用二分半（15 岁以下及老弱者减半），每早晨用井华水送下，食后含砂糖 1 块，良久涎如水出，涎尽食粥，1～2 日愈。如涎出大多觉困甚省，以少许麝香（研细），温水调下。

2. 无灰酒 2 碗，香油 120 克。同煎，用杨枝 20 条搅（每搅 1～2 下，换 1 条杨枝），至油酒如膏，灌之，令熟睡。

3. 皂角 500 克（不蛀、肥者）。去皮、弦，切碎，以酸浆水 1 碗浸（春秋 3～4 日，夏1～2 日，冬 7 日），揉去渣，以慢火熬并以

槐、柳枝搅成膏，取出摊厚纸上，阴干收储。每取手掌大 1 片，以温浆水化，用竹筒灌鼻孔内，良久涎出为验。欲涎止，将温盐汤饮一两口便止。忌鸡、鱼、湿面及生硬食物。

4. 九节菖蒲适量。去毛，木臼捣为末，以黑猪心（阉割过的猪）1 个（劈开）煮汤调服，每次 9 克，每日 1 次。

5. 腊月乌鸦 1 只（盐泥固，煅过，待冷，研末），朱砂末 15 克。混匀，酒调服，每次 3 克，每日 3 次，不过 10 日愈。

**【名医指导】**

1. 有遗传背景者，预防措施包括避免近亲结婚、推行遗传咨询、携带者基因检测及产前诊断和选择性人工流产等。

2. 养成按时睡眠的好习惯，睡时环境要安静、无光，全身放松。白天多参加体育锻炼，让身体有疲乏感后睡眠更好。睡前不吃东西、不喝茶、不吃巧克力等使大脑兴奋的东西，养成睡前用热水烫脚的习惯。

3. 禁止孩子长时间玩电脑游戏或看电视；有目的地让孩子多活动，以此缓解压力放松心情。

4. 引导孩子学会面对压力，增加孩子接触各种环境的机会。调整自己的情绪状态，切记不要在孩子出现抽动症状时，用语言甚至体罚的方式进行纠正。

5. 在医师指导服用药物并调整剂量，不要擅自增加药量或停药。

6. 饮食上注意有营养、易消化，限制高蛋白、高热量食物；多食清淡、富含维生素的蔬菜水果，避免刺激性、富含色素及食品添加剂食物；忌大量饮用咖啡因饮料。

7. 重视患者学习和生活环境，及时解决环境中的应激，并给予心理治疗和教育。帮助患者消除心理困扰，减少焦虑、抑郁情绪，适应现实环境。

# 第六篇　传染性疾病

# 第三十四章 病毒感染性疾病

## 病毒性肝炎

病毒性肝炎是由多种不同肝炎病毒引起的一组以肝脏损害为主的传染病。根据病原学诊断，肝炎病毒至少有5种，即甲、乙、丙、丁、戊型肝炎病毒，分别引起甲、乙、丙、丁、戊型病毒性肝炎；另外一种庚型病毒性肝炎，较少见。临床表现为食欲减退、腹胀、恶心厌油、乏力、巩膜黄染、茶色尿、肝大、肝区痛等。

本病中医学属“黄疸”、“胁痛”、“湿热”、“肝郁”、“虚损”等范畴。为感受湿热疫毒之邪所致。临床治疗以谨守病机、驱邪扶正为法。急性者，以祛邪为主，治以清热、利湿、解毒、疏肝、凉血、活血；重度黄疸者，以清热解毒利湿药物为主，适当加入凉血活血药物，以利黄疸消退。在急性肝炎恢复期，予以健脾、活血、凉血、滋阴、养血、柔肝、益气、健脾、补肾、利水等法。

**【必备验方】**

1. 贯众、乌梅（打碎）各适量。加水500毫升煎至250毫升，去渣，加冰糖（溶化后）分服，每日1剂。适用于慢性肝炎。

2. 鲜蘑菇、银耳、豆腐各适量。将蘑菇洗净，削去根部；银耳泡发、去蒂，豆腐切块。起油锅，下豆腐煎至微黄，加少许清水，下蘑菇、银耳，以文火焖透，调入食盐、糖、味精、酱油、香油等，下芡粉煮沸，即可食。适用于慢性肝炎脾虚阴亏证。

3. 米醋1000克，鲜猪骨500克，红、白糖各120克。同煎30分钟，过滤服。饭后服：成人每次30～40毫升，小儿（5～10岁）每次10～15毫升，每日3次，1个月为1个疗程，连服1～3个疗程。

4. 北五味子、丹参各400克，板蓝根200克，蜂蜜750毫升。将前3味共研细末，炼蜜为丸（每丸10克），每服1～2丸，每日3次；以上为1个疗程剂量，连服3个疗程。适用于慢性病毒性肝炎。忌食油腻、辛辣食品。

5. 蒲公英20克，甘草3克，绿茶1克，蜂蜜15克。将蒲公英、甘草加水500毫升煮沸10分钟，去渣，加入绿茶、蜂蜜，每日1剂，分3次温服。

**【名医指导】**

1. 采取以切断传播途径为重点的综合性预防措施。甲型病毒性肝炎、戊型病毒性肝炎重点防止粪-口传播，加强水源保护及个人卫生，加强粪便管理。乙型病毒性肝炎、丙型病毒性肝炎、丁型病毒性肝炎重点在于防止通过血液、体液传播，加强献血员筛选，严格掌握输血及血制品应用。

2. 进行甲型病毒性肝炎、乙型病毒性肝炎疫苗注射，以防止发生本病。与急性起病的甲型病毒性肝炎患者接触的易感人群，应用人血丙种球蛋白进行预防。

3. 将患者用过的餐具、茶具、玩具及耐热物品浸没在水中加盖煮沸20～30分钟进行消毒。肝炎患者丢弃的杂物、垃圾、一次性医疗用品及无须第二次使用的一切物品彻底焚烧消毒。

4. 适当休息；合理营养，忌贪杯；营养均衡；饮食要洁净；慎用对肝脏有毒性的药物。

5. 急性肝炎发病早期必须卧床休息；至症状明显减轻、黄疸消退、肝功能明显好转后，可逐渐增加活动量，以不引起疲劳及肝功能波动为度。在症状消失、肝功能正常后，

再经1～3个月的休息观察，可逐步恢复工作。但仍应定期复查1～2年。

6. 急性肝炎发病早期饮食宜易消化、清淡，但应含有适量热量、蛋白质和维生素，及时补充维生素C和B族维生素等。食欲好转后，应给予含有足够蛋白质、糖类及适量脂肪的饮食。

7. 慢性肝炎静止期可做力所能及的工作，适当运动，增强机体的抵抗力。重型者要绝对卧床，尽量减少饮食中蛋白质，保证热量、维生素，可输人血白蛋白或新鲜血浆，维持水、电解质平衡。

8. 肝炎患者必须戒烟、酒；忌辛辣刺激性食品；不宜吃太多蛋、甲鱼、瘦肉等高蛋白食物，少吃海蜇、乌贼、虾、螺类等含铜多的食品；忌油煎、炸之品。

9. 注意休息，保证充足的睡眠，规律生活，每日坚持早操。劳逸结合，保持心情愉快，避免焦虑、胡思乱想、易怒。

## 流行性乙型脑炎

流行性乙型脑炎（简称乙脑）系感染乙型脑炎病毒而引起的一种以脑实质炎症为主要病变的中枢神经系统急性传染病。临床表现以发病急骤、高热、惊厥、意识障碍为主要特征，变化迅速；严重者，可出现呼吸停止等危象，往往留有后遗症。虽经积极治疗，发病半年之后仍留有精神神经症状者为后遗症，以痴呆、失语、肢体瘫痪为多见。乙型脑炎病毒为一种嗜神经病毒，家畜、家禽、鸟类等可为传染源。本病系通过蚊虫叮咬传播，我国主要传播媒介为三带喙库蚊。多见于儿童，多发于7、8、9月，感染后可获得较持久的免疫力。

本病中医学可归属于“暑温”、“伏暑”等范畴。由于小儿正气虚弱，感受暑邪疫毒所致。临床治疗急性期多按卫、气、营、血进行辨证论治；后遗症，多为气血大亏，痰瘀阻络，经脉失养，可用益气活血、开窍通络之剂，配合外灸、推拿等法。

**【必备验方】**

1. 白扁豆20克，金银花30克，牛蒡子15克。加水500毫升煎20分钟，过滤取液；加水500毫升再煎15分钟，去渣。将2次煎汁混合，每日1剂，早、中、晚分服，连服5日。

2. 穿心莲15～30克，积雪草、铺地锦、红背草各60克（均为鲜品）。同捣烂，取汁服，症状消失3～4日停服。头痛者，加香蕉根汁30～100克。适用于乙脑急性期。

3. 土大黄鲜叶30～60克。水煎服或鼻饲灌服。适用于轻型和普通型乙脑。体温超过39℃以上者，酌加安乃近退热；重型和极重型乙脑须综合治疗。

4. 儿茶、硼砂各10克，冰片1克，60度高粱白酒100毫升。将前3味共研细末，与白酒混合溶解，滴耳，每次左耳1毫升、右耳1毫升，每日1次，连用5日。注意：用药后用棉球塞好外耳，1小时以后将药物清除耳外。

5. 紫雪丹2克，鲜地黄、大青叶、生石膏各30克，石菖蒲9克。煎汤，保留灌肠，分6次灌完，2周为1个疗程。适用于乙脑惊厥、昏迷者。

**【名医指导】**

1. 早期发现患者，及时隔离患者至体温正常为止。

2. 注意病情变化，观察体温、脉搏、血压、瞳孔大小、呼吸节律等征象。

3. 积极消灭蚊虫传播源。

4. 养成良好的睡眠习惯，适当运动。对易感者尤其是10岁以下儿童及婴儿出生8个月后接种乙脑疫苗。

5. 注意饮食营养，供应足够水分。高热、昏迷、惊厥患者补足量液体。流质饮食，热量每日不低于146～167焦耳/千克，并注意补充维生素B、维生素C以及清凉饮料和葡萄糖液。

6. 加强口腔护理、防压疮护理；昏迷者还需加强翻身拍背，意识不清、抽搐者应防坠床。保持皮肤清洁，受压部位放置气垫；可用牙垫或开口器，防止舌咬伤。

7. 对有肢体功能障碍患儿，要每日做数次肢体锻炼，并教育患儿要进行主动锻炼。

8. 对有吞咽障碍患儿，应哺喂流质饮

食（从一滴一滴地喂，到一口一口地喂），逐步过渡到半流质饮食，逐渐训练患儿的吞咽功能。喂食过程中要保持环境安静和光线适宜。

9. 后遗症期应采取中西医结合方法（包括针灸、推拿）进行治疗，并应加强功能训练。对有智力障碍的孩子，家长要反复启发诱导，从患儿所熟悉的人或物以及简单的文字或词句开始，锻炼患儿的记忆力。

## 脊髓灰质炎

脊髓灰质炎俗称小儿麻痹症，是由脊髓灰质炎病毒引起，以弛缓性麻痹为特征的急性传染病，多发于1～5岁小儿。临床主要表现为发热，伴有咳嗽、咽痛，或呕吐、泄泻、腹痛，全身肌肉疼痛，继而出现肢体痿软、肌肉弛缓萎缩、肢体变细。传染源为患者及无症状的带病毒者，感染者的鼻、咽、分泌物及粪便内均可排出病毒，经口摄入为主要传播途径。感染后人体对同型病毒能产生较持久的免疫力。

中医学对本病很早就有论述，如《内经》中就有“五脏使人痿”之说，疾论中将疫证分为痿躄、脉痿、筋痿、肉痿、骨痿等，且很早就认识到本病是一种时疫性疾病，有较为强烈的传染性。临床治疗急性期，一般用清热解毒、利湿疏风等药物；若湿热已尽，则多予补养气血、调补肝肾之剂。

**【必备验方】**

1. 地耳草适量。水煎至10毫升，每日1剂，分3次服（可加适量糖，多无呕吐现象），2周为1个疗程。10月以内婴儿每日9克，1～3岁每日15克，3～7岁每日24克，7～10岁每日30克，10～13岁每日36克。适用于急性脊髓灰质炎发热期。

2. 小金牛草9～15克（鲜品30～60克），猪蹄1个。加水1000毫升煎取400毫升，顿服，每日1剂。

3. 防风、炙甘草、秦艽、赤芍、桂枝、威灵仙、三七各4.5克，当归、苍术、桑寄生、川芎、苍耳子、独活各6克，木瓜、熟地、赤茯苓各9克，薏苡仁12克，细辛2克。水煎，冲少许黄酒，每日1剂，分3次服。适用于小儿麻痹症肢体不举者。

4. 天冬、党参各15克，熟地黄、木瓜、桑寄生、乌梢蛇、川牛膝各20克，防风10克，白芷8克，鹿茸3克，生麻黄5克。共研细末（分为40包），1岁小儿，每次1包，每日2次，冰糖水冲服。适用于肾虚型脊髓灰质炎。

5. 当归8克，鹅不食草、老鹳草各20克，伸筋草30克。共研细末，熬成膏，贴敷四肢、胸背穴位。

**【名医指导】**

1. 要注意接种脊髓灰质炎疫苗。小儿出生后第2个月、第3个月、第4个月、1岁半及4岁时应接种该疫苗。大规模服疫苗宜在冬春季进行，分2～3次空腹口服，勿用热开水送服。

2. 未服过疫苗的幼儿、孕妇、医务人员、免疫低下者及扁桃体摘除等局部手术后，若有与患者密切接触史应及时就医，并及早肌内注射丙种球蛋白。

3. 流行期间，儿童不宜去人多密集的公共场所；避免受凉和过分疲劳；推迟各种预防注射和不急需的手术等；搞好环境卫生，经常消灭苍蝇，培养良好的卫生习惯。

4. 患者应自起病日起至少隔离40日。第1周应同时强调呼吸道和肠道隔离；食具应浸泡于0.1%漂白粉澄清液内或煮沸消毒，或日光下曝晒2日，地面用石灰水消毒，接触者双手浸泡0.1%漂白粉澄清液内，或用0.1%过氧乙酸消毒；对密切接触的易感者应隔离观察20日。

5. 早期瘫痪患儿应绝对卧床休息，卧床时使用踏脚板使脚和小腿有一正确角度；瘫痪期，患者卧床时身体应成一直线，膝部稍弯曲，髋部及脊柱可用板或沙袋使之挺直，踝关节成90°。疼痛消失后立即做主动和被动锻炼，以避免骨骼畸形。

6. 肌痛处可局部湿热敷以减轻疼痛。瘫痪肢体应置于功能位置，以防止手、足下垂等畸形。

7. 注意营养及体液平衡，多喝水，可口服大量维生素C及B族维生素。

8. 患肢能作轻微动作而肌力极差者，可助其作伸屈、外展、内收等被动动作。肢体已能活动而肌力仍差时，鼓励患者做自动运动，进行体育疗法，借助体疗工具锻炼肌力和矫正畸形。

9. 恢复期及后遗症期，体温退至正常、肌肉疼痛消失和瘫痪停止发展后应进行积极的功能恢复治疗（如按摩、针灸、主动和被动锻炼及其他理疗措施）。患肢功能有改善后应加强功能锻炼，须注意活动姿势；如有明显外展、内翻等畸形，应检查肌群及关节等部位，加强刺激，加用外用药，早日予以矫正。

## 狂犬病

狂犬病俗称恐水病、怕水病，为狂犬病病毒引起的一种人畜共患的中枢神经系统急性传染病，多见于狗、狼、猫等食肉动物。多因被病兽咬伤而感染，亦可由染毒唾液污染伤口黏膜（甚至结膜）而引起感染，偶可通过剥病兽皮、进食染毒肉类、吸入蝙蝠群聚洞穴中的含毒气溶胶而发病。临床表现为特有的狂躁、恐惧不安、怕风恐水、流涎和咽肌痉挛，甚至发生瘫痪而危及生命。潜伏期长短不一（短的10日，长的1年），多为1～3个月。儿童、头面部咬伤、伤口深扩创不彻底者潜伏期短。此外，与入侵病毒的数量、毒力及宿主的免疫力也有关。

**【必备验方】**

1. 马钱子30克。炒焦（存性），去灰杂、毛、皮，研细末（净重约16克），瓶储密封备用。早、晚白开水或白酒送服，每次0.9克，8岁以下0.3克，8岁以上16岁以下0.45克，每日2次，3日为1个疗程。首次剂量加倍，如1个疗程未愈，可延长数日（治愈为止）。预防从狂犬咬伤之日起计算，盛夏7～9日，春秋10～20日，冬季30日左右。适用于狂犬病。

2. 七星剑15克，米酒适量。将七星剑（鲜品加倍）加水1碗煎至微沸，入米酒煎沸，去渣，温热顿服，每日2～3次。药渣敷患处，首次量宜大，症状好转可稍减。适用于恶物伤人（疯狗、毒蛇等）。

3. 初咬时，在咬处针刺出血，或用药筒拔毒。另用葱白100克，生甘草15克，煎水洗患处。并以斑蝥1～2个（去翅、足，用糯米炒后去米），滑石（水飞）50克，雄黄4克，麝香0.8克，共研细末，温酒调服4克。不思饮食者，以米汤送服。适用于狂犬咬伤。

4. 地榆250克，生黄豆6～7粒。将地榆水煎40分钟，取汁服，每次300毫升，3小时1次，连服3日。再将生黄豆嚼烂（不咽），如觉有豆腥味为犬毒已尽。如觉有甜味则为犬毒未尽，可继服1剂。适用于狂犬咬伤。

5. 苦杏仁12克，黄连、甘草各6克，茯神10克，斑蝥虫24只（和米炒至黄色，去斑蝥，将米研细末）。将前4味加水2盅煎至1盅，冲米粉服。适用于狂犬咬伤惊恐狂乱、学犬叫声者。

**【名医指导】**

1. 被动物咬伤或抓伤后，要尽快清洗伤口，伤口必须用肥皂水或清洁剂全面冲洗。冲洗时一定要掰开伤口将其洗净，伤口不宜缝合，冲洗之后要用干净的纱布把伤口盖上，并速去医院诊治。

2. 在条件允许的情况下伤口应暴露24～48小时，防止病毒穿入神经纤维。如果有免疫血清，可注入伤口底部及周围。伤口缝合或包扎应尽量避免，如果必须缝合最好在疫苗接种同时给予特异性抗血清。

3. 被咬伤或抓伤后，即使再小的伤口也应去医院注射狂犬病疫苗和破伤风抗毒素预防针（严重者还应加注血清或免疫球蛋白）。接种疫苗的最佳时间是在被咬伤后24小时之内（越快越好）。狂犬病疫苗应分别在第1、第3、第7、第14、第28日各肌内注射1针，共注射5针。

4. 忌辛辣、辛热刺激食物；忌食咸、寒冷及甜腻食品；忌烟、酒、咖啡；忌强烈刺激的调味品，如咖喱粉、芥末粉、辣椒粉等。

## 流行性感冒

流行性感冒（简称流感）是流感嗜血杆

菌引起的一种传染性强、急性呼吸道感染、传播速度快的疾病。主要通过空气中的飞沫、人与人之间的接触或与被污染物品接触传播。临床症状表现为急起高热、全身肌肉疼痛、显著乏力和轻度呼吸道症状，病程短、有自限性，中年人和伴有慢性呼吸道疾病或心脏病患者易并发肺炎。

本病中医学属“外感病”、“时行感冒”等范畴。由于风邪，侵袭肺卫皮毛所致。四时之中，气候失常，如春应温而反寒，夏应热而反冷等，风邪易侵入人体而感冒，甚至引起时行感冒。

**【必备验方】**

1. 山腊梅叶 625 克，茶叶适量。同捣碎，分装 100 袋，每次 1 袋，每日 3 次，沸水冲泡，代茶频饮。

2. 大青叶 30 克。水煎 2 次，取液混合，浓缩至 100 毫升，15 岁以上每服 50～100 毫升，15 岁以下每服 30～50 毫升（10 岁以下用量酌减），每日 8 次，连服 7 日。适用于防治流感。

3. 梧桐果 500 克。加水 4000 毫升煎至 300 毫升，与 10%大蒜液 300 毫升混匀，滴鼻，每日 3～5 次。适用于预防流感。

4. 鸭蛋清 2 个，葱白 4 段，饴糖 50 克。将葱白、饴糖加水 200 毫升煮沸，冲鸭蛋清搅匀，每日 1 剂，分 2 次热服，3 日为 1 个疗程。适用于流感咳嗽、喑哑、咽喉肿痛者。忌食酸辣刺激性食物。

5. 荆芥 5 克（鲜品 8 克），薄荷 3 克，生姜 10 克，淡豆豉 6 克，粳米 70 克。将粳米以大火煮至八成熟，前 4 味水煎 9 分钟，去渣，入米粥及适量白糖煮熟食，每日 1 次。适用于流感引起的流清涕、头痛。

**【名医指导】**

1. 患者呼吸道隔离 1 周或至主要症状消失。

2. 流行期间，避免集会或集体娱乐活动。老幼病残易感者少去公共场所，注意通风，必要时对公共场所进行消毒。患者用具及分泌物要彻底消毒。

3. 老人、儿童、严重慢性病患者、免疫力低下及可能密切接触患者的人员可接种灭活疫苗。时间以 10～11 月中旬为宜。对鸡蛋过敏者、急性传染病患者、精神病患者、妊娠早期及 6 个月以下婴儿不宜接种。

4. 卧床休息，多饮水；给予流质或半流质饮食，适宜营养，补充维生素；进食后以温开水或温盐水漱口，保持口鼻清洁。

5. 患病期间不宜食用煎炸、烧烤、油腻的食品及辛辣之物。

6. 洗澡、洗头时应避免吹风或吹空调。

7. 患病期间应多休息，避免劳累；不可乱服抗生素类药物。

8. 要经常开窗透气，室内空气宜保持新鲜。秋冬干燥季节，室内宜保持适当的湿度。

9. 加强体育锻炼。随气温的变化适当增减衣物。

## 甲型 H1N1 流感

甲型 H1N1 流感又称 A（H1N1）型流感，是甲型（A 型）流感病毒引起的一种急性的人畜共患呼吸道传染性疾病，早期症状与普通流感相似。包括发热、咳嗽、喉痛、身体疼痛、头痛等，还可出现腹泻或呕吐、肌肉酸痛或疲倦、眼睛发红等症状；病情迅速进展，突然出现高热、肺炎，重者可出现呼吸衰竭、多器官损伤而导致死亡。本病主要传染源为患者，无症状感染者也具有传染性，目前尚无动物传染人类的证据。主要通过飞沫经呼吸道传播，也可通过口腔、鼻腔、眼睛直接或间接接触传播。接触患者的呼吸道分泌物、体液和被病毒污染的物品亦可能引起感染。通过气溶胶经呼吸道传播有待进一步确证。

本病中医学属“时疫”、“温病”等范畴。多由时行疫毒，导致肺卫失和。以鼻塞、流涕、喷嚏、头痛、恶寒、发热、全身不适等为主要临床表现，法宜宣散。如不能及时治疗会转为内伤，引发肾阳衰而阴寒内生，肾络通于肺，心肺之阳不足，法宜扶阳。

**【必备验方】**

1. 鲜广藿香 50 克（切细），豆蔻 8 克，山药 10 克，鲫鱼 1 条（约 250 克），食盐、味精各 3 克，生姜、葱、植物油各适量。将鲫

鱼去鳞、内脏及鳃，姜切片，葱切段；锅内加入植物油，以中火烧至六成热，下鲫鱼煎至金黄，倒入适量清水，放入山药、豆蔻烧沸，以小火熬15分钟，加入食盐、味精及广藿香调匀，即可食用。适用于咳嗽、疲倦、饮食不畅等症。

2. 川贝母8克，枸杞子5克，雪梨4个，糯米100克，苦杏仁（去皮）、葡萄干各10克，蜜饯15克，冰糖20克。将雪梨洗净、去皮，在离蒂1/3处横切一刀，小刀掏空内部，用水浸泡；糯米用温水泡10分钟；葡萄干、蜜饯切细，冰糖压碎。将糯米、蜜饯、苦杏仁、枸杞子、川贝母、冰糖放梨内，盖上梨盖，隔水以旺火蒸40分钟，即可食用。适用于甲型H1N1流感咳嗽、乏力、津液不足等症。

3. 金银花、连翘、虎杖各12克，广藿香、黄芩、苦杏仁各10克，生薏苡仁20克，荆芥、柴胡、生甘草各6克。加水450毫升浸泡40分钟后以大火煎15分钟，取汁，饭后30分钟温服，每日2次。适用于防治甲型H1N1流感，特别是在大、中、小学校。

4. 苦杏仁10克，雪梨1个，冰糖30克。加水半碗，隔水炖1小时，顿食，每日1剂，连服3～5日。适用于预防阴虚型甲型H1N1流感。不宜久服。

5. 贯众、安息、苍术、艾叶各20克。点燃，熏闻即可。或制成香囊，随身携带。适用于防治甲型H1N1流感。

**【名医指导】**

1. 每日尽量用冷水洗脸，增强面部皮肤和鼻黏膜对寒冷刺激的适应能力；保持室内通风透气。

2. 每晚临睡前用热水泡脚；临睡前和早晨起床前用干毛巾搓背，提高抵御流感能力。

3. 减少到人群密集公共场所，外出应戴口罩，降低风媒传播的可能性。

4. 养成良好的个人卫生习惯，早睡早起，保持充足的睡眠。勤洗手，宜使用香皂；适当进行体育锻炼，增加机体的抵抗力。

5. 在烹饪特别是洗涤生猪肉、家禽（特别是水禽）时应特别注意预防，特别是有皮肤破损的情况。

6. 猪肉烹饪至71 ℃以上，可完全杀死甲型H1N1流感病毒。避免接触生猪或前往有猪的场所。

7. 避免接触出现流感样症状的患者。

8. 常备治疗感冒的药物，一旦出现流感样症状（发热、咳嗽、流涕等），应尽早服药对症治疗，并尽快就医，不要上班或上学，尽量减少与他人接触的机会。

9. 咳嗽或打喷嚏时用纸巾遮住口鼻，如无纸巾不宜用手，而是用肘部遮住口鼻。

10. 普通家庭还可以乙醇作为日常消毒用品。

## 麻　疹

麻疹是由麻疹病毒引起的急性呼吸道传染病，其传染性强，多发于1～5岁小儿。临床表现为发热、上呼吸道炎症、眼结膜炎等，皮肤出现红色斑丘疹、颊黏膜上有麻疹黏膜斑，疹退后遗留色素沉着并伴有糠麸样脱屑。麻疹患者为唯一传染源，患儿接触后7日至出疹后5日均有传染性，病毒存在于眼结膜、鼻、口、咽和气管等分泌物中，通过飞沫传播。

中医学认为，本病多由感受麻毒时邪所致。主要发于脾、肺两经。临床分为初热期、见形期和恢复期，治宜清热解毒、养阴益气。

**【必备验方】**

1. 贯众适量。研细末，6个月至3岁小儿每服0.25克，每日2次，连服3日为1个疗程，每疗程间隔1个月。适用于预防麻疹。

2. 苦瓜150克（切条），瘦猪肉100克，豆腐400克（切块），料酒、酱油、香油、食盐、味精、植物油各适量。将瘦肉剁成末，加料酒、酱油、香油腌10分钟；炒锅加植物油烧热，下猪肉末划散，入苦瓜条翻炒，倒入沸水及豆腐块，加酱油、食盐、味精，淋上香油，佐餐食。适用于预防麻疹。

3. 粳米60克，牛蒡根、白糖各30克。将牛蒡根水煎，去渣，取汁；将粳米洗净，煮成稀粥，兑入药汁混匀，加糖调服。适用于腮腺炎、咽喉炎、扁桃体炎以及麻疹透发

不畅。

4. 生苦杏仁、生桃仁、生栀子各10克。共研末，鸡蛋清调，敷于胸部。适用于出疹后面赤身热、烦渴谵语、疹色赤紫而暗。

5. 鸡蛋1个，生葱3根，胡荽子2.5克。水煎至蛋熟，取蛋趁热从头面到躯干至上肢、下肢揉搓（蛋凉再煮再搓），连用3～4次（取微汗），每日1次，连用2次为1个疗程。适用于疹发不畅。

**【名医指导】**

1. 患者应严密隔离，对接触者隔离检疫3周；流行期间托儿所、幼儿园等儿童机构应暂停接送和接收易感儿。

2. 病室注意通风换气，充分利用日光或紫外线照射；衣物应在阳光下曝晒；易感儿尽量少去公共场所。

3. 体弱、患病、年幼的易感儿应接种麻疹活疫苗。

4. 加强体育锻炼，提高抗病能力。

5. 卧床休息；单间隔离；居室空气新鲜，保持适当的温度和湿度；有畏光症状时房内光线要柔和。

6. 发热或出疹期间，饮食宜清淡、少油腻；忌食生冷酸辣及油脂食物。退热或恢复期，逐步给予容易消化吸收，且营养价值高的食物；多食牛奶、鸡蛋、豆浆等易消化的蛋白质和富含维生素C的果汁和水果等。疹发不畅者，可食芫荽（香菜）汁、鲜鱼、虾汤、鲜笋汤等。补充足量水分。

7. 保持皮肤、黏膜及眼、鼻、口腔清洁。

## 水　痘

水痘是由水痘-带状疱疹病毒初次感染引起的急性自限性传染疾病，多发于婴幼儿，以发热及成批出现周身性红色斑丘疹、疱疹、痂疹为特征。冬、春两季多发，其传染力强，接触或飞沫均可传染，病后可获得终生免疫，也可在多年后感染复发而出现带状疱疹。

本病中医学属"风热轻证"。多由口鼻而入，蕴郁肺脾所致。肺合皮毛，主肃降，外邪袭肺，宣降失常。本病邪毒一般只伤及卫、气分，窜入营、血的甚少，预后良好，变证、险证也少。

**【必备验方】**

1. 鲜竹笋、鲫鱼各适量。将鲜竹笋洗净、切片，鲫鱼去鳞及内脏，同煮汤食，每日3次。适用于水痘初起、小儿麻疹、风疹等。

2. 绿豆50克，昆布20克（洗净，切碎），白糖15克。将水煎至干，捣烂成浆，入沸开水150毫升冲泡片刻，加白糖调服，每日1剂，连服5～7日。

3. 鲜淡竹叶30～40克（干品15～30克），生石膏45～60克，大米50～100克。将淡竹叶洗净，与生石膏水煎，去渣，入大米煮成稀粥，加白糖调味，每日1剂，分2～3次服，连服3～5日。适用于小儿水痘重症。

4. 冰片、薄荷各10克，大黄粉100克。共研极细末，每取15克加甘油5克，加熟石灰水，制成100毫升混合液，以棉签蘸搽患处，每日5～7次（勿入眼、口、鼻）。如果小儿出现高热、皮疹弥漫或继发感染，应及时就诊。

5. 柳叶50克，浮萍15克，金银花20克。煎水，热洗患处，每日1剂。适用于小儿水痘。

**【名医指导】**

1. 宜多休息。防止继发细菌性感染，注意手、皮肤、口腔的清洁。儿童应注意修剪指甲，睡眠时可将双手包扎，以免无意中抓破疱疹，继发感染。

2. 宜清淡、易消化、高营养饮食，多饮开水，忌食辛辣、油腻食物。

3. 保持室内环境卫生清洁和空气流通。

4. 养成良好的个人卫生习惯，打喷嚏、咳嗽和清洁鼻子后要洗手；不要共用毛巾，勤晒衣被；少去人群密集空气不流畅的公共场所。

5. 多参加户外活动，增强身体素质。

6. 控制感染源，隔离患儿至皮疹全部结痂为止；对已接触的易感儿，应检疫3周。对免疫功能低下、应用免疫抑制药者及孕妇，若有接触史，可使用丙种球蛋白或带状疱疹免疫球蛋白肌内注射。

## 带状疱疹

带状疱疹是由水痘-带状疱疹病毒引起的急性炎症性皮肤病。对此病毒免疫力低的儿童被感染后发生水痘，部分患者被感染后成为带病毒者而不发生症状。临床主要特点为簇集水疱，沿一侧周围神经作群集带状分布，并伴有明显神经痛；初次感染表现为水痘，以后病毒可长期潜伏在脊髓后根神经节，免疫功能减弱可诱发水痘-带状疱疹病毒再度活动、生长繁殖，沿周围神经波及皮肤发生带状疱疹。患者一般可获得终生免疫，但亦有反复多次发作者。

本病中医学称“缠腰火丹”、“蛇串疮”、“火带疮”。多因风热毒邪侵袭肝经，或嗜食肥甘、炙烤之品，湿热蕴积而成。病变后期，可致气滞血瘀。

**【必备验方】**

1. 薏苡仁、大米各50克，鲜玉米须、白茅根各15克。将白茅根、玉米须水煎20分钟后去渣，入薏苡仁、大米煮粥食。适用于湿热内蕴型带状疱疹。

2. 雄黄粉适量。醋调敷患处，每日1次，连用3～4日。

3. 白花蛇30克，冰片3克。共研细末，香油调敷患处，每日2次，连用2～4日。

4. 青黛25克，细辛、薄荷各15克，板蓝根30克。共研细末，以植物油调敷患处，外用纱布包扎、胶布固定。恢复期，加凡士林调成20%膏剂，敷患处（包扎固定），隔日换药1次。疱疹面积大且疼痛严重者，每日换药2～3次。已溃、感染者禁用。

5. 蜈蚣3条，蛇蜕10克，冰片5克。将蜈蚣、蛇蜕炒存性，研极细粉，与研好的冰片混匀。每取适量，香油调敷患处，外用纱布包扎、胶布固定，每日换药1次，连用3～5日。

**【名医指导】**

1. 注意多休息；防止继发细菌性感染，应注意手、皮肤、口腔的清洁。儿童应注意修剪指甲；睡眠时可将双手包扎，以免无意中抓疱疹，导致继发感染。

2. 患病期间宜食清淡、易消化的营养食物，多饮开水；忌辛辣、油腻食物；可适当多食富含维生素C和B族维生素的饮食。忌辛辣温热食物，如酒、烟、生姜、辣椒、羊肉、牛肉及煎炸食物等；慎食酸涩收敛食物，如豌豆、芡实、石榴、芋头、菠菜等；慎食肥甘油腻之品，如肥肉、饴糖、牛奶及甘甜食物等。

3. 保持室内外环境卫生和空气流通，光线充足。

4. 养成良好的个人卫生习惯，打喷嚏、咳嗽和清洁鼻子后要洗手；不共用毛巾，勤晒衣被，保持衣服和被褥整洁；多参加户外活动，增强身体素质。

5. 少去人群密集及空气不流畅的公共场所。

6. 加强体育锻炼，注意劳逸结合。

7. 易感患儿可接种水痘疫苗。

8. 保持情绪平稳，避免过度紧张、焦虑，积极配合治疗。

## 流行性腮腺炎

流行性腮腺炎又称痄腮，是由腮腺炎病毒侵犯腮腺引起的急性呼吸传染病，并可侵犯各种腺组织或神经系统及肝、肾、心脏、关节等器官。多发于春季，是儿童和青少年中常见的呼吸道传染病，亦可见于成人。飞沫传播为主要传播途径，接触患者后2～3周发病。临床主要表现为一侧（或两侧）耳垂下肿大，常呈半球形，以耳垂为中心边缘不清，表面发热有触痛，张口或咀嚼感到疼痛。病后可有持久的免疫力，再次感染者极为少见，但可并发睾丸炎、重型脑炎及心肌病。

中医学认为，本病为感受外邪，兼夹肝胆之火与阳明胃热上攻，郁热壅滞于少阳经络，以致发为腮颊肿胀。临床治疗以清热祛瘟、解表透邪（或清热解毒）、散结消肿等为法。

**【必备验方】**

1. 荆芥、薄荷各10克，粳米50克。将荆芥、薄荷水煎数分钟，去渣，入粳米及适量清水煮成稀粥，每日分1～2次食用。

2. 板蓝根、山慈菇各30克，连翘40克，甘草30克，青黛5克（冲服）。加水800～1000毫升浸泡半小时，煎成500毫升，分为10份装入小瓶，温服，4岁以上儿童每次15毫升，1～3岁每次10毫升，每日1次。

3. 鲜芦荟适量。捣烂，敷肿部，外覆塑料薄膜固定，每日早、晚更换1次，连用3～7日即愈。

4. 白芥子150克（布包），白酒250毫升。同煮沸，取白芥子包热熨患部及颈项周围（冷时再热），每日2～4次。同时饮酒每次5毫升，每日2～3次。皮肤过敏者忌用。

5. 黄连、大黄、吴茱萸各10克，胆南星7克。共研细末，醋或开水调成糊（分成2份），每晚分贴于两足心（涌泉穴），外用绷带包扎，次晨去掉，连用3晚。

**【名医指导】**

1. 易感者可接种腮腺炎减毒活疫苗，但孕妇、免疫缺陷及对鸡蛋过敏的患儿忌用。

2. 在呼吸道疾病流行期间，尽量减少到人流密集的公共场所；出门时应戴口罩，尤其在公交车上。一旦发现孩子疑为本病，应及时早期诊治。

3. 养成良好的个人卫生习惯，做到“四勤一多”：即勤洗手、勤通风、勤晒衣被、勤锻炼身体、多喝水。

4. 患儿应卧床休息。高热降温，注意口腔卫生，可用复方硼酸溶液漱口。

5. 密切观察病情：观察患儿有无出现持续高热、剧烈头痛、呕吐、颈强直、嗜睡、烦躁、惊厥、睾丸肿大及疼痛等，及时就医诊治。

6. 保持室内安静、空气流通，避免声光刺激。

7. 并发睾丸炎时应绝对卧床休息，保持局部清洁；可用棉垫及丁字带将阴囊托起，避免牵涉痛。可局部间歇冷敷，但禁用冰敷。

8. 在发病期间，应多饮水、适度户外晒太阳，居室要定时通风、保持空气流通。患者生活用品、玩具、文具等采取煮沸或曝晒等消毒，病情轻者或退热后可适当活动。

9. 多吃富含营养、易消化的半流质或软食。忌酸、辣、甜味及干硬食品。

## 流行性出血热

流行性出血热又称肾综合征出血热，是由流行性出血热病毒引起的自然疫源性疾病，分为有肾损害和无肾损害两大类。临床以发热、出血倾向及肾脏损害为主要特征，病程发展分为发热期、低血压休克期、少尿期、多尿期、恢复期；病情发展变化较快，潜伏期为5～46日，一般为1～2周。如处理不当，死亡率很高。鼠类为主要传染源，虫媒和鼠排泄物为主要传播途径。多发于青壮年。感染后可获得终生免疫。

本病中医学属“冬温”、“伏暑”等范畴。临床治疗以清热泻火、解毒、益气养阴、回阳固脱等为主。

**【必备验方】**

1. 甲鱼1只（约500克，去内脏，切块），冬虫夏草10克，冬瓜500克（切块）。将前2味同炖熟，入冬瓜块再炖15分钟，加食盐、味精调服。适用于流行性出血热发热者。

2. 梨汁、荸荠汁、鲜芦根汁、麦冬汁、藕汁各适量。和匀，凉服或温服。适用于流行性出血热发热、头痛者。

3. 鲜李子150克，绿茶2克，蜂蜜25克。将鲜李子剖开，加水400毫升煮沸3分钟，入茶叶、蜂蜜煮沸，每日1剂，分2次服。适用于流行性出血热发热者。

4. 人参30克，荔枝肉1000克，白酒2500克。将人参切薄片，荔枝去核，同装绢袋内，浸入白酒中（封固），5日后即饮用，每日早、晚各1盅。适用于流行性出血热低血压者。

5. 槐花、蒲公英、大黄末（后下）、益母草各30克，煅牡蛎60克。水浓煎至200毫升，加入大黄末调匀，离火焖煮10分钟，去渣，保留灌肠，每次1～2小时，每日1次。同时维持水、电解质平衡及血压和血浆渗透压的稳定，并予高能量低蛋白饮食。适用于流行性出血热急性肾衰竭者。

**【名医指导】**

1. 对高发病区的易发人群及其他疫区的

高危人群进行疫苗接种。

2. 抓好灭鼠防鼠工作，切断传染源。春季应着重灭家鼠，初冬应着重灭野鼠。在灭鼠为主的前提下，做好防鼠工作，床铺不靠墙，睡高铺，屋外挖防鼠沟。

3. 保持屋内清洁、通风和干燥，经常用敌敌畏等有机磷杀虫剂喷洒灭螨。清除室内外草堆。

4. 在疫区不直接用手接触鼠类及其排泄物，不坐卧草堆，劳动时防止皮肤破伤，破伤后要消毒包扎。在野外工作时，要穿袜子，扎紧裤腿、袖口。

5. 早期严格卧床休息，避免搬运，给予高营养、高维生素及易消化饮食。

6. 患者恢复后，需继续休息1～3个月，病情重者休息时间宜更长。体力活动需逐步增加。

7. 对鼠或患者血液、唾液、排泄物及鼠尸等均应及时进行消毒处理，防止污染环境；剩饭菜须加热后食用，粮食储藏要防止鼠类侵入。

## 传染性非典型肺炎

传染性非典型肺炎又称严重急性呼吸窘迫综合征（简称SARS），是一种感染SARS相关冠状病毒所致的以发热、干咳、胸闷为主要症状的呼吸道传染病。SARS冠状病毒主要通过近距离飞沫传播、接触患者分泌物及密切接触传播，人群不具有免疫力，普遍易感。本病病死率为15%左右，主要为冬、春季发病，其发病机制与机体免疫系统受损有关。

本病中医学属“瘟疫”范畴。

**【必备验方】**

1. 鲜绿豆芽、胡萝卜、绿皮萝卜、苦菜、荠菜、昆布、银耳、香蕉、橘络、鲜荷叶、冬虫夏草、枸杞子、南沙参各50克。分别洗净、切碎，消毒、发酵，取汁加芭蕉水、地龙粉搅匀服，每次50克，每日1～3次。适用于防治传染性非典型肺炎。

2. 川贝母12克，雪梨2个，猪肺250克，冰糖少许。将川贝母洗净，雪梨去皮、洗净、切块，猪肺洗净、挤去泡沫、切片，加冰糖及适量清水，置文火上煮3小时，即可服食。适用于传染性非典型肺炎干咳者。

3. 白菜1000克，牛百叶300克，瘦猪肉100克。将白菜洗净，梗、叶切开；瘦猪肉洗净，切片，调味后稍腌；牛百叶放开水中浸2～3分钟，取出刮去黑衣，洗净，切成梳子形，沥水。把白菜梗、蜜枣以开水煮沸后，以文火煲1小时，入白菜叶煲10分钟，入瘦猪肉片及牛百叶煲沸，调味后食用。适用于传染性非典型肺炎干咳者。

4. 余甘子20个。生食。或余甘子20个，岗梅根、金银花、连翘各30克。水煎服，每日2次。适用于传染性非典型肺炎发热者。

5. 三七5克，紫苏子、白芥子、莱菔子各10克，大米100克，白糖适量。将前4味加水浸泡5～10分钟，水煎，取汁加大米煮成粥，入白糖调服，每日1剂。适用于传染性非典型肺炎胸闷者。

**【名医指导】**

1. 发现或怀疑本病时应尽快向卫生防疫机构报告，做到早发现、早隔离、早治疗。对临床诊断病例和疑似诊断病例，应在指定的医院按呼吸道传染病分别进行隔离观察和治疗；对医学观察病例和密切接触者，如条件许可应在指定地点接受隔离观察，为期14日。在家中接受隔离观察时应注意通风，避免与家人密切接触，并由卫生防疫部门进行医学观察，每日测量体温。

2. 切断传播途径，社区减少大型群众性集会或活动，保持公共场所通风换气、空气流通；排除住宅建筑污水排放系统淤阻隐患。

3. 保持个人良好的卫生习惯。不随地吐痰，避免在人前打喷嚏、咳嗽、清洁鼻腔，且事后应洗手；确保住所或活动场所通风；勤洗手；避免去人多或相对密闭的地方，若去应注意戴口罩。

4. 保持稳定乐观的心态，均衡饮食，多喝汤、饮水，注意保暖，避免疲劳，保持足够的睡眠以及在空旷场所作适量运动等。

5. 食物应多样化，以谷类食物为基础，补充足够的能量及B族维生素；多食新鲜蔬

菜及水果；多食大蒜、洋葱、绿茶、黑木耳等。多吃富含优质蛋白质的食物，如蛋、奶、瘦肉、鱼虾及豆制品。

## 禽流感

禽流感是一种由禽流感病毒引起的急性传染病，可通过消化道、呼吸道、皮肤损伤和眼结膜等途径传播。潜伏期从几小时到几日，与病毒的致病性、感染剂量、感染途径和被感染禽的品种有关。一般急性起病，早期表现类似普通型流感。临床主要表现为发热，体温大多持续在39 ℃以上，热程1～7日，一般为3～4日，可伴有流涕、鼻塞、咳嗽、咽痛、头痛和全身不适；部分患者可有恶心、腹痛、腹泻、稀便等症；重症患者可出现肺炎、急性呼吸窘迫综合征、肺出血、胸腔积液、全血细胞减少、肾衰竭、败血症、休克及Reye综合征及肺部实变体征等。

本病中医学属“风温”、“瘟疫”等范畴。多因“非其时而有其气”，复因起居不慎、饮食不节等，温热疫疠之邪从口鼻而入，首先犯肺，肺卫失和而见发热、恶寒、咽痛、头痛、肌肉关节酸痛、咳嗽等症；病由表入里，由卫分转气分，肺热壅盛，宣降失职而见高热、咳嗽、少痰难咳、胸痛、憋气喘促，或邪犯中土，胃失和降，症见恶心、呕吐、腹泻；邪气太甚或正气不足，逆传心包而见神昏、谵妄，甚则内闭外脱而见四末不温，冷汗淋漓。

**【必备验方】**

1. 鲜鸡1只（300克），麦芽、谷芽、柏子仁、西洋参各9克，炙黄芪、山药、香菇各30克，白术、北沙参各15克，茯苓12克，炙甘草3克，五味子、薄荷、苦杏仁各4.5克，鱼腥草24克，大枣12枚，生姜1片，陈皮6克，食盐0.3克，酱油1汤匙，味精1汤匙，枇杷蜂蜜30毫升。将鸡去毛、头、爪及肠杂（留心肾），洗净，沥干，切块；将甘草、五味子、柏子仁、鱼腥草、薄荷、苦杏仁装入纱布药袋（扎紧袋口），放入陶瓷罐内，加入鸡肉、西洋参、黄芪、山药、白术、茯苓、北沙参、大枣、生姜、麦芽、谷芽、陈皮、香菇、食盐、酱油及适量清水，隔水以旺火蒸2小时，入味精、蜂蜜调匀即可。每日1剂，分3次服食，7剂为1个疗程。适用于防治禽流感。

2. 鲜山药1条（切丝），鸡蛋2枚（取蛋清），鲜虾仁300克（捣成蓉），马蹄6粒（去皮，切碎），枸杞子适量，食盐1茶匙，胡椒粉、米酒和粟粉适量。同拌匀成蓉，取1～2汤匙于平底锅内轻压成饼形，以慢火煎至金黄色即可。适用于防治禽流感。

3. 黄芪、鸭跖草各30克，贯众15克，山药40克，百合50克，猪肺100克（切块）。将前3味洗净，布包，与猪肺、百合同以小火煲至熟，去药袋，加适量食盐、姜、葱、味精调味，即可食用。适用于预防气虚型禽流感。

4. 百合60克，灵芝40克，贯众15克，鱼腥草、芦根各30克，猪肺100克（切块）。将前5味洗净，布包，与猪肺同以小火煲熟，去药袋，加入适量食盐、姜、葱、味精调味，即可食用。适用于预防阴虚型禽流感。

5. 食醋适量。每立方米空间用食醋8～10毫升。煎水熏蒸房间，每次1～2小时，1～2日1次，连续3～6日。适用于预防禽流感。

**【名医指导】**

1. 减少和控制禽类，尤其是家禽间的禽流感病毒传播，减少人群在活禽或病死禽的暴露机会。

2. 注意个人呼吸道卫生和预防习惯，做到勤洗手、保持环境清洁等。

3. 避免食用未煮熟的禽肉，将切生、熟肉的砧板分开。

4. 及时发现动物感染或发病疫情，尽快消灭传染源，阻断病毒禽间传播。

5. 增强免疫力，多食蔬菜和水果，尽量选择新鲜的深色蔬菜。

6. 每日至少饮1～2杯约240毫升的奶类，适度选择低糖、低脂的优酪乳。

7. 做好个人卫生，多洗手，避免以手接触口鼻；养成正常而有规律的作息时间。

8. 适当增加体育锻炼，提高机体的抗病能力。

## 朊病毒病

朊病毒病是由朊病毒引起的一组遗传、感染、散发的退行性人畜共患的神经系统损害，是具有新型复制和传播致病因子的一系列神经变性疾病，被称为可传播的海绵状脑病。分为库鲁病、克-雅综合征、格斯特曼综合征和致死性家庭性失眠症。临床变化都局限于人和动物的中枢神经系统，传染方式分为遗传性（即人家族性朊病毒传染）和医源性（如角膜移植、脑电图电极的植入、不慎使用污染的外科器械以及注射取自人垂体的生长激素等）。

**【必备验方】**

1. 人参、白术、当归、马钱子、乳香、没药、蜈蚣、穿山甲各30克。共研细末，炼蜜为丸（每丸6克），酒送服，每次1丸，每日2次。适用于朊病毒病共济失调者。

2. 大蒜1头（捣烂），炒芝麻、蜂蜜各180克。混合，置于暗处1个月以上。每次半茶匙，加开水90毫升冲服，每日1次。适用于朊病毒病痴呆者。

3. 草乌、川乌、两头尖各15克，硫黄、麝香、丁香各3克，木鳖子5个。共研末。再以熟艾揉软，合在一起（用草纸包裹），烧熏痛处。适用于朊病毒病瘫痪者。

4. 益智5克，猪膀胱1只。加水500毫升煎取150毫升，每晚睡前温热顿服。适用于朊病毒病尿失禁者。

5. 香菇、瘦猪肉各100克，黄酒50克，酱油、白糖、食盐、味精、食油、湿淀粉各适量。炖服。适用于朊病毒病尿失禁者。

**【名医指导】**

1. 消灭已知的感染牲畜，对患者进行适当的隔离。

2. 禁止食用污染的食物，对神经外科的操作及器械消毒要严格规范化；对角膜及硬脑膜的移植要排除供者患病的可能。

3. 对有家族性疾病的家属更应注意防止其接触本病。

4. 本病预后较差，应及早发现、及时治疗。

## 轮状病毒腹泻

轮状病毒腹泻是由轮状病毒引起的腹泻，儿童感染后一般出现以急性胃肠炎为主的水样腹泻，伴有发热、呕吐和腹痛，腹泻物多为白色米汤样或黄绿色蛋花样稀水便，有恶臭。严重者可因脱水及肺炎、中毒性心肌炎等并发症导致死亡。轮状病毒具有很强的传染性，主要经粪-口途径传播，也可经呼吸道传播；主要于每年11月至翌年5月侵袭5岁以下儿童。

本病中医学属“泄泻”范畴。为感受湿热之邪，蕴结脾胃，脾胃运化失常，清阳不升，浊阴不降，清浊相干，下注大肠，传化失司，水反为湿，谷反为滞，而致夹热下注，水泻不止。重者亡津失水而致气阴两伤，甚至液竭气脱发生危重变症。临床治疗以清热利湿、安肠止泻为法。

**【必备验方】**

1. 山楂、炒麦芽各30克，红糖15克。将山楂、麦芽炒至略焦，加少许酒搅拌，再炒干，加水200毫升煎15分钟，去渣，加红糖煮沸，温后分服。

2. 醋360毫升，生姜15克，鸡蛋3枚，食盐、葱、生姜各适量（切碎）。将鸡蛋打入碗中，加入生姜、葱及食盐搅匀，以油煎成鸡蛋饼，再用醋炙，作点心吃，连食数次。

3. 黄鳝125克，鸡内金5克，山药10克，生姜2片。将黄鳝，去内脏、洗净、切段，用开水汆；鸡内金、山药洗净。起油锅，入姜爆黄鳝肉，加白酒少许及适量清水，入鸡内金、山药煮沸，以文火炖1小时，调味后服食。适用于伤食型轮状病毒腹泻。

4. 五倍子（炒黄）、干姜各2份（或生姜4份），吴茱萸、丁香各1份。共研细末，每取9～15克，白酒调敷脐部，纱布覆盖、胶布固定，每日换药1次。

5. 柞树皮50克，无花果7枚。沸水浸泡1小时，熏洗小儿双脚，药液淋洗膝关节以下15分钟，每日2次，7日为1个疗程。

**【名医指导】**

1. 宜经常到户外锻炼身体；作息时间规

律，以增强体质。

2. 饮食宜富有营养，多食新鲜的水果和蔬菜，保证充足的饮水。

3. 发现患者应尽早隔离，对其粪便及排泄物进行严密处理，以切断传播途径。

4. 保持水、电解质的平衡，口服或静脉补液，避免脱水。

5. 本病人群普遍易感，应以预防为主。

6. 暂停乳类及双糖类食物。吐泻较重时用止吐剂及镇静药。

## 手足口病

手足口病是由病毒引起的一种以发热、手足与口腔发疱疹为特征的流行性传染病。发病年龄多在5岁以内，2岁以下小儿尤为多见。患儿发病后多有发热，体温常在38 ℃左右；主要的特点为手足、口腔的皮疹和黏膜疹。皮疹多在手足心、手指背面、指甲周围、足跟边缘、肘、膝等，臂部也可出现。本病可并发皮肤感染，虚弱者可并发鹅口疮；严重者可并发心肌炎、病毒性脑炎、瘫痪、肺水肿等。病毒主要存在于患儿的疱疹液、咽喉与粪便中。通过飞沫、手污染与水源污染等多种途径传染，易导致流行。多发于4～10月，6～8月为高峰。柯萨奇病毒A组的16、4、5、9、10型，B组的2、5型，以及肠道病毒71型均为手足口病较常见的病原体，其中以柯萨奇病毒A16型和肠道病毒71型最为常见。

本病中医学属"时疫"、"温病"等范畴。由外感时行邪毒所致，病变主要在肺、脾。时行邪毒由口鼻而入，内犯于肺，下侵于脾，肺脾受损，水湿内停，与时行邪毒相搏，蕴蒸于外，则发病。临床治以清热解毒，凉血清心，利湿，佐以外透疏散。

**【必备验方】**

1. 淡竹叶10克（鲜者加倍），大米50克，白糖适量。将淡竹叶加水，浸泡5～10分钟后煎取汁，加大米煮成粥，调入白糖煮沸即可，每日2剂，连服3～5日。适用于手足口病小便淋涩、口舌生疮、烦躁不安及泌尿系感染等。

2. 绿豆、大米各50克，丝瓜150克，白糖适量。将丝瓜洗净、切片；绿豆、大米煮成粥，调入丝瓜片、白糖煮1～2沸即可，每日2剂，连用3～5日。适用于手足口病烦渴、尿赤、泻痢等。

3. 板蓝根12～20克，拳参8～12克。水煎服。软腭或咽部红肿、溃疡者，加锦灯笼、牛蒡子；牙龈红肿、渗血者，加鲜茅根、生地黄；舌苔白腻或黄腻者，加广藿香、佩兰；舌尖边溃疡者，加淡竹叶；高热者，加金银花、连翘；低热不退者，加青蒿、知母；呕吐者，加竹茹；便秘者，加酒大黄；皮疹者，加白鲜皮、苦参。适用于防治手足口病。

4. 苦参、野菊花、紫草、地肤子各30克。加水3000毫升煎至2000毫升，适温时泡洗患处10～15分钟。适用于手足口病、皮肤疱疹。

5. 苦参30克（煎汁，滤渣），雄黄2～3克（水飞）。混匀漱口（小儿可用消毒棉棒蘸药水擦拭口腔），洗手、脚，每日3～4次。适用于防治手足口病。

**【名医指导】**

1. 宜饭前便后或外出后用肥皂或洗手液洗手，不宜让儿童喝生水、吃生冷食物，避免接触患病儿童。

2. 看护人接触儿童前以及替幼童更换尿布、处理粪便后均要洗手，并妥善处理污物。

3. 婴幼儿使用的奶瓶、奶嘴使用前后应充分清洗。

4. 不宜到人群聚集、空气流通差的公共场所。注意保持家庭环境卫生清洁，居室要通风，勤晒衣被。

5. 出现症状时，及时就诊。患儿不要接触其他儿童。父母要及时对患儿的衣物进行晾晒、消毒，对患儿粪便及时进行消毒处理。轻症患儿不必住院，宜居家治疗、休息，以减少交叉感染。

6. 每日对玩具、个人卫生用具、餐具等物品进行清洗消毒。

7. 托幼单位每日进行晨检。发现可疑患儿时应采取及时送诊、居家休息等措施；对患儿所用的物品要立即进行消毒处理。

8. 宜食用易消化、清淡、质软、温性饭

菜，多喝温开水；禁食冰冷或辛辣有刺激的食物；忌过咸、过热食物。

9. 患儿应充分休息，定时让患儿用温水冲漱口腔。

## 艾滋病

艾滋病是获得性免疫缺陷综合征（AIDS）的音译，其病原体为人类免疫缺陷病毒，是一种能攻击人体免疫系统的病毒。它把人体免疫系统中最重要的 $T_4$ 淋巴细胞作为攻击目标，大量吞噬、破坏 $T_4$ 淋巴细胞，从而破坏人的免疫系统，最终使免疫系统崩溃，使人体因丧失对各种疾病的抵抗能力而发病并死亡。人类免疫缺陷病毒在人体内的潜伏期平均为12～13年。传染途径主要为性行为、体液（主要有精液、血液、阴道分泌物、乳汁、脑脊液和有神经症状者的脑组织）。其他体液中如眼泪、唾液和汗液，存在的数量很少，一般不会传播。

本病中医学属“疫病”、“虚劳”、“瘰疬”、“癥瘕”等范畴。

**【必备验方】**

1. 狗肉100克，大枣30克，黄芪、肉苁蓉各15克，生姜、葱、味精、小茴香各适量。将肉苁蓉以黄酒浸24小时，去皮、切片；黄芪切片，大枣去核，肉苁蓉、黄芪布包；将狗肉入沸水焯一下，漂净，加适量清水及余味，用旺火煮沸后移至小火煮熟，去药包加葱、味精调味后服食。适用于艾滋病气血虚衰、肾阳不足证。

2. 鲜苦瓜100克，食盐1克，香油适量。将苦瓜去瓤、籽，洗净，切片，加食盐、香油拌匀，顿食，每日2次。适用于防治艾滋病发热、腹泻、乏力、神疲、心烦、淋巴结肿大等症。

3. 甲鱼1只（500克左右），枸杞子、地骨皮各30克，青蒿9克，葱、生姜、酒、冰糖各适量。将甲鱼去内脏、洗净纳枸杞子、葱、姜、酒、冰糖入内；青蒿、地骨皮水煎，取汁与甲鱼同炖1小时。吃肉喝汤，每日1剂。适用于艾滋病低热者。

4. 白术30克，槟榔10克，生姜少许，猪肚250克（切块），粳米100克。将前3味水煎，去渣，入猪肚、粳米煮粥，调味后食用。适用于艾滋病倦怠少气、不思饮食、腹部虚胀、大便不爽等症。

5. 冰片1克，煅石膏3克，硼砂、青黛各1.5克。研细末，涂于溃疡处，每日1～2次。适用于艾滋病黏膜溃疡者。便秘者，加玄明粉0.5克。

**【名医指导】**

1. 坚持洁身自爱，不卖淫、嫖娼，避免婚前、婚外性行为。目前本病的传播途径以性行为为主，尤其是男-男性行为。建议高危人群固定性伴侣，避免不安全性行为。使用安全套是性生活中最有效的预防性病和艾滋病的措施之一。

2. 严禁吸毒，不与他人共用注射器。不擅自输血和使用血制品；不要借用或共用牙刷、剃须刀、刮脸刀等个人用品。

3. 避免直接与艾滋病患者的血液、精液、乳汁和尿液接触。

4. 提倡婚前、孕前体检，避免母婴传播。对人类免疫缺陷病毒检测阳性的孕妇应进行母婴阻断。

5. 保持情绪稳定、心态乐观，积极配合治疗，建立战胜疾病的信心。

6. 注意饮食均衡和食物卫生，保持足够的热能和水分。所有食物必须先洗净和彻底煮熟才可进食，不吃未经烹煮的食物。戒烟、酒。

7. 保证充分的休息和睡眠，定时做运动，选择一些自己喜欢而体力能够承受的运动，如散步、缓步跑、游泳等。

8. 定期复诊，接受身体及血液检查。

# 第三十五章　细菌感染性疾病

## 伤　　寒

伤寒又称肠伤寒，是由伤寒沙门菌引起的经消化道传播的急性传染病。临床表现为长程发热、全身中毒症状、相对缓脉、肝脾大、玫瑰疹及白细胞减少等，主要并发症为肠出血、肠穿孔。传染源为患者及带菌者，全病程均有传染性，以第2～第4周传染性最大，病后可获得持久性免疫力，潜伏期为3～30日。

本病中医学属“湿温”范畴。临床治疗以祛湿、清热为主。

**【必备验方】**

1. 地榆50克，白花蛇舌草25克。加水3碗煎至60毫升，顿服（4岁以下减半），每日2～3次，待体温下降后改为每日1次。适用于小儿肠寒（4～14岁）。

2. 葛根24克，甘草6克，黄芩、黄连各9克。加水500毫升，煎30分钟，去渣服，连服1周，重者服用2～3周。寒湿下注者禁用，脾肾虚寒证、伤食腹泻者慎用。

3. 鲜豆腐渣适量。炒焦，研末，红糖水送服，每次10克，每日早、晚各1次。适用于伤寒便血。

4. 艾灸中脘（脐与剑突中间，前正中线上）和天枢（脐旁2横指，左右各一）。每次半小时，10日为1个疗程，2～3疗程可愈。适用于伤寒胃痛。

5. 胡椒、丁香、葱白各适量。将前2味研细末，与葱白同捣膏，涂于两手心及大腿内侧（仰卧取汗）。适用于伤寒发热、畏寒、头痛、无汗、肢体酸痛。

**【名医指导】**

1. 患儿需卧床休息。体温超过39℃可适当予以物理降温，如冰枕、额部冰敷等；必须保持皮肤与口腔的清洁卫生，防止发生皮肤感染和口腔炎。

2. 应给予高热量、高维生素的流质或无渣半流质饮食，如藕粉、蛋花汤、米汤等，少食多餐。忌食油腻及甘肥、胀气的食物。一般退热后2周才恢复正常饮食。

3. 恢复期患儿宜少渣饮食，饮食需限制，保持大便通畅。对于便秘的患儿可用开塞露通便，忌用泻剂。要保证足够的水分（每日2000～3000毫升），使尿量增加，从而促进伤寒沙门菌毒素排出体外；如因病重不能进食者，可用5%葡萄糖生理盐水静脉滴注。

4. 临床症状消失后每隔5～7日送检粪便培养，连续2次阴性可解除隔离。

5. 退热后2～3日可在床上稍坐，退热后2周可轻度活动。

## 副伤寒

副伤寒是由副伤寒沙门菌所致的急性肠道传染病，其临床表现与伤寒相似，均以发热为突出症状，但一般病情较轻，病程较短，预后相对较好。典型副伤寒的临床表现有高热、相对缓脉、表情淡漠、肝脾大、玫瑰疹，白细胞计数不高、嗜酸性粒细胞计数减少等。不经干预的副伤寒病程一般为2～3周，一般无肠出血、肠穿孔等严重并发症，尚可表现为急性胃肠炎或脓毒血症。副伤寒病原体有副伤寒甲型沙门菌、副伤寒乙型沙门菌及副伤寒丙型沙门菌，均有“O”和“H”抗原，一般只能感染人类，偶尔感染动物。传染源为患者和带菌者，传播方式以污染的食物传

播较为常见。

**【必备验方】**

1. 侧柏叶500克（洗净、切碎、榨汁），粳米适量（如常法熬粥）。混匀，加适量红糖，温服。适用于伤寒、副伤寒便血。

2. 生山药100克（打碎），龙眼肉20克，炮姜炭6克，三七粉10克。将龙眼肉、泡姜炭水煎30分钟，去药渣，入山药粉、三七粉，以文火煮成粥，加适量红糖调食。适用于伤寒、副伤寒便血。

3. 黑木耳30克（温水浸泡1小时），粳米100克，大枣5枚，冰糖适量。同煮粥，早、晚分服。适用于伤寒、副伤寒便血。

4. 鲜马齿苋120克（干品30克），绿豆60克。煎汤，加适量红糖调服。适用于伤寒、副伤寒肠道湿热便血。

5. 大蒜片2克。口服，4小时1次（亦可用大蒜酊，用量按片剂折算），服至体温正常后继续用药7～9日。

**【名医指导】**

1. 及时发现，早期诊断、隔离并治疗患者和带菌者。隔离期应自发病日起至临床症状完全消失、体温恢复正常后15日为止，或停药后连续大便培养2次（每周1次）阴性方可出院。对带菌者应彻底治疗。

2. 发热期患者必须卧床休息，退热2～3日后可床上稍坐，退热后1周左右可逐步增加活动量。

3. 管好水、饮食、粪便，消灭苍蝇，做到饭前便后洗手，不进食生水和不洁食物。家中以及周围有伤寒患者时，更要注意自我保护，对可能污染的物品可选用煮沸、消毒药浸泡等方式消毒。

4. 流行区的易感人群可接种伤寒、副伤寒甲、乙三联菌苗。

5. 注意维持水、电解质平衡，鼓励患者多喝水（每日2000～3000毫升，包括饮食在内）。如因病重不能进食者，可由静脉输液补充。伤寒患者初愈时，要限制饮食，少食多餐。应选较易消化的高蛋白食物，如鸡蛋拌匀放在碗里蒸，牛奶、肉汤、肉松等，青菜、水果、油炸物要忌食，水果要榨汁食用。

6. 高热者适当物理降温，如乙醇擦浴或头部放置冰袋，慎用解热镇痛类发汗退热药，以免虚脱。便秘者用开塞露或用生理盐水低压灌肠，禁用泻剂和高压灌肠。腹泻者宜调节饮食，宜少糖类、少脂肪饮食，可对症处理；腹胀可用松节油腹部热敷及肛管排气，禁用新斯的明类药物。

7. 保持皮肤清洁，定期改换体位，以防褥疮及肺部感染。每日早晨及每次饮食后清洁口腔，注意观察体温、脉搏、血压、腹部表现、大便性状等变化，防止出现肠出血、肠穿孔等并发症。

8. 伤寒初愈百日之内，应戒房事，卧床静养。

## 细菌性食物中毒

细菌性食物中毒是指由于进食被细菌或其细菌毒素所污染的食物而引起的急性中毒性疾病。其中前者又称感染性食物中毒，病原体有沙门菌、副溶血性弧菌（嗜盐菌）、大肠埃希菌、变形杆菌等；后者称毒素性食物中毒，由进食含有葡萄球菌、产气荚膜杆菌及肉毒杆菌等细菌毒素的食物所致。细菌性食物中毒的特征为：①在集体用膳单位常呈暴发起病，发病者与食入同一污染食物有明显关系；②潜伏期短，突然发病，临床表现以急性胃肠炎为主，肉毒中毒则以眼肌、咽肌瘫痪为主；③病程较短，多在2～3日自愈；④多发于夏、秋季。临床分为胃肠型食物中毒和神经型食物中毒。胃肠型食物中毒较多见，以恶心、呕吐、腹痛、腹泻为主要特征。神经型食物中毒又称肉毒中毒，主要由于进食被肉毒杆菌外毒素污染的食物而引起的中毒性疾病。临床上以出现脑神经支配的肌肉麻痹（如眼肌及咽肌甚至呼吸肌麻痹）为主要特征。若抢救不及时，病死率较高。

本病中医学属“伤食”、“吐泻”、“霍乱”等范畴。多由饮食不慎，损伤脾胃，或又复感风、寒、暑、湿之邪，秽浊之气，致使脾胃功能升降失常，清浊不分而发病。临床治疗以芳香化浊、和中辟秽为主，兼用解表、祛暑、化滞等法。倘因吐泻频繁出现阳虚症状，则宜温运脾阳。

**【必备验方】**

1. 樟木皮200克（去黑色外皮），石榴嫩叶、大米各50克。将樟木皮捣烂，炒成炭；石榴叶炒至干酥，大米炒至黄色。水煎5～7分钟，取汁服。

2. 广藿香梗、紫苏梗、苍术、制半夏各9克，陈皮、白芷各6克，甘草3克。水煎服，每日1剂。表证明显，偏风热者，加葛根、黄芩各9克；偏风寒者，加荆芥、防风各9克；呕吐较频者，加吴茱萸2～3克；内热者，加黄连3克；腹痛者，加木香9克，白芍12克；食滞，加保和丸9克（吞服）；夹暑者，加鲜荷叶30克。

3. 黑豆、甘草各30克，甜桔梗15克，朱砂3克（研末，冲服）。水煎至半碗，温服。

4. 玉米芯750克，黄柏6克，干姜6克。共研细末，温开水送服，每次3克，每日3次。

5. 柑子皮1个，枫树叶1撮，油菜籽、香附各1勺，四季葱头2个。同捣烂，盐水炒热，敷于肚脐。

**【名医指导】**

1. 卧床休息，进食流质或半流质，宜清淡，多饮盐糖水。3～5日内尽量少吃油腻食物；吐泻、腹痛剧者暂禁食，并给予复方颠茄片、腹部放置热水袋。及时纠正水与电解质紊乱及酸中毒。

2. 若中毒者能饮水，应嘱其多饮茶水、淡盐水，以补充水分及盐分；若不能饮水，应送往医院静脉输液补充液体量。

3. 对有高热、中毒症状重、吐泻不止、脱水、休克等患者，应及时住院抢救。

4. 肉毒杆菌食物中毒者，早期应立即用水或1∶4000高锰酸钾溶液洗胃、灌肠；安静卧床，注意保温。

5. 进食后不久中毒者，如未呕吐可用筷子、手指等刺激咽后壁、舌根催吐；如已发生呕吐，则不必止吐。

## 细菌性痢疾

细菌性痢疾（简称菌痢）是由志贺菌属引起的肠道传染病，分为急性菌痢、急性中毒型菌痢（多见于2～7岁儿童）和慢性菌痢。临床主要表现为发冷、发热、腹痛、腹泻、里急后重、排黏液脓血样大便。临床多发于夏、秋季节，主要通过被污染的水、食物经口进入人体感染引起结肠化脓性炎症。

本病中医学称“痢疾”。外受暑热，内伤生冷积滞或误食不洁食物，损伤脾胃，侵及肠道，湿热下注大肠，气血凝滞化为脓血，而成本病。急性期治宜清热利湿为主，慢性期治宜调补脾胃为主。

**【必备验方】**

1. 鲜丝瓜2条。每日1剂，切段，用竹笋叶或厚纸包裹，放红火灰里煨热，绞汁，加适量糖，分2次冲服。

2. 山药250克，黑芝麻10克，白糖100克，植物油适量。将山药去皮、切块，黑芝麻炒香；将植物油烧至六成热，入山药块炸至外硬内软、浮在油面时即可捞出。烧热锅，用油滑锅，加白糖及少许清水煮至米黄色(用筷子挑起糖汁成丝状时)，倒入山药块不停翻动，撒上黑芝麻即可。

3. 红茶、鲜姜汁各200克，白糖500克。将红茶水煎3次（每20分钟取煎汁1次），合并煎液，以小火煎至将干，加入鲜姜汁煮至黏稠，温后入白糖粉（将煎液吸净）混匀，晒干，压碎（装瓶备用），沸水冲服，每次10克，每日3次，连服7～8日。

4. 鲜翻白草根（或全草）60克（干品减半）。水煎2次，第1次加水300毫升煎至150毫升，第二次加水200毫升煎至100毫升，合并2次煎液，每日1剂，早、晚分服。急性重症和中毒性痢疾，每日2剂，分4次服。

5. 淫羊藿、煨肉豆蔻各15克，附子、乌药、刺猬皮、降香、五倍子、石榴皮各10克。水浓煎至200毫升，保留灌肠，每日1次，连续3日。

**【名医指导】**

1. 患者应行胃肠道隔离，直至症状消失、大便培养连续2次阴性为止。

2. 患者应以卧床休息为主，保证足够睡眠，注意腹部保暖。注意个人卫生，饭前便

后要洗手。

3. 有体液丢失现象者，可给予口服补液。如因呕吐等原因无法口服者，则需要静脉滴注生理盐水或者5%葡萄糖氯化钠溶液，以保持水电解质平衡。

4. 饮食以易消化、高热量、高维生素流质或半流质为主，忌食油腻、粗纤维、易产气或者刺激性食物。禁食冰冷水果、雪糕等。对于高热、腹痛、失水者，给予退热、止痉、口服含盐米汤或给予口服补液盐。在恢复期患者禁食生冷、坚硬、寒凉、滑腻之物，如凉拌蔬菜、豆类、冷饮、酒类、瓜果等。

5. 对于慢性菌痢，应寻找诱因，对症处置。避免过度劳累，勿使腹部受凉，勿食生冷饮食。当出现肠道菌群失调时，切忌滥用抗菌药物，可用酶生或乳酸杆菌。

6. 小儿应卧床休息，每次大便后用温水洗净臀部，并用鞣酸软膏涂于肛门周围的皮肤上以防止红臀；患儿腹痛时可在腹部放置热水袋（应在热水袋外面包裹一条毛巾，以免烫伤）。

## 霍　乱

霍乱是由霍乱弧菌引起的急性细菌性肠道传染病。临床上以剧烈无痛性吐泻、米泔样大便、严重脱水、肌肉痛性痉挛及周围循环衰竭为特征，分为轻、中、重3型。其最明显的特征是暴发突然、传播快、可跨地区和年份流行，甚至引起全球性大流行。传染源是患者和带菌者，带菌者无症状却排菌，更易感染他人，是重要的传染源。霍乱弧菌为革兰染色阴性细菌，经食物和水传播。

本病中医学包括西医的霍乱、急性胃肠炎及细菌性食物中毒。主要由于感受暑湿、寒湿秽浊之气及饮食不洁所致，尚与患者的体质有关。如患者中阳素亏，脾不健运或重感寒湿，或畏热贪凉，过食生冷瓜果，则病从寒化而成寒霍乱；如患者素体阳盛，或湿热内蕴，或冒暑远行，复感时令热邪，以及过食辛辣醇酒厚味，湿热自内而生，则病从热化而成热霍乱。如饮食先伤脾胃，重感秽浊之气，邪阻中焦，升降之气滞塞，上下不通，则发为干霍乱，症见欲吐不得吐，欲泻不得泻，腹中绞痛，脘闷难忍等（俗称“绞肠痧”），乃霍乱中之严重症候。

**【必备验方】**

1. 陈皮末6克。开水送服。不省人事者，灌服；同时烧砖渍醋，布包热熨心下。适用于霍乱吐泻。

2. 硫黄30克，胡椒15克。共研为末，加蜂蜡15克（熔化）调为丸（如皂角子大），每服1丸，凉水送下。适用于霍乱吐泻。

3. 紫苏叶、木香各15克，苍术、陈皮、葛根、枳壳、云苓、六神曲、莲叶各20克，甘草6克，香附12克，麦芽9克。水煎服，后服和中丸。适用于霍乱疴呕急救。

4. 生姜2片。中夹食盐，蘸水用力（自轻而重向下刮）擦胸口，擦断再换，约15分钟，其吐即止；再擦尾椎以上、背骨两旁命门一带，也是15分钟，其泻即止。

5. 刮痧：于患者肩颈、脊背、胸前、胁肋等处，用光滑的瓷匙蘸菜油（或万花油）自上而下刮之，以局部皮肤出现红紫色为度。

**【名医指导】**

1. 重型患者应绝对卧床休息至症状好转。

2. 剧烈吐泻者暂停饮食，待呕吐停止、腹泻缓解可给予流质饮食，在患者可耐受的情况下缓慢增加饮食。

3. 轻型患者可口服补液，重型患者需静脉补液，待症状好转后改为口服补液，避免脱水及电解质紊乱。

4. 至症状消失6日后，粪便弧菌连续3次阴性方可解除隔离；患者用物及排泄物需严格消毒，病区工作人员须严格遵守消毒隔离制度，以防交叉感染。

5. 密切观察病情变化。每4小时测生命体征1次，准确纪录出入量，注明大小便次数、量和性状。

## 炭　疽

炭疽是由炭疽芽胞杆菌感染食草动物引起的急性传染病，是一种人畜共患的自然疫源性疾病。多因接触病畜（及其产品）或食

用病畜肉类而感染，以南美洲、亚洲及非洲等牧区较多见，呈地方性流行。临床主要表现为皮肤坏死溃疡、焦痂，周围组织广泛水肿及毒血症症状，可致肺、肠、脑膜急性感染，可伴发败血症。临床分为皮肤炭疽、肠炭疽、肺炭疽、炭疽性脑膜炎、败血症炭疽。其主要病理为各脏器、组织的出血性浸润、坏死和水肿。患病的牛、马、羊、骆驼等食草动物为主要传染源，患者分泌物和排泄物均具传染性。接触感染是主要途径，多见于农牧民、屠宰者、皮毛加工者，兽医及实验室人员。发病与否与人体的抵抗力有密切关系。

**【必备验方】**

1. 生石膏200克，犀角、黄连各10克，玄参、生地黄各50克，知母、鲜菖蒲、黄芩、牡丹皮、焦栀子各15克，生绿豆、白茅根各100克。水煎，每日1剂，分2次服。适用于炭疽引起的脑膜炎。

2. 炙牛蒡、白前、紫菀、白芍、桑白皮、浙贝母各9克，甘草3克，苦杏仁12克，射干、远志各4.5克，枇杷叶3片（去毛，包）。水煎服。适用于肺炭疽引起的咳嗽。

3. 柠檬适量。煮熟，去皮，晒干，以食盐（适量）腌制、储藏（日久者更佳）。开水冲服，每次1个。适用于肠炭疽引起的腹泻。

4. 紫草100克。以热香油（60℃～70℃）浸泡24小时，取汁搽患处（先用75%乙醇消毒。有坏死组织用过氧化氢溶液擦洗，再用盐水冲洗拭干），每日2次。适用于炭疽皮肤溃疡。

5. 黄连、栀子、金银花、连翘、地龙、蝉蜕、马齿苋、秦皮各7克，黄芩、僵蚕、炒枳壳各3克，琥珀末0.5克（冲）。水浓煎至60毫升，保留灌肠，每日2次，连用3日。适用于炭疽引起的败血症。

**【名医指导】**

1. 养成良好卫生习惯，防止皮肤受伤。如有皮肤破损，立即涂擦3%～5%碘酊，以免感染。

2. 患者应隔离至创口愈合、痂皮脱落或症状消失，分泌物或排泄物培养2次阴性（相隔5日）为止。严格隔离病畜，不用其乳类。死畜严禁剥皮或煮食，应焚毁或加大量生石灰深埋在距地面2米以下。

3. 患者应严格隔离，对其分泌物和排泄物按芽孢的消毒方法进行消毒处理。给予高热、流质或半流质饮食，必要时静脉内补液，出血严重者应适当输血。

4. 对皮肤局部病灶切忌挤压及切开引流，以防感染扩散而发生败血症。局部可用1：2000高锰酸钾溶液洗涤，敷以四环素软膏，用消毒纱布包扎。

5. 本病发病较急，应及早救治，以免危及生命。

## 弯曲菌肠炎

弯曲菌肠炎是由弯曲菌引起的急性肠道传染病，临床以发热、腹痛、血性粪便、便中有较多中性粒细胞和红细胞为特征。弯曲菌包括空肠弯曲菌、结肠弯曲菌、胎儿弯曲菌的胎儿亚种及痰液弯曲菌的黏膜亚种等，常见为空肠弯曲菌肠炎。临床主要表现为发热、腹痛、腹泻、黏液便或脓血便等。某些菌株可以引起全身病变，如败血症、脑膜炎、化脓性关节炎、肺炎、脓胸、腹膜炎、心包炎和血栓性静脉炎等。家禽和家畜等动物普遍带菌，患者也可作为感染源；主要经粪-口传播。在发达国家主要通过肉制品，如肉、禽类和牛奶而感染；发展中国家主要是通过污染的手或动物及患者粪便污染食物或水而传播。人类普遍易感，病后可获一定的免疫力；一年四季均可发病，以夏、秋季较多见。

本病中医学属“呕吐”、“腹痛”、“泄泻”、“霍乱”、“绞肠痧”、“脱证”等范畴。因感受时邪、饮食所伤、情志失调及脾胃虚弱所致，但主要在于脾胃功能障碍和胃肠功能失调。

**【必备验方】**

1. 乌梅500克。冷水泡发，去核，水煎3次，每20分钟取汁1次，合并煎液，以小火煎成膏状，兑入蜂蜜1000克煮沸，冷后装瓶。每次服1汤匙，每日2～3次。

2. 豆蔻、当归各10克，葱白、生姜各适量，乌鸡1只（去毛及内脏，洗净）。纳豆

蔻、当归、葱白、生姜入鸡腹内，炖熟，加适量食盐、味精调味服食。

3. 白及 10 克（切片），燕窝 3 克（泡发，去杂质），冰糖 15 克（打碎，后下）。加水 300 毫升，以沸水隔水炖 15 分钟，加入冰糖再煮 3 分钟，顿服，每日 1 剂。适用于弯曲菌肠炎便血者。

4. 茶叶 15 克，粳米 100 克，白糖适量。将茶叶水煎 15 分钟，去渣，入粳米、白糖及 400 毫升水，同煮为粥，分 2 次温服。睡前及习惯性便秘者、产妇哺乳期忌食。

5. 食盐炒热用布包好，乘热熨背、腹部。

**【名医指导】**

1. 消化道隔离，对患者的粪便应彻底消毒，隔离期从发病到大便培养转阴。

2. 发热、腹痛、腹泻重者给予对症治疗并卧床休息，饮食宜易消化半流质，必要时适当补液；应少油、纤维质。排便次数减少后，可适当喝肉汤（去油）、牛奶、豆浆、蛋花汤汁等流质饮食。以后可逐渐给予清淡、少油、少渣的半流质饮食。每日应补充维生素 C 饮料。禁酒类、咖啡、肥肉、冷茶、汽水、坚硬及多纤维的蔬菜和水果等。

3. 管好水、粪、食物等。注意饮食和个人卫生，饭前便后要洗手，不吃生食，切断传播途径。加强对已感染本菌的家禽、家畜的管理及治疗。食物及饮水均应煮沸消毒。

## 布氏菌病

布氏菌病又称地中海弛张热、马尔他热、波浪热或波状热，是布鲁菌属引起的急性或慢性传染病，是一种人畜共患的地区性流行病。临床表现为长期发热、多汗、关节痛、肝脾大等；急性期病理变化为多脏器的炎性变化及弥漫性的增生现象；慢性期主要表现为局限性感染性肉芽肿组织的增生。传染源是患病的羊、牛、猪，多为接触传染，也可通过消化道、呼吸道传染。人群普遍易感，可重复感染或慢性化；潜伏期为 7～60 日，少数患者可长达数月或 1 年以上。

中医学认为，急性期系外感湿热病邪为患，慢性期因久病正气耗伤，风、寒、湿三气杂合，表现为虚证、血瘀、痹证和湿热等。临床治疗急性期宜清热、利湿、解毒，慢性期宜益气养阴、活血化瘀、清热利湿。

**【必备验方】**

1. 浮小麦、牡蛎各 500 克，蜂蜜 1000 克，白糖 50 克。将浮小麦浸泡片刻，洗净、滤干；与煅牡蛎加冷水浸泡半小时后以大火煎 1 小时，滤汁；再加水 3 大碗煎至 1 大碗，去渣，合并煎液。用小火烧开，倒入蜂蜜、白糖，继续用小火熬 30 分钟，冷后装瓶（盖紧冷藏）。温水冲服，每次 1 匙，每日 3 次（最后一次宜在睡前饮用），10 日为 1 个疗程。适用于布氏菌病引起的多汗。

2. 苦瓜 1 只（去瓤），茶叶适量。纳茶叶后苦瓜接合，于通风处阴干，每取 5～10 克，煮水代茶饮。适用于布氏菌病引起的发热。

3. 栀子 3～5 克（研细末），粳米 50～100克（煮为稀粥）。同煮沸食，每日 2 次，2～3 日为 1 个疗程。不宜久服多食。适用于布氏菌病引起的发热。

4. 豨莶草、桑枝各 30 克，鲜柳枝、鲜槐枝各 15 克。水煎，每日 1 剂，分 3 次服。适用于布氏菌病引起的关节痛。

5. 川乌、草乌各 20 克，白芷、羌活、独活各 50 克，细辛 10 克，川芎、桂枝各 30 克，威灵仙、伸筋草、透骨草各 60 克。煎水熏洗患处，每次 15 分钟，每日 2～3 次，5～10日为 1 个疗程。适用于布氏菌病引起的关节痛。

**【名医指导】**

1. 诊断一经确立，立即给予治疗，以防疾病向慢性发展；联合用药、剂量足、疗程够。

2. 急性期发热患者应卧床休息，不宜下床活动；间歇期可在室内活动，但不宜过多。

3. 增加营养，给予高热量、多维生素、易消化食物及足够水分和电解质；宜吃富含维生素及纤维素的蔬菜瓜果，如梨子、橘子、李子、柑橘、香蕉、椰子浆、甘蔗、西瓜、番茄、黄瓜、萝卜等。忌黏糯滋腻、难以消化的食品；忌高脂肪及油煎、熏烤、炒炸食物。

4. 出汗后及时擦干，避免风吹。每日温水擦浴并更换衣裤1次。高热者可用物理降温，持续不退者也可用退热药；中毒症状重、睾丸肿痛者可用皮质激素；关节痛严重者可用5%～10%硫酸镁湿敷；头痛失眠者用阿司匹林、苯巴比妥等。

5. 保持情绪平稳，心态乐观，避免焦虑、紧张，增强战胜疾病的信心。

6. 加强病畜管理，发现患畜应隔离于专设牧场中。患者应及时隔离至症状消失，血、尿培养阳性患者的排泄物、污染物应予消毒。

7. 疫区的乳类、肉类及皮毛需严格消毒灭菌后才能外运。保护水源。

8. 从事牲畜业的人员均应做好个人防护，牧区牲畜也应预防接种，以消灭传染源。

## 白　喉

白喉是由白喉棒状杆菌引起的急性呼吸道传染病。临床以咽、喉黏膜充血、肿胀伴有灰白色假膜形成为突出特征，严重者可并发心肌炎和末梢神经麻痹。白喉棒状杆菌所产生的外毒素为致病的主要因素，传染源为患者和带菌者，主要通过呼吸道飞沫传播，可经玩具、衣服、用具等间接传播；发病以冬春季节为多见，人群普遍易感，儿童易感性为最高。

本病中医学属“温病”范畴。因瘟疫疠气或疫毒燥热时邪所致。临床治疗以疏风清热、解毒涤痰、养阴利咽为法。

**【必备验方】**

1. 白萝卜、白菜根各60克，绿豆30克。水煎，代茶饮，每日1剂，连服5日。

2. 鲜土牛膝、板蓝根各500克。将鲜土牛膝根用温开水500毫升浸泡24小时后，投入板蓝根，再加水2000毫升煎至2000毫升，去渣服。1～3岁每次30毫升，4～6岁每次40毫升，7～10岁每次50毫升。每日1次，3日为1个疗程，连用2～3个疗程。

3. 鲜瓜子金15～30克（干品加倍），鲜牛奶10～20毫升。将鲜瓜子金用开水浸泡5～10分钟，取出，与鲜奶同捣烂，榨汁，频频含咽，每日3～4次。

4. 青果榄50克，黄柏、川贝母、孩儿菜各5克，薄荷冰、凤凰衣、冰片各0.25克。将青果榄煅炭（只取榄炭10克），凤凰衣焙干，黄柏、川贝母、孩儿菜共研细末，与薄荷冰、冰片同研匀，装瓶封好（勿令泄气）。每取少许，吹喉，每日3～5次。

5. 鲜牛膝3～4克。去粗皮洗净，捣烂，绞汁，兑入适量人乳浸泡30分钟，滴鼻，10分钟1次。适用于痰热型白喉。

**【名医指导】**

1. 患者需隔离、治疗至症状消失后2次鼻咽部培养阴性。如无培养条件，在充分治疗的情况下可在病期2周时解除隔离；对密切接触者应做鼻咽部培养并观察7日。

2. 患者分泌物和用具须严格消毒。呼吸道的分泌物用双倍量的5%甲酚或苯酚处理1小时；污染的衣服和用具煮沸15分钟，不能煮沸者用5%甲酚或苯酚浸泡1小时；患者离开后室内应以上述消毒液喷雾消毒，然后打扫。

3. 提高机体免疫力，可用白、百、破混合菌苗或吸附精制白喉类毒素注射。

4. 患者必须卧床休息2周以上，重者需4～6周。合并心肌炎绝对卧床，过早活动极易猝死。

5. 应摄入足够热量，补足B族维生素和维生素C，保持水、电解质平衡；注意口腔护理，保持大便通畅。

6. 病室空气要保持新鲜，室内温度以18℃～22℃，相对湿度60%为宜。对患者的住处、衣服、用具，均须严格消毒；避免去拥挤的公共场所。

7. 饮食宜清淡、少油腻流质或半流质饮食。流行季节可饮萝卜汁、青果汁、鲜芦根汤等。忌辛辣、刺激性、不易消化食物。禁忌生硬、油炸食品。

## 百日咳

百日咳是由百日咳鲍特菌所致的急性呼吸道传染病，俗称鸡咳、鸬鹚咳、顿呛、顿嗽，多见于婴幼儿。临床以阵发性痉挛性咳

嗽、鸡鸣样吸气吼声为特征，可分为卡他期、痉咳期、恢复期。支气管肺炎是常见的并发症，多发生于痉咳期；还可并发百日咳脑病，患者意识障碍、惊厥，但脑脊液无变化。全年均可发病，以冬春季节为多，可延至春末夏初，甚至高峰在6月、7月、8月。患者及无症状带菌者是传染源，从潜伏期到第6周都有传染性，通过飞沫传播。人群普遍易感，约2/3为7岁以下小儿，尤以5岁以下者多，病后可持久免疫，潜伏期为2～20日，一般为7～10日。

中医学认为，本病由于内蕴伏痰、外感时行风邪所致。邪伤肺卫，卫气郁闭，肺气受伤，外邪与伏痰相结，阻遏气道，而致肺气上逆为患。由于气机失调或痰热壅遏而侵犯他脏，造成胃气上逆、肝气横逆、蒙闭心包、扰动脉风等变证，可按寒热属性分为寒重型、热重型。痉咳期多热灼肺津、痰热互结，并有内陷手足厥阴而见神昏抽搐等变证。

**【必备验方】**

1. 鱼腥草50克（鲜品），紫苏叶15克，绿豆、粳米各60克，冰糖30克。将鱼腥草、紫苏叶水煎20分钟，取滤液；加水再煎30分钟，去渣；合并煎液约300毫升，与绿豆、粳米加适量清水煮粥，加冰糖调服，每日1～2次。

2. 青黛5克，蛤壳20克。加水100毫升煎至20毫升，取汁；药渣加水100毫升煎至20毫升，去渣，合并药液，每日1剂，分2次服（7岁以下患儿酌减）。适用于百日咳阵发性痉挛性咳嗽伴咯血或鼻出血、口干、舌苔黄而干燥、指纹青紫等。

3. 甘遂、京大戟、芫花各30克，面粉60克。将前3味分别用醋炒至焦黄，共研极细末；面粉炒黄，加适量水熬成糊，与前3味制成丸（如梧桐子大）。每日清晨开水送服。1～2岁每次1丸，3～4岁每次2丸，5～7岁每次3丸，7～10岁每次4丸。重者每日2次。注意：勿食甘草。

4. 鲜半枝莲、鲜鹅不食草各120克。水煎2次，每次加水500毫升煎30分钟，合并药液，再浓缩至300毫升，加蜂蜜60毫升。3岁以下每服15毫升，3岁以上每服20毫升，每日3次，5日为1个疗程，连用1～2个疗程。

5. 三棱针刺血法。取少商、商阳、中冲、关冲、四缝。每取2～3穴，常规消毒后，用三棱针点刺出血，每日1次。可配合体针治疗。

**【名医指导】**

1. 发现患者应立即作疫情报告，并对患者进行隔离和治疗，隔离自发病之日起40日或痉咳出现后30日。有本病接触史的易感儿童应予以隔离检疫21日，然后予以预防接种。

2. 易感人群可预防接种疫苗白喉类毒素、百日咳菌苗、破伤风类毒素（DPT）三联制剂；未接受过预防注射的体弱婴儿接触百日咳病例后，可注射含抗毒素的免疫球蛋白预防；或服用红霉素或复方磺胺甲噁唑7～10日预防。

3. 如怀疑儿童患上百日咳，应尽早就诊；并在医师指导下服用药物。重者应送往医院治疗。应给患者大量喝水，以补充呕吐失去的体液。

4. 多吃新鲜蔬菜、水果，如菠菜、萝卜、丝瓜、冬瓜、鲜藕及橘、梨、枇杷等。保持大便通畅，适当佐入清肺润肠之品，如香蕉等。忌辛辣、肥甘、油腻食物；忌过咸、过甜及燥热食物。

5. 保持室内空气流通；多在空气新鲜、阳光充足的户外活动。避免接触异味、油烟等刺激；避免长期卧床不动或过劳，宜劳逸结合。

6. 忌和别种患儿接触，以免交叉感染引起并发症。

7. 注意消除患儿恐惧心理。发作时帮患儿轻拍背部，随时将口鼻分泌物和眼泪擦拭干净。

## 猩红热

猩红热是由A群乙型溶血性链球菌所引起的急性呼吸道传染病。临床以发热、咽峡炎、全身弥漫性猩红色皮疹和疹退后皮肤脱屑为特征，潜伏期为1～5日。主要表现为初

起突然高热，畏寒头痛，呕吐，烦躁，咽部疼痛，咽充血极明显，扁桃体肿大或可见脓性分泌物；12～36小时内于颈、胸、腹、背出现皮疹，并迅速从腋部及腹股沟扩展到四肢；皮疹鲜红、细小密集，有时似点状出血，疹间皮肤通红，压之褪色；2日内皮疹出齐，疹盛时皮肤瘙痒，面部发红但口唇周围苍白（环口苍白圈），肘前、腋窝、腹股沟等皮褶处因红疹密集而呈皱褶红线（帕氏线）；舌苔白厚或光剥，舌乳头突出于舌面之上，状如杨梅（称杨梅舌）；出疹后1周内见皮肤脱屑，多呈片状，指尖可呈大片或套样脱皮。传染源主要为患者及带菌者，乙型溶血性链球菌引起的其他感染者也可为传染源。患者自发病前1日至出疹期传染性最强，主要通过空气、飞沫传播，人群普遍易感，可再感染。一年四季均可发病，以冬春两季为多，2～8岁儿童发病率较高。若早期诊断、及时治疗，一般预后良好，但也有少数小儿可并发中毒性心肌炎、急性肾小球肾炎、化脓性关节炎。

本病中医学称“丹痧”、“疫痧”、“烂喉丹痧”，属“温病”范畴。中医学认为，本病系痧毒疫疠之邪从口鼻而入，侵犯肺胃，郁而化热、化火。早期以外透为顺，内陷为逆；中期毒热盛，丹疹可融合成片，宜清热凉血；后期热伤津液，宜清热生津、润利咽喉。

**【必备验方】**

1. 鲜荸荠（榨汁）、白萝卜（榨汁）各100毫升。混匀，每日1剂，分3～4次服。或胡萝卜、鲜荸荠各250克。煎汤，代茶频饮。适用于猩红热疹后伤阴。

2. 芦根30克（鲜品60～120克），咸橄榄4枚，蜂蜜少许。加水3碗煎至1碗，取汁顿服，每日1～3次，连用数日。适用于猩红热咽喉肿痛、口渴心烦、舌红少津者。

3. 鸡肉、水发蘑菇各100克，火腿肉60克（切薄片）。加葱、生姜、味精、白糖、黄酒、香油及玉米粉调匀，用荷叶包裹，隔水蒸2小时食用。适用于猩红热热退疹隐后神疲乏力、食欲不振、脉细者。

4. 山豆根30克，野菊花40克。水煎，分2次服（3～8岁分3次服）。适用于猩红热急性期高热、口渴烦躁、咽喉肿痛、皮疹密布、全身赤红、舌质红、有芒刺、中心有黄苔。

5. 金银花、山豆根、夏枯草、青果、嫩菊叶、薄荷叶各适量。煎汤漱口，每日2～3次。适用于猩红热咽喉肿痛者。

**【名医指导】**

1. 保持口腔清洁，年龄小的患儿，可用镊子挟纱布或药棉蘸温盐水擦拭口腔；年长儿咽痛可用生理盐水漱口。高热者可用较小剂量退热药，或用物理降温等。

2. 对丹痧患儿隔离至症状消失、咽拭子培养3次阴性方可解除隔离。对密切接触的易感人员，隔离观察7～12日。如有化脓性并发症者，应隔离至炎症痊愈。只要与猩红热患者有过密切接触，均应在医师的指导下尽快服药预防。

3. 对患者的衣物及分泌排泄物应消毒处理。患者所在场所及病室可用食醋熏蒸消毒。居室要经常开窗通风换气，每日不少于3次，每次15分钟。患者鼻涕要擤在纸里烧掉，用过的脏手绢要用开水煮烫，日常用具可以曝晒至少30分钟，食具煮沸消毒。患儿痊愈后，要进行1次彻底消毒，玩具、家具要用肥皂水擦洗1遍；不能擦洗的，可在户外曝晒1～2小时。

4. 疾病流行期间，对儿童集体场所经常进行消毒。易感儿童可口服板蓝根、大青叶等清热解毒中药煎剂，用于预防。

5. 患者发热时应卧床休息，注意皮肤清洁卫生，皮肤瘙痒不可抓挠，可用温水擦洗皮肤，脱皮时不可强行撕扯；注意出疹时不可用肥皂。注意补给充足的水分。保持大便通畅。

6. 饮食宜细、软、烂、少纤维素，并注意从饮食中补充维生素$B_{12}$，以加快痘疹的恢复。宜食高热量、高蛋白质流质，如牛奶、豆浆、鸡蛋羹、藕粉、杏仁茶、莲子粥、麦乳精等补充热量。恢复期应逐渐过渡到半流质饮食，如鸡泥、肉泥、虾泥、肝泥、菜粥、小薄面片、荷包蛋、龙须面等。病情好转可改为软饭。禁食狗肉、羊肉、公鸡肉、鱼虾、蟹等发物；忌辛辣之物，如辣椒、芥末、生

姜、大葱等；忌过甜、过咸，如巧克力、水果糖、奶糖、咸鱼、咸菜、腌肉等；忌食浓茶、咖啡、酒等；忌冷饮；忌热性水果，如龙眼肉、荔枝、大枣、葡萄干、橘子等；忌油炸、烤炙之品。

## 流行性脑脊髓膜炎

流行性脑脊髓膜炎（简称流脑）是由脑膜炎奈瑟菌所致的化脓性脑膜炎。临床以发热、头痛、呕吐、皮肤瘀点及脑膜刺激征为主要特征，可有失语、吞咽困难、肢体瘫痪、精神障碍等后遗症。本病潜伏期为2～10日，传染源是患者和带菌者（尤其是带菌者和不显性上呼吸道炎者）；主要通过空气、飞沫传播。人群普遍易感，70%～80%成人可通过隐性感染获得终生免疫，一般在冬春季节发病，多呈散发性，有时也可小流行。

本病中医学属“春温”、“风温”范畴。或为伏邪随春升之气而发病，或新感瘟疫毒邪。其病传变甚速，卫气营血界限多不明显，多见热毒内盛，或气营两燔，治以清气凉营；或营血并见，治以清营凉血；多以手足厥阴同病，治以开窍熄风；也有内闭外脱，以脱闭轻重缓急而施治；后期则多气阴两虚，治予养阴益气、清解余热；后遗症或滋养熄风，或化瘀通络，或益气凉血，皆宜随证变法。

**【必备验方】**

1. 腊梅花10克，荸荠30克（洗净，切片），大青叶15克。水煎，滤汁服，每日2～3次，连用3～5日。适用于预防流脑。

2. 莲花10克（阴干，研末），粳米100克。将粳米煮至将熟时，入花末及适量蜂蜜调匀，空腹食。

3. 大蒜适量。捣烂，取汁加开水配成20%溶液，每服20毫升，4小时1次。重者，3小时1次。或生大蒜2～4瓣，每日嚼食，连食数日。适用于防治流脑。

4. 苦瓜根3个（捣烂，取汁），红糖30克。开水冲服，连服数次。适用于防治流脑。

5. 黄柏30克，甘草12克。加水400毫升煎至100毫升。口服，每次30毫升（5岁以下小儿，每次20毫升），每日3次；保留灌肠，每次30～50毫升，6小时1次。适用于防治流脑。

**【名医指导】**

1. 早期发现患者就地隔离治疗，隔离至症状消失后3日，一般不少于病后7日。

2. 流行期间应尽量避免大型集会及集体活动。尽量不带孩子去公共场所，如商店、影剧院、公园等游玩；如非去不可，应戴口罩。

3. 密切接触者，除作医学观察7日外，可用磺胺嘧啶（SD）药物预防。在本病流行时，凡具有发热伴头痛、精神委靡、急性咽炎、皮肤口腔黏膜出血等4项中2项者，可给予足量全程的磺胺类药治疗，能有效地降低发病率和防止流行。

4. 可接种A群多糖菌苗，也可用多糖菌苗作“应急”预防。

5. 注意个人和环境卫生，保持室内清洁，勤洗勤晒衣服和被褥；保持室内空气流通。

6. 注意保暖，预防感冒。

7. 多吃新鲜水果，如橘、苹果、红枣、葡萄、胡萝卜、番茄等。

## 结核性脑膜炎

结核性脑膜炎是由结核分枝杆菌引起的脑膜非化脓性炎症，常继发于粟粒性结核或其他脏器结核病变。以小儿多见，常为肺原发综合征血行播散的结果（或全身粟粒性结核的一部分）；成年发病率占半数以上，以青年发病率较高。除肺结核外，骨骼关节结核和泌尿生殖系统结核常是血行播散的根源，也可由于脑实质内或脑膜内的结核病灶液化溃破所致。临床表现有10～20日的前驱症状（如精神不振、全身无力、食欲减退、情绪不安、易激动、低热、恶心、呕吐、便秘等），逐渐发生嗜睡、头痛加剧并有喷射性呕吐、颈项强直等颅内压增高和脑膜刺激征，神志不清，逐渐进入昏迷，最终导致死亡。根据临床及病理分为以下类型。①脑膜型：以颅内压增高及脑膜刺激征为主要表现；②脑内结核瘤型：病灶位于脑实质内，有局灶性脑

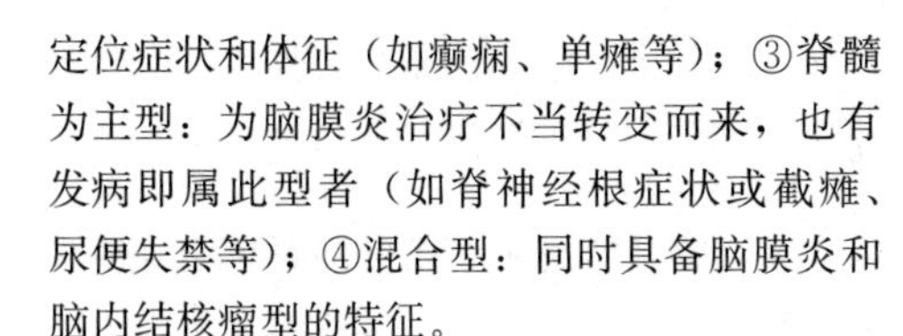

定位症状和体征（如癫痫、单瘫等）；③脊髓为主型：为脑膜炎治疗不当转变而来，也有发病即属此型者（如脊神经根症状或截瘫、尿便失禁等）；④混合型：同时具备脑膜炎和脑内结核瘤型的特征。

**【必备验方】**

1. 僵蚕、石菖蒲、竹茹、法半夏、远志、郁金各10克，钩藤、茯苓各15克，全蝎5克。水煎服。惊厥者，加石决明、龙齿；低热盗汗者，加地骨皮、白薇、煅牡蛎；纳差者，加鸡内金、麦芽。适用于风痰上扰型结核性脑膜炎。

2. 羚羊角粉0.5克（冲服），钩藤、白芍、夏枯草各15克，全蝎5克，生地黄、牡丹皮、大青叶、桑白皮、蝉蜕、石菖蒲各10克。水煎服。热盛口渴者，加生石膏、知母；舌红苔少者，加石斛、麦冬；神昏不省人事者，加安宫牛黄丸；偏瘫者，加忍冬藤。适用于热盛动风型结核性脑膜炎。

3. 生白芍20克，阿胶、鳖甲、炙甘草各10克，龟甲、生牡蛎、麦冬、地黄各15克，火麻仁、五味子5克，鸡蛋黄2个。水煎服。神呆、苔腻者，加石菖蒲、郁金；大便秘结者，加火麻仁。适用于阴虚风动型结核性脑膜炎。

4. 鲜荸荠250克，苋菜50克。分别洗净，煎汤，代茶饮，每日1剂，连服数日。

5. 生石膏200克，犀角、黄连各10克，玄参、生地黄各50克，知母、鲜菖蒲、黄芩、牡丹皮、焦栀子各15克，生绿豆、白茅根各100克。水煎，每日1剂，分2次服。

**【名医指导】**

1. 做好BGG初种及复种，有效的BGG接种可防止或减少结核性脑膜炎的发生。

2. 早期发现成人结核病患者，尤其在和小儿密切接触的人员中，如父母、托儿所的保育员及幼儿园和小学里的教师，做好防痨工作。

3. 正确喂养小儿，合理的生活制度和坚持计划免疫以提高身体抵抗力和减少急性传染病。

4. 早期发现并彻底治疗小儿原发性结核病。

5. 早期即应住院治疗，卧床休息，供应营养丰富的含高维生素（A、D、C）和高蛋白食物。昏迷者鼻饲，如能吞咽，可喂食。病室要定时通风和消毒，保持室内采光良好。

6. 注意眼、鼻、口腔护理；要定时翻身、拍背，防止褥疮发生和肺部坠积淤血。

7. 保持情绪稳定，尽可能消除患者恐惧、悲观、绝望等消极情绪，以树立战胜疾病的信心。

## 原发型肺结核

原发型肺结核为结核分枝杆菌初次侵入人体后发生的原发感染，多见于儿童，包括原发综合征和支气管淋巴结核。临床表现为起病缓慢，以全身结核中毒症状为主（长期不规则低热、食欲缺乏、盗汗、疲乏等）；婴幼儿可急性起病，突然高热，2～3周后转为持续低热；咳嗽少痰，有时由于肿大淋巴结压迫支气管分叉处或肉芽组织侵入支气管壁而出现阵发性痉挛性咳嗽；高度肿大的淋巴结，可出现压迫和刺激症状，常见干咳和刺激性咳嗽、哮鸣、声音嘶哑；发生支气管穿孔，可出现呼吸困难甚至窒息；压迫静脉，可出现胸部静脉怒张；可伴有胸痛、结核变态反应引起的过敏表现（如结节性红斑、疱疹性结膜炎和结核风湿症等）。患儿常发育迟缓、营养不良、消瘦、贫血，可同时伴有浅表淋巴结肿大（以颈部和耳后为常见），常见合并症有支气管结核、支气管淋巴瘘、肺不张及血行播散。原发性肺结核病程一般呈良性，发病3～6个月后开始吸收或变为硬结，可在2年内吸收痊愈和钙化。

本病中医学称"肺痨"。它是具有传染性的慢性虚损性疾病。临床分肺阴亏损、阴虚火旺、气阴耗伤、阴阳两虚等证型，治疗分别宜滋阴润肺、滋阴降火、益气养阴、滋阴补阳。

**【必备验方】**

1. 甲鱼肉250克，百部、地骨皮、知母各9克，生地黄24克，食盐适量。将甲鱼入沸水中烫死，去头、爪，揭去硬壳，掏出内脏，洗净，切块，与洗净的百部、地骨皮、

知母、生地黄加水煮沸，以文火炖2小时，加食盐调味，佐餐食，每日1剂。适用于阴虚型原发型肺结核潮热、盗汗、手足心热者。

2. 鲜椰丝80克，鸡蛋2个（取蛋清），牛奶50克，生粉适量。取一半牛奶加椰丝、生粉拌成奶糊；余下牛奶加入味料拌匀后加热，入奶糊、蛋白搅匀。炒锅下油，倒入椰丝蛋白奶糊不停翻炒至熟，佐餐食。适用于气阴耗伤型原发型肺结核。

3. 大蒜30克，粳米100克。将大蒜去皮，入沸水中煮1分钟后捞出，入洗净的粳米煮成粥；再入大蒜同煮片刻即可。适用于原发型肺结核及急性菌痢。慢性胃炎及消化性溃疡者忌用。

4. 蛤蚧3对，黄连500克，百部、白及各1000克。将蛤蚧去头、足，切段，用黄酒浸后焙干，研末；后3味洗净、晒干，研细末，与蛤蚧粉混匀，分装（每袋9克）。每服1袋，每日3次。适用于空洞型原发型肺结核。

5. 太子参、北沙参、玉竹、山药、茯苓、天冬、苦杏仁、生地黄、熟地黄各120克，生甘草、紫菀、百合各60克，五味子、川贝母各30克，白茅根240克。加水浓煎2次，合并煎液，去渣；另将冰糖1500克烊化，熬至滴水成珠，再加入药汁收膏，入瓷瓶密封，埋入土中7日。每日1大匙（热水化开），分3次服。

**【名医指导】**

1. 对活动性结核患者应隔离治疗，患者的食具和排泄物要彻底消毒。

2. 适当休息，补充优质蛋白质、充足热量和各种维生素及钙剂。多食蔬菜和水果。饮食应清淡、爽口、少油腻。忌辛辣及有刺激性的调味品，禁饮酒。

3. 居室要清洁卫生，空气流通。多进行户外活动，增强抵抗力。

4. 定期做好预防接种（卡介苗可保护未受感染者，使受感染后不易发病，即使发病也易恢复）。

5. 早期、足量、足疗程的抗结核治疗，并应在专业医师指导下进行药物调整。

6. 保持情绪平稳，心态积极乐观，建立战胜疾病的信心。

## 败血症

败血症是致病菌（或条件致病菌）侵入血液循环中生长繁殖产生毒素和其他代谢产物所引起的急性全身性感染。细菌侵入血液循环的途径：①皮肤或黏膜上的创口；②疖子、脓肿、扁桃体炎、中耳炎等化脓性病灶。临床以寒战、高热、皮疹、关节痛及肝脾大为特征，可有感染性休克和迁徙性病灶。革兰阳性球菌败血症易发生迁徙病灶，革兰阴性杆菌败血症易合并感染性休克。若伴有多发性脓肿，称脓毒败血症。

本病中医学属“温病”、“痹症”、“历节风”等范畴，分属风寒痹痛、寒湿痹痛。其病机为寒湿内闭，侵袭肌骨，阻滞经络，格阳于外，逼阴于内，久之化热伤阴而成。治疗时必须顾及祛邪、调整阴阳两方面。

**【必备验方】**

1. 当归（炒）、鬼箭羽（去中心木）、红花50克。每服15克，以酒1大碗煎至七成，饭前温服。适用于产后败血症（脐腹坚胀、恶露不快）。

2. 大白菜根3个，菊花15克，白糖适量。将菜根洗净、切片，与菊花煎汤，加白糖热服（盖被取汗），每日1剂，连服3～4日。适用于败血症高热者。

3. 鸡蛋黄2枚，黄连12克，阿胶9克，黄芩、白芍各3克。将黄连、黄芩、白芍加水8杯煎至3杯，去渣入阿胶烊化，加入鸡蛋黄搅匀，每日1剂，分3次服。适用于败血症高热者。

4. 绿茶1克，甘草5克。每日1剂，将甘草加水500毫升煎5分钟，冲绿茶，分3次温服。适用于败血症引起的皮疹。

5. 川乌、草乌各20克，白芷、羌活、独活各50克，细辛10克，川芎、桂枝各30克，威灵仙、伸筋草、透骨草各60克。煎水熏洗患处，每次15分钟，每日2～3次，5～10日为1个疗程。适用于败血症引起的关节痛。

**【名医指导】**

1. 对已发生的疖肿，不要挤压，也不要

过早地切开，以免细菌扩散而形成败血症。尽量避免皮肤黏膜受损，及时发现和处理感染病灶，合理应用肾上腺皮质激素和广谱抗生素。

2. 经常到户外活动，经常洗温水澡，衣着应柔软、宽松。避免皮肤受到摩擦；若发生皮肤破损，应及时用消炎药为孩子清洗、消毒，以防感染。

3. 注意围生期保健，积极防治孕妇感染；对早期破水、产程太长、宫内窒息的新生儿，出生后应进行预防性治疗；做新生儿护理工作时，应特别注意保护好皮肤、黏膜、脐部以免感染或损伤。

4. 饮食上要保证各种营养成分的供给，多食富含优质蛋白质、多种维生素和含铁较多的蛋类、牛奶、豆类、新鲜蔬菜和水果、海产品等；宜多食富含抗氧化剂的食物，如柑橘、芒果、柿子、杏子、木瓜、西瓜、红柚等。多食富含天然维生素C的水果，如红枣、猕猴桃、山楂、柑橘等；多食核桃。

5. 各种诊疗操作应严格执行无菌要求，不滥用抗生素或肾上腺皮质激素。

# 第三十六章　立克次体病

## 流行性斑疹伤寒

流行性斑疹伤寒又称虱传斑疹伤寒或典型斑疹伤寒，是普氏立克次体通过体虱传播的急性传染病。临床表现为急性起病、寒战、稽留型高热、剧烈头痛及全身肌肉、关节酸痛，颜面潮红，肝脾大，数日后出现充血性斑丘疹，渐渐变成暗红色或出血性皮疹，疹退后留有色素沉着；常伴食欲缺乏、呕吐、腹胀、便秘，皮疹出现后体温仍持续 40 ℃以上；可有委靡、谵妄、狂躁、神志错乱及昏迷，并伴有脑膜刺激征，重者并发心肌损害和肺炎；2 周左右体温开始下降渐趋恢复。轻型和复发型患者症状较轻，高热时间短、皮疹少、恢复快。患流行性斑疹伤寒后数月至数年，可能出现复发，称复发型斑疹伤寒（又称 Brill-Zinsser 病）。传染源为患者，体虱是传播本病的主要媒介。多发于冬、春季，有虱叮咬或进入疫区生活史，潜伏期一般为 10～12 日。

**【必备验方】**

1. 苦瓜 1 条（去瓤），茶叶适量。纳茶叶入苦瓜后接合，于通风处阴干，每取 5～10 克，水煮（或泡水）代茶饮。适用于流行性斑疹伤寒引起的发热。

2. 山药 20 克，鲜莲叶半张（切碎），白扁豆、薏苡仁各 15 克，粳米 50 克。将前 4 味水煎 2 次，取浓汁 200 毫升与粳米煮粥，调入适量白糖服。适用于流行性斑疹伤寒引起的发热。

3. 天麻 25 克，川芎、茯苓各 10 克，鲜鲤鱼 1000 克。将川芎、茯苓切片，与天麻同放入二次米泔水中浸泡 4～6 小时，捞出天麻置米饭上蒸透、切片；鲤鱼去鳞及肠杂，洗净，纳天麻片、川芎、茯苓入鱼腹中，加生姜、葱，隔水蒸 30 分钟，按常规制作调味羹汤，浇鱼上，佐餐食用。适用于流行性斑疹伤寒引起的头痛。

4. 白花蛇 1 条，防风 30 克，羌活、五加皮、当归、秦艽各 60 克，天麻 330 克，糯米酒 3000 毫升。将白花蛇以酒洗并润透，去骨刺，取肉；诸药洗净、切碎，以纱布袋盛，与酒浸泡 10 日。取酒温服，每次 50 毫升。适用于流行性斑疹伤寒引起的关节痛。

5. 豨莶草、桑枝各 30 克，嫩柳枝、嫩槐枝各 15 克。水煎，每日 1 剂，分 3 次服。适用于流行性斑疹伤寒引起的关节痛。

**【名医指导】**

1. 患者入院后应先更衣、灭虱、卧床休息；保持口腔和皮肤清洁。危重患者要勤翻身，防止并发症。

2. 氯霉素、四环素药物对本病皆有特效。一般于用药后 10 余小时症状开始减轻，2～3 日内完全退热。但氯霉素不良反应突出，不宜首选。

3. 早期诊断，及时治疗，避免焦虑、紧张，应积极配合治疗，避免并发症的发生。

4. 供给富有营养易消化的饮食，补充大量的 B 族维生素、维生素 C 及足够的水分和电解质。成人每日饮水量为 3000 毫升左右（年老者及有心功能不全者酌减），液体量每日摄入为 2500～3000 毫升。

## 恙虫病

恙虫病又称丛林斑疹伤寒，是由恙虫病立克次体引起的自然疫源性疾病。临床以突然起病、发热、叮咬处有焦痂或溃疡、淋巴结肿大及皮疹为主要特征。鼠类为主要传染源，通过恙虫叮咬而传播。恙虫病立克次体由恙螨（常为红纤恙螨和地理纤恙螨）经卵传递，以叮、咬取食物时传给鼠类，包括家鼠、田鼠及野鼠等。人体感染在恙螨幼虫叮咬后发病，潜伏期为6～21日（平均10～12日），起病往往突然。

**【必备验方】**

1. 瓜蒌根15～20克（鲜者30～60克），粳米50～100克。将瓜蒌根水煎汁，去渣，入粳米煮粥（粥宜稀薄）食，每日2次，2～3日为1个疗程。适用于恙虫病引起的发热。

2. 鲜珍珠草60克（干品30克），猪肝60～100克（切片）。煮汤，加适量食盐、味精调服，每日1次，连服5～6次。适用于恙虫病引起的结膜感染充血。

3. 熟冬笋100克，猪肉末50克，粳米100克，香油25克。将熟冬笋切丝；香油烧热，下入猪肉末煸炒片刻，入冬笋丝、葱、姜末、食盐、味精翻炒入味，装碗备用；粳米煮成粥，倒入碗中的备料稍煮片刻，每日早、晚空腹分服。适用于恙虫病引起的头痛。

4. 鲤鱼250克，鲜芹菜50克，淀粉、生姜丝、大蒜丝、酱油、白糖、醋、食盐、味精、黄酒、泡酸辣椒、菜油各适量。将鲤鱼切丝，芹菜切段，把酱油、白糖、醋、味精、黄酒、食盐、淀粉加汤调成汁。炒锅置旺火上，下油烧至五成热，入鱼丝熘散，沥去余油，入姜丝、泡酸辣椒、芹菜段炒香，烹入芡汁，翻炒片刻起锅即可。适用于恙虫病引起的肺炎。

5. 党参、茯苓各15克，麦冬、丹参各10克，五味子6克，卷柏根6～12克。水煎，分2次服。或卷柏根5～10克，大枣3～5枚。煎汤，每日1剂，分2次服。适用于恙虫病引起的心力衰竭。

**【名医指导】**

1. 切断传播途径：铲除杂草，改造环境，消灭恙螨滋生地，做好灭鼠工作。

2. 流行区野外作业时，住地周围喷洒1%～2%敌敌畏；亦可用40%乐果乳剂或5%马拉硫磷乳剂配成0.1%溶液以20～25毫升/平方米计算溃洒地面。

3. 在流行区野外军事训练、生产劳动、工作活动、野外游玩时不要随意坐在草地上，并注意保护自己身体暴露部位。要捂紧领口、袖口和裤脚口，身体外露部位涂擦5%的邻苯二甲酸二甲酯（即避蚊剂）、邻苯二甲酸二苯酯、苯甲酸苄酯或硫化钾溶液。

4. 从野外回来后及时沐浴、更衣。如发现恙螨幼虫叮咬，可立即用针挑出，涂以乙醇或其他消毒剂。

5. 如果在野外活动后出现长时间高热不退，且腰、腋窝、腹股沟等处发现焦痂，应及早就医。

6. 患者应卧床休息，多饮水，进流质或半流质易消化吸收的食物，注意口腔卫生，保持皮肤清洁。补充B族维生素和维生素C；保持大便畅通，尿量为每日2000毫升左右。高热者可用解热镇痛药，重症患者可予皮质激素以减轻毒血症状；有心衰者应绝对卧床休息，用强心药、利尿药控制心衰。

# 第三十七章　钩端螺旋体病

## 钩端螺旋体病

钩端螺旋体病（简称钩体病）是由致病性钩端螺旋体引起的自然疫源性急性传染病，因接触带菌的野生动物和家畜所致。典型者起病急骤，早期有高热、倦怠无力、全身酸痛、结膜充血、腓肠肌压痛、表浅淋巴结肿大；中期可伴有肺弥漫性出血，明显的肝、肾、中枢神经系统损害；晚期多可恢复，少数可出现后发热、眼葡萄膜炎以及脑动脉闭塞性炎症等。肺弥漫性出血以及肝、肾衰竭常为致死原因。鼠类和猪为主要传染源，潜伏期为2～20日（平均10日）。临床分为流感伤寒型、肺出血型、黄疸出血型、脑膜脑炎型和肾功能衰竭型。

**【必备验方】**

1. 苦杏仁、黄连各6克，滑石30克，佩兰、金银花、木防己各12克，厚朴8克，蚕沙15克（包）。水煎服，发热期间每日2剂，热退后每日1剂，连服4剂为1个疗程。

2. 蟹适量。煅（存性）研末，以黄酒糊丸（如梧桐子大），白开水送服，每次50丸，每日2次。适用于钩体病引起的黄疸。

3. 西瓜皮30克，黄豆根15克，炙甘草3克。水煎服，每日2～3次。适用于钩体病引起的脑膜脑炎。

4. 犀角粉0.5克（冲服），生地黄、金银花、大青叶各30克，赤芍、黄芩、黄柏、牡丹皮各12克，连翘15克，重楼、栀子各9克，黄连6克。水煎服，每日3次。适用于钩体病引起的败血症。

5. 绿茶0.5～1.5克，淡竹叶30～50克。将淡竹叶加水1000毫升，煎5分钟，冲绿茶，每日1剂，分4次服。适用于钩体病引起的发热。

**【名医指导】**

1. 消灭和管理传染源，疫区内应灭鼠，管理好猪、犬、羊、牛等家畜，加强动物的检疫工作。

2. 发现患者及时隔离，进行检查治疗，并对排泄物，如尿、痰和患者的血、脑脊液等进行消毒。

3. 切断传染途径，保护水源和食物，防止鼠和病畜尿污染。加强疫水管理、粪便管理、修建厕所和改良猪圈，不让畜粪、畜尿进入附近池塘、稻田和积水中。

4. 在流行地区和流行季节避免在疫水中游泳、嬉水、涉水。加强个人防护、皮肤涂防护药。尽量穿长筒靴和戴胶皮手套，并防止皮肤破损、减少感染机会。

5. 疫区居民、部队及参加收割、防洪、排涝可能与疫水接触的人员，尽可能提前1个月接种与本地区流行菌型相同的钩体多价菌苗。

6. 早期发现、早期诊断、早期治疗，不宜长途转送患者而应就地治疗。

7. 起病后应积极治疗，起病48小时内接受治疗者恢复快；如迁延至中、晚期，则病死率增高。

8. 强调早期卧床休息，给予易消化饮食，保持体液与电解质的平衡；如体温过高，应反复进行物理降温至38℃左右。

9. 饮食宜清淡，多食富含维生素的食物，如新鲜水果、蔬菜，多饮水；忌食厚味辛辣之品，忌烟、酒。

## 回归热

回归热是由回归热螺旋体经虫媒传播而引起的急性传染病。临床起病急骤，表现为周期性高热（体温高达 39 ℃～41 ℃），常有寒战头眩、全身酸痛，常见咳嗽、呕吐、腹痛，甚至神志不清、谵妄及惊厥；体格检查可见黄疸、出血性皮疹、鼻出血、结膜及咽部充血等，肝脾大，往往有压痛。临床分为虱传回归热（流行性回归热）和蜱传回归热（地方性回归热）两型，潜伏期为 5～12 日（平均 1 周）。蜱传回归热患者一般症状较轻。虱传回归热的唯一传染源为患者；以体虱和头虱为传播媒介；蜱传回归热的主要传染源是鼠类，患者亦可为传染源，传播媒介为不同种类的软蜱，蜱可终生携带螺旋体并可经卵传代。男女老幼均易感，病后免疫力不持久。

**【必备验方】**

1. 罗汉果 1 个，猪肺 400 克（洗净，切片）。煲汤，加食盐调服。适用于回归热引起的咳嗽。

2. 蝉蜕、人参各 15 克，黄芩、茯神、升麻、牛黄、牡蛎各 0.3 克，天竺黄 3 克。共研细末，以荆芥、薄荷煎汤兑服，每次1.5克，每日 3 次。适用于回归热引起的高热。

3. 花椒 3～5 克，生姜 3 片，面粉 100 克。将花椒晒干、研细末，与面粉搅匀，慢慢调入水中煮粥至沸，入生姜稍煮，每日分次食用。适用于回归热引起的呕吐。

4. 茵陈 60 克，夏枯草 20 克，大枣 10 克（去核）。将前 2 味加水浸泡后煎沸，入大枣，煎半小时，去渣服，首次 200 毫升，第 2、第 3 次各服 100 毫升，4 小时 1 次。适用于回归热引起的黄疸。

5. 绿豆 125 克（研细末），鲜鸡蛋 1 个（取蛋清）。将绿豆粉炒热，加鸡蛋清调匀成饼，贴胸部。适用于回归热引起的高热。

**【名医指导】**

1. 虱传回归热患者及可疑者均须立即隔离治疗，隔离至体温正常后 15 日。接触者灭虱后医学观察 14 日。以灭虱为主。

2. 蜱传回归热，以防鼠、灭鼠、防蜱为主。彻底消灭建筑物内的鼠等传染源。畜圈、禽窝远离住宅。野外作业穿紧口的防护服，亦可喷洒二氯苯醚菊酯等化学驱避剂。对进入疫区而被疫蜱叮咬者可服用多西环素 0.1 克。

3. 保护易感人群。搞好个人卫生，消灭虱子。

4. 发热期应卧床休息，给予高热量饮食、足量水分及降温，必要时用肾上腺皮质激素等对症治疗。

## 莱姆病

莱姆病是一种由伯氏疏螺旋体引起，经硬蜱为主要传播媒介的自然疫源性疾病。临床表现为慢性游走性红斑、关节炎，常伴有心脏损害和神经系统受累等症。其神经系统损害以脑膜炎、脑炎、脑神经炎、运动和感觉神经炎最为常见。

**【必备验方】**

1. 肉桂 10 克，粳米 50 克，红糖适量。将肉桂研细末；粳米煮粥，入肉桂末、红糖煮沸，空腹热食，每日 1 剂，3～5 日为 1 个疗程，连服 1～2 个疗程。适用于莱姆病引起的关节炎。

2. 黄花菜根、黄酒各 50 克。将黄花菜根洗净，水煎 30 分钟，去渣，入黄酒调服，每日 2 次，连服数日。适用于莱姆病引起的关节炎。

3. 六月雪 75 克，鲜红草 400 克，重楼 15 克。加水 2000 毫升煎，去渣服，3 小时 1 次，每次 125 毫升。适用于莱姆病引起的脑膜炎。

4. 地胆头、积雪草各 500 克，车前草、狗肝菜、钩藤各 15 克，地龙 10 克，板蓝根 500 克。水煎 1.5 小时，取滤液浓缩至 300 毫升（加防腐剂）。每次 30 毫升（小儿减半），每日 3 次。适用于莱姆病引起的脑膜炎。

5. 川乌、草乌各 20 克，白芷、羌活、独活各 50 克，细辛 10 克，川芎、桂枝各 30 克，威灵仙、伸筋草、透骨草各 60 克。煎水熏洗患处，每次 15 分钟，每日 2～3 次，5～

10日为1个疗程。适用于莱姆病引起的关节炎。

**【名医指导】**

1. 防蜱叮咬。及时发现叮吸人血的蜱并尽早拔除，是预防和减少本病发生的最重要的措施。亦可用驱虫剂涂在衣服或皮肤上，防止蜱叮咬。

2. 仔细检查全身皮肤。若发现身上有蜱叮咬的伤或红斑，应及时去医院诊治。

3. 人居住的房屋周围环境和畜舍地面可用驱蜱灵杀虫剂喷洒灭蜱；及时铲除杂草。

4. 在发病季节避免在草地上坐卧及晒衣服；在流行区野外作业时应扎紧袖口、领口及裤脚口，防止蜱进入人体内叮咬。若发现有蜱叮咬时，24小时内将其除去，并积极进行治疗。

5. 一旦确诊本病，应选择有效的抗生素治疗。

6. 宜卧床休息，适量补充糖、电解质及维生素C。对于有发热、皮损部位疼痛明显者可适当应用解热止痛剂。

# 第三十八章 原虫感染疾病

## 肠阿米巴病

肠阿米巴病是溶组织内阿米巴所致的肠道感染，主要病变部位在近端结肠和盲肠。临床典型表现为腹痛、腹泻和里急后重等症(称阿米巴痢疾)；非典型表现有阿米巴肠炎、阿米巴瘤、阿米巴性阑尾炎以及暴发性结肠炎等。若反复发作易转为慢性，潜伏期一般为1～2周，其病变为组织溶解液化的坏死性炎症。临床为轻型、普通型、暴发型和慢性型。轻型全身状况较好，仅有轻度腹泻或腹痛。普通型起病缓慢，以腹痛、腹泻开始，每日大便10次左右，为暗红色果酱样便，有腐臭，含脓血和黏液，可检验到大量滋养体；一般无发热或仅有低热，里急后重可较明显，右下腹有压痛。儿童有时以反复便血为主要特征。暴发型以恶寒、高热起病，极度衰竭，大便每日达数十次以致失禁，含明显脓血、奇臭，脑部剧烈疼痛，明显里急后重，可伴有呕吐、失水、酸中毒、休克和谵妄等，肠穿孔出血危险性大。如不及时抢救，可于1～2周内死亡；镜检可发现大量滋养体。慢性型为普通型的持续，表现为反复腹痛、腹泻，病程迁延数月甚至数年；常因疲劳、受寒、饮食不当等引起，大便有脓血、滋养体和包囊，并发症以肝脓肿为常见。

本病中医学属“痢疾”、“腹痛”等范畴。临床采用清热解毒、治血止痢等方法。赤痢重用血药，白痢重用气药，行气和血消除里急后重。疫毒痢治疗，重用清热解毒，凉血泻火药；噤口痢治疗，用安胃降浊之法；寒湿痢治疗，以温中燥湿调气为主；休息痢治疗，虚实夹杂，正虚邪恋，应扶正祛邪并用，以调理脾胃为主；虚寒痢治疗，以温补脾肾固涩为主。

**【必备验方】**

1. 仙鹤草20克，木棉花12克，厚朴、木香、广藿香、马蹄金、炒山药、六神曲、白头翁各10克，甘草3克。水煎服，每日1剂，10日为1个疗程。适用于阿米巴痢疾。

2. 干姜3克，附子4.5克，葱白2根，粳米、红糖各适量。将干姜、附子共研极细末；粳米煮粥至沸，加入药末、葱白及红糖同煮为稀粥，早、晚分服。

3. 萝卜汁150克，生姜汁25克，蜂蜜50克，浓茶1杯。和匀，蒸热，顿服。

4. 大葱100克，田螺2个，猪牙皂6克，细辛27克，六神曲12克。将猪牙皂、细辛、六神曲烘干后研细末，与大葱，田螺肉捣成膏，每取适量（纱布包裹），压成饼状，敷于神阙穴，外用纱布覆盖、胶布固定（药干即换，病愈停用）。

5. 白头翁15～30克。水煎，每日1剂，分3次服，7～10日为1个疗程。重症另用白头翁30～50克，水煎至100毫升，保留灌肠，每日1次。

**【名医指导】**

1. 讲究饮食、个人卫生及文明的生活方式，养成饭前便后或制作食品前洗手等习惯。防止饮食污染，当日的食物不放到第2日吃，以免食物变质。

2. 食物食用前必须煮沸，饮用水亦需煮沸后再行饮用。养成勤洗手的好习惯，并注意指甲缝的清洗；不要吃手。

3. 外出旅行时尽量自带食物和水，或到正规饭店就餐；凉拌菜要洗净并用开水烫后加醋、姜、蒜拌匀后食用，尽量少食或不食

凉拌菜。易带致病菌的食物如螺蛳、贝壳、螃蟹等，食用时一定要煮熟蒸透，杜绝醋泡、盐腌后直接食用，不吃不认识或可能有毒的食品如山蘑菇等。

4. 患者应迅速治疗，及时消毒、隔离。对家庭成员或接触者应作检查。

5. 患者应隔离，对其衣物及用品严格消毒。大力消灭苍蝇和蟑螂，加强粪便及水源的管理，避免本病的传染与流行。

6. 予以易消化、高热量、高维生素饮食。

7. 随时病情观察，如大便的次数形状和颜色。

8. 急性期积极治疗，避免转成慢性。

## 阿米巴肝脓肿

阿米巴肝脓肿又称肝阿米巴病，是肠外阿米巴病中最常见的感染，多源于肠阿米巴病的并发症，部分也可无肠阿米巴病的临床表现而单独发生。临床起病大多缓慢，发热呈间歇型或弛张型，热退而盛汗，食欲减退、恶心呕吐、腹胀腹泻及突出的肝区疼痛症状。主要传染源为粪便中持续排出包囊的人群，包括慢性患者、无症状包囊携带者等。

**【必备验方】**

1. 淡豆豉 15 克，香葱根须 30 克（洗净），黄酒 50 毫升。将淡豆豉加水 1 碗，煎 10 分钟，入香葱根须煎 5 分钟，加黄酒煮沸，热服。适用于阿米巴肝脓肿引起的发热。

2. 绿茶 100 克，醋 30 毫升。每日 1 剂，将绿茶水煎（浓汁 300 毫升），分 3 次热服，每次加醋 10 毫升。另取绿茶末 12 克，白痢以姜汤送服；赤痢以甘草水送服。每日 3 次，连服至症状消失后再服 3 日。

3. 酸石榴 2 个（捣烂，取汁）。蜂蜜 30 克。调匀，温开水冲服，每日 2 次，连服数日。

4. 紫皮大蒜 30 克，粳米 100 克。将大蒜去皮，入沸水中煮 1 分钟后捞出，入粳米煮成稀粥，再放入蒜，同煮为粥，早、晚饭温热分食。

5. 山楂 60 克，白酒 30 毫升。将山楂文火炒至略焦，离火，加白酒搅拌，再炒至酒干，加水 200 毫升煎 15 分钟，去渣，入红糖煎沸，顿服。

**【名医指导】**

1. 对阿米巴痢疾患者及带囊者应及时治疗，避免并发症的出现。

2. 提高个人免疫力，加强体育锻炼及营养。

3. 应注意饮食卫生，防止病从口入。加强粪便和饮水的管理，不喝生水，培养个人良好的卫生习惯。

4. 对持续发热伴有肝区肿痛者，如抗生素治疗无效则应高度警惕阿米巴肝脓肿。

5. 及时消灭苍蝇和蟑螂等。

## 疟　疾

疟疾又称打摆子，是经蚊叮咬而感染疟原虫所引起的虫媒传染病，分为间日疟、三日疟、卵形疟、恶性疟、凶险型疟疾。临床以周期性寒战、发热、头痛、出汗、贫血、脾大为特征。儿童发病率高，多发于夏、秋季节。

本病中医学亦称“疟疾”。为疟邪、瘴毒入侵，兼感风、寒、暑、湿时令邪气，或复加饮食劳倦所致。病邪入侵人体，伏于半表半里，出入于营卫之间。入与营阴相争则恶寒，出与卫阳相搏则发热；热蒸肌表，迫津外泄，故汗出淋漓，汗出热退，营卫复和，正邪相离，疟邪伏藏不与营卫相争，则寒热休止。治疗原则为祛邪截疟，并根据疟疾的不同证候论治。

**【必备验方】**

1. 草乌适量。去皮，开水泡几次，密盖一段时间，取出切细、焙干、研末，饭糊为丸（如梧桐子大）。每日清晨以生姜 10 片、大枣 3 枚、葱 3 根煎汤送服 30 丸，1～2 小时 1 次。适用于寒疟。

2. 附子 1 枚（约 15 克。面裹火煨，后去面），人参、丹砂各 3 克。共研末，炼蜜为丸（如梧桐子大），每服 20 丸，未发病前连进 3 剂。如有效，则有呕吐现象或身体有麻木感觉，否则次日须再次服药。适用于疟疾

寒热者。

3. 何首乌 30 克，青蒿 15 克，鳖鱼 35 克，水蜈蚣 15 克。将鳖鱼、何首乌分别洗净后切块，炖熟服食，以水蜈蚣、青蒿酒煎送服。适用于阴虚疟久不止者。

4. 牛皮胶 60 克（熬化），生姜 90 克（捣烂）。搅匀，熬成膏，于发作前 2 小时用皂角水洗净、拭干，再以生姜 1 大块揉擦极热，最后将膏药摊贴于大椎穴，1～2 日即愈，愈后 5 日将膏药揭去。

5. 甘草、甘遂各 100 克。共研细末，每取 0.5～1 克，用消毒棉花包裹呈球状，放置脐窝中，外以胶布固定（勿使泄气），每次贴药 1～2 日（在发病前 3 小时贴药）。适用于间日疟、恶性疟。

**【名医指导】**

1. 彻底消灭按蚊，切断传播途径，搞好环境卫生，包括清除污水，改革稻田灌溉法，发展池塘、稻田养鱼业，室内、畜棚经常喷洒杀蚊药等。

2. 搞好个人卫生，夏天不在室外露宿，睡觉时最好挂蚊帐；白天外出，要在身体裸露部分涂些避蚊油膏等，避免蚊叮咬。

3. 对高疟区、暴发流行区或大批进入疟区较长期居住的人群，需用蚊媒防制、药物预防或疫苗预防。

4. 治疗常用药物有羟基喹哌、乙胺嘧啶、磷酸咯啶、常山、青蒿、柴胡；以上药物及计量应在医师指导下进行服用。经治疗后需进行 1 年以上的长期观察，没有发生再燃和复发才可以确定治愈。

5. 发病期及退热期应注意卧床休息。注意水分的补给，对食欲不佳者给予流质或半流质饮食，至恢复期给高蛋白饮食；吐泻不能进食者，则适当补液；有贫血者，可辅以铁剂。

# 第三十九章 蠕虫感染性疾病

## 日本血吸虫病

日本血吸虫病是日本血吸虫寄生于门静脉系统所引起及皮肤接触含尾蚴的疫水而感染的人畜共患的寄生虫病，主要病变为虫卵沉积于肝脏与结肠组织中，形成肉芽肿，可分为急性期、慢性期和晚期。急性期表现为发热、肝大与压痛、腹痛、腹泻、便血等，血嗜酸性粒细胞显著增多；慢性期以肝脾大或慢性腹泻为主要表现；晚期表现主要与肝脏门静脉周围纤维化有关，临床上有巨脾、腹水等。急性多发生于初次感染者，少数慢性甚至晚期患者在感染后也可发生。接触疫水1～2日内，接触部位的皮肤可出现点状红色丘疹，奇痒。传染源为患者和保虫宿主，粪便入水、钉螺的存在和接触疫水为传播的重要环节。

本病中医学属“蛊毒”、“蛊胀”、“癥瘕积聚”等范畴。为感受“水毒”所致。本病急性期治以清热化湿、杀虫；慢性期及晚期治以消积水、攻痞块、扶正气、除虫毒等。

**【必备验方】**

1. 槟榔1500克，榧子100克，制雄黄10克，茜草、大血藤各300克。将前4味共研细末，以大血藤煎浓汁为丸（如胡椒子大小），蜂蜡为衣。每日20克，分2次服。适用于急性期血吸虫病肝脾湿热者。

2. 排钱草根30克（干品），瘦猪肉100克（洗净，切块）。加水3碗煮熟，去排钱草，加少许黄酒、食盐、味精调服。适用于血吸虫病肝脾大伴腹水者。

3. 黑芝麻10克，茯苓15克，生姜3片，大米100克。将姜切片、茯苓捣碎，加水浸泡半小时后煎2次，取汁混合，与大米、黑芝麻煮为稀粥，早、晚饭分服。适用于血吸虫病腹水者。

4. 山药片30克，龙眼肉20克，甲鱼1只（约500克）。将甲鱼置于45 ℃温水中（使其排尽尿液），烫死，去肠杂及头、爪，加适量水，与山药、龙眼肉炖熟服食。适用于血吸虫病阴虚者。

5. 熟地黄、山茱萸、鳖甲（先煎）、山药、猪苓、茯苓、泽泻、车前子、泽兰各15克，冬瓜皮30克，肉桂3克，桂枝、莪术、大腹皮、白术、熟附子、木香各10克。水煎服。适用于慢性、晚期血吸虫病脾肾阳虚者。

**【名医指导】**

1. 避免接触有血吸虫的水源。积极治疗患者、病畜；管好水源，不喝生水。不在有钉螺分布的湖水、河塘、水渠里游泳、戏水。注意对钉螺的消灭。

2. 接触疫水后，要及时到当地血吸虫防治部门进行必要的检查和早期治疗。

3. 为保证饮用水安全，应排除或杀灭水中的尾蚴。杀灭尾蚴方法如下：

（1）将水烧热至60 ℃以上，即可杀死水中的尾蚴。

（2）将2片漂白精片捣碎，加入1担水中搅匀，15分钟即可使用。

（3）在1担水中加入生石灰12.5克，搅匀，30分钟后便能达到灭蚴的效果。

4. 急性期持续高热患者，应卧床休息，并用肾上腺皮质激素或解热药缓解中毒症状和降温处理。对慢性和晚期患者，应加强营养，给予高蛋白饮食和多种维生素，并注意对贫血、肝硬化的治疗。忌辛热、油腻、坚硬粗糙之品。

5. 对急性、慢性和晚期血吸虫病以及伴有夹杂症的血吸虫病患者，应积极进行病原治疗。经彻底治疗后，2～3个月内不发生临床症状或体征，以及粪便检查无虫卵即为治愈。

6. 平时应避免重体力劳动。

## 钩虫病

钩虫病是由于十二指肠钩口线虫或美洲钩口线虫（一并简称钩虫）寄生于小肠内所引起的疾病。当人体接触钩虫的传染期幼虫（丝状蚴）时，幼虫即钻入皮肤而引起感染发病。临床上以贫血、营养不良、胃肠功能失调、嗜食异物为主要表现，重者可致发育障碍及心功能不全。体检可有心脏扩大、心尖区收缩期杂音及下肢凹陷性水肿。传染源为患者和钩虫感染者。本病以皮肤接触感染为主，手指间和脚趾间皮肤为最常见侵入部位。生食蔬菜时可经口感染。

本病中医学称“黄胖病”、“黄肿病”、“疳黄”、“粪毒”。其病机主要为湿热虫毒、脾虚湿滞、气血两虚。湿热虫毒为初期主要病机，气血两虚为钩虫病后期主要病机。临床治疗以驱除钩虫、补益气血及调理脾胃为主要原则。

**【必备验方】**

1. 榧子300粒。炒熟，空腹食，每次30粒，每日2次，连服5日。忌食绿豆。适用于钩虫病贫血、胃肠功能障碍及喜食泥土、石灰等偏好者。

2. 绿矾500克，桐油100克。混匀，炒至青矾成酱油色小块（或粉末），研细末，加少量稀盐酸，装入胶囊（每粒0.8克）。每次2粒，每日2次，连服5～7日（小孩酌减）。服药期间忌茶，妊娠、严重胃溃疡与3个月内有呕血史者禁服。

3. 蜂蜜3000克，贯众1500克，牡荆叶1000克，陈皮500克。将后3味共研细末，蜂蜜熬至滴水结块，入药末捣为丸（每丸约9克），于晚饭后1～2小时服，10～12岁4丸，13～16岁6丸，16岁以上8丸。

4. 南瓜子、槟榔各120克。共研末，水泛为丸（如绿豆大）。每服9～15克，每日2次。适用于钩虫病贫血、胃肠功能障碍及喜食泥土、石灰等偏好者。贫血重者，加绿矾40克。

5. 紫河车1个（漂洗干净，切片），生姜数片，猪瘦肉250克，大枣20枚。将前2味炒后，与后2味同炖，加盐调味，分次食用。适用于钩虫病贫血者。

**【名医指导】**

1. 在农村高发地区，普查普治，统一服药，定期复查，彻底消灭感染源。

2. 加强粪便管理，搞好厕所建设；不随地大便，粪便经无公害处理后再给植物施肥。

3. 加强卫生宣传，不赤脚玩土，不裸体嬉戏，注意局部皮肤的保护。

4. 应在驱虫治疗后补充铁剂，但重度贫血患者要先纠正贫血再驱虫。贫血者补充铁剂的同时服用稀盐酸，每次10滴。

5. 钩虫幼虫引起的皮炎，在感染后24小时内约90%的幼虫停留在局部，将患处浸泡在50℃以上的热水中，约20分钟可将幼虫杀死。

6. 治疗的同时，注意对蛔虫等一起治疗，采用联合用药或交替用药。

7. 宜食富于营养和易消化的食物，可多食豆腐、猪血、瘦肉、猪肝、鱼，以及新鲜蔬菜；少吃辛辣、油腻之物。

## 蛔虫病

蛔虫病是由蛔虫引起的一种常见的肠道寄生虫病。临床表现为发热、咳嗽、荨麻疹、上腹部及脐周反复发作性疼痛，可有腹泻、睡眠时磨牙；巩膜血管末端可见蓝色小点，面部有斑片状色素变浅等。如蛔虫误入胆道可致胆道蛔虫病，造成肠梗阻，甚至肠穿孔。传染源为肠道蛔虫感染者及患者，生食不洁瓜果、蔬菜是受染的重要因素，感染性虫卵经口吞入为主要传播途径。人普遍易感，儿童感染率尤高，农村发病率高于城市。

本病中医学属“虫证”范畴。由于误食沾有蛔虫卵的生冷蔬菜、瓜果或其他不洁食物引起。蛔虫喜温，性动好窜，善于钻孔，

在腹中乱窜易变生他证（如蛔厥、肠痈、呕吐、吐蛔等）；治宜安蛔驱蛔，健运脾胃。若蛔虫钻入胆道，致肝气郁闭，胆气不行，脘腹剧痛，而形成虫厥；治宜安蛔定痛，驱除蛔虫。

**【必备验方】**

1. 使君子适量。炒后研末（1岁1克，每增加1岁加1克，总量不超过10克），早晨空腹顿服，2小时后服泻药，连服2日停7日，再服3日。

2. 乌梅100克。冷水泡发，去核后捣烂，水煎半小时后取汁，加水再煎，去渣，合并2次煎液，用文火煎成膏状，加入蜂蜜100克、冰糖150克搅匀，冷服，每次10毫升，每日2～3次，连服5～7日。适用于蛔虫性腹痛、口渴。

3. 萹蓄适量。研细末，水煎，去渣，取汁煎浓（晚上禁食），次晨空腹顿服。

4. 细辛、皂角刺各20克，蜂蜜200克。将前2味研细末；蜂蜜炼至滴水成珠，加入药粉搅匀，趁热制成长5厘米、宽1厘米栓形，每取1～2条纳入肛门内。适用于蛔虫性肠梗阻。

5. 鲜苦楝皮200克，全葱100克，胡椒20粒。同捣烂，炒热，加醋150毫升炒至极热（布包），热熨脊背两旁（由上而下，反复数次，以疼痛减轻为度）。适用于小儿蛔虫病腹痛者。

**【名医指导】**

1. 查治患者和带虫者，处理好粪便、管理好水源以预防感染。使用无害化人粪做肥料，防止粪便污染环境是切断蛔虫传播途径的重要措施。

2. 对患者和带虫者进行驱虫治疗，驱虫时间宜在感染高峰之后的秋、冬季节；学龄儿童可采用集体服药。驱虫药宜空腹服用，最好每隔3～4个月驱虫1次。有并发症的患者及时就诊，不要自行用药。

3. 经过治疗，经3～4个月后检查粪便无虫卵即为治愈。

4. 注意休息和饮食，保持大便通畅，注意服药后反应及排便情况。

5. 患儿宜多食蔬菜及易消化食物，可适当添加富含蛋白质的食物，如鱼类、禽蛋、豆类等。不宜进食生冷食物，如泡菜等；少食香燥辛辣之品，如香瓜子、花生、辣椒等。

6. 教育患儿注意饮食和个人卫生，做到饭前、便后洗手，不生食未洗净的蔬菜及瓜果，不饮生水，防止食入蛔虫卵，减少感染机会。

## 蛲虫病

蛲虫病是由蛲虫寄生于人体肠道内外所引起的常见寄生虫病。夏秋季节发病率较高，感染者多为儿童。临床以肛门周围、会阴部夜间瘙痒为特征，表现为夜间突然惊哭、烦躁不安、精神委靡、食欲不佳、消瘦等，可因虫体进入阴道或尿道而发生阴道炎、尿道炎等；极少数患者可因虫体钻入阑尾及腹膜而发生阑尾炎或腹膜炎。患儿带有虫卵的手指甲和手指是造成自我感染或传染给别人的主要原因，传播途径为肛门-手-口直接感染、吸入感染和逆行感染3种。人群普遍易感，感染后对本病无明显免疫，感染及重复感染机会多。

本病中医学属“虫证”范畴。多是由于侵入蛲虫卵所致。成熟的雌虫在夜间由肠道移行至肛门附近产卵，虫卵经过不洁的手、食物等直接或间接地经口进入胃肠，在肠内发育成为虫而引起蛲虫病。蛲虫寄生在肠内，影响脾胃的运化功能，雌虫移行产卵时，使肛门发痒，影响睡眠，甚或产生其他症状。治以驱虫止痒为主。

**【必备验方】**

1. 香榧适量。炒熟（不可烧焦），嚼食，每次2粒，每日3次，连服1周。5岁以下小儿，将熟榧子研细末，温开水送服，每次1克，每日3次，连服1周。

2. 土荆皮适量。阴干，研末（酌加糖），米糊为丸（如绿豆大），开水送服，每次3克，每日早、晚各1次。

3. 独蒜头3～5个。捣烂，加入少许香油调匀，每取适量布包，每晚睡时放在肛门处，成人连用4～6晚，小儿连用3晚。

4. 葱白（去叶及须根）90克，加水300

毫升煎至极烂；大蒜（去皮及须根）30克，加水600毫升分别过滤，分别单独取10毫升，保留灌肠，时间以晚上8～9时、下午4～5时为宜。

5. 生百部30克，陈醋100毫升。将百部加陈醋50毫升及适量温水，浸泡1小时后，文火煎半小时，滤汁；依法再加陈醋和温水煎至20～30毫升，每晚直肠灌注，连用3～4日。

**【名医指导】**

1. 患儿须穿满裆裤，防止手指接触肛门。每日早晨用肥皂温水清洗肛门周围皮肤；换下的内衣内裤应予蒸煮或开水浸泡后日晒杀虫，连续10日。

2. 蛲虫的抵抗力强，治疗与预防同时进行，个人防治与集体防治同时进行。

3. 教育幼儿养成良好的卫生习惯，勤剪指甲、勤洗肛门、勤换衣服、饭前便后洗手、不吸吮手指。患儿晚间睡觉，穿满裆的裤子。

4. 注意托儿所、幼儿园、小学、家庭的环境卫生。用具、桌椅、地板应经常擦洗，用开水烫洗抹布，常洗晒被褥，保持室内清洁（勿使灰尘飞扬）。

5. 衣服、玩具、食器定期消毒：可用0.05%碘溶液处理1小时。

6. 肛门瘙痒或有湿疹，可每晚睡前洗净局部，用10%鹤虱油膏或2%氧化氨基汞软膏涂布。直到痊愈为止。

7. 定期检查大便中的虫卵，根据结果和在医师的建议下正确用药，避免盲目用药。

8. 驱虫药在空腹时服用或在饭后2小时服用，驱虫效果较好。服药剂量应足量，但应避免剂量过大，以免引起肝脏损害。

9. 养成良好的饮食习惯，不吃生肉；切生肉、熟肉刀和砧板要分开。

## 肠绦虫病

肠绦虫病系由寄生在肠道内幼绦虫所引起的疾病。我国所见主要为牛带绦虫病与猪带绦虫病。半数患者常有上腹隐痛，少数可有消瘦、乏力、食欲亢进等，偶有神经过敏、磨牙、失眠等神经系统症状。轻者常无症状，重度感染可有腹痛、腹泻、食欲减退、头昏、消瘦等症。猪带绦虫病和牛带绦虫病是因食未熟的含有囊尾蚴的猪（或牛）肉而感染，以青壮年为多，男多于女。

本病中医学属“白虫”、“寸白虫”等范畴。临床治疗以驱除绦虫、调理脾胃为主。

**【必备验方】**

1. 鲜南瓜子50克。研烂，水调成乳剂，加冰糖或蜂蜜，空腹服。适用于蛔虫病、血吸虫病、绦虫病。

2. 生大黄、枳实各75克，槟榔、花椒、乌梅各15克。将槟榔砸碎，加水400毫升煎20分钟，入余药煎，煎至成100～150毫升，过滤（在前1日晚上口服硫酸镁），早晨空腹温服（小儿酌减）。适用于驱虫。

3. 蝉蜕75克，全蝎50克，甘草25克，琥珀20克，朱砂粉15克，冰片5克。共研细末，温开水冲服，每次3～5克，每日2～3次。

4. 蛇床子、苦楝皮各10克，皂角16克，防风3克。共研细末，炼蜜为丸（如蚕豆大），每晚临睡前取3丸纳入肛门内。

5. 百部150克，花椒60克，苦参200克，白矾10克。加水500毫升煮沸20～30分钟，去渣，儿童每次取20毫升，每晚睡前保留灌肠。

**【名医指导】**

1. 管理传染源，普查普治患者。

2. 防止猪与牛感染，做到猪有栏，牛有舍；人畜分居，防止饲料被人粪污染。灭鼠对预防短、长膜壳绦虫也有重要作用。

3. 加强屠宰肉类的检查，禁止含囊尾蚴的牛肉、猪肉出售。大型屠宰场应有冷藏库。

4. 加强卫生教育，改掉吃生肉的习惯；厨房餐具应生、熟分开。

5. 猪肉、牛肉应煮熟，不能吃生的或半生不熟的。忌食油腻、甘肥之品。

## 猪囊尾蚴病

猪囊尾蚴病又称囊虫病，是由猪带绦虫的幼虫寄生于人体组织而引起的疾病，可因进食污染其虫卵的生菜或食物而感染。临床表现为肌肉酸痛、无力、发胀，可引起视力

障碍甚至导致失明，可伴有头昏、头痛、记忆力减退，严重的可引起癫痫，甚至失语、昏迷、死亡。体内有成虫寄生的患者表现为腹痛、腹泻、消化不良、贫血和消瘦等。最常寄生的部位为皮下及肌肉、脑、眼球，偶可寄生于心肌或肺。急性期可有发热、肌肉肿痛、末梢血液嗜酸性粒细胞计数明显增多等。慢性期分为：①皮肤肌肉型，皮下或肌肉内可触及囊虫结节；②假性肌肥大症型，肌肉内布满囊尾蚴而貌似肌肉发达但极度无力，甚至行走困难；③脑型，分为癫痫型、颅内压增高型、脑膜炎型、精神异常型及混合型；④脊髓型；⑤眼型。

**【必备验方】**

1. 银柴胡、生姜粉、赤芍各 9 克，厚朴 4.5 克，青蒿 6 克。水煎，每日 1 剂，分 2 次服，2 次间隔 6 小时。适用于皮肤肌肉型猪囊尾蚴病、绦虫病。

2. 斑蝥、红娘子、全蝎各 7 个，大黄 60 克，白酒 1500 毫升。同装瓷罐内，隔沸水蒸煮，将酒耗至 1000 毫升为止。每日早、晚饭后各服 10 毫升，1 剂为 1 个疗程，连服 3～4 个疗程。

3. 皂角刺 9 克，蜈蚣 7 条，胆南星 45 克，僵蚕 60 克，朱砂 6 克，蛇床子、青礞石各 90 克。共研细末，炼蜜为丸（每丸 0.8 克），每服 1 丸，每日 3 次，适用于脑型猪囊尾蚴病。

4. 蛇蜕适量。研细粉，开水送服，每次 4 克，每日 2 次。同时配服大戟汤（槟榔 75 克，京大戟 4 克，木瓜 22 克，钩藤 15 克，头晕者，加菊花 15 克；肝炎，去槟榔，加雷丸 22 克；加水 500 毫升，煎至 150 毫升，每服 50 毫升，每日 2 次，连服 30 剂）。

5. 雷丸粉、槟榔粉、浙贝母粉各 6 克，使君子粉 2～3 克。加水 100～150 毫升水煎，进行高位保留灌肠，连用 5 日为 1 个疗程。适用于皮肤猪囊尾蚴病。

**【名医指导】**

1. 在普查的基础上及时为患者驱虫治疗；争取做到早发现、早治疗。

2. 管理厕所、猪圈。建圈养猪，控制人畜互相感染。

3. 注意个人卫生，戒除不良习惯；不吃生肉，饭前便后洗手，以防误食虫卵；烹调务必将肉煮熟，肉中的囊尾蚴在 54 ℃经 5 分钟即可被杀死；切生肉、熟肉的刀和砧板要分开；到餐馆就餐要选择卫生条件好的地方。

4. 加强肉类检查，搞好城乡肉品的卫生检查，尤其是农贸市场上个体商贩出售的肉类。

5. 治疗期间要卧床休息。有癫痫病史者在杀虫治疗期间不要离开病房。做好患者的安全护理。

6. 要在短期内反复使用杀虫药物，2 个量程间隔为 10～14 日。

# 第七篇　眼耳鼻咽喉口腔科疾病

# 第四十章　眼科疾病

## 睑腺炎

睑腺炎又称麦粒肿，是指化脓性细菌侵犯眼睑腺体而引起的一种急性炎症，可分为外睑腺炎和内睑腺炎。外睑腺炎为睫毛毛囊根部皮脂腺的急性化脓性炎症，表现为初起眼睑红肿，明显压痛，数日后近睑缘部位形成硬结，发病3～5日后软化，形成黄包脓点，可自行破溃，排出脓液，1周左右痊愈。内睑腺炎是指睑板腺的急性化脓性炎症，表现为睑板腺开口处轻度充血，睑结膜下出现黄色脓点，其后脓点开口于睑结膜面，将脓排入结膜囊内或经睑板腺开口排出而愈。

本病中医学相当于“针眼”。为风邪外袭，客于胞睑化热，风热煎灼津液，变生疮疖；或过食辛辣炙热之品，脾胃积热，循经上攻胞睑，致营卫失调，气血凝滞，局部酿脓；或身体余热未清，热毒蕴伏；或素体虚弱，卫外不固而易感风邪者，常反复发作。临床分为风热外袭、热毒上攻、脾胃伏热或脾胃虚弱等证型，分别治宜疏风清热、泻火、解毒、清解脾胃伏热或扶正祛邪。未成脓者，应退赤消肿，促其消散；已成脓者，当促其溃脓或切开排脓，使其早愈。

**【必备验方】**

1. 菊花15克（研末），粳米50克。将粳米加水500毫升煮至米开汤未稠时，调入菊花末煮成粥稠，加入少许冰糖煮沸5分钟，温服，每日2次。适用于风热外袭型睑腺炎。

2. 石决明25克（炒香），决明子10克，白菊花15克，粳米100克，冰糖适量。将白菊花、决明子、石决明水煎，去渣，入粳米煮成稀粥，加冰糖调服（宜在夏季用）。

3. 生天南星、生地黄各20克，凡士林100克。将前2味研细末，加凡士林调匀，每取绿豆大小，贴于两侧太阳穴，外以胶布固定每日换药1次。

4. 苍术10克，白芷、薄荷、金银花各6克。加水200毫升煮沸，熏洗患眼（并不断转动眼珠），每次10～20分钟，每日3～5次（药液可重复使用数次）。

5. 黄芩、黄连、生大黄各15克。每日1剂，水煎服，一半内服，一半熏洗患处。热重者，加金银花30～60克；血瘀者，加红花、赤芍各10克；牵引致头痛者，加菊花、川芎各10克。

**【名医指导】**

1. 注意眼部卫生，保护眼睛，勿过度用眼。

2. 清淡饮食，多食新鲜水果和蔬菜，保持大便通畅。少吃有碍脾胃的食物，如过分油腻、膏粱厚味的食物，不宜过甜。补充维生素A和维生素C。

3. 忌烟、酒。

4. 避免眼睛接触化妆品，避免用脏毛巾或污染的手揉眼。

5. 为防止本病在家庭成员中传播，保证使用清洁加压处置的衣服；不共用浴衣和毛巾；适当运动。

6. 睑腺炎初起尚未形成硬结和脓点时，用温热毛巾局部湿敷；形成脓点后不可用手挤排脓，以免引起严重的并发症。

## 睑缘炎

睑缘炎是因细菌、脂溢性皮肤炎或局部过敏反应所导致睑缘表面、睫毛、毛囊及其

腺组织的亚急性或慢性炎症，分为鳞屑性睑缘炎、溃疡性睑缘炎和眦角性睑缘炎。鳞屑性睑缘炎表现为自觉刺痒，睑缘潮红，睫毛根部和睑缘表面附有头皮样鳞屑；睫毛易脱落但可再生，少数病例皮脂集中于睫毛根部呈蜡黄色干痂，除去后局部只见充血，无溃疡面。病程缓慢，可引起睑缘肥厚。溃疡性睑缘炎表现为睫毛根部有黄痂和小脓疱，将睫毛黏成团，剥去痂皮，露出睫毛根部，有出血的溃疡面和小脓疱。睫毛脱落后不能再生而造成秃睫；溃疡愈合后形成瘢痕，瘢痕收缩时牵引邻近未脱落的睫毛而使其乱生，刺激眼球。如病程日久，睑缘肥厚外翻，泪小点闭塞，可造成溢泪。眦角性睑缘炎表现为自觉刺痒，多为双侧，外眦部常见；共同特点为内、外眦部皮肤发红、糜烂、湿润，有黏稠性分泌物；重者出现皲裂，常合并眦部结膜炎。

本病中医学属“睑弦风”、“睑弦赤烂”、“眦帷赤烂”等范畴。多因脾胃蕴热，或脾胃湿热，或心火内盛，复受风邪，风、热、湿三邪相搏，上攻睑弦而发。临床治疗以祛风清热、除湿为主。

**【必备验方】**

1. 金银花15克，薏苡仁30克。将金银花水煎3次，去渣，合并煎汁；薏苡仁煮至八成熟，兑入煎汁煮成粥，入适量冰糖调服。每日2次，连服3日。

2. 鲜柳枝（带叶）400～500克。洗净，编成圆帽状，加凉开水1500～2000毫升置阳光下晒5～6小时，取水洗眼，早、中、晚各1次，每日更换，7日为1个疗程。

3. 芒硝、大枣各500克，黄连末6～10克。将芒硝以滚水泡化，澄清，去渣，入大枣（去核）浸泡1日，取出晒干，又浸，如此数次，以汁尽为度。纳黄连末入大枣内（合之，勿令泄气）。每取1个，沸开水泡，频洗患处。

4. 苦参、黄柏、野菊花、大黄各30克，黄连20克，防风、芒硝各15克。煎水，浸洗双足，每次30～60分钟，每日3次，连用数日。适用于眼睑湿疹、潮红赤烂并有黏液黄水渗出者。

5. 熟鸡蛋黄1～3枚。以文火煎至出油，加少许制甘石、冰片（研极细末）和匀，涂擦患处。

**【名医指导】**

1. 不要揉擦眼睛。睑缘炎患者常在睫毛根部有脓疱状物隆起，当揉擦眼睛时易使发炎的睑缘出血，脓疱溃破，睫毛脱落。

2. 避免长期熬夜，睡眠不足，诱发或加重本病。

3. 戒烟、酒。

4. 少吃辛辣刺激性食物，如葱、姜、辣椒等；饮食清淡，多吃蔬菜和水果。

5. 避免精神紧张。

6. 平时有消化不良和营养障碍等全身疾病时，要及时治疗；若伴有慢性结膜炎或沙眼时，也应一并进行治疗。

7. 避免烟尘、风沙进入眼睛。不宜戴隐形眼镜。

## 泪腺炎

泪腺炎是由于鼻泪管下端阻塞而使泪液和细菌滞留在泪囊内所引起的慢性炎症，分为慢性泪腺炎和急性泪腺炎。平时多见于流泪、结膜充血，以内眦部明显；此处皮肤也有浸渍痕迹、糜烂或粗糙等现象；可双侧或单侧发病，睑部泪腺较眶部泪腺易受累。多由沙眼、鼻炎或鼻旁窦炎所致。常见致病菌为葡萄球菌、肺炎链球菌等，少数病例为病毒引起。慢性泪腺炎多为原发性，亦可由急性转变而来。进展缓慢，病变多为双侧，腺组织逐渐扩大使上睑外上侧有一无疼痛之隆起，可有触痛，肿物可触及分叶状，伴有眼球向下内方移位，上转受限，导致复视或上睑下垂。急性泪腺炎为泪腺的急性炎症，多单侧发病，可单独侵犯睑部泪腺（急性睑部泪腺炎）或眶部泪腺（急性眶部泪腺炎），多为同时发生。

中医学认为，本病多系风热邪毒外袭，致热壅血滞，蓄腐成脓；或脾胃蕴热，痰热互结所致。临床治疗以清热解毒为主。

**【必备验方】**

1. 羌活、莲子心、甘草、防风各8克，

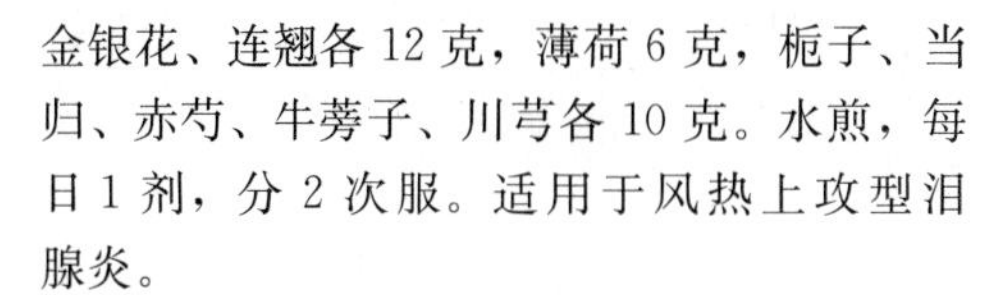

金银花、连翘各12克，薄荷6克，栀子、当归、赤芍、牛蒡子、川芎各10克。水煎，每日1剂，分2次服。适用于风热上攻型泪腺炎。

2. 枸杞子200克，白酒300毫升。同密封（每日振摇1次），浸泡7日后服，服完后加酒再浸泡1次，最后将酒泡过的枸杞子拌白糖食用。每日10～20毫升，晚饭前饮用。

3. 乌骨鸡1只（去毛及内脏，洗净），川芎6克，当归、白芍、熟地黄各10克。将后4味布包，再以适量生姜、葱、米酒、食盐同炖，去药包，食肉饮汤。

4. 黄连0.9克，苦杏仁（去皮）10克，胆矾0.12克。水煎，取液涂搽患处。

5. 龙胆、黄柏、黄芩、金银花、大黄、生甘草、知母各等份。共研末，冷开水调敷于患处，7～8小时换敷1次或水煎服，每日1剂。适用于急、慢性泪腺炎。

**【名医指导】**

1. 经常锻炼身体，提高机体的抵抗力。

2. 积极治疗原发病。

3. 多吃具有增强免疫作用的食物，如甲鱼、乌龟、海龟、青鱼、鲨鱼、水蛇、虾、鲫鱼、桑椹、无花果、荔枝、胡桃、杏仁、丝瓜等；多吃新鲜的水果和蔬菜；多吃具有抗菌作用的食物，如蜂蜜、蘑菇等。忌酸涩之品，如李子、柠檬、山楂等；忌辣椒、韭菜等辛辣之物；忌偏食；忌咖啡、可可等兴奋性饮料。

4. 泪腺萎缩引起眼干燥者，可滴人工泪液。

## 泪囊炎

泪囊炎是因沙眼、鼻窦炎、结核等引起鼻泪管阻塞、泪囊里泪液潴留并继发细菌感染所致的泪囊与鼻泪管的炎症。临床表现为经常流泪、视物模糊、眼部烧灼感等，手指压迫泪囊处常有脓液或黏液由泪点流出。急性者泪囊区皮肤红肿、疼痛，数日后化脓穿破，可遗留瘘管。临床常见有慢性、急性和先天性泪囊炎（新生儿泪囊炎）。

慢性泪囊炎中医学类似于“漏睛”，因肝经风热或心火炽盛所致。急性泪囊炎中医学相当于“漏睛疮”，是指大眦睛明穴下方突发赤肿硬痛高起，继之溃破出脓为特征的眼病，多由漏睛演变而来，亦可突然发生。临床治疗以疏风清热、清心泻火为主。

**【必备验方】**

1. 牛蒡子、栀子、当归、赤芍、川芎各10克，金银花、连翘各12克，薄荷6克，羌活、防风、莲子心、甘草各8克。水煎，每日1剂，分2次服。

2. 莲子60克（去心），藕1节，糯米100克。将前2味水煎，入糯米煮粥，每日食用。适用于慢性泪囊炎病程已久者。

3. 五倍子、五味子、胆矾各6克，食盐1.5克。将前3味加水2碗煎至1碗，去渣，过滤3次，入食盐煎沸，温洗患眼，每日3～5次。

4. 取患侧太阳穴。选用28号毫针常规消毒后，直刺约1寸，捻转得气后留针20～30分钟。起针后即在太阳穴拔罐，留罐10～20分钟，起罐后即在拔罐部位贴1块伤湿止痛膏。

5. 炉甘石、生石膏各3克，海螵蛸1克。共研细末，加少许片脑、麝香，点眼。

**【名医指导】**

1. 注意眼部卫生，定期查眼。

2. 忌食辛辣、油炸、烧烤等刺激性食物，特别是素患眼疾者更需注意；饮食宜清淡，多食新鲜蔬菜和水果；多食具有清热解毒功效的食物，如绿豆、赤小豆、黄豆、生萝卜、茄子、白菜、芹菜、黄花菜、茼蒿、竹笋、菜瓜、西瓜、冬瓜、冬瓜子、丝瓜、黄瓜等。

3. 及时彻底治疗沙眼、睑缘炎等外眼部炎症。

4. 有鼻中隔偏曲、下鼻甲肥大或慢性鼻炎者应尽早治疗。

5. 保持眼部清洁，每日用医用棉签挤压泪囊区2～3次；脓液排干净后点抗生素眼药水（如氯霉素、利福平等），每日3～4次。切忌用手挤压排脓。

6. 忌烟、酒，避免烟雾、油烟等刺激。

## 流泪症

流泪症是指泪液不能顺泪道流入鼻腔而溢出于眼睑之外的眼病。其病因包括：泪腺炎、泪腺囊肿、泪囊肿瘤；服用作用强烈的副交感神经兴奋剂或过度的精神兴奋剂；眼部、鼻腔的各种炎症；各种异物、灰尘、冷、热、强光等化学性（或物理性）刺激；三叉神经痛、偏头痛、面神经麻痹、脊髓结核、甲亢、老年性泪囊萎缩等，使眼疲劳、眼轮匝肌功能不全的疾病；药物和食物中毒。从而导致泪囊分泌细胞受到损害所致。

本病中医学称“迎风流泪”、“冲风泪出”、“无时泪下”、“目泪出不止”。多因肝血不足，泪窍不密，遇风邪引泪而出；或因气血不足，肝肾两虚，不能约束其液，而致冷泪常流。临床治疗以补益肝肾、养血散风之法。

**【必备验方】**

1. 枸杞子 60 克，猪肝 250 克（切片）。将猪肝煸炒，与枸杞子同炖，入佐料调味，佐餐食。

2. 熟地黄、女贞子、菊花、夏枯草各 15 克，山药、枸杞子各 25 克，知母、五味子、白蒺藜、干姜各 10 克，细辛 3 克。水煎服，每日 1 剂，连服 10 剂，即愈。适用于流泪症。

3. 大枣 10 枚，枸杞子 30 克，童子鸡 1 只（约 500 克，去毛及内脏，洗净）。同炖熟，加入少许食盐调味，吃鸡喝汤。

4. 桑叶适量（腊月不落者为佳）。水煎，取液温洗患眼，每日 1 次。

5. 取同侧睛明穴，进针 5～8 分深，轻度捻（以得气为度），留针 10 分钟，隔日 1 次，10 日为 1 个疗程。

**【名医指导】**

1. 忌辛辣刺激食品，如大蒜、葱、姜、韭菜等；多吃新鲜水果和蔬菜；多吃具有平肝明目、通络清热功效的食物，如绿豆、赤小豆、冬瓜、冬瓜子等。

2. 忌烟、酒。

## 眼干燥症

眼干燥症又称干眼病、干燥性角膜结膜炎，当伴有口腔干燥症时称单纯型 Sjogren 综合征；除结膜、角膜、口腔黏膜干燥外，与全身性疾病如类风湿关节炎或红斑狼疮并发，称重叠型干燥综合征。病因尚不明确，常为染色体隐性遗传。临床表现症状差异较大，轻者眼干涩不适、痒感等，重者眼干燥、烧灼感、畏光、视力减退等。早期表现为泪液减少，结膜轻度充血，结膜失去光泽，角膜表面粗糙无光，有浅层点状上皮脱失、丝状角膜炎；随着病变发展，出现角膜干燥、角化、混浊，视力严重受损；结膜囊内少量黏丝状分泌物、穹窿部可有细小束状睑球粘连。Schirmer 试验显示泪液分泌量减少。

本病中医学属“神水将枯”范畴，又称“神气枯瘁”。多为脾胃虚弱，运化失司，气血不足，精气不能上承，目失所养；或阴虚内热，虚火上炎，耗灼津液；或椒疮邪毒久郁，客于眼络，窍道瘀阻，泪液减少，因失濡润而致。临床治疗以补虚为主，宜养阴清热、健养脾胃。

**【必备验方】**

1. 鲜百合 60 克，冰糖适量，粳米 100 克。同煮粥。

2. 桑叶、菊花各 15 克，芦根、梨皮各 30 克。水煎服。适用于眼干燥症初期。伴咽干疼痛、口唇裂开者，可用红萝卜加马蹄、苦杏仁、蜜枣及陈皮，水煎服。

3. 胡萝卜 150 克，鳝鱼片 250 克，花生油、食盐、酱油各适量。将胡萝卜去皮、洗净、切片，鳝鱼洗净、切薄片；以大火将少许花生油烧至八成热，入鳝鱼片、胡萝卜片炒熟，加食盐、酱油调味，佐餐食，每日 1 剂，15 日为 1 个疗程。适用于夜盲症、眼干燥症。

4. 鸡肝 2 副（洗净），谷精草 15 克，夜明砂 10 克。隔水蒸熟服食。适用于夜盲症、眼干燥症、小儿疳眼症等。

5. 生地黄、玄参、玉竹各 20 克，五味子、天冬、当归各 12 克，知母、地骨皮、白

芍、乌梅、南沙参各15克，麦冬、党参各10克，甘草3克。水煎，每日1剂，分2次服。

**【名医指导】**

1. 平时用眼得当，切忌"目不转睛"；多眨眼，每分钟眨眼至少4～5次。

2. 避免长时间用眼。如连续操作电脑，注意中间休息，通常连续操作1小时，休息5～10分钟；休息时，可远眺或做视力保健操。

3. 房间光线及周围环境的光线柔和适中，电脑屏幕亮度要适当、清晰度要好。

4. 少吹空调，避免座位上有气流通过；在座位附近放置茶水，以增加周边湿度。

5. 多吃水果、蔬菜、乳制品、鱼类等富含维生素的食品。忌烧烤、油炸、辛辣食品；多喝水。

6. 避免使用隐形眼镜，戴框架眼镜。

7. 随身携带人工泪液，定时滴眼。

## 结膜炎

结膜炎俗称红眼病，是由于细菌或病毒感染而引起的一种传染性极强的流行性眼病。根据结膜炎的病情及病程，可分为急性、亚急性和慢性；根据病因分为细菌性、病毒性、衣原体性、真菌性和变态反应性等；根据结膜的病变特点，分为急性滤泡性、慢性滤泡性、膜性及假膜性等。临床表现为起病急，双眼可同时发病；眼睑红肿，有刺痒或异物感；重者畏光、灼热，球结膜充血水肿，可有出血斑点。细菌引起者，眼分泌物多。为黏液性或脓性病毒感染者，分泌物多为水样，并伴有耳前、颌下淋巴结肿大及压痛。其共同症状是羞明、流泪、结膜充血、结膜水肿、眼睑痉挛、渗出物及白细胞浸润。常易在公共场所或家庭内接触传染。

本病中医学属"暴风客热"、"天行赤眼"、"白涩症"、"目痒"等范畴。为风热邪毒侵目所致。

**【必备验方】**

1. 苦瓜250克，猪油10克。将苦瓜洗净、去籽、切丝；猪油烧至八成热，下苦瓜丝爆炒，加入葱、姜、盐翻炒片刻，即可食用。适用于慢性眼结膜炎。

2. 黄连3克（打碎），人乳适量，冰片0.6克。混匀，隔水蒸透，取汁点眼，每日4～6次。或黄连（或胡黄连）10克。研细末，人乳适调，敷两足心涌泉穴，外盖纱布、胶布（或绷带）固定，每日1换。适用于急性结膜炎。

3. 鲜地龙3～5条（洗净），白糖10～15克。同置碗内片刻后取液点眼，每次2～3滴，每日3～5次（儿童用时可用凉开水稀释）。适用于急性结膜炎。

4. 鲜蒲公英（干品30克），十大功劳、土黄连各60克，野菊花50克（鲜品150克），菊花、紫花地丁、夏枯草、地肤子、板蓝根、大青叶各30克，黄柏20～30克，栀子、秦皮各15克。任选1～3种，水煎2次，混合煎液，过滤，熏洗患眼，每日3～4次。适用于急性结膜炎。

5. 薄荷、鹅不食草各7克，川芎、青黛各15克。将前3味研细末，加入青黛调匀、再研，每取适量，塞于健侧鼻中，每日数次。适用于急性结膜炎。

**【名医指导】**

1. 忌食葱、韭菜、大蒜、辣椒、羊肉、狗肉等辛辣、热性、刺激性食物；忌食酒酿、荠菜、象皮鱼、鲨鱼、带鱼、黄鱼、鳗鱼、虾、蟹等海腥发物。多食富含维生素的新鲜蔬菜和水果，如青菜、苹果、黄瓜、丝瓜等；多食具有清热功能的食物，如茭白、冬瓜、苦瓜、绿豆、西瓜等。

2. 不用公共毛巾、手帕及面盆。患者的毛巾、手帕、面盆用后应煮沸消毒。

3. 眼药水瓶口勿触及患眼及分泌物，以免发生交叉感染。

4. 避免用眼疲劳，注意劳逸结合。

## 结膜下出血

结膜下出血是指眼球前方结膜下的微血管破裂，渗出的血液在结膜与眼球之间凝结而造成急性红眼病。多为炎症或外伤所致。球结膜下出血常呈片状或团状（也有波及全眼球结膜成大片者），少量呈鲜红色，量大则

隆起呈紫色，多发生在睑裂区；随着时间的推移，出血常有向角膜缘移动的倾向。因重力关系而集聚在结膜下方者，出血先为鲜红或暗红，以后变为淡黄色，最后消失不留痕迹。自发出血者，多见于老年人或原发性高血压、糖尿病、血液病等患者。发病时自觉症状不明显，发病 3 日内者出血可有增加趋势，1 周左右可以消退，不留痕迹。一般可自愈，初起宜冷敷，3 日后可酌情热敷。

本病中医学称“白睛溢血”。因热邪郁肺、血热妄行，或小儿顿咳、女子逆经所致（也有因饮酒过度或外伤引起）。重者早期宜清肺凉血，后期血变紫暗时，可酌加通络散血之品。由肺热引起者，治宜清肺散血；心营耗损、肝肾不足者，治宜平补肝肾，养血补心。

**【必备验方】**

1. 鲜墨旱莲 50 克，大枣 8～10 枚。分别洗净，加水 2 碗煎至 1 碗，去渣服。

2. 鲜芹菜 60 克（切碎），粳米 100 克。同煮粥，早、晚分次温热服食。

3. 冬瓜 200 克，胡荽 10 克。将冬瓜去皮、瓤，切薄片，油炒后入葱、姜、盐等调料，煮熟，加入胡荽，佐餐食。

4. 淡竹叶 3 把（洗净），秦皮（去皮）、黄连（去须）各 30 克，古铜钱 14 枚，大枣 10 枚（去核），栀子 15 克，车前草 100 克（切细）。加水 3000 毫升煎取一半、去渣，取液温洗，每日 2 次。

5. 菊花 15 克，鱼腥草 30 克。水煎 2 次，合并煎液，先熏后服，每日 1 剂。

**【名医指导】**

1. 发生球结膜下出血，2 日内要进行眼部冷敷；2 日后可用热水熏蒸，以促进眼部淤血吸收；同时使用抗生素眼药水。

2. 生活规律；养成良好的生活习惯，早睡早起，注意午休。

3. 原发性高血压及糖尿病患者，应平稳控制血压、血糖；45 岁以上者应定期体检。

4. 保持情绪稳定，乐观积极。

5. 不要盲目大剂量服用补品，饮食宜清淡，多食富含纤维较多的食物，保持大便通畅。多食新鲜蔬菜和水果等维生素含量高的食物，如西兰花、黄瓜、苹果等。忌食辛辣刺激性食物，如辣椒、葱、姜；忌食肥甘厚腻，如肥肉、甜品等。

6. 适当运动，避免搬重物及用力咳嗽等增加腹腔压力的动作。

7. 避免酗酒，戒烟。

8. 避免使劲揉眼及眼外伤。

9. 如果频繁发生球结膜下出血，则有可能是血液疾病，应去血液科详细检查。

## 巩膜炎

巩膜炎主要为内源性抗原抗体免疫复合物所引起且多伴有全身结缔组织病，是由于风湿、结核、梅毒、红斑狼疮和其他原因不明的感染造成的非特异性炎症。临床表现为病情进展缓慢（巩膜前半部最易受侵犯），自觉疼痛、畏光流泪，炎症局部有深红色结节隆起并有压痛，伴结膜充血水肿；一般不形成溃疡，易复发。临床分为浅层巩膜炎和深层巩膜炎、前巩膜炎和后巩膜炎。浅层巩膜炎常在外眼角巩膜出现扁豆形或椭圆形紫红色隆起结节，结节表面球结膜不同程度充血或水肿，触及结节时有疼痛感，蔓延到角膜缘时，患者可有畏光、流泪，疼痛常在夜间更重，视力一般不受影响，可连续复发，但预后良好。深层巩膜炎一般为双眼患病，巩膜呈弥漫的暗红或紫红色浸润，局部明显水肿，病变表面及周围球结膜显著充血，浸润性结节可围绕角膜蔓延成环形；严重者葡萄膜形成灰蓝色瘢痕，可导致巩膜葡萄肿；自觉十分疼痛，夜间疼痛难以入睡。急性期可出现暂时性近视，病程可持续数周甚至数月。

本病中医学属“火疳”范畴。多因肺热亢盛、气机滞塞久而成瘀，混结白睛深层而成紫红结节。治疗宜清肺泻心、清热利湿、养阴润燥。

**【必备验方】**

1. 葶苈子、地骨皮、茺蔚子、菊花各 15 克，麻黄 6 克，桔梗、川芎、黄芩、当归各 10 克，丹参 18 克。水煎服。适用于巩膜炎肺热证。

2. 玄参、丹参各 20 克，生地黄、麦冬、海浮石各 15 克，浙贝母、牡丹皮、白芍、菊花、郁金各10克，茺蔚子25克，生甘草6克。水煎服。适用于巩膜炎久病伤阴、虚火上炎。

3. 绿豆芽60克（沸水烫过），白菜茎60克（切细丝），沸水烫过。同拌匀，佐餐食。适用于巩膜炎伴舌尖红肿。

4. 龙胆、秦皮、红花、生地黄各等份。水煎，去渣，熏洗热敷患眼，每次半小时，每日3次。适用于浅层或深层前部巩膜炎。

5. 取背部胸椎3～7节两侧旁开1.5寸处（相当肺俞穴和膈俞穴之间）。消毒后用梅花针轻敲至皮肤发红且有间断针尖样出血，消毒，盖上无菌纱布，隔日1次。

**【名医指导】**

1. 生活作息规律，加强锻炼。

2. 积极治疗全身性疾病。

3. 饮食宜清淡，忌辛辣刺激及肥甘厚腻食物（如肥肉、甜点、巧克力等）；多食素淡果品以清利明目，如绿豆、苦瓜、冬瓜、西瓜等；多食清润之品，以使大便通畅。

4. 戒烟、酒。

5. 避免大怒，保持情绪稳定。

## 角膜炎

角膜炎是指由于外伤、其他眼部（或全身感染性）疾病导致角膜感染而引起的炎症性病变，分为溃疡性角膜炎（又称角膜溃疡）和非溃疡性角膜炎（又称角膜基质炎）。临床表现为患眼有异物感，刺痛甚至烧灼感。球结膜表面混合性充血，伴有畏光、流泪、视力障碍和分泌物增加等症状。

本病中医学分别属“聚星障”、“枣花翳”、“凝脂翳”、“混睛障”、“风轮赤豆”等范畴。为外感风热，或热毒上攻，蕴于黑睛。临床治疗宜疏风散热、清肝泻火、化湿健脾、滋阴散邪。

角膜基质炎是指发生在角膜基质层的非溃疡性、非化脓性炎症。苍白密螺旋体苍白亚种、结核分枝杆菌、麻风分枝杆菌和单纯疱疹病毒感染是常见的病因。临床主要表现为角膜基质水肿、淋巴细胞浸润，常有深层血管形成，视力可呈不同程度下降；患眼有畏光、流泪、眼痛、异物感和视力减退等症，眼睑常处于痉挛状态，难以自行睁开；角膜混浊一般从边缘部开始，逐渐向角膜中央扩展。根据感染途径分为先天性和后天性两种。先天性发病年龄多为5～20岁，双眼可同时（或先后）发病；后天性发病年龄较大，有梅毒病史，多为单眼受累。本病中医学属“混睛障”范畴。多因肝经风热或肝胆热毒蕴蒸于目，热灼津液，瘀血凝滞引起；或邪毒久伏，耗损阴液，肝肾阴虚，虚火上炎所致；肝经湿热所致者病程更长。

**【必备验方】**

1. 黄瓜250克，白糖、醋各50克。将黄瓜用凉开水洗净，两面切斜刀（深度达3/5以上），用盐腌20分钟，放入凉开水中浸泡，挤干水分。把白糖、醋调成汁，入黄瓜段浸泡1小时即可。

2. 茄子500克，豆腐、水发玉兰片各100克，水发木耳、干细豆粉、面粉各25克，鸡蛋1个，生姜片、蒜片、葱花各10克，味精、胡椒面各1克，白糖、酱油、醋各15克，水豆粉40克，鲜汤200克，熟菜油1000克（实耗100克），豆瓣30克。将茄子去皮、切圆片，木耳、玉兰剁碎，豆腐（布包）挤去水；豆瓣剁碎将鸡蛋及适量豆粉、食盐、味精、胡椒面拌匀作馅，夹入茄片中，再用豆粉、面粉调糊抹于茄片上；将熟菜油烧至七成热，投入茄饼炸黄，捞起。锅内留油适量，下豆瓣烧至油红，下姜、蒜炒香，入鲜汤烧开，加入余料，勾芡收汁，淋在茄饼上即可。

3. 土豆150克，植物油250克（实耗50克），番茄酱50克，白糖20克，鸡蛋清半个，淀粉30克，味精1克，食盐适量，料酒5克。将土豆去皮、切丁，加开水及料酒、食盐煮至八成熟；用鸡蛋清（25克）、淀粉（0.5克）、味精及少许食盐调匀，入土豆丁入味上浆。将植物油烧至三四成热，入土豆丁滑一下，捞出、沥净余油。锅内留少许油，煸炒番茄酱至出红油，放盐、白糖及少量水，把0.5克淀粉用水调匀，勾芡，用香油炒土豆丁，加点油颠匀装盘。

4. 鲜苦地胆60克，千里光、狗肝菜、

忍冬藤、决明子各15克，路边菊、柴胡、黄芩、一点红各9克。将苦地胆捣烂（布包），加适量热开水浸半小时，挤汁洗患眼，每日3～6次。余药水煎服，每日分3次服。适用于角膜炎、角膜基质炎。

5. 鲜蛇莓根3～5株。洗净，捣烂，加菜油1～2匙，隔水蒸后，点眼，每次2～3滴，每日3～4次，每剂可用5～7日。适用于角膜炎、结膜炎。

【名医指导】

1. 忌辛辣食品，多食河鲜、蔬菜、瓜果；避免暴饮暴食，避免食用易损伤脾胃的食品。戒烟、酒。

2. 及时治疗，适当选用抗生素和抗病毒药。

3. 避免角膜外伤。当有风沙吹入眼内时，切勿用脏手揉擦或用尖物挑拨，应及时到医院请眼科医师消毒冲洗。

4. 避光休息或戴墨镜保护，避免日光曝晒。

5. 养成健康的生活习惯，避免熬夜；保证充分休息，让眼睛多与新鲜空气接触。

6. 保持心情良好，切勿紧张、情绪波动。

7. 眼睛红肿、疼痛时及时就医，及时确诊。

## 白内障

白内障是由于老化、遗传、代谢异常、外伤、辐射、中毒和局部营养不良等引起晶状体囊膜损伤导致晶状体代谢紊乱，使晶状体蛋白发生变性而形成混浊。分为老年性白内障、先天性白内障、代谢性白内障、并发性白内障、外伤性白内障，其中尤以老年性白内障最为普遍、广泛。

本病中医学认为是晶珠混浊，属“圆翳内障”、“胎患内障”、“惊震内障”等范畴。为先天不足，肾精不实，引起肝肾不足而致；或年老体衰，肝肾亏损，精血不足而致；或其他部位有病，损伤脾肾，后天精血化生之源不足而致；或肝经有热，循经上攻于目而致；或眼部受挫伤或锐器伤，局部气血失和，甚至瘀血停留，以致精华不得上输。临床治疗分为内治与外治，侧重中药外用滴剂的研制；多采用滋补肝肾、活血化瘀、退翳明目及抗衰老方药。

【必备验方】

1. 鸡肝100克，水发银耳15克，枸杞子5克，茉莉花24朵。将鸡肝洗净、切片，加湿淀粉、料酒、生姜汁、食盐调匀。放入鸡汤，加入料酒、生姜汁、食盐、味精调匀，与银耳、枸杞子、鸡肝煮沸，去浮沫，待鸡肝刚熟，撒入茉莉花，装碗即可。

2. 燕窝3克。用温水泡软，去毛，洗净，沥干，撕成条，放入干净碗内备用。取净锅，加清水250毫升、冰糖30克，以文火烧沸至冰糖溶化，去浮沫，过滤；净锅内入燕窝、冰糖液，用文火烧沸即可。适用于老年性白内障肝肾阴虚证。

3. 熟地黄60克，山茱萸、山药、茯苓、泽泻、牡丹皮、五味子、枸杞子、决明子、青葙子、茺蔚子、菟丝子、覆盆子、车前子各15克，醋制龟甲30克（研细），沉香粉3克。共研为细末，炼蜜为丸，淡盐汤送服，每次9克，每日早、晚各1次。服药期间忌辛辣、酒、大蒜，注意用眼卫生。

4. 青皮、密蒙花各100克，芒硝50克（后下）。加水3000毫升煎20分钟，入芒硝煎10分钟，过滤滴眼，每次1～2滴，每日早、晚各1次。适用于急、慢性结膜炎及角膜炎、老年性白内障初期。

5. 苦瓜适量。洗净，去籽，切片，水煎1小时，取汁服，每日1～2碗，取渣敷眼皮，每日半小时（最好在睡前）。

【名医指导】

1. 避免强烈日光照射：在户外活动时戴上太阳镜或遮阳帽，可有效预防射线对晶体的损伤。

2. 营养平衡饮食：宜食富含蛋白质、钙、微量元素的食物，如牛奶、鱼类、筒子骨等；多食富含维生素A、B族维生素、维生素C、维生素D的食物；多食新鲜蔬菜和水果，如胡萝卜、西红柿、黄瓜、丝瓜、橙子、鱼肝油等；多饮水，低盐饮食。

3. 戒烟。

4. 积极治疗其他眼部疾患及慢性全身性

疾病。糖尿病患者宜及时有效地控制血糖。

5. 加强用眼卫生，平时不用手揉眼；不用不洁手帕和毛巾擦眼、洗眼。

6. 适当控制读写和看电视时间：阅读、写字和看电视时间应控制在1小时之内；用眼过度后应适当放松；久坐工作者应间隔1～2小时起身活动10～15分钟，举目远眺，或做眼保健操。

7. 起居要规律，保证充足睡眠，注意劳逸结合，加强身体锻炼。

## 青光眼

青光眼是眼压异常升高而致视功能障碍并伴有视网膜形态变化的疾病，青光眼分为原发性、继发性和先天性3种。原发性青光眼又分为充血性（闭角型）和单纯性（开角型）。充血性患者常有偏头痛，恶心呕吐，虹视，雾视；多发生于老年妇女，前房较浅，有远视眼者易发；单纯性青光眼，常出现过早劳视，频频换镜仍不能解决眼疲劳；多见于中青年，前房较深。充血性青光眼表现为角膜水肿，角膜后有棕黄色沉淀物，房水轻混浊，瞳孔扩大，晶体轻度混浊，眼底视盘动脉搏动，生理凹陷扩大，眼前部可见混合性充血。青光眼症状较轻，仅在眼底视盘可见青光眼杯，多见于晚期。急性发作一般见于充血性青光眼，发病年龄多在40岁以上，尤以50～70岁居多，女性较男性多24倍，为双眼疾患，但常为单眼发病。临床表现为眼球胀痛，视力急剧下降，同侧偏头痛，甚至有恶心、呕吐、体温增高和脉搏加速等；球结膜充血、角膜水肿、前房极浅、瞳孔变大、晶体混浊、眼压高、眼球坚硬如石。也有一些患者眼压很高，但却无任何症状。

中医学认为，闭角型青光眼属“绿风内障”，开角型青光眼属“青风内障”。多与情志有关，因肝郁气滞，化火上逆，劳神过度，阴血暗耗，水火不济，火炎于目；或脾虚痰湿内结，久郁化火，痰火上扰清窍，或肝胆火旺上扰于目所致。

**【必备验方】**

1. 甲鱼1只（约250克），杜仲9克。将甲鱼去内脏，杜仲布包，以料酒、精盐调味，隔水蒸熟，去药包，食鱼喝汤。适用于开角型青光眼伴耳鸣、腰酸、舌红少苔者。

2. 鲜鲤鱼1条（约500克），赤小豆40克。将鲤鱼活杀、洗净，赤小豆布包，同煮汤，加葱花、料酒、食盐调味，去药包，喝汤食鱼，每次1小碗，每日2次。适用于开角型青光眼见眼睑水肿、小便不利者。

3. 枸杞子100克（洗净），鲜猪肝250克，植物油1000克，青菜叶少许（洗净）。将枸杞子洗净，猪肝剔去筋膜，洗净，切薄片，加入少许食盐和淀粉搅匀；另将酱油、绍酒、食盐、醋、湿淀粉、鲜汤兑成汁。植物油以大火烧至油七八成热，入肝片划透、沥油；锅内剩油约50克，下蒜、姜略煸炒热后，加入肝片、青菜叶、枸杞子翻炒几下，倒入汁炒匀，淋上少许油及葱丝，佐餐食。适用于阴虚火旺型青光眼。

4. 柴胡、茯苓各15克，母鸡1只（约1000克）。将母鸡去毛和内脏，洗净，纳柴胡、茯苓放入鸡腹内，加葱、生姜、料酒、食盐及适量清水，以武火烧沸后改用文火煨熟，分餐服食。适用于肝郁脾虚型青光眼。

5. 鲜土豆汁、鲜藕汁各等份。混匀，点眼，每次1～2滴，每日2～3次。

**【名医指导】**

1. 多食富含维生素A、B族维生素、维生素C、维生素E等抗氧化物食品；多食富含维生素的蔬菜、水果、粗粮、植物油等。

2. 尽量避免喝浓咖啡、茶，饮酒不能过量。

3. 保持情绪平稳、乐观，忌急躁。

4. 适当的进行体育锻炼，增强机体的免疫力。

5. 避免眼睛疲劳，注意劳逸结合。避免干重体力活。

6. 避免低头做事，保持大便通畅。

## 葡萄膜病

葡萄膜又称色素膜，由虹膜、睫状体和脉络膜组成。葡萄膜病以葡萄膜炎最为常见，其病因不明，常见有创伤、临近组织炎症蔓

延。临床按解剖部位分为前葡萄膜炎、后葡萄膜炎、周边部葡萄膜炎和全葡萄膜炎；按临床表现分为浆液性前葡萄膜炎、纤维素性前葡萄膜炎、化脓性葡萄膜炎和肉芽肿性葡萄膜炎。

本病中医学称“瞳神疾病”，属“内障”范畴。多因肝经风热、肝胆实火、湿热内蕴、阴虚火旺所致。

**【必备验方】**

1. 菊花10克，紫茄子2个。将菊花水煎，去渣，取汁与紫茄子隔水蒸熟，加入适量香油、食盐、醋，拌匀食。

2. 西瓜皮、鳝鱼各250克，芹菜150克，鸡蛋清、干淀粉、食盐、味精、香醋、料酒、葱花、生姜末、油各适量。将西瓜皮洗净、沥干、切碎、捣烂，滤汁；鳝鱼剖腹、去骨、洗净、切丝，用干淀粉、鸡蛋清、西瓜皮汁调匀。芹菜洗净，去根、叶，切段。锅置火上，加油烧至六成热，倒入鳝鱼丝快速划开，入料酒、葱花、生姜末煸炒，加入芹菜、食盐、味精、香醋拌匀食。

3. 银耳30克，嫩豆腐250克，香菜叶10克。将银耳用冷水浸泡，洗净，放在沸水中焯透、捞出，均匀地摆放在炖盘中；嫩豆腐用清水漂洗干净，压碎成泥，加食盐、味精、湿淀粉拌匀，撒上香菜叶，隔水蒸5分钟左右，均匀地放在炖盘里；锅置火上，加适量清水烧沸，加少许食盐、味精，用湿淀粉勾芡，浇在炖盘上，即可食用。

4. 黄连6克（水煎，取汁），人乳30毫升。混匀，点眼，每日6次。

5. 鹅不食草10克（洗净，晒干），青黛、杭白芍各3克。共研细末（固封备用）。应用时，含一口冷开水（不可咽下与吐掉），每取0.2～0.3克，纳入患侧鼻孔内，每日2～3次。

**【名医指导】**

1. 如自觉眼红、疼痛、畏光、流泪、视力下降或眼前有黑影漂浮、视物模糊或视物变形、闪光感，应及时到有关专科做详细检查，以明确诊断。

2. 患者应定期复查，预防复发；如自觉有复发症状，应及早诊治。

3. 饮食宜清淡、易消化并富有营养。多食新鲜蔬菜、豆制品、水果等；忌肥甘厚腻食物及烧烤、油炸食品；忌使疾病加重或诱使疾病发作的食物，如带鱼、鳝鱼、蛤蜊、海参、螃蟹、虾、狗肉、羊肉、公鸡、辣椒、韭菜等；忌辛辣、温热、助阳之品，如辣椒、茴香、肉桂、狗肉、羊肉及煎炒煨炸的干果之类。

4. 忌烟、浓茶、咖啡等物。

5. 保持眼部卫生，勿用不干净的毛巾擦眼。

6. 注意劳逸结合；保持身心健康，保持情绪稳定，切勿烦躁、郁闷。

## 玻璃体积血

玻璃体积血多由睫状体、视网膜或脉络膜的血管损伤引起。通常来自视网膜和葡萄膜破损的血管（或新生的血管）。少量积血，可以全部吸收；大量积血，看不到眼底。少量出血时，可有眼前黑影飘动、视力下降，玻璃体内可见混浊漂浮物；大量出血时，视力急剧减退或仅有光感。

本病中医学属“云雾移睛”、“暴盲”、“目衄”、“血灌瞳神”等范畴。多为血热妄行、阴虚阳亢、瘀血阻滞所致。

**【必备验方】**

1. 谷精草、墨旱莲各9克，白木耳10克。水煎2次，合并煎液，每日1剂，上、下午分服。

2. 车前子90克，党参60克，黑玄参30克，细辛3克。共研细末，每服6克，每日2次。

3. 密蒙花21克，木贼、决明子、青葙子各12克，荆芥子6克。水煎服，每日1剂。

4. 桃叶适量。捣烂，鸡蛋清调敷眼部，每日2～3次。

5. 生地黄30克，苦杏仁20粒。同捣烂敷眼，每日3～4次。

**【名医指导】**

1. 注意休息，勿用眼过度，常做眼保健操。

2. 饮食宜清淡、易消化并富有营养。多

食新鲜蔬菜、豆制品、水果等；忌肥甘厚腻食物及烧烤、油炸、辛辣食品；有糖尿病的患者低糖饮食。

3. 忌烟、浓茶、咖啡等物。

4. 积极锻炼身体，预防感冒。

5. 控制好原发病，如糖尿病患者要控制好血糖，保持血糖稳定。

6. 定期测量血压，检查血脂、血糖；定期复查。

## 玻璃体混浊

玻璃体混浊是指玻璃体内出现不透明的物质，多由眼内组织炎性渗出、出血等侵入玻璃体内（或由玻璃体本身退行性改变）所致。其典型状症为眼前出现飘动的黑影，形态不一、深浅不等、漂浮不定，重者出现遮挡视线；镜检时可见红色背景下的黑色漂浮物。

本病中医学称“云雾移睛”。多由湿热熏蒸、血热妄行或脾肾两亏所致。

**【必备验方】**

1. 冬桑叶、黑芝麻各60克，青葙子15克。共研细末，每服6克，每日2次。

2. 黄精15克，枸杞子、菟丝子各9克，红糖适量。水煎，每日1剂，分2次服，连服10～15日。

3. 三七3克，丹参10克，鸡蛋3个。水煎至蛋熟，去壳后再煮片刻，加少量冰糖调服。

4. 枸杞子15克，熟地黄50克，粳米100克。将熟地黄加水浸泡1小时后煎2次，去渣，合并煎液，与枸杞子、粳米熬粥食，每日1次，连服10日。

5. 酸枣仁、玄明粉、青葙子各15克。共研细末，每服6克，每日1次。

**【名医指导】**

1. 注意休息，避免劳累，长时间用眼时应每隔1小时休息5～10分钟，不要长时间使用电脑。

2. 采用适当的护眼保健品，多食富含有维生素C的食物（如橙子、柠檬等）。

3. 积极预防引起玻璃体混浊的疾病，如预防眼外伤等。

## 糖尿病视网膜病变

糖尿病视网膜病变是视网膜微血管对新陈代谢、内分泌及血流动力学损害所产生的反应，一般分为单纯型（或称非增殖型）和增殖型视网膜血管扩张。增殖型视网膜扩张是糖尿病患者对周身与局部刺激的正常自我调节反应，长期扩张则产生血管与其他血管结构的改变。毛细血管周围细胞退行性变、基底膜增厚与内皮细胞增殖是糖尿病视网膜病变最早的组织病理学改变。糖尿病视网膜病变早期可无任何症状，仅在常规眼底检查时发现；当病变累及黄斑部有明显囊样水肿时，中心视觉丧失，视力减退；当视网膜前出血侵犯黄斑，玻璃体出血或有广泛增殖性视网膜病变时，视觉可突然丧失。

本病中医学属“消渴目病”范畴。消渴日久、肝肾亏虚、目失所养，因虚致瘀，目络阻滞为重要病机。本虚标实、虚实夹杂为发病特点，其病位在视网膜，晚期累及视神经，与心、肝、脾、肾有关。

**【必备验方】**

1. 瘦猪肉100克，玉米须90克，天花粉30克。将猪瘦肉炖至将熟时，加入玉米须及天花粉，以文火煎汤食。

2. 嫩豆腐250克（洗净，切块），香菇100克（洗净），食盐适量。同炖15分钟，加入酱油、味精、香油，温热服食。

3. 鲜苦瓜1个，绿茶50克。将鲜苦瓜1/3处截断、去瓤，塞入茶叶后用竹签插合，并以细线扎紧，于通风处阴干，每取10克，沸水冲泡30分钟后，代茶频饮。

4. 鲜芹菜500克，麦冬、天冬各15克。将鲜芹菜洗净，加入温开水，浸泡30分钟，捞出、切碎、榨汁、过滤、备用；麦冬、天冬洗净、晒干，研细末，一分为二，放入绵纸袋中，挂线封口。每取1袋，沸水冲泡15分钟，倒入芹菜汁混匀服。

5. 豆浆800毫升（煮沸），虾皮3克，油条25克，榨菜15克。将酱油、食盐、味精加水50毫升，煮沸，冷后加入适量醋调匀

成酱醋混合调料；油条切丁，榨菜、葱切末。将油条丁、榨菜末、虾皮、葱末以及酱醋混合调匀，以豆浆兑服。

**【名医指导】**

1. 节制肥甘厚味，避免七情内伤，节制房事，建立有规律的生活制度。

2. 严格遵照糖尿病饮食控制疗法，积极控制血糖、血脂。同时治疗糖尿病引起的各种并发症。

3. 眼底出现新鲜出血时要卧床休息，避免用眼过劳。

4. 积极锻炼身体，减轻胰岛素抵抗。

5. 控制好原发病，定期复查血糖。

## 高血压性视网膜病变

高血压性视网膜病变是由于血压长期持续性升高而引起视网膜的一些病理性改变。患者除伴有高血压病外，检查常发现有血黏度异常及血脂增高。

本病中医学属“视瞻昏渺”、“青盲”、“暴盲”等范畴。多因肾阴亏虚，水不制火，虚火上扰清窍；或酒食不节，损伤脾胃，蕴湿生痰，痰湿郁滞气血，上蒙清阳；或抑郁恼怒，肝气郁而化火，或肝阳上亢所致。临床治疗早期以凉血止血为主，出血停止即活血化瘀；后期则在活血化瘀的同时，加软坚散结、明目滋阴之品。

**【必备验方】**

1. 煅石决明 30 克，粳米 100 克。将煅石决明打碎，加水 200 毫升以大火煎 1 小时，去渣，入粳米及 600 毫升水煮为稀粥，早、晚分次温热服食，5～7 日为 1 个疗程。

2. 鲜山楂 10 枚（捣碎），白糖 30 克。水煎服，每日 1 剂。

3. 菜花 250 克，香菇 15 克，肉汤适量。将菜花、香菇洗净，用植物油炒，加入肉汤、佐料稍煮片刻，常食。

4. 花生米（带红衣）适量。入醋中浸泡 7～10 日，每晚睡前嚼食 4～5 粒，连服数月。

5. 蔓荆子、青葙子各 20 克，栀子 15 克，猪肝 250 克（洗净，切片）。将前 3 味加温水浸泡 30 分钟后煎汁，去渣，入猪肝片煮沸 15 分钟，调味后，温服。

**【名医指导】**

1. 定期健康检查，早发现、早治疗，防止并发症。

2. 保持情绪稳定，消除患者恐惧、紧张。

3. 饮食宜清淡：

（1）首先要控制能量的摄入，提倡吃复合糖类，如淀粉、玉米，少吃葡萄糖、果糖及蔗糖等。

（2）限制脂肪的摄入。烹调时，选用植物油，多吃海鱼。

（3）适量摄入蛋白质。

（4）多吃含钾、钙丰富而含钠低的食品，如土豆、茄子、海带、莴笋等。

（5）限制盐的摄入。

（6）多吃新鲜蔬菜，水果。

（7）适当增加海产品摄入，如海带、紫菜、海产鱼等。

4. 少吃动物脂肪及内脏，戒烟、酒。

5. 积极锻炼身体，控制体重。

6. 平时控制好血压，经常监测血压，发现异常波动及时就诊。

## 视盘炎

视盘炎又称视乳头炎，是指视盘局限性炎症。常见于全身性急性或慢性传染病（如脑膜炎、流行性感冒、麻疹、伤寒、腮腺炎、结核、梅毒等），也可继发于眼眶、鼻窦、牙齿等炎症。多发于儿童或壮年，以单眼多见，预后较好。临床表现为视力急剧下降，多在 0.1（20/200）以下，亦有视力减退不明显者；早期（1～2 日）有前额疼痛、眼球及眼眶深部痛，眼球运动时有牵引痛，瞳孔常散大，直接对光反应迟钝或消失，间接对光反应存在。

本病中医学属“暴盲”范畴。多为肝胆火热，上炎目窍；或肝气郁结，气机不畅，气血失和；或肝肾虚弱，目失濡养等所致。

**【必备验方】**

1. 芦荟、丁香、黑丑各 50 克，磁石 100 克。共研细末，装入胶囊，每次 3～5 粒（重

2～4 克），早、晚饭后 1 小时服。

2. 白羊肝 1 具（竹刀切片），黄连 30 克，熟地黄 60 克。将黄连、熟地黄研末，与白羊肝片同捣为丸（如梧桐子大），茶水送服，每次6～9克，每日 3 次。适用于视盘炎。

3. 菊花、桑叶各 30 克。水煎，去渣，煎浓，加少许蜂蜜收膏。白开水冲服，每次 9 克。

4. 赤小豆、薏苡仁各 30 克，金针菜、白扁豆各15 克。水煎，每日 1 剂，分 2 次服。

5. 生石膏 6 克，冰片 3 克（另研）。共研细末，每取少许，吸鼻，每日 2～3 次。

**【名医指导】**

1. 注意眼部卫生，预防细菌感染。

2. 节制肥甘厚味、辛辣之品；多食富含维生素的水果和蔬菜，特别是 B 族维生素的食物，如胡萝卜、豆类、糙米、牛奶、瘦肉、蛋黄及绿叶蔬菜等。

3. 保持情绪稳定，避免七情内伤。

4. 查出病因，清除病灶。

## 球后视神经炎

球后视神经炎为视神经穿出巩膜后至视交叉前的一段神经发生的炎症。本病的主要临床表现为急性者与视盘炎相同，以视力急剧下降，眼球转动时眶内胀痛为主；慢性者除视力下降明显外，有视力波动及昼盲现象，即光线越明亮视力反越差。

本病中医学急性者属“暴盲”范畴，慢性者属“视瞻昏渺”、“青盲”等范畴。中医学对本病的认识和视盘炎的大致相同，慢性者在病因病机上更重视内伤七情、五脏六腑功能失调、气滞血瘀等的关系，虚实夹杂等情况更为多见。

**【必备验方】**

1. 香附、白芷、郁金、青皮、柴胡、泽兰各 10 克，丹参、川芎、藁本、防风、白芍、白术各12 克。水煎服，每日 1 剂。

2. 针刺治疗：选太阳、攒竹、睛明、四白、鱼腰、风池、球后、肝俞、肾俞、足三里、三阴交、合谷，每次选局部穴、远端穴各 2～4 个，轮流施针，根据患者虚实，采用补泻手法。每日 1 次，留针 30 分钟，10 次为 1 个疗程，每疗程间休息 2～5 日。

3. 生甘草 6 克，栀子、车前子、夏枯草、泽泻、青葙子、桃仁各 10 克，决明子、菊花、龙胆、黄芩、柴胡、牡丹皮、生地黄各 12 克，石决明 15 克。水煎服，每日 1 剂。

4. 制半夏、浙贝母、生甘草各 12 克，炒白芥子、紫苏子各 9 克，桔梗、生牡蛎各 15 克，连翘、薄荷各 24 克，马勃 10 克，地丁 18 克，炒莱菔子、半枝莲、白花蛇舌草各 30 克，生白术、黄芩各 6 克。上药以水没药为度，浸泡 1 小时，武火煎沸 20 分钟后取汁；第二次文武火煎 40 分钟取汁；将两次药汁混合、过滤，分 2 日空腹温服，30 日为 1 个疗程。

**【名医指导】**

1. 饮食宜清淡、易消化、营养丰富；忌辛、辣、炸烤食物；多食新鲜水果、蔬菜及凉性素菜，如冬瓜、梨、香蕉、西瓜；可适当增加动物肝、牛奶、蛋黄，勿暴饮暴食。

2. 戒烟、酒。

3. 保持情绪稳定、心情舒畅，积极配合治疗。

4. 适当体育锻炼，生活规律；保证充足睡眠，必要时睡前给予镇静药。

5. 预防感冒。

6. 定期复查。若出现视力下降或其他不适，应及时到医院就诊。

## 视盘水肿

视盘水肿又称视乳头水肿，是视盘的非炎症性水肿。它不是一个独立的疾病，常因颅内压增高或其他因素使视神经受到机械性压迫而产生的淤血性水肿。如由全身性疾病与颅内压增高所致者，常双眼发生；由局部因素引起的多为单眼发生。临床症状有头痛、呕吐等；视力正常或有一过性黑矇，少数病人有复视。

本病早期中医学属“视瞻昏渺”范畴，晚期继发视神经萎缩而失明者属“青盲”范畴。本病主要与肝、脾、肾有关。因肝主疏泄，又连目系，若肝经湿热，影响疏泄，致

气机不畅，目内津液不得疏泄流通而发生肿胀；或因肝气郁久，肝木横克脾土，致脾湿不运，水湿停滞而产生目系水肿；或肾之阴精不足，不能济养肝阴，肝肾阴虚，阴不潜阳，肝阳上亢，气血不畅导致目系水肿。

**【必备验方】**

1. 法半夏、陈皮、云苓、泽泻、车前子、荷叶、枳壳、川芎、丹参各10克，通草、甘草梢各6克。水煎服，每日1剂。

2. 柴胡15克，香附、郁金、当归、白芍、云苓、白术、六神曲、牡丹皮、竹茹、茵陈、川芎、墨旱莲各10克，甘草、延胡索各6克。水煎服，每日1剂。

3. 当归、白芍、茯苓、白术各10克，山药12克，焦曲、银柴胡、香附、郁金各6克，甘草、赤芍各5克。水煎服，每日1剂。口苦咽干者，加牡丹皮5克，栀子10克；视乳头水肿较重者，加猪苓、泽泻、车前子各10克。

4. 牛膝、生赭石各30克，生龙骨、生牡蛎、生石决明、生龟板、白芍、玄参、天冬各15克，茵陈、夏枯草各6克，甘草5克。水煎服，每日1剂。视网膜出血明显者，加女贞子、墨旱莲各15克；大便干结者，加草决明、何首乌各10克；头部抽痛者，加天麻、钩藤各10克。

5. 白术6克，茯苓、芍药、生姜、附子各10克。水煎服，每日1剂。气虚明显者，加党参、葛根各10克；腰酸腿软者，加枸杞子、桑寄生、杜仲各10克。

**【名医指导】**

1. 若出现视力减退、重影，应及时到医院就诊。

2. 每日摄入足够的维生素A，多食各种动物的肝脏、鱼肝油、奶类和蛋类、胡萝卜、苋菜、菠菜、韭菜、青椒、红心白薯以及橘子、杏子、柿子等；同时多食富含维生素C的食物；少食肥甘厚腻、辛辣刺激性食物；忌可乐及油炸食品、垃圾食品等。

3. 注意休息，劳逸结合；患病期间少用眼。

4. 定期检查。

## 视神经萎缩

视神经萎缩为视神经的退行性变，以眼底视盘苍白及视功能障碍为特点。多为青光眼、视神经视网膜病变、肿瘤、外伤、颅内炎症（少数为遗传因素、中毒或梅毒）所致。临床分为原发性视神经萎缩和继发性视神经萎缩。前者视神经以往无水肿或炎症迹象，后者则因以前曾有水肿或炎症所致。临床主要表现为视力减退、视野损害、视盘色淡或苍白，严重者可完全失明。

本病中医学属“青盲”范畴（又称“黑盲”）。多因先天禀赋不足；或久病体虚气血不足；或劳伤肝肾，精气亏损，致目系失养；或肝肾气滞，气机不达；或外伤头目，经络受损，气滞血瘀等致目络瘀阻，玄府闭塞所致。其病机主要为目系失养、目络瘀阻。

**【必备验方】**

1. 菟丝子150克（酒浸5日，晒干），熟地黄90克。共研细末，炼蜜为丸（如梧桐子大），每日早、晚空腹各以温酒送服30丸。

2. 嫩桑叶100克，黑芝麻120克，蜂蜜500克。将桑叶去梗、洗净、晒干、研细末；黑芝麻洗净、捣碎、熬浓汁，和蜂蜜炼至滴水成珠，入桑叶末为丸（如梧桐子大）。每服9克，空腹盐汤送下。

3. 紫苏子适量。研细末，炼蜜为丸（如梧桐子大），饭后米汤送服，每次10～20丸，每日2～3次。

4. 黑豆100粒，黄菊花5朵，芒硝18克。加水1杯煎至七分，熏洗患眼，5日1换。

5. 枣树皮、老桑树皮各等份。烧灰（存性），共研末，每取6克，水煎，取澄清液洗眼，每日3次。

**【名医指导】**

1. 注意避免用眼过度，切忌目不转睛，多眨眼。注意不要强光直射眼睛。防止眼外伤。

2. 少吹空调，避免座位上有气流吹过；在座位附近放置茶水，以增加周边湿度。

3. 多吃柑橘类水果及绿色蔬菜、粮食、

鱼和鸡蛋。

4. 避免使用隐形眼镜，要戴框架眼镜。

5. 积极治疗引起本病的病因。

6. 患者应保持良好的心态，建立战胜疾病的信心。

## 麻痹性斜视

麻痹性斜视系由于一条或数条眼外肌完全或不完全麻痹所引起之眼位偏斜，由支配眼外肌的神经核、周围神经或肌肉发生功能障碍所引起。为临床常见眼病，多为单眼发病，起病突然，伴有复视、头晕、恶心呕吐及步态不稳等症状。

中医学多根据主观症状命名，以复视症状为主者，称“视歧”、“视一为二”；以眼位偏斜为主者，称“目偏视”、“神珠将反”；以上睑下垂为主症者，称“上胞下垂”、“睑废”；偏斜严重而角膜几乎不能见者，称“瞳神反背”。其发病原因多由肝阳上亢，脾胃虚弱，中气不足，外受风邪所致。

**【必备验方】**

1. 羌活、独活、钩藤、天麻各 12 克，荆芥、防风、薄荷、川芎各 10 克，蝉蜕、甘草各 6 克。每日 1 剂，水煎，分 2 次服。

2. 当归、白芷、生地黄各 15 克，白芍、川芎、藁本、防风各 10 克，细辛 3 克。水煎服，每日 1 剂，分 2 次服。

3. 黄芪 30 克，当归、川芎、丹参、陈皮、僵蚕、白附子各 10 克，全蝎 3 克，胆南星 6 克。水煎服，每日 1 剂，分次服。

4. 针刺疗法：

(1) 动眼神经型：攒竹透睛明、阳白透鱼腰、四白透承泣、足三里、三阴交。

(2) 外展神经型；瞳子髎透太阳、太阳透悬厘、足临泣、三阴交。

(3) 滑车神经型：阳白透鱼腰、攒竹透丝竹空、合谷、三阴交。

(4) 以上诸穴采取平补平泻手法，留针 30 分钟，隔 10 分钟行针 1 次，

5. 推拿疗法：用一指禅推睛明、四白、太阳穴，然后用双手拇指分别按揉百会、攒竹、睛明、丝竹空、风池、太阳穴，再用双手拇指指腹分抹眼眶周围，反复施行 20 分钟后患者取坐位，术者点揉其肝俞和胆俞穴，推拿对侧合谷及下肢光明穴，共 5～10 分钟，每日 1 次。

**【名医指导】**

1. 尽量不要让孩子注视近距离及同一方向的物品。

2. 如果发现孩子在 4 个月时已有斜视，可试用以下简单方法调节：如是内斜，父母可在较远的位置与孩子说话；或在稍远的正视范围内挂些色彩鲜艳的玩具，并让孩子多看些会动的东西。

## 老年性黄斑变性

老年性黄斑变性是一种随年龄增加而导致中心视力下降的眼病。发病年龄一般在 50 岁以后，多双眼发病，可先后不一，无性别倾向。其发病机制尚不清楚。目前认为，黄斑区长期慢性的光损伤可能为导致视网膜色素上皮代谢功能衰退的重要原因。临床分为干性和湿性两类。干性老年性黄斑变性多表现为双眼对称性的视力缓慢进行性下降；湿性老年性黄斑变性多表现为单眼视力突然发生障碍。

本病中医学属“视瞻昏渺”、“视瞻有色”、“青盲”等范畴。多因老年体衰，肝肾亏损，目失所养；或脾气虚弱，脾失健运，水湿停滞，上泛于目；或脾不统血，血溢络外而致。

**【必备验方】**

1. 黑芝麻适量。炒香，研细末，每取 1～2汤匙，加白糖或蜂蜜，以开水冲服。

2. 猪腿骨 1 根，昆布 1 把。同煨炖，加食盐、味精调服。适用于老年性黄斑变性。

3. 紫菜 100 克，蜂蜜 250 克。将紫菜研末，每取 6 克，加开水一小杯，蜂蜜 1 匙调匀服食。

4. 黄芪、枸杞子各 30 克。水煎，每日 1 剂，分服 2 次。

5. 川芎 150 克，决明子、菊花各 250 克。共研细末，装布囊作枕头。

**【名医指导】**

1. 老年人若发觉视力下降、视物模糊，应及时前往医院就诊。

2. 有原发性高血压、肾炎、糖尿病等全身慢性疾病患者，平时除控制好原发病外须定期检查眼底，观察黄斑区变化。

3. 在强光下宜戴深色眼镜。

4. 出血期宜安静休息，避免情绪刺激，保持乐观心态。

5. 忌烟、酒。

6. 注意劳逸结合，不要过度用眼；注意休息，不要过于操劳；可多出去走走，特别是绿化较好的地方。

7. 饮食宜清淡，忌辛辣、肥甘厚腻之品；多食对眼睛有益的富含维生素的食物，如豆类食品、蔬菜、水果；糖尿病患者严格遵循糖尿病饮食原则。

## 近视眼

近视眼是指在无调节状态下，平行光线进入眼内经屈光系统折射后在视网膜前方形成焦点导致不清晰物像的病症。临床分为真性近视和假性近视。真性近视又分为轴性近视和屈光性近视。轴性近视与眼球发育不良和遗传有关，不良的工作习惯也可加速其发展；屈光性近视是由屈光间质的屈光力超出常度，如角膜膨隆或圆锥角膜、球形晶状体、早期老年性白内障等。假性近视为调节痉挛引起，多见于青少年。真性近视是指望远距离视物模糊而近距离则较清楚，并有视力疲劳（如眼胀痛、头痛、视物有重影）；严重者可见眼球突出（或外斜视），眼底检查可见视乳头颞侧有弧形斑或视网膜呈豹纹状眼底改变，玻璃体混浊或液化。

中医学认为，本病多因肝肾不足、气血亏损所致。

**【必备验方】**

1. 龙眼肉、龙眼核、枸杞子各适量。水煎，代茶饮，每日1剂，连服2个月。

2. 鸡蛋1个，牛奶1杯，蜂蜜1匙。将牛奶煮沸，打入鸡蛋，待温加蜂蜜服。

3. 远志（甘草水浸）、石菖蒲各60克，茯苓90克，人参、黄芪（蜜酒炙）各120克。共研细末，炼蜜为丸（如梧桐子大）。每服100丸，空腹米汤或温酒送服。

4. 白矾（研末）、生姜（洗净，去皮，捣烂）各6克，黄连（研末）、冰片（研末）各0.6克。调匀用双层纱布覆盖双眼，然后在眉上1横指往下、鼻上一横指往上、两边至太阳穴区域内，敷上药泥。眼区部可略厚一些，静卧至药干为止。每日1次，连用7～10日。

5. 菠菜、猪肝各125克。将菠菜洗净，入沸水中烫片刻，切段；猪肝切薄片，与食盐、味精、水豆粉拌匀。将清汤烧沸，加入生姜、葱白、熟猪油煮数分钟，入猪肝片及菠菜煮熟，佐餐常服。

**【名医指导】**

1. 注意用眼卫生，纠正不良习惯，如躺着、走路、乘车看书；在强光下或暗处看书，或长时间及近距离阅读。

2. 做眼保健操，参加体育锻炼；特别多参与室外活动，与大自然接触。

3. 已确诊并影响学习与工作者应佩戴适度近视眼镜。

4. 多食富含营养食物，特别是富含维生素的食物，如瘦肉、牛肉、鸡、鱼、蛋、牛奶、各种肝类、豆制品及蔬菜。

5. 注意劳逸结合，不要用眼过度，阅读或看屏幕1小时后须远眺放松睫状肌。

# 第四十一章 耳科疾病

## 外耳道炎

外耳道炎是由细菌感染引起的外耳道弥漫性非特异性炎症，以耳痛（或痒）、外耳道肿胀为主要特征。急性外耳道炎表现为耳痛，局部皮肤红肿，表皮糜烂，有少许稀脓性分泌物，带少量血液。耳周淋巴结肿大，有压痛，鳞状上皮脱落后可形成胆脂瘤，鼓膜充血。慢性外耳道炎表现为外耳道皮肤增厚、深处有干碎屑脱落，可见灰褐色或绿色臭味分泌物，鼓膜光泽消失、增厚，标志不清或有小肉芽形成；日久失治者，可形成耳道狭窄症。

本病中医学称“耳疮”、“耳痟”等。多由风热外袭、肝火上炎，或肝胆湿热循经上犯所致。

**【必备验方】**

1. 附子、石菖蒲、蝉蜕各等份。共为末，耳痛者香油调搽；耳痒者，生姜汁调成锭子，用纱布裹好，塞入耳中，药干便换。

2. 苦参 15 克，黄柏 5 克，枯矾、冰片各 3 克（研细末），芝麻油 150 克。将苦参、黄柏，焙干后研粗末以香油烧沸炸至焦黑，冷却后入冰片、枯矾调匀，去渣，用消毒棉蘸药液塞入外耳道内，每日 1 次。

3. 苦参、威灵仙各 30 克。加水 250 毫升煎取 60 毫升，过滤，凉后加入冰片 2 克调匀，滴耳，每次 2 毫升，每日 2 次，15 日为 1 个疗程。

4. 五倍子 30 克，枯矾 15 克（研末）。将五倍子加水 1 碗煎至 2/3 碗，去渣，入枯矾末调匀，取澄清液滴耳。

5. 蟾酥 1 克（研末），甘油 200 毫升。混匀，涂于患处，每日 2～3 次。

**【名医指导】**

1. 凡有化脓性中耳炎、耳疖肿、婴儿湿疹者，应注意局部干净与干燥，保持耳及其周围清洁；注意不要乱挖耳朵。

2. 切忌水洗。如其污秽或痂皮堆积，可先用植物油涂擦；待其疏松之后再用纱布或消毒过的软纸轻轻擦净。必须清洗者，用苦参汤。

3. 痒时忌搔抓，必要时用食盐水滴在痒处（其浓度以能达到止痒为标准）。如果是小儿，要防止其乱抓搔擦。

4. 按时更换外用药，按时进服内服药。

5. 患病期间忌酒类、辛辣食品（大葱、大蒜、韭菜、辣椒、胡椒、芥菜、雪里红、姜、咖喱）、腥物、淡水产品、海鲜。

6. 洗澡、理发、浴身时注意防止污水入内，在洗头、游泳之前可以用特制的橡皮塞或干净的棉球堵塞外耳道。患病之后禁止游泳。

## 化脓性中耳炎

化脓性中耳炎俗称耳朵底子，是由细菌感染所致的中耳化脓性病变，分为急性化脓性中耳炎和慢性化脓性中耳炎。急性化脓性中耳炎临床表现为起病急剧，耳痒、肿胀、疼痛剧烈、听力减退、耳鸣，流脓后疼痛消失或减轻，常伴有发热、疼痛等。慢性化脓性中耳炎常在急性传染病后期而诱发，表现为耳内肿胀疼痛，有黑臭或清白稀脓且断续不停，日久可有头晕、听力减退、耳鸣等。

本病中医学称“脓耳”。多因肝胆、三焦蕴热，复感外邪、风热上扰、凝聚于耳底，蕴久腐化成脓。临床治疗以清热解火、散风

化湿、滋阴降火等为主。

**【必备验方】**

1. 薏苡仁18克，金银花12克，柴胡9克，鳖甲15克，红糖适量。将金银花、柴胡、鳖甲水煎汤，去渣，入薏苡仁、红糖煮粥食，每日1剂，连服5剂。

2. 水鸭1只，鹿茸5片，枸杞子20克，生姜2片。将水鸭去毛及内脏，切块，与鹿茸、枸杞子、生姜同炖3小时，调味后服食。

3. 鲜蒲公英全草。洗净，捣汁，滴耳，每日3次。3～5岁每日3株，6～10岁每日5株，10岁以上每日7株。

4. 苦参15克，冰片6克，香油30克。将香油烧沸，入苦参炸至焦黄，去渣，入冰片搅匀，滴耳，每日3次，每次2～3滴。

5. 猪胆2个，枯矾15克（用铁勺熔化白矾即成枯矾）。趁热把猪胆刺破，胆汁流入枯矾内，干后刮下，研粉，吹耳内，每日1次。

**【名医指导】**

1. 生活、工作、学习环境温度不宜过高；加强营养；睡觉时应使患耳朝下，以利于脓液顺利排出。

2. 注意防止液体进入中耳，患病时禁止游泳、潜水；避免沐浴、理发、雨水中行走时液体进入外耳道，保持外耳道及其周围干燥。

3. 及时治疗咽鼓管周围的器官炎症，如鼻炎、鼻咽炎、咽炎、扁桃体炎等。

4. 急性患者应及早治疗；当发热减退之后，还应继续服用抗生素1周，以防止转成慢性。

5. 养成良好的生活习惯，早睡早起，保证充足的睡眠。

6. 对婴儿要采用正确的哺乳姿势，即授乳时将婴儿取头高位授乳，切忌横位授乳；橡皮管嘴的吸孔不宜太大太多，以防乳液呛入中耳引起细菌感染。

7. 平时擤鼻涕时不能太用力，勿同时捏紧两侧鼻孔。

8. 禁止乱挖耳朵。

## 梅尼埃病

梅尼埃病又称美尼尔综合征、膜迷路积水，是由于内耳膜迷路水肿导致的、以发作性眩晕、波动性耳聋和耳鸣为主要表现的内耳疾病，一般为单耳发病，以青壮年多见。

本病属中医学“耳眩晕”范畴。

**【必备验方】**

1. 陈皮、竹茹各9克，薏苡仁30克，珍珠母20克。将陈皮、竹茹、珍珠母布包，水煎，去渣，入薏苡仁煮粥，加红糖调服，每日1剂，连用1周。

2. 山药30克，茯苓20克，嫩豆腐400克，鲜虾仁200克。将鲜虾仁加生粉、食盐、料酒腌渍10分钟左右；嫩豆腐切丁，山药、茯苓切薄片。将豆腐置碗内中心，山药、茯苓铺在周围，隔水蒸10分钟，倒入虾仁、香油、葱花、生姜末蒸10分钟，佐餐食用。

3. 葡萄、芹菜各适量。分别洗净，捣汁，温开水送服，每日3次，连用1周。

4. 独活20克，鸡蛋4个。水煎至蛋熟，去壳后再煮15分钟，去汤及药渣，食鸡蛋，每次2个，每日2次，3日为1个疗程，连用2～3个疗程。

5. 粳米、核桃仁（捣烂）各50克。将粳米加水800毫升煮成稀粥，加入核桃仁泥，煮沸，早、晚温服，连服数日。

**【名医指导】**

1. 保持情绪稳定，忌烦躁、焦虑；树立战胜疾病的信心。

2. 宜低盐、低脂、清淡易消化饮食，建议每日摄盐量＜1.0克。适当控制摄入水量。忌辛辣刺激、肥甘厚味之品。眩晕发作时不宜进食，防止呕吐物呛入呼吸道。

3. 保持乐观的心态，与家人多交流。

4. 起居有常，保证睡眠充足；勿劳力或劳神过度。

5. 平时注意适当锻炼身体，增强体质。

6. 发作时应卧床休息，避免声音、光线等刺激。

7. 禁用耳毒性药物；忌烟、酒、浓茶、咖啡等。

8. 避免接触变应原，控制全身过敏性疾病；积极治疗全身伴随症状。

## 特发性耳聋

特发性耳聋是突然发生的原因不明的感音神经性听力损失。临床表现为听力一般可在数分钟或数小时内下降至最低点（少数患者在3日以内达到最低点），可伴有耳鸣及眩晕。好发于中、老年人，脑力劳动者有多发倾向，与病毒感染和内耳循环障碍有关。

本病中医学属“暴聋”范畴。由于肝火亢盛、痰火阻滞、上扰于耳，或肾精亏虚、脾胃虚弱、不能上充于清窍、耳部经脉空虚所致。

**【必备验方】**

1. 泽泻30克，天麻10克，陈皮12克，法半夏9克。水煎服，每日2次。适用于痰火郁结型特发性耳聋。

2. 葛根适量。研粉，装胶囊（每粒含药0.5克），吞服，每次3～4粒，每日2～3次，1个月为1个疗程，连用1～2个疗程。

3. 路路通15克。用冷水浸泡1小时后煎汁，频饮，每日1剂，5日为1个疗程。

4. 石榴皮50克，黄柏15克。水煎2次，合并煎液，浓缩成150毫升，滴耳，每次数滴，5分钟1次（反复3～5次），每日2次。

5. 小珍珠2粒，生半夏粉3克。以米汤调如黄豆大，用丝棉裹好塞耳内，每日2次。

**【名医指导】**

1. 有残余听力者可借助助听器提高工作、生活质量；适当运动，做局部按摩，保持良好心态，避免烦躁、大怒。

2. 避免剧烈震荡或巨音声浪袭击，作业者应戴上防护用品，以防巨响震耳。

3. 饮食宜清淡且富营养；忌油腻、煎炸之品；戒烟、酒。

4. 杜绝近亲结婚，积极防治妊娠疾病，减少产伤。

5. 保持居室环境的卫生整洁及空气流通，避免外感风寒或风热。

6. 避免使用耳毒性药物。必须使用时应在用药期间及时检查听力，若发现中毒征兆应尽快停药。

## 感音神经性聋

感音神经性聋是指由于螺旋器毛细胞、听神经、听传导径路或各级神经元受损害，以致声音感受与神经冲动传递障碍。

本病中医学称“久聋”。因脏腑失调、气血阴阳亏虚，或经脉阻痹、气滞血瘀所致。

**【必备验方】**

1. 核桃仁12克，黑芝麻、面粉各30克。将核桃仁、黑芝麻分别研碎；面粉炒熟，与核桃仁、黑芝麻及适量白糖搅匀，每日以少量开水冲服。

2. 竹茹、陈皮各10克，粳米50克。将陈皮切丝备用；竹茹水煮，去渣，入粳米煮粥，入陈皮丝稍煮，早、晚分食。

3. 芹菜（连根）120克（洗净，切碎），粳米250克。同煮粥，每日1剂，早、晚分食，连用数剂。

4. 枸杞子30克，山茱萸15克，嫩鸡半只（约600克），香肠50克。将香肠切片，鸡剁成块，加入酱油、蚝油、食油、料酒、白糖、生粉、食盐、香油、胡椒粉拌匀，腌渍15分钟。将枸杞子、山茱萸、香肠片、生姜片与鸡块拌匀，放在盆内（加盖），入微波炉用高功率火转8分钟取出，翻动一下鸡块，撒少许葱段，再转1分钟，即可佐餐食。

5. 甘遂、甘草各等份。共研细面（用棉花包），塞耳（左耳塞甘遂，右耳塞甘草），睡前塞入，次晨取出。

**【名医指导】**

1. 杜绝近亲结婚，积极防治妊娠疾病，减少产伤。早期发现婴幼儿耳聋，尽早治疗；或尽早做听觉言语训练。

2. 避免颅脑损伤，尽量减少与强噪声等有害物理因素和化学物质接触。

3. 忌辛辣、油腻之品，戒烟、酒。

4. 有药物中毒史者、肾功能不全、孕妇、婴幼儿和已有耳聋者慎用耳毒性药物。

5. 精神性聋（癔症性聋）可慎重实行暗示疗法。中度和重度感音神经性耳聋者可配助听器。

6. 积极治疗原发病及全身性疾病。

# 第四十二章　鼻科疾病

## 急性鼻炎

急性鼻炎因机体受凉、过劳、抵抗力降低（或鼻腔黏膜防御功能受到破坏）致使病毒侵入生长繁殖而产生的鼻腔黏膜急性卡他炎症，常伴有急性鼻咽炎（俗称“伤风”或“感冒”），为病毒飞沫传播所致。常见致病病毒有鼻病毒、腺病毒、流感和副流感病毒以及冠状病毒等。临床主要表现为鼻内干燥、烧灼和痒感，打喷嚏、流大量清鼻涕、鼻塞、嗅觉减退，可有发热、咽干、全身不适，鼻腔黏膜弥漫性红肿、流大量水样或黏液性分泌物（后期可为脓性分泌物）。

本病中医学称“伤风鼻塞”、“急鼻室”。多由风寒或风热之邪壅塞肺系、犯及鼻窍所致。

**【必备验方】**

1. 白芷 30 克，薄荷、辛夷花各 15 克，苍耳子 7.5 克（炒）。共研细末，饭前葱茶汤送服，每次 6 克，每日 3 次。

2. 生姜、大枣各 9 克，红糖 70 克。水煎，代茶饮，每日 1 剂，连用 3～5 日。

3. 白菜心 250 克，白萝卜 100 克，红糖适量。煮汤服。

4. 鲜白萝卜、大蒜头各等份。同捣汁，每取 1 毫升，于早、晚滴鼻，7 日为 1 个疗程，连用 2～3 个疗程。

5. 瓜蒂、藜芦各等份。共研细末，以消毒棉花包裹塞入鼻腔，每日 2 次，连用 3～5 日。

**【名医指导】**

1. 及时诊断治疗，避免与传染病者接触。鼻部有病变者，如鼻中隔偏曲、鼻息肉等应及早治疗

2. 积极去除上呼吸道病灶，如鼻窦炎、扁桃体炎、慢性咽炎等。

3. 在冬春寒冷季节或感冒流行期间，外出须戴口罩。室内空气宜新鲜，保持流通。

4. 避免公众集会，尽量少去公共场所；对发病者做好隔离工作。

5. 平时应注意体育锻炼，勿过度劳累或暴冷暴热。

6. 注意营养，多食富含维生素的食物、水果；多饮水，饮食宜清淡、易消化，保持大便通畅。

7. 平时可进行鼻子局部按摩。

8. 注意正确的擤鼻涕的方法，宜按压一侧鼻孔稍稍用力外擤；之后交替擤鼻。

9. 冬季可选用加湿器，以避免室内空气过于干燥而引发的鼻腔不适症状。

## 慢性鼻炎

慢性鼻炎是因全身、局部或职业环境等因素引起鼻腔黏膜和黏膜下层的慢性炎症，包括单纯性鼻炎和慢性肥厚性鼻炎。前者临床表现为鼻塞（呈交替性和间歇性）、多涕（常为黏液性涕）；后者临床表现为严重鼻塞（多为持续性），鼻涕不多（较黏稠），不易擤出等。病变迁延不愈，可影响到嗅觉功能。

本病中医学属“鼻渊”、“鼻鼽”、“鼻槁”等范畴。多因素体肺脾气虚，卫外不固，加之调摄不慎，反复感受风寒或风热之邪，内外相合而成。临床主要分为风寒、风热和气滞血瘀等证型。

**【必备验方】**

1. 黄芪 20 克，山药 15 克，大枣 8 枚

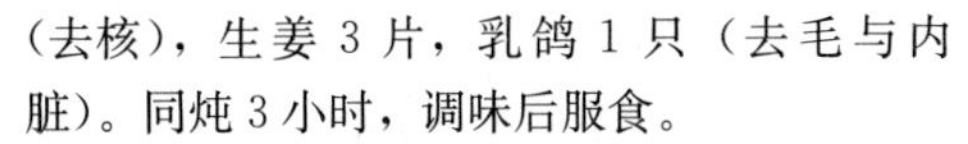

（去核），生姜3片，乳鸽1只（去毛与内脏）。同炖3小时，调味后服食。

2. 桑叶、甜杏仁各9克，菊花18克，粳米60克。将前2味水煎，去渣，入甜杏仁、粳米煮粥食，每日1剂，连服数剂。

3. 猪脑2副，川芎15克，辛夷10克。将猪脑洗净，剔去筋膜；将川芎、辛夷水煎，去渣，入猪脑及食盐、胡椒炖熟，分2次服食。

4. 大蒜3～5瓣（去皮），陈醋1瓶。同浸泡2日；再用新红砖1块，放火上烧烫，取下，用2汤匙醋倒在热砖上，熏鼻，每日2次，连用7日。

5. 鱼脑石粉9克，辛夷6克，细辛3克，冰片0.9克。共研细末，吹鼻内，每日3次。

**【名医指导】**

1. 积极治疗急性鼻炎、感冒、牙痛及鼻窦炎症，防止发展成慢性鼻炎。若鼻腔畸形，及时矫正。

2. 鼻腔有分泌物时不要用力擤鼻，应堵塞一侧鼻孔擤净鼻腔分泌物，再堵塞另一侧擤净。遇寒冷天气，需戴口罩或待在温暖地方。

3. 加强体育锻炼，增强体质，预防感冒。

4. 饮食清淡，多食新鲜蔬菜、水果。多食富含维生素A、维生素$B_2$、维生素C、维生素E、铁元素的食物。保持大小便通畅。

5. 改善生活环境，注意劳动保护，在有粉尘环境下需戴口罩。戒烟、限酒。

6. 鼓励患者战胜疾病。

7. 养成良好的生活习惯，早睡早起，保证充足的睡眠。避免用手挖鼻。

8. 经常用冷水洗脸，增强鼻黏膜的抵抗力。

## 干燥性鼻炎

干燥性鼻炎是以鼻腔黏膜的黏液腺体萎缩、分泌减少、鼻腔干燥为特点的慢性鼻炎，与气候及职业因素有关。临床表现为鼻腔前部干燥、分泌物黏稠、鼻中隔黏膜糜烂（或溃疡穿孔）、鼻涕带血、鼻内刺痒感等。无鼻黏膜和鼻甲萎缩现象。嗅觉一般不减退。鼻镜检查可见鼻黏膜深红色，表面干燥无光，鼻道有丝状分泌物；鼻中隔前下区黏膜糜烂，可有小片薄痂附着，去之常出血。

本病中医学称“鼻燥”。多因体质较虚、吸入不洁气体所致。临床治宜滋阴润燥。

**【必备验方】**

1. 鲜石斛20克，粳米30克，冰糖适量。将鲜石斛水煎，去渣，入粳米煮成粥，加入冰糖，早、晚分服。

2. 天冬、玉竹各10克，麦冬、黑芝麻各15克。水煎，每日1剂，分2次服，7日为1个疗程，连用2个疗程即愈。

3. 野菊花、黄连各10克，蜂蜜60克。隔水蒸1～2小时，去野菊花、黄连，加入冰片（10克）及蜂蜜调匀，擦鼻内，每日3～5次。

4. 苍耳子100克，辛夷、白芷10克，香油500毫升，甘油20毫升。将前3味捣碎，与香油浸泡24小时后用文火煎枯，去渣，加入甘油混匀，搽于鼻腔，每日3～5次。

5. 当归10克，白芷6克，薄荷3克，冰片1克。水煎2次，合并煎液浓缩，入适量蜂蜜混匀，滴鼻。

**【名医指导】**

1. 改善生活、工作环境，避免长期吸入干燥、多灰尘及刺激性气体。避免高温环境下作业。

2. 平衡饮食，纠正营养不良，少吃辛辣、煎炸等刺激性食物。适量服用鱼肝油丸或维生素$B_2$。

3. 定期滴、涂有营养及润泽鼻腔的制剂，避免使用强烈收缩血管的制剂。

4. 保持良好心态，不急不躁。

5. 戒烟、酒。

6. 保持室内空气湿润。可适当做鼻部按摩。

## 萎缩性鼻炎

萎缩性鼻炎是一种以鼻黏膜慢性炎症和进行性萎缩、嗅觉消失、鼻腔内结痂形成为特点的鼻病，分为原发性和继发性两种。继

发性患者多为鼻腔疾患或鼻腔手术中过多损坏鼻腔组织所引起，表现为鼻咽部干燥、鼻塞、鼻出血、嗅觉障碍、恶臭、头痛等，检查可见鼻腔宽大，有灰绿色脓痂充塞，自幼发病者鼻梁宽平如鞍状。

本病中医学称“鼻槁”。因脏腑不足、阴津亏损所致。临床常见有肺脏亏虚、脾弱湿困、肾虚水涸等证型。

**【必备验方】**

1. 百合（去皮，洗净）、银耳各适量。加水以文火煮烂，加白糖调服。

2. 山药50克，甘蔗汁30克，石榴汁18克，生鸡蛋黄4个。将山药水煎一大碗，去渣，入后3味，每日1剂，分3次温服。适用于肺阴亏虚型萎缩性鼻炎。

3. 白参70克，白茯苓150克，鲜地黄750克，蜂蜜500克（炼净）。将人参、茯苓研细末，生地黄捣汁、去渣，另用绢滤蜜；同放入瓷器内封固，隔水炖3日，取（用蜡封口）出，放凉处去火毒，凉后再放入旧汤内煮1日（出水气）。每日晨起空腹服1匙。适用于脾气虚弱型萎缩性鼻炎。

4. 黄连6克（煎汁1酒杯），大蒜头1个（捣汁）。混匀，滴鼻，每次数滴，每日3～5次。

5. 桃树嫩枝叶1～2支。揉碎（布裹），塞鼻内，每日4次。

**【名医指导】**

1. 改善生活、工作环境，接触粉尘及化学气体工作者应戴口罩。

2. 加强营养，补充维生素。多饮水；多吃蔬菜、水果。忌烟、酒、辣椒、咖啡及煎炸食品。

3. 禁用麻黄碱液、盐酸萘甲唑林滴鼻液等鼻黏膜收缩剂。

4. 应长期戴口罩。夏天可用水湿润后再戴，随干随即加湿。

5. 冬天火炉上放上水壶，不加壶盖，让蒸汽尽量蒸发以湿润空气。

6. 养成良好的生活习惯，勿经常用手挖鼻。

7. 室内保持新鲜、通畅、湿润的空气。

## 变应性鼻炎

变应性鼻炎又称过敏性鼻炎，是指机体对某些物质敏感性增高而出现的以鼻黏膜肿胀为主的变态反应性炎症，多呈阵发性发作。临床主要表现为鼻痒、打喷嚏、流清涕、鼻塞、嗅觉减退（或消失）等。

本病中医学称“鼻鼽”、“鼽嚏”。多因肺气虚弱、气机阻滞（多兼脾肾气虚）所致。临床治宜温补肺气、祛风散寒、健脾益气。

**【必备验方】**

1. 茯苓30克。水煎3次，去渣，取汁，和面粉250克，以瘦猪肉、葱、姜拌为馅，制成包子食，每日数个。适用于过敏性鼻炎伴面色黄胖、大便溏稀者。

2. 辛夷、苍耳子各15克，白芷30克，薄荷6克。共研细末，每取6克，沸水冲服。

3. 菟丝子15克（捣碎），细辛5克，粳米100克。将菟丝子、细辛水煎，去渣，入粳米煮粥，加白糖调服。

4. 肉苁蓉、金樱子各15克，羊肉、粳米各100克，葱白2根，生姜3片。将肉苁蓉、金樱子水煎，去渣，入羊肉、粳米煮粥，加入食盐、生姜、葱白稍煮即可。

5. 生斑蝥适量。去翅，研细末，米醋调敷于印堂穴，外用胶布贴盖，24小时后去掉。不愈者，1周后重复使用1次。

**【名医指导】**

1. 改善居室环境，减少户外活动，尽量避免接触花及花粉。

2. 不用毛料的地毯和羽绒褥垫，保持室内通风，减少接触灰尘。

3. 不养猫、狗、花、鸟等。

4. 加强锻炼，提高身体免疫力。

5. 使用温度调节器来减少室内湿度，最好使空气湿度降到60%以下。

## 化脓性鼻窦炎

化脓性鼻窦炎系指发生于鼻窦的化脓性炎症，以慢性居多。临床常表现为鼻腔脓性分泌物多、鼻塞、嗅觉失灵、头闷头痛、记忆力减退、耳鸣、听力减退等。

## 急性化脓性鼻窦炎

急性化脓性鼻窦炎是鼻窦黏膜的急性化脓性炎症，一窦感染往往累及邻近的数窦。其中以上颌窦炎发病率最高，其次为筛窦炎、额窦炎和蝶窦炎。临床表现为鼻塞、流脓涕（重症可带血性涕）、头痛等。急性上颌窦炎表现为前额部痛或上颌窦区疼痛，为晨起轻，午后重。

本病中医学称“急鼻渊”。多因外感风寒、肺经风热、胆腑郁热、脾经湿热、肺脾气虚等所致。

**【必备验方】**

1. 近根丝瓜藤1米。切碎，晒干，焙至焦黄，研末，炼蜜为丸（每丸6克），每服1丸，每日3次。

2. 鲜鱼腥草根100克。水煎，每日1剂，分2次服。适用于急性化脓性鼻窦炎。

3. 菊花10克，茉莉花茶5克。开水冲泡，熏鼻后频饮，每日1剂。

4. 鹅不食草650克，辛夷花150克。水煎2次，混合药液，浓缩成1500毫升，加盐酸麻黄碱粉3.75克、葡萄糖粉15克，过滤，滴鼻每日3～4次，每次2～4滴。

5. 黄连9克，大蒜头1枚（捣汁）。将黄连加水100毫升煎至50毫升，与大蒜汁混匀，滴鼻，每次2～4滴，每日3～5次。

**【名医指导】**

1. 积极治疗，谨防感冒和其他急性传染病。

2. 积极治疗基础疾病，如贫血、糖尿病等。

3. 及时合理治疗急性鼻炎以及鼻腔、鼻窦、咽部及牙的各种慢性疾病；保持鼻窦的通气引流，防止感染扩散。

4. 加强营养，适当补充维生素。

5. 勿过度劳累，注意休息。

6. 饮食宜清淡、富有营养。多食新鲜蔬菜、水果；忌辛辣刺激及肥腻之品。

## 慢性化脓性鼻窦炎

慢性化脓性鼻窦炎是由于急性鼻窦炎治疗不当或未经治疗引发的慢性化脓性炎症，常累及多个鼻窦（称全鼻窦炎），其中以慢性上颌窦炎最多见。临床症状主要表现为流脓涕，呈黄色、灰黄色或灰绿色，前组鼻窦炎易从前鼻孔擤出，后组鼻窦炎有回吸性脓涕；患脓涕有恶臭时应排除齿源性上颌窦炎；鼻塞，头痛（为钝痛、昏胀感，或为间歇性痛），嗅觉减退。

本病中医学称“慢性鼻渊”，“脑渗”，“脑漏”，“脑崩”等。多因肺、脾、肾三脏虚损，或反复感受外邪，使内外邪毒滞聚鼻窍而成。临床分为肺经郁热型、肺虚邪滞型和脾虚邪滞型。

**【必备验方】**

1. 芝麻（炒熟后研末）、蜂蜜各50克，粳米200克。将粳米煮成粥，加入芝麻末和蜂蜜，早、晚分服。

2. 生硼砂4克，薄荷9克，冰片、檀香各2克。研细末，每取少许，吸鼻内，每日3次。若用后鼻孔发干，可涂些香油。

3. 广藿香（连梗、叶）120克，猪胆4只。将猪胆取汁，拌入广藿香内，晒干、微炒，研细末，炼蜜为丸，每日早、晚饭后各服9克。

4. 苍耳子12克，辛夷、白芷各6克，葱30克。共研细末，加入少许冰片混匀，每日午睡及晚睡前用冷盐水清洗鼻腔后塞鼻中。

5. 玉蜀黍须120克（鲜品），当归尾30克。将玉蜀黍须晒干，切段；当归尾微焙，切丝；调匀，用新旱烟管装入烟斗内，吸烟，每次1～2烟斗，每日5～7次。

**【名医指导】**

1. 积极防治感冒、上呼吸道感染等疾病。

2. 积极治疗慢性鼻炎。

3. 粉尘较多、污染较重的地方，应戴口罩。

4. 多做低头、侧头动作，以利鼻窦内脓涕排出。清洁鼻腔，去除积留的脓涕，保持鼻腔通畅。

5. 注意不用力擤鼻。脓涕多者可先滴药、再擤鼻，以免单个鼻窦炎因擤鼻不当，将脓涕压入其他鼻窦而导致多个鼻窦发炎。

6. 禁食辛辣、肥腻刺激性食品，戒烟、酒。

7. 保持平稳情绪、乐观心态，积极配合治疗、避免随便停药。

## 鼻出血

鼻出血是由于鼻中隔下部（梨氏区）黏膜的小血管破裂或鼻腔肿瘤、高血压等疾病引起。外伤、挖鼻、鼻黏膜干燥、高热、传染病亦可引起。

本病中医学称“鼻衄”。主要由于（肺、胃、肝）火热偏盛，迫血妄行，血溢清道所致。临床治疗以清热泻火、凉血止血为主。

**【必备验方】**

1. 黑木耳30克（浸泡半日，洗净），粳米100克，大枣3枚。同煮为稀粥，加入冰糖（50克）煮沸，温服。对小儿疗效更好。

2. 鲜荷叶半张，竹茹10克，鲜茅根30～60克，绿豆30克。将绿豆加水煮至开花，入前3味煎，去渣，每日1剂，分2～3次服。适用于小儿胃热所致鼻出血。

3. 绿茶1克，鲜茅根50～100克（干品减半），鲜车前草150克。将后2味加水300毫升煮沸10分钟，冲绿茶，每日1剂，分2次服。

4. 大蒜5个，生地黄15克。捣如泥，调匀。敷于足心涌泉穴（左鼻孔出血贴右，右鼻孔出血贴左），同时服用已稀释好的韭菜根汁。

5. 干姜1块。削尖（用湿纸包裹），放火边煨，塞入鼻孔。

**【名医指导】**

1. 鼻出血时，取坐位或半卧位，头稍向前倾，然后在额部和颈部进行冷敷，2分钟1次。

2. 多食蔬菜、水果及清凉爽口的食品；禁热性食物，如羊肉、葱、姜等。

3. 培养良好的卫生习惯，不要用手挖鼻孔；不做有危险的游戏，防止鼻子碰伤等。

4. 气候干燥时，多喝水。

5. 对于反复出血的患者应去医院诊治。

6. 保持口腔清洁、湿润。

# 第四十三章 口腔科疾病

## 白塞病

白塞病又称眼、口、生殖器综合征，是以眼色素膜炎、反复性口腔溃疡、外生殖器溃疡和皮肤损害为特征的多系统受累的疾病，病因不明。

本病中医学类似于“狐惑病”、“阴疮”等。常因先天禀赋不足，肝肾阴虚，虚火内炽，上扰口眼，下注阴部，外及皮肤；或湿热内蕴口眼皮肤，下注肝经；久病往往气血不足而湿热未尽，形成正虚邪恋之局面。临床治宜清热利湿、宣畅气机，并辅以西药治疗。

**【必备验方】**

1. 生地黄12克，淡竹叶、木通各9克，甘草6克。水煎，每日1剂，早、晚分服。口腔溃疡者，以碘化钾0.25克加3%过氧化氢4毫升，漱口，每日1次。过敏体质者慎用。

2. 鲜马齿苋300克（洗净，切碎），猪肉末30克，面粉200克。将马齿苋，与猪肉末、葱、生姜、味精、食盐、香油拌成馅，再和面包成馄饨，煮熟调入酱油、醋等，午饭食。

3. 土茯苓、猪骨各500克，荸荠200克（去皮），佐料适量。将土茯苓与猪骨水煎，取汁与荸荠慢炖半小时，加佐料后分服。

4. 炉甘石6克，黄丹、煅硼砂各1.5克，三黄粉3克，冰片0.9克。共研细末，撒于患处，每日（或隔日）换药1次。适用于外阴白塞病。

5. 黄芩、黄连、大黄各10克，五倍子3克。捣碎，加水1000毫升煎至500毫升，去渣，含漱，每次1～2分钟，每日5～6次。适用于口腔白塞病。

**【名医指导】**

1. 注意精神调摄，消除紧张、焦虑情绪，保持心情舒畅、豁达乐观。

2. 注意口腔清洁，养成饭后漱口的卫生习惯；可采用黄芩、金银花、甘草等煎水漱口；溃疡面可喷冰硼散、锡类散。

3. 注意眼部卫生，经常清除眼部分泌物。避免强光刺激，勿久看电视，外出时戴防护眼镜。

4. 加强外阴护理，应注意保持外阴部清洁干爽，勤换内裤（用优质纯棉柔软布质，避免摩擦再度损伤）。

5. 每晚可对外阴进行熏洗坐浴（注意保暖，防感冒），之后用干净的纱布擦干，外涂溃疡软膏。避免行走远路，不要骑自行车。女性患者经期注意保持外阴清洁。

6. 饮食宜清淡、易消化，多食绿豆、西瓜、冬瓜等新鲜蔬菜水果，少食多餐；忌牛、羊、狗、驴肉等热性食物；忌生葱、生蒜、生姜和辣椒等辛辣刺激食品及油炸食品。

7. 养成良好的生活习惯，早睡早起，保证充足的睡眠，避免熬夜。

## 复发性口疮

复发性口疮是指口腔黏膜反复发生数个圆形（或椭圆形）散在或浅层小溃疡，又称复发性口腔溃疡、复发性阿弗他溃疡。临床以周期性反复发作，有剧烈自发性灼痛为特征。一年四季均可发生，以青壮年为多，女性略多于男性（约为3∶2）。睡眠不足、精神紧张、消化不良、便秘及月经来潮均可诱发。

中医学认为，本病多由外感风热之邪，心脾积热上攻口舌（或因思虑过度，睡眠不足）以致心肾不交、虚火上炎而成。临床好发生于唇、颊黏膜或舌边缘，可见豆大圆形或椭圆形溃疡点，全身症状不明显，常反复发作。

**【必备验方】**

1. 麦冬、天冬、玄参各10克，粳米50克，白糖适量。将前3味水煎10分钟，去渣，入粳米煮粥，加白糖搅匀，温食。适用于阴虚火旺型复发性口疮。

2. 花椒5克（研细末），挂面100克（煮熟），植物油、酱油适量。将油烧热，加入花椒末和酱油，拌面食。适用于脾胃虚寒型复发性口疮。

3. 黄连3克，金银花6克，人乳（或牛乳）100毫升。将前2味，水煮3次，取汁50毫升，兑入人乳（或牛乳）服，每次30～50毫升，每日3次，连服5～6日。适用于小儿心火上炎型复发性口疮。

4. 鲜苦瓜160克（干品80克）。洗净，切碎，开水冲泡，代茶饮，每日1剂，连用3～5日。

5. 吴茱萸、细辛各10克，肉桂2克。共研细末，醋调敷于足心涌泉穴，外以纱布覆盖、胶布固定，每日换药1次。

**【名医指导】**

1. 多食富含锌的食物，如牡蛎、动物肝脏、瘦肉、鸡蛋、花生、核桃等。

2. 食富含维生素$B_1$、维生素$B_2$、维生素C的食物及新鲜蔬菜、水果，如番茄、茄子、胡萝卜、白萝卜、白菜、菠菜等；避免过食酸、咸、辛辣、油炸食物。

3. 忌烟、酒、咖啡及刺激性饮料。

4. 多饮温开水。注意生活规律及营养均衡；养成定时排便的习惯，预防便秘。

5. 注意口腔卫生。

## 原发性疱疹性口炎

原发性疱疹性口炎常由首次感染单纯疱疹病毒1型所引起。临床上以口颊、舌、上腭、齿龈等处发红、起疱、溃烂为特征的急性疱疹性龈口类疾病。一年四季皆可发生，多见于6岁以下儿童，尤其是6个月至2岁的婴幼儿。

本病中医学称“口疮”、“口舌生疮”、“口糜”、“口疳”、“热毒口疮”等。主要由于风热外侵，困结于口，聚而不散，络脉不畅，气血失和，肌膜受损而致；或膏粱厚味太过，热积心脾，不得宣泄，加之风热外袭，引动积热上攻，内外火热袭口，灼腐肌膜，发为口疮。临床分为风热外侵证和心脾积热证。初发实火者，治宜清热泻火；病情较长而势缓属虚火者，治宜滋阴降火。

**【必备验方】**

1. 桃仁10克（去皮、尖，研碎），当归6克，粳米50克。将当归水煎取汁，与粳米、桃仁煮粥，顿食。

2. 细辛末6克。水调敷脐部，外以纱布覆盖、胶布固定，每日换药1次，连敷3日。

3. 柳花散（青吹散或锡类散）适量。吹患处，每日5～6次。适用于原发性疱疹性口炎虚热或虚实兼夹者。

4. 黄连15克，吴茱萸9克。共研细末，每晚以醋调敷双足涌泉穴，外用绷带固定，次晨去除，3日为1个疗程。

5. 大枣5枚，白矾10克，苦瓜叶、青黛各5克，冰片1.5克。将大枣去核，纳白矾入内，煅至焦黑，冷后与苦瓜叶研细末，加入青黛、冰片研极细末，撒敷患处，每日1～2次。

**【名医指导】**

1. 注意口腔卫生，养成正确的漱口习惯。可用板蓝根煎水漱口或用3%过氧化氢拭洗创面。

2. 少食膏粱厚味及辛辣食品，少食多餐；可食清淡半流质食物，多饮水，多吃蔬菜、水果。

3. 消除诱因，对消化功能障碍或月经不调等全身性疾病进行治疗。

4. 小儿避免接触患者，以免传染。

5. 增强体质，预防感冒。

6. 保持室内空气清新、流通。避免去人群聚集的公共场所。

## 复发性疱疹性口炎

复发性疱疹性口炎是指潜伏在体内的单纯疱疹病毒在一定条件下（如感冒、发热、过度劳累等）致使机体发生复发性损害。临床表现为口唇或近口唇处出现成簇小水疱，进而溃破、渗出、结痂，又称复发性唇疱疹。

本病中医学称“热疮”或“热气疮”。多由外感风热之毒阻于肺、胃二经，蕴蒸皮肤，而发于口唇、鼻孔周围；或因嗜食辛辣甘肥之品以致脾胃运化失健，积热上蒸，致使口唇或口周红肿起疱；素禀阴虚之体或热邪伤阴，而为阴虚内热，加之脾失健运，痰湿内生，积热上冲口唇，使口唇热疮反复不已。

**【必备验方】**

1. 紫草 12 克，板蓝根、连翘、生薏苡仁各 30 克。水煎服，每周 2 次。

2. 大黄、黄芩、黄柏、苍术各 500 克。共研细末，压片（每片 0.3 克），每服 5 片，每日 2 次。

3. 马齿苋 30 克。水煎，凉敷，每次 20 分钟，每日 2～3 次。适用于复发性疱疹性口炎初起。

4. 五倍子 10 克，白矾 3 克。共研细末，每取少许，涂患处。

5. 鲜柳叶 3～5 片（以尖嫩叶为好）。焙焦，与适量白糖研细末，涂患处。

**【名医指导】**

1. 注意保持口腔清洁，常用淡盐水漱口。

2. 戒烟、酒。

3. 饮食清淡，多吃新鲜蔬菜水果；少食辛辣刺激性食品；保持大便通畅。

4. 妇女经期前后注意休息，保持心情愉快，避免过度疲劳。

5. 生活起居有规律，保证充足的睡眠。

6. 坚持体育锻炼，提高机体免疫能力。

## 牙髓病

牙髓病是指牙髓组织发生的疾病，多由感染引起，多来自近髓或已达髓腔的深龋洞；包括牙髓充血、牙髓炎、牙髓坏死和牙髓变性，以牙髓炎最常见。

本病中医学属“牙痛”、“齿痛”等范畴。多因外感内伤、胃热肾虚、气滞血瘀所致。临床有寒、热、虚、实之分。

**【必备验方】**

1. 青鸭蛋 10 克，马兰头 250 克，地骨皮 30 克。同煮至蛋熟，将壳敲碎后再煮蛋至乌青色，即可服食。适用于阴虚火旺型牙髓病。

2. 生地黄、熟地黄各 24～30 克，玄参、金银花各 15 克，骨碎补 9 克，细辛 3 克。水煎，每日 1 剂，分 2 次服。适用于阴虚火炎型牙髓病。

3. 花椒、冰片各等份。共研末，绵裹置痛处。适用于牙髓病牙痛者。

4. 乌桕鲜叶（连心）适量。与糯米饭粒（加葱头或米醋更佳）捣烂，敷患处，每日 3 次。适用于胃火上蒸型牙髓病。

5. 细辛、川乌各 2 克，乳香、白芷各 3 克。共研细末，每取少许，涂患处，每日 3 次。适用于牙髓病引起的风寒型根尖周病。

**【名医指导】**

1. 进食流质或半流质食物，食物温度不宜过热或过冷。

2. 忌辛辣、油腻、过酸、过甜食物。

3. 注意口腔卫生，养成早晚刷牙，饭后、睡前漱口的习惯。

4. 及时治疗口腔疾病，如龋齿、牙龋齿、牙龈炎等。

5. 避免异物损伤。

6. 如素有口腔疾病，应定期到口腔科检查。

## 龋病

龋病（俗称虫牙）是在以细菌为主的多种因素影响下，牙齿硬组织在色、形、质各方面均发生变化的一种慢性进行性破坏性疾病。重者可引起牙髓炎、根尖周病、颌骨及颌周炎症。

本病中医学属“蛀牙”、“虫牙”等范畴。多因虫蚀、饮食肥甘厚味及外感风寒（或骨

髓气血不能荣盛）所致。

**【必备验方】**

1. 夏枯草、桑白皮、香附、生甘草各30克。水煎，每日1剂，分2次服。适用于胃火湿热型龋病牙痛。

2. 路边荆60克，野花椒根15克，瘦猪肉120克。炖熟，每日1剂，分2次服。适用于风热上犯型龋病牙痛。

3. 蜂窝（煨2分钟后去灰）、鸡蛋各1个。同煮至蛋熟，去渣及蛋壳，顿食。适用于肾虚火炎型龋病牙痛。

4. 黄连、细辛、生石膏各3克，儿茶1.5克，冰片0.5克，樟脑1克。共研极细末，涂于患牙。适用于胃火湿热型龋病牙痛。注意：樟脑有毒，勿内服。

5. 苦葫芦子适量。研细末，炼蜜为丸（如半枣大）。每取1丸于早晨漱口后含口中，涎出，吐去。适用于胃火湿热型龋病牙痛。

**【名医指导】**

1. 减少或消除病原刺激物，减少或消除菌斑，改变口腔环境。

2. 减少糖分的摄入量。

3. 可通过氟化法增加牙齿中的氟素，增强牙齿的抗龋性。

4. 早晚刷牙，饭后漱口。

5. 早发现、早治疗。

## 牙龈炎

牙龈炎是发生于牙龈组织的炎症，临床以刷牙、咀嚼食物时牙龈出血为特征。多由于口腔不洁、牙菌斑、牙石堆积、食物嵌塞、不良修复体及牙颈部龋的刺激所引起；也有全身诱发因素，如慢性血液病、内分泌功能紊乱、维生素C缺乏及某些药物影响等。

本病中医学属“齿衄”范畴。多因胃腑积热或肾阴不足、相火上炎所致。因牙龈属胃，牙齿属肾，阳明传入少阴，二经相搏则血出于牙缝。

**【必备验方】**

1. 车前草30克，鲜薄荷15克，青鸭蛋1个（去壳）。将前2味水煎，去渣，入鸭蛋煮熟，加盐调服，每日1次。

2. 淡菜、肉苁蓉（切片）各30克，黑豆150克。分别洗净，水煎1小时，取汁顿服，每日1剂。

3. 白茅根30克（鲜品80克），天花粉15克，生石膏45克（先煎半小时）。加水煎至450毫升，含漱，每日4～6次。

4. 橄榄（或盐橄榄）3个（煅存性，研末），冰片2.5克。调匀，搽患处。

5. 生姜、大蒜各6克，茶叶、威灵仙各12克。同捣烂，香油或鸡蛋清调敷合谷穴、涌泉穴。

**【名医指导】**

1. 早晚刷牙，饭后漱口。克服用口呼吸的不良习惯，养成清晨排便的习惯。

2. 持续、及时地清除牙面的菌斑，保持牙面清洁。

3. 进餐要规律，细嚼慢咽。多食蔬菜（如胡萝卜、菠菜、木耳等）及水果（如山楂、苹果等）。

4. 早晚叩齿：上、下用力叩敲数十次。

5. 牙龈按摩：示指放在牙龈上，做局部小圆旋转的移动按摩动作，然后漱口，使每个牙齿所属的牙龈区都受到按摩。反复数次。

6. 定期到口腔科清除牙垢和牙石。

7. 戒烟、酒。

## 牙周炎

牙周炎一般由牙龈炎发展而来，通常表现为牙龈、牙周膜、牙槽骨及牙骨质部位的慢性破坏性病损。其主要特征为牙周袋形成和袋壁的炎症，牙槽骨吸收与牙齿逐渐松动，是导致成人牙齿丧失的主要原因。

本病中医学属“牙宣”范畴。齿为骨之余，乃肾之标，而上下牙床为手足阳明经所属，齿及齿龈均需气血的濡养。临床分为胃火上蒸、肾阴亏虚、气血不足等证型。

**【必备验方】**

1. 生地黄30克，鸡蛋2个（去壳）。将生地黄水煎，去渣，打入鸡蛋搅匀，加入冰糖，每日早晨空腹顿服。

2. 黄鳝300克，黄芪、枸杞子各30克，大枣6枚（去核），生姜3片。将黄鳝洗净，

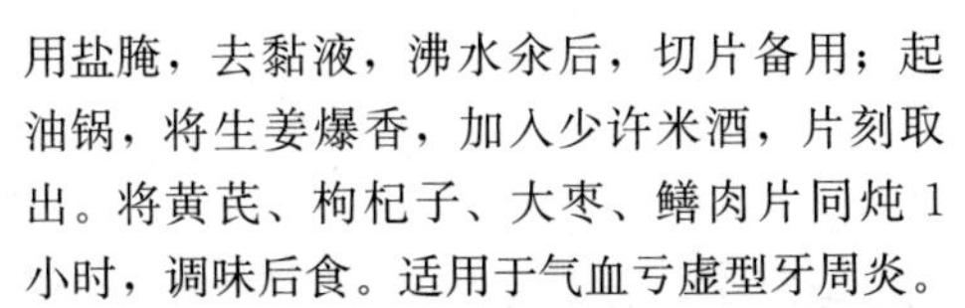

用盐腌，去黏液，沸水氽后，切片备用；起油锅，将生姜爆香，加入少许米酒，片刻取出。将黄芪、枸杞子、大枣、鳝肉片同炖1小时，调味后食。适用于气血亏虚型牙周炎。

3. 茶叶适量，鲜苦瓜1条。将苦瓜截断、去瓤，塞入茶叶对合，挂通风处阴干，去苦瓜，每取茶叶3～5克，沸水冲泡，加蜂蜜，频饮，每日1剂。

4. 滑石粉18克，甘草粉6克，朱砂3克，雄黄、冰片各1.5克。共研细末，早、晚刷牙后撒于患处。

5. 白茅根30克（鲜品60克），天花粉15克，生石膏45克（先煎半小时）。水煎至50毫升，凉后含漱，每日4～6次。

**【名医指导】**

1. 保持口腔清洁。每日正确刷牙2次，2～3个月换1次牙刷。

2. 养成良好的饮食和咀嚼习惯。戒烟，少饮用酒、浓茶、咖啡、可乐等；少吃巧克力等色素沉着的食物，多吃蔬菜、水果；勿过食酸、辣、甜、冷、热、硬食。

3. 宜食清淡易消化的半流质或软饭、面条。实证胃火者多吃清泻胃火作用的食物，如豆腐、黄瓜、丝瓜、黑豆、芥菜、香茄、粥、西瓜等。

4. 可以早晚进行叩齿各30次，上下牙空咬，用力要轻。

## 智齿冠周炎

智齿冠周炎是指智齿（第3磨牙）萌出不全或阻生时牙冠周围软组织发生的炎症。临床表现为智齿周围牙龈及龈瓣红肿疼痛，甚则腮颊肿痛，牙关开合不利。由于阻生智齿的牙冠和被覆的龈瓣之间有一个盲袋，食物及细菌极易嵌塞于内，加之冠部牙龋因咀嚼食物而易损伤形成溃疡，当全身抵抗力下降、局部细菌毒力增强时可引起智齿冠周炎的急性发作。

本病中医学称“牙蛟痈”、“合架风”、“尽牙痈”、“角架风”。多因饮食不节，过食辛辣厚味，胃肠蕴热，兼感风热之邪，外邪引动内火，风火相煽，循经搏聚于牙咬合处，气血壅滞，热灼肉腐则化脓成痈。

**【必备验方】**

1. 蒲公英30克，紫花地丁、金银花各24克，野菊花、天葵子各15克。水煎服，每日1剂。适用于急性智齿冠周炎红肿波及颌面者。

2. 苍耳子10克（炒黄，去刺，捣破），鸡蛋2个。水煎半小时，去渣，喝汤吃蛋。

3. 生石膏40克，黄连、白芷、川芎各20克，细辛3克。共研末，温开水送服，每日3次，每次3～10克，5日为1个疗程。服药期间每日用生理盐水或3%过氧化氢溶液冲洗局部1次。孕妇、产妇忌用。

4. 金银花、黄芩各12克，甘草6克。水煎至200毫升，每日1剂，分3～4次含漱，连用2～5日。适用于智齿冠周炎溢脓者。

5. 冰硼散（或玉匙散）适量。鸡蛋清调敷患侧面颊部，每日更换2次。适用于智齿冠周炎牙龈红肿溃烂者。

**【名医指导】**

1. 保持充分的睡眠，增强机体抗病力。

2. 勤刷牙，勤漱口，维持口腔清洁。

3. 尽早拔除阻生智齿，防止冠周炎和邻牙龋坏。

4. 注意饮食，勿过食辛辣。

# 第四十四章 咽喉科疾病

## 急性咽炎

急性咽炎是指咽部黏膜及黏膜下组织的急性炎症，主要由乙型溶血性链球菌感染所引起，常累及咽部淋巴组织（很少单发），常与受凉感冒、急性鼻炎、鼻窦炎、扁桃体炎同时发生。烟酒过度及强刺激性气体也是诱发因素。临床主要表现为咽部红肿、烧灼疼痛、咽中有堵塞感、吞咽不利、声音嘶哑，初起可伴有头痛、咳嗽。

本病中医学称“急喉痹”。多因风寒、风热之邪侵袭咽部所致。临床治宜宣肺利咽、清热利咽。

**【必备验方】**

1. 鸡蛋1个（取蛋清），米醋15克，金银花5克，桔梗2克。将米醋加水30克。煎沸，入后2味煎3～4分钟，滤液，入蛋清搅匀，熬成膏，含服，20分钟1次。

2. 地力粉70克，海浮石30克，冰片3克。将海浮石研细末，与地力粉和匀，加入冰片研极细末（密闭保存）喷于咽部。

3. 胡萝卜50克，橄榄30克，粳米100克。将胡萝卜洗净、切片，与橄榄水煎，取汁与粳米煮粥食，每日1剂，连服5～7剂。

4. 全蝎尾2只（末节有毒针部分）。分别置两块胶布中心（约1厘米×1厘米大小），贴压在双侧扶突穴上，1～2日后取下。

5. 桉叶、牡荆子各30克，薄荷20克。水煎，作蒸气吸入或雾化吸入，每次20分钟，每日2次。

**【名医指导】**

1. 卧床休息。积极治疗感冒，防治邻近器官疾病（如鼻炎、扁桃体炎等）。

2. 戒烟限酒，避免过食辛辣、炙烤食品。

3. 多食新鲜蔬菜和水果。

4. 改善环境，减少空气污染，加强个人卫生防护。勤刷牙、漱口。

5. 减少公共场所出入次数，多休息。

6. 适当控制用声，用声不当、用声过度、长期持续演讲和演唱对咽喉炎治疗不利。

7. 加强体育锻炼，增强机体的免疫力。

## 慢性咽炎

慢性咽炎多由急性咽炎转变而来，临床常有急性咽炎病史，易反复发作。临床主要特征为咽痛，可伴有微咳、口干欲饮。

本病中医学属“喉痹”范畴。为肝肾不足、虚火上炎所致。临床分为阴虚型、阳虚型、气虚型、痰郁型，以阴虚型多见。临床治宜养阴润肺、滋阴降火。

**【必备验方】**

1. 白糖、白芝麻各100克，蜂蜜50克，茶叶25克。将茶叶用沸水冲泡5分钟，加入白糖及蜂蜜，待能拉丝时，倒入炒黄的白芝麻搅匀，然后扣在抹过油的面板上，压片、切块，含食。

2. 雪梨3个，莲子10克，粳米50克。将雪梨去皮、核，切薄片，水煎，入莲子煮烂备用；将粳米煮粥，掺入雪梨、白莲搅匀，加糖温服。

3. 猪肺200克，鲜鱼腥草30克，大枣5个，食盐、味精适量。将猪肺洗净，切块，再用清水漂洗干净；鲜鱼腥草洗净、切段，大枣去核、洗净，与猪肺水煎1小时，入鱼腥草煎10分钟，加入食盐、味精调服，每日

1剂。

4. 吴茱萸60克。研细末，分成4份，每取1份，盐水调敷双足心涌泉穴，外以纱布覆盖，胶布固定，每日1次。

5. 紫金锭、田三七各1克。共研末，用红霉素软膏调敷于天突穴（胸骨上窝正中），外用纱布（或油纸）覆盖、胶布固定，每日1次。孕妇忌用。

**【名医指导】**

1. 注意劳逸结合，防止受冷；急性期应卧床休息。

2. 多吃营养丰富、易消化的食物。宜食富含胶原蛋白、弹性蛋白的食物，如猪蹄、猪皮、蹄筋、鱼类、豆类、海产品等；多摄入富含B族维生素的食物，如瘦肉、鱼类、新鲜水果、绿色蔬菜、奶类、豆类等。

3. 平时多饮淡盐开水，保持大便通畅。

4. 戒烟、酒。避免辛辣、油炸、过冷、过烫等刺激性食物。

5. 积极治疗感冒，防治邻近器官疾病，如鼻炎、扁桃体炎等。

6. 注意口腔卫生，养成饭后漱口的习惯。

7. 不要长时间讲话，忌喊叫。

8. 加强体育锻炼，提高身体免疫力。

9. 经常饮用利咽生津的保健品，如绿茶、蜂蜜饮等。

## 急性扁桃体炎

急性扁桃体炎是由乙型溶血性链球菌引起的腭扁桃体的急性非特异性炎症。临床主要表现为咽痛、发热，可伴有全身不适，儿童尚可因高热而抽搐、呕吐和昏睡。如不及时诊治，可并发中耳炎、咽旁脓肿、风湿热、急性肾炎等。

本病中医学称“烂乳蛾”、“喉蛾风”。多因内有积热，复感风热之邪，风热相搏，上蒸咽喉所致；或因痰郁生热，木火刑金，灼津生痰，痰热相搏，壅滞咽喉所致。

**【必备验方】**

1. 蛇蜕3～5克，瘦猪肉100克。水煎，取汁，饭后顿服，每日1剂，连服2～3剂。病情较重伴发热者，加鬼针草10～15克。

2. 川贝母10克，母鸭胸脯肉120克。将鸭肉清炖至八成熟，入川贝母及少许食盐炖熟，饮汤食肉，每日1次。

3. 白萝卜100克，蒲公英15克，青果、粳米各50克。将前3味捣烂，布包，水煎20分钟后，去药包，入粳米，煮成稀粥，每日1剂，分2次服。

4. 绿豆芽500克，葱白3克，花椒1克，植物油15克。将植物油烧至八成热，入花椒炸焦，加入葱白末、绿豆芽翻炒，加适量食盐炒匀，即可服食，每日2次。

5. 黑木耳10克。焙干，研细末，吹喉，每日2次。

**【名医指导】**

1. 养成良好的口腔卫生习惯，做到饭后漱口，每日至少早、晚各刷牙1次。睡前不宜吃甜食。

2. 适量饮茶。

3. 饮食宜清淡，多服清凉润肺、泻火败毒的饮料，如鲜藕汁、鲜芦根汁、金银花露、绿豆汤等；多食新鲜蔬菜、水果和瓜类，以补充维生素。忌油炸、辛辣刺激食物，戒烟、酒。

4. 平时积极锻炼身体。

5. 注意休息，多喝开水；进食流质及软食。保持大便通畅。

## 慢性扁桃体炎

慢性扁桃体炎多由急性扁桃体炎反复发作（或因隐窝引流不畅）而致扁桃体隐窝及其实质发生慢性炎症病变，也可发生于某些急性传染病之后。病原菌以链球菌及葡萄球菌最为常见，主要症状为反复发作的急性扁桃体炎。临床表现为咽部不适，异物感，发干、痒，刺激性咳嗽，口臭等。儿童扁桃体过度肥大可引起呼吸、吞咽、语言障碍；若伴有腺样体肥大，可引起鼻塞、鼾声及卡他性中耳炎症状。患者一般都有消化不良、头痛、乏力、低热等症状。

本病中医学属“虚火乳蛾”、“阴蛾”、“慢蛾”等范畴。多因风热乳蛾或温热病后余

邪未清，邪热灼伤肺阴，津伤则咽窍少濡，炼津为痰，痰热结聚喉核而致；或因乳蛾日久，由肺及肾，金燥水涸，肾阴亏虚，阴亏液乏则咽窍失滋，阴虚火旺则喉核受灼，喉核挛缩所致。临床治宜清热养阴、滋补肝肾。

**【必备验方】**

1. 天冬 15～20 克，粳米 51～100 克，冰糖少许。将天冬水煎，浓汁，去渣，入粳米煮沸，加入冰糖煮粥食。

2. 昆布（水发海带）500 克，白糖 250 克。将海带洗净，切丝，煮熟，加入白糖腌渍 1 日，即可食用，每次 50 克，每日 2 次。

3. 牛蒡子 15 克，大米 50 克，白糖适量。将牛蒡子加水浸泡 5～10 分钟后煎取汁，与大米煮粥，调入白糖服，每日 1～2 剂，连用 3～5 日。

4. 鲜石榴适量。捣烂，开水浸泡半小时，绞汁含漱，每日数次。

5. 穿山甲、鸡内金各 15 克，冰片 1 克。共研细末，吹喉，每日 2 次。

**【名医指导】**

1. 养成良好的生活习惯，保证充足的睡眠时间，随天气变化及时增减衣服。避免室内潮湿。勤漱口。

2. 坚持锻炼身体，勿过度操劳。

3. 患急性炎症应彻底治愈，以免留下后患。

4. 戒烟、酒。

5. 注意饮食调养，少食油炸、辛辣刺激食物；多食水果、新鲜蔬菜。

6. 食用清热解毒的食物，如绿豆汤、赤小豆粥、白菜、白萝卜、鲜黄花菜、丝瓜、马齿苋粥。

## 会厌炎

会厌炎是指会厌上方组织的细菌性蜂窝织炎，可致呼吸道入口狭窄，有呼吸道梗阻的危险。致病菌多为 B 型流感嗜血杆菌，少数病例为 A 群链球菌、肺炎链球菌、白喉棒状杆菌和结核分枝杆菌。临床表现为吞咽异常困难，并伴有疼痛、流涎、发热、喘鸣；当病情恶化时，喘鸣音可变小，呼吸困难进行性加重。舌头发青，皮肤有时也会发青。

本病中医学属“猛疽”、“喉痈”、“咽喉生痈”、“咽喉生疮”、“下喉痈”、“会厌痈”等范畴。皆因外邪侵犯，引动肺胃蕴热，循经上犯于咽喉，内热外邪搏结于会厌，致气滞血瘀，壅聚作肿；若热毒较甚，熏灼血肉，终致肉腐成痈。初期为外邪侵袭，热毒搏结；中期则热毒困结，肉腐成脓或热入营血；后期多为痈溃脓出，热毒外泻的病机。临床治疗：如痈肿未成，宜内治为主，配合吹药、含漱、针刺、擒拿等疗法；若脓肿已成，则宜及早行切开排脓之法，使热毒外泻；若有痰鸣气急，烦躁不安等急喉风症状，则内治外治并重，必要时行气管切开术。

**【必备验方】**

1. 鲜地龙 1 条（浸泡，洗净，捣烂），冰糖适量，鸡蛋 1 个（取蛋清）。调匀，顿服，每日 1～2 次。适用于急性会厌炎。

2. 蒲公英 15 克，薄荷 6 克。水煎，取汁 300 毫升，与鲜雪梨汁 500 毫升混匀，代茶频饮。适用于急性会厌炎。

3. 甘草粉 300 克，硼砂、食盐各 15 克，玄明粉 30 克，酸梅 750 克（去核）。共研细末，以荸荠粉 250 克糊为丸（每丸 3 克），含服，每次 1 丸。适用于急性会厌炎。

4. 白矾（枯）、僵蚕（炒）、月石、皂角（炙油）各等份。共为细末，每取用少许吹喉。适用于急性会厌炎。

5. 鲜土牛膝 15 克。水煎，含漱，每日 2～3 次。

**【名医指导】**

1. 加强锻炼，增强机体抵抗力；及时治疗邻近器官的急性炎症，防止蔓延感染。

2. 改善生活、工作环境。经常接触灰尘及化学气体的操作工人应戴口罩，并采取各种安全措施。

3. 饮食宜清淡，应选择营养丰富、高纤维、高蛋白的全流质或半流质食物；不可进食粗硬及刺激性食物；少食辛辣、油炸之物；戒烟酒。多饮水，保持二便通畅。

4. 保持口腔卫生。

5. 避免咽喉部受到异物刺伤及其他不良

刺激。

6. 养成良好的生活习惯，保证睡眠充足；随气候变化增减衣服。

7. 保持良好心态，积极配合治疗。

## 急性喉炎

急性喉炎是指喉部黏膜的急性炎症，常继发于急性鼻炎和急性咽炎。临床以吸气性呼吸困难、喉间痰鸣、干咳无痰、声音嘶哑，甚至不能言语为特点，多发于成人，男性多于女性。老年患者可并发肺炎。如不及时治疗，可转为慢性喉炎。

本病中医学称“暴瘖”。临床分为风寒袭肺、风热犯肺、肺胃热盛等证型。

**【必备验方】**

1. 鲜橄榄（连核）60 克，酸梅 10 克。同捣烂，加水 3 碗煎至 1 碗，去渣，加白糖调服，每日 2 次。

2. 桃仁、苦杏仁各 50 克，花生米 150 克，芹菜 250 克。将桃仁、苦杏仁泡发后去皮，花生米泡发、洗净，加佐料煮熟（勿煮过）；将芹菜洗净、切断，用开水氽，与桃仁、苦杏仁、花生米拌匀，加入少许食盐，正餐食。

3. 白萝卜 200 克（捣碎），柠檬 1 个（切片），蜂蜜 15 克。同浸半日取汁服。

4. 豆浆 250 克，鸭蛋 1 个（去壳，搅匀），冰糖适量。将豆浆煮沸，调鸭蛋、冰糖服，每日 2 次。

5. 大蒜适量。捣烂，敷于足心（不超过半小时）。适用于小儿急性喉炎。

**【名医指导】**

1. 卧床休息，预防感冒。

2. 尽量少讲话，忌大声叫喊。

3. 戒烟、酒，忌冷饮，少吃辛辣、油煎食物；适当吃梨、生萝卜、话梅等。

4. 多饮水，保持大便通畅。

5. 对小儿要密切观察病情，注意呼吸情况；忌哭闹。

6. 注意气候变化，及时增减衣服，避免感寒受热。

7. 在感冒流行期间尽量减少外出，以防传染。

8. 生活要规律，饮食有节；起居有常，夜卧早起；避免着凉，在睡眠时避免吹对流风。

9. 保持口腔卫生，养成晨起、饭后和睡前刷牙漱口的习惯。

## 慢性喉炎

慢性喉炎是指喉部黏膜的慢性炎症。多由于急性喉炎，上呼吸道反复感染所致，常与慢性咽炎并存。临床分为慢性单纯性喉炎、肥厚性喉炎和萎缩性喉炎。临床主要症状为声音嘶哑以及喉部分泌物增加、喉部干燥、喉痛。

本病中医学相当于“虚火喉痹”。为肺肾阴虚导致虚火上升、咽喉失养。临床分为虚火上炎证、肺脾气虚证、痰瘀互阻证等。

**【必备验方】**

1. 老黄瓜 1 条，白矾适量。将老黄瓜切开顶端，去瓤籽，填入白矾，仍以原盖盖上（用竹签插牢），于阴凉通风处。数日后，刮下瓜上出现的白霜，吹喉部。

2. 鲜马鞭草 50 克，绿豆、蜂蜜各 30 克。将马鞭草连根洗净，扎成 2 小捆，与绿豆加水 1500 毫升炖 1 小时，去马鞭草，加入蜂蜜搅匀。每日 1 剂，分 2 次服，连服数日。

3. 乌梅、薄荷、绿茶、甘草以 2∶1∶1∶1 的比例分装（每袋 4 克），每次 1 袋，每日 3 次，泡水频服，15 日为 1 个疗程，连服药 1～3 个疗程。

4. 吴茱萸 60 克。研细末，分为 4 份，以盐水调，敷双足心涌泉穴，每日 1 次。

5. 牛黄 5 克，麝香 1 克，薄荷 20 克，硼砂 15 克。共研细末，吹患处。

**【名医指导】**

1. 尽量少讲话，尤其避免高声叫喊；在变声期、月经期和感冒期间要慎用嗓。

2. 忌烟、酒及辛辣食物；少吃冷饮、油炸、腌制食物。多吃新鲜、富含维生素的水果、蔬菜。

3. 改善生活、工作环境，要保持空气清新，预防感冒。

4. 生活起居有常，劳逸结合。及时治疗各种慢性疾病，保持每日定时排便，清晨用淡盐水漱口或少量饮用（高血压病、肾病者勿饮盐开水）。

5. 治疗鼻、口腔、下呼吸道疾病（包括病牙）。避免张口呼吸。

6. 加强体育锻炼，提高机体免疫力。

## 声带小结和声带息肉

声带小结指两侧声带边缘前中1/3交界处出现对称性结节样增生而妨碍声门闭合，致声音低粗不利，甚则嘶哑失声；多因长期用声不当或过度用声所致。喉镜下检查可见两侧声带边缘前中1/3处有苍白色小凸起，半透明、表面光滑，基底可见小血管。发声时妨碍声带闭合，其主要症状为声音嘶哑，咽喉干痒、疼痛。声带息肉是指发生于一侧声带的前中部边缘的灰白色、表面光滑的息肉样组织。多为一侧单发或多发，有蒂或广基底，常呈灰白色半透明样，或为红色小突起；有蒂者，常随呼吸上下移动；大者，可阻塞声门发生呼吸困难，影响发音。多位于声带前中1/3交界处，多为发声不当或过度发声所致。成人、儿童均可患病，常继发于上呼吸道感染，与吸烟、内分泌紊乱、变态反应有关。临床主要表现为声嘶，局限性息肉仅有轻微的声音改变；基底广泛的息肉声嘶较重，音调低沉而单调，不能唱歌，甚至失音；大息肉可致喉鸣、呼吸困难。

本病中医学属“慢喉瘖”、“久瘖”等范畴。为长久发声不当，或用声过度，伤耗气津，肺系受损；或扰乱气机，气血郁滞；肺生燥热，灼津成痰，痰热互结；导致痰凝气滞血瘀以及肺肾两亏而成。临床分为以下4型。①肝郁痰滞型：息肉呈乳白色，息肉块较大，喉痒，咳嗽有痰，情怀不畅，胸闷胁胀，舌苔白腻，脉弦滑；治宜疏肝理气，化痰散结。②气虚湿阻型：声带水肿较重，色灰白，气短神疲，自汗易感，食少便溏，脘痞腹胀，舌质淡，苔白腻，脉濡弱；治宜健脾益气，利湿散结。③气滞血瘀型：声带充血、出血较重，或组织增生明显，身有痛处，月经涩少，舌质暗或有瘀斑，脉弦涩；治宜理气活血，散瘀通络。④肺肾阴虚型：声带侧缘圆形物，颜色红，或小结呈粟粒状，表面干燥欠光滑，伴干咳少痰，心烦少寐，咽干喉燥，手足心热，腰膝酸软，大便干结，舌红苔少，脉细数；治宜滋养肺肾，润喉开音。

**【必备验方】**

1. 乌梅、僵蚕、桔梗、丹参各10克，甘草5克。共研细末，炼蜜为丸（每丸5克），每次2丸，每日3次。

2. 鲜淡竹叶适量。水煎，代茶饮。适用于声带小结。

3. 麦冬、胖大海各10克，甘草6克。水煎，代茶饮。适用于声带息肉。

4. 紫菜、桃仁（研粉）各15克，陈皮30克，白萝卜250克。将紫菜撕碎，萝卜切丝，陈皮切碎，水煎半小时，去渣，冲桃仁粉，调味后食，每日1～2次。适用于气滞血瘀型声带息肉。

5. 麝香、冰片各0.1克，硼砂2克，黄连末3克。共研极细末，饭前吹喉，每日3次。适用于声带小结。

**【名医指导】**

1. 纠正发声方式，不要大喊大叫。

2. 注意从饮食中补充维生素A、维生素C和B族维生素。

3. 少吃过冷、过热食物；勿过度饮酒，勿过食辛辣食物。

4. 生活起居有节，以防劳累。感冒时要注意声带休息。

## 喉阻塞

喉阻塞为喉部及其临近组织导致的喉道狭窄，阻塞发生不同程度的呼吸困难甚至窒息，又称喉梗阻。根据喉阻塞的不同情况，临床上分为急性喉阻塞和慢性喉阻塞。一旦阻塞形成，则病情严重，可致患者窒息死亡。因儿童声门狭小，喉黏膜组织疏松，神经发育不稳定易受刺激而痉挛，故其急性喉阻塞发病率明显高于成人。慢性喉阻塞则多见于小儿的先天性喉畸形或成人。

本病中医学属“急喉风”、“锁喉风”、“紧喉风”等范畴。

**【必备验方】**

1. 制天南星、竹茹、制半夏、枳实各9克，茯苓、橘红、石菖蒲、人参各12克，甘草3克，生姜6克。水煎服，每日1剂。

2. 茯苓12克，桂枝、白术、甘草各9克，附子、生姜各6克。水煎服，每日1剂，分2次服。

3. 蒸气吸入：选方金银花、菊花、薄荷，藿香、佩兰、葱白、紫苏等各适量，煎水，取液作蒸气吸入。

4. 连翘、栀子、黄芩、防风、荆芥、玄明粉、金银花、蝉蜕、胖大海各12克，牛蒡子、黄连、桔梗各9克，大黄、薄荷、甘草各6克。水煎服，每日1剂，分2次服。

5. 冰硼散或珠黄散，适量吹喉。

**【名医指导】**

1. 细心开导患者，解除思想顾虑，增强治疗的信心。

2. 少食煎炒、辛辣食物。

3. 加强体育锻炼，或用咽喉部的导引法进行锻炼。

4. 积极去除喉阻塞的病因，立即就诊医院急诊处理。

5. 平时应看护好小儿，避免吞食塑料瓶盖、玻璃球及较大颗粒的水果。

6. 应注意排除及治疗咽喉部炎症、脓肿及肿瘤等疾病。

# 第四十五章 眼耳鼻咽喉与全身相关性疾病

## 咽异感症

咽异感症是一种临床常见的症状，可为器质性病变所引起，也可为非器质性者。后者以30～40岁女性患者较多。临床表现为自觉咽喉部有堵塞感、颈部发紧或痰黏着感，或呈小球样“团块”在咽部上下活动，既不能咽下也不能吐出，于吞咽唾液时更为明显，但无碍进食，检查时仅有轻微咽部病变表现。

本病中医学属“梅核气”范畴。多与情志有关。情志失调，肝郁气滞，脾胃受侮，运化不健，则津液不能输布而内聚成痰，痰气受阻，结于咽喉，状如梅核，吐之不出，吞之不下而成。临床治疗多以疏肝理气、健脾化痰为主。

**【必备验方】**

1. 生蜂蜜20克，鸡蛋1个（去壳），香油数滴。将鸡蛋搅匀，以沸水冲，调入蜂蜜及香油，空腹顿服，每日早、晚各1次。

2. 鲜柚皮1个。烧焦，去表层，水浸1日，切块，煮熟，加入葱末、香油、食盐调味，佐餐食。

3. 昆布500克，白糖250克。将昆布泡发，洗净，切丝，煮熟，捞出，拌入白糖腌渍1日后食，每次50克，每日2次。

4. 蜂房80克，鸡内金40克，蜂蜡（烊化）、蜂蜜各120克。将前2味研细末，入蜂蜜、蜂蜡制为丸（每丸3克），空腹服，每次3丸，每日3次，1剂为1个疗程，每疗程间隔2日。

5. 青果、绿茶各3克，胖大海3枚，蜂蜜1匙。将青果水煎片刻，冲泡胖大海及绿茶，加蜂蜜调服，每日1～2剂。

**【名医指导】**

1. 解除思想顾虑，增强治疗信心。

2. 少食辛辣及油炸食物。

3. 加强体育锻炼，或用咽喉部的导引法进行锻炼。

## 功能性失声

功能性失声又称癔症性失声症或精神性失声症，是癔症的一种表现，较多见于女性。本病大部分与精神过度紧张或情绪剧烈波动有关（如发怒、激动、恐怖、忧虑、悲伤等）；少数发生于睡眠后转醒时或患重病之后；也可见于月经失调者。临床表现为突然失声或仅能耳语，但咳嗽或哭笑时声音往往如常。

本病中医学属“暴喉瘖”、“急喉瘖”等范畴。临床治疗以疏肝解郁、养心安神为原则。

**【必备验方】**

1. 银耳适量。泡发洗净，撕成条状，开水烫过后用清水洗净，加醋拌食，每日2次。

2. 白豆腐1块，冰糖3～4小块。将豆腐洗净后切半、挖孔，放入冰糖，隔水炖服。

3. 芹菜适量。洗净，切碎，开水烫过，加醋拌食，每次一小盘，每日2次。

4. 蝉蜕、生甘草各3克，牛蒡子9克，桔梗5克。共为粗末，沸水冲泡15分钟，代茶频饮，每日1剂。

5. 雪梨1个（去核），川贝母末3克，蜂蜜30克。纳川贝母末入梨内，加蜂蜜炖服，每日2剂。

**【名医指导】**

1. 忌食辛辣、厚味。戒烟、酒。多喝温

开水。

2. 避免长时间高声说话，以及用力清喉咙、咳嗽等动作。

3. 感冒时尽量少说话。

4. 不可过度依赖润喉糖、罗汉果、枇杷膏或胖大海等。

5. 适当运动，保持心情愉快。

6. 生活规律，早睡早起，保持充足的睡眠，睡前不宜进食。

7. 保持乐观心态，积极配合治疗。

# 第八篇　滋补美容

## 滋阴补阳

阴虚是指由于精、血、津液等物质的亏耗，阴虚不能制阳，导致阳热相对偏亢，机体处于虚性亢奋的一种状态。临床表现为形体消瘦、面红潮热、五心烦热、口干咽燥、盗汗遗精、心烦眠少、舌红少苔、脉细数、不耐春夏、多喜冷饮等。

阳虚是指机体阳气不足（即俗称“火力不足”），功能减退或衰退，反应低下，代谢热量不足的一种体能状态。一般以脾肾阳气虚为主。临床表现为平素怕寒喜暖、手足不温、口淡不渴、喜热饮食、饮食生冷则易腹痛腹泻，或胃脘冷痛、腰膝冷痛、小便清长，大便溏薄，舌体胖嫩，舌苔白滑，脉象沉弱等。

**【必备验方】**

1. 猪尾 1 条，花生 150 克，丁香 10 克，油、盐适量。将用料洗净，花生加水煮成汤待用。猪尾干煎片刻，至皮稍黄。加入花生汤，煮至微烂，再放入用纱布包好的丁香，约煮 25 分钟，调味即可。本方有滋阴补阳、填精益髓的功效。

2. 核桃 30 克，栗子 60 克，老雄鸭 1 只，黄酒、生姜、葱白、食盐等调料适量。将老雄鸭去内脏，加工冲洗干净，放入沸水锅中略烫后捞出，将核桃、栗子洗净后放入鸭腹内，用线扎好，放入大钵中，再加入黄酒、清水及其他相关调料，隔水炖蒸约 2 小时即可。本方能补肾益精、滋阴壮阳。

3. 玉竹 50 克，猪心 500 克，姜、葱、盐、花椒、白糖、味精、香油、卤汁各适量。玉竹去杂质，切成小节，用水稍润，煎熬 2 次，收取药液约 1500 克，生姜切片，葱切段，备用。将猪心破开，洗净，玉竹液与葱、姜、花椒同猪心同煮，至六成熟时，捞出晾凉。将猪心放在卤汁锅内，用文火煮熟捞出，撇去浮沫。在锅内加入卤汁适量，放入盐、白糖、味精和香油，加热成浓汁，放入猪心滚熘即可。食之。本方有滋阴补阳的功效。

4. 干竹荪（以白色者为佳）10 克，银耳 5 克，冰糖 20 克。用冷水将竹荪、银耳分开泡发，去泥洗净。将竹荪切成长段，混合银耳用开水氽洗。将冰糖置锅中用水溶化，撇去浮沫，倾入竹荪、银耳煮熟，装碗即可，汤汁清亮。本方有滋阴补肾的功效。

5. 狗肉 500 克，陈皮 10 克，附子、砂仁各 5 克。花生油、大蒜、黄酱、芝麻酱、腐乳、姜、料酒、红糖适量。将狗肉洗净切块，用中火炒干水分后取出。锅内放入花生油，稍热，加蒜末、黄酱、芝麻酱、腐乳爆香，随即放入狗肉，再加姜、蒜、料酒翻炒，然后放入适量温开水、盐、红糖。将陈皮、附子、砂仁用白布包好捆扎，放入肉锅内，盖上盖焖煮，至肉烂、香味浓，再下少许香油和葱花即可。本方有滋阴补阳的功效。

**【名医指导】**

1. 滋阴：

（1）日常生活中，居室温度应在 24℃左右，以穿一件毛衣为宜。平时可选择冷水浴，以增强机体免疫力；避免剧烈运动、酗酒。

（2）夏宜清凉，秋要养肺。夏季宜避免烈日曝晒，不要汗出太多；秋季应郊游，登高望远，多到空气清新的地方。

（3）多练习深呼吸，使气息绵长深沉。

（4）生活工作有条不紊，不要过于劳累；平时要做到宁静放松，使精神情绪及人体各器官都能处在良好状态。

（5）饮食：多食水果，少食辛辣，不宜吃得过饱。同时，要尽量选择一些水生植物，如水稻、藕等；越冬植物，如大白菜、萝卜等；背阴处生的植物，如冬菇、蘑菇等；冬季成熟的食物，如冬梨、冬枣等；体温偏低的动物，如鸭、鱼等。另外，要常喝温水、温茶，少饮开水、热茶，少吃火锅、烧烤。

（6）适当参加运动锻炼，可经常打太极拳、八段锦、固精功、保健功、内练生津咽津的功法等。

2. 补阳：

（1）保持乐观情绪，防止悲愁忧虑和惊恐。

（2）可做一些舒缓柔和的运动，如慢跑、散步、打太极拳、做广播操。夏季不宜做过分剧烈的运动，冬季应选择天气好的时候进行户外运动。

（3）多晒太阳，多呼吸新鲜空气。可适当洗桑拿、泡温泉。

（4）平时可多食牛肉、羊肉、韭菜、生姜等温补阳气的食物；少食梨、西瓜等生冷寒凉的食物，少饮绿茶。减少食盐的摄入量；适当调整烹调方式，最好选择焖、蒸、炖、煮等方法。

（5）夏季应避免长时间待在空调房，可在夏至、三伏天吃些羊肉、鸡肉等温补之品；秋冬要特别注意足底部、背部及下腹部、丹田部位的防寒保暖。

## 补肾养身

中医学认为，肾为“先天之本”、“生命之根”。肾亏或肾气过早衰退者，可致内分泌功能紊乱、免疫功能低下，并可影响其他脏腑器官的生理功能而导致早衰。肾虚有肾阳虚和肾阴虚之分。肾阳虚者多为面色白或黝黑、腰膝酸痛、肢寒、怕冷、阳痿、早泄、舌质淡、舌苔薄、脉迟缓等。肾阴虚者主要为腰膝酸软、五心烦热、眩晕耳鸣、形体消瘦、失眠多梦、颧红潮热、盗汗、口干舌燥、舌质红、舌苔少、脉细数等。补肾阳虚者，多用热性药物；补肾阴虚者，多用甘寒药物。

**【必备验方】**

1. 沙苑子 20 克，粳米 100 克，冰糖 50 克。将沙苑子洗净，用纱布包好，粳米淘洗净，砂锅置火上，注入清水 1000 毫升，放入粳米在中火上烧开，改用小火慢煮至米烂汤稠，表面浮有粥油，放入冰糖再煮 5 分钟即可。本方有补益肾脾之功效。

2. 枸杞子 50 克，白酒 500 克。将枸杞子洗净，放入瓶中，注入白酒，加盖密封，置阴凉干燥处，每 3 日摇动 1 次，15 日后饮用；每服 10～30 毫升，或根据个人酒量酌饮，不宜过量，每日 2 次。本方补肝肾，适用于肝肾精亏症和早衰早老。

3. 鲜百合 30 克，糯米 50 克，冰糖适量。将百合剥成瓣，洗净，糯米如常法煮粥，米将熟时加入百合煮至粥成、入冰糖调味，如无鲜百合可以用干百合 10 克代之，直接与米同煮为粥。每日 2 次，早晚温热服食。本方有补肾益精、益智的功效。

4. 鸡蛋 2 个，枸杞子 10 克，熟猪油 40 克，精盐 1 克，酱油 8 克，味精 2 克，湿淀粉 10 克，鲜汤 120 克。选用新鲜鸡蛋破壳入碗中打散，加精盐、味精、湿淀粉，用冷鲜汤调成蛋糊。枸杞子用温开水去泥沙，开水浸胀，将装蛋糊之碗入笼，用旺火开水蒸 10 分钟，撒上枸杞子再蒸 5 分钟。熟猪油与酱油一起蒸化，淋在蛋面上即可。本方可补肝肾，益精血。

5. 肉苁蓉 15 克，精羊肉 60 克，粳米 60 克，细盐少许，葱白 2 根，生姜 3 片。分别将肉苁蓉、精羊肉洗净后切碎。先用沙锅将肉苁蓉煎煮半小时，去渣取汁，入粳米、精羊肉同煮。待煮沸后，加入细盐、葱白、姜片，改小火共熬至浓稠。每日早、晚各食 1 次。本方经常食用可补肝肾之阳虚。

**【名医指导】**

1. 早卧晚起，保证充足的睡眠。

2. 养成良好的看书、学习和工作的习惯；劳逸结合，不可劳心过度。

3. 平时注意营养，加强身体锻炼。

4. 保持精神安定、生活规律，节欲保精、少私寡欲；戒烟、酒。

5. 多接触阳光。冬保三暖，即头暖、背暖、脚暖。

6. 每晚足浴（用的容器以木盆为好）。晚上临睡前先将脚放入 37 ℃左右的水中，然后慢慢添加热水，让浴水逐渐变热至 42 ℃左右并保持水温，在淹过踝部的水中不断搓动双足，浸泡 35 分钟即可。

7. 多食黑色食材。可选择多食一些补益肾精的食物，如瘦肉、猪蹄、鹌鹑及鹌鹑蛋、蜂乳、甲鱼、泥鳅、鳝鱼、鸽子、牛奶、鸡、鸭、核桃、黑豆、板栗、大枣、蒜子、莲子、蚕蛹等。

## 补气养身

气虚体质是指人的气力不足，体力和精力都感到缺乏，稍微劳作便有疲劳之感。临床表现为少气懒言、语声低微、疲倦乏力、自汗（动则尤甚）、舌淡苔白、脉虚弱等。治疗以温补脾肺为主。

**【必备验方】**

1. 茯苓粉10克，玉米面100克，大豆粉40克，面粉4500克。先将面粉和玉米面掺在一起，逐渐加温水，慢慢揉合；面发好后，加好碱，掺入茯苓粉和大豆粉再揉，揉匀后，做成馒头。上屉蒸熟即可。本方健脾和胃、补气益血，常食抗衰老、延年益寿。

2. 红枣500克（去核），生山药1000克（去皮），红糖适量。先将枣掰块，洗净，再将山药切成枣块大小，用白面少许相和，蒸熟后用净水纱布包，做成长条状，冷后切成块，用花生油炸焦，再熬红糖拌炒即可，凉后随意食之。补益脾肺，补益气血。凡属脾肺气阴不足而引起的乏力、自汗等症皆可辅食之。

3. 山药120克，老母鸡1只（1000克以上），生姜3片，黄酒1匙，食盐半匙。母鸡活杀、去毛、剖腹、洗净、滤干、切块，内脏、鸡血均要，鸡肉之一半放入瓷盆，再放怀山药片，上面再放另一半鸡块，淋入黄酒、加入姜片、精盐（宜淡），用旺火隔水蒸3小时，至鸡肉酥烂；饭前空腹饮汤，每次1小碗，每日2次；鸡肉可佐膳蘸酱油吃，山药亦可食，或嚼后弃渣。本方补肺虚，益五脏，强筋骨，润肌肤。适用于肺虚气短、体弱无力、久咳、畏冷等症。

4. 牛肉1000克，黄酒250克。将牛肉洗净，切成小块，放入大锅内，加水适量，煎煮，每小时取肉汁1次，加水再煮，共取肉汁4次。合并肉汁液，以文火继续煎熬，至熟稠为度，再加入黄酒，至较稠时停火。将黏稠汁倒入盆内冷藏，取牛肉胶冻食用。适用于气血虚弱、身体羸瘦、少食消渴、精神倦怠的患者食用。

5. 鹅1只，黄芪、党参、山药各30克，大枣20克，食盐适量。将四味药洗净，用纱布包好，鹅宰杀去内脏洗净，共入沙锅内，以水淹没鹅为度。以文火炖2小时，直到鹅肉烂熟，捞去药袋，稍加食盐调味，食肉喝汤。有补益中气的作用。适用于体虚乏力、易疲劳、食少、消瘦等症。

**【名医指导】**

1. 保持精神安定、生活规律，戒烟、酒。

2. 避免长时间高声说话，以免耗气伤肺。

3. 多喝温开水、多吃水果。

4. 保证充足的睡眠，就寝之前不要吃太多东西。

5. 适当做一些运动，保持心情愉快。

6. 清晨拍手以促进阳气的升发。

7. 饮食上平时可添加黄芪、人参、党参、白术等做辅料。在秋冬季节应多吃萝卜、大枣、排骨汤等补气食物。

## 补血养身

血虚是指血液不足或血的濡养功能减退而出现一些变化，表现为面色无华、视物不明、四肢麻木、皮肤干燥、口唇淡白、头晕眼花、舌质淡白、脉细无力、妇女月经量少或延期，甚至闭经。治疗多以温补脾肾为主。

**【必备验方】**

1. 干红枣、红砂糖各50克，花生米100克。花生米略煮一下，放冷，取皮，与泡发的红枣同放煮花生米的水中，再加冷水适量，用小火煮半小时左右，捞出花生米皮，加入红砂糖，待糖溶化后，收汁即可。每日3次，随量食。本方能补气生血。

2. 丝瓜250克，香菇30克，猪蹄1只，豆腐100克，姜丝、食盐、味精各适量。香菇以水泡后洗净，丝瓜洗净切片，猪蹄洗净剁开。先将猪蹄入锅中，加水适量煮10分钟，再加入香菇、姜丝、食盐，慢炖20分钟后下入丝瓜，炖至熟烂离火，入味精即可。本方能通络养血。

3. 鲜乌贼鱼肉250克，桃仁15克，黄酒、酱油、白糖各适量。乌贼鱼肉洗干净，切条备用。桃仁洗净、去皮备用。乌贼鱼肉放入锅中，加桃仁、清水，旺火烧沸后加黄酒、酱油、白糖，再用小火煮至熟烂即可。有养血调经的功效。适用于血虚经闭。

4. 猪大肠500克，香菜100克。食用油、葱、姜、酱油、盐、白糖、黄酒、湿淀粉各

适量。猪大肠洗净，香菜洗净后装入猪肠内，肠两端用线扎紧，放入锅内，加水适量，以小火煮至七八成熟，捞肠，拆开线，除去香菜残渣，把肠改切圆片备用。锅中加食用油，烧热，放入葱姜佐料，汤将尽时，加湿淀粉即可。盛入盘中，上撒鲜香菜少许。日 3 次。适用于便血患者食用，可用于辅助治疗。

5. 鲜紫河车（胎盘）半个，猪瘦肉 250 克，生姜片 10 片，糯米 100 克。将胎盘的筋膜血管挑开，去淤血后与猪瘦肉洗净切块，生姜切丝，与粳米同煮为粥，熟后加葱、盐少许调服。每周 2～3 次服食，连服 15～20 次。本方有补精血的功效。

**【名医指导】**

1. 保持平和的心态、愉快的心情，开朗乐观。

2. 经常参加一些力所能及的体育锻炼和户外活动，每日至少保持半小时以上，如散步、慢跑、游泳、打球、跳舞、健美操甚至做家务等。

3. 主张动静结合，在重视运动的同时，也要重视静养。在嘈杂动乱时，需要一个安静的环境调养精神，或独处静坐，或闭目调息，或听听音乐，或绘画、编织等。

4. 呼吸新鲜空气；进行适宜的气功锻炼，如打太极拳等有助于增强体质和抗病能力。

5. 养成良好的看书学习和工作的习惯，不可劳心过度；保证充足睡眠。

6. 注意保持脾胃的健康和旺盛的食欲。既要饮食有节，又要重视脾胃疾病的治疗。

7. 注意营养，进食易消化、高蛋白、高维生素、低脂的食物。适当多吃富含造血原料的食品，特别是富含优质蛋白质、必需微量元素（尤其是铁元素）、叶酸和维生素 $B_{12}$ 的营养性食物，如豆制品、动物肝肾脏、动物血、鱼、虾、鸡肉、蛋类、大枣、红糖、黑木耳、桑椹、花生、黑芝麻、核桃仁以及各种新鲜蔬菜、水果等。

## 雀　　斑

雀斑好发于颜面，多为圆形或卵圆形，如针尖或米粒大小，呈棕褐色或黑色斑点，不高出皮肤表面。现代医学认为，雀斑与遗传有关，常呈家族性；还与日光紫外线的强弱有关。

中医学认为，本病是火郁于细小脉络，复受风邪侵袭，风火之邪相互搏结而引起；亦可因禀赋不足，肾水不能荣华于面，浮火结滞而形成。

**【必备验方】**

1. 将冬瓜籽研碎，与石榴皮汁调匀成浆状，将其敷于面部患处，20 分钟后取下，用热水洗净。1 个月后，对雀斑、褐斑等有明显疗效。

2. 白檀香、浆水各适量。将白檀香捣磨成汁，将煮熟的小米，浸泡在冰水中 5～6 日，至生出白色泡沫时，滤出备用。每晚用温浆水洗脸，毛巾擦干，然后在雀斑局部涂上檀香汁，第 2 日晨起擦去。

3. 取新鲜的西红柿 1 个，榨汁，然后加入 5 克甘油。每日早、晚 2 次以西红柿甘油汁洗脸，每次 15 分钟。长期坚持使用，雀斑会慢慢暗淡下去，至完全消失。

4. 大米 100 克，鲜嫩黄瓜 300 克，精盐 2 克，生姜 10 克。将黄瓜洗净，去皮去心切成薄片。大米淘洗干净，生姜洗净拍碎。锅内加水约 1000 毫升，置火上，下大米、生姜，武火烧开后，改用文火慢慢煮至米烂时下入黄瓜片，再煮至汤稠，入精盐调味即可。每日 2 次，温服。

5. 干百合 12 克，薏苡仁 30 克，蜂蜜少许。将干百合、薏苡仁洗净，加入适量清水浸泡片刻，用大火煮沸后，改用小火煮 1 个小时，备用。每日 1 剂，早、晚空腹食用，食前加入蜂蜜调味，连服 6～10 个月。

**【名医指导】**

1. 多食富含维生素 C 的蔬菜水果，如荔枝、龙眼、核桃、西瓜、蜂蜜、梨、大枣、冬瓜、西红柿、大葱、柿子、黄瓜等。

2. 注意饮食搭配，含高感光物质的蔬菜，如芹菜、胡萝卜、香菜等，最好在晚餐食用，食用后不宜在强光下活动，以避免黑色素的沉着。

3. 防晒：最好避免在紫外线较强的时间

段外出，外出时最好使用防晒霜或者遮阳伞。

4. 生活中尽量"隔热"，做完饭后清洗面部和手臂。尤其注意热油溅到的部位，应立即用凉水冲洗干净。

5. 使用含有左旋维生素C、壬二酸、氨甲环酸和一些从植物中提取美白成分的护肤品，需要坚持较长的时间。

6. 面部斑点多的女性，特别要注意经期保养。

7. 每日保证充足的睡眠。

## 黑　　斑

黑斑又称色斑，多发生于面部，常见于女性。紫外线的直接照射、使用劣质化妆品或长期使用与自身皮肤属性不一致的化妆品后出现过敏反应或炎症、女性内分泌失调、消化功能紊乱（如长期便秘者）、肝脏功能减退以及精神压力过重、睡眠不足、贫血等均可导致产生黑斑。另外，皮肤过早老化，也是导致黑斑产生的重要原因之一。

**【必备验方】**

1. 红枣30枚，黑木耳30克。将红枣洗净去核，黑木耳用温水浸泡1小时后，洗去泥沙，把黑木耳与红枣一起放入锅内，倒入适量清水，用文火煎至熟软，备用。每日1剂，2次水煎服，连服2～3个月。适用于面部黑斑。

2. 取新鲜鸡蛋1枚，洗净揩干，加入500毫升优质醋浸泡1个月，当蛋壳溶解于醋液中之后，取一小汤匙溶液掺入一杯开水，搅拌后服用，每日1杯。长期服用醋蛋液，能使皮肤光滑细腻，扫除面部所有黑斑。

3. 冬瓜1个（竹刀去皮切片），酒1升，水1升。煮烂，滤去渣，熬成膏，瓶收，每晚涂之。适用于面部黑斑。

4. 消石灰、木灰各100克，水适量，糯米20粒。将消石灰与木灰混合，加入少量的水调成泥状，其中放入20粒糯米，加热蒸一昼夜，糯米即成透明状，以竹筷挑出，放于木板上，并调成糊状贴于患部。适用于面部黑斑。

5. 新鲜芦荟汁、桃仁、苦杏仁各30克。将桃仁与苦杏仁打磨成粉末状。加入预先榨好备用的新鲜芦荟汁。将芦荟汁及粉末拌匀即可。用时取适量面膜剂敷面10～15分钟。适用于面部黑斑。

**【名医指导】**

1. 防止毛孔阻塞，随时保持毛孔畅通，实施按摩、敷面、吸除沉淀色素等护理工作。

2. 多食富含维生素C的水果，如柑橘、橙子等；也可少量服用维生素C片，多食蜂蜜。避免食用色素含量高的食物、饮料（如咖啡、茶等）。

3. 选择营养性食物，多食含钙较高的食物；注意适量运动。

4. 避免长时间曝晒在日光下，出门前使用防晒膏或者打遮阳伞。

5. 避免使用劣质护肤品及化妆品，化妆后应彻底清洁面部。

6. 注意保证充足的睡眠。妊娠前后作适当的保养及护理，并保持愉快舒畅的心情。

## 腋　　臭

腋臭是指腋窝部发出的近似狐狸的臭味，又称狐臭。

本病中医学称"体气"、"狐臊"、"狐气"。多与先天有关，承袭父母腋下秽浊之气，熏蒸于外，从腋下而出；或因过食辛辣厚味之品，致使湿热内蕴；或由天热衣厚，久不洗浴，使津液不能畅达，以致湿热秽浊外堕，熏蒸于体肤之外而引起。

**【必备验方】**

1. 辛夷、川芎、细辛、杜衡、藁本各等份，老陈醋适量。将各药捣碎，浸泡在醋中一夜，备用。临睡前擦洗腋窝，敷上药汁，第二天晨起后洗去，至治愈为止。

2. 将冰片10克置于60毫升50%乙醇中，密封，让其自行溶解，使用时先将腋窝用温肥皂水洗净擦干，再用药棉蘸上述药水擦腋部，每天3～4次，10日为1个疗程，一般1～2个疗程即可。

3. 取鸡蛋大小一块明矾（工业用明矾也可）放入小铁罐中，置火上加热化水，待水

分全部蒸发完毕，变成白色块状，取出研成粉待用（足够使用1年）。每日早、中、晚将腋下擦洗干净后，用手指醮上一些粉末涂在腋下，立即止臭。

4. 槲叶3升，切细，水煮浓汁洗腋下。洗后，以苦瓠壳烧烟熏，再用辛夷、细辛、杜衡共研为末，醋泡一夜后敷涂。

5. 木香50克。研细末，用醋调匀，浸泡1日后，敷于患处，用纱布包扎好，每日换药1次。

**【名医指导】**

1. 平时加强对自身的清洁、保养，勤洗澡，勤换衣服；保持皮肤干燥，热天不要穿得太多。

2. 保持心情愉悦，不做剧烈活动；戒烟、戒酒；少吃刺激性食品，多吃果蔬。

3. 每日用肥皂水清洗数次，甚至将腋毛剔除，破坏细菌生长环境。

4. 忌味浓或刺激性食物（如洋葱、蒜头）和辛辣食物。忌吃多油花生果仁。忌吃过多红肉，多吃白肉。

5. 常用外用药大多含有氯化铝成分，但维持时间短，需定期多次使用。还有无水乙醇溶液、甲醛、戊二醛、鞣酸等医用制剂可用，使用喷雾剂时应避免误喷到眼睛，注意远离明火。局部有破损时应暂停使用，以免对皮肤造成刺激或引起皮肤过敏。

6. 手术包括传统手术和微创手术，最好在22周岁以后进行。

## 汗　斑

汗斑是指由秕糠马拉癣菌引起的慢性浅表真菌感染，又称花斑癣。夏、秋季节多发，皮损多位于汗腺丰富部位，主要表现为黄豆大的圆形或类圆形斑疹，表面覆盖淡棕褐色细薄糠状鳞屑，陈旧损害为色素减退斑，自觉症状不明显，可微痒，皮损好发于躯干、腋下、面颈等部位。

本病中医学称“紫白癜风”。多由风湿之邪侵袭，郁于皮肤腠理所致；或因汗衣接触人体，复经日晒，暑湿浸滞毛窍而成。临床治疗多以祛风除湿为主。

**【必备验方】**

1. 红萼花600克。水煎浓汁去渣，加蜜收膏，每日早、晚各服9克，连服2个疗程，同时用白茄子擦患处。

2. 鲜山姜20克，米醋100毫升。将鲜山姜洗净捣碎，放醋中浸泡12小时后，用肥皂水洗净患处，涂敷药液，每日1次，连用3日以上。

3. 补骨脂30克，乌梅50克。浸泡在75%乙醇500毫升中，1周后滤液。外涂患处，每日2～3次。

4. 紫皮蒜2个。捣烂涂擦患处，以局部发热伴轻微刺激痛为度。

5. 海螵蛸、蛇床子各等份。共研末，另备茄子一条，每天切一小截，以两端蘸此三味粉在患部轻轻摩擦，早、晚各1次，轻者7～10日可愈。

**【名医指导】**

1. 日常注意保持皮肤干爽，勿与别人交换衣物或床上用品。特别是汗斑患者使用过的内衣裤、床单等应清洁消毒，最简单的方法就是清洗后在阳光下曝晒，或者煮沸消毒，或用甲醛溶液熏蒸，避免交叉感染。

2. 洗澡或沐浴时勿使用碱性清洁用品，应使用pH值5.5弱酸性清洁剂。

3. 衣服必须穿纯棉或麻的，保持吸汗透气。

4. 保持自身卫生，勤洗澡、勤换衣服。平时出汗较多者可以外用爽身粉，天热时要及时清洗汗渍，用热水洗浴除去皮肤上残留的汗液等污垢。

5. 夏季生活细节要注意，不宜用饮料代替白开水；不宜睡卧砖石地板；不宜冲冷水浴。夏季应多喝水，保证睡眠，尤其是不要过度劳累；饮食宜清淡，少食辛辣食物。

6. 尽可能少吃或不吃维生素C；富含维生素C的食物应尽量不吃或少吃（如鲜橘、柚子、鲜枣、山楂、樱桃、猕猴桃、草莓、杨梅等）。

7. 多食富含酪氨酸与矿物质的食物，如瘦肉、蛋类、动物内脏（肝、肾等）、牛奶、新鲜蔬菜、各种豆类及其制品、花生、黑芝麻和核桃等硬壳果类。

8. 夏季多食祛暑利湿、清热解毒的食物，如绿豆、蚕豆、赤小豆、黄豆、萝卜、茄子、白菜、茼蒿、竹笋、荷叶、菱角、青鱼、鲫鱼、鲢鱼等。

## 美泽容颜

**【必备验方】**

1. 鲜牛奶 100 克，红茶、食盐各适量。先将红茶熬成浓汁，去渣取汁，再把牛奶煮沸，盛在碗里掺加茶汁，同时加入适量食盐，和匀。每日 1 剂，空腹，代茶缓缓温饮之。本方可令人体健美，增加力气，皮肤润泽，为滋补之佳品。

2. 冬瓜子 500 克，白酒 1000 毫升。将冬瓜子用双层纱布袋装好，扎紧袋口，放入沸水中，浸泡 5～10 分钟，取出晒干，如此反复浸晒 3 次，再把浸晒过的冬瓜子泡入白酒中，浸泡 2 日后，捞出晒干，研成细粉末，装瓶备用，每次 6 克，开水冲服，每日 1 次。本方有抗衰老和美容功效。

3. 桃仁、甜杏仁、白果仁、冰糖各 10 克，鸡蛋 1 个，粳米 50 克。将桃仁等 3 味研成细末；粳米淘洗干净，放砂锅内，加桃仁等 3 味中药细末和适量水，旺火煮沸，打入鸡蛋，改用文火煨粥。粥成时加入白糖调匀。每日 1 剂，早餐食用。20 剂为 1 个疗程，间隔 5 日后可接着用 1 个疗程。此粥具有活血化瘀、润肠通便、护肤美肤功效。老年人常服此粥能减少色素斑，延缓皮肤衰老。

4. 枸杞子、龙眼肉各 500 克，蜂蜜少许。将枸杞子、龙眼肉放入锅内，倒入适量清水，用文火慢慢煮熬，过滤取汁，再在渣中倒入适量的清水，用文火慢煮至枸杞子、龙眼肉无味时，过滤取汁。合并混合 2 次滤汁，用小火浓缩成膏状，再外套一个锅，中间加入适量清水，将其炖蒸浓缩至稠膏状，加入蜂蜜伴匀，装瓶备用。每日 2 次，早晚空腹各服 1 次，每次 2～3 匙，连服 15～25 日。本方能滋阴养血，红颜明目，排毒润肤。

5. 白芷 6 克，蛋黄 1 个，蜂蜜、小黄瓜汁各 1 小匙，橄榄油 3 小匙。先将白芷粉末，装在碗中，加入蛋黄搅均匀。再加入蜂蜜和小黄瓜汁，调匀后涂抹于脸上，约 20 分钟后，再用清水冲洗干净。脸洗净后，用化妆棉蘸取橄榄油，敷于脸上，约 5 分钟。然后再以热毛巾覆盖在脸上，此时化妆棉不需拿掉。等毛巾冷却后，再把毛巾和化妆棉取下，洗净脸部即可。本方可以使肤色白净均匀。

**【名医指导】**

1. 注意休息，勿过劳；保证充足睡眠，勿熬夜。

2. 保持情志舒畅。

3. 注意饮食，多吃水果，少吃辛辣油炸食品。冬季多食粥，可用薏苡仁、山药、大枣、百合、莲子、银耳等作材料。

4. 卸妆要彻底；洗脸要尽量用冷水，尤其是过敏性及长痘肌肤。

5. 可常服一些中药保健，适当选用护肤品。

## 乌须美发

**【必备验方】**

1. 大枣肉、龙眼肉各 100 克，桑椹 150 克，大枣、龙眼去核取肉，并桑椹放入 250 克蜂蜜中，蜜浸一周后食用。每晚取 1 匙放入 1 小碗热水中饮用。此方健脾补气，益血生发。适用于气血两虚脱发者。

2. 何首乌 30～60 克，大枣 3～5 枚，糯米 100 克，红糖或冰糖适量。先将何首乌在砂锅里煎至汁浓后，将药渣去掉，然后放入糯米和红枣，文火煮粥待粥将成时，加入适量红糖或冰糖，再煮开即可。每日服用 1～2 次，7～10 日为 1 个疗程，间隔 5 日再进行下一疗程，应长期食用，方能奏效。本方有养血益气，养发、乌发之效。

3. 茯苓 500 克。将茯苓烘干，研为细末，瓶装备用。每次 6 克，每日 2 次，或者于睡前服 10 克，用白开水冲服。对斑秃有效。

4. 羊肉 50 克，草果 5 个，豌豆 100 克，大麦粉 1500 克，大豆粉 500 克，生姜汁、芫荽各适量，盐、醋各适量。将羊肉、草果、豌豆同煮熬，滤净，再入大麦粉、豆粉做成粉团。食时打糊煮熟，放入生姜汁、醋、盐及芫荽即可。本方有润肌华肤、乌发养颜的

功效。

5. 将1匙蜂蜜、1个生鸡蛋蛋黄、1匙植物油、2匙洗发液和适量葱头汁放在一起，充分搅匀，涂抹在头皮上。戴上塑料薄膜帽子，再在帽子外不断用湿毛巾热敷。过1～2小时后，将头发洗净。如果坚持每日1次，过一段时间后，可以缓解头发稀疏症状。

**【名医指导】**

1. 掌握正确的洗发步骤：先用温水充分淋湿头皮及头发；选择适合自己头皮的洗发精，取适量在手心搓揉起泡后再抹到头上；用指腹轻轻按摩头皮之后用温水冲净。如果头发较干燥，可取适量润发乳或护发乳，均匀擦在发尾处，停留数分钟后再洗净；洗头后用毛巾轻拍头发，最好自然风干，或用低温的吹风机，距离10厘米以上吹干。

2. 选择含氨基酸等滋润成分的洗发露，使用对皮肤和头发都无刺激作用的弱酸性洗发膏、精、剂等。

3. 戴帽子要注意头部的通风和透气。

4. 洗发后使用木质梳子、牛角梳子梳理头发，每日早上用粗、细两把各梳头皮100下。

5. 养成良好的生活习惯，多喝淡茶和开水。

6. 勤洗头发，坚持头部保健按摩。

7. 多食润发食品，如黑芝麻、栗子；多吃含蛋白质、糖类的食物及粗粮、坚果等。

8. 避免过度烫染头发。戒烟。

9. 保持乐观的精神状态。

## 减肥轻身

肥胖是指体内脂肪，尤其是甘油三酯积聚过多而导致的一种状态。评定标准：肥胖度＝（实际体重－标准体重）÷标准体重×100%。肥胖度在±10%之内为正常适中，肥胖度超过10%为超重，20%～30%为轻度肥胖，30%～50%为中度肥胖，50%以上为重度肥胖。肥胖度小于－10%为偏瘦，小于－20%以上为消瘦。主要原因有遗传与环境因素、物质代谢与内分泌功能的改变、能量摄入过多、脂肪细胞数目的增多与肥大、神经精神因素、生活及饮食习惯。

中医学认为，肥胖大体分为暴食肥胖型、压力肥胖型、水肿肥胖型、贫血肥胖型、疲劳肥胖型等。临床治疗因人而异：脾运不健、聚湿而成肥胖者，以化湿为主；痰浊内壅而成肥胖者，以祛痰为主；水湿潴留之肥胖者，施利水法；食后胀满之肥胖者，行消导法；肝郁气滞血瘀者，采用疏肝理气化瘀之法；嗜食肥甘厚味、胃肠实热便结者，用通腑之法；脾虚者，力主健脾；气虚阳虚者，重在温阳。

**【必备验方】**

1. 取新鲜荷叶切成碎片晒干，开水冲泡代茶饮。1个月为1个疗程。停10日再饮。服3个疗程即有明显效果。本方有减肥的功效。

2. 蜜枣5颗，玫瑰1小搓。将蜜枣跟粉玫瑰在500～600毫升的水中，放在炉火上煮开，冷却后服用。本方有减肥的功效。

3. 厚朴花、玳玳花、枳壳、炒苍术各30克，小茴香、大黄各150克，樟脑30克（后入），先将前6味煎煮，提取物烘干研细成粉，再加入樟脑共研极细粉，装入薄布内，制成6厘米×6厘米的药蕊，外用彩缎或丝做成肚兜。用时将药蕊对准肚脐，贴紧勿使滑脱即可。适用于小儿肥胖。本方有减肥的功效。

4. 优质山楂洗净，切片，晾干待用，每天泡茶时放15～20片，用开水泡服，每天如此，坚持效果最佳。本方有减肥的功效。

5. 莲花、莲藕、莲子阴干研细末，7∶8∶9混合，每日早、晚空腹服食约1克，温酒或开水送服。本方有减肥轻身、养颜防衰老的功效。

**【名医指导】**

1. 平时加强体育锻炼，多运动，以增加热量的消耗。运动项目可选择有氧运动，如长跑、快走、登山、游泳、有氧健美操等，一般减肥运动时间每次为60分钟左右，达到运动中最适心率持续12分钟以上。

2. 饮食规律，尽量做到定时定量，注意节食，忌暴饮暴食。少甜食、多素食，少吃零食、多喝水。严格限制高脂肪、高胆固醇及高糖分的食物，限制钠盐的摄入量。

3. 保证睡眠充足。

4. 多食水果，如苹果、木瓜、冬瓜、芹菜、薏苡仁、绿豆芽、红枣等。

5. 忌用不正确减肥法，如腹泻、抑食、饥饿等。

6. 少量饮酒，不酗酒；戒烟。

## 爽口香身

口臭是口臭杆菌引发的一种常见病，口臭杆菌主要在齿缝中繁殖，常并发牙龈肿痛、便秘、胃痛、消化不良等症。

中医学认为，口臭是胃火湿热的表现。临床分为胃热上蒸型，伴口渴饮冷，口舌生疮、糜烂，或牙龈赤烂、肿痛，大便干结、小便短黄、舌红苔黄、脉洪数等，宜清胃泄热；痰热壅肺型，伴胸痛胸闷、咳嗽、痰黄黏稠，或咳吐脓血、咽干口燥、舌苔黄腻、脉象滑数等，宜清肺化痰；肠胃食积型，伴脘腹胀满、嗳气吞酸、不思饮食，苔厚腻，脉滑等，宜消食和胃。

**【必备验方】**

1. 白芷、薰草、杜若、杜衡、藁本各等份。将上面5味药物研成细末，用白蜜和匀，做成梧桐子大的药丸。每天早晨服3丸，晚上服4丸，用温开水送服。服用30日后，令身体甚至脚下均香。

2. 取新鲜的青菜叶（或萝卜叶、莴笋叶）用水冲洗干净，凉开水冲一遍，晾干，然后用刀切碎，用榨汁机取汁。也可放在容器内捣烂，绞汁，再用干净纱布过滤。服用时可加入少许凉开水，每天早、晚各饮1杯，可清口气，坚持2周，便可见效。

3. 大枣1000克，肉桂50克，冬瓜子100克，松树皮500克，白蜂蜜1000克。先将大枣去核，研泥，再将肉桂、冬瓜子、松树皮（用内层白皮）研极细粉末，与枣泥拌匀，加蜂蜜制成如龙眼大蜜丸。每日早、晚各服2～4丸，温开水送服。本方长久服用，不仅可香身美容，还能白嫩肌肤、调理气血。

4. 绿茶1克，薄荷15克，甘草3克。水1000毫升，煮沸投入配方诸药，5分钟即可，少量多次温饮，饮完后，加开水1000毫升，蜂蜜25克，再如前法饮，每日1剂。本方可治口臭。

5. 生杏仁50克，食盐100克。杏仁浸泡后去皮尖，食盐上锅炒至变色，共捣成膏状。刷牙时使用。本方可去口臭。

**【名医指导】**

1. 定期检查是否有牙周病或其他疾病。

2. 维持良好的口腔卫生，消除牙周疾病；定期请牙科医师洗牙、洁牙。

3. 每日刷牙2次并清洁1次牙缝。若有义齿，晚上必须取下，隔日清洁后方可戴回。

4. 吃过大蒜、韭菜后，建议嚼口香糖和茶叶、喝牛奶和柠檬水。

5. 由消化道疾病引起者，平时应吃有利于消化的食物；并及时去内科检查并诊治。

6. 若是精神性因素，需要看心理医师。

7. 戒烟、酒；饮食清淡，多吃蔬菜、水果。

## 祛斑洁面

色斑通常由于受阳光、紫外线辐射 、药物及其他物质刺激后所致。

中医学认为，色斑是由于体内色素在表皮上瘀积所致。肝气瘀结，气血不畅，造成体内气血瘀积、郁热内生而成色斑。临床治疗以补气益血、舒经活络为主。

**【必备验方】**

1. 厚朴15克，香附10克，枳壳15克，川芎6克，猪肘500克，将前4味中药压碎，装入纱布袋，与猪肘共入砂锅中，加水适量，武火烧沸，撇去浮沫，再用文火煨至熟烂，去除药包，加入适量酒、盐、味精、酱油、糖等，再煨片刻即可食用。适用于黄褐斑。

2. 绿豆、赤小豆（红豆）、百合各15克。将绿豆、赤小豆、百合洗净，用适量清水浸泡半小时。大火煮滚后，改以小火煮至豆熟。依个人喜好，加盐或糖调服皆可。本方可润肤除斑。

3. 青嫩柿树叶若干，白凡士林30克。将柿树叶晒干研细面，与白凡士林调成膏，每天睡前涂患处，晨起洗净，一般15～30日后方能奏效。适用于黄褐斑。

4. 将香蕉去皮捣烂成糊状后敷面，15～20分钟后洗去，长期坚持可使脸部皮肤细嫩、清爽，特别适用于干性或敏感性皮肤的面部美容，效果较好。

5. 干红枣7枚，研细末，过筛后，用适量白凡士林油调成膏状。每晚睡前洗脸后，薄薄涂抹一层，第2日晨起洗掉即可。坚持数月，有预防和治疗老年斑之效。

**【名医指导】**

1. 选用适当护肤品；防晒霜要涂匀涂满，（不留缝隙，点涂于面部各处），午后用粉饼补妆。

2. 保持心情舒畅，少生气。

3. 每日洗脸3次。

4. 深层清洁皮肤，洗脸时在温水中加入1瓶盖白醋搅匀，洁面后用白醋水轻轻拍打面部，最后用冷水洗净。

5. 多食水果、蔬菜。

6. 保证充足睡眠，养成良好的生活习惯。

## 去皱美容

皱纹是皮肤受到外界环境影响，形成游离自由基并破坏正常细胞膜组织内的胶原蛋白、活性物质及氧化细胞而形成。皱纹出现的顺序一般为前额、上下眼睑、眼外眦、耳前区、颊、颈部、下颏、口周。面部皱纹分为萎缩皱纹和肥大皱纹。萎缩皱纹是指出现在稀薄、易折裂和干燥皮肤上的皱纹（如眼周）；肥大皱纹是指出现在油性皮肤上的皱纹，数量不多，纹理密而深（如前额、唇周、下颏处）。

中医学认为，皱纹与人体脏腑的功能活动密切相关。临床治疗以调补气血为主。

**【必备验方】**

1. 熟地黄、枸杞子各20克，甘菊花10克，鸡脯肉100克，粳米60克，细盐、生姜末、味精、葱花各适量。将鸡脯肉洗净，剁肉泥，备用；将熟地黄等3味中药水煎2次，取汁，备用；粳米洗净，放沙锅内，加入药汁与鸡脯肉，文火煨粥，粥成时加入细盐、葱花、生姜末与味精调匀，再煮片刻即可。每日1剂，当早餐1次趁热吃完。20剂为1个疗程，间隔5日后可用下一疗程。本方具有和血益肝、滋补肝肾、乌发固齿的功效，久服有抗皱、抗衰老作用。

2. 将新鲜丝瓜洗净切碎，用纱布包好挤出汁，加入等量药用乙醇和蜂蜜，混合均匀，使用时用棉球蘸汁涂抹面部和手臂，20分钟后用清水洗净。每日晚上擦1次，连续1个月，即可减轻皱纹，使皮肤光润、有弹性。

3. 取鲜蜂花粉70克与熟石榴2个一同浸泡在100毫升醋中80～100小时，取出捣烂成膏状，用网滤除渣后备用。每日洗脸后取少许于手心，搓揉到面部。本方经常使用能养颜、除皱、祛斑，可使皮肤细嫩有弹性。

4. 大猪蹄1具。收拾干净，放入锅中，然后加水及清浆水（由粟米加工而成），不要太满，用小火炖煮，等到皮酥骨烂，滤去杂质即可。白天用此胶浆洗面，晚上用此胶浆调和涂在面上，第2日早晨用浆水洗去，连续使用。本方能使皱纹舒减，面色光润。

5. 鲜黄瓜汁二调羹，加入等量鸡蛋清（约一只蛋）搅匀，每晚睡前先洗脸，再涂抹面部皱纹处，次日清晨用温水洗净，连用15～30日。本方能使皮肤逐渐收缩，消除皱纹有特效。

**【名医指导】**

1. 每日坚持做嘴唇操：将嘴巴最大限度地张开，发“啊”声；然后再闭合，有节奏地一张一合，每次连续100次，或持续2～3分钟。

2. 注意饮食，多吃水果；多食富含核酸的食物；常饮酸牛奶，选含软骨素硫酸的食物等；少吃辛辣油炸食物。

3. 注意休息，勿过劳，勿熬夜。

4. 保持心情舒畅，避免长时间抬头、皱眉。

5. 多锻炼身体，提高身体的免疫力。

## 美肤法

**【必备验方】**

1. 红苋菜150克，瘦猪肉60克，精盐、香油、清汤各适量。将红苋菜用水浸泡一会，洗净，切成约3厘米长的段；猪肉洗净、切成薄片，入沸水锅中氽一下，捞出用温水洗净。锅内注入清汤，放入红苋菜段和猪肉片，用旺火烧沸，撇去浮沫，改用中火煮约15分钟，加精盐调味，滴入香油拌匀，盛入汤碗内即可。本方可滋补身体、养护肌肤，使人面容润滑细腻。

2. 杏仁1500克，羊脂2000克。将杏仁放入汤中，去皮尖及双仁者，熟捣置容器中水研，取4千克汁，将锅置火上，取羊脂入内，摩面溶之，再放入杏仁汁温3～5日，色如金状，如弹子大，每服1丸，每日3次。本方可使人面白。

3. 沙苑子20克，粳米100克，冰糖50克。将沙苑子洗净，用纱布包好；粳米淘洗干净，沙锅置火上，注入清水1000毫升，放入粳米在中火上烧开，改用小火慢煮至米烂汤稠，表面浮有粥油时，放入冰糖再煮5分钟即可。本方补肝肾，益脾胃，特别适宜于形体消瘦、面色萎黄者食用，久服可使形体丰满而健美，容艳色美而不老。

4. 鲜西红柿汁、蜂蜜按5∶1混合，涂面部，10分钟后洗净，连用10～15日。本方能使黑色素分解，皮肤变白红润。

5. 面粉1匙加蛋黄1个，拌匀后加绿茶粉1匙。洗净脸后，均匀地抹在脸上，20分钟后洗去。也可用红茶与红糖泡茶，将糖茶水1匙与面粉1匙调匀，做面膜15～20分钟后洗去。本方可消除粉刺，去除油脂。

**【名医指导】**

1. 勿浓妆艳抹，最好裸妆或仅擦一些保湿成分。适当选择护肤品进行护肤。

2. 多吃浆果，如草莓、蔓越莓、覆盆子以及石榴；多食富含维生素K的食物、叶类蔬菜。少吃辛辣油炸食品。

3. 注意皮肤清洁，每日最好限制清洁次数（2～3次）。

4. 定期排毒，至少每3个月要进行1次。多喝水。

5. 加强日常锻炼，增强机体抵抗力。

6. 亚麻种子、绿茶有助于保持完美的皮肤。

7. 注意休息，勿过劳。保证充足睡眠，勿熬夜。

图书在版编目（C I P）数据

名医推荐家庭必备验方 珍藏本 / 周德生，刘利娟主编.
-- 长沙 : 湖南科学技术出版社，2015.9
（名医到我家系列丛书）
ISBN 978-7-5357-8793-4
Ⅰ．①名… Ⅱ．①周… ②刘… Ⅲ．①验方－汇编
Ⅳ．①R289.5
中国版本图书馆CIP数据核字(2015)第202380号

名医到我家系列丛书
名医推荐家庭必备验方【珍藏本】
主　　编：周德生　刘利娟
责任编辑：李　忠
出版发行：湖南科学技术出版社
社　　址：长沙市湘雅路276号
http://www.hnstp.com
湖南科学技术出版社天猫旗舰店网址：
http://hnkjcbs.tmall.com
邮购联系：本社直销科 0731-84375808
印　　刷：湖南天闻新华印务邵阳有限公司
（印装质量问题请直接与本厂联系）
厂　　址：邵阳市东大路776号
邮　　编：422001
出版日期：2015年9月第1版第1次
开　　本：710mm×1020mm 1/16
印　　张：29.75
字　　数：800000
书　　号：ISBN 978-7-5357-8793-4
定　　价：49.00元